Lorette Rosato.

GABIN

ANDRÉ BRUNELIN

GABIN

Préface de Dominique Gabin

ÉDITIONS ROBERT LAFFONT
PARIS

ISBN 2-221-01317-4

A Dominique.
A Florence, Valérie et Mathias.
A Jacky.

PRÉFACE

Il n'est jamais paru aucun livre sur Jean de son vivant. Sans doute en était-il le premier responsable, car il n'avait pas le goût de la confidence et décourageait les meilleures volontés par une attitude circonspecte, pour ne pas dire réticente. Il était pudique, secret et méfiant. Pour qu'il se confie, il lui fallait avoir en face de lui une personne qui ait sa sympathie, sa confiance, la patience d'attendre qu'il ait envie de parler et sache en plus l'écouter et le comprendre. André Brunelin, dont Jean avait fait la connaissance en 1952, a été cette personne-là.

Au cours de leurs rencontres au studio, au restaurant ou à la maison, au fil du temps, Jean lui a parlé de ses parents, de son enfance, de ses débuts dans la carrière. Il lui a raconté sa vie d'une manière informelle sans même savoir qu'André Brunelin déciderait un jour d'écrire sa biographie. C'est sans doute la raison qui donne aux confidences de Jean, telles que ce livre les restitue, un caractère spontané et vrai. Car Jean avait finalement donné son accord à ce livre mais, comme l'explique André Brunelin dans un avant-propos, ce projet n'aboutit pas à l'époque, et je l'ai regretté. Un peu moins aujourd'hui puisque enfin il est écrit et paraît, enrichi en plus de toute la dernière partie de la vie et de la carrière de Jean, ce qui n'est pas d'une moindre importance.

J'ai toujours pensé qu'un vrai livre sur Jean ne pouvait être fait que par quelqu'un qui le connaissait bien, qui avait vécu assez longtemps près de lui, avait su l'observer et l'écouter et l'aimait assez pour avoir le désir d'aller au-delà d'une certaine apparence de sa personnalité. Ce dernier point n'était pas le plus facile à mener à bien, car Jean, d'une nature franche, ne livrait cependant pas volontiers les clés de son jardin secret.

Je crois que, dans ce domaine, André Brunelin est allé aussi loin qu'il était possible d'aller. C'est pourquoi je lui ai apporté mon concours et lui ai donné mon propre témoignage sur Jean à partir du moment où je l'ai connu et jusqu'à cette fin qui a été le plus grand bouleversement de ma vie. Cette collaboration ne m'a pas été facile, car il m'a fallu faire revivre, et par conséquent revivre moi-même, tant de jours heureux avec Jean et d'autres qui, pour l'avoir été un peu moins, m'étaient cependant sensibles et précieux. Ce fut donc une épreuve très pénible pour moi, mais j'ai considéré que je devais y faire face. D'abord, en pensant à ces millions de personnes qui, onze ans après sa disparition, continuent de réclamer et de voir les films que Jean a interprétés et lui gardent leur admiration et leur affection, si j'en juge par les témoignagnes que je reçois directement moi-même. Ensuite, en espérant que ce livre apportera une meilleure compréhension du personnage si complexe mais si attachant qu'a été mon mari et qu'il révélera à beaucoup les grandes qualités humaines qui étaient les siennes.

Toute une partie du livre m'aide moi-même à le découvrir. J'ai appris, par les investigations très poussées qu'André Brunelin a menées, bien des choses de la vie de Jean que j'ignorais. Pour ses propres enfants, ce livre est également une surprenante découverte de leur père tant dans l'exercice de son métier d'acteur et sa carrière qu'en ce qui concerne son passé avant que nous entrions dans son existence. A la maison, en effet, Jean parlait peu de lui-même et de cinéma tant il désirait séparer sa vie professionnelle de sa vie de famille. Nos enfants n'ont su l'immense acteur qu'était leur père et la gloire qui était la sienne que lorsqu'ils sont devenus grands.

J'ai beaucoup ri à certaines histoires que raconte ce livre et que je ne connaissais pas, et j'ai été émue à d'autres, mais je dois honnêtement dire que, ici et là, j'ai trouvé parfois André Brunelin un peu dur envers Jean. Il le montre, en effet, souvent grognon et râleur. Certes, je sais mieux que personne que notre « monstre sacré » n'était pas tout rose, mais dans le travail surtout, il n'avait pas toujours tout à fait tort de faire savoir qu'il avait du caractère. A la maison, je crois qu'il n'a pas été tellement plus despotique que n'importe quel père ayant le sens de l'autorité et le désir de voir ses enfants en bonne santé morale aussi bien que physique, et le résultat de cette éducation a été finalement bon pour eux.

Je pense enfin qu'un homme comme Jean, doublé de l'acteur qu'il était, ne pouvait pas être quelqu'un au tempérament simple. Les personnages si divers qu'il a interprétés ont successivement laissé des traces en lui qui se sont ajoutées à sa très forte personnalité. Mais, sous son aspect puissant et sûr de lui, Jean était en réalité un être extrêmement sensible et vulnérable. Il me semble qu'André Brunelin a très bien mis en relief cette dualité et qu'il a su rendre vivante l'extraordinaire complexité de caractère de Jean. Il a écrit ce livre avec tact, passion et affection, sans cependant laisser ses sentiments aveugler son témoignage, et c'est ce qui en fait le prix.

DOMINIQUE GABIN.

AVANT-PROPOS

— Monsieur Jean Gabin ?...

— Oui, c'est moi...

Ça aurait pu commencer plus mal. Deux syllabes prononcées simplement de cette voix de gave souterrain que je connaissais bien pour l'avoir pourtant, jusqu'à cet instant, uniquement entendue sourdre d'un écran. Je m'attendais à un grognement du genre : « De la part de qui ? » et je me dis : « Dépêche-toi de lui balancer ta salade avant qu'il ne te raccroche au nez ! » On est en 1952, j'ai vingt-six ans, et j'appelle Jean Gabin d'un bistro de la banlieue parisienne où j'habite, Argenteuil. 7 heures du soir, le téléphone au bout du comptoir. Autour de moi, des types me bousculent pour commander leur apéro. Tout près, une fille joue sa vie à un flipper. En trépignant, elle secoue l'appareil et pousse des cris hystériques aux circonvolutions hasardeuses de la bille d'acier.

J'ai envie de gueuler : « Silence ! Fermez-la un peu, je parle au téléphone avec Jean Gabin ! » Mais on ne me croirait sûrement pas. Normal, moi-même, j'ai du mal... Je dis quand même dans le téléphone :

— Je vous appelle de la part des frères Prévert !...

Ça ressemble un peu à une plaisanterie dans un film de Jean Renoir, et j'entends précisément la voix de Gabin s'éclairer d'un petit rire amusé. Je m'engouffre dans la faille, et à toute vitesse je lui débite mon topo : voilà, je m'occupe d'un ciné-club à Argenteuil et j'ai préparé une soirée composée d'extraits de ses films les plus importants de l'avant-guerre. Jacques et Pierre Prévert m'ont conseillé de l'appeler, pensant que ça l'intéresserait peut-être de voir ça...

— Je vous remercie, c'est drôlement gentil de votre part, mais c'est quand, votre truc ?...

Il est poli, mais je pense qu'il ne sortira pour moi de cet échange que le plaisir d'avoir parlé au moins une fois dans ma vie, et au téléphone, avec Jean Gabin.

— Mardi prochain..., dis-je.

Je parie sur la réponse.

— Ben ça, c'est pas de chance !... Je quitte Paris dimanche...

J'ai gagné, et pourtant je fais la gueule.

— C'est surtout pas de chance pour nous...

— Je dois rejoindre ma femme dans le Midi... Vous pouvez pas la déplacer, votre séance ?...

Il me fait marcher, j'en suis sûr ! Dommage que je ne puisse pas le prendre au mot, mais on a la salle seulement le jour de relâche du cinéma et, en outre, je dois rendre toutes ces bobines de films différents impérativement mercredi.

— Je comprends. C'est bête, vous me prenez un peu de court...

Il se tait. Son silence m'embarrasse au point que je m'apprête à l'interrompre d'un : « Vous fatiguez pas, je me doutais bien que... »

— Je peux vous rappeler dans une heure ? reprend soudainement la voix de bronze.

Je me dis que, à cause des frères Prévert, il prend des gants avant de m'envoyer sur les roses définitivement.

— Vaudrait mieux que ce soit moi..., je réplique, méfiant.

— Comme vous voudrez... Dans une heure alors, hein ?...

Il raccroche. Moi aussi.

La fille du flipper a gagné et exulte.

Qu'est-ce que j'ai gagné, moi ?... De poireauter une heure pour rien, c'est sûr. De plus, à cause de cette idée de demander à Gabin de venir à cette soirée, j'ai retardé la commande des affiches chez l'imprimeur. Ça va nous faire coller, les copains et moi, seulement trois jours avant la séance, Gabin ou pas Gabin, et une fois encore on y passera la nuit, mêlés aux gars du P.C. qui, comme nous, sont des noctambules du pinceau et du pot de colle.

L'heure passée, j'appelle sans conviction.

— Je viens d'avoir ma femme au téléphone... Elle renaude un peu, mais je la rejoindrai que mercredi, et comme ça je peux venir à votre truc.

Je n'en crois pas mes oreilles.

— Seulement, il y a un problème... J'ai pas de tire, c'est ma femme qui l'a... Vous pouvez venir me chercher ?

Sur la lune j'irais le chercher, s'il s'y trouvait ! Alors vous pensez, rue Édouard-Nortier à Neuilly !...

Je fonce chez l'imprimeur et compose à la hâte le texte de l'affiche grand format. Faut ce qu'il faut, Gabin à Argenteuil, ça devrait faire du bruit. Mais pas facile, finalement, de faire comprendre aux gens que...

« JEAN GABIN EN PERSONNE... LUI-MÊME...
ASSISTERA À... SERA PRÉSENT...
PRÉSIDERA LA SÉANCE... »

Bref, je cherche avec fébrilité la formule la plus frappante, et l'ayant trouvée elle ne me frappe pas, moi, sur le moment, par son incongruité. Les affiches, collées dans la nuit qui suit, s'étalent, impressionnantes, sur les murs de la ville, et je n'y trouve, en les contemplant, toujours rien de choquant.

Désormais, il est vrai, ma préoccupation est ailleurs. Car j'ai vite dit que ça ne posait pas de problème d'aller chercher Gabin, mais je n'ai pas plus de voiture que de téléphone, et la bande de copains qui m'entourent pas davantage. Il y a bien la Peugeot du père d'une de nos camarades mais, je n'ai jamais très bien compris pourquoi, elle fonctionne à une sorte de gaz. Pas grave, si c'était discret, mais d'énormes bouteilles ressemblant à des obus de Bertha sont fixées sur la galerie et donnent au véhicule l'aspect d'un engin de guerre particulièrement meurtrier, y compris éventuellement pour ceux qui l'occupent.

Un pressentiment me dit que j'aurai peut-être du mal à convaincre Gabin que les espèces de canons braqués sur le toit de la Peugeot ne lui feraient courir aucun danger, ce dont, d'ailleurs, je n'ai jamais moi-même été certain. Plus tard, le connaissant, j'ai souvent pensé que j'avais eu du nez, ce jour-là, de renoncer au tank 7 CV Peugeot, car, bien qu'ancien chef de char pendant la dernière guerre, il n'avait jamais songé à rempiler dans l'armée, et sans doute aurait-il choisi de rester chez lui si j'étais allé le chercher avec ce véhicule quasi militaire. Ainsi, je ne l'aurais pas connu.

Heureusement, un copain instituteur dont le salaire de misère avait le net avantage sur le mien d'être plus régulier venait de s'offrir une des premières 4 CV Renault. Tout s'arrangeait donc, et on était fin prêts pour recevoir l'idole de nos jeunes années.

Le soir de la séance, partant chercher Gabin dans la 4 CV du copain instit, mon regard erre encore une fois, non sans fierté, sur les affiches qui annoncent sur tous les murs de la ville la prestigieuse venue.

D'un seul coup, foudroyé par un tardif éclair de lucidité, je crie au copain :

— Stop ! Arrête-toi !

Je descends, et, incrédule, pantois, j'examine une affiche. Le nom de Jean Gabin, en bonne place et en gros caractères rouges, est impressionnant, mais ce qui l'est davantage encore pour moi en cet instant, c'est la macabre mention qui suit :

« EN CHAIR ET EN OS »

Gabin en chair et en os ! Je fulmine contre ma « trouvaille » ! Pourquoi n'ai-je pas ajouté, pendant que j'y étais : « Jean Gabin, des théâtres et des cinémas parisiens », ou encore « le célèbre acteur bien connu ». Bref, je décide que Gabin ne doit pas voir ça. J'entre dans un café et je téléphone à un camarade : objectif, mobiliser tout le monde et effacer en moins d'une heure, et par n'importe quels moyens, le « EN CHAIR ET EN OS » des affiches susceptibles de se trouver sous le regard de Gabin le long du parcours en ville, et notamment, bien sûr, celles qui ornent la façade du cinéma.

Qu'à moitié rassuré, je débarque en compagnie de mon copain instit chez Gabin. Il vient lui-même ouvrir la grille du jardin de son hôtel particulier et nous fait entrer dans un salon. Il est aimable, souriant, détendu, mais me fait aussitôt jurer qu'il n'aura pas à dire un seul mot au cours de la soirée. Je jure tout ce qu'il veut.

— Vous comprenez, moi, je sais pas parler en public, ça me met mal à l'aise, alors me faites pas cette vacherie-là...

Il porte un polo noir en cachemire dont le large col ouvert laisse la place à un foulard de soie sombre négligemment noué, un pantalon de flanelle gris et une veste en tweed de chez Burberry's.

Mon copain et moi, on a mis notre costume du dimanche, la chemise blanche et la cravate, le tout acheté Au Petit Bénéfice, le magasin chic de notre quartier.

— J'ai pensé que c'était pas une soirée habillée, dit Gabin en nous lorgnant avec gentillesse, sans doute pour excuser son « laisser-aller ».

— Comme vous êtes, vous ferez très couleur locale, gaffe le copain instit, faisant allusion au caractère ouvrier de notre ville.

Un peu myope, il n'a pas pu faire la différence entre un polo acheté sur le marché d'Argenteuil et celui provenant de chez Hildich and Key que porte Gabin.

— Je peux me changer, grogne aussitôt Gabin, sans doute vexé qu'on le soupçonne de démagogie populiste.

Moi, au ton, je traduis : « Si vous commencez à m'emmerder, je peux aussi changer d'avis et rester chez moi ! » Je m'empresse donc d'interrompre cet échange sur la mode et l'assure que tout est parfait.

Dehors, découvrant notre superbe 4 CV flambant neuve, Gabin pousse une exclamation qui ne manque pas de m'angoisser.

— Ah ben, dites donc ! Va me falloir un chausse-pied et un tube de vaseline pour entrer là-dedans, et un tire-bouchon pour m'en sortir !...

Mon copain, très fier de sa voiture, prend un coup au moral. Gabin le réconforte d'un rire et se glisse, non sans mal, à l'avant, les jambes repliées jusqu'au menton, moi à l'arrière. Plus tard, j'apprendrai qu'il déteste les petites voitures, qu'il déteste d'ailleurs d'une manière générale tout ce qui est étroit, ayant un besoin impérieux de ses aises et souffrant de claustrophobie dans les espaces restreints.

Mais ce soir-là, nous étions tombés sur un « bon Gabin » car il ne nous montra pas davantage son désagrément, sinon qu'il déboutonna un peu son pantalon, ce qui — je le saurai également par la suite — n'avait pas particulièrement à voir avec l'exiguïté de notre véhicule, mais relevait de ses habitudes ordinaires dès qu'il se trouvait assis.

J'avais recommandé à mon copain de rouler prudemment, car il venait tout juste d'obtenir son permis. Recommandation inutile.

Impressionné par l'illustre présence à ses côtés, il ne dépassera pas le 50 à l'heure. On se traîne donc de Neuilly à Argenteuil à une allure d'omnibus, et je crains que Gabin, dans son inconfort, ne s'impatiente autant que moi-même. Je me trompe. Il est visiblement satisfait de cette allure de sénateur. Encore une fois, je devais savoir ultérieurement qu'il ne déteste rien moins que la vitesse et qu'en voiture il est d'une prudence de vieux chat.

— Vous verrez, Argenteuil, c'est un peu..., dis-je, pour entreprendre une conversation sans risque et faire passer le temps que je trouvais long.

— Je connais, m'interrompt Gabin, enfin... j'ai connu... Quand j'étais gandin, je venais guincher au Soleil d'Or... Ça existe toujours ?...

Un peu surpris, je lui dis qu'on passerait devant l'endroit, mais qu'il avait été détruit pendant la guerre...

— On y dansait des javas de première..., se met à raconter Gabin. Les musiciens étaient perchés dans une loggia au-dessus de la piste... Un vrai repaire de Peaux-Rouges... Le samedi soir, les ouvriers venaient y gambiller aussi et ça se terminait par des rixes... Le patron avait fini par fixer au plancher les tables et les chaises, mais il a jamais trouvé de solution pour les bouteilles et les verres... Dans les bagarres, ça valsait... Des fois, j'allais aussi au Moulin de la Galette sur les collines... C'était plus tranquille...

Il veut parler du Moulin de Sannois à la limite d'Argenteuil.

— Je me rappelle... On y montait à travers les vignes et les champs d'asperges... On y buvait du cidre et on y mangeait la galette, c'était bath... Ça existe encore ?...

Je lui explique que les vignes et les champs d'asperges se font plus rares, la civilisation urbaine prenant le dessus, mais au printemps on trouve encore les fameuses asperges d'Argenteuil — les vraies —, et à l'automne les quelques vignerons qui survivent font encore gracieusement déguster à la mairie leur piccolo blanc. (C'est, hélas, terminé depuis longtemps.) Quant au Moulin de la Galette, on y danse toujours en buvant du cidre et en grignotant la galette...

— C'est drôle, dit Gabin, soudain nostalgique, je pensais que ça n'existait plus tout ça... Au fond, c'est surtout moi qui ai changé... J'ai pris de la bouteille...

Je découvre qu'Argenteuil rappelle à Jean Gabin d'heureux souvenirs de jeunesse et comprends alors que le lieu où nous le conduisons a sans doute été déterminant dans son acceptation. D'ailleurs, tout dans le personnage me surprend. Il est simple, agréable, chaleureux même. Rien à voir avec la légende, celle du moins bâtie sur lui par la presse et par ceux qui l'ont superficiellement côtoyé dans le métier, qui le présentent comme un homme difficile, inabordable, sorte d'ours à la mauvaise humeur permanente.

Je mesure aujourd'hui la chance que j'ai eue de l'avoir connu à cette époque, car il est vrai que dans les années qui suivront son caractère évoluera d'une manière incompréhensible vers une sorte de misanthropie. Jamais, en effet, le Gabin des années 60 et 70 ne se serait laissé embarquer par un inconnu dans une expédition aussi hasardeuse, même si elle l'avait ramené, comme ce soir-là de mars 1952, sur les traces sentimentales de ses jeunes années.

En arrivant au cinéma où a lieu la séance, je constate avec soulagement l'efficacité de mon commando de camarades : le « EN CHAIR ET EN OS » des affiches a disparu sous l'effet d'un insolite coup de peinture noire dont les dégoulinements attestent la fraîcheur. Gabin n'aurait sans doute d'ailleurs porté aucune attention à la grotesque mention, tant je le sens soudain crispé en découvrant, dans l'éclat des néons de l'entrée du cinéma, la foule qui, ne pouvant trouver place à l'intérieur, l'attend.

— On va pas traverser « ça » ? s'exclame-t-il, inquiet. Chapeau de feutre abaissé sur le front, Gabin s'extrait de la 4 CV en reboutonnant son pantalon, et, lèvres pincées exprimant un grand embarras, il me suit à travers la foule qui l'applaudit chaleureusement et sans bousculade. On lui crie des « Bravo, Gabin ! » et même de familiers « Salut, Jean ! ». Je crains qu'on ne l'arrête pour exiger de lui des autographes. Mais non, l'accueil populaire est digne. Il en est surpris.

A la fin de la soirée, il me dira :

— J'ai eu l'impression que c'étaient de vieux copains, venus comme ça me dire bonjour et me souhaiter bonne chance !

Mais, pour le moment, il est tendu et avance au cœur de cette masse de gens en secouant légèrement la tête pour remercier, les lèvres serrées et blanches, parvenant mal à esquisser un sourire.

En le poussant dans la salle, je me dis que son calvaire — car ça en paraissait un — est terminé. Erreur. Il reste brusquement pétrifié devant cinq cents personnes — je n'avais jamais vu la salle aussi comble — qui se lèvent d'un seul bloc pour l'ovationner. Il semble pris de panique et, un instant, je crains qu'il ne fasse demi-tour. Stupéfait, je découvre cette gêne extravagante que Jean a ressentie toute sa vie devant sa popularité et dont je vais être, dans les années à venir, si souvent témoin. Par timidité, par pudeur, il a toujours mal supporté ce dont rêve tout artiste. Il me fera un jour cet aveu déconcertant :

— Je peux pas expliquer... Ces applaudissements, j'ai l'impression qu'ils s'adressent à quelqu'un d'autre qu'à moi... Je suis planté là, je les reçois et je me dis que je devrais pas, que c'est indécent...

Je le conduis à sa place au milieu des spectateurs, à côté de Pierre Prévert venu en ami et en habitué des lieux, et de Claude Heymann, son réalisateur de *Victor* qu'il a tourné l'année précédente. Gabin voudrait s'asseoir rapidement, mais, son chapeau un peu écrasé à la main, son manteau sur le bras, il se sent contraint de saluer poliment, avec des mouvements de tête un peu mécaniques et un sourire crispé qui ressemble à une grimace d'embarras, ce public qui le cerne de toutes parts et qui reste obstinément debout, à battre des mains en son honneur. Je vole à son secours, et, agitant les bras, je fais cesser l'ovation. Il m'adresse un regard de reconnaissance et, soulagé, il s'enfonce dans son siège comme s'il voulait y disparaître complètement. Je dis quelques mots pour présenter la séance, puis je me glisse à côté de lui.

— Ça va ?

— Mieux ! C'est sympathique, mais je m'attendais à soixante personnes...

— C'est ce qu'on a habituellement, dis-je sans mentir.

Il jette un coup d'œil à la salle vétuste. Elle a été construite un peu avant la guerre de 39 sur l'emplacement d'un entrepôt de Grains et Fourrages. Certaines soirées, lorsqu'on passe des films muets dans le silence recueilli de notre maigre assistance, on peut encore voir des rats, problématiques rejetons de ceux de l'époque du grainetier, se balader en longeant le bas de l'écran. C'est notamment et curieusement arrivé un soir où l'on projetait *Nosferatu le vampire* de Murnau. Terrible effet !... Sur les murs, de chaque côté de la salle, d'immenses portraits défraîchis peints par un « artiste » local sont censés représenter quelques stars internationales. Gabin me désigne un visage entre ceux de Gary Cooper et Mirna Loy.

— C'est qui, çui-là ?

— Vous !

— Mince, alors ! éclate-t-il d'un rire qui le détend.

Pendant plus d'une heure, des extraits de *Pépé le Moko, La bandera, Quai des Brumes, La bête humaine,* etc., s'enchaînent, chacun ponctué par une salve d'applaudissements. La seconde partie est consacrée à la projection du *Jour se lève.*

A cette époque, la plupart de ces films n'étaient visibles que dans les ciné-clubs et n'avaient pas retrouvé cette popularité que devait leur donner par la suite, et aujourd'hui encore, la télévision. Le public jeune d'alors ne les connaissait pas, beaucoup d'entre eux ayant même été interdits pendant l'occupation allemande.

La fin de la séance est saluée par une ovation de plusieurs minutes. Elle s'adresse certes à l'extraordinaire qualité des films, mais aussi, ce soir-là, essentiellement à celui qui les unit et les marque tous de sa personnalité.

Je sens Gabin impressionné, mais, cette fois, surtout par ce qu'il vient de voir pendant près de trois heures. Jusqu'à ce jour, il n'avait jamais vu rassemblées — personne d'ailleurs — les séquences majeures de ses films. Il me confiera même ne pas avoir revu la plupart d'entre eux depuis l'avant-guerre. Il est donc sous le choc de sa découverte et met un moment à se remettre. Il se décide quand même à se lever pour saluer l'assistance de la même manière qu'au début et avec une gêne encore plus grande.

Le silence se fait. Tout le monde, bien sûr, s'attend à ce qu'il parle, comme le font tous les comédiens et metteurs en scène qui viennent nous voir, mais lui se rassied et me regarde avec une expression de chien battu.

— Monsieur Gabin, dis-je en m'adressant à lui, mais assez fort pour que tout le monde entende, vous m'avez fait jurer que vous n'auriez pas à parler...

A mon grand étonnement, il enchaîne avec naturel, comme dans une simple conversation :

— Ben, qu'est-ce que vous voulez que je vous dise après ça ?... Merci, ça oui... Merci à tout le monde ici, parce que vous venez de me faire un drôle de cadeau que j'oublierai pas...

Jean Gabin reviendra à Argenteuil deux ans plus tard, comme ça, en copain, heureux de s'y retrouver... Mais, pour l'heure, il parle en restant assis, me regardant moi, son interlocuteur, et à travers moi c'est évidemment à toute la salle qu'il s'adresse. Je crains que le public qui, au fond, peut difficilement le voir, ne se mette à crier : « Debout !... On vous voit pas !... » Tout ce qu'il aurait détesté et qui aurait rompu le charme. Mais personne ne bronche. Dans un silence total, la voix de Gabin porte sans effort jusqu'au dernier rang. Les spectateurs devant lui et sur les côtés le voient aisément sans même avoir besoin de se lever. Quelques-uns, au fond, se dressent cependant, et je m'attends au pire. Mais non. Silencieusement, sur la pointe des pieds, ils se rapprochent simplement en descendant les couloirs latéraux et restent là à regarder et à écouter Gabin. C'est extravagant comme ambiance, mais il n'en a pas conscience. Il a subitement oublié la présence de cinq cents personnes. Il parle...

— Vous savez, je sais pas quel effet ça vous fait, à vous, de voir ou revoir tous ces films, mais pour moi c'est terrible... Je suis content et en même temps c'est pas tellement marrant de se dire que ce type-là, sur l'écran, pourrait être mon fils... A un moment, j'ai même un peu oublié que c'était moi... Sans blague !... C'est à cause de la voix... Elle a changé... La gueule aussi évidemment... (Il rit.) Vous, vous analysez tout ça... L'histoire, la mise en scène, le jeu du comédien... Mais moi, avec le recul, je me dis, en revoyant certaines scènes, que j'aurais pu les jouer autrement... Qu'ici je fais un geste inutile, le regard aurait suffi, que là j'ai pas pris le bon ton... Mais, au fond, c'est même pas ça qui est important pour moi... C'est ce que j'ai ressenti, et ça, c'est difficile d'en parler parce que c'est... comment vous dire... trop intime... C'est une part de ma vie, vous comprenez ?...

Il faut croire que tout le monde a compris Jean Gabin ce soir-là, car, appréciant sa simplicité, le public se décide à le laisser partir — j'allais écrire... s'enfuir — sans lui ménager une dernière fois ses applaudissements.

Pour ma part, j'avais surtout compris, dès cet instant, que cet homme dont l'extrême pudeur et la timidité étouffent le langage quand il est devant un public possède cependant cette faculté rare d'exprimer l'essentiel avec un minimum de mots et une sensibilité à fleur de peau.

A quelques-uns, et rejoints par Pierre Prévert, Claude Heymann et Guy Ferrier, le neveu de Gabin, on est allés, avant de se séparer, prendre un verre au bistro du coin

— Vous m'avez bien eu quand même, hein ?... m'attaque-t-il en riant. Vous m'avez fait parler... J'ai fait un effort, c'était tellement gentil, tout ça...

Devant la 4 CV qui nous attend pour le retour, Gabin sourit.

— Je commence à m'y faire, dit-il en se glissant sur le siège, « sans chausse-pied et sans tube de vaseline » !...

Un peu plus tard, nous séparant devant son domicile, Jean Gabin me dit simplement :

— Appelez-moi, hein ?... Venez me voir au studio quand vous voudrez... Promis ?

Je promis. Sans illusion cependant, car, encore sous le coup de l'émotion que lui avait procurée la soirée, sans doute son invitation était-elle sincère, mais je pensais que pour un homme comme lui cette sorte d'événement devait s'oublier vite, et encore plus vite celui qui l'avait suscité. Je subissais aussi l'influence de la légende, à savoir que Gabin avait ses bons et mauvais jours, les mauvais étant, disait-on, plus fréquents. J'avais eu la chance de tomber sur deux « bons » jours de Gabin : celui où je lui avais téléphoné pour l'inviter et celui où il était venu. Une baraka aussi exceptionnelle risquait de ne pas se renouveler de sitôt.

Ainsi le temps passa sans que je songe réellement à répondre à son invitation. Jusqu'au jour où un de mes camarades m'apporta une série de photos qu'il avait faites au cours de la fameuse soirée. J'avais pris soin qu'aucun journaliste ni photographe professionnel n'y assiste, et ce n'était pas ce qui avait le moins réjoui Gabin ce soir-là. Mais ces quelques photos d'un amateur, j'ai pensé qu'elles lui feraient peut-être quand même plaisir.

Plus tard, j'apprendrai que Jean n'attachait pas le moindre intérêt à sa représentation photographique. Au point que, fait extrêmement rare chez un comédien naturellement porté par sa fonction à un certain narcissisme — ce qui n'était assurément pas son cas —, je n'ai jamais vu dans aucune des demeures qu'il a habitées la moindre photographie de lui. Quant aux coupures de presse le concernant, il ne les lisait que très exceptionnellement, sachant que, le plus souvent, elles le mettraient en fureur.

Tout cela, je l'ignorais au moment où je décidai enfin d'aller le voir au studio pour lui porter ces photos. Il venait de commencer un film de Georges Lacombe, *Leur dernière nuit.* Il m'accueillit avec tant de chaleur et de contentement que j'aurais pu commencer à douter de la légende des bons et mauvais jours de Gabin. La baraka continuait pour moi. Il entreprit de me présenter à tout le monde sur le plateau, et cela donnait à peu près ceci :

— Il s'occupe d'un ciné-club à Argenteuil... C'est drôlement intéressant... On y passe des vieux films, des muets même... Rien que des bons... Vous me connaissez, moi, j'aime pas me montrer, mais là c'est différent... C'est un public chouette qui m'a pas emmerdé avec des questions à la con... C'est bien simple, moi qui parle pas, je leur ai raconté ma vie...

Il exagérait un peu pour ce qui était d'avoir raconté sa vie, mais il paraissait très fier d'exhiber les petites photos que je lui avais apportées et qui témoignaient, en effet, qu'il avait parlé, assis au milieu des spectateurs.

— Vous êtes pas pressé ? Restez un moment... Asseyez-vous là..., me dit-il en attirant d'autorité un fauteuil près du sien.

Je n'étais pas pressé et j'ai passé l'après-midi à ses côtés. De temps en temps — car il était quand même là pour ça —, on l'appelait pour tourner.

— Vous bougez pas, hein ? Je reviens...

J'étais aux premières loges et je pouvais tout à loisir regarder travailler un des plus grands acteurs qui soit. Puis il revenait s'asseoir et on parlait. C'était surtout lui qui parlait, moi, j'écoutais. Et je ne me doutais pas alors que ce jour marquait le début d'un lien entre lui et moi, qui durerait près de vingt-cinq ans. J'allais, en effet, désormais passer ainsi de nombreuses heures près de lui, au studio ou ailleurs, à le regarder jouer la comédie, à le regarder vivre, à l'écouter me raconter sa vie, celle passée, celle qu'il vivait au jour le jour.

Alors, évidemment, des « mauvais jours » de Gabin, j'en ai finalement connu pas mal, et même de sacrés ! Mais, comme ce premier jour-là, au studio, des « bons », il y en eut aussi beaucoup et même de « très bons ». Je n'ai jamais songé à faire le tri ni à établir les pourcentages. J'ai par contre essayé de le comprendre et ne l'ai pas regretté. Il en valait la peine.

Durant un si long temps, il n'y eut entre nous que trois bouderies — même pas des fâcheries — et les trois fois c'est moi qui lui ai fait la gueule. Normal, il avait tort. Le problème avec lui, c'est qu'il ne voulait jamais l'admettre. Il s'arrangeait seulement, d'une manière ou d'une autre, pour vous faire comprendre qu'il le savait. C'était largement suffisant pour qu'on cesse de lui en vouloir.

Je suis passé au travers de ses terribles coups de crocs qu'il balançait souvent sans discernement et parfois même avec méchanceté, au travers aussi de ses monstrueuses colères qui le rendaient malade. Comment j'ai fait ? Je ne sais pas. Ça s'est passé comme ça, c'est tout.

Je l'ai dit, j'avais vingt-six ans, Jean quarante-huit. Pour me situer par rapport à lui, je dirai brièvement que je travaillais en marge du cinéma. J'occupais une fonction permanente à la direction parisienne de la Fédération française des ciné-clubs et j'avais alors comme honorables collègues : Jean-Pierre Barrot, ancien rédacteur en chef du prestigieux *Écran français*, et Pierre Billard, aujourd'hui un des patrons du *Point*.

J'écrivais des papiers dans la revue *Ciné-club* dont j'assurais également le secrétariat de rédaction, revue qui allait devenir ensuite *Cinéma 55* et changer de millésime chaque année...

Cette occupation me mettait en contact avec des réalisateurs, des scénaristes, des acteurs dont quelques-uns allaient devenir des amis. J'envisageais d'écrire un jour non plus *sur* le cinéma, mais *pour* le cinéma en devenant scénariste. La chose allait se faire tardivement. J'ai toujours beaucoup traînaillé dans les chemins de traverse...

En 1952, Jean, lui, traversait ce qu'il appelait joliment, en référence à la peinture qu'il aimait, sa « période grise ». C'était le temps, comme il le disait d'une manière encore plus imagée, où « le drapeau noir flottait sur la marmite ». Malgré quelques films dans lesquels il exprimait un talent intact mais où il n'était pas toujours utilisé au maximum de sa force dramatique, il n'avait pas retrouvé la place prestigieuse qui avait été la sienne — la première — dans les années qui avaient précédé la guerre de 39/45.

Il s'était marié en 1949, avait eu rapidement sa première fille, Florence, la seconde, Valérie, allait naître fin 1952 et son fils Mathias trois ans plus tard. Ces événements personnels allaient assez vite transformer sa façon de voir et d'envisager l'existence. Je crois qu'il vivait dans ces années-là, peut-être pour la première fois de sa vie, des moments de grand bonheur malgré une situation professionnelle qui, dans le même temps, le laissait insatisfait et déçu mais sans amertume ni aigreur. Sur différents plans, il avait fait table rase de son passé et vivait le présent en espérant que les choses continueraient à aller doucement et sans trop de heurts pour lui, ne se doutant pas qu'il était, en fait, à l'orée d'une seconde carrière qui le propulserait de nouveau à la première place du cinéma français et européen.

Il se trouvait donc à un tournant — au moins sur le plan affectif —, et sans doute éprouvait-il le besoin de faire le point, de jeter un regard en arrière avant de plonger délibérément vers l'autre versant de son existence, celui de la cinquantaine qui se présentait à lui avec des responsabilités nouvelles qui n'étaient pas sans l'angoisser, même s'il les avait ardemment désirées.

Comme on dit, j'arrivais au bon moment, et c'est la raison pour laquelle, je suppose, il m'accepta si facilement dans son horizon familier. J'étais aussi d'une autre génération que la sienne — de très loin le plus jeune de ses familiers — et mon regard sur le cinéma ne ressemblant pas toujours au sien, peut-être que cette confrontation l'intéressait.

Deux ans après notre rencontre, en 1954, un événement allait sceller encore plus étroitement nos rapports : j'ai organisé salle Pleyel, à

Paris, une soirée en son honneur pour fêter ses vingt-cinq ans de cinéma. Le triomphe que lui fit la profession devait beaucoup l'impressionner, et il voulut bien m'associer à ce souvenir et m'en garder quelque reconnaissance.

Dois-je ajouter que, plus sûrement encore, nos liens ne manquèrent pas de se consolider autour de fréquents et roboratifs repas pris chez lui ou dans quelques restaurants de franche renommée d'où on ne parvenait à nous déloger qu'après une longue et ferme insistance des patrons, l'heure ordinaire de fermeture étant le plus souvent largement passée ?

Que de beaux soirs j'ai passés en sa compagnie !

Tous ses intimes ont connu le « show Gabin » au cours duquel, inspiré par la nuit, la chaleur de l'amitié, de la bonne chère et du vin, Jean, royal et touché par la grâce, nous emportait sur les sommets de sa conversation lyrique.

Personne, en effet, n'était plus bavard que Jean quand cela le prenait et qu'il se sentait en confiance. Je n'ai personnellement — du moins au début — jamais sollicité ses confidences. Je n'avais pas de raison à cela. Lui, je l'ai dit, en avait peut-être en se racontant à moi, mais ni l'un ni l'autre n'avions d'arrière-pensées. Il n'allait pas tarder toutefois à m'en venir une.

A force de l'entendre me parler de ses parents, de son enfance, de ses débuts hésitants dans la vie, de sa carrière enfin, je m'étais en effet décidé à rédiger des notes, lorsque, après nos conversations, je rentrais chez moi.

— Si j'écrivais un livre sur vous, Jean ? lui dis-je un jour avec prudence.

— Ça intéresserait qui ?

— Beaucoup de monde...

— Ça m'étonnerait, mais si ça vous amuse, allez-y, à vos risques et périls. Seulement, je vous préviens, m'emmerdez pas trop avec ça !...

C'était sa façon à lui de me donner son accord. Nous étions en 1953.

Je dois ici préciser un point de nos rapports : Jean et moi ne nous sommes jamais tutoyés. De ma part cela se conçoit, de la sienne, c'est plus singulier, surtout si l'on tient compte que j'avais vingt-deux ans de moins que lui et que, d'une manière générale, il tutoyait assez facilement. Encore qu'il ne tutoyait jamais tout de suite quelqu'un qu'il ne connaissait pas, ou mal. Il attachait même une grande importance aux convenances. Sur un plateau de tournage, c'était assurément différent, et il tutoyait pratiquement tout le monde, sauf les producteurs et les directeurs de production. Ce vouvoiement obstiné de Jean à mon égard — même lorsque plus tard je devais travailler à ses côtés sur des films — était une curiosité qui étonnait un peu. Je n'ai pas d'explication à ça, je ne lui en ai jamais demandé et surtout je ne l'ai jamais prié de me tutoyer, sachant que, s'il en avait eu envie, il l'aurait fait sans ma permission qui allait de soi.

La seule explication, donc, que je puisse avancer est que nous nous sommes connus hors « plateau », autrement dit hors métier, et que le pli étant pris il n'a jamais éprouvé le besoin d'en changer, et ce fut très bien ainsi.

Donc, j'avais décidé d'écrire ce livre. Au fil des jours et au détour de conversations générales, Jean continuait à me livrer des parcelles en vrac, sans ordre, de sa vie, de sa carrière et ses sentiments sur les gens et les choses. Rien de prémédité dans tout cela. Un peu comme si l'idée du livre n'existait toujours pas, ni dans sa tête ni dans la mienne. D'ailleurs, on ne l'évoquait jamais.

Un jour, c'était en 1955, pendant le tournage de *Des gens sans importance* d'Henri Verneuil, j'étais allé le rejoindre au studio comme cela m'arrivait souvent, car nous devions ensuite dîner ensemble, « en garçons », comme il disait.

Dans sa loge, alors qu'il se démaquillait, je lui dis que j'avais à lui lire un texte.

— C'est quoi ?

— Vos souvenirs...

— Ah ! Vous n'allez pas m'emmerder avec ça !...

— Si, Jean... Je vous fais parler et j'ai besoin de votre accord... Il y en a seulement pour une heure environ...

— Une heure !... Non mais, ça va pas, j'ai les crocs, moi !...

En renaudant, il se laissa tomber dans un fauteuil avec son paquet de cigarettes et un solide whisky. Je m'installai devant une table et n'en menai pas large en commençant ma lecture. C'était loin d'être un texte définitif, plutôt une sorte de brouillon qui n'était même pas construit mais dans lequel je lui faisais évoquer ses parents, son enfance, ses débuts au théâtre et au cinéma. A cela s'ajoutaient quelques autres récits épars sur des périodes diverses de sa vie qu'il m'avait aussi racontées.

La table était fixée face au mur et m'obligeait donc à lire en lui tournant le dos. C'était aussi bien, car j'étais surtout préoccupé de ne pas trop m'embrouiller dans mes papiers et je n'étais pas, ainsi, tenté de guetter ses réactions. Je me disais avec quelque crainte que je les connaîtrais toujours assez tôt...

La lecture de ces quelque cent cinquante feuillets brouillonnés dura davantage que je ne l'avais prévu. Pas une seule fois cependant il ne m'interrompit ou ne manifesta une impatience. Je n'entendais de lui, dans mon dos, rien d'autre que le grattement de temps à autre d'une allumette quand il allumait une cigarette.

Ayant terminé ma lecture, je n'osai pas le regarder immédiatement et je prenais un temps un peu excessif à ranger mes papiers. A la longue, son silence me déroutait et je ne savais pas trop quoi en penser. Je finis par me retourner vers lui : il était à la fois lointain et très présent, ses yeux rosissaient sous l'effet d'un profond bouleversement.

— C'est bien... c'est bien..., parvint-il à articuler d'une voix sourde et altérée.

Puis il se leva aussitôt et, avec cette manière bien à lui qu'il avait de dissimuler une émotion, il maugréa :

— Mais maintenant, avec vos conneries, on va becqueter à pas d'heure !...

Dans sa voiture qu'il conduisait et qui nous menait à l'Alsace, une brasserie à côté du cinéma Le Paris en bas des Champs-Élysées où nous allions souvent et qui n'existe plus aujourd'hui, il rectifia le nom de deux ou trois personnages que j'avais mal notés et me précisa quelques points de détail ici et là.

En entrant au restaurant, il fut péremptoire.

— Maintenant, je veux manger ma choucroute tranquillement ! Avec votre bouquin, vous faites ce que vous voulez, mais m'en parlez plus, débrouillez-vous !...

Je commençais un peu à le connaître, et j'aurais dû comprendre que sa réaction n'était pas de l'indifférence, mais venait de son invraisemblable pudeur. On n'en parla donc plus. On n'en parla même plus jamais... Et cela demande une explication. J'étais tout à fait décidé à écrire ce livre, mais mes occupations d'alors m'obligèrent à repousser ce projet. J'estimais aussi avoir le temps, que rien ne pressait. Je continuais bien évidemment à voir Jean régulièrement. Le fil des jours se déroulait et, sans nous en rendre compte, celui des années. Nous ne parlions plus du livre, en effet. Seule Dominique, sa femme, me questionnait de temps en temps : « Et ce livre ? » Mais je me disais que Jean, lui, avait oublié, ou qu'il n'en avait rien à faire. Je sais aujourd'hui que je me trompais. Il en parlait, mais pas à moi. Avec Dominique, par exemple. Il lui arrivait, évoquant le livre, de dire en souriant : « Mes Mémoires. » A d'autres, avec qui il travaillait — je l'ai également su ces temps-ci —, il expédiait des menaces du genre : « Vous verrez, quand " le " Brunelin sortira mes Mémoires, ce que vous allez prendre sur la tronche !... »

Il n'était pas sérieux quant aux menaces, mais ce qu'il reste de tout cela pour moi aujourd'hui, c'est la découverte qu'il a, contrairement à ce que je croyais, réellement eu envie que ce livre paraisse. M'en a-t-il voulu de ma légèreté ? Il ne me l'a jamais montré. Il aurait dû. J'aurais peut-être compris plus tôt qu'avec Jean il ne faut jamais s'arrêter à l'apparence qu'il donnait à ses sentiments.

Dans les années 60, je devins, à sa demande, attaché de presse des films qu'il tournait. Nous passions alors chaque année, à l'occasion des tournages, des mois à nous voir chaque jour, pendant des journées entières qui se prolongeaient souvent tard dans la soirée. Notre travail nous occupait pour l'essentiel, mais je continuais, par la force des choses, à l'écouter parler et à l'observer. Je devenais le témoin direct d'une partie de sa vie et de sa carrière qui se déroulait sous mes yeux, et le confident d'une autre, pas seulement celle d'avant notre rencontre mais aussi celle à laquelle je n'étais qu'indirectement mêlé : sa vie familiale, ses espoirs et ses soucis d'agriculteur-éleveur, devenu sa seconde profession.

Lorsqu'il m'arrivait quelquefois encore de penser à ce possible bouquin, je ressentais aussitôt un malaise. Nous nous connaissions assez peu quand Jean m'avait donné son accord, et je me disais que je disposais alors envers lui d'une certaine distance naturelle qui me permettait une écriture libre. Les choses étaient devenues différentes. Je me trouvais désormais dans la situation de profiter d'une familiarité que des circonstances imposées avaient nettement accentuée entre nous. Le livre pouvait s'en enrichir certes, mais le blanc-seing donné me paraissait ne plus correspondre à cette nouvelle situation.

Alors, pourquoi ce livre, finalement, aujourd'hui ?...

Plus de dix ans après sa mort, Jean reste intimement présent à ma mémoire. Cela aurait suffi à me décider. Mais aussi, cruellement, l'écoulement du temps m'a redonné envers lui une autre distance, celle du biographe et cet espace de liberté qui n'a rien à voir avec celui qu'il ne m'aurait sans doute pas marchandé de son vivant.

Car le livre n'a évidemment plus la forme qu'il aurait eue si je l'avais écrit dans les années 50, et même 60.

Il serait donc abusif de reprendre, à cet égard, le terme de « Mémoires » que Jean employait alors non sans ironie et dérision d'ailleurs, « Mémoires » parcellaires et inachevés de toute façon.

Toutefois, et pour une part importante, il y fait encore entendre sa voix comme il avait été prévu, parfois sous la forme d'un récit à la première personne, parfois sous forme de dialogue. Pour le récit notamment, je n'ai pas cherché à restituer son langage parlé qui était d'une grande richesse de vocabulaire et d'expressions imagés. En raison même de la durée des textes, j'ai craint de manquer de souffle et de talent pour réussir l'entreprise, et, en définitive, de risquer de le trahir davantage qu'en me contentant, comme je l'ai fait, d'une transcription plus « littéraire » mais qui reste expressément fidèle à l'essence de ses confidences et de sa pensée. Personne ne regrettera plus que moi qu'il n'ait pas écrit lui-même ces textes ou même encore qu'il ne les ait pas enregistrés. Il était trop paresseux pour la première solution et pour la seconde, hors du plateau il détestait les micros qui le paralysaient. Il n'aurait pas compris que je lui en présente un et, dans cette éventualité qui ne m'est d'ailleurs jamais venue à l'esprit, je suis persuadé que ses confidences n'auraient pas eu le même caractère spontané. Il faut aussi comprendre que ces moments au cours desquels il me parlait étaient tout à fait informels. Je lui posais assez rarement des questions. Jean était un authentique conteur qu'il valait mieux ne pas interrompre.

Par contre, pour certains « dialogues » brefs, à l'emporte-pièce souvent, il m'a été plus facile de restituer au plus près son langage « vrai », notamment dans des réflexions qui lui étaient familières et que tous ceux qui l'ont approché reconnaîtront.

J'ajouterai, pour conclure sur ce point, que Jean avait eu connaissance d'une part essentielle des textes où il se confie à la première personne et qu'il avait été satisfait de la manière dont je le faisais s'exprimer. Il n'aimait pas, en effet, la façon dont les journalistes transcrivaient son langage, dont il estimait le résultat souvent vulgaire et totalement dénaturé. Il disait : « Une phrase écrite destinée à être lue n'a rien à voir avec la même phrase parlée, car la voix et ses inflexions lui donnent une couleur tout à fait différente. » J'ai, autant que j'ai pu, essayé de respecter ce qu'il souhaitait.

En contrepoint donc à ce qu'il faut bien appeler son propre témoignage, il y a désormais celui de ceux qui, d'une manière intime, proche ou lointaine, ont longuement ou ne serait-ce qu'un moment croisé sa vie, et que j'ai recueilli au cours d'une enquête récente.

J'y ai ajouté le témoignage posthume de quelques-uns qui, souvent en un temps lointain, et au hasard de conversations, m'ont parlé de Jean Gabin à une époque où je ne le connaissais pas encore. Ceux-là, bien sûr, ont ignoré que leurs propos s'inséreraient dans ce livre.

Cet ensemble de témoignages se chevauchent et se complètent souvent, d'autres — et rien là de plus naturel — se révèlent au contraire contradictoires, y compris en regard de ce que je tenais de Jean lui-même.

Le reste du livre n'est jamais rien d'autre qu'un témoignage de plus : le mien, c'est-à-dire mon regard sur l'homme, le comédien, sa vie, ses films. Son caractère privilégié n'en exclut et n'en diminue évidemment aucun autre, et lui laisse identiquement toutc la fragilité inhérente au genre. Je me suis cependant efforcé de le confronter aux autres, écrits ou parlés, d'hier ou d'aujourd'hui, et sans trop me dissimuler dans l'ombre de Jean, ni surtout m'en approprier l'exclusivité.

En conscience donc, j'ai rapporté ici ce que je sais de Jean, ce qu'il m'a dit et ce que j'ai vu, ce que d'autres m'ont dit, et ont vu également, et j'ai tiré quelquefois, de tout cela, de prudentes analyses. Mais je sais trop que, quels que soient les sentiments et le désir de vérité avec lesquels on tente d'approcher la réalité d'un homme, nous n'en découvrons jamais plus que de rares lambeaux.

Et je sais mieux encore que, dans l'improbable hypothèse où il lui serait donné de savoir aujourd'hui que j'ai enfin écrit ce livre sur lui, Jean ne manquerait pas d'en tirer une conclusion à la hauteur de sa pudeur et de cette philosophie qu'il aurait certainement conservée pour juger des gens et des choses de ce monde :

— Quelle connerie !

PROLOGUE

« Si vous voulez jouer les paillasses, foutez le camp d'ici et remettez plus les pieds chez moi !... »

*

C'était un sacré jour de 1884. Ferdinand Moncorgé, mon père, venait d'avouer à ses parents qu'il voulait être un artiste, et le soudain vouvoiement de son père, autrement dit mon grand-père qui s'appelait aussi Ferdinand, était chez lui la manifestation d'une explosive colère. Pour le gamin qu'était alors mon père, pas question de discuter et il devait sur-le-champ faire un choix qui allait marquer toute sa vie, et, curieusement, par ricochet beaucoup plus tard, la mienne aussi.

Ou il obéissait à l'ordre paternel et poursuivait sagement son apprentissage de charron, ou il s'obstinait à devenir un « paillasse », et il quittait dans l'instant la maison familiale. Mon père n'hésita pas : il fit son baluchon qui n'était pas bien lourd, prit sa casquette du dimanche, embrassa ma grand-mère qui pleurait sans oser rien dire, et partit.

J'ai souvent entendu mon père raconter cette scène de rupture avec le sien. Je devais avoir cinq ou six ans la première fois, et ça m'impressionna beaucoup car j'étais à un âge où on imagine mal ce genre de conflit avec ses parents, et surtout qu'on puisse les quitter. A mes yeux d'enfant, dans cette histoire-là, mon père faisait figure de jeune héros conquérant partant à l'aventure et, rétrospectivement, je l'admirais.

J'étais alors évidemment loin d'imaginer que le choix qu'il avait fait d'être artiste allait impliquer pour moi quelques années plus tard, et de par sa volonté obstinée, de le devenir également. Totalement rebelle à cette idée, je devais moi aussi, et à peu près au même âge que lui, rompre avec mon père comme il avait rompu avec le sien, mais pour la raison strictement inverse.

J'ai connu mon grand-père Moncorgé dans les trois ou quatre années qui ont précédé sa mort en 1910. Il avait alors autour de soixante-dix ans, et donc, quand mon père s'est fâché avec lui, il en avait quarante-cinq. Mais j'ai toujours pu l'imaginer, ce fameux jour. Car, hiver comme été, durant toute sa vie il conserva la même silhouette. Une large bande de flanelle ceinturait sa taille et remontait presque jusque sous les aisselles, son pantalon de velours sombre, grossièrement côtelé, était soutenu avec de larges bretelles et un ceinturon de cuir avachi pendouillait sur son ventre et me faisait penser à la sous-ventrière qui battait le poitrail du percheron de mon copain Auguste Haring dont les parents avaient une ferme à côté de chez moi à Mériel.

Mon grand-père m'impressionnait mais ce qui m'intriguait, c'était qu'il prenne tant de précautions pour ne pas perdre son pantalon, moi qui étais toujours en train de remonter ma culotte sur les injonctions de ma mère.

— Fais donc attention, tu vas finir par montrer tes fesses ! me criait-elle.

Je me disais que, harnaché comme il l'était, le grand-père ne risquait pas, lui, de montrer les siennes. Cette image que j'ai gardée de lui m'a laissé pour toujours l'idée qu'un homme qui soutient son pantalon avec des bretelles et une ceinture ne peut être qu'un honnête homme.

Quand je l'ai connu, il avait une belle barbe blanche qui encadrait une tête qui me paraissait énorme, avec des traits extrêmement burinés par le labeur en plein air. On devinait à peine sa bouche qu'il ouvrait d'ailleurs peu car il était avare de paroles. En outre, le plus souvent il serrait entre ses dents le tuyau court et courbé d'une grosse pipe noire.

J'ai toujours supposé que le jour où il a laissé partir mon père vers sa destinée de « saltimbanque », comme il disait, il devait être comme je l'ai vu plus tard, planté au milieu de son jardin, sa blague à tabac à la main et bourrant son brûle-gueule, fermé sur lui-même et, à cet instant sans doute, secrètement meurtri dans son orgueil. Il n'a, en effet, pas eu un mot, un geste, pour retenir son fils qui s'éloignait de la maison, route de Versailles à Boulogne-Billancourt. A la vue de ma grand-mère qui sanglotait en serrant dans ses jupes mon oncle Marie-Auguste qui avait six ans, il s'est contenté de hausser les épaules.

— Quand Ferdinand aura assez mangé de vache enragée, il reviendra dans le droit chemin !...

Ça a été sa bénédiction, au grand-père ! Mais le « droit chemin », mon père ne l'a jamais repris, et de la vache enragée, il devait en effet en faire son menu quotidien pendant les années qui suivirent son départ. Je me souviens, alors que j'étais enfant, qu'il nous en a même fait goûter encore quelques restes à la maison, les jours où un engagement au théâtre tardait à venir, ou lorsqu'il avait imprudemment jouer ses cachetons aux courtines sur les chances de première d'une pouliche aux belles allures qui oubliait d'être à l'arrivée.

Malgré tout ça, mon père ne regretta jamais la décision qu'il avait prise de devenir un « paillasse » et il ne remit pas les pieds dans la maison paternelle avant longtemps, autrement que pour venir, en cachette, embrasser ma grand-mère.

Car c'était un homme dur et intransigeant, mon grand-père Moncorgé. Peu bavard, je l'ai dit, ses rares phrases tombaient comme des couperets de guillotine et personne ne songeait à moufter. Se tromper, avoir tort, ne serait-ce qu'une fois dans sa vie ne lui est, paraît-il, jamais venu à l'idée. Têtu, rude, sans doute pudique aussi, il montrait rarement le moindre attendrissement envers les siens. Sa seule faiblesse était la passion qu'il avait pour ses beaux choux verts et pommés dont son jardin, derrière la maison, était plein car il n'y cultivait que ce légume. Il s'en régalait en potée ou plus simplement avec une bonne tranche de lard bien gras.

Dans ma famille, on a toujours prétendu qu'il m'avait légué quelques traits de caractère. C'est vrai en ce qui concerne notre goût commun pour la potée aux choux...

*

Ferdinand Moncorgé, le grand-père paternel de Jean Gabin, était né en 1839 à Mardor près de Tarare dans le département du Rhône.

Venu très jeune à Paris, il y avait fait la connaissance d'une demoiselle Gérome (orthographié parfois Gérum) prénommée Rose-Justine, originaire de Belfort, et cuisinière de son état. Mariés le 25 janvier 1868 sous le régime de « biens communs » comme le précise un acte de notaire, ils allaient rapidement avoir un premier enfant — Ferdinand Joseph — né le 18 septembre 1868 à Paris dans le XVe arrondissement, futur père de Jean Gabin. Un second garçon naîtra dix ans plus tard : Marie-Auguste-Henri.

Les Moncorgé vécurent en plein cœur de Paris le long siège de la capitale par les armées prussiennes, les terribles semaines de la Commune du printemps 1871, puis les représailles des troupes versaillaises de Thiers venues « mater la canaille ». Le grand-père Moncorgé en fut-il de cette « canaille » parisienne ? La petite histoire ne le dit pas. On peut seulement imaginer que, la paix revenue, il eut un peu plus de travail qu'à l'ordinaire car il était paveur de rues. Un bon métier que celui-là à cette époque, même hors des lendemains insurrectionnels.

Consciencieux et travailleur, Ferdinand Moncorgé terminera sa carrière avec le titre envié de chef paveur de la ville de Paris, titre que Jean Gabin ne manquait jamais de rappeler avec une fierté à peine voilée d'ironie, quand il évoquait son grand-père.

Marqués comme beaucoup d'autres Parisiens par les souffrances endurées pendant les années noires de 1870 et 1871, les Moncorgé quittèrent peu après la capitale pour s'installer à une de ses portes, au 19, route de Versailles à Boulogne-Billancourt. Située à côté de celle de l'Octroi, c'est cette maison achetée à crédit que Jean Gabin connut enfant. Les grands-parents y moururent, Ferdinand en 1910, Rose, son épouse, en 1918. Leur second fils Marie-Auguste, oncle de Jean, qui allait faire une carrière de clerc d'avoué, y vécut par la suite un certain temps avec son épouse Louise, la tante Louise qui allait notamment compter dans la jeune vie de Jean Gabin.

*

Aussi sévère pour lui-même qu'envers les autres, mon grand-père n'a jamais laissé la moindre fantaisie troubler sa vie d'honnête travailleur. Il avait même le plus grand mépris des distractions et des plaisirs. Je peux donc comprendre que la décision de mon père de choisir une autre voie que la sienne l'ait frappé comme la foudre. Il avait eu l'ambition de faire de son fils aîné un charron. De son point de vue, c'était un métier encore plus noble que le sien, une élévation dans la hiérarchie ouvrière. Des paveurs de rues, le grand-père se disait qu'il en faudrait bien toujours, mais l'avenir du métier de charron lui semblait encore plus certain, à la vue de toutes ces carrioles et voitures à chevaux, celle du bougnat, du laitier et aussi ces fiacres parisiens qui s'aventuraient parfois jusqu'à Billancourt. Pour un solide travailleur comme on l'était par tradition chez les Moncorgé, toutes ces roues à charronner, c'était l'assurance d'avoir du pain sur la planche. Et dans les années 1880 ce ne devait pas être une expression vide de sens.

Seulement voilà, mon père, ce métier de charron qu'il avait commencé à apprendre dès l'âge de treize ou quatorze ans, ça ne lui disait rien. Il avait décidé de « mal tourner », comme disait le grand-père, car, pour lui, les artistes étaient des gens de « peu d'orgueil » qui se livraient en public en échange de quelques sous à des pitreries indécentes. Des « traîne-misère », des « crève-la-faim », des « fainéants », ajoutait-il. Que son fils Ferdinand choisisse d'en être, le rouge de la honte lui montait au front, au grand-père. Il se disait aussi qu'on avait pas fini de jaser dans le quartier de l'Octroi de Boulogne-Billancourt. Un saltimbanque dans la famille Moncorgé, pensez !... Et encore, le pauvre ne se doutait pas que du premier saltimbanque, son fils, en naîtrait un second, son petit-fils. Moi en l'occurrence...

Quand j'écoutais mon père raconter tout ça, j'étais plutôt de l'avis du grand-père, car, tout gosse et même plus tard lorsqu'il m'a poussé de force sur les planches, j'ai toujours détesté ce métier d'artiste qu'il faisait et que ma mère avait fait également quelques années avant ma naissance. Et pourtant, je suis bien obligé d'admettre à présent que, si ces deux-là ne l'avaient pas fait, ce métier, ils ne se seraient jamais rencontrés et que je ne serais pas là...

Comment le virus du spectacle a saisi mon père ? Il devait l'avoir en lui, car il a suffi d'une unique rencontre pour qu'il soit contaminé à jamais. Un soir, en effet, avec le peu d'argent de poche que lui donnait le grand-père il s'était aventuré jusqu'au cœur de Paris. Sur les grands boulevards, il est tombé en arrêt devant la façade scintillante de l'Eldorado, le grand music-hall de l'époque.

En 1883 ou 1884, quand on est petit apprenti charron à Billancourt, ça ne devait pas être une expédition ordinaire que d'arriver jusque-là. Il compta ses sous et prit une place tout en haut, au dernier balcon, au « paradis ». La vedette de l'Eldorado ce soir-là était Paulus, un des chanteurs les plus populaires de ce temps dont les chansons cocardières étaient sur toutes les lèvres. La défaite de 1870 était encore dans les mémoires et les Français rêvaient déjà d'en découdre à nouveau avec les Prussiens. Un des airs les plus célèbres créés par Paulus fut *En r'venant d'la r'vue.*

Chez les Moncorgé, on n'a jamais eu l'esprit très militariste, et donc je ne pense pas que ce soit le côté « patriotard » de Paulus qui ait séduit mon père, mais plutôt sa verve, son entrain, sa formidable présence en scène, paraît-il. Quoi qu'il en soit, en rentrant à pied de l'Eldorado à la maison paternelle de Boulogne, mon père ne cessa de fredonner et décida qu'il serait lui aussi chanteur... comme Paulus.

Dans les jours qui suivirent, devant son établi d'apprenti ou en actionnant la forge, il n'a plus pensé qu'à ça. Un dimanche matin, il est aller rôder du côté du faubourg Saint-Denis et du passage de l'Industrie où se trouvaient les boutiques d'édition de chansons. Avec ses économies, il y acheta ce qu'on appelait alors des « petits formats » de chansons célèbres. Dans sa chambre, le soir après le souper, il les apprenait et les chantonnait, mais à mi-voix pour ne pas éveiller les soupçons de mon grand-père. Devant la glace de l'armoire, il imitait les gestes et les mimiques de son idole Paulus et au bout d'un certain temps il fut convaincu de son avenir d' « artiste lyrique ». Il lui restait à convaincre son père, ce qui fut, je l'ai dit, une autre paire de manches.

Poussé à la rue à seize ans et sans le sou, seul, mon père se jeta à corps perdu mais avec enthousiasme et passion dans la voie qu'il avait choisie.

C'était un beau gaillard, et, en habit du dimanche, il avait même « fort belle prestance » comme on disait alors. Assez hardi de tempérament, sûr de sa vocation, ses « petits formats » sous le bras, il courut les sociétés et les kermesses parisiennes qui faisaient office en ce temps-là de conservatoire du pauvre. En échange de quelques sous, on y poussait la chansonnette à la mode devant un public qui était rarement silencieux, pas facile et même souvent cruel. Mais pour mon père, comme pour tous ceux qui se produisaient dans ces endroits-là, l'essentiel était de pouvoir enfin chanter devant un vrai public, de sentir l'odeur poussiéreuse de l'estrade, d'être accompagné par un pianiste et parfois par un petit orchestre.

Sous les quolibets des spectateurs, on y apprenait son métier. Je suis moi-même passé par là plus tard en fréquentant les cafés-concerts de banlieue et je sais que c'est une rude école. Surtout quand on se dit, comme je me le disais alors, qu'on n'est pas fait pour ça. Ce n'était évidemment pas le cas de mon père qui, lui, s'exaltait rien qu'à sentir les « planches » sous ses pieds. Dès ce moment-là, avant même de pousser sa chansonnette, il se sentait prince, roi, Paulus pour tout dire !

De sociétés en kermesses, mon père commençait à se faire un petit nom et une réputation, et on finissait même par le réclamer. Bien que gagnant chichement sa vie, il ne mourait pas trop de faim, et je crois même qu'il était heureux. Il s'amusait beaucoup avec des camarades qui, comme lui, tentaient la grande aventure artistique. C'est l'un d'eux qui lui trouva son nom de théâtre. La mode était aux patronymes à deux syllabes pas plus, et sans prénom.

— Toi, Ferdinand, tu devrais t'appeler Gabin, lui dit le copain.

— Pourquoi Gabin ? demanda mon père.

— Parce que je crois que ça t'irait bien !

C'était léger comme argument, mais mon père qui ne tenait pas à galvauder dans ces lieux de perdition le nom de Moncorgé — ce que le grand-père lui aurait encore moins pardonné, c'est sûr — acquiesça sans y réfléchir davantage.

— Va pour Gabin ! dit-il.

Encore une fois, une décision de mon père allait, par ricochet, rejaillir sur moi plus tard.

« Gabin » n'est pas un prénom très répandu — pas davantage à cette époque qu'aujourd'hui. Pourtant, il figure régulièrement au calendrier des saints à la date du 19 février. J'avoue totalement ignorer quel saint homme porta ce nom et s'il fit quelque chose d'exceptionnel pour être canonisé ou béatifié, mais quand mon père me demanda de le porter à mon tour lors de mes débuts récalcitrants dans le métier, j'ai trouvé qu'il m'allait pas mal à moi aussi et j'ai souvent eu une pensée pour le lointain et anonyme copain de papa qui en avait eu l'idée.

Définitivement happé par son métier, mon père devait rapidement étendre son registre et par la suite il fut compère de revues, chanteur d'opérettes, et joua même la comédie de boulevard. Toute sa vie, il a servi sa profession avec une passion qui, malgré les échecs et les déceptions, ne se relâcha jamais. Car, s'il ne connut pas ce qu'on appelle la gloire, il eut du succès et fut très estimé, à la fois du public, des critiques et de ses camarades de travail. Beaucoup d'artistes, carrière accomplie, aimeraient qu'on puisse en dire autant d'eux. S'il n'a pas atteint toutes ses ambitions de départ, mon père fut quand même heureux et ne regretta jamais rien.

Je ne l'ai jamais entendu en effet se plaindre ni être amer. Dans la dernière partie de sa vie, entre les deux guerres, il a rêvé, comme beaucoup d'autres comédiens de cette époque, de jouer du Bernstein — ne serait-ce qu'un petit rôle dans une pièce du maître incontesté du boulevard, il aurait considéré ça comme son bâton de maréchal. Cette chance ne lui a pas été accordée, hélas. Il avait eu comme tout le monde dans ce métier, comme moi plus tard, des débuts difficiles, passés à courir le cacheton, à faire des tournées miteuses, à voyager dans des trains glacials, à dormir dans des hôtels sordides. Et des fois, pire que tout, le chômage... Mais pour rien au monde il aurait abandonné ce métier. Je l'ai vu travailler très dur et même souffrir — du moins c'était l'impression qu'il me donnait — pour apprendre ses chansons ou ses rôles. C'est en voyant ça, d'ailleurs — moi qui n'étais pas très courageux pour le travail et l'étude —, qu'étant môme j'ai commencé à détester le métier de mes parents.

Car, finalement, je suis ce qu'on appelle un « enfant de la balle », ma mère, en effet, était aussi une artiste. Je crois même qu'elle l'était davantage que mon père.

Ils se sont connus sur les planches. Ma mère s'appelait Madeleine Petit à l'état civil mais elle décida de se nommer Hélène. Elle était la fille de Louis Petit, originaire de La Charité-sur-Loire. Mon grand-père Petit travaillait à la maison Cail, une entreprise sidérurgique qui construisait des locomotives et dont les ouvriers avaient une grande réputation professionnelle. Lorsqu'à la maison il arrivait qu'on parle de sa famille, ma mère intervenait d'une façon péremptoire avec toujours la même petite phrase qu'elle nous assénait comme un coup de battoir.

— Votre grand-père Petit a travaillé chez Cail !...

Elle appuyait lourdement sur « Cail », ce qui signifiait qu'il fallait être un sacré ouvrier pour bosser là, et aucun de nous, les Moncorgé, malgré notre ancêtre paveur de rues, ne faisait le poids à côté du père Petit.

Ma grand-mère maternelle était d'origine luxembourgeoise mais elle était venue très tôt vivre à Paris et s'y marier. Les Petit avaient eu huit enfants dont deux filles — ma mère, et ma tante Marie que j'ai bien connue car elle a vécu jusqu'en 1949. Veuve, elle a fini sa vie auprès de ma sœur Madeleine dans la maison de mes parents à Mériel, et c'est dans notre caveau de famille qu'elle est enterrée. Les six garçons Petit furent tous typographes et anarcho-syndicalistes militants. C'est dire que certains jours, chez les Petit, la maison ressemblait à un camp retranché à la veille du « grand soir » révolutionnaire et qu'on y bouffait du curé et du maître de forges jusqu'à l'indigestion.

Ma grand-mère Petit avait un nom de jeune fille qui me fascinait étant gosse et que j'aime prononcer aujourd'hui encore. Elle s'appelait Marie Mathon-Dommage. Un aussi joli nom ne lui donnait pas de complexe, car elle était une populaire marchande de pommes de terre frites et de bœuf bouilli au coin de la rue des Panoyaux à Ménilmontant.

Quand ma mère Hélène dut travailler, et à cette époque les enfants de notre milieu ne traînaient pas longtemps aux études ou à la maison, on la plaça dans un atelier de fleurs artificielles dans le quartier du Sentier. Elle était à la fois fleuriste et plumassière, car elle travaillait aussi les plumes qu'on utilisait beaucoup en ce temps-là dans les ornements féminins.

Plumassière, c'était un mot qui me ravissait quand ma mère m'en parlait et qui, après tant d'années, me ravit encore.

Les journées étaient longues et pour que le temps passe plus vite, ma mère chantait. Autrefois, tout le monde chantait, n'importe où, à l'atelier, à l'usine, dans le bâtiment, à la maison. Pas un repas de fête ne s'achevait sans qu'on ne pousse la chansonnette, du moins dans les milieux populaires. La radio, la télé, le bruit ne nous avaient pas encore bouffés.

Donc, à l'atelier, ma mère chantait et des fois les autres jeunes filles l'accompagnaient, mais la plupart du temps elles préféraient l'écouter, car ma mère avait une très jolie voix, genre Paula Brébion ou Amiati, qui étaient de grandes chanteuses populaires de l'époque. Je ne l'ai jamais entendue chanter car elle a eu la voix brisée à la suite d'un pénible accouchement quelques années avant ma naissance.

Ses patrons qui, pour une fois, étaient des gens intelligents et bons, au lieu de l'empêcher, s'arrêtaient au contraire dans leurs travaux pour l'écouter, ravis et charmés. On n'imagine plus à quel point les gens aimaient la chanson en ce temps-là. Et ce sont eux, les patrons, qui, avec l'autorisation des grands-parents Petit, qui, sans être bornés comme le grand-père Moncorgé, n'étaient pas très clairvoyants quant à la vocation de leur fille, poussèrent ma mère à travailler sa voix.

Confiants dans son talent, un jour ils l'emmenèrent dans une de ces kermesses dont j'ai parlé à propos de mon père. Mais c'était avant qu'il y fasse ses premiers pas d'artiste, car ma mère née en 1865 avait trois ans de plus que lui. Elle réussit si bien qu'elle devint très vite une interprète recherchée et appréciée par ces petits milieux de la chanson. Elle abandonna donc son métier de fleuriste-plumassière pour vivre comme une vraie artiste. D'après ce qu'on m'a dit — et ce qu'elle laissait entendre elle-même —, ma mère aurait pu faire une grande carrière de chanteuse lyrique. Hélas pour elle, si j'ose dire, elle rencontra mon père...

C'est en effet en chantant dans une kermesse au même programme que les chemins de Ferdinand Moncorgé dit « Gabin », mon père, et d'Hélène Petit, ma mère, se croisèrent.

— J'étais en haut de l'affiche et ton père tout en bas! aimait préciser ma mère plus tard qui, amère, ne se consolait pas d'avoir dû interrompre une carrière qu'elle avait espérée brillante.

Quoi qu'il en soit, ce jour-là ce fut entre eux le coup de foudre. Mon père avait à peine dix-neuf ans et elle vingt-deux. Ils décidèrent de vivre ensemble et de chanter dans les mêmes programmes. Ils allèrent ainsi des cafés-concerts périphériques parisiens aux quatre coins de la France, dans des tournées de troisième zone.

Ils n'étaient riches que de leur jeunesse, de leur amour sans doute, et surtout de leur passion commune pour le métier qu'ils exerçaient. Je crois qu'à cette époque qui, hélas, ne dura guère, ils s'aimèrent beaucoup et furent heureux. Et quand on s'aime et qu'on est heureux, les enfants ne tardent pas à se pointer.

C'est avec nous, les enfants, moi très tardivement, que les choses se gâtèrent pour mes parents. Surtout pour ma mère. Elle en mit sept au monde et seuls quatre vécurent adultes.

C'est après le troisième — ma sœur Reine, je crois — que mes parents pensèrent à régulariser leur situation en passant devant Monsieur le maire.

C'était un couple bohème, un ménage d'artistes, et, d'une certaine manière, ils continuèrent de vivre ainsi, même lorsque ma mère cessa de chanter et de faire son métier.

Ces naissances successives, rapprochées et par trois fois suivies de drames, devaient briser la carrière de ma mère. Car, bien que finalement ils ne gagnaient pas trop mal leur vie, il n'était évidemment pas question qu'ils se paient une gouvernante pour élever leur progéniture. Et si l'un des deux devait rester à la maison pour se charger des mômes, ça ne pouvait être, évidemment, que ma mère.

Un beau jour donc, qui fut sûrement bien triste pour elle, ma mère se résigna à abandonner sa carrière de chanteuse et à rester à la maison, laissant mon père courir seul désormais après les contrats et les tournées. C'était bien avant ma naissance, mais je sais que ce fut terrible pour elle qui ne trouva jamais dans son rôle maternel une compensation à la hauteur de ce qu'elle avait quitté. Elle se laissa aller progressivement à l'amertume, et s'abandonna peu à peu physiquement et moralement. Ainsi, les années l'atteignirent plus vite.

En outre, mon père, croyant sans doute bien faire et ne pouvant surtout pas faire autrement faute de moyens conséquents, décida d'aller s'installer dans un petit bourg de l'Oise, à Mériel. Il acheta à tempérament — comme on disait en ce temps-là, c'est-à-dire avec un long crédit — une simple et assez grande maison avec un vaste jardin.

Si Mériel devait être pour moi, plus tard, une sorte de paradis, pour ma mère ce fut une seconde et plus définitive rupture avec le monde du spectacle qui était le sien. Elle n'en reçut plus l'écho que par les récits que lui faisait mon père lorsqu'il rentrait le soir d'un théâtre parisien où il jouait, ou parfois au bout de quelques jours, de retour d'une tournée en province.

Leur jeunesse à tous les deux, insouciante et un peu folle, s'achevait déjà. Leur vie allait continuer, pas moins folle et aussi inorganisée, mais plus rien n'allait être comme avant. Surtout pour ma mère qui ne se remit jamais de cette double condamnation que furent pour elle la naissance des enfants et l'exil à Mériel.

*

A moins de dix-neuf ans, quand il avait rencontré Hélène et qu'ils étaient tombés amoureux l'un de l'autre, Ferdinand n'avait pas imaginé ni prévu que les choses tourneraient ainsi et si vite. Quoiqu'un peu plus âgée que son jeune amant, Hélène non plus sans doute, qui croquait dans la vie avec insouciance. Leur premier enfant naquit le 4 janvier 1888, moins d'un an après leur rencontre. Ils l'appelèrent Ferdinand, Henri, sans réfléchir qu'après le grand-père paveur et Ferdinand, Joseph dit « Gabin », il était le troisième de la famille à porter ce prénom.

Devant cet embarras, ils l'appelèrent Bébé et le garçon garda ce surnom toute sa vie et pour tout le monde.

Deux ans plus tard, en 1890, naissait Madeleine, et en 1893 Reine, la deuxième fille.

Ferdinand avait alors vingt-cinq ans et Hélène vingt-huit. Et ce n'était pas pour eux exactement le rêve que de se retrouver parents de trois enfants, quand, de surcroît, on veut mener une carrière artistique qui n'en est qu'à ses débuts.

Il fut donc décidé — par qui ? Ferdinand sans doute — qu'Hélène arrêterait sa carrière. Il y était si attaché que, pour la convaincre, on imagine aisément Ferdinand lui laisser espérer qu'elle pourrait la reprendre dans quelques années, quand les enfants auraient un peu grandi. De cette obligation, il découla rapidement des conséquences psychologiques qui influencèrent négativement la vie du couple, désormais séparé professionnellement.

Parallèlement, il y eut donc aussi, quelques années avant la fin du siècle, cette autre décision de Ferdinand d'installer sa petite tribu à Mériel, un bourg paysan proche de L'Isle-Adam. Si ce choix allait jouer plus tard un rôle capital dans l'approche que Jean Gabin eut de la vie et dans la formation de son caractère, il n'avait été dicté à Ferdinand que par des soucis budgétaires. Une grave crise du logement frappait Paris en raison de l'arrivée massive d'ouvriers provinciaux attirés dans la capitale par l'expansion des industries métallurgiques. Parisiens et citadins dans l'âme, ni Hélène ni Ferdinand n'avaient de goût pour la campagne. Ferdinand ne s'était cependant pas fixé sur Mériel par hasard : miraculeusement en effet, ce bourg paysan possédait une gare — elle jouera aussi un rôle dans les rêves d'enfant de Jean Gabin — qui servait essentiellement à l'écoulement du trafic qu'engendraient les carrières de pierres de Méry, autre bourg proche, et la plâtrière de Mériel. En contrepartie de cette nécessité, une ligne directe de voyageurs reliait Mériel à la gare du Nord à Paris. Pour Ferdinand, contraint à des allées et venues journalières lorsqu'il jouait dans un théâtre parisien, c'était aussi, là, un élément essentiel de son choix, d'autant qu'il trouva à acheter une maison à côté de la gare, pas trop chère, et suffisamment grande pour y loger sa famille.

Avec un peu d'inconséquence, Ferdinand feignit sans doute de ne pas trop voir qu'ainsi il isolait Hélène loin de tout ce qui avait été sa vie jusqu'alors, et l'enfermait encore un peu plus dans ce rôle unique de mère et d'épouse au foyer pour lequel elle n'était pas faite.

C'est dans cette situation, qu'Hélène devait ressentir péniblement, qu'en peu d'années elle mit au monde trois autres enfants qui allaient mourir en bas âge. A ces drames s'en ajouta un autre : lors de l'un de ces accouchements, elle perdit sa voix. Le fragile espoir qu'Hélène avait peut-être gardé de pouvoir un jour reprendre sa carrière et chanter de nouveau était définitivement brisé.

C'est dans ces années-là que Ferdinand acheta un petit bout de terre dans le cimetière, au pied de la vieille église Saint-Éloi pour y enterrer successivement ses trois enfants décédés. Preuve probable qu'il ne comptait pas alors rester définitivement à Mériel, il n'acquit en effet qu'une concession de dix ans.

Ce n'est qu'en 1908, le 10 juin exactement, que, sans urgence ni nécessité, il acheta une autre concession, à perpétuité celle-là, contre une somme de deux cents francs « un tiers de ladite somme revenant aux pauvres de la commune », comme le précise l'acte officiel. Sur cette sépulture, Ferdinand fit édifier une lourde et simple pierre tombale, sans croix, et surmontée d'une énorme vasque à fleurs. Avait-il senti à ce moment-là, le temps passant inexorablement, qu'il était devenu trop tard pour envisager un retour en arrière et que lui et sa famille étaient désormais destinés à demeurer définitivement à Mériel ? C'est en tout cas ce qui arriva en partie. Aujourd'hui, la seule présence qui subsiste encore des Moncorgé à Mériel est ce lopin de terre de « deux mètres sur un mètre », comme l'indique le contrat de concession enregistré au cadastre du vieux cimetière sous le numéro 7. Sur la pierre verdie et rongée par le temps, cette simple inscription :

FAMILLE MONCORGÉ DITE GABIN.

Ferdinand et Hélène y reposent avec quelques-uns de leurs enfants et parents.

1.

L'ENFANCE

... GABIN...

En ce début des années 1900, ce nom bref commençait à apparaître en caractères respectables sur les affiches des théâtres parisiens.

Ferdinand avait abandonné le tour de chant et les cafés-concerts. Il était devenu « compère » de revues à *La Cigale*, un théâtre en vogue proche de la place de Clichy. Presque en permanence, il allait y rester pendant seize ans.

« Compère », c'était un emploi important et surtout très populaire. Il était l'artiste qui, en connivence avec le public, menait le spectacle. Dans ce rôle, Ferdinand Moncorgé dit « Gabin » y imposait son nom et s'y taillait une solide réputation d'amuseur.

Curieusement, à peu près à la même époque (1901), Ferdinand prêtait son concours aux soirées chantantes d'une société artistique de Boulogne-Billancourt nommée aussi *La Cigale*. Enfant adoptif de la ville, on imagine que ce n'était pas sans arrière-pensées qu'il s'y produisait, suscitant, dans une presse locale tout à fait respectable, des appréciations flatteuses sur son talent, qui ne pouvaient manquer de tomber sous le nez de son père, le vieux paveur de rues, citoyen local dont il n'est pas sûr, cependant, qu'elles le réjouissaient autant que Ferdinand.

« M. Gabin est toujours drôle, de cette drôlerie qui déride les fronts et dilate les rates... »

« ... Et Gabin si niaisement drôle, si finement bête dans ses chansonnettes villageoises et tourlouresques... »

Hélène, qui devait perdre sa voix un an plus tard, participait encore occasionnellement à ces soirées. Elle y recevait, elle aussi, sa part de compliments :

« ... Une fine mouche et une exquise diseuse, Mme Hélène Gabin, qui, avec des airs d'ingénuité et une façon aguichante — oh combien ! — de ne pas y toucher, nous murmure à l'oreille des choses, oh ! des choses un peu bien osées, ma chère... »

Tous deux ne manquaient pas, au milieu d'une troupe plutôt amateur, d'être salués comme de vrais professionnels. Toutefois, si Ferdinand à ce moment-là avait dû faire le bilan de sa vie depuis qu'il s'était fait jeter par son père, il n'aurait certainement pas été autrement que mi-figue, mi-raisin.

S'il gagnait convenablement sa vie en exerçant le métier qu'il avait tant désiré faire, l'existence n'était cependant pas dégagée de toute difficulté. Elle ne le sera d'ailleurs jamais réellement. Car, de temps en temps, il avait des « trous », un chômage plus ou moins long qui épuisait rapidement le peu d'argent mis de côté pendant les périodes fastes. En tant qu'artiste, il était sorti de l'anonymat. Gabin, on savait qui c'était dans le monde du spectacle parisien, mais le rêve que le jeune Ferdinand avait fait quelques années auparavant de devenir un nouveau Paulus, ce rêve-là ne s'était pas réalisé. A présent, la trentaine largement dépassée, Ferdinand savait qu'il existait peu de probabilités pour qu'il devienne jamais une « vedette » du spectacle, terme qui d'ailleurs n'existait pas alors pour désigner les grands premiers rôles. Il n'en était pas amer car il aimait ce qu'il faisait, et surtout n'imaginait pas vivre sa vie dans un autre milieu que celui-là.

Les seuls regrets qu'à cette époque il aurait pu exprimer concernaient assurément ses problèmes de famille et la vie qu'il avait fait mener à Hélène. Mais d'un naturel optimiste, Ferdinand se disait, en cet été 1903, que malgré les drames passés qu'ils avaient vécus, Hélène et lui, la vie finirait bien par leur sourire un peu. L'un et l'autre étaient encore relativement jeunes, Hélène ayant trente-sept ans et lui trente-quatre. Leurs trois enfants grandissaient sans trop de problèmes de santé. Bébé, l'aîné qui avait quinze ans, faisait un brillant parcours scolaire, et matheux dans l'âme un avenir sérieux lui semblait promis.

Madeleine, treize ans, secondait bien Hélène à la maison et manifestait déjà des goûts artistiques prometteurs aussi bien en musique, en poésie qu'en peinture. La dernière, Reine, dix ans, si elle n'envisageait pas encore de rejoindre son père sur les planches, elle démontrait cependant déjà des dons certains de pitre qui déridaient parfois l'humeur pas toujours rose d'Hélène.

Bref, Ferdinand voulait croire que, pour peu que les dieux du théâtre soient avec lui et qu'en conséquence il n'ait pas trop à courir après les contrats, leur vie, à Hélène et à lui, pouvait être encore riche de moments heureux.

Quant à Hélène, elle espérait sans doute alors que le moment ne tarderait plus où, ses trois enfants devenus assez grands pour se débrouiller seuls, elle serait enfin débarrassée de ses tâches maternelles pour lesquelles elle n'avait guère de disposition. Certes, elle savait qu'elle ne pouvait plus envisager de reprendre sa carrière de chanteuse. Peut-être était-elle prête à s'en consoler un peu en songeant que désormais elle aurait la possibilité de suivre Ferdinand dans ses représentations et, qui sait ? d'y décrocher un emploi de comédienne à ses côtés. Pour le moins, d'une manière ou d'une autre, elle se promettait sans aucun doute de se rapprocher de ce milieu artistique dont elle s'était éloignée quelques années plus tôt en raison de la naissance des enfants.

Las ! Un soir de septembre 1903, Hélène, nerveuse, se précipita au-devant de Ferdinand qui, comme chaque soir lorsqu'il jouait à Paris, revenait du théâtre par le dernier train. Avec des sanglots dans la voix, elle lui annonça qu'elle était à nouveau enceinte. Le moins que l'on puisse dire, c'est que Ferdinand encaissa la nouvelle avec un certain abattement. Ses rêves d'avenir plus serein allaient devoir être reportés en un temps fort éloigné. Il ne pouvait manquer non plus de s'inquiéter pour la santé d'Hélène, qu'il sentait en outre si désespérée. Ni l'un ni l'autre, semble-t-il, n'envisagèrent un instant une autre solution que celle d'accepter la naissance de ce nouvel enfant qu'Hélène portait.

— Ce serait bien si c'était un garçon, dit Ferdinand faiblement et sans trop savoir pourquoi, sinon en espérant consoler un peu Hélène.

Garçon ou fille, Hélène s'en moquait bien. Elle pensait qu'elle allait devoir replonger dans la corvée des couches et des langes, et que les criailleries du bébé la nuit la rendraient encore un peu plus nerveuse, et surtout, que l'arrivée de ce nouveau marmot la laisserait pour de longues et sans doute définitives années prisonnière de la grande maison de Mériel.

On imagine que Ferdinand, qui, sous son apparence insouciante, était un homme bon et sensible et qui aimait bien sa femme, prit tendrement Hélène par les épaules et que tous deux, franchissant à pas lents les quelques mètres qui séparaient la gare de Mériel de l'entrée, côté jardin, de leur maison, méditèrent en silence et plutôt tristement sur l'« événement » qui s'annonçait et qu'ordinairement on disait « heureux »...

*

Heureux ou pas, l'événement, c'était moi. Je suis né le 17 mai 1904. Pas à Mériel mais dans l'appartement d'une sage-femme au 23, boulevard Rochechouart à Paris où ma mère était venue accoucher. J'étais, paraît-il, un bon gros poupon qui faisait son poids et qui se portait bien, montrant aussitôt né un appétit qui ne devait plus se démentir par la suite.

Je compris évidemment plus tard les raisons pour lesquelles on ne m'appela pas Désiré. Mon père m'a déclaré à la mairie du quartier sous les noms — dans l'ordre — de Jean, Alexis, Gabin Moncorgé. Un trait de malice de mon père que de m'avoir donné en troisième prénom son nom de théâtre. Pas de prémonition de sa part en tout cas, il devait me le dire des années après.

A l'énoncé de ce prénom peu couramment utilisé, l'employé de l'état civil releva la tête, paraît-il.

— Comment dites-vous ?

— Gabin ! répéta mon père, et il épela : G-A-B-I-N.

Puis, pour se remettre de ses émotions, sans doute alla-t-il boire un verre ou deux au bistro du coin, ce qui — je devais le savoir plus tard — était généralement dans ses habitudes, même lorsqu'il n'avait rien d'exceptionnel à célébrer.

Peu après, il retrouva ma mère qui l'attendait chez la sage-femme avec moi dans les bras et qui, fatiguée, n'avait qu'une hâte : rentrer à Mériel. Mes sœurs Madeleine, quatorze ans, et Reine, onze ans, bien qu'elles n'aient plus tout à fait l'âge de jouer à la poupée, furent certainement les seules à accueillir avec quelque enthousiasme dans la famille Moncorgé le nouveau venu que j'étais.

Je suppose que, comme tous les bébés, j'ai suscité la curiosité plus ou moins intéressée des voisins penchés sur mon berceau, et enregistré d'un œil torve les « guili-guili » attendris des membres de ma famille venus faire ma connaissance.

Après quoi, la vie pour mes parents a sans doute repris son cours normal, obligés cependant qu'ils étaient de constater ma présence. Une vie, je le compris plus tard, qui ne fut jamais, chez les Moncorgé, un modèle d'organisation familiale. J'ai d'ailleurs profité de cet état d'esprit dès que j'ai su courir et me débrouiller seul pour développer précocement mes goûts de liberté et d'indépendance.

N'ayant aucun souvenir personnel de mes premiers « areu-areu » ni des premières bûches que j'ai dû prendre en allant à la découverte du jardin, je ne raconterai rien de cette période de ma vie, pourtant probablement ponctuée de toutes ces petites avanies que subissent les bambins et que, généralement, les parents leur rappellent avec émotion quand ils ont grandi. Ce ne fut pas le cas des miens. Mes premiers balbutiements dans l'existence ne les laissèrent sans doute pas indifférents, mais ils ne les jugèrent pas d'une importance telle pour s'en souvenir et me les rapporter.

Si je sais que j'étais un bambin joufflu aux boucles blondes et à la lippe un peu triste, je le dois à ma sœur Madeleine qui a laissé de moi à cette époque de jolis portraits au fusain.

On comprendra que je n'ai su que tardivement le drame vécu par ma mère à l'annonce de mon arrivée dans la famille. M'en a-t-elle voulu ? Elle laissa souvent, en tout cas, Madeleine s'occuper de moi quand j'étais petit, et même quand je fus plus grand. D'aussi loin que je me souvienne de ma mère, j'ai gardé d'elle l'image d'une femme dont je dirais aujourd'hui qu'elle était excessivement nerveuse et irritable mais qui pour moi, à l'époque, était surtout celle d'une mère qui gueulait tout le temps après moi. Il est vrai que je devais souvent lui en donner quelque raison.

Quant à mon père, le plus lointain souvenir d'enfance que j'ai conservé de lui est celui d'un homme qui « passait » chaque jour à la maison comme une sorte de mystérieux voyageur, et à des heures où le plus souvent je dormais. Il rentrait en effet tard, par le dernier train du soir, de ses représentations à *La Cigale,* dormait toute la matinée et repartait en début d'après-midi alors que je faisais ma sieste.

Avec les années, ce fut à peu près la même chose, à la différence que lorsqu'il repartait j'étais à l'école ou en train de courir la campagne. Je le voyais donc très peu. J'ai dû savoir un jour qu'il était un artiste, sans bien comprendre ce que ça signifiait. Et plus tard encore, j'ai su que, s'il partait si tôt de la maison, c'était pour passer les après-midi à jouer à la belote avec ses copains dans quelque bistro de Pigalle ou sur les champs de courses de Longchamp ou de Vincennes, où il claquait allégrement son pognon, si je me rappelle bien les gueulantes que poussait ma mère en le lui reprochant. Ces jours-là, je me disais qu'à gueuler après mon père cela m'éviterait peut-être de l'entendre gueuler après moi.

Car la jolie voix de cantatrice de ma mère, je ne l'ai évidemment jamais entendue. Je ne l'ai même jamais surprise à fredonner comme le faisaient des voisines en préparant le souper, par exemple. Cette voix mélodieuse que mon frère et mes sœurs avaient connue, et que mon père évoquait parfois avec admiration et nostalgie, je n'en ai, moi, perçu que les échos les plus rébarbatifs.

— D'où venez-vous, chenapan ! Vous vous êtes encore battu, petit vaurien !

Curieusement, ma mère avait en effet pris l'exemple sur le grand-père Moncorgé et me vouvoyait quand elle était en colère après moi. Sa sentence la plus commune et, si j'ose dire, la plus définitive à mon égard était :

— Jean, vous finirez sur l'échafaud !

Quand j'ai su lire le journal, ça m'a quand même impressionné car on y relatait assez souvent, en ce temps-là, le récit d'une exécution capitale, agrémenté d'un dessin où l'on voyait un pauvre diable monter à l'échafaud, le col de chemise découpé et les mains liées derrière le dos.

Pauvre mère ! Il fallait tout de même que je lui en fasse voir pour qu'elle me condamne à une si triste fin. J'en ai souvent eu honte par la suite, mais quand on est gosse...

J'étais donc le sale petit canard, le petit affreux de la couvée. Pour ma mère du moins. Car pour mes sœurs qui me passaient beaucoup de choses — Madeleine surtout — j'étais « Jeanjean », le petit frère venu un peu tard mais qu'elles aimaient bien.

Sur le fond, le jugement sévère de ma mère n'était pas faux. Je n'ai pas été ce qu'on appelle un enfant sage et discipliné. Et le pire, c'est qu'en outre je n'étais doué en rien. Mais alors, vraiment en rien !

D'une incroyable médiocrité en toutes choses !

Mon frère et mes sœurs, eux, avaient de qui tenir. Ils étaient tout naturellement des artistes et par exemple jouaient tous les trois plus que convenablement du piano. Il y avait en effet un piano chez nous et c'était même, je crois bien, le seul du pays et à des kilomètres à la ronde.

Bébé, mon frère aîné, était très intelligent. Il fut, dans les études, le plus brillant de nous tous. Les mathématiques n'avaient pas de secret pour lui.

Ma sœur Madeleine a été toute jeune très douée pour les arts. Elle écrivait des poèmes, était une remarquable musicienne et dessinait et peignait avec une grande sensibilité et beaucoup de talent.

Reine avait des dons de comédienne et pendant quelque temps elle joua sur scène aux côtés de mon père sous le nom de Reine Gabin.

Moi, je détestais le piano et on eut toutes les peines du monde à m'apprendre quelques notes. Je ne supportais pas non plus de poser pour Madeleine qui aimait faire mon portrait et qui en a fait de forts beaux.

Elle avait d'autant plus de mérite que je ne restais pas en place. Je me faisais engueuler et ça n'aidait pas à l'éveil de mon goût pour les arts.

Malgré leurs prometteuses dispositions, ni mon frère ni mes sœurs ne firent de carrière artistique. Sans doute en furent-ils les premiers responsables mais, curieusement, mes parents ne les encouragèrent pas dans leur vocation. Mon père, un peu égoïstement, pris par son métier, connaissant aussi toutes les difficultés d'une vie d'artiste, ne chercha pas à développer leurs dons.

Quant à ma mère, confinée dans ses regrets et ses déceptions, je me suis toujours demandé si elle n'aurait pas ressenti un peu de jalousie à voir un de ses enfants aller dans la voie qu'elle avait dû abandonner avec tant d'amertume.

*

Bébé, le frère aîné, fit une brillante carrière à la C.P.D.E. (Compagnie parisienne d'électricité) et y prit sa retraite comme chef de service. De seize ans plus âgé que son benjamin, ils eurent assez peu de rapports et Jean sembla souvent le regretter. Bébé quitta le toit familial alors que Jean n'était encore qu'un très jeune enfant. Il se maria une première fois avec une demoiselle Esther Humbert dont il fut veuf et épousa en secondes noces Rose Althar. Il n'eut pas d'enfant, vécut à Mériel dans une maison proche de celle de ses parents et mourut le 29 octobre 1939. Dans le cimetière de Mériel sa tombe est à quelques pas de celle d'Hélène et de Ferdinand, et porte l'inscription « Famille Moncorgé-Humbert-Hasse ». Reine, la seconde sœur de Jean, abandonna le théâtre en se mariant. Elle est morte en 1952. Elle a eu deux enfants : Guy et Nicole Ferrier. Guy était de dix ans le cadet de Jean qui fut très fier d'être oncle si jeune et qui se comporta vis-à-vis de son neveu en frère aîné.

Guy Ferrier commença une carrière d'opérateur de cinéma avant la guerre et tourna auprès de Jean dans *La bête humaine*. Après la guerre — il fut prisonnier en Allemagne et s'évada en 1943 —, Jean ne l'encouragea pas à rester dans le cinéma et Guy fit une excellente carrière de photographe de mode. Ils restèrent très proches l'un de l'autre, le neveu accompagnant souvent son oncle à la chasse notamment ou à quelques agapes mémorables.

Nicole Ferrier, nièce de Jean, fut, comme sa mère Reine, un moment comédienne jusqu'à son mariage avant la guerre avec Robert Klotz. Elle fut l'amie et la condisciple de Michèle Morgan au cours Simon. Bien que talentueuse et d'un physique à la Katharine Hepburn, il semble que Jean ne l'incita guère à poursuivre sa carrière. La guerre, l'occupation et la déportation de son mari Robert Klotz firent le reste.

Quant à Madeleine, la sœur aînée si chère à Jean, elle a longtemps vécu et jusqu'à sa fin dans la maison familiale de Mériel. Elle a épousé, alors que Jean avait cinq ans, le champion de boxe Jean Poësy que Georges Carpentier admirait beaucoup. La carrière sportive de Poësy allait être brisée par la guerre de 14-18 où il perdit une jambe. Il est décédé en 1955.

Madeleine resta alors seule dans la grande maison de Mériel, vivant en bohème entre ses chats et ses poules infirmes qu'elle ne se résignait pas à tuer, laissant ce monde animal, qu'elle recueillait de tous côtés, envahir la maison qui partait à l'abandon.

Le 3 février 1956, quelque temps donc après la mort de Poësy, elle écrivait à Jean une lettre naïve et touchante à propos de ses chats :

Tout en aimant les bêtes, j'en ai un peu par-dessus la tête... Alors, comme tu as des fermes, pourrais-tu prendre trois chats — la famille : papa, maman, bébé. En ayant cinq, les mâles s'entre-tuent. Je me suis fait mordre très fort en les séparant. Je les voudrais heureux, les pauvres. Ici, ils le sont mais les mères font des petits que je ne tue pas et que je n'arrive pas à placer. Vois-tu dans ta ferme un bâtiment un peu désaffecté où on pourrait les mettre, le temps qu'ils s'habituent. Je pense qu'ils seraient très bien nourris. Tu dois avoir du lait, des boyaux de poulets... Ici, dame, ils ont du mou, du cœur et du poisson.

... Je préfère me priver, moi. Je te demande une réponse. Fais-la-moi donner par Dominique, car si j'attends après toi ! ! ! ... Tu vas dire : « Elle m'emmerde », je sais... Je ne demande cependant pas grand-chose... Si personne ne m'aide, je ne vois pas comment je vais m'en sortir avec tous ces chats... Penses-tu qu'ils seront heureux mes chats avec tes gens de la ferme ?

Plus loin, dans cette même lettre, Madeleine propose à Jean de prendre son piano pour ses filles Florence et Valérie.

... Je suis décidée à envoyer le piano comme je l'ai promis — je n'ai qu'une parole — je le donnerai de tout mon cœur, mais que toujours les petites le conservent. Je l'aime comme une personne car je l'ai depuis soixante ans, et mon père s'était donné du mal pour l'acheter dans la rue où je suis née, rue du Bouloi. Tu ne peux pas t'en souvenir, tu n'étais pas né... C'est un bon Érard, ses touches sont en ivoire, pas comme les camelotes de maintenant en Galalithe... Alors, encore une réponse pour cela, S.V.P. dans les mêmes conditions ou Dominique ou Nicole (leur nièce). Dame, vous paierez le transport et les pourboires. Je demanderai à Laplante, à L'Isle-Adam qui fait les messageries, de te le porter...*

Plus loin, elle revient à sa préoccupation maîtresse, ses chats, et tente d'apitoyer Jean en répétant que la morsure dont elle a été victime la fait souffrir. Elle demande aussi des nouvelles du fils de Jean qui vient de naître.

Et le Mathias ? Est-ce qu'il pousse ? Est-il sage, ce Mathias ?... Tu n'y as

---

* Valérie, la seconde fille de Jean, possède toujours le piano de Madeleine. *(N.d.A.)*

peut-être pas pensé, mais ta Florence, ça fait F. M. comme Ferdinand Moncorgé, le Mathias, ça fait M. M. comme moi...

Elle conclut :

A te lire ! Oh, pas toi ! Je te connais !
Téléphone à Nicole, elle me dira... Toi, tu n'aimes pas écrire...

Madeleine ne peignait plus depuis longtemps, sinon quelques fresques sur les murs de ses pièces. Elle a fait don à l'église Saint-Éloi de Mériel d'une « Descente de Croix » d'après Rubens, qu'elle avait peinte en 1910, et qui s'y trouve encore exposée.

Elle est morte en 1970 sans laisser d'enfant.

« Madeleine aurait pu être un grand peintre si elle l'avait voulu, racontait souvent Jean. Elle a été pour moi, en tout cas, une sœur formidable, véritablement ma seconde mère. C'est auprès d'elle, qui était d'une grande indulgence à mon égard, que je me réfugiais quand, tout môme, ça gueulait trop fort après moi à la maison. Plus tard, quand j'ai eu mes problèmes d'adolescent et de jeune homme et mes fâcheries avec mon père, c'est encore auprès de Madeleine et de son mari Jean Poësy que j'allais chercher aide, réconfort et compréhension.

« Poësy qui était du même âge que Bébé — seize ans de plus que moi — fut une sorte de grand frère, et le plus merveilleux des copains. Je le dis et pour une fois sans pudeur, Jean Poësy est le seul homme dans ma vie que j'ai véritablement aimé. »

Tapie sur le versant étroit d'une vallée entre la rive de l'Oise et le vaste plateau de la forêt de L'Isle-Adam, traversée de part en part par la nationale 322, Mériel est aujourd'hui une localité urbanisée de 3 351 habitants. Autrefois, on y extrayait le plâtre, la pierre et le grès.

Aujourd'hui, seule l'usine de plâtre subsiste. Des zones pavillonnaires récentes et quelques grands ensembles d'habitations s'étalent sur les coteaux autour de l'ancien bourg où de vieilles maisons du siècle passé et des vestiges de ce qui fut des fermes témoignent encore du monde rural et paysan que connut Jean. Du temps de son enfance, avant la guerre de 14, le bourg comptait environ 500 habitants (929 au recensement de 1926).

Deux lignes de chemin de fer desservaient et desservent toujours, au départ de Paris, la petite gare de Mériel : la gare du Nord avec laquelle la communication est directe, et la gare Saint-Lazare, en changeant à Argenteuil et Ermont. La famille Moncorgé, et le père de Jean en particulier, n'utilisait que la ligne de la gare du Nord. Au-delà de Mériel, les trains desservent Valmondois toute proche et plus loin Persan-Beaumont. Je donne ces détails car ils ont leur importance dans l'analyse des fantasmes du jeune garçon qu'était Jean. De même, si aujourd'hui le trafic des trains de marchandises est nul (la plâtrière n'utilise même plus le chemin de fer depuis deux ans), autrefois il était relativement important avec l'évacuation de la pierre et du grès, et donnait donc à la gare une certaine activité.

Il y a aujourd'hui, à Mériel, toutes sortes de rues qui portent des noms illustres d'artistes, de musiciens et de peintres particulièrement, à l'exception de Van Gogh qui pourtant finit sa vie et est enterré à quelques centaines de mètres de là, à Auvers-sur-Oise. On trouve même le nom de Maurice Chevalier qui patronne un square, mais vous ne trouverez pas une « RUE JEAN-GABIN » qui, sans y être né, y a vécu dix-sept ou dix-huit ans.

A peu près tout le monde à Mériel, les jeunes comme les nouveaux habitants de la localité, savent que c'est le village de Jean Gabin, et n'importe qui dans la rue vous indiquera la maison où il habitait. Personne ne s'explique, tout en s'en étonnant et souvent en le déplorant, qu'aucun lieu de Mériel — dont il lui arrivait de croire, étant enfant, que c'était « son royaume » — ne porte son nom.

« Si vous savez comme je m'en fous ! » aurait certainement dit Jean, et en disant cela je ne suis pas certain que, pour une fois, il n'aurait pas un peu menti. Ce qui est évident, c'est qu'il n'a pas dû faire grand-chose, et même rien du tout dans ce sens. Il n'a jamais recherché les honneurs, sauf peut-être vers la fin de sa vie, et encore.

Jean ne revenait pas souvent à Mériel, mais on trouve toujours dans l'ancien bourg des gens d'un certain âge qui l'ont connu et avec lesquels il prenait volontiers un verre au bistro de la gare lors de ses visites. Parfois il allait aussi saluer son vieux copain, le champion cycliste André Leducq qui tenait un café dans le centre du pays.

Vers la fin des années 20, Ferdinand, resté seul après la mort d'Hélène, avait décidé de retourner vivre à Paris. Madeleine et Poësy gardèrent la maison familiale. Jusqu'à la mort de Poësy en 1955, Jean s'y rendait assez souvent. Plus rarement après, et certains le lui ont reproché. Mais il ne supportait pas la manière dont Madeleine vivait, entourée de ses bêtes malades, laissant la demeure dans un état de délabrement devant lequel il était impuissant.

Jean s'était alors marié et il avait de jeunes enfants sur la santé desquels il veillait d'une façon exagérément maniaque. En les amenant chez Madeleine, il redoutait pour eux des maladies qu'auraient pu leur donner les animaux qui vivaient librement dans la maison. Jean souffrait de voir Madeleine ne plus être que l'ombre de la jeune femme sensible et pleine de talent d'autrefois et dont il gardait en lui précieusement l'image au point de vouloir presque oublier celle qu'elle offrait aujourd'hui.

A la mort de Madeleine, Jean vendit la vieille demeure pour une somme dérisoire (on a parlé de 70 000 francs de 1971) qu'il partagea avec Guy et Nicole, les enfants de Reine.

Les acquéreurs d'alors ont revendu la maison en 1986 après avoir partagé le vaste terrain en deux lots et ont, semble-t-il, fait une excellente affaire. Elle est en train d'être rénovée aujourd'hui et dans une partie du jardin où Jean fit ses premiers pas on a construit une seconde maison. S'il n'a rien fait pour conserver la demeure de ses parents et de son enfance, c'est qu'elle n'était plus ce qu'elle avait été à ses yeux, et Mériel non plus.

Depuis longtemps, il avait tout emporté avec lui, car Mériel, c'était cette grande part de lui-même qui n'a jamais disparu de sa mémoire, et dont il parlait toujours avec émotion et sensibilité. C'est là, sur ce coin de terre, qu'il s'est formé à la vie et qu'avec ses yeux d'enfant il a vu, observé, écouté, senti les gens et les choses, qu'il a bâti ses rêves d'avenir dont un au moins ne l'a jamais quitté et s'est accompli : celui d'avoir une ferme à lui, d'y élever des bêtes, et de cultiver la terre.

C'est aussi à deux pas de sa maison sur les bancs de l'école, aujourd'hui devenue annexe de la mairie, qu'il a ouvert son premier cahier d'écolier et fermé le dernier à l'âge de quatorze ans. C'est à Mériel, tout au bout du « chemin du Moulin-d'en-Haut » qu'on appelle aujourd'hui « rue Madeleine-et-Louise-de-Montebello », et qui débouchait et débouche toujours sur les vastes champs qui s'étendent en direction du château du Val et de l'abbaye du même nom, qu'il a lu, gravés dans la pierre d'une croix monumentale, quelques mots qui l'ont impressionné et qu'il n'a jamais cessé de répéter pendant toute sa vie.

Le 24 juillet 1912, à l'âge de trente-huit ans, Louis, Auguste, Jean Lannes, marquis de Montebello, fut frappé à cet endroit par la foudre et tué sur le coup. Jean avait alors huit ans, et c'était un lieu qu'il connaissait bien, passage obligé de ses escapades en direction de la grande forêt de L'Isle-Adam. De chez lui, il franchissait la voie de chemin de fer par le passage à niveau, gravissait la sente qui n'était pas comme aujourd'hui bordée de pavillons mais de mûriers et de framboisiers sauvages, et c'était alors la vue sur les grands horizons champêtres.

Peu après cette mort qui frappa un des descendants du maréchal Lannes, aristocrate et bienfaiteur du coin, les habitants de Mériel et de L'Isle-Adam érigèrent sur les lieux mêmes du drame une croix en témoignage de regret et d'estime. Sur le socle, on grava un extrait d'une épître de saint Matthieu, XXV-13 :

VEILLEZ ET PRIEZ CAR VOUS NE SAVEZ NI LE JOUR NI L'HEURE

C'est certainement la première phrase que Jean s'efforça d'apprendre par cœur, fasciné, et sans bien alors en comprendre le sens.

Ne fréquentant pas l'église et négligeant donc les mots « veillez et priez », il ne devait retenir que les derniers qu'il transforma d'ailleurs en « nul ne sait ni le jour ni l'heure ». Tous ceux qui ont quelque peu approché Jean l'ont entendu, au moins une fois, dire ces mots qu'il prononçait un peu sentencieusement en agitant doucement une main dont il levait légèrement l'index et en le courbant comme il en avait l'habitude.

Un peu naïve, et surtout inattendue, l'image de cet homme qui, sa vie entière, a voulu se souvenir jusqu'à l'obsession de ces mots appris dans l'enfance et qui sans doute alors étaient chargés d'un mystère qui l'angoissait.

— Tu n'es qu'un sale petit sauvage, lui disait parfois sa mère.

Sauvage ? Il l'était comme les fruits qu'il cueillait le long des chemins et qui poussaient là comme ça, sans qu'on sache comment, et qui, la belle saison venue, gardaient encore un peu d'âpreté, tout simplement parce que c'est dans leur nature. Sauvage ? Jean, c'était déjà surtout un regard qui savait fixer les choses, et sans le savoir, il les enfouissait, avec ses émotions secrètes et sa sensibilité d'enfant accroché à ses rêves, dans une mémoire fabuleuse d'où il ne cessera de puiser les éléments qui ont fait son exceptionnel talent d'acteur et la singulière « vérité » des personnages qu'il a créés.

En cela, Mériel a été à Jean Gabin ce que Whitechapel fut à Chaplin : la source première de leur inspiration créative. Mais pour Jean, en plus, Mériel fut peut-être aussi l'équivalent de « Rosebud » du Citoyen Kane *, ce jouet secret et perdu de l'enfance dont le souvenir résiste aux déchirures de la vie.

*

Dans mon enfance, Mériel n'était qu'un petit bourg campagnard, quelques maisons rurales comme la nôtre, des fermes et, tout autour, la campagne.

---

* Dans le film d'Orson Welles *Citizen Kane*, « Rosebud » était le mot que le héros prononce mystérieusement en mourant. On découvrait à la dernière image du film que c'était le nom d'un traîneau avec lequel il avait joué enfant.

D'un côté, l'Oise, de l'autre, des champs et, très proche la forêt, de L'Isle-Adam, et plus près encore vers Méry, le bois des Garennes qui portait bien son nom. Cet ensemble était mon domaine, une sorte de royaume dont j'avais quelquefois l'impression qu'il n'appartenait qu'à moi, tellement je le connaissais et l'arpentais en tous sens.

Notre maison était de briques rouges et pas très belle. On pouvait y entrer directement par une petite porte au numéro 43, de plain-pied avec la Grand-Rue qui était l'artère principale du bourg, à côté de la mairie et de l'école communale. Un escalier conduisait à un premier étage qui n'était, en fait, qu'un rez-de-chaussée côté jardin. Le jardin était en effet surélevé par rapport à la rue, et un chemin en pente conduisait à un petit portail qui s'ouvrait lui aussi au niveau de la rue.

De l'autre côté, le jardin était très légèrement en contrebas de l'accès à la gare de Mériel et des voies de chemin de fer. Il y avait une autre sortie de ce côté-là.

La maison était étroite, toute en longueur, sans couloir intérieur, et on passait directement d'une pièce à l'autre, d'une chambre à l'autre.

Au niveau du premier étage, côté jardin, il y avait un grand balcon en bois *.

J'étais un peu comme mon père : à la maison je n'y restais pas longtemps mais j'aimais le jardin qui m'apparaissait alors très grand. Pas assez cependant pour freiner mes besoins d'espace. Je partais dès le matin et il m'arrivait de ne pas reparaître avant la nuit.

Ma mère s'était finalement peu à peu habituée à mes fugues. Parfois aussi, elle pensait sincèrement que j'étais en classe, à l'école communale du père Dervelloy, presque en face de chez nous. Elle finissait forcément par savoir que je n'y avais pas mis les pieds.

Je rentrais le plus souvent les vêtements déchirés par les ronces, quelquefois aussi, lorsque je m'étais battu avec les garnements de mon âge, couvert de plaies et de bosses. J'avais droit, c'était rituel, à une bonne raclée et à la promesse que mon père allait sévir quand il rentrerait. C'était rarement le cas car j'étais couché quand il arrivait le soir à la maison, et déjà reparti quand il se réveillait le lendemain matin.

Ma mère cherchait parfois le soutien moral de ses voisines.

— Jean est un enfant difficile, vous savez ! se plaignait-elle.

En vérité, j'étais un véritable petit chenapan pour qui l'école, par

---

* Il a résisté jusqu'en 1971. Les nouveaux propriétaires l'ont rebâti en béton. *(N.d.A.)*

exemple, a toujours ressemblé à une prison d'où il était vital pour moi de s'évader. Je détestais apprendre, et ça m'est resté longtemps. L'étude était la pire des punitions qu'on pouvait m'infliger et, contraint et forcé, j'en ai donc subi pas mal de punitions car je suis quand même allé à l'école jusqu'à quatorze ans. On me disait que, si je n'y allais pas, je ne serais jamais un « monsieur ». Des « messieurs », il m'arrivait d'en voir dans l'omnibus, les rares fois où mon père nous emmenait à Boulogne-Billancourt et qu'on traversait Paris. Avec leurs cols amidonnés qui leur serraient le « quiqui », leurs redingotes qui les faisaient ressembler à des pingouins, et leurs chapeaux, je leur trouvais l'air con. Plus tard, pourtant, au Moulin-Rouge, dans une revue avec la Miss, j'ai chanté une chanson qui disait : « C'est chouette d'être un monsieur. »

Mais au temps de Mériel et où j'étais môme, je m'en foutais pas mal d'être mal élevé. Je me plaisais même à être très grossier. La mémère ou le pépère dont la tête ne me revenait pas, ou qui me faisait une réflexion de travers, encaissait parfois une bordée de jurons dont j'étais très fier. Et, naturellement, ils allaient se plaindre à ma mère qui, au fond, devait s'en foutre mais qui, devant les voisins offensés, sauvait les apparences en me promettant une raclée. Parfois, je la prenais vraiment la raclée quand les nerfs de ma mère craquaient, l'ayant poussée à bout. Mais il aurait fallu qu'on me batte à mort, comme on dit, pour me faire entendre raison, et ni mes parents ni mes sœurs ne l'ont jamais fait car, malgré tout, ils m'aimaient bien.

— Forte tête ! gémissait ma mère en m'accablant de reproches.

Forte tête ! me fit dire de moi beaucoup plus tard, et au cinéma, Jacques Prévert. Forte tête ! qu'on m'a dit aussi dans la marine, pendant mon service militaire.

Faut croire qu'il y a dans cette accusation qui m'a poursuivi une part de vérité mais que, personnellement, j'ai eu la faiblesse de traduire par « avoir du caractère ».

A dire vrai, j'ai souvent regretté, avec l'âge, que mes parents ne se soient pas montrés plus sévères envers moi. Certains obstacles que j'ai rencontrés au début de ma vie d'adulte m'auraient paru plus faciles à négocier car j'étais resté trop entêté. Mais ça a été comme ça et on ne revient jamais en arrière avec des regrets.

Mon père dépensait son énergie au théâtre et sur les champs de courses et n'en avait plus pour s'occuper de moi, et éventuellement punir mes incartades. En plus je crois qu'il était bon et qu'il n'aimait pas ça. Il est évident que, de tous les rôles qu'il a eu à jouer, c'est celui réel de père de famille qui lui allait le moins bien. Il y a fait un « bide », comme on dit dans notre jargon de métier. Quant à ma mère, la pauvre, elle était très fatiguée et dégoûtée de tout et de moi surtout. De ce fait, mes parents m'ont laissé pousser dans la vie un peu comme je l'entendais. Sur le moment, j'en ai profité mais maintenant je pense qu'ils ont eu tort.

Je n'ai pas eu une enfance malheureuse. Je crois que mes parents, mes sœurs, mon frère m'aimaient bien et je les aimais aussi. J'étais le contraire d'un enfant martyrisé puisque, précisément, on me laissait faire à peu près ce que je voulais. Je peux dire ça aujourd'hui, mais étant gosse je ne réfléchissais pas, et quand on m'obligeait tout de même à certaines servitudes, comme aller en classe par exemple, j'étais bien prêt à me considérer comme un petit martyr.

Je n'ai jamais eu froid ni faim. Je n'ai manqué de rien d'essentiel...

Si, peut-être, quelque chose m'a manqué, je crois, mais c'est difficile à dire après tant d'années et en plus, je pense aujourd'hui que ce devait être en grande partie de ma faute. Il m'a manqué une certaine tendresse, une pointe d'affection en plus, ou même de simple attention de la part de mon père et ma mère. Je ne parle évidemment pas de mes sœurs qui m'ont souvent montré leur affection et pour qui j'ai toujours été le petit « Jeanjean ». Mais de ma mère, de mon père, j'ai sûrement attendu quelque chose qui n'est pas venu, que je n'ai pas ressenti en tout cas. Par exemple, je ne me souviens pas avoir été embrassé par mes parents quand j'étais môme, et évidemment encore moins après quand, ma mère étant morte, j'ai vécu seul avec mon père. Je ne les ai sans doute pas beaucoup aidés à le faire. Dans la famille Moncorgé, on ne s'est jamais beaucoup léché le museau. C'est un trait qui m'est resté. Je n'embrasse pas facilement, même les êtres qui me sont les plus chers. Question de pudeur.

Avec le temps, je me rends compte que j'ai dû laisser à mes parents l'image la plus négative du môme que j'étais. Celle d'une tête de pioche, rentrant sale et vêtements déchirés de mes escapades, ou de m'être battu avec d'autres chenapans de mon acabit, ne voulant rien apprendre en classe, faisant l'école buissonnière à la moindre occasion. Bref, celle d'un petit monstre qui, comme le disait ma mère avec exagération, avait toutes les chances de « finir sur l'échafaud ».

Mais en réalité, l'image la plus familière que je garde de moi, enfant à Mériel, n'est pas celle que connaissaient mes parents. Jean Poësy est peut-être le seul qui ait deviné le garçon que j'étais réellement et qui, je crois, m'a compris.

Je n'étais moi-même que hors de la maison et des contraintes, quand je courais dans la campagne. J'avais besoin de liberté et aussi d'une sorte de solitude. Je n'ai pas eu les jeux habituels des enfants de mon âge. Dans mes vagabondages autour du village, il ne me serait pas venu à l'idée d'aller à la recherche d'un trésor enfoui.

Je ne jouais pas non plus aux cow-boys ou aux Indiens. D'ailleurs, je ne me souviens pas qu'avant la guerre de 14 on savait ce que c'était, le cinéma ne les ayant pas encore popularisés. En tout cas pas au point qu'un gosse de Mériel les connaisse. Je n'avais pas non plus de ces jeux puérils comme ceux que je voyais faire à mes petits camarades.

D'abord, j'étais le plus souvent seul. J'aimais cette solitude. J'étais aussi un gosse instinctif et sans imagination. Donc, mes jeux, car c'en étaient tout de même, avaient pour base une réalité : la recherche d'un nid, d'un terrier, la trace d'un renard que je suivais le plus loin possible pendant des heures. Des heures entières aussi je pouvais rester — moi qui ne supportais pas de poser cinq minutes pour Madeleine — à guetter une trouée dans la forêt dans l'attente du passage d'un sanglier ou d'une biche. J'apportais à ces tâches qui m'amusaient beaucoup de sérieux. J'étais aussi rationnel — un mot évidemment que je n'emploie qu'aujourd'hui. Pendant le temps que je passais à piéger des oiseaux en me servant de bâtons enduits de glu, je ne perdais à aucun moment de vue que j'allais les manger. Quand je les apportais à la maison, suspendus par leurs petits cous sanguinolents, enfilés sur une tige, ma mère poussait des cris dégoûtés. Quand ma grand-mère Marie Petit était là, c'était elle qui les plumait et me les faisait rôtir. Je m'en régalais tout seul et n'en laissais pas pour mon père qui les aurait appréciés. A chacun de profiter de ses mérites.

Quand j'affrontais les barbelés d'un verger, avec les risques que ça comportait pour ma culotte, c'était aussi avec une idée précise : en manger les fruits. Je ne faisais rien de gratuit. J'agissais comme si ma petite existence dépendait des résultats que j'obtenais. Je dirais aujourd'hui que c'était probablement, et inconsciemment, un besoin impératif de m'affirmer en dehors du monde des adultes et dans des chemins bien à moi.

Le goût que j'ai eu pour la chasse, plus tard, et qui m'est aujourd'hui un peu passé, est venu du souvenir de ces instants-là de mon enfance. Dans ce domaine, Jean Poësy devait, comme il l'a fait pour d'autres choses et à d'autres moments de sa vie, « policer » mes instincts de petit sauvage. Il chassait et il m'emmenait avec lui, m'apprenant à repérer une trace, un passage, à mener une traque en marchant contre le vent, l'oreille à l'écoute, l'œil aux aguets. Ces leçons-là, je les ai apprises et retenues sans la moindre difficulté. J'étais doué. En récompense, Poësy me laissait porter son fusil qui était plus grand que moi, et sans doute assez lourd pour le petit bonhomme que j'étais, mais il me paraissait léger tant la « considération » que mon beau-frère me témoignait me rendait fier et heureux.

Quand je dis que mes parents ne m'ont pas vraiment connu, c'est, entre autres, à cette image-là que je pense.

Plus tard, ce bonheur que j'ai toujours éprouvé à pénétrer les halliers, à y renifler l'odeur musquée laissée par le passage des bêtes, ce plaisir ressenti à marcher d'un pas régulier et silencieux dans les sentiers, un fusil sous le bras, un brave chien sur les talons, à sentir la terre fraîche des labours d'automne collée à mes bottes, à humer le parfum des herbes humides écrasées sous mes pieds, tout ça, et autre chose encore et de plus intime, de plus secret, provient du plus lointain de moi-même... De Mériel et de mon enfance...

Mais Mériel et mon enfance, ce n'était pas, hélas, seulement la campagne et les bois. C'était aussi l'école. Ah ! l'école ! Est-ce que c'est possible de l'avoir détestée autant que moi ! Par la porte donnant sur la Grand-Rue, elle était à trois pas de la maison, à côté de la mairie *.

Je n'ai pas eu de chance avec les deux écoles que j'ai fréquentées, elles ont toujours été à quelques mètres de là où nous habitions. C'était comme une provocation.

Ayant donc commencé ma vie en faisant le désespoir de mes parents et particulièrement de ma mère, j'ai poursuivi dans cette voie en désespérant également mon instituteur, M. Dervelloy. Je n'avais rien contre ce brave homme qui n'était même pas très sévère, mais je ne comprenais pas qu'il cherche à m'expliquer et à m'apprendre des choses qui ne m'intéressaient pas et n'entraient pas dans ma tête. Je n'y mettais surtout pas de bonne volonté. Mais je m'en sortais cependant tant bien que mal car j'étais le roi des copieurs. Mon regard, exercé à surprendre l'envol rapide d'une perdrix ou la fuite furtive d'un lapereau dans les taillis, m'a été d'un grand secours en classe quand il s'agissait pour moi de jeter un coup d'œil sur le cahier du copain sans attirer l'attention de M. Dervelloy. Copier, ça je savais et comme j'avais plutôt et bizarrement une bonne écriture, mes devoirs faisaient quand même quelquefois la blague.

Encore une fois, même à l'école mon comportement n'était pas entièrement négatif comme le pensait ma mère. Certes, l'enfermement que représentait pour moi la classe, cette immobilité sur un banc m'étaient insupportables. Je ne voyais surtout pas la nécessité pour moi d'être là. Mais, curieusement, lorsque j'avais décidé d'y aller, j'arrivais bien avant tout le monde. Cette manie de l'heure, d'être en avance même, m'est restée. La porte de l'école était toujours ouverte. J'arrivais le premier — c'était bien la seule circonstance où je l'étais — et j'aimais cette impression de prendre seul possession de la classe. Toujours ce

* Elle est fermée aujourd'hui et sert de salle de réunions. *(N.d.A)*

goût pour la solitude. Là non plus je n'agissais pas gratuitement. J'avais un but. Celui, par exemple, de remplir les encriers et, en hiver, d'allumer le poêle. Je ressentais une certaine supériorité vis-à-vis de mes petits camarades lorsqu'ils arrivaient et trouvaient le poêle qui ronflait déjà, et leurs encriers pleins.

— C'est bien, Moncorgé ! me disait M. Dervelloy en me tapotant la nuque.

C'était la seule occasion qu'il avait dans la journée de me complimenter, mais je n'en étais pas moins fier. Il me fallait bien trouver des compensations à cet attribut de cancre qui collait à moi et qui était sans doute très exagéré, car, quand j'ai quitté l'école, je savais parfaitement lire, écrire et compter.

Près de chez nous, il y avait une ferme, celle de la famille Haring. J'étais très copain avec le fils des fermiers, Auguste, qui avait à peu près mon âge. Souvent fourré chez eux à les regarder travailler, leur monde, celui de la terre et des bêtes, me fascinait. J'ai vite appris leurs gestes, et comme pouvait le faire un môme d'une dizaine d'années, à l'égal de mon copain Auguste, je donnais un coup de main.

C'est chez les Haring, dans leurs pas, que j'ai pris ce goût des choses de la terre et des bêtes, qui ne devait plus jamais me quitter.

Chez les Haring, les vaches restaient à l'étable car les fermiers ne possédaient pas de prés où les mener, toutes leurs terres étant emblavées. Je trayais les vaches, les nourrissais et nettoyais l'étable. Je m'occupais aussi des poules, des canards, des lapins. Alors qu'on prétendait que j'étais bon à rien, j'ai su, d'instinct, faire la moisson ou les foins, soigner les chevaux, ou guider le socle d'une charrue...

— Fais-moi de beaux sillons bien droits, et appuie fort sur le socle, me disait le père Haring qui marchait à mes côtés, prêt à corriger mes fautes.

J'étais très fier de ses encouragements et je m'appliquais...

— Cet enfant est sérieux et il apprend vite, disait le fermier à mon maître d'école lorsqu'il le rencontrait.

— Ce n'est pas comme en classe ! soupirait le brave M. Dervelloy qui mettait pourtant beaucoup d'obstination à me communiquer ses connaissances...

Seulement, je me foutais complètement de savoir que « orthographe » ne s'écrivait pas avec un « f » comme girafe, comme aurait dit Prévert, et je ne comprenais rien à l'histoire de ce robinet qui débitait de l'eau et dont il fallait calculer le temps qu'il mettrait pour remplir une cuve. Enfin bref, je ne me sentais pas concerné par tout ça. Chez les Haring c'était plus simple, on ne calculait pas...

J'ouvrais le robinet, l'eau coulait dans la rigole de l'étable. Je prenais mon balai et je nettoyais, et quand j'avais fini, que tout était propre, je fermais le robinet et personne ne me demandait combien il avait débité de litres d'eau. On me disait seulement : « C'est bien, mon petit Jeannot. » Et pour me remercier, le père Haring me donnait une douzaine d'œufs que j'apportais fièrement à ma mère.

Évidemment, mes parents qui, gens de théâtre, étaient forcément des citadins, considéraient avec perplexité mon goût pour la terre et les bêtes. Ils étaient aussi éloignés de mes préoccupations que je l'étais des leurs, mais ma mère préférait quand même me savoir chez les Haring plutôt qu'à rôder dans les bois.

J'avais pourtant, à la même époque, une autre passion. Au fond du jardin de notre maison, il y avait les voies de chemin de fer. Je m'installais sur le talus qui bordait les rails et j'attendais que les trains passent. J'appréciais surtout les express, ceux qui ne s'arrêtaient pas à la petite gare de Mériel. Leur vitesse, le déplacement d'air qu'ils faisaient sur leur passage, le bruit de la locomotive à vapeur, tout ça me grisait. Sans compter que je croyais que ces trains qui ne daignaient pas s'arrêter à Mériel allaient loin, vers des horizons totalement inconnus de moi. En fait, je l'ai su plus tard, la plupart ne dépassait pas Valmondois, quelques kilomètres après Mériel, et les plus aventureux poussaient jusqu'à Persan-Beaumont, autrement dit la porte à côté.

Il y avait aussi les trains de marchandises qui chargeaient le plâtre, la pierre et le grès des carrières du pays. Les locos manœuvraient longtemps en gare de Mériel et je pouvais à loisir les admirer.

J'enviais surtout les gars qui les faisaient marcher. Mon grand-père maternel, Louis Petit, était mécanicien-monteur de locomotives à la Maison Cail, et quand il venait nous rendre visite à Mériel, je me faisais expliquer par lui comment fonctionnaient ces belles machines qui m'attiraient tant. Je ne comprenais pas grand-chose à ses explications, mais il était tout heureux que son petit-fils s'intéresse à son travail. C'est à lui que j'ai confié pour la première fois mon désir, quand je serais grand, de devenir mécanicien de locomotives.

— Tu as raison, c'est un bon métier, et tu verras du pays, me répondait-il en ajoutant, et c'était moins gai pour moi : Mais pour ça il faut d'abord que tu travailles bien à l'école et que tu décroches ton certificat d'études.

J'étais pas parti pour, d'après M. Dervelloy !

Mon ambition de devenir mécanicien de locomotives ne me faisait pas rejeter mon goût pour les choses de la terre. J'avais beau être un cancre, comme on disait, je gambergeais quand même. Et je me disais que, pour avoir une ferme à moi, des terres et des bêtes, il fallait sûrement beaucoup d'argent, et je ne voyais pas comment je pourrais un jour en avoir suffisamment pour réaliser mon rêve.

Tandis que pour être conducteur de locos, pas besoin d'argent, il suffisait d'apprendre, et ça, je m'en sentais quand même un peu capable.

— On verra ça quand tu auras ton certificat d'études, disait ma mère qui ne paraissait pas plus optimiste que moi devant cet objectif qui barrait obstinément l'horizon de mon enfance.

L'école buissonnière occupait le plus souvent mon esprit, et en grandissant en âge, sinon en sagesse, j'éprouvais l'envie de découvrir d'autres horizons que ceux de Mériel.

Pas très loin de chez moi, il y avait le bac qui traversait l'Oise. Quand j'allais braconner au bord de l'eau, j'observais avec envie les mouvements du bac qui emmenait des gens sur l'autre rive qui était pour moi une terre inconnue.

Un jour, ayant chapardé à ma mère quelques sous sur les commissions qu'elle m'envoyait faire, je me suis offert mon premier voyage, seul à Auvers-sur-Oise qui fait presque face à Mériel, sur l'autre rive. Ça m'a alors paru une aventure au bout du monde.

En allant traîner du côté du cimetière d'Auvers, j'ignorais évidemment qu'un certain Vincent Van Gogh — dont plus tard j'allais tant aimer les tableaux — y reposait, et que c'était dans un champ de blé comme celui que je piétinais sans vergogne qu'il s'était tiré un coup de pistolet qui l'avait tué le 14 juillet 1890.

D'Auvers, j'ai gardé longtemps un souvenir. Pas celui de Vincent Van Gogh donc, mais d'une raclée mémorable de ma mère. M'étant attardé dans mon vagabondage, j'ai raté le dernier bac de retour vers Mériel. Ne me voyant pas réapparaître à la maison à la nuit tombée, ma mère partit à ma recherche. Je ne sais comment elle eut l'idée d'aller jusqu'à la maison du passeur où le brave homme la mit sur ma piste. Il accepta, de nuit, de retraverser l'Oise en compagnie de ma mère, et ils me trouvèrent sur l'autre rive près du ponton où, pas plus fier que ça, je m'apprêtais à passer la nuit à la belle étoile en attendant le premier bac du lendemain.

A Mériel, il n'y avait ni tailleur ni couturière mais il y avait la mère Noret qui faisait bien l'affaire. C'est elle qui, dans de vieilles robes de mes sœurs ou dans un complet usagé de mon père, me taillait mes vêtements « de tous les jours », comme disait ma mère. Ils étaient si bien de tous les jours que je n'ai connu dans mon enfance que ces sortes d'habits « arrangés » par la mère Noret. Ils étaient si originaux que j'étais le seul gosse de Mériel à en avoir de semblables.

J'ai le souvenir qu'ils étaient surtout ridicules et qu'ils ne résistaient pas mieux que d'autres aux assauts des ronces ou des barbelés.

De toutes mes jeunes années, je n'ai eu à moi que deux ou trois costumes, je veux dire achetés spécialement pour moi. Le plus beau dont j'ai gardé un souvenir ému était une sorte de costume marin avec un béret du même style, que ma sœur Reine m'avait offert. Je faisais de l'effet avec, et tout le monde était un peu surpris de me voir là-dedans, moi le premier. Dire que je m'y sentais à l'aise serait exagéré, d'autant que lorsque j'avais ce sacré vêtement sur le dos chacun de mes mouvements était épié par l'œil vigilant de ma mère.

— Jean, ne te tache pas !... Fais attention où tu t'assieds... Jean, enlève les mains de tes poches, tu les déformes !...

Jean ceci, Jean cela, je finissais par maudire mon beau costume dont j'étais pourtant fier. Ma mère expliquait aux gens :

— Il faut bien qu'il dure un peu, vous comprenez...

Il a si bien duré selon le vœu de ma mère qu'un jour il s'est avéré nettement trop petit pour moi alors qu'il était encore pratiquement neuf, ne l'ayant mis que deux ou trois fois. C'était le costume des grandes circonstances et, à Mériel, les grandes circonstances étaient plutôt rares.

Il y en avait une cependant, celle du premier jour de l'an. Toute la famille Moncorgé au grand complet et mise sur son trente et un allait présenter ses vœux aux grands-parents Moncorgé, à Boulogne-Billancourt.

Mon père s'était évidemment réconcilié avec le sien plusieurs années avant que je ne vienne au monde, et bien qu'il ait alors fait son trou comme « saltimbanque », mon grand-père n'avait pas changé d'avis et considérait toujours que son fils faisait un métier de polichinelle. On voyait d'ailleurs très peu les grands-parents Moncorgé en dehors du rituel des vœux du 1er janvier.

J'aimais beaucoup cette sortie, moi qui quittais rarement Mériel. C'était une fête, et même une épopée. Pensez ! Nous prenions le train pour la gare du Nord, à Paris, puis le métropolitain ou l'omnibus, comme on disait alors. J'appréciais tout, mais j'avais une préférence marquée pour l'omnibus, surtout au temps où il était encore tiré par des chevaux, et que j'ai connu. Pour me faire plaisir — car mon père était tout de même attentif à ces choses-là —, il montait avec moi sur l'impériale, tandis que le reste de la famille, moins intéressé aux découvertes des choses de la vie que moi, ou plus exactement les connaissant peut-être déjà, demeurait en bas.

Pour m'être encore plus agréable, mon père demandait à un ou deux voyageurs de nous laisser une place juste derrière les cochers.

— C'est pour le petit, il voudrait voir les chevaux, disait-il avec un bon sourire aimable.

Ébloui, en effet, je ne quittais pas des yeux de tout le voyage les quatre chevaux attelés deux par deux qui, dans les rues en pente descendante, se mettaient d'eux-mêmes au petit galop en accentuant ainsi le brinquebalement de l'omnibus. Grisé, mais aussi un peu inquiet, je serrais la main de mon père pour me rassurer, tandis que les chevaux hennissaient et secouaient plus fortement leur crinière. Je me disais qu'ils avaient l'air de prendre plaisir à nous faire peur. Et puis les cochers les calmaient un peu en les appelant chacun par son nom. J'étais émerveillé par l'allure des deux hommes assis côte à côte en uniforme et avec un drôle de chapeau haut. Ils faisaient parfois claquer leur long fouet, comme une caresse, au-dessus des croupes des bêtes qu'ils effleuraient à peine. Ils les encourageaient aussi avec des claquements de langue ou émettaient des petits bruits bizarres dont les chevaux paraissaient comprendre le sens.

Évidemment, à Mériel, dans les jours qui suivaient cette sortie, on me voyait beaucoup diriger la manœuvre de quatre chevaux aussi superbes qu'imaginaires, que j'appelais par les noms que j'avais entendus — déjà j'avais bonne mémoire. Et moi aussi je faisais claquer un long fouet fabriqué avec un bout de corde à linge dérobé à ma mère, attaché à un bâton, et avec autant de dextérité, me semblait-il, que je l'avais vu faire aux cochers de l'omnibus. La différence était que je jouais tous les rôles, celui des cochers et des quatre chevaux.

Ce qui m'intriguait, c'était ce que devenait tout ce crottin fumant que les chevaux laissaient tomber à tour de rôle sur les pavés pendant le parcours. A l'évidence il était perdu, et je trouvais ça dommage en pensant aux Haring, mes voisins fermiers de Mériel qui, eux, en auraient fait bon usage.

Pour le petit campagnard que j'étais, cette journée du premier de l'an avait donc un caractère exceptionnel. Car non seulement il y avait l'aventure du voyage, la découverte d'une grande ville, Paris, que chaque année j'observais d'un regard nouveau, mais, au bout de tout ça, il y avait aussi le grand-père Moncorgé. Et ce n'était pas rien.

Je l'ai décrit et je ne reviendrai pas sur son allure, sinon pour rappeler cette grosse ceinture qu'il laissait bâiller librement au-dessous de son nombril. Car je dois avouer qu'avec l'âge la manie du grand-père s'est un peu perpétuée avec moi qui aime bien aussi prendre mes aises de ce côté-là. Ma femme me le reproche assez. Le grand-père, lui, avait de la chance : personne, en effet, ne songeait à lui demander de rectifier sa tenue quand bien même il recevait du monde.

Était-il content de nous voir ? Sans doute, car, bien qu'enfants de saltimbanques, nous étions quand même sa descendance. Le problème, c'est qu'en nous regardant à travers sa barbe on ne savait jamais s'il souriait ou s'il grimaçait. Il avait en tout cas un faible pour moi qui étais alors le plus jeune de ses petits-enfants. Inconsciemment, mais aussi par un atavisme naturel, je suscitais son intérêt. Il me prenait en effet par la main pour m'emmener visiter son jardin dans lequel, je l'ai dit, il ne cultivait que des choux.

Les choses de la terre ayant toujours été proches de moi, je manifestais, devant ces rangées de choux un peu fripés par le froid de l'hiver, un étonnement qu'il prenait à coup sûr pour de l'admiration. En rentrant à la maison, il disait en effet :

— Il est bien gentil, ce petit...

Cette appréciation me valait une double ration de petits-beurre que ma grand-mère sortait d'une boîte en fer marquée Caïfa et qui, toujours un peu mous, sentaient aussi le renfermé.

J'étais le seul à montrer de l'intérêt pour le « jardin aux choux » du grand-père, le reste de la famille ne manifestant qu'indifférence ou ironie.

Autre chose, cependant, me fascinait lors de ces visites annuelles à la maison de mes grands-parents Moncorgé. Ils avaient loué le rez-de-chaussée à un équarrisseur qui s'appelait Verdier-Dufour. Deux énormes têtes de chevaux en métal, comme on en voit encore aux boucheries chevalines, ornaient la façade, et m'impressionnaient beaucoup.

Je ne comprenais pas pourquoi on n'en avait pas de pareilles sur le mur de notre maison à Mériel. J'aurais bien voulu que mon père les emporte car je me disais que ça ferait de l'effet chez nous et que ça épaterait mes copains de la communale.

Peu d'événements sont venus troubler le déroulement sans histoire de mon enfance à Mériel, mais l'un d'entre eux m'est resté fortement en mémoire, moins parce qu'il fut l'occasion de mon premier grand voyage au bout duquel je devais découvrir la mer, que parce qu'il m'a laissé le souvenir de la plus ancienne grande émotion de ma vie et qui devait être aussi probablement la première.

Mon père, qui avait dû décrocher un contrat de quelques jours dans un théâtre de Nice, décida d'y emmener la famille. Il avait dû aussi, je suppose, toucher une bonne arrivée à Longchamp ou à Vincennes dont il voulait, magnanime, nous faire profiter, car l'aspect Byzance de ce déplacement familial, qui n'était pas coutumier, suscite encore chez moi, après tant d'années, un certain étonnement.

J'ai dit Byzance ? N'exagérons rien. Le faste de mon père s'arrêta aux billets de troisième classe qu'il prit, ne pouvant faire ni moins ni autrement, pour les grandes personnes de la famille.

En ce qui me concernait, ayant alors quatre ou cinq ans, il décida de faire l'économie du billet demi-tarif qui m'aurait donné droit à une place bien à moi dans le compartiment. Celui-ci étant complet, j'allais donc des genoux de ma mère à ceux de mes sœurs qui se lassèrent assez vite, toutes les trois, de mes gesticulations, étant du genre à ne pas rester en place.

Mon père eut alors l'idée, qui n'était pas sotte en soi, de débarrasser un coin du porte-bagages, et de m'y installer. Ils n'étaient pas rigides comme aujourd'hui mais en fil tressé comme des filets de pêcheur, et on appelait ça, d'ailleurs, le filet à bagages.

Je suppose qu'au début cette position dominante sur la gent adulte m'amusa. Mais, à quatre ou cinq ans, on se lasse rapidement de tout, d'autant que mes mouvements étaient forcément limités et que ma mère, de crainte de me voir choir à ses pieds, me recommandait de ne pas trop bouger. Je pris donc successivement tous les prétextes pour descendre de mon perchoir de temps en temps : pipi, caca, envie de vomir, tout y passa. Mon pauvre père, car c'était évidemment à lui que revenait cette corvée, ne cessa, pendant une partie du voyage, de me descendre du filet et de m'y remettre. Je n'avais, en effet, rien contre ma position élevée, à condition de pouvoir en sortir le plus souvent possible.

A l'époque, le train ne s'arrêtait pas à Dijon, mais à La Roche où l'on changeait de locomotive. C'était donc un arrêt assez long. Et pour la circonstance on m'avait descendu de mon filet à bagages. Mon père, lui, était descendu du train pour aller nous acheter un panier à provisions qu'on trouvait sur les quais des gares en ce temps-là.

J'ai eu le sentiment que le temps passait, et ne voyant pas revenir mon père, je me disais que le train allait finir par repartir sans lui. Devant mes jérémiades, ma mère se contentait de hausser les épaules et me priait de me taire. Visiblement, elle ne partageait pas mes craintes. Moi, pourtant, je me souvenais qu'il arrivait à mon père, certains jours, à la maison lorsqu'il était pris d'un accès de mauvaise humeur après nous tous, de menacer de nous abandonner.

Alors, à cet instant, j'ai cru que c'était ce qui arrivait. Eh bien, voilà, ça y est, je me suis dit, il est parti, il nous a abandonnés. Dans un train, en plus, et loin de chez nous pour qu'on ne retrouve pas notre chemin, comme l'avaient fait les parents du Petit Poucet dans le conte que Madeleine m'avait lu quelques jours avant notre départ, et qui m'avait impressionné. La différence, c'est que, dans l'histoire que je vivais moi, pour le coup, le père abandonnait aussi la mère avec le marmot.

Je me mis donc à pleurer toutes les larmes de mon corps en appelant désespérément mon père. Tout le wagon fut ameuté par mes cris. Je balbutiais entre deux sanglots :

— Papa est parti ! Il nous a abandonnés !

Tête de ma mère, que les regards compatissants des voyageurs mettaient dans l'embarras, et qui s'efforçait sans doute de les détromper quant à l'indignité de son mari.

Je ne me rappelle pas avoir jamais autant pleurer que ce jour-là et d'avoir été aussi malheureux.

Évidemment, le père « indigne » a réapparu avant le départ du train avec le panier à provisions qu'il était allé chercher.

Encore rouge de confusion d'avoir été prise, pendant un temps, pour une pauvre femme abandonnée, ma mère ne lui ménagea pas ses reproches de s'être attardé. Selon ses bonnes habitudes, mon père avait dû aller tout simplement boire un verre ou deux au buffet de la gare, tranquille comme Baptiste.

Je suis resté le reste du voyage cramponné à lui, refusant obstinément de regagner le filet à bagages, de crainte qu'il ne nous refasse le coup, et cette fois, pour de bon, à la prochaine gare.

Des détails de cette histoire m'ont été rappelés par mon père des années après, mais de l'essentiel, le chagrin que j'avais eu à l'idée qu'il nous ait quittés, je m'en souvenais. Il ne m'a jamais dit alors ce qu'il avait pensé de mon comportement et s'il en avait été touché.

En grandissant, je suis devenu, par la force des choses mais aussi par tempérament, moins expansif dans mes émotions et l'expression de mes sentiments, car je ne me souviens pas avoir jamais manifesté à mon père autant d'affection que ce jour-là, en gare de La Roche.

Quelques années plus tard, un autre événement allait venir bien plus dramatiquement perturber mon enfance à Mériel. Celui-là ne concernait pas seulement ma petite personne. Il allait même ébranler le monde. La guerre de 14 ! J'avais dix ans.

La précédente, celle de 70, j'en avais entendu un peu parler dans la famille. Mon père, né en 1868, n'en avait pas de souvenir personnel mais ma mère, qui avait alors cinq ans, se rappelait des longues canonnades que tiraient les Prussiens sur Paris, du haut des collines à moulins d'Argenteuil et d'Orgemont. Quant aux grands-parents Petit et Moncorgé, ils avaient profondément vécu toutes les souffrances du siège de Paris, sans parler des troubles de la Commune. Surtout que du côté des Petit on avait été un peu communard.

Comme tous les enfants, je n'avais pas une idée précise de ce qu'était la guerre, malgré les efforts du père Dervelloy pour nous instruire aussi dans ce domaine. Je n'avais retenu qu'une chose, d'autant que je l'entendais dire et répété par tout le monde : les Prussiens étaient très méchants, des sortes de barbares qui massacraient femmes et enfants.

Et voilà que c'étaient ces sales types qui menaçaient d'envahir Mériel!... Ben oui, forcément, c'était surtout à Mériel que je pensais, le reste du monde, pour moi, était encore un peu abstrait.

De fait, la vie de notre village fut rapidement perturbée par le passage incessant des régiments qui montaient au front ou en redescendaient. Parfois, certains y cantonnaient même sur le bord de l'Oise. J'en oubliais mes escapades dans les bois, d'autant que Poësy n'était plus là pour m'emmener chasser, car lui aussi était parti faire la guerre.

*

Cette guerre, le petit garçon qu'était Jean la ressentait d'abord et surtout comme une injustice puisqu'elle le séparait de son « grand copain » Poësy (il ne l'a jamais appelé autrement que par son patronyme qu'il aimait prononcer et qu'il identifiait aux jolies « poésies » qu'écrivait Madeleine).

Un an auparavant, Poësy, qui était originaire de Marseille, y était retourné pour y créer une salle d'entraînement pour boxeurs. Déjà Jean supporta mal cette première séparation comme le prouve cette lettre qu'il adressa — il a alors neuf ans — à Poësy et à sa sœur Madeleine.

Chère Madeleine et cher Poësy,

Nous avons reçu ta lettre hier au soir, et je pense que vous avez eu une sacrée tempête (à Marseille...) *car à Mériel il a fait tellement de vent que nous ne pouvions pas avancer. Pour monter le nouveau chemin, j'ai été obligé de baisser la tête et de lutter avec le vent. Pour changer de conversation, je vais te parler de mon père, de Poësy et de moi. Moi et mon père, nous sommes en colère que Poësy ne vienne pas. Il faudrait qu'il vienne absolument. Nous serons heureux de le voir. Il n'est pas à huit jours près pour monter sa salle* (de boxe) *car il n'aura pas de professionnels tout de suite. Viens...* (il s'adresse directement à Poësy) *parce que je suis dans la deuxième de football...* (Jean jouait au football à l'Union sportive de Mériel tout enfant. Puis, suit un passage plus incompréhensible qu'illisible où il incite Poësy à venir jouer dans l'équipe première de football). *Les gars de Mériel te feraient un triomphe parce que tu es champion de France* (il écrit « France » en lettres énormes) *de poids légers. Tu serais mieux qu'un type du Racing Club. Pour terminer ma lettre, viens et envoie-moi une lettre pour savoir l'heure que tu viens pour aller te chercher à la gare de Mériel. Mon père est de mauvaise humeur, et ça le remettra de bonne humeur de te voir. Ton Jean qui t'aimera toujours...*

J'ai éliminé les fautes d'orthographe et laissé la construction et le style. On voit que Jean n'a pas encore de grandes connaissances géographiques de la France puisqu'il pense qu'un coup de vent à Mériel peut se répercuter en tempête à Marseille qui paraît se situer pour lui tout à côté. Naïve aussi cette idée de demander à Poësy l'heure de son arrivée à Mériel, comme s'il y avait une ligne directe Marseille-Mériel. Quant à son désir d'aller chercher Poësy à la gare, on sait que celle-ci n'était qu'à quelques pas de la maison...

Mais ce qui frappe surtout dans cette lettre, c'est le désarroi qu'elle exprime quant à l'absence de Poësy. Près de quarante ans plus tard — au début des années 50 — et jusqu'à la fin de sa vie, Jean évoquera sans cesse Poësy dont on sait qu'il est mort en 1955.

*

Poësy m'apprit beaucoup de choses. C'est évidemment de lui que je tiens mon goût pour les sports. Avant 14, il avait installé à Mériel un camp d'entraînement pour les boxeurs professionnels, mais les gosses du pays y venaient aussi et avaient droit à l'enseignement de Poësy, moi le premier. J'y ai vu boxer à l'entraînement des champions de l'époque : Frank Moran, Hogan, Ponthieu. J'ai mis les gants, j'avais à peine dix ans. J'ai boxé en amateur jusqu'à l'âge de dix-sept ou dix-huit ans. C'est même à la suite d'un direct un peu appuyé d'un adversaire, et que j'ai pas su parer, que j'ai eu le nez un peu cabossé comme il se présente aujourd'hui.

Par la suite, la boxe a continué à m'intéresser en tant que spectateur. Avant la guerre, je parle de celle de 14, j'étais gnard, Poësy m'emmenait avec lui au Central ou ailleurs, voir les grands matches. Je me rappelle de Frank Klaus, de Stanley Ketchell, de Jack Johnson, un des plus grands, avec Carpentier. J'ai eu de grands copains boxeurs comme Marcel Cerdan et surtout Marcel Thil.

J'ai joué au foot aussi très jeune à l'Union sportive de Mériel qui a fusionné ensuite avec l'U.S. Méry, le bled à côté. Je jouais « intérieur droit » ou « extrême droit » comme on disait alors. J'étais offensif et j'aimais la gagne. Des buts, j'en ai plantés et des beaux, en plus.

J'ai fait du vélo, beaucoup, ça a été même ma grande passion pendant longtemps. Je me baladais partout avec mon vélo de course. J'ai abandonné il y a deux ou trois ans. A mon âge, les grimpettes et les sprints ça devenait dur et le vélo ne m'intéresse que comme ça. Le genre cyclotouriste, très peu pour moi. J'ai eu de grands copains champions cyclistes : André Leducq, Georges Speicher, Charles Pélissier et d'autres...

Tout ça, c'est à Poësy que je le dois. Mais il ne m'a pas fait connaître que le sport. Il m'a aussi appris des choses comme la générosité, la gentillesse, la tolérance et la compréhension des autres, la gaieté aussi. Évidemment, je sens qu'on va dire que là, pour le coup, je n'ai pas été un très bon élève...

*

Ainsi donc, en ce début de la guerre, cruellement privé de la présence de Poësy, Jean cherche une compensation à son besoin de communiquer auprès des soldats qui passent et séjournent quelque temps à Mériel.

*

Je passais mes journées — plus buissonnières que jamais — avec les soldats et les chevaux. Des chevaux, je n'en avais jamais vus autant, et pour ce qui était du crottin on avait de quoi faire, mon copain Auguste Haring et moi. On le ramassait et on le portait à la ferme de ses parents.

Un jour arriva à Mériel, pour cantonner, un régiment qui était le 4e zouaves. Il était composé de très jeunes recrues d'origine paysanne que l'on avait mobilisées à la hâte au moment de la retraite de Charleroi.

Ce qui m'avait plus particulièrement attiré vers ce régiment, c'étaient les magnifiques pantalons rouges sang que portaient les soldats et qui allaient se révéler, pour ces pauvres bougres, des cibles très appréciées des fantassins allemands.

Ils avaient pour la plupart tout juste vingt ans et il me semblait donc qu'ils n'étaient au fond guère plus âgés que moi. Mêlé à leur vie, je leur rendais quelques petits services, en échange de quoi les jeunes gens me donnaient du chocolat, et même parfois m'invitaient à partager leurs rations.

J'étais très fier, comme on peut l'être à dix ou onze ans, de me sentir admis par ces soldats comme un des leurs, alors qu'ils s'apprêtaient à monter au front.

Au bout de quelques jours, le régiment reçut l'ordre de faire marche vers un secteur du front qui, d'ailleurs, se rapprochait de plus en plus de chez nous.

Je commençais juste à m'habituer à mes nouveaux camarades. Ce départ fut pour moi une terrible déception. Aussi, sans rien dire à personne évidemment, je pris la décision de partir avec eux.

Comment ce fut possible ? Encore aujourd'hui, ça reste pour moi un mystère, une de ces choses bizarres qui ne devraient normalement pas arriver et qui, personne ne pouvant expliquer comment et pourquoi, arrivent quand même comme un défi à la compréhension et au bon sens.

Le 4e zouaves se mit donc en marche en direction du front, et moi avec lui. Les jeunes soldats, à peine sortis de l'adolescence, sans doute guère plus conscients du caractère dramatique de la situation que je ne l'étais moi-même, s'amusèrent à me cacher parmi eux et prirent soin de moi, dissimulant ma présence aux officiers. Ils me donnèrent à manger et me firent dormir avec eux, enveloppé dans une capote. J'étais heureux et, je l'avoue, je ne songeais même pas à l'angoisse de mes parents constatant ma disparition.

Je me dis aujourd'hui, avec le recul, que l'attitude apparemment invraisemblable de ces jeunes soldats ne pouvait avoir qu'une explication : la présence d'un enfant parmi eux les rassurait, le considérant probablement comme une sorte de mascotte. J'étais le signe que, moi présent, il ne leur arriverait rien de grave.

De Mériel, exhortés par mes parents, les gendarmes remontèrent rapidement ma piste, et me trouvèrent quatre jours plus tard au milieu de mes copains du 4e zouaves, à deux kilomètres de la ligne de front.

Je n'ai pas su s'ils furent punis d'avoir si inconsidérément favorisé et protégé mon escapade. Moi, désespéré d'avoir dû les abandonner, je revins à Mériel contraint et forcé, entre deux gendarmes. A ma grande surprise, au lieu de la correction à laquelle je m'attendais, je fus accueilli avec des larmes de joie par mes parents, tout heureux de retrouver sain et sauf leur maudit rejeton. Quant à mes camarades de la communale, je fis à leurs yeux, pour un temps, figure de héros, ce qui me consola un peu d'avoir « raté » ma première guerre.

Quelques jours plus tard, j'apprenais, en écoutant les conversations des grandes personnes, que, lors d'une contre-attaque à laquelle il participait, le 4e zouaves avait été presque entièrement décimé et qu'il ne restait que quelques survivants. C'étaient des copains à moi qui venaient de mourir, et ils avaient à peine vingt ans.

De ce jour-là, j'ai conclu définitivement que, quelles que soient ses raisons et ses buts, la guerre était une vraie saloperie.

*

Ce sentiment, Jean allait le ressentir encore plus fortement lorsque, en septembre 1915, il apprenait qu'après avoir été blessé une première fois en Argonne, son cher Poësy l'était à nouveau et d'une manière plus dramatique puisqu'il sera, en définitive, amputé d'une jambe.

La presse de l'époque annonçait :

« Le lieutenant Jean Poësy, qui fut champion de France poids plume et qui, le premier, battit un champion d'Angleterre, Digger Stanley, vient d'être grièvement blessé sur le front de la Somme et a dû être amputé, le 5 septembre, de la jambe gauche... »

Quelques semaines plus tard, le 20 octobre, Jean, qui a onze ans alors et à qui la famille a caché, pour lui éviter un gros chagrin, l'amputation dont a été victime Poësy, écrit à celui-ci une lettre, bouleversante de naïveté, mais aussi et surtout de sensibilité, d'amour.

Mon cher Poësy...

J'ai appris que tu étais blessé et que tu étais à l'hôpital... Je suis en ce moment chez Beaubœuf (un copain dont les parents tenaient une pension de famille à Mériel « la Roseraie » et sur le papier à en-tête de laquelle Jean écrit sa lettre)... *et j'écris avec lui à côté de moi... J'espère que tu te portes bien et que tu es en bonne santé. Il y a à Mériel des battues de chasse au gros gibier, alors, j'espère que quand tu viendras en convalescence que nous irons tous les deux et que l'on tâchera d'en « raffer » beaucoup. Je pense que ma lettre te fera plaisir et te remontera le moral. Il faut espérer que ta blessure ne sera pas grave... Si toutefois j'étais à Paris...* (Jean fait allusion à l'éventualité que son père décide d'évacuer la famille vers Paris, ce qui va d'ailleurs se faire...) *quand tu reviendras* (à Mériel) *je demanderai à revenir pour aller avec toi, car tu sais combien je serai heureux de te voir et de t'embrasser très fort...*

Est-ce que tu peux commencer à marcher et à te laver... La soupe doit être meilleure à l'hôpital que dans les tranchées. Ah ! Si j'avais de l'argent, je prendrais le train et j'irais te voir tout de suite. Tous les sous que l'on me donne je les mets dans ma tirelire sans en dépenser un seul pour t'acheter une bonne petite friandise quand tu viendras... Un convalescent de chez Beaubœuf a fait cadeau, à moi et à Robert, d'une bague serpent en aluminium. Celle que tu as faite à Madeleine est belle. Je voudrais bien un souvenir de toi... Oh ! Quel bonheur ce serait pour moi, je le mettrais dans la vitrine à côté de ton portrait que je garde soigneusement. Il n'en bougerait plus car ce serait pour moi un porte-bonheur. Enfin je termine ma lettre en t'embrassant de tout mon cœur, fort comme je t'aime. Ton fidèle et bon copain, mon frangin...

(Signé) J. Gabin le poilu.

Jean a dessiné, à la suite de ces lignes, un vase avec des fleurs.

Le 23 décembre de la même année, il adresse à Poësy et à sa sœur Madeleine une carte de vœux représentant un sage petit garçon de son âge offrant des fleurs.

Ma chère sœur et mon vrai cher frère...

Je forme des vœux de tout mon cœur pour que vous soyez plus heureux en 1916 que vous l'avez été en 1915 et je veux être le premier à vous présenter mes vœux...

Votre frère qui vous aime et vous embrasse... J. Gabin.

J'ai, une fois encore, éliminé de ces deux lettres les quelques fautes d'orthographe qu'elles contenaient mais n'ai évidemment rien modifié de l'expression qui est loin d'être maladroite de la part d'un enfant de onze ans qui passait pour un cancre et détestait l'école.

Quant aux sentiments exprimés, ils sont, de toute évidence, en contradiction avec le « petit sauvage » et le « chenapan » au langage grossier tel que le voyait sa mère — c'est du moins ce que Jean rapporte — et tel que lui-même il se définissait encore dans les années 50, quand il s'évoquait à cet âge.

Certes, ces témoignages, qui expriment la grande sensibilité de l'enfant qu'il était, s'adressent à deux êtres qui lui sont particulièrement chers, Poësy et Madeleine. On en trouve encore d'autres à leur égard des années plus tard. On n'en trouve toutefois pas de semblables à l'adresse de sa mère, mais sans doute n'a-t-il pas eu souvent l'occasion de lui écrire. Aucun non plus vis-à-vis de son père, durant son enfance.

On remarquera aussi, avec curiosité, qu'à onze ans Jean signe ses lettres de caractère familial « J. Gabin ».

Quelques années plus tard, ce même genre de lettres, il les signera « J. Moncorgé » et quelquefois « Jean ».

En cette fin d'année 1915, la guerre se rapprochait de Mériel. Chaque jour on entendait davantage le bruit du canon. Ferdinand décida de quitter Mériel avec Hélène et Jean, et de se réfugier chez la tante Louise qui habitait Paris, à Montmartre, et dont le mari, Marie-Auguste, le frère cadet de Ferdinand, était à la guerre.

Après peu de temps, Ferdinand trouva un logement situé au rez-de-chaussée, 17, rue Custine, à l'angle de la rue de Clignancourt, et s'y installa avec sa femme et Jean.

Madeleine était restée à Mériel dans la maison familiale et dans l'attente du retour de Poësy de l'hôpital. Bébé était mobilisé et Reine, la sœur cadette, mariée, avait mis au monde l'année précédente son fils Guy, faisant de Jean un très jeune oncle.

*

A Montmartre, ma vie fut complètement changée. Il n'était plus question pour moi de chasser les nids en montant aux arbres comme je le faisais à Mériel. Les arbres de Paris ne sont pas faits pour qu'on grimpe après, et je ne trouvais sur les pavés de la Butte aucune trace du passage d'un renard ou d'une biche, même à cette époque-là. Mais même si j'étais resté à Mériel — ce que j'aurais quand même préféré —, je savais que ça ne serait plus comme avant, car Poësy avec sa jambe de bois ne battrait plus la campagne avec moi. Petit à petit, donc, sans m'en rendre compte, le jeune campagnard que j'étais devenait un citadin. Mon nouveau quartier n'avait bientôt plus de secret pour moi, et j'arpentais les rues de Montmartre comme j'avais arpenté les chemins autour de Mériel. Je poussais parfois jusqu'à la Chapelle voir passer sous le pont les trains qui emmenaient les soldats. Mais ce n'était plus comme de les voir de près à Mériel.

Je me consolais de cette nouvelle situation en pensant qu'elle me donnerait au moins un avantage, celui de ne plus aller en classe puisque la communale de Mériel et de M. Dervelloy était restée en place.

C'était vraiment pas bien réfléchi, et mon père s'empressa de rectifier le tir en m'inscrivant illico à l'école du coin, celle de la rue de Clignancourt.

J'ai dit qu'à Mériel l'école était à quelques pas de chez moi. A Clignancourt, quand le matin j'entendais sonner la cloche du rassemblement, je n'avais qu'à enjamber la fenêtre de notre logement et j'y étais. Ça me poursuivait donc, cette proximité avec cet endroit maudit !

Un grand portail, quelques marches, un hall et c'était la vaste cour pavée, cernée de bâtiments à plusieurs étages, traversés de longs couloirs. A Mériel, on n'était pas plus de deux douzaines d'écoliers, à Clignancourt on devait bien être des centaines, et les classes étaient surchargées en raison de la pénurie d'instituteurs mobilisés et de l'afflux de petits réfugiés des régions menacées, comme je l'étais moi-même.

Sans être très rigoureuse, la discipline n'avait évidemment rien à voir avec celle, bon enfant, que faisait régner M. Dervelloy. Ici, m'évader, faire l'école buissonnière, ne me disait plus rien. Et pour courir à travers quels buissons, à Montmartre ? Par la force des choses, donc, et peut-être aussi que, grandissant, je m'assagissais un peu, je donnais à ma mère moins d'occasions de me promettre l'échafaud. Quand il lui arrivait encore de gueuler après moi, je ne fuyais plus comme à Mériel dans les champs et les bois, mais je lui lançais, teigneux :

— Si on m'embête, je vais chez tante Louise !...

J'aimais bien tante Louise, et je la vois encore souvent*.

Quand je mettais ma menace à exécution et que je filais chez elle, un peu plus bas que chez nous, elle me mitonnait des petits plats qui faisaient mon régal. Ma mère était une bonne cuisinière et tenait cette

---

* Lorsque Jean en parle ici, nous sommes en 1954. Louise Moncorgé mourra en 1965. *(N.d.A.)*

qualité de ma grand-mère. Vous savez, celle qui vendait des frites et du bœuf bouilli au coin de la rue des Panoyaux, Marie Mathon-Dommage, épouse Petit. Mais ma mère n'avait alors plus goût à rien et se laissait aller à ses aigreurs, chaque jour un peu plus. Et pour moi, guerre ou pas, la bouffe était déjà à cette époque quelque chose de fondamental.

En outre, tante Louise chez qui, devenu jeune homme et fâché avec mon père, je logerais un peu plus tard habitait une rue dont le nom me séduisait beaucoup et qui me faisait rêver à je ne savais quel héros lointain. J'aimais lire ce nom sur la plaque qui l'indiquait au coin de la rue de Clignancourt : « André del Sarte ». Del Sarte ! Allez savoir pourquoi ce nom chantait si agréablement en moi. J'ignorais, bien entendu, qu'il s'agissait d'un peintre de la Renaissance italienne et de grand talent. Je n'ai d'ailleurs depuis jamais compris pourquoi on avait francisé son nom qui était en réalité Andrea del Sarto. D'aller chez tante Louise rue « Andrea del Sarto », je crois que ça m'aurait encore plu davantage.

A la communale de la rue de Clignancourt, je m'étais fait un bon copain, Maurice Gross, qui allait devenir plus tard le propriétaire des Galeries Barbès fondées par son père. Il avait un cousin qui, de deux années plus jeune que nous, n'était pas dans notre classe mais qu'on retrouvait à la récréation, et qu'on traînait le jeudi dans nos pérégrinations sur la Butte.

Ce jeune garçon s'appelait Marcel Bleustein*.

Quelques années plus tard, encore très jeune, Marcel allait réussir brillamment dans un métier qu'il a pratiquement inventé, en tout cas en France : la réclame.

Souvenez-vous...

« UN MEUBLE SIGNÉ LÉVITAN EST GARANTI POUR LONGTEMPS
BRUNSWICK LE FOURREUR QUI FAIT FUREUR
ANDRÉ LE CHAUSSEUR SACHANT CHAUSSER »

Mais au temps où nous courions les rues de Montmartre tous les trois en culotte courte, Marcel ne pensait pas encore aux célèbres slogans qui feraient les débuts de sa célébrité et de sa fortune.

J'ai dit que Maurice Gross avait été un bon copain. Il serait juste que j'ajoute : précieux. Je dois en effet à la vérité de préciser que c'est

* Dans son livre *La rage de convaincre* (éd. Robert Laffont, 1970), Marcel Bleustein-Blanchet, évoquant ses souvenirs d'école de la rue de Clignancourt, dit de Jean Gabin : « Il était une force de la nature, pour parler poliment ; il en profitait pour me flanquer des raclées à tout bout de champ. » *(N.d.A.)*

grâce à lui si j'obtins le seul diplôme de ma vie et dont je reste fier : le certificat d'études primaires.

J'ai déjà indiqué que, grâce à mes habitudes prises à saisir d'un coup d'œil l'envol d'un perdreau ou le détalement d'un lièvre dans la campagne de Mériel, mon regard était d'une vive acuité. Il me fallait donc bien peu de secondes pour saisir à la dérobée et enregistrer dans ma mémoire, qui était bonne, une longue phrase ou un problème d'arithmétique.

Le jour de l'examen, après avoir manœuvré pour me trouver à côté de lui qui était complice de mon forfait, j'ai pu, sans vergogne, copier sur le travail de Maurice. Comme il était un bien meilleur élève que moi, j'ai décroché sans trop de mal ce fameux diplôme dont on me rebattait les oreilles depuis si longtemps, chacun jurant que j'étais trop cancre pour l'avoir.

Eh bien, je l'avais ! A la surprise générale, celle notamment de mes parents et la mienne !...

Il paraît qu'il existe, dans le hall d'entrée de l'école communale de la rue de Clignancourt, un tableau qui indique que Paul Doumer, Jules Romains, et... Jean Gabin ont usé sur ces bancs laïques et républicains leurs fonds de culotte.

Encore que je sois flatté d'être en si distinguée compagnie, je crains de n'avoir jamais été un exemple d'écolier à désigner à l'admiration des jeunes élèves d'aujourd'hui...

*

Il est en effet exact que dans le hall d'entrée de l'ancienne école communale des garçons de la rue de Clignancourt, aujourd'hui devenue le collège d'enseignement secondaire Roland-Dorgelès, il existe un tableau devant lequel les élèves passent chaque jour. Il se présente de la façon suivante :

Paul DOUMER
Président de la République Française
Gouverneur Général de l'Indochine

Jules ROMAINS
de l'Académie Française

Edmond HEUZE
Artiste peintre. Membre de l'Institut

Docteur Roger COURTEVILLE
Explorateur. Première Traversée de l'Amérique du Sud en Automobile

AGREMENT *Auteur dramatique*	FARINA *Le Grand Mime*
André UTTER *Artiste peintre,* *précurseur du cubisme*	Jean GABIN *Acteur*

ONT ÉTÉ ÉLÈVES DE CETTE ÉCOLE.

On remarquera que ni Marcel Bleustein-Blanchet ni Maurice Gross, pour ne citer qu'eux, n'ont l'honneur de figurer sur ce tableau. Sans doute a-t-on estimé que leur brillante réussite relève par trop d'un monde mercantile des affaires qu'il n'était sans doute pas de bon ton de donner en exemple aux écoliers, à une certaine époque!

Au début de 1917, le front se stabilisant à la hauteur de Villers-Cotterêts, Ferdinand revint avec Hélène et Jean habiter la maison de Mériel.

M. Dervelloy et ses anciens petits camarades de la communale du village eurent bien du mal à imaginer que Jean avait obtenu son certificat d'études.

Hélène et Ferdinand avaient beau être un peu bohèmes, ils n'en étaient pas moins désireux de voir leur jeune fils poursuivre ses études dont la première partie venait, par miracle, de s'achever si brillamment.

Mais Jean ne voulait rien entendre. Il s'opposa à la volonté de ses parents si farouchement qu'ils finirent par céder. Le gamin était décidé à travailler et à gagner son pain. Ferdinand lui-même était au chômage, faute d'engagement. Il se trouva un travail qui consistait à relever les rails des voies ferrées et à refaire les remblais.

Dur labeur pour l'artiste Ferdinand. Il fit engager Jean avec lui qui n'avait pas encore treize ans mais qui était costaud et paraissait plus âgé.

Cela ne dura qu'un temps. Bébé, le frère aîné, parvint à faire engager Jean comme garçon de bureau à la Compagnie parisienne d'électricité.

Fièrement, Jean quittait chaque matin Mériel au train de 6 heures pour se rendre à Paris au siège de la C.P.D.E. Il commençait son travail à 7 heures et demie, ayant entre autres charges celle de nettoyer les bureaux et de vider les corbeilles avant l'arrivée du personnel.

« Ça me rappelait un peu le travail que personne ne me commandait de faire à la communale de Mériel quand j'arrivais avant tout le monde pour remplir les encriers, donner un coup de chiffon au tableau, ou allumer le poêle. La différence, c'est qu'à la C.P.D.E., en plus, j'étais payé. Oh! pas beaucoup, mais c'étaient quand même mes premiers sous bien à moi. C'était chouette et ça me plaisait, et les gens étaient gentils avec moi. Je me faisais même de petits pourboires... »

D'une exactitude rigoureuse, ne s'absentant jamais, et consciencieux comme il le sera toute sa vie, Jean donnait là, dès ce premier emploi, l'image de lui — la vraie — qu'il s'était façonnée seul lorsqu'il allait, avec le même sérieux et la même volonté de bien faire, à la recherche des nids d'oiseaux dans les bois de Mériel. Pourtant, il considérait ce travail de garçon de bureau comme provisoire. Sa grande ambition restait en effet de devenir mécanicien de locomotive, à défaut d'avoir jamais assez d'argent pour acquérir une ferme bien à lui.

A partir de ce moment-là, son enfance est terminée. Toutes les richesses, toutes les sensations et les observations qu'il a accumulées et emmagasinées pendant ses jeunes années, ce goût acquis des choses simples et vraies qu'il tenait des réalités qu'il avait vécues dans son enfance à Mériel continueront de faire en lui leur chemin et, consciemment ou pas, elles seront les sucs de sa personnalité d'homme et d'artiste.

Et, comme si le destin voulait marquer et accentuer encore davantage ce premier tournant dans la vie de Jean, Hélène, sa mère, s'endormait le 18 septembre 1918 vers 10 heures du soir pour ne plus jamais se réveiller.

2.

DE L'ADOLESCENCE AU JEUNE HOMME

J'avais un peu plus de quatorze ans. Pour la première fois je voyais quelqu'un de mort, et c'était ma mère. Je n'avais pas eu avec elle des rapports très affectifs comme aujourd'hui je souhaiterais en avoir eu. La faute à qui ? Je crois qu'elle ne m'a pas très bien compris, et moi je n'ai compris que plus tard que c'était à cause de la vie qu'elle avait vécue et qui n'avait pas été faite pour elle. Ça l'avait renfermée sur elle-même et rendue malheureuse.

J'étais évidemment trop jeune, trop égoïste aussi sans doute, pour sentir ça. J'aurais dû aller plus souvent vers elle comme j'allais vers Madeleine et Poësy. Mais eux m'appelaient, ma mère ne m'appelait pas. A moins que je n'aie pas su l'entendre.

Je restai seul avec mon père, que la disparition de ma mère avait laissé un moment désemparé. La guerre était en train de s'achever. Les théâtres commençaient à retrouver une activité, et mon père du travail dans des revues de Rip ou des opérettes.

Ne pouvant comme par le passé s'appuyer sur ma mère en ce qui me concernait, mon père a paniqué. Il se sentait envers moi des responsabilités nouvelles auxquelles il n'était pas préparé.

Je travaillais toujours à la C.P.D.E. et je rentrais tôt à la maison, et lui toujours tard du théâtre où il jouait. Il craignait pour moi cette solitude, et que je me laisse aller à des sorties nocturnes qu'il ne pouvait contrôler.

Poësy et Madeleine n'étaient pas à Mériel à ce moment-là. Ils habitaient Paris, rue Étienne-Marcel, et de temps en temps ils séjournaient même à Marseille, car Poësy essayait de remettre sur pied une salle d'entraînement pour boxeurs qu'il avait montée avant la guerre.

Comme je partais tôt à mon travail, alors que mon père dormait encore, on ne se voyait pas beaucoup, et ça ne nous changeait pas tellement du passé, mais ma mère n'était plus là pour plus ou moins me surveiller. Comme il supportait mal cette situation, mon père eut alors l'idée la plus stupide qu'il ait jamais eue me concernant. Elle dépassait très largement celle qu'il aura plus tard de m'obliger à monter sur les planches, car celle-ci aussi m'avait paru alors avoir son poids de conneries. Mais enfin, disons qu'il s'est moins trompé pour la seconde que pour la première.

Sans m'en avertir, il avait obtenu, par je ne sais quelle relation, une bourse d'études à mon profit, et m'obligea donc à entrer comme interne à Janson-de-Sailly afin que j'y reprenne mes études. Ce fut un coup terrible pour moi, et je mis longtemps à le lui pardonner.

J'étais aussi fait pour Janson que pour le petit séminaire. Je ne sais pas aujourd'hui, mais, à cette époque, Janson n'était pas à proprement parler un endroit pour enfants de prolétaires. Car j'avais beau être le fils d'un artiste, j'étais quand même d'origine prolétarienne. Mes manières populaires et frustes détonnaient dans ce milieu, parmi des élèves qui venaient d'un autre monde que le mien.

Je n'étais pas mieux vu des professeurs et des surveillants qui me considéraient avec mépris et me traitaient de « tête de lard ».

Aux bagarres suivaient les punitions, aux punitions s'ajoutaient les mauvaises notes d'études, et ça s'achevait immanquablement par un « privé de sortie » le dimanche.

Janson, pour moi, a été l'enfer. Je suppliais mon père, les rares fois où je le voyais, de me faire sortir de là, mais, inconscient de ce que je souffrais, il s'obstinait à m'y maintenir.

Personne, ni Madeleine ni Poësy qui tous deux me comprenaient, je crois, n'a pu le faire céder.

J'avais fini par me dire que mon père se débarrassait de moi qui l'encombrais pour mener la vie qu'il souhaitait. Il m'abandonnait cette fois réellement, comme j'avais cru qu'il l'avait fait, autrefois, sur le quai de la gare de La Roche.

*

Pendant son séjour à Janson, Jean ne cessa d'écrire à Madeleine, et quelques-unes de ses lettres sont comme des appels désespérés devant l'incompréhension de son père à son égard.

Une des premières, écrite sur du papier et une enveloppe de deuil, date du 19 novembre 1918. Comme il venait d'entrer à Janson, celle-là n'est pas encore trop récriminatoire.

Ma chère Madeleine,

Je réponds à ta lettre du 18 pour te dire que dans la foule je n'ai pas pu trouver mon copain car les trains s'arrêtaient aux Ternes. Je suis donc monté jusqu'à l'Étoile où j'ai vu les avions qui volaient très bas. (Il s'agit sans doute de l'armistice du 11 novembre.) *Je n'ai pas pu trouver mon père au rendez-vous et j'ai été le trouver au Palais* (Royal) *le soir. J'ai reçu une attrapade, quelque chose de salé et ça m'a fait de la peine.*

Enfin, c'est la vie comme dirait la mère Lelaire (une voisine de Mériel). *J'ai passé un très mauvais dimanche. En attendant de te voir, je t'embrasse comme je t'aime. Ton frère... J. Moncorgé.*

On remarque que Jean ne fait pas allusion explicitement à la fin de la guerre, sinon à cette foule en liesse qui, le jour de la signature de l'armistice, a envahi Paris. On ne le sent que préoccupé des rapports avec son père et de la peine qu'il a d'être enfermé à Janson-de-Sailly.

Une autre lettre du 11 décembre 1918, toujours écrite à Madeleine, montre qu'il s'inquiète de ses sorties du dimanche et des possibilités qu'il a d'aller à Mériel.

Tu m'excuseras si je ne t'ai pas écrit plus tôt mais je n'ai pas eu le temps. Je suis bien arrivé au lycée. Mon père est venu me voir hier mardi. Dis-moi si tu vas à Mériel dimanche. Écris-moi ce que tu fais car je crois que l'on aura samedi et dimanche. Je me barbe. Je l'ai dit à mon père. Je préfère ne pas me rappeler tout ce qu'il m'a dit ! Alors, écris-moi ce que tu fais dimanche. En attendant de te voir, je t'embrasse de tout mon cœur.

Ton frère. J. Moncorgé.

Le 6 janvier 1919, une autre lettre laisse percer les soucis vestimentaires qu'il a pour ne pas se sentir trop diminué vis-à-vis de ses condisciples mieux habillés que lui.

Je suis allé chez Reine dimanche et par quel temps ! Je suis bien rentré le soir au lycée.

Je t'écris ce mot pour te demander que tu m'apportes un faux col, de ceux que je t'ai donnés l'autre fois, pour dimanche prochain, car je vais peut-être aller au baptême sans prendre la place de Marie. (Il s'agit de sa tante, sœur de sa mère.) *Si tu pouvais m'en apporter un cette semaine ça me ferait plaisir car je n'en ai pas de propres ici. Je crois pouvoir compter sur toi. Puis ça me fera plaisir de te voir car je m'ennuie. Je t'embrasse de tout mon cœur. Ton frère qui t'aime. J. Moncorgé.*

P.S. : Toi qui aimes les animaux, je t'envoie une tête de chien anglais que j'ai faite. Elle est au milieu de la lettre. Je suis deuxième en dessin...

Jean a en effet joint à sa lettre le très habile petit dessin d'une tête de chien intitulé : « La Bonne Tête », et qu'il signe « J. Moncorgé ».

Toujours les mêmes préoccupations dans une lettre du 16 janvier 1919, mais s'y ajoute cette fois un problème de chaussures...

Ma chère Madeleine... Quand tu as été partie, mon père est venu me voir le soir. Je lui ai parlé pour mes chaussures. Puis Reine est venue le lendemain à 4 heures sans le petit homme en or. (Jean fait sans doute allusion, et avec humour, à son cher neveu Guy qui doit avoir quatre ans.) *Elle m'a dit qu'elle m'enverrait un pneu pour me dire si j'irai ou si j'irai pas.* (Il doit toujours s'agir du baptême dont il parle déjà dans sa lettre précédente et probablement celui de Guy.) *Je l'attends depuis trois jours !... Enfin ! C'est ADIEU le fameux déjeuner dont l'eau me venait à la bouche. Enfin ! Tiens-moi au courant de ce qu'il faut faire. Et en tout cas, apporte-moi un faux col là-bas pour si j'y vais. Si je n'y vais pas, faut pas vous faire de mauvais sang. Écris-moi car, en fait de pneu, je ne recevrai rien, je crois. Tu serais bien gentille. Mon père est venu donc me voir hier et m'a dit qu'il m'avait commandé une paire de chaussures. Il m'a apporté une paire de jarretelles* (il veut probablement dire jarretières) *et un quart de chocolat. Tiens-moi au courant, s'il te plaît. Je t'embrasse de tout mon cœur. Ton frère qui t'aime. J. Moncorgé. P.S. Si je ne vais pas là-bas, apporte-moi les fameuses chaussures arrangées car j'en ai besoin...*

Le post-scriptum indique que Jean n'a guère confiance en l'achat par son père de chaussures neuves, et préfère s'assurer qu'on lui en apporte des anciennes « arrangées ».

On remarquera que, parlant à sa sœur de leur père commun, Jean n'emploie jamais l'expression « papa », ou même « notre père », mais « mon père ». C'est ainsi dans toutes les lettres.

Une des lettres les plus désespérées de Jean date du 17 mars 1919, toujours adressée à Madeleine :

(...) Je suis allé à Mériel dimanche où j'ai trouvé Marie (sa tante) *qui m'a fait à manger. J'ai été à Villiers-Adam avec les copains et c'est tout. J'ai continuellement mal à la tête et me voilà avec un nouveau rhume. Quel bon air, les lycées ! Je ne te cache pas que je ne suis pas à prendre à la cuillère ce soir, et si j'avais un revolver sous la main je me ferais sauter la caisse volontiers car je m'ennuie. Je crois que je deviens de plus en plus neurasthénique. C'est affreux, encore quatre mois comme ça et je serai mort ! J'ai vu mon père samedi soir mais il ne veut pas croire que je suis malade. Seulement, il verra... Quand je...* (deux mots illisibles) *il le*

regrettera peut-être... Mais je me vante... Viens me voir parce qu'il n'y a que toi sur qui je peux compter maintenant. Ça me désennuiera. En attendant de te voir, je t'embrasse de tout mon cœur.

Dans ses lettres à Madeleine, puis dans les confidences qu'il m'a faites bien plus tard, Jean a-t-il exagéré sa situation à Janson en la dramatisant, à la fois sur le plan de son comportement psychologique et sur la différence sociale qui le séparait de la plupart de ses condisciples ? Avant de répondre à cette question, il est intéressant de lire le témoignage de Pierre Charmat qui fut à Janson avec Jean, et un des rares camarades qu'il y eut et qu'il retrouva et fréquenta dans les dernières années de sa vie, Éliane, l'épouse de Pierre Charmat, se trouvant être par hasard une grande amie de Dominique Gabin.

« J'avais deux années de moins que Jean, raconte Pierre Charmat, mais nous étions dans la même classe d'études, Jean un peu en retard, et moi, disons, un peu en avance. Nous étions aussi tous deux internes et nos lits étaient côte à côte. Il y avait peu d'internes à Janson et par conséquent un seul dortoir. La vie des internes n'a généralement rien de particulièrement gai, surtout quand ils sont peu nombreux. Jean était peut-être bien le seul d'entre nous dont les parents n'habitaient pas la province. Sa situation de Parisien interne lui paraissait sans doute plus injuste que la nôtre qui l'étions par nécessité.

Mais mes souvenirs sont très clairs quant à son attitude et à son comportement qui ne laissaient en rien paraître l'état psychologique et ce complexe d'infériorité sociale qu'il a décrits dans les lettres à sa sœur et dans les confidences faites plus tard sur son séjour à Janson.

J'ajoute que, lorsque nous nous sommes retrouvés plus de quarante ans après et que nous avons évoqué cette période que nous avions vécue assez près l'un de l'autre, nous avons surtout parlé des plaisanteries et des farces que nous faisions ensemble, et évoqué le souvenir que nous gardions de quelques-uns de nos camarades, des profs et des surveillants avec les commentaires goguenards, notamment pour ces derniers, qu'on peut imaginer.

J'ai gardé un souvenir formidable du jeune Jean Moncorgé, car c'est sous ce nom qu'il est resté longtemps dans ma mémoire avant que je ne découvre, dans les années qui ont précédé la guerre de 39 et en allant au cinéma, qu'il était désormais Jean Gabin, ce fabuleux acteur. C'était un garçon à la fois instinctif et d'une grande sensibilité. Il était aussi très gai et pas le dernier à monter des farces. Nous jouions beaucoup à la balle au mur ensemble, des pieds et de la tête, et il s'y montrait bien plus talentueux que moi car il avait joué au football et y jouait encore.

Il avait un appétit d'ogre et au réfectoire, comme il n'en avait jamais assez, il raflait ce que laissaient ses voisins dans leur assiette. Surtout quand il y avait des frites, qu'il adorait.

Notre statut d'interne nous obligeait évidemment à des contraintes qui n'étaient guère réjouissantes. Nous nous levions dès potron-minet, et l'hiver cela n'avait rien de bien gai. La toilette, le petit déjeuner au réfectoire, puis c'était l'étude. Le soir, le lycée se vidait de ses externes et c'était peut-être le moment où une certaine mélancolie pouvait gagner l'esprit de certains internes comme Jean dont la famille était proche et qui, malgré cela, ne pouvait sortir. Comme nous, les provinciaux, il se trouvait contraint de rester au lycée et de suivre les fastidieuses études du soir sous la surveillance d'un pion. Ensuite, c'était le dîner très tôt, et le dortoir où la lumière s'éteignait évidemment toujours trop vite.

Il arrivait cependant que nous ayons l'autorisation d'une brève sortie jusqu'à la papeterie du coin pour acheter cahiers, crayons ou gommes. Nous en profitions pour passer à l'épicerie acheter des loukoums dont nous étions très friands. Et, à ce propos, je ne me souviens pas que Jean ait manqué de ce peu d'argent qui nous était en cette circonstance nécessaire.

De même, je n'ai pas le souvenir d'un garçon particulièrement mal habillé ou mal chaussé, mais probablement qu'à l'âge que j'avais alors je ne devais pas très bien remarquer ces choses-là.

Il me paraissait particulièrement grand et costaud pour quatorze ans, et ses traits étaient davantage ceux d'un adolescent de seize ans. Il était batailleur et ne se laissait en effet pas monter sur les pieds, même par de plus âgés que lui.

Je me souviens parfaitement de nombreux dimanches passés ensemble au lycée. Nous allions nous promener au bois de Boulogne sous la conduite d'un surveillant. Personnellement, mes parents habitaient l'Auvergne, trop loin donc pour y faire un aller et retour. Quant à Jean, soit que sa famille ne pouvait le recevoir, soit qu'il était pour je ne sais quelle raison " privé de sortie ". Peut-être que ces dimanches-là, en effet, il avait le cœur gros.

Quelques années avant sa mort, Janson-de-Sailly a souhaité lui rendre hommage en tant qu'ancien élève. Le proviseur qui a eu l'idée de cette cérémonie avait évidemment invité quelques-uns de ses condisciples de 1918, dont certains avaient fait depuis des carrières brillantes. Jean n'accepta de s'y rendre qu'à condition que j'y vienne moi-même, et cette attention et son insistance m'ont beaucoup touché.

Naturellement, il fut le roi de la fête, placé à droite du proviseur et à côté d'un de nos anciens camarades devenu président de cour d'appel

Jean, qui à l'évidence était heureux d'être là, fut brillant et drôle et n'évoqua aucun regret d'être passé un jour, sans doute donc malgré lui, par Janson. Dans son speech, il dit en souriant et avec humour au proviseur :

— Je sais que vous ne me prendrez jamais comme un modèle d'élève...

Ce soir-là, il avait toujours le solide appétit que je lui avais connu, et, lorsque nous avons quitté le lycée vers 2 heures du matin, nous tenions tous les deux “ une petite soupe ”, comme il disait quand il avait dépassé un peu les bornes de ce qui est raisonnable de boire. »

Le témoignage de Pierre Charmat est précis et ne peut être mis en doute. L'impression qu'il conserve de Jean à Janson ne se perd pas dans le flou du souvenir qui parfois idéalise les faits et gestes anciens.

D'un autre côté, aussi irréfutables, il y a les lettres à Madeleine et le témoignage direct de Jean sur cette période et qui, à quelques dizaines d'années de distance, concordent parfaitement.

La vérité, il faut la chercher dans le caractère orgueilleux, fier et pudique tout à la fois du jeune Jean Moncorgé (et qui s'est perpétué dans l'homme Jean Gabin).

Cette apparente contradiction dans le comportement de Jean à Janson repose sur une dissimulation. Enfant, adolescent ou adulte, Jean n'a jamais étalé ses sentiments profonds, notamment pas ceux qui le blessaient dans sa sensibilité ou dans son amour-propre. Il y a d'autres exemples d'une pareille attitude dans sa vie où, dans des circonstances semblables, Jean a donné le change, comme on dit communément. En outre, à ce moment-là, quelle que fût l'importance du ressentiment qu'il avait envers son père, il n'aurait certainement pas accepté que celui-ci soit éventuellement mal jugé, de même qu'il n'aurait pas toléré de susciter le moindre apitoiement, y compris de la part de son meilleur camarade. Que plus tard, particulièrement dans la dernière partie de sa vie, il ait atténué le désagrément que lui avait causé son passage à Janson et plus encore voulu gommer l'attitude de son père envers lui à cette époque, notamment alors qu'on le recevait avec les honneurs à Janson, relève du goût qu'avec l'âge Jean avait pris, précisément, pour ce genre d'hommage, et du souci qui lui était venu de soigner une certaine image d'honorabilité qu'il n'avait après tout pas volée.

Et encore, je ne jurerais pas qu'en agissant ainsi Jean, qui avait dans certaines circonstances un sens aigu des civilités et de la politesse, n'offrait, en définitive, qu'une autre apparence de lui-même, et ne jouait pas un rôle de plus dans lequel son talent donnait l'illusion de la vérité.

Car cette vérité, en ce printemps 1919, elle se manifestc dans sa fuite de Janson. Ayant compris qu'il ne convaincrait pas son père de le retirer officiellement, il décida de lui désobéir et de le mettre devant le fait accompli. De se rebeller, en un mot. Un soir, profitant d'une autorisation de sortie, il emporta quelques petits objets auxquels il tenait et se sauva du lycée.

Il se réfugia auprès de Madeleine et de Poësy et se plaça sous leur protection. Aucune autorité au monde, dès lors, ne le forcera à retourner à Janson.

Et il n'y revint pas en effet. L'année scolaire 1918/1919 se terminera sans lui.

« A ma connaissance, racontait Jean dans les années 50 en évoquant ce souvenir, aucune plaque à Janson ne rappelle, comme à la communale de la rue de Clignancourt, aux élèves d'aujourd'hui que Jean Gabin est passé par là à son grand regret et assez rapidement d'ailleurs — même si, à l'époque, ces cinq mois m'avaient paru longs.

En apprenant ma fugue, mon père entra dans une colère noire. Je ne l'avais jamais vu comme ça. Il était comme humilié par mon attitude, sans comprendre qu'à Janson ça avait été moi l'humilié. Je crois aussi qu'il était vexé par rapport à la démarche qu'il avait faite pour m'obtenir une bourse. Ce jour-là, il me répéta avec plus de force que d'habitude ce que je devais l'entendre dire souvent à mon sujet :

— Tu ne seras jamais qu'un bon à rien ! T'entends ? Un bon à rien ! Je veux plus m'occuper de toi !... »

Madeleine et Poësy recueillirent Jean durant quelque temps en attendant que les choses se tassent un peu avec son père.

L'affection quasi maternelle de sa sœur, la gentillesse de Poësy l'aidèrent alors à prendre conscience qu'il lui fallait désormais gagner sa vie. Il ne pouvait plus, comme du temps où il était enfant, n'en faire qu'à sa tête. Il était à présent comptable envers lui-même de ce qu'il entreprenait. Aussi, ses coups de tête, ses fameux coups de tête de son enfance, il allait maintenant les mesurer et ne les donner qu'à bon escient.

Dans la campagne de Mériel, il avait fait des rêves : devenir fermier ou mécanicien de locomotive. Il n'en oubliait aucun et ne les oubliera jamais. Mais, pour le moment, il souhaitait surtout donner des gages à Madeleine et à Poësy, ainsi qu'à son père, de sa volonté de se débrouiller seul. Enfin, presque seul. Il se fit donc embaucher comme cimentier à la gare de la Chapelle et prit pension chez la tante Louise, rue André-del-Sarte, tout à côté.

C'était un travail pénible et mal payé. Il n'y resta donc pas très longtemps. Il trouva alors un autre emploi comme manœuvre dans une fonderie de Beaumont-sur-Oise.

Grouillot dans un laminoir, même quand on est costaud et plein de santé, ce n'est pas le rêve. Poësy — encore lui —, comprenant que c'était trop demander à ce jeune garçon, lui dénicha un emploi de magasinier aux Magasins généraux d'automobiles des régions libérées à Drancy.

Il se rapprochait un peu de son rêve d'enfant en côtoyant journellement de belles mécaniques qu'il admirait et étudiait. Et après tout, se disait-il, s'il s'avérait impossible pour lui de conduire des locomotives, il se consolerait en devenant pilote de course automobile. Il se voyait très bien, au volant de quelque bolide vrombissant, s'élancer sur les pistes sous les acclamations des foules.

De même qu'il réalisera, au cinéma du moins, son rêve de conduire une locomotive dans *La bête humaine* (1938), il jouera également le rôle d'un pilote de course automobile dans un de ses premiers films, *Gloria* (1932). Quant à son goût personnel pour les bolides et la vitesse, le moins qu'on puisse dire c'est que, l'âge venant, il lui était bien passé...

Mais celui qui, à ce moment-là, portait encore seul le nom de Gabin rêvait secrètement pour son fils des acclamations d'une autre foule : celle des théâtres.

Dire qu'il en rêvait est peut-être exagéré car, d'une façon générale, il se montrait plutôt pessimiste quant à l'avenir de son garçon qu'il voyait, selon son expression, mal parti dans la vie.

Ferdinand se disait que son milieu était le seul endroit où il pouvait donner un coup de main à son fils, si celui-ci voulait bien montrer quelques dispositions pour y entrer.

Le « père Gabin », comme disait Jean lorsqu'il évoquait son père, était le personnage de sa famille sur lequel il s'entretenait le plus volontiers. Les sentiments qu'il lui avait portés et qu'il portait encore à sa mémoire étaient étrangement mêlés et contradictoires...

*

Après la mort de ma mère, mon père a surtout voulu être avec moi comme une sorte de grand camarade. Ça se traduisait par une attitude complaisante qui n'était pas, j'en suis certain à présent, celle que j'attendais de lui. Il n'était pas du tout préparé à s'occuper désormais seul d'un jeune garçon qui en plus, je le reconnais, ne l'aidait pas beaucoup dans sa tâche. Quand il s'apercevait que finalement les choses ne fonctionnaient quand même pas bien entre nous, il agissait brusquement avec une autorité mal appropriée, comme, par exemple, l'idée de me coller de force à Janson-de-Sailly.

Mais, à part ça, il faisait plutôt un réel effort pour me montrer son attention. Il m'invitait par exemple à partager ses distractions et voulait me faire connaître son métier. C'est ainsi que, les soirs de relâche de son théâtre ou entre deux engagements, il m'emmenait avec lui dans les bistros.

Je buvais du gros rouge comme lui, moins que lui évidemment, et je comptais les points des belotes qu'il disputait jusqu'à 2 heures du matin. Ce n'était pas exactement le genre de vie qu'il fallait à un môme de quatorze ans.

— J'ai été chic avec toi, hein ?... me disait-il sur le chemin qui nous ramenait dans la nuit à la maison.

Oui, bien sûr, à sa manière il avait été chic. Du moins, il le croyait.

*

Il y a dans le jugement d'une lucidité tendre et un peu amère, porté par un homme de cinquante ans, comme le lourd regret de ne pas avoir eu un père plus responsable, plus rigoureux dans son comportement, vis-à-vis de l'enfant qu'il a été. Mais, a contrario, Jean s'est rebellé contre la première décision d'autorité prise par son père envers lui (Janson-de-Sailly).

— Elle était contre nature ! disait Jean avec obstination.

Et il n'a admis qu'en rechignant et pour gagner du temps la seconde manifestation d'autorité de son père qui l'a conduit à monter sur scène.

— Elle était aussi contre nature que la première, la différence, c'est que je m'y suis fait, disait-il encore.

Le souvenir des faiblesses de son père à son égard conduira Jean à manifester vis-à-vis de ses propres enfants une autorité exacerbée, tatillonne et brouillonne qui ne cessera de masquer la tendresse et l'amour qu'il leur portait, et le fera vivre avec l'angoisse que lui procuraient leurs existences mêmes, tant il était obsédé par ses responsabilités envers eux.

Mais pour le moment, en ce début des années 20, Jean chemine encore à côté de ce père qui est généralement d'une humeur plutôt légère et insouciante, exactement le contraire de ce qu'il deviendra lui-même plus tard. Tout les oppose. Le grand-père Moncorgé, le paveur de rues, a sournoisement communiqué, par-delà son fils, quelques-uns de ses gènes à son petit-fils.

Je l'ai dit, autant que mon grand-père mais pour des raisons sans doute différentes, je détestais le métier de mon père. Ce qu'il faisait était pour moi incompréhensible. Quand j'étais petit, il m'arrivait de le surprendre dans sa chambre en train d'apprendre ses rôles. Il cherchait une intonation, hésitait, rectifiait et en trouvait une autre qui n'était pas encore la bonne. Il travaillait aussi les expressions de son visage. J'avais le sentiment qu'il souffrait et je me disais que jamais, au grand jamais, je ne ferais ce métier-là. La peine qu'il paraissait éprouver ressemblait finalement assez à la mienne lorsque je me penchais avec difficulté sur mon cahier d'écolier ou mes livres de classe. Apprendre une leçon d'Histoire de France ou le texte d'une pièce du Palais-Royal, moi, je ne voyais pas alors la différence. Ça m'était aussi rebutant. Une chose me rassurait : je me disais que je n'étais pas un assez bon élève pour savoir, devenu grand, ce que savait mon père et que je ne pourrais jamais faire ce qu'il faisait car il fallait sans doute être très instruit. Et je voyais bien que sur ce plan je ne prenais pas le bon chemin. Je pensais aussi que ce métier d' « écolier à vie », mon père le faisait pour nourrir sa famille, et j'avais donc pour lui une sorte de respect mais en même temps de la pitié.

*

Il est assez facile de démêler, à travers les sentiments pleins de retenue que Jean, avec le recul, témoignait à son père, les fils discrets mais réels d'une véritable et profonde admiration qui ira en s'amplifiant avec l'âge, notamment quand il entrera à son tour dans la carrière.

A ce père qui resta toute sa vie avec conscience et honnêteté un second plan, Jean, par un de ses détours dont il avait le secret, ne cessera de rendre hommage dans le respect qu'il porta, devenu star, à ces « petits » comédiens sans espoir réel de réussite dont il s'entoura — presque toujours les mêmes, d'ailleurs — dans ses films et au talent desquels il faisait une totale confiance.

Il avouait avec humilité : « Je n'aurais pas eu le courage de faire la carrière de mon père parce que je n'aimais pas assez ce métier pour accepter d'y végéter. Je me suis très vite dit : Ou tu arrives à quelque chose d'intéressant très vite, ou tu renonces. Ce n'était pas de l'orgueil et encore moins la certitude que j'avais du talent pour réussir. J'étais même convaincu du contraire et que j'allais à l'échec. »

Alors que Jean n'était encore qu'un enfant, il arrivait à Ferdinand, sans doute désireux d'éprouver les réactions de son fils à la réalité de son métier, de l'emmener dans les coulisses du théâtre où il jouait. Il feignait d'ignorer les réticences du jeune garçon qu'il présentait à ses camarades avec un air satisfait et orgueilleux en s'efforçant, en bon comédien qu'il était, de paraître sincère...

— C'est mon dernier... Il sera peut-être un jour un petit Gabin...

Le « petit Gabin » ne bronchait pas mais n'en pensait pas moins.

Un jeune auteur qui commençait à être à la mode, à la voix traînante et charmeuse, au verbe spirituel et dont on disait dans Paris qu'il serait bientôt aussi célèbre que son père, le comédien Lucien Guitry, tapotait la joue de l'enfant d'un air entendu.

— Comme moi, il aura de qui tenir..., disait cet auteur qui se prénommait Sacha.

*

J'étais assez insensible à ces marques d'attention qui satisfaisaient surtout mon père, mais par contre, plus tard, ayant grandi, je n'étais pas indifférent au spectacle des coulisses. Ce qui m'intéressait surtout, c'étaient les demoiselles et les jeunes dames de la troupe qui ne se gênaient pas devant moi, ni devant personne d'ailleurs, pour se dévêtir et enfiler leurs costumes de scène. Elles ont été les premières femmes que j'ai vues nues ou à peu près nues. J'avais entre quatorze et seize ans et c'était, surtout à cette époque pour un garçon de cet âge-là, un événement. Je devais les lorgner avec une curiosité un peu effarouchée qui se voyait, car elles riaient de mes airs pudibonds et, par jeu, elles en rajoutaient un peu.

Mais, ce qui chez moi provoquait une gêne d'un tout autre ordre, c'était de voir des hommes se maquiller comme des femmes. Et cette gêne devenait presque de la honte en découvrant que mon père en faisait autant. Je trouvais ça indécent, mais ce n'était certainement pas le mot qui me venait à l'esprit à l'époque. Cet aspect du métier participa pour beaucoup à en accentuer mon dégoût.

Ce sentiment devait me rester au point d'avoir toujours ressenti un malaise à me maquiller.

Pendant que mon père jouait en scène, je l'observais des coulisses. J'avais du mal à comprendre ce qu'il faisait là, au milieu de ce monde qui me paraissait tellement faux et auquel je ne comprenais rien. J'étais trop imprégné instinctivement de la réalité de Mériel et de la vérité des choses que j'avais eu l'habitude d'y côtoyer et qui, forcément, influaient sur mon comportement, sur mes gestes, sur ma manière de voir, pour ne pas être rebuté jusqu'au malaise par le caractère factice du théâtre. J'y voyais un mensonge énorme.

Un personnage disait : « Chérie, mets ton manteau de fourrure, il neige !... » Et moi, je regardais un machiniste jeter du haut d'un cintre, par poignées, une espèce de produit qui ressemblait à de la neige mais qui n'en était évidemment pas. Je me disais : « Comment ces gens dans la salle peuvent-ils être aussi cons pour croire que c'est de la neige ? »

Ce qui me déroutait encore davantage, c'était de voir la satisfaction de mon père quand il sortait de scène sous les bravos du public.

— Tu entends ? C'est moi qu'ils applaudissent ! me disait-il.

Sa joie et sa fierté, qu'il voulait certainement me faire partager, me laissaient de marbre. Pour moi, un mécanicien de locos qui conduisait son train d'une gare à une autre, à toute vitesse et à l'heure, avait bien plus de mérite, et je n'avais jamais entendu dire que les voyageurs l'applaudissaient.

Tout dans le théâtre me paraissait être de la « triche ». J'avais moi-même triché le jour de mon certificat d'études en copiant par-dessus l'épaule de Maurice Gross et je m'étais sans doute dit que j'avais été malin, mais je ne me souviens pas en avoir tiré ne serait-ce qu'une once de fierté.

*

L'expérience tentée par Ferdinand d'approcher Jean de son métier, en espérant qu'il finirait par l'intéresser, se révéla donc totalement négative, mais après quelque temps, Ferdinand s'obstinera. Et, pour une fois, avec raison...

Dans les souvenirs de Jean, la part la plus agréable de ces soirées passées à accompagner son père au théâtre se situait sur le chemin du retour à Mériel. Traditionnellement, Ferdinand Moncorgé faisait un détour par Chez Victor, un bistro de la petite rue de Compiègne près de la gare du Nord. Il y buvait quelques verres en attendant son train pour Mériel et y retrouvait surtout des habitués, presque des amis, des jockeys et des entraîneurs qui, eux aussi, passaient là un moment dans l'attente d'un train pour Chantilly.

Le père Gabin qui était un acharné des « courtines » puisait là ses « tuyaux » pour Longchamp ou Auteuil.

Le jeune Jean aimait l'atmosphère de Chez Victor, et sympathisait avec des jockeys dont quelques-uns étaient à peine plus âgés que lui. Il y fit notamment la connaissance de Jack Cunnington qui deviendra un grand entraîneur et que Jean retrouvera des années plus tard quand lui-même s'occupera de chevaux.

Dans le bureau de Mathias Moncorgé, le fils de Jean, au haras de l'Orne près d'Argentan, il existe une très belle photographie de Jean Gabin et de Jack Cunnington, tous deux vieux messieurs fantastiquement élégants, discutant ensemble sur le champ de courses de Deauville, quelque temps avant la mort de l'un et de l'autre.

Le goût que prit Jean pour les chevaux, plus tard, bien plus tard, est sans doute né de là, dans ce bistro de la rue de Compiègne, au contact de ces hommes qui parlaient avec passion de quelque chose dont, cette fois, il ne se sentait pas exclu et qui le ramenait à son enfance à Mériel.

Car les chevaux, il connaissait. Il avait souvent pansé le percheron de la ferme des Haring et même ceux de ses copains du 4e zouaves. Il découvrait Chez Victor qu'il en existait de plus racés que ceux qu'il avait connus jusqu'ici, et par la même occasion il découvrait aussi, hélas, que son père gaspillait une grande partie de ses cachets en pariant dessus.

Dans l'emmêlement complexe et contradictoire des sentiments de Jean vis-à-vis de son père dont il désapprouvait la passion du jeu, l'anecdote que m'a racontée récemment son neveu Guy Ferrier est significative.

Peu de temps après la mort en 1933 de Ferdinand Moncorgé, Jean s'offrit son premier cheval de course.

— J'aimerais bien qu'il en gagne... Pas seulement pour moi, mais surtout pour mon père, dit-il à Guy Ferrier.

L'idée de rendre hommage à la mémoire de son père et à sa passion des courses n'a pas quitté Jean lorsqu'il est devenu propriétaire-éleveur et qu'il a fait courir.

« Mon père, dit aujourd'hui Mathias Moncorgé, le fils de Jean, comme tous les propriétaires, a rêvé de gagner quelques Grands Prix. Il répétait toujours que ça ferait tellement plaisir à son père dont il me parlait souvent. Il avait particulièrement gardé le souvenir d'un jour où son père l'avait mené aux courses et, juché sur ses épaules, il avait vu gagner Rond d'Orléans. Il se rappelait que le jockey portait une casaque marron et qu'en raison de cette couleur on appelait les propriétaires, les frères Lieux, les " messieurs-caca ". »

Bernard Odolant, qui fut le chef de culture et le régisseur de Jean dans son domaine de la Pichonnière, confirme les propos de Mathias.

« Chaque fois qu'il croyait aux chances d'un de ses chevaux, M. Gabin pensait à son père :

« — Ah ! Si seulement il pouvait m'en gagner une belle, celui-là, pas pour moi mais pour mon père, disait-il.

« Évidemment, ça lui aurait fait plaisir à lui aussi, bien entendu, mais je crois qu'il était d'une totale sincérité, ça se voyait, quand il espérait ainsi rendre hommage à son père. Il ajoutait d'ailleurs : " Le pauvre vieux a tellement perdu de pognon aux courtines que, de là où il est, ça ne pourrait que le réconforter de voir son fils leur en reprendre une partie. " »

A la suite du petit drame de Janson-de-Sailly, pendant cette période qui le mena de sa quinzième à sa dix-huitième année et durant laquelle Jean fit le difficile et hasardeux apprentissage de la vie en allant d'un travail de manœuvre à un autre, les rapports avec son père connurent des tensions diverses qui s'assouplissaient parfois quand le garçon quittait le domicile paternel pour aller vivre chez Madeleine ou chez tante Louise.

Dans le moment — entre 1952 et 1955 notamment — où Jean me livrait ses souvenirs de cette période de son existence, il m'avait parlé d'une quasi-rupture avec son père au début des années 20. Comme je l'interrogeais sur les motifs, il me répétait avec obstination :

— Il voulait que je fasse comme lui du théâtre, et moi pas.

J'ai découvert il y a peu, au cours d'entretiens que m'ont accordés séparément son neveu Guy Ferrier et sa nièce Nicole Klotz et dont les témoignages concordent, que cette séparation entre Jean et son père ne venait pas — contrairement à ce que Jean me disait — d'une querelle à propos du métier mais avait une raison plus profonde qui avait touché Jean au point d'en éprouver une grande colère envers son père.

J'ai déjà parlé — et j'y reviendrai car c'est un point essentiel de sa personnalité — de la sensibilité d'écorché vif de Jean, de son extravagante pudeur dès que les sentiments qu'il avait à exprimer atteignaient des domaines trop intimes de lui-même et où se trouvaient mêlés ceux qu'il aimait ou qu'il avait aimés.

A cette pudeur s'ajoutait, parfois et sur un autre plan, son côté gentleman lorsqu'il s'agissait d'aborder les relations plus ou moins importantes qu'il avait eues au cours de sa vie avec un certain nombre de femmes. Sa discrétion était un signe d'élégance certes vis-à-vis d'elles, mais s'y ajoutait depuis son mariage un sentiment de respect envers celle qui était devenue sa femme et qu'il reportera bientôt sur ses enfants.

Mais que penser d'un homme qui, à cinquante ans, et quelque trente-trois ou trente-quatre ans après ce qui a motivé, à n'en pas douter, l'essentiel de sa discorde avec son père, se refuse d'en parler, comme si la blessure d'alors, faite à sa sensibilité d'adolescent et au souvenir finalement tendre qu'il vouait à sa mère, ne s'était jamais complètement refermée ?

Cette histoire est révélatrice de l'aspect complexe de Jean.

A la mort d'Hélène, Ferdinand avait un peu plus de cinquante ans. Il était encore d'une grande vitalité, agréable et brillant causeur, et ce n'était pas pour rien que dans le métier on appelait encore le père de Jean « le beau Gabin ».

Cet homme en pleine force de l'âge éprouvait encore le besoin de plaire, d'être aimé, de vivre. Et c'est cela, en réalité, que Jean n'accepta pas.

L'adolescent ne pouvait tolérer la présence d'une femme auprès de son père. C'était pour lui comme une trahison de cette mère à qui il avait pourtant, enfant, témoigné si peu d'affection, du moins en apparence.

A ce moment-là, pour Jean, et comme au théâtre, son père « trichait ». Et cette fois, cette « tricherie » atteignait au plus profond de lui-même quelque chose qui ressemblait sinon à un remords, du moins à un regret de n'avoir pas mieux aimé et mieux compris sa mère qui, les années passant, prenait de plus en plus de place dans sa mémoire.

De son côté, pour Ferdinand, le regard de ce fils qui le jugeait était insupportable. Comme était insupportable pour Jean l'existence de l' « autre ». De celle(s) qui prenait(aient) la place de la mère.

Jean, qui habitait alors avec son père à Paris dans l'appartement du 17, rue Custine que celui-ci avait gardé, fuyait le « foyer » et allait cacher sa peine dans les rues de Montmartre jusque tard dans la nuit. Ce n'était pas tout à fait le lieu rêvé pour la bonne éducation d'un adolescent, et je comprends mieux aujourd'hui, par ce que révèlent ces récents témoignages, ce qu'il voulait quand même me dire lorsqu'il lançait d'un ton rogue :

— Quand j'avais quinze ou seize ans, si je suis pas devenu un voyou, je le dois à personne d'autre qu'à moi-même!... A personne d'autre!

Jugement sévère pour son père et dont je ne voyais pas la vraie raison. Pour cause, puisqu'il me la cachait soigneusement.

Je pouvais seulement le rapprocher de cet autre jugement qu'il portait parfois sur sa mère et son père réunis dans la même condamnation et qui faisait allusion à son enfance d'une façon plus générale :

— Je n'ai pas été élevé... Je me suis élevé tout seul...

Ces aveux et ces témoignages ne sont contradictoires qu'en apparence, et surtout ils sont étonnamment révélateurs de l'extrême sensibilité de Jean adolescent, de la permanence de cette sensibilité dans la personnalité de l'homme mûr et aussi de cette fidélité fondamentale, au-delà des reproches et des regrets, aux sentiments qu'il portait à son père et sa mère.

Cet amour tardif voué à sa mère — dont on pourrait douter encore par certains de ses propos — est là cependant, manifeste dans la révolte de l'adolescent de 1920, et se perpétuant par un silence tenace, des années plus tard pourtant, sur un fait qui touche trop au respect qu'il lui garde et qui met en cause une attitude de son père qu'il réprouvait et dont il avait sans doute honte.

Il est clair, en tout cas, que, dans le « Xanadou » affectif et secret de Jean, se dressent des « No Trespassing » pas toujours faciles à franchir *.

D'une façon cependant plus générale, j'ai souvent été témoin des exigences aiguës qu'il avait sur la moralité des rapports humains. Il en était presque prude, et j'avoue que ce comportement m'agaçait un peu. Je me souviens, par exemple, d'un metteur en scène qui eut, pendant un tournage, à parer les foudres de Jean, le jour où celui-ci apprit qu'une des comédiennes du film était sa petite amie. Comme je lui faisais remarquer que cela ne le regardait pas, Jean me lança, outré de ma réflexion :

— Je reçois son épouse à ma table !

Cela me rappelait les sentences moralistes et sans réplique du grand-père paveur de rues.

Autre exemple aussi significatif : les trouvant à bien des égards si différents, je m'étonnai un jour devant lui de la grande estime que Jean portait à Fernandel et qui dépassait le cadre professionnel. Ils s'étaient connus à leurs débuts en 1930 et s'associèrent dans les années 60 pour produire leurs films.

« Fernand a épousé sa femme alors qu'il était inconnu et dans la mouise..., m'expliqua Jean. Et malgré toutes les tentations que ce métier a pu offrir à un homme aussi public et aussi célèbre que lui, il est resté fidèle à cet amour de jeunesse, a fondé une famille très unie qu'il a su sauvegarder et protéger de toutes les embûches de la vie !... Eh bien, ça, si vous pensez que ça mérite pas un sacré coup de chapeau ! »

Je sentais alors comme un regret chez Jean de n'avoir pas exactement vécu la même vie et de s'être décidé tardivement à prendre le même chemin...

En 1922, sans doute impressionné par la stabilité de son fils qui travaillait alors aux Magasins Généraux Automobiles de Drancy, Ferdinand Moncorgé, qui ne devait pas se sentir tellement innocent

* Dans *Citizen Kane* d'Orson Welles, « Xanadou » est le nom de la propriété privée fabuleuse du héros dans laquelle celui-ci a entassé les souvenirs les plus secrets de sa vie. A la fin du film, on découvre un panneau qui orne l'entrée : « No Trespassing » (On n'entre pas).

dans sa brouille avec Jean, décida de faire les premiers pas qui menaient à une réconciliation. Ils eurent enfin une explication, une explication entre hommes — Jean avait alors dix-huit ans.

— T'es grand à présent... Qu'est-ce que tu comptes faire dans la vie ?

— Tu le sais bien... Je voudrais conduire des locos...

Pour une fois, Ferdinand ne montra pas trop d'irritation devant l'entêtement de son garçon et fit mine de compréhension.

— Je voudrais bien t'aider, mais tu sais, moi, je connais personne du côté des chemins de fer... Combien tu gagnes en ce moment ?

— Soixante-dix francs par semaine...

— C'est pas beaucoup... Si l'automobile t'intéresse, j'ai un copain qui a un garage place Pereire... Si tu veux, je peux lui parler de toi...

— En attendant, ça me déplairait pas...

Rendez-vous fut pris pour aller voir le garagiste de la place Pereire. Chemin faisant, Ferdinand glissa à son fils subtilement :

— Avant, j'ai un copain à voir aux Folies, ça t'ennuie pas de m'accompagner ?

Jean était si heureux de leur réconciliation et de la nouvelle attention que lui portait son père qu'il n'entra pas un instant dans son esprit la moindre méfiance ni l'idée de le contrarier. D'autant que cette place chez le copain garagiste lui plaisait bien et qu'il espérait que son père la lui obtiendrait.

Refrénant son impatience, Jean le suivit donc et entra avec lui aux Folies-Bergère.

De son côté, Ferdinand se disait qu'il était en train de jouer la plus délicate partie de poker de sa vie — encore qu'il était plutôt amateur de belote.

C'est très naturellement que Jean se vit présenter à Fréjol, l'administrateur des Folies.

— Voici mon fils...

Ce qui suivit le laissa plus stupéfait :

— C'est un bon à nib mais il veut faire du théâtre. Si tu pouvais en faire quelque chose, ça m'arrangerait, mais ça m'étonnerait, moi j'ai jamais pu rien en foutre !...

Un peu rude, le pedigree dont il affublait son fils, mais bien dans la manière de Ferdinand qui, par ailleurs, ne manquait pas de culot. Jean en resta coi. Malgré ses allures de cabochard, il était déjà le timide qu'il a toujours été. Le piège était inattendu et énorme. Il ne se sentit pas le courage ni l'audace de faire à son père, devant Fréjol, l'affront de le traiter de menteur et de traître.

Le bon Fréjol — sans doute au courant du plan de Ferdinand — engagea Jean sur-le-champ.

C'est ainsi que devait commencer l'extraordinaire carrière d'acteur d'un nommé Jean Moncorgé, qui allait pour un temps être « le fils de Gabin », et un peu plus tard avoir un nom bien à lui : JEAN GABIN.

3.

LES DÉBUTS D'ARTISTE

Je crois que peu d'artistes sont entrés dans le métier comme moi à coups de pied dans le derrière. C'est pourtant comme ça que tout a commencé... Ce jour-là — et j'en suis encore étonné aujourd'hui —, je n'ai pas voulu contrarier mon père, me disant que notre réconciliation était trop récente et encore fragile. Mais comme le coup ressemblait un peu à celui de Janson-de-Sailly, j'ai dû me dire aussi que je foutrais le camp des Folies plus facilement que je l'avais fait du lycée. Naturellement, je savais qu'il n'y avait rien de commun entre l'atmosphère des Folies-Bergère et Janson, mais pour moi c'était quand même du pareil au même dans la mesure où je considérais que je n'étais pas fait davantage pour l'un que pour l'autre.

A dix-huit ans, je n'avais évidemment pas appris grand-chose de la vie, sinon qu'elle pouvait parfois se montrer d'une vraie vacherie. Mon horizon s'était borné à quelques coins de Paris et de sa périphérie, et à la fréquentation de quelques jeunes voyous pas bien méchants.

Mes vagabondages dans les rues, mes séjours dans les bistros de la Butte et de la Chapelle m'avaient quand même un peu ouvert les yeux sur certains trucs. J'avais compris qu'il y avait des circonstances où il fallait refréner son tempérament et mettre la pédale douce.

C'est ce que je me suis dit en acceptant, sans trop gueuler, d'entrer aux Folies.

Je n'avais évidemment pas changé d'opinion sur le métier de théâtreux et au premier coup de pétard j'étais décidé à filer voir ailleurs. Entre-temps, j'aurais au moins montré à mon père que je n'y mettais pas de mauvaise volonté et que c'était dans l'ordre des choses que ça ne marche pas.

Seulement, voilà, le coup de pétard que je prévoyais s'est curieusement pas produit. Faut dire que, aux Folies, mon travail n'était pas écrasant et ma part de responsabilité dans le spectacle évidemment nulle.

Je jouais ce que j'appelais « les becs de gaz dans le lointain », autrement dit, je figurais vaguement dans le décor sans rien avoir à dire ni à faire, et contrairement à certains de mes camarades logés à la même enseigne qui eux faisaient tout pour se faire remarquer, moi je me gardais bien d'attirer l'attention. C'était évidemment une attitude qui surprenait ceux qui étaient habités par le feu sacré du débutant. Perdu dans la foule de la frime, je me contentais de faire exactement ce qu'on me demandait, sans en rajouter, et en m'efforçant de prendre un air pas trop godiche. Si par chance on me donnait quelque chose à tenir, n'importe quoi, une hallebarde par exemple, ça me procurait une meilleure contenance. La plus grande difficulté, en effet, quand on débute dans ce métier et qu'on n'a rien appris et qu'on ne sait rien faire, c'est au moins de savoir occuper intelligemment ses mains, et je m'arrangeais pour que les miennes le soient.

Assez rapidement, j'ai été obligé de convenir que c'était un boulot de tout repos qui me changeait de la fonderie ou de mon emploi de magasinier à Drancy. Mon salaire était passé du simple au double, car Fréjol m'avait royalement octroyé six cents francs par mois [1] et ça pour bosser le soir uniquement, à part le dimanche où on donnait en plus une représentation l'après-midi. On faisait relâche le mardi.

Je disposais donc de mes journées et le matin j'allais faire du vélo au bois de Boulogne pour mon plaisir et me tenir en forme. Le reste du temps, je le passais dans les bistros à jouer à la belote avec les copains.

Je me pointais aux Folies un peu avant 8 heures le soir. Le temps de me faire maquiller — hé oui, hélas! j'en passais par là, non sans rechigner —, d'enfiler mon premier costume de scène — j'en avais plusieurs dans le spectacle — et trois heures plus tard, terminé. Une vraie sinécure. Je ne me salissais plus les mains et, comme en devenant jeune homme j'avais pris goût à ma tenue et à ma toilette, même en semaine si ça me faisait plaisir je portais chemise blanche à col et cravate. Ça me changeait d'avant.

Je dois ajouter que ce qui a beaucoup contribué à mon intégration dans ce milieu est l'ambiance formidable qui régnait aux Folies.

Dans mon enfance à Mériel, puis au cours de mes pérégrinations de jeune ouvrier, sans avoir côtoyé l'enfer, loin de là, j'avais évolué dans un monde assez rude et plutôt fruste.

Aux Folies, je découvrais un monde aimable, facile, et aux mœurs très libres. Ça n'allait pas d'ailleurs sans m'effaroucher un peu car, sans être un saint, j'étais du genre timide et réservé, et certaines attitudes me choquaient facilement. Cependant, je n'étais pas sans me rendre compte, pour autant que je parvenais à surmonter mon aversion envers le métier, que ce milieu avait de quoi séduire. Et de ce point de vue-là, je commençais à mieux comprendre mon père dont la passion pour la comédie n'excluait en rien son goût des jolies femmes qui ne manquaient pas dans le monde du spectacle. Et du même coup, je comprenais aussi ma mère et sa tristesse d'avoir dû, par la force des choses, s'en éloigner.

Il est évident que pour un garçon, à l'âge que j'avais alors, le bataillon de girls des Folies n'était pas un des aspects les moins séduisants de l'endroit. Jolies, pas compliquées et souvent marrantes, je m'étais fait parmi elles quelques copines, et quand il m'arrivait d'en sortir une le soir en gandin, ça ne manquait pas de faire de l'effet chez mes copains de la Butte à qui je la présentais.

Les vedettes de la revue étaient Bach, Jenny Golder, Billy Rive, Constant Rémy et Jean de Walde. Ils étaient très gentils avec moi, probablement à cause de mon père notamment lié d'amitié avec Bach, une des vedettes les plus populaires de l'époque qui m'avait pris sous sa protection et se considérait comme mon parrain de théâtre[2]. Ils s'efforçaient tous de me faciliter la tâche et je réalise aujourd'hui que le débutant récalcitrant que j'étais a finalement eu beaucoup de chance. Ils ont été surtout précieux pour moi lorsque l'on m'a finalement demandé d'« en faire un peu plus », c'est-à-dire de danser parmi les boys et de chanter dans le chœur.

Au début, ça ne devait pas être terrible, terrible, mais à mon grand étonnement je m'y suis fait assez vite et on avait plutôt l'air content de moi. Mais le type qu'en définitive ça surprenait le plus, c'était mon père qui passait de temps en temps pour s'assurer que j'étais toujours là, et à qui Fréjol et Bach faisaient compliment du comportement de son rejeton.

Moi, je pensais toujours que je n'étais pas fait pour ce métier. Je le considérais comme une occupation momentanée, distrayante après tout, et finalement pas si désagréable que ça, et qui avait en outre le mérite de me faire patienter jusqu'à mon service militaire qui s'annonçait à l'horizon.

Après quoi, je me disais que commenceraient les choses vraiment sérieuses et si je me demandais encore ce qu'elles seraient, pas un instant cependant je n'ai imaginé qu'elles pourraient consister à ce que je continue à lever la jambe avec les boys et à pousser la chansonnette aux Folies ou ailleurs.

S'il y avait une chose claire dans mon esprit à ce moment-là, c'était bien ça. Et puis, en tout état de cause, je me disais qu'on finirait bien par s'apercevoir que je n'étais ni très fameux ni très doué, et qu'alors on me viderait...

*

On ne « vida » pas Jean des Folies, ni des Folies ni d'aucun autre endroit. D'abord, parce que, contrairement aux sentiments qu'il exprime sur ses débuts, et bien que, à l'évidence, il n'eût pas le « feu sacré », il ne fut pas un mauvais débutant. Par un atavisme naturel que l'on a déjà bien observé, il était très consciencieux dans le travail qu'on lui demandait de faire.

En 1923, il en avait d'autant plus de mérite qu'il exerçait un métier contre sa volonté et contre sa nature, comme il disait. Il avait déjà aussi la manie de l'heure, qui le tiendra toute sa vie, au point que, devenu une star, pouvant comme tant d'autres s'offrir certains caprices, Jean se considérait « en retard » s'il n'arrivait pas avec une demi-heure d'avance sur l'horaire prévu.

Aux Folies, il était donc exact aux répétitions et aux représentations, ce qui n'était pas dans la règle générale.

« J'étais à l'heure comme souvent les mauvais élèves, me précisait-il à ce propos, en rappelant ses arrivées matinales à l'école de Mériel. Ensuite, quand j'ai bossé en usine on pointait à l'horloge. Il fallait bien être à l'heure, sinon on nous filait une demi-heure " en bas " et la paie n'était déjà pas lourde... »

Aux Folies comme dans d'autres théâtres, on appliquait des amendes aux retardataires, notamment à la figuration et aux petits rôles. Jean n'en écopa jamais d'aucune, pas seulement parce qu'il tenait à l'intégralité de son salaire, mais parce que l'exactitude — dont on dit qu'elle est la politesse des rois — faisait partie intégrante de cette probité qui sera sa marque.

Mais il est surtout un fait de ses débuts dont Jean n'a jamais parlé et sur lequel ceux qui l'ont connu à cette époque portent témoignage [3]. Il plaisait. Il plaisait tout naturellement, et dans ce métier, même lorsque l'on n'est pas spécialement doué — et en réalité ce ne fut pas son cas —, « plaire » est le premier sésame de la réussite. Il ne faisait pas d'effort particulier pour cela, mais il était amusant, gai, et avec sa bonne gueule de prolo, son franc-parler, sa gouaille, ses mots d'argot, sa nature nette, propre, il apportait brusquement, dans ce milieu de faux sentiments et de scintillements factices, quelque chose du « dehors » qui ressemblait étrangement à l'aspect frais et pur de son enfance à Mériel. Son côté vrai, pas fabriqué, séduisait, et certains témoins de ses débuts au théâtre ou au music-hall reconnurent alors dans son talent naissant un ton tout à fait neuf.

En plus, il était gentil et sans méchanceté aucune, malgré parfois des sautes d'humeur et des coups de gueule qui lui resteront, au point que, plus tard, pour beaucoup et à tort, ils caractériseront bien imparfaitement sa personnalité.

Ce portrait du Jean Gabin d'alors — confirmé par des témoins de l'époque — peut apparaître, à bien des égards, paradoxal, si on le compare à celui du petit « chenapan » de Mériel et aux jugements portés sur lui par son père et sa mère.

De même sans doute surprendra-t-il ceux qui ont approché Jean dans le courant de son âge adulte, et notamment les dix ou quinze dernières années de sa vie. Mais pour l'heure — les années 20 — le fait est vérifié, sa gaieté, la sympathie qu'il inspire sont, sans qu'il en soit conscient, ses principaux atouts en y ajoutant ce ton extraordinairement naturel qu'il possède d'instinct pour aborder les facettes les plus diverses d'un métier qu'il n'a cependant pas encore accepté.

C'est ainsi que le petit villageois rude et teigneux de Mériel et le jeune homme à peine dépoussiéré de son travail aux Magasins d'Automobiles de Drancy se révèle un merveilleux danseur parmi les boys des Folies-Bergère qui étaient pourtant sévèrement sélectionnés. Ses dons innés de souplesse, d'élégance et son sens du rythme, il les confirmera un peu plus tard auprès de la reine de l'époque : Mistinguett.

Toute sa vie d'ailleurs, Jean aimera danser pour son plaisir et dansera admirablement jusqu'à en éblouir ses partenaires féminines et abuser de cette arme de séduction auprès des dames qu'il voulait courtiser[4].

Enfin, plus surprenant encore, celui qui ne s'est jamais considéré comme un « enfant de la balle » se découvre, à l'instar de sa mère et de son père, une fort jolie voix, particulièrement juste, claire, simple, joyeuse, et bien faite pour chanter les refrains populaires d'alors, un peu dans le style de celui que tout le monde imitait et dont l'influence et le rayonnement étaient énormes : Maurice Chevalier[5].

*

De mes débuts aux Folies, cette année 1922, j'ai finalement conservé d'assez jolis souvenirs dont celui où je me suis mis en vedette pour la première fois en me faisant remarquer d'une manière toute particulière. Je ne sais plus comment c'était arrivé mais, outre mon boulot avec les boys et le chœur, on m'avait bombardé doublure du jeune premier de la revue, le charmant Jean de Walde[6] qui jouait le rôle du brillant Maréchal de Saxe. De Walde avait une apparition au tableau final qui l'ennuyait car elle l'obligeait chaque soir à rester jusqu'à la fin, alors qu'il ne figurait pas dans le tableau précédent. Autrement il aurait pu quitter le théâtre plus tôt.

Un jour donc, juste avant que ne commence la représentation, de Walde me tombe dessus.

— Écoute, Jean, ce soir tu prends ma place, je ne reste pas pour le final !...

Beaucoup de mes camarades, perdus comme moi dans l'anonymat de la revue, auraient sauté de joie et juré à de Walde une reconnaissance éternelle. Les doublures, c'est bien connu, attendent toujours avec beaucoup d'impatience que les titulaires du rôle tombent malades ou se cassent une patte pour avoir l'occasion de les suppléer. Moi qui n'avais d'ailleurs jamais très bien réfléchi à ce qu'impliquait éventuellement ce rôle de doublure, j'étais atterré et pris de panique. Je n'osai pas refuser ce service à de Walde qui était très gentil avec moi mais, sur l'instant, j'ai failli retrouver ma bonne vieille méthode pour me sortir d'embarras : la fuite.

Qu'est-ce qui a bien pu m'empêcher de le faire et me retenir ? Je n'en sais toujours rien. Sans doute un petit coup d'orgueil, la crainte de passer pour un dégonflé — comme on disait dans la cour de la communale de Mériel — aux yeux des camarades qui, en plus, m'enviaient.

Ce soir-là, au milieu des boys, je n'ai pas dû danser dans le rythme, tellement je pensais à ce qui m'attendait au final. Quand le moment arriva, on m'habilla du costume chamarré du Maréchal de Saxe en lieu et place de ce « salaud » de De Walde, et on me coiffa d'une perruque blonde très XVIIIe siècle et d'un képi à plumes. Je connaissais par cœur la scène car, à l'ordinaire, je figurais parmi la frime qui entourait le Maréchal. Celui-ci paradait à un balcon fait d'un petit praticable surplombant le sol d'un mètre cinquante environ. Un char entrait chargé de girls nues qui figuraient de jeunes et belles otages que les notables offraient au beau Maréchal en signe d'allégeance. Le char s'arrêtait juste en dessous du Maréchal, c'est-à-dire de moi, et les notables chantaient. Je me souviens de l'air et des paroles car j'ai souvent joué un des notables...

Voici Monsieur le Maréchal
Pour vous un butin peu banal
Nous vous donnons en gage

Nos vierges en otages
Quoi de plus doux hommages
Pour un Maréchal...

Évidemment, ce n'était pas du Prévert, mais avec une musique bien enlevée, ça se défendait, au moins dans le cadre des Folies.

Après le chœur des notables, c'était au tour du Maréchal de chanter. Pour la première fois, soutenu par l'orchestre, j'allais chanter seul, attirer tous les regards sur moi. La panique ! Cette chanson du Maréchal, je la connaissais bien, mais, sans doute traumatisé par ce qui m'est arrivé ce soir-là, je ne m'en suis plus jamais souvenu depuis. J'ai en effet ouvert la bouche pour attaquer ma première note mais elle n'est jamais sortie car, en même temps, pensant que ça m'aiderait à surmonter mon trac, j'ai eu la malencontreuse idée de faire un pas en avant, oubliant que j'étais juché sur un praticable qui n'a généralement de praticable que le nom.

J'ai immédiatement plongé dans le vide, et je me suis retrouvé affalé dans le char des girls au milieu des fesses et des seins dénudés de ces demoiselles qui ont un peu amorti ma chute. Mon képi à plumes s'était évidemment fait la malle, j'avais la perruque gaillardement de travers, l'épée qui entravait mes jambes, et un bras pris dans les brandebourgs de mon uniforme. Bref, pour un fier Maréchal, c'était une position qui manquait de dignité, même sur la scène des Folies. Comme personne n'était blessé, tout le monde éclata de rire sauf moi qui, dès que j'ai pu me dépêtrer de cette situation ridicule, courus en coulisses cacher ma honte.

On prit bien la chose autour de moi, et sans doute pour me remonter le moral qui était assez bas, on prétendit même que depuis le début de la revue jamais le public n'avait autant ri qu'en cette circonstance. De Walde, lui, ne trouva pas l'incident aussi amusant : il fut en effet prié par la direction de rester désormais jusqu'au final. Car vous pensez bien que, même si elle avait suscité une franche gaieté parmi les camarades et le public, la direction des Folies — qui avait un certain sens du sérieux — ne souhaitait pas me voir renouveler ma prestation. Je n'eus donc plus l'occasion de doubler de Walde ni personne d'autre d'important, et je me disais une fois de plus que, décidément, je n'étais pas fait pour ce métier.

*

Ce bref intermède en vedette étant raté, Jean reprit son rôle parmi les boys dans la revue des Folies qui tint l'affiche pendant un an. De cette anecdote, on peut toutefois tirer un enseignement qui, quoique léger, n'en est pas moins significatif d'un début d'évolution de Jean. Quelques mois plus tôt, il n'aurait pas manqué de se servir de cet incident pour envoyer tout promener en expliquant à son père que, la preuve étant faite, il n'avait décidément aucune disposition pour cette profession. Au lieu de cela, il semble bien qu'il ait craint un moment d'être renvoyé. Était-ce simplement une réaction d'orgueil ? La crainte de perdre une situation facile et agréable, finalement assez lucrative, et de se retrouver sans travail ? Ou bien le métier commençait-il à lui être moins indifférent ? Un peu de tout cela sans doute. Car ce fut par un mouvement naturel que, la revue des Folies terminée, Jean se mit à la recherche d'un nouvel engagement de théâtre.

Il le trouva au Vaudeville où Rip[7] s'apprêtait à monter une nouvelle revue qui débuta le 14 avril 1923 avec, dans les principaux rôles, Marguerite Deval, Thérèse Dorny, Gaby Montbreuse et Signoret. Il y jouait toujours, selon son expression, « les becs de gaz dans le lointain » et apparaissait successivement en garde égyptien, en contrôleur des wagons-lits, en poivrot et en pirate.

La revue tint l'affiche pendant six mois, et chaque soir, émule du célèbre Frégoli, Jean enfilait à toute vitesse les costumes de ses différents petits personnages faisant, sans le savoir, le dur et lent apprentissage de son futur métier de comédien.

La revue de Rip terminée et le service militaire ne se présentant pas encore, Jean n'hésita pas trop, semble-t-il, à passer des auditions. Ce qui tend à prouver que son évolution se poursuivait et que le métier de saltimbanque ne lui paraissait plus aussi rébarbatif, surtout si l'on songe à l'effort qu'il devait faire pour vaincre sa timidité. Son père lui décrocha une figuration aux Bouffes-Parisiens dans la célèbre opérette *Là-haut,* dont les vedettes étaient Maurice Chevalier et Dranem. Celui qui était encore le seul à porter le nom de Gabin avait le troisième rôle masculin.

Pendant quelques semaines, Jean put, chaque soir et de très près donc, voir jouer et chanter son père qu'il admirait réellement à ce moment-là, étant désormais mieux à même de comprendre la difficulté de ce métier. Mais, évidemment, celui qui fascinait Jean était Maurice Chevalier, son idole d'alors.

Des dizaines d'années plus tard, Jean se souvenait encore :

« Quand il apparaissait, silhouette mince et sportive, bras tendus vers le public, sourire aux lèvres, debout sur une plate-forme qui surgissait de dessous la scène, et qu'il entonnait sa célèbre chanson *Là-haut,* c'était un véritable soleil... Incomparable, et pourtant, à cette époque, comme des cons, on a tous cherché à l'imiter... »

Malgré son admiration pour Chevalier et le plaisir sans doute d'être, même modestement, dans la même opérette que son père, Jean ne regrette pas trop la fin des représentations de *Là-haut*, car les Bouffes que dirigeaient Gustave Quinson et Edmond Roze s'apprêtaient à enchaîner avec une autre opérette d'Albert Willemetz, Maurice Yvain et Yves Mirande : *La Dame en décolleté*, que devaient jouer Dranem [8] ainsi que Lucien Baroux et Marthe Davelli. Cette dernière, surprenant transfuge de l'Opéra-Comique où elle avait créé *Marouf* en 1915, était, selon Jean Sablon, une des plus belles femmes de Paris, et Coco Chanel qui débutait lui dut beaucoup, car elle fut une des premières célébrités à porter ses créations.

Il semble d'ailleurs que Jean, qui avait su décrocher dans ce nouveau spectacle un petit rôle de barman qui n'apparaissait qu'au premier acte, ne soit pas resté insensible au charme de Marthe Davelli, à moins que ce ne soit le contraire. Il est vrai que, sans particulièrement jouer les séducteurs, Jean s'est presque toujours montré aimable avec ses partenaires féminines.

« C'était le temps où je courtisais mes partenaires », répétait-il souvent avec un brin de nostalgie et beaucoup d'ironie, lorsqu'il évoquait les années 20 et 30.

C'est ainsi qu'à ses débuts, outre Marthe Davelli, Gaby Montbreuse — dont il aimait encore tant prononcer le nom (Jean cultivait un certain fétichisme pour les jolis noms) —, Jacqueline Francell, Meg Lemonnier, Elsie Janis, sans oublier Mistinguett elle-même, apprécièrent — sans forcément toutes y succomber — l'extrême gentillesse dont Jean était capable quand il faisait sa cour.

Le très jeune et charmant Jean Sablon — il avait deux ans de moins que Jean, autrement dit dix-sept ans — débuta pratiquement dans *La Dame en décolleté* après avoir passé une audition où il chanta, comme Jean d'ailleurs, une chanson de Chevalier évidemment : *Dans la vie faut pas s'en faire.*

La première eut lieu le 23 décembre 1923 et, pour la première fois, le nom de théâtre de Jean Moncorgé apparaissait au programme dans la distribution des rôles : « Le barman... Jean Gabin. »

Jusqu'alors, Jean ne s'était pas fait appeler, si j'ose dire. Aux Folies comme au Vaudeville, il était le « fils de Gabin ». Dans *La Dame en décolleté,* on lui demanda d'indiquer un patronyme. Il ne s'était pas préparé à cela et n'y avait même pas pensé, bien que tout enfant, on l'a vu, il ait signé des lettres du nom de « J. Gabin ». Il en parla à son père.

— Je pourrais me faire appeler Gabin junior, suggéra-t-il timidement ne sachant si cela allait faire plaisir à son père ou pas.

— Gabin junior, c'est idiot ! répliqua aussitôt Ferdinand. T'auras l'air de quoi à soixante ans, avec un nom pareil !... Appelle-toi Jean Gabin tout simplement...

Gabin Junior à soixante ans ! Évidemment, Jean n'y avait pas pensé, considérant toujours que son passage dans la carrière d'acteur serait brève. Il retint cependant le conseil de son père et alla annoncer à Quinson, directeur des Bouffes, que désormais on devrait l'appeler Jean Gabin.

Le spectacle ne connut qu'un succès moyen et, dans le petit bout de rôle qu'il avait à défendre, Jean ne fut pas très remarqué par les critiques. Par contre, une jeune et charmante personne parmi les spectateurs le remarqua si bien qu'elle vint à plusieurs reprises, dans une loge d'avant-scène, l'admirer. Elle n'avait d'yeux que pour Jean et quittait les Bouffes dès la fin du premier acte puisque celui pour lequel elle venait si assidûment ne faisait pas partie de la suite du spectacle.

Jean avait beau avoir encore peu d'expérience de ce métier, ce qu'il avait à faire en scène ne lui demandait pas un effort de concentration tel qu'il ne finisse par remarquer la jeune fille brune aux yeux pétillants de gaieté et à qui la frange sur le front, prolongée en accroche-cœur de chaque côté du visage, donnait un air déluré et espiègle.

Constatant qu'elle quittait sa place quand lui-même sortait de scène, Jean s'enhardit. Un soir, et dès le rideau tombé sur le premier acte qui le libérait, il se précipita à la sortie du théâtre pour la rattraper.

— Vous venez souvent dans la loge d'avant-scène ?

— Vous m'avez remarquée ? interrogea la jeune fille.

— Ce serait difficile de faire autrement, je vois que vous.

— Comme moi !

— Comment ça ?...

— Je viens que pour vous..., précisa la petite brunette qui n'avait pas froid aux yeux.

C'est ainsi que Jean rencontra son premier amour. Il allait avoir vingt ans, elle en avait vingt-deux et s'appelait Gaby Basset[9]. Elle débutait dans le même métier que Jean, mais contrairement à Jean, Gaby était habitée du feu sacré et d'une volonté farouche de réussir.

La mère de Gaby, Joséphine, avait été veuve de bonne heure et avait élevé seule, avec son métier de couturière à domicile, ses quatre enfants. Tout naturellement, son certificat d'études passé, la jeune Gaby avait été placée comme arpète dans la couture. Normalement, comme sa mère, elle était destinée à tirer l'aiguille le restant de sa vie. Mais Gaby était gaie, pleine d'entrain et avait une jolie voix. Comme Hélène, la mère de Jean, pour distraire ses copines d'atelier, elle chantait. Mais à la différence des patrons d'Hélène, les siens n'appréciaient guère, et après quelques sévères remontrances, comme la petite Gaby ne cessait pas de « faire le clown », elle fut priée un jour d'aller le faire ailleurs.

L'air préféré de Gaby était *Je cherche après Titine*. Elle entreprit donc de chercher non pas Titine, mais du travail. Mollement sans doute car elle n'en trouva pas. Désœuvrée, il lui arrivait d'accompagner une copine qui était girl à La Cigale, le music-hall parisien dont Gabin père fut longtemps pensionnaire.

Sans tout à fait se l'avouer — et surtout pas l'avouer à sa mère —, le monde du spectacle l'attirait mais elle ne savait pas comment s'y prendre pour y entrer. Elle n'avait pas la chance (!) comme Jean d'avoir un papa dans le métier. Cependant, un jour, accompagnant son amie à La Cigale dont elle était devenue une familière, elle apprit qu'une des girls était tombée malade. Sans trop savoir où cela la mènerait mais son culot de petite Parisienne des faubourgs l'emportant, elle se proposa pour la remplacer.

— Tu sais danser, toi ? questionna, étonné, le régisseur.

— Non, mais je sais chanter.

— C'est une danseuse qu'il me faut ! T'as trois jours pour apprendre !

Gaby ne se démonta pas et travailla d'arrache-pied, si j'ose dire, aidée par sa copine, les danses de La Cigale.

Le grand soir arriva et pendant les premiers ballets Gaby ne s'en sortit pas trop mal, mais au dernier elle s'emmêla les jambes au cours d'un french-cancan, tomba, se releva et, perturbée, ne retrouvant pas sa place dans le mouvement endiablé des autres girls, elle laissa échapper un retentissant « et merde ! » puis se sauva en coulisses, honteuse et pleurant de désespoir sur ce début de carrière aussi tonitruant que raté qui mettait vraisemblablement fin à ses espoirs d'être une artiste. Un début qui rappela un peu le ratage aux Folies de Jean en Maréchal de Saxe. A cette différence près que, si la direction des Folies, malgré le succès comique remporté par Jean ce soir-là, le pria gentiment de ne pas récidiver, le régisseur de La Cigale, par contre, se précipita auprès de Gaby en pleurs, pour la supplier de recommencer « son numéro » désormais tous les soirs, car le public en riait encore.

C'est ainsi que Gaby Basset, d'une façon originale somme toute, commença sa carrière d'artiste.

Après La Cigale elle connut, comme tous les débutants, la course aux cachetons d'un caf'conc à un autre — comme l'avaient fait Ferdinand Moncorgé et Hélène Petit, les parents de Jean —, balançant avec beaucoup d'aplomb, au-delà des tristes feux de la rampe des music-halls de seconde zone, sa voix joyeuse et agréable, à l'accent parigot, ses « jolies mirettes », comme disait Jean, achevant de conquérir le public.

— Comment c'est ton nom ? demanda Jean le soir de leur rencontre.

— Camille... Mais on m'appelle Gaby... Gaby Basset... Je suis chanteuse.

— Ben ça, c'est marrant, on fait le même métier, alors !... répliqua Jean avec un grand sourire. Moi mon nom c'est Gabin... Jean Gabin.

— Je sais... Je l'ai lu sur le programme...

— Basset, c'est un nom de toutou, ça ! fit remarquer Jean en riant.

Et ainsi, Jean, qui allait toute sa vie avoir la manie d'octroyer des surnoms plus ou moins cocasses aux gens de son entourage, appela Gaby d'abord « Toutou », puis « Pépette ».

Les deux jeunes gens ne se quittèrent plus, Jean qui avait déjà eu des amourettes passagères ayant décidé que Gaby serait la première femme avec laquelle il vivrait.

Pauvres mais amoureux ils s'installèrent dans une chambre sans confort d'un petit hôtel de la rue de Clignancourt.

« L'eau et le reste... Les commodités, comme on dit, étaient sur le palier, raconte encore aujourd'hui celle qui, à quatre-vingt-cinq ans, est restée la pétulante et coquette Gaby Basset. On dormait dans un effroyable lit en fer qui faisait un boucan de tous les diables dès qu'on bougeait. On n'avait pas le sou, et des fois même pas grand-chose à manger. Qu'est-ce qu'on a pu avaler comme œufs durs, Jean et moi à cette époque. Mais on s'en foutait, du moins au début parce qu'on était encore sous le coup... de notre coup de foudre réciproque.

Qu'est-ce qu'il était beau, Jean ! Il plaisait aux femmes et c'est sûr qu'il le savait. Il n'avait pas à faire grand-chose pour ça avec la gueule gentille qu'il avait. C'était un tendre, pas méchant ni cynique pour deux sous. Il avait du bagout, de la gouaille, et marrant en plus. Le plus curieux c'était, malgré sa timidité, le culot qu'il avait avec les filles. C'est simple, moi j'en étais folle. De la vache enragée, on en a mangé ensemble mais aussi qu'est-ce qu'on a pu rire tous les deux !

Entre nous il y avait quand même un petit problème. Quand on s'est connus on n'était rien, ni lui ni moi. Il avait son petit bout de rôle dans *La Dame en décolleté* et moi quelque chose de pareil à la Gaîté-Lyrique. C'était pas la gloire mais je voulais vraiment faire une carrière, réussir dans la chanson ou la comédie, tandis que lui il s'en foutait. Il était " de passage ", comme il disait. Il avait son service militaire à faire et après il disait qu'il voulait conduire des locomotives. Je me demande réellement aujourd'hui s'il croyait ce qu'il disait. Après *La Dame en décolleté,* il a trouvé un rôle encore moins important dans une revue qu'il a rapidement quittée.

— Pour ce que je fais là-dedans, disait-il, on pourrait aussi bien prendre un mannequin empaillé à ma place, personne verrait la différence...

On ne peut pas dire qu'il avait la flamme! Il détestait même se maquiller.

— Je suis un homme, grognait-il, le fond de teint, c'est pas pour moi...

Et il ajoutait :

— Tu me vois, Pépette, faire le guignol toute ma vie?

Il m'avait présenté son père que je connaissais de réputation et qui était un homme très gentil, surtout avec les dames. Lui et moi, on s'est très bien entendus toujours.

Je crois que ça lui plaisait que Jean ait rencontré une fille comme moi qui était dans le métier et qui voulait non seulement y rester, mais y faire sa place. Il espérait que ça entraînerait Jean dans la même voie, car, si au début le père Gabin ne croyait pas beaucoup aux possibilités de réussite de son fils, tout de même, après, quand il l'avait vu se débrouiller pas si mal aux Folies et aux Bouffes, il commençait à se dire qu'après tout son Jean avait une chance, s'il le voulait, de marcher sur ses traces... »

La voie, en tout cas, que dans l'immédiat Jean devait prendre, n'était pas celle des lauriers de la gloire mais celle du bataillon des fusiliers marins de la base de Lorient, et c'était un choix qui ne dépendait pas de lui.

Non seulement pour les deux amoureux la séparation fut rude, mais pour Jean spécialement, l'atmosphère de contrainte, les ordres souvent stupides à exécuter, les aboiements des sous-offs lui rappelaient par trop Janson-de-Sailly. Mais du casernement de Lorient il n'était pas question de s'enfuir et de se réfugier chez Madeleine et Poësy, comme autrefois, à attendre l'engueulade du père.

Malgré son aversion pour l'uniforme, Jean avait vite compris qu'il lui fallait prendre son mal en patience.

Cependant, la vitalité qui était en lui et surtout son honnêteté et sa franchise toutes simples supportaient mal certaines injustices. Alors, un jour, la gueule d'un quartier-maître qui ne devait pas lui revenir se trouva au bout de son poing. Cela lui coûta la prison militaire et, à la fin de son temps réglementaire, un petit bout de rabiot.

*

L'obéissance n'a jamais été mon fort. Déjà, môme, à Mériel avec mes parents... Mais à l'armée !... Ce n'est pas chez les officiers supérieurs que vous trouvez les cons, ceux-là, quand vous êtes appelé à vingt ans pour faire votre temps, vous ne les voyez même pas, en tout cas vous n'avez pas de contact avec eux. Dans ma vie, j'ai eu des amis officiers supérieurs et c'étaient des types intelligents, sensibles, tout à fait remarquables. Mais, pendant le service militaire, l'appelé a affaire la plupart du temps à de pauvres mecs qui, sous prétexte qu'ils ont une mince sardine sur la manche, se prennent pour des caïds et vous obligent à faire n'importe quelles conneries. Je supportais pas. Ou, du moins, je supportais mal. J'ai obéi dans ma vie, même quand il m'arrivait de ne pas être complètement d'accord. J'ai obéi à des hommes comme Duvivier, Renoir, Grémillon, Carné et d'autres. Et j'en suis fier.

C'est un peu vrai que le personnage de révolté et d'insoumis que l'on m'a si souvent fait jouer à l'écran se trouvait quelque part en moi. Ma nature a un peu inspiré ce personnage. Le qualificatif de « forte tête » que l'on m'a attribué à l'écran et avec autant de facilité dans la vie n'est pas uniquement né de l'imagination d'un scénariste ou de la mauvaise plume d'un journaliste. J'admets qu'il correspond à une partie de moi-même mais je suis intimement convaincu de n'avoir fait preuve de rébellion ou de mauvais caractère qu'en face de gens dont la prétention et la médiocrité, ou encore la malhonnêteté m'apparaissaient évidentes. J'ai pu quelquefois me tromper dans mon jugement, c'est possible, mais on ne m'enlèvera pas de l'idée que les gens qui avaient mon estime, mon respect ou mon amitié ne doivent pas avoir de choses bien importantes à me reprocher.

*

De son service militaire, Jean n'a pas gardé de bons souvenirs, mais il lui a donné l'occasion de faire la connaissance d'un garçon de son âge, appelé lui aussi à la base de Lorient, et qui devait rester un de ses meilleurs amis, le boxeur Marcel Thil qui allait être un grand champion dans les années 30.

Jean se souvient surtout qu'il attendait avec impatience les permissions pour respirer à nouveau un peu.

« Les permissions, se rappelle aujourd'hui Gaby Basset, Jean n'en avait pas souvent au début. Lorient c'était pas la porte à côté et on avait beau être “ en ménage ”, comme on disait alors, pour l'armée il était considéré comme célibataire, ce qui n'arrangeait pas les choses. Moi, j'étais folle de jalousie de le savoir si loin. Je m'imaginais que toutes les filles de Lorient lui couraient après car il était superbe en marin. Pour les décourager de toucher son pompon — elles prenaient ce prétexte pour faire des approches —, lors d'une permission de Jean, j'avais à son insu cousu dedans de petites épingles. Fallait que j'aie un drôle de béguin pour lui pour m'être laissée aller à ces enfantillages. »

Ce problème des permissions obsédait tellement Jean que, ayant appris que les appelés mariés pouvaient en bénéficier de plus fréquentes et de plus longues, il proposa à Gaby de l'épouser sans plus attendre. Ni l'un ni l'autre n'avaient jusqu'alors considéré le mariage indispensable à leur amour, mais, comme il y avait dans le cas présent un bénéfice à en tirer, ils n'hésitèrent pas.

La cérémonie eut lieu au début de 1925, à la mairie du XVIIIe à Paris. Ferdinand Moncorgé, tout heureux de l'union de son fils avec une fille aussi convaincue que lui des grandeurs du métier d'artiste, offrit les alliances aux jeunes époux fort démunis, et paya le repas de la noce dans un bistro de la Butte.

Ce fut une journée joyeuse, quelque peu attristée pour Gaby par l'absence de sa mère Joséphine qui s'était élevée en vain contre ce mariage, et n'y assista pas. Elle allait par la suite, en connaissant mieux son gendre, avoir pour lui une véritable adoration.

« Je suis allée alors habiter Mériel dans la maison familiale, dit Gaby Basset. C'était pas gai sans Jean toujours à Lorient, mais c'était mieux que nos petits hôtels de Montmartre, et je m'entendais surtout bien avec son père. Je vivais dans l'attente de la prochaine permission de Jean. Quand il m'avertissait de son retour, j'allais guetter au fond du jardin les arrivées des trains venant de la gare du Nord. J'étais comme une midinette, et ces moments étaient merveilleux. Jean m'entraînait à travers les chemins qu'il avait parcourus en tous sens quand il était enfant, heureux de respirer l'air de ce pays qui l'avait tant marqué, et de me le faire connaître.

Un peu étonnée, je découvrais un autre Jean, assez éloigné du jeune gandin aux cheveux gominés pour lequel j'avais eu le coup de foudre un soir aux Bouffes. Il faisait des choses qui me paraissaient insensées. Par exemple, il prenait un peu de terre grasse d'un champ, dans ses mains, la pétrissait, la respirait en disant :

— Que ça sent bon !

J'ai vu faire ça un jour dans un film par un personnage. J'ai trouvé que c'était très théâtral, sans doute parce que l'acteur ne faisait pas vrai. En faisant le même geste dans la vie, j'ai le souvenir que Jean était fantastiquement vrai et ne donnait, en tout cas, pas envie de rire. Je pense que, s'il avait eu l'occasion de jouer cette scène au cinéma — je ne sais pas si ça lui est arrivé —, il aurait été aussi vrai, aussi juste. C'était ça qui était formidable chez lui : il respirait une vérité simple dans le moindre de ses gestes ou dans ce qu'il disait et c'est cette vérité-là qu'il allait tout naturellement exprimer plus tard à travers ses personnages et son jeu.

— Tu verras, Pépette, un jour on aura une ferme à nous..., me disait-il à ce moment-là.

J'avoue que je ne me voyais pas très bien en fermière mais j'étais jeune, amoureuse et prête à faire n'importe quoi, même d'aller au bout du monde avec Jean.

Et c'est vrai que, plus tard, des fermes, Jean en a eu. Mais pas avec moi. »

Dans la deuxième partie de son service militaire, grâce à son état d'homme marié, Jean fut muté au ministère de la Marine, rue Royale à Paris. Il y fut même un moment le chauffeur du ministre, mais le plus souvent il était planton devant le ministère. Une situation que Gaby Basset aimait moins, car elle estimait que trop de filles s'arrêtaient pour le regarder et qu'il ne se gênait pas lui-même pour attirer leur attention par des œillades ou des plaisanteries, et faire ainsi, avec les moins farouches, un brin de conversation qui pouvait éventuellement aboutir à un rendez-vous. Jean couchait en effet à la caserne de la Pépinière et ne rentrait pas chez lui tous les soirs.

« J'étais tellement jalouse que j'allais le surveiller quand je savais qu'il était de faction devant le ministère, dit Gaby Basset aujourd'hui, en en riant. Un jour, je l'ai surpris, malgré que ça lui était interdit de parler, en conversation prolongée avec une fille très belle, et avec laquelle il avait une attitude familière. Je me suis pointée comme une furie, prête à lui faire publiquement une scène, mais il avait dû me voir venir et il avait préparé sa défense.

— Tiens, Pépette, tu tombes bien !... Je voulais justement te présenter une vieille copine, Paulette Frank...

Vous vous rendez compte, après toutes ces années, je me souviens encore du nom de la fille. Une fois de plus, Jean m'avait désarmée par son sens de l'à-propos, son culot monstre et surtout ce sourire gentil qui faisait que je lui pardonnais tous ses coups douteux. Il m'arrivait quand même de piquer de vraies colères, mais comme ça le faisait rire, évidemment, je finissais par rire avec lui.

Des fois, pour me venger d'avoir presque toujours le dessous dans nos querelles, je le traitais de " Casanova de Clignancourt "... Ça le faisait encore plus rire ! Désarmant, je vous dis, qu'il était... »

Ferdinand, son père, devait aussi parfois trouver Jean « désarmant ». Notamment quand il recevait de lui une lettre comme celle datée du 9 avril 1925, écrite sur papier à en-tête du ministère de la Marine, Service hydrographique, 13, rue de l'Université. (Je n'ai pas eu à en éliminer les fautes d'orthographe, il n'y en avait aucune, et si la forme s'est personnalisée, la tournure reste naïve.)

Cher Père... Je vais te demander quelque chose, mais avant tout, ne pousse pas les hauts cris ! D'autant que je ne veux pas t'énerver au moment de tes répétitions... Évidemment, c'est de l'argent que je vais te demander. Mais attends ! Si tu ne peux pas, ma foi tant pis ! Si tu le peux, tant mieux, ça m'arrangera. Voilà ! Je sais que tu as beaucoup de frais ce mois-ci, seulement j'aime mieux te le demander à toi qu'à n'importe qui. D'abord, ça me gêne déjà avec toi, à plus forte raison avec les autres. Somme toute, j'arrive au but. Pourrais-tu me prêter, pas donner, *car ma parole je te les rendrai petit à petit, évidemment, pourrais-tu me prêter 300 francs ? Je vois ta tête d'ici !!! Tu sais que ce n'est pas pour faire la bringue. Ça, c'est tout à fait à part de ce que tu me donnes chaque semaine. Ça me rendra service. Je te dis, si tu ne peux pas, tant pis. Mais surtout, ne raconte pas ça à tout le monde, et quand j'irai te voir au théâtre, ne crie pas et ne m'engueule pas. C'est tout ce que je te demande. J'irai te voir et tu rendras la réponse. Sans rancune, hein !... Je t'embrasse de tout cœur et mes respects à Natacha. Ton fils... J. Gabin.*

Outre son extrême et involontaire drôlerie, cette lettre est intéressante car elle démontre une évolution sensible de Jean. Il ne fonce plus tête baissée comme il l'aurait encore fait deux ou trois ans auparavant. Il joue de son charme qu'il s'est découvert au contact du monde du théâtre et aussi probablement des jolies femmes. Gentillesse et séduction sont désormais ses armes dans cette partie de sa vie, et il n'hésite pas à en user, sans doute avec sincérité envers son père. Mais le connaissant, comme il va prudemment ! Et comme il est roublard aussi, quand il insiste pour que son père « ne parle pas à tout le monde » de sa demande d'argent ! Dame, surtout s'il a déjà fait la même démarche auprès d'autres membres de sa famille ou s'il ne veut pas que Gaby le sache...

Quant à Natacha à qui il présente « ses respects », c'est la dame responsable, quelques années plus tôt, de sa rupture avec son père. Il semble s'être très modérément fait à sa présence dans la vie de Ferdinand.

A part cela, cette lettre révèle aussi que son père le soutient en lui donnant de l'argent chaque semaine. C'est la preuve qu'il est satisfait de la tournure que prend la vie de son fils par son mariage avec Gaby, une « saltimbanque » comme lui, qui incitera peut-être Jean, service militaire fini, à poursuivre dans la voie du théâtre.

Mais pour le moment, Jean ayant encore quelques semaines à accomplir au service de la France, Ferdinand a fait engager Gaby dans une opérette d'Yves Mirande, Albert Willemetz et Raoul Moretti aux Bouffes-Parisiens. *Trois jeunes filles nues* a débuté le 3 décembre 1925. La vedette était Dranem dont la popularité, dans un genre différent, égalait presque celle de Maurice Chevalier. Il y avait aussi dans la distribution Edmond Roze, Jeanne Saint-Bonnet, Gustave Nelson, Adrien Lamy, Gabin (père) et Jean Sablon qui, parti faire son service militaire après Jean, en était revenu plus tôt car il avait été réformé à la suite d'une légère maladie.

Gaby Basset y jouait le personnage de « La femme au homard » et ce fut son premier grand succès personnel. La pièce resta plus d'un an à l'affiche.

Libéré de ses obligations militaires au début de l'année 1926, Jean avait alors un peu plus de vingt et un ans. Il n'avait évidemment rien oublié de ce qu'il s'était dit à lui-même quand son père l'avait forcé à débuter sur les planches. « Après mon service, je me cherche un boulot sérieux qui m'assure un petit avenir tranquille. » En 1926, la grande crise économique s'annonçait à grands pas, et les boulots sérieux d'avenir ne couraient pas plus les rues que les petites annonces d'offres d'emploi, surtout pour un garçon qui, la tête encore pleine de ses ambitions d'adolescent, n'avait ni formation ni spécialité. En outre — et cela n'avait pas été prévu à son programme auparavant —, il était désormais marié, et il avait repris avec Gaby une vie commune, logeant à l'hôtel.

Sans emploi, et par conséquent sans le sou, Jean ne pouvait accepter longtemps que ce soit Gaby qui entretienne le ménage grâce à son engagement dans *Trois jeunes filles nues*.

Pendant son service militaire, Jean avait éprouvé bien plus fortement qu'à Janson-de-Sailly combien les atmosphères de contrainte et de discipline strictes n'étaient pas faites pour lui. La nostalgie du théâtre et de son ambiance anarchique l'avait peu à peu imprégné. Il en était venu à regretter l'odeur particulière de la scène et des coulisses, cette précipitation un peu folle à l'instant de paraître en public, et même les parfums légèrement rances des pots de maquillage sur la table des loges. Son hostilité au métier s'était estompée. D'autre part, le succès personnel remporté par Gaby dans *Trois jeunes filles nues* l'incita probablement à penser que, après tout, la chance à lui aussi pouvait finalement sourire un jour. Aussi ne poussa-t-il pas les hauts cris lorsque Ferdinand lui dit qu'il pouvait le faire engager comme doublure dans *Trois jeunes filles nues.*

— Risquer de chômer comme ouvrier ou comme comédien, quelle différence y avait-il ? admit Jean.

C'est ainsi que chaque soir, en compagnie de son épouse, il reprit le chemin des planches, mais, à la différence de Gaby qui faisait un « tabac » en scène auprès du public, Jean restait en coulisses, se morfondant de ne rien faire et de regarder les autres jouer et amuser les spectateurs.

« En décidant de reprendre ce métier, surtout en raison de la situation de crise économique, je m'étais donné un délai de cinq ans, pas un de plus, pour réussir à me faire une situation convenable, un petit nom bien à moi, et une petite place au soleil. Sinon, je raccrochais et je faisais autre chose... »

Jean s'était fait ce serment à lui-même, sans solennité, entre les quatre murs d'une modeste chambre d'hôtel du quartier Barbès où il habitait avec Gaby, et n'en avait parlé à personne. Ce pari, en cas d'échec, il l'aurait certainement tenu.

*

Il n'y a rien de déshonorant d'être toute sa vie un comédien de second plan, et moins encore. Beaucoup de mes bons camarades aujourd'hui ne sont pas autre chose et ça ne veut pas dire qu'ils n'ont pas de talent ou en ont moins que d'autres dont les noms s'affichent en caractères doubles ou triples que les leurs. Ça veut simplement dire parfois qu'ils n'ont pas eu la chance de se trouver là où il faut au bon moment ou de n'avoir pas la gueule qui convient à la mode du jour.

Avec le temps, il arrive que ça se rattrape. Il arrive aussi que rien n'y fait. On reste un second plan, même si on est un merveilleux comédien, indispensable et précieux, recherché comme partenaire par ceux qui ont eu la chance de s'imposer à un plus haut niveau.

Voyez les génériques de mes films, les mêmes noms reviennent souvent d'un film à l'autre. Chaque fois que j'en ai la possibilité, j'aime choisir mes partenaires, et ce sont fréquemment les mêmes parce que je les estime et les admire, et que leur talent me conforte et me rassure.

Donc, quand je me disais que je n'accepterais pas d'être toute ma vie un comédien de second plan, ce n'était ni par mépris ni par prétention. Ça tenait à ma nature. Je n'aimais pas suffisamment ce métier, surtout à cette époque, pour le supporter de ce qui m'apparaissait alors comme le bas de l'échelle. Mon envie de gravir vite quelques échelons vers le succès m'était, au fond, probablement dictée par la peur que j'avais d'avoir à renoncer, en cas d'échec, car je ne savais pas très bien ce que j'aurais pu faire d'autre, même si je me disais encore que ce métier n'était pas fait pour moi.

*

A partir de cette décision — début 1926 —, Jean fut pris dans l'engrenage et il semble bien que, dès lors, malgré les vicissitudes inhérentes aux professions du spectacle et les longues semaines sans emploi, il n'imagina plus — du moins avant longtemps — une autre voie pour lui que celle d'être un « saltimbanque » qui pousse la chansonnette, danse un peu et joue les jeunes « nez rouge », puisqu'il semblait alors que c'était dans sa nature de faire rire. « Comédien » ou « acteur », c'étaient des mots qu'il n'osait pas prononcer en ce qui le concernait présentement ni même pour l'avenir. Il les réservait pour désigner les « vrais », ceux qui jouaient les classiques à la Comédie-Française et à l'Odéon, ou les pièces dramatiques de Bernstein et de Bourdet sur les boulevards. Quant à devenir comédien de cinéma, ça ne lui effleurait même pas l'esprit.

Doublure dans *Trois jeunes filles nues,* Jean eut la chance de voir Adrien Lamy, un des trois jeunes premiers de l'opérette, abandonner son rôle pour un autre engagement.

Tout naturellement, Jean le remplaça le 1er septembre 1926. A la création, les trois jeunes premiers de l'opérette étaient Gustave Nellson, Adrien Lamy et Jean Sablon. A la reprise le 1er septembre 1926, Dranem laissa sa place à Serjius. Dans mes entretiens avec lui, Jean Gabin m'a indiqué qu'il avait remplacé Adrien Lamy, mais certains témoignages affirment que c'est à Gustave Nellson qu'il aurait succédé.

Jean s'amusa beaucoup à jouer un jeune officier de la marine, lui qui en sortait comme simple matelot. Mais sa grande satisfaction était de jouer un vrai rôle auprès de son père qui campait un commandant, et de son épouse, inénarrable « Femme au homard ». (Pour les besoins du rôle, Gaby jouait toute la pièce avec un homard dans les bras.)

Deux « Gabin » figuraient donc pour la première fois sur le même programme, et Ferdinand en tirait une réelle fierté. Il considérait, à juste titre, le « comédien Jean Gabin » comme son œuvre personnelle et si l'admiration qu'il lui portait était quelque peu partisane, elle n'en était pas moins touchante.

Dans *Trois jeunes filles nues,* Jean chantait et remportait un petit succès personnel dont il n'était pas le dernier à avoir conscience. Cela le mit en confiance et il se dit que, après tout, il disposait peut-être de quelques moyens qui lui permettaient d'envisager l'avenir dans ce métier sans trop de pessimisme.

Les représentations de *Trois jeunes filles nues* cessèrent cependant début 1927, et Jean se retrouva sans engagement, de même que Gaby.

L'épouse, avec sa volonté farouche de réussir sa carrière, reprit bien vite son tour de chant pour se produire dans quelques music-halls de banlieue. Jean, dont la conversion au métier était récente et sans doute encore fragile, n'était pas préparé à cette lutte quotidienne, si déprimante, de la chasse aux cachetons. Il se sentait humilié d'aller tirer les sonnettes, et prenait comme une gifle le célèbre « laissez votre adresse, on vous écrira ».

Les petits cachets de Gaby ne faisaient guère bouillir la marmite. Jean, dont les goûts culinaires pour une cuisine roborative lui avaient été inculqués par les femmes de sa famille, raffolait déjà de bœuf braisé aux haricots rouges, de daube ou de pot-au-feu qu'il appelait « poulet à cornes ». Il se contentait désormais de partager avec Gaby de maigres sandwiches, dans une chambre sordide, qu'ils ne pouvaient d'ailleurs plus payer. Jetés régulièrement dehors par des hôteliers peu sensibles aux difficultés des jeunes artistes, ils allaient d'hôtel en hôtel au pied de la Butte Montmartre. Heureux quand même, certains soirs, de partager dans les rires une approximative panade, en compagnie de quelques copains aussi fauchés qu'eux, comme ce jeune comédien tout feu tout flamme qui avait nom Pierre Brasseur, souvent accompagné de cet autre à l'humour juif qui s'appelait Marcel Dalio, les deux entraînant quelquefois avec eux, chez les Gabin/Basset, un personnage fabuleux, Juif russe, émigré, journaliste, aviateur pendant la guerre, déjà auteur d'un roman à succès, *L'Équipage*, et en train d'écrire son prochain, *Nuits de Prince*. Il s'agissait, bien sûr, de Joseph Kessel.

« Fallait voir Brasseur et Kessel assis par terre — on n'avait qu'une chaise — partager notre pitance qui n'était pas bien fameuse, raconte Gaby Basset. Ça faisait râler Jean — la bonne bouffe a toujours été importante pour lui —, mais Brasseur lui remontait le moral avec une blague, Dalio racontait des histoires juives, et Kessel ses exploits de la guerre. On était tous jeunes, et on se disait que l'avenir nous appartenait. Des fois, Jean et moi, on allait manger à crédit Chez Georges, un bistro de la place du Tertre où le patron était sympa. On discutait alors toute la nuit, on dansait — Jean adorait ça — et on rentrait à l'aube dans notre chambre.

D'autres fois aussi, c'était l'enfer. Jean et moi, on s'engueulait. Il n'avait pas de travail et ça le rendait de mauvaise humeur. Il était en plus très jaloux. Il ne supportait pas de ne pas savoir où j'étais, par exemple, et si j'arrivais en retard, il me soupçonnait de je ne sais quoi et se mettait en colère.

Mais avec Jean les fâcheries ne duraient pas. Il me prenait dans ses bras, me faisait rire — je ne demandais que ça — et me disait avec un sourire :

— T'en fais pas, Pépette, ça va changer...

Il était gentil, foncièrement gentil. On était dans la mouise mais, quand même, qu'est-ce qu'on a pu rigoler tous les deux. »

Changer, oui, il le fallait bien. Faire quelque chose pour, en tout cas. « Spectacle pour spectacle, pourquoi j'essaierais pas le tour de chant, moi aussi ? » décida un jour Jean, avec plus de fureur que d'envie, pas plus rassuré que cela à cette idée.

Il alla malgré tout, comme son père Ferdinand des années plus tôt, traîner ses pas du côté du faubourg Saint-Denis et du passage de l'Industrie chez les marchands de chansons.

Il se rendit notamment chez Vincent Scotto et Gabaroche qui tenaient l'un et l'autre des boutiques de chansons. Il y fit son choix de refrains à la mode ou d'airs nouveaux et, avec patience, courage aussi, il apprit son nouveau métier : chanter.

Chanter, il l'avait déjà fait. Dans les chœurs des Folies, et plus récemment aux Bouffes, il avait même chanté seul et s'en était plutôt bien tiré. Mais chanter sur une scène de music-hall ou de café-concert seul, vraiment seul, face à un public qui n'a, éventuellement, d'yeux et d'oreilles que pour vous qui n'avez pas le soutien de partenaires, d'une mise en scène, de tout un ensemble qui fait que vous êtes un des éléments du spectacle et non pas le seul... Ça, c'était pour Jean une autre affaire. Une singulière expérience en tout cas.

Dos au mur, il la tenta, lui qui n'avait cessé, durant son enfance, puis son adolescence, de cacher sous des aspects divers sa timidité maladive et sa pudeur se lança, avec un trac fou et le sentiment d'accomplir une terrible punition, dans l'aventure de la chanson.

Comme n'importe quel débutant, il passa des auditions et, à sa grande surprise, il ne tarda pas à avoir des engagements au Kursaal de Clichy, à L'Éden d'Asnières, notamment, puis il fit des tournées en province.

« Je chantais des chansons de Chevalier ou de Dranem. Je les imitais, surtout Chevalier. Les salles étaient le plus souvent minables, la scène balayée de courants d'air à vous faire attraper la crève, le rideau poussiéreux vous donnait envie d'éternuer dès qu'on le bougeait un peu, les fauteuils grinçaient sous les fesses des spectateurs Mais on était quand même contents qu'ils grincent, ces fauteuils, parce que ça voulait dire qu'il y avait du monde assis dessus et l'on était précisément venus pour ça, pour se faire entendre, se faire applaudir, et ensuite passer à la caisse toucher son cacheton qui n'était pas bien gros : 50 francs par soirée et là-dessus je payais le chemin de fer, le fond de teint, la bouffe, l'hôtel et la blanchisseuse pour avoir chaque jour un col propre. Encore de la veine quand on touchait ! Des fois, le type qui avait organisé la tournée s'était barré avec la recette. C'était Vacherie et Cie, tout ça ! »

Ce que Jean ne dit pas, c'est qu'il avait du succès, et surtout ce « combat de près », comme on dit en boxe, qu'il livrait *contre* le public mais d'abord contre lui-même, il était en train de le gagner. Mal payé, râlant et pestant contre tout, il continuait. A chaque représentation, il entrait en scène la gorge nouée, les tripes en marmelade et se répétait inlassablement avec fureur : « Mais qu'est-ce que je fous là ? Qu'est-ce que je fous là, Bon Dieu !... » Et puis, dès la deuxième chanson, s'il sentait le public marcher, il se laissait alors envahir par un sentiment nouveau pour lui : la griserie d'affirmer un certain pouvoir sur des gens qui avaient payé pour le subir et qui, contents, vous applaudissaient en plus.

Ces applaudissements n'appartenaient qu'à lui et si, plus tard, ils le rendront mal à l'aise de les recevoir, à cette époque, Jean les entendait résonner dans sa tête très tard dans la nuit, quand, dans sa chambre d'un hôtel de passage, il ne parvenait pas à trouver le sommeil, déjà angoissé à l'idée qu'il lui faudrait à nouveau entrer en scène le lendemain.

Sur cette période de sa vie, Jean s'est souvent confié :

« Une dure et magnifique école. Raimu en sort aussi et Max Dearly. Aucune autre ne la vaut. On y apprend tout par soi-même, à marcher, à chanter, à être vrai[10]. »

« Le music-hall reste mon meilleur souvenir, ma faiblesse, à cause du parfum extraordinaire des coulisses[11]. »

Un soir, alors qu'il chante au Kursaal de Clichy, un imprésario aborde Jean et lui propose une tournée au Brésil dans une troupe qui emporte avec elle douze opérettes. Jean entrevoit le pactole, quelques mois de belle vie au soleil de Rio de Janeiro, et lui, le marin qui n'a jamais vraiment navigué, les délices d'une traversée de l'Atlantique-Sud sur un de ces transatlantiques de luxe comme on en voit sur les calendriers des Postes, qui file sur une mer d'huile où se reflètent une lune et des étoiles de rêve. Il donne immédiatement son accord, d'autant plus que Gaby en est aussi.

« On s'était dit, Jean et moi, que ce serait un peu notre voyage de noces, se souvient Gaby Basset...

Ça a été raté. On s'est en réalité beaucoup chamaillés. On a embarqué à Cherbourg sur un bateau d'une compagnie anglaise, l'*Andès,* et la traversée a duré sept jours. J'ai bien supporté, pas Jean. Il rouspétait contre tout. D'abord contre la cuisine qui était anglaise évidemment.

— Du thé ! Du thé ! J'en ai ras le bol du thé ! Moi j'ai été élevé au gros rouge ! ronchonnait-il.

Il en avait aussi après l'organisateur et là il n'avait pas tort. On n'avait pas eu le temps, avant notre départ, de répéter toutes les opérettes qu'on devait jouer, alors, la soi-disant traversée " peinarde ", comme l'avait envisagée Jean, s'est passée à travailler à mettre les spectacles en place. »

« Je jouais et je chantais dans presque toutes les opérettes inscrites au programme, réplique Jean à Gaby à quelques années de distance. C'était pas une sinécure, tous ces rôles et toutes ces chansons à apprendre. Évidemment, j'en connaissais déjà pas mal car c'étaient des opérettes célèbres. Aussi, sur le bateau, je tirais au flanc, et pendant que la troupe répétait, je me trouvais un bon petit transat et j'allais roupiller dans un coin tranquille. On me cherchait partout.

Ce que je supportais le plus mal, c'était la bouffe anglaise, ça me mettait en rogne. Et puis ce bateau, j'aimais pas. Il y avait l'air marin, bien sûr, mais je me sentais un peu comme dans une cage, les bastingages faisaient office de barreaux. Je n'avais jamais voyagé avant — des pointes à Lille, à Saint-Étienne quand je chantais, la Côte d'Azur avec mon père et ma mère quand j'étais môme et toujours en chemin de fer — et j'ai compris au cours de cette traversée que je n'étais pas fait pour les voyages, les grands déplacements. Mes horizons parisiens et campagnards me suffisaient. »

Si la traversée laissa à Jean un souvenir pénible, l'arrivée à Rio l'impressionna malgré tout. Certes, contrairement aux belles promesses de l'organisateur, la troupe ne fut pas logée dans un palace et dut se contenter d'un hôtel qui, à part l'ambiance sud-américaine, était d'un niveau à peine supérieur à ceux que Jean et Gaby avaient l'habitude de fréquenter à Montmartre. Mais la vie exubérante de Rio, l'apparente richesse qui s'y étalait, l'élégance des femmes ostensiblement couvertes de bijoux, la convivialité brésilienne même ne pouvaient manquer d'éblouir un peu le jeune homme qu'il était encore et qui gardait en mémoire le souvenir tout proche de son enfance modeste à Mériel.

« On est évidemment pas sortis du coin rupin de Rio, et naturellement on a rien vu de l'effroyable misère autour. Un de mes meilleurs souvenirs de Rio, c'est d'y avoir retrouvé Jack Johnson que j'avais vu boxer à Paris, étant tout môme, en compagnie de Poësy. Johnson avait plus de quarante ans alors et il donnait encore la correction à je ne sais plus quel champion du coin et de l'époque. »

« On a mené une vie un peu folle là-bas, raconte Gaby Basset. Parce que les Brésiliens sont gentils mais fous. Quant aux Brésiliennes, je m'en méfiais. Il y avait une chanteuse, Lolita Vasquez, qui se produisait dans un cabaret juste en face le théâtre où nous donnions nos représentations. Elle était venue comme beaucoup d'autres artistes de la ville assister un soir à un de nos spectacles. Elle est revenue souvent. J'ai eu vite fait de remarquer qu'elle n'assistait pas à tout le spectacle mais qu'elle était surtout là, au premier rang, quand c'était Jean qui chantait. C'était pas un truc à me faire à moi qui le connaissais puisque j'avais agi de la même façon pour me faire remarquer par Jean quand il jouait *La Dame en décolleté* aux Bouffes. J'ai piqué une crise de jalousie. Avec son aplomb habituel, Jean riait en disant :

— Tu parles, je l'ai même pas regardée !

Je me suis posé pas mal de questions au sujet de Jean et de cette Lolita Vasquez. A titre de revanche, Jean aussi avait ses crises de jalousie. Il m'a fait une colère terrible parce que je m'étais laissé offrir un bijou par un riche Brésilien.

— C'est seulement un admirateur ! lui dis-je pour me défendre.

— Un admirateur ! Un admirateur ! Laisse-moi rire !...

En fait, cette fois-là, il ne riait pas, et moi je pleurais. »

Le séjour à Rio eut une fin, et ils reprirent le bateau pour la France. Jean ne se faisait toujours pas à la cuisine anglaise du transatlantique mais au moins il n'y avait plus de répétitions et il passait son temps à jouer à la belote, sa grande passion de ce temps. Une partie de la traversée fut également occupée à discuter d'arrache-pied avec l'organisateur afin d'obtenir de lui qu'il fournisse des comptes. Finalement, la troupe obtint satisfaction, et pour Jean et Gaby, s'ils ne ramenaient pas avec eux les mines du Pérou, au moins avaient-ils de quoi voir venir pendant quelques semaines.

Elles passèrent vite, ces semaines, et le bel argent rapporté de Rio fut vite dilapidé dans quelques agapes prises dans les meilleurs bistros montmartrois et dans l'achat d'un superbe vélo de course. Très sportif, Jean s'entraînait chaque jour qu'il pouvait et avait aussi pris l'habitude de se déplacer partout à vélo.

Dans son merveilleux livre de souvenirs, *Mes années folles*[12], Marcel Dalio évoque Jean à cette époque.

« Jean Gabin faisait son entrée à la brasserie *(il s'agit du Franco-Italien)* après avoir déposé son vélo devant la porte. Une belle gueule surmontée d'une casquette, de grands yeux clairs, un corps musclé qu'il entretenait consciencieusement, Jean ne passait pas inaperçu. Nous le trouvions (Brasseur et moi) intelligent, mais il ne parlait pas. Lorsqu'il le voyait arriver, Brasseur disait :

— Ça y est, c'est fini, on ne va plus pouvoir bavarder tranquillement. On va encore avoir droit à la belote... »

Les parties de belote dans les arrière-salles des bistros de Montmartre ne le nourrissant guère, Jean, économies épuisées, se résolut à reprendre le chemin des auditions. Il avait beau avoir pris la résolution de faire désormais ce métier, et même de tenter d'y réussir, le moins que l'on puisse dire c'est qu'il n'était pas un Rastignac des planches.

« Il était très paresseux, ose avouer aujourd'hui avec réticence Gaby Basset. Il aimait ne pas bouger. Le contraire de moi qui étais toujours en mouvement. De me voir m'activer comme je le faisais, il disait même que ça le fatiguait. On n'était pas vraiment faits pour vivre ensemble. J'aimais mon métier, et lui... bof ! Je ne pouvais pas rester une minute sans parler, lui, quand ça le prenait, il restait des heures silencieux.

— T'es fâché ? je lui demandais.

— Mais non, je gamberge ! qu'il répondait.

Je l'ai souvent vu " gamberger ". J'ai jamais su à quoi. »

Fainéant, Jean admettait facilement qu'il l'avait été, et même qu'il l'était toujours. Curieux fainéant cependant, qui n'a cessé de travailler toute sa vie avec acharnement, tant dans son métier d'acteur que dans celui d'agriculteur-éleveur.

Un matin donc de singulier courage, Jean se précipita au Moulin-Rouge, son carton à chansons sous le bras. Il avait en effet appris que Jacques-Charles — qui était un des plus célèbres « Producers » de spectacles de music-hall de l'époque — préparait une tournée en Amérique du Sud, et faisait passer des auditions.

Bien que son précédent et encore récent voyage au Brésil lui ait laissé peu de satisfactions, il se disait que c'était pour lui la possibilité d'un engagement de longue durée, et surtout Jacques-Charles, c'était sérieux.

Jean trouva dans les coulisses du Moulin-Rouge une trentaine de gars et de filles qu'il connaissait un peu pour la plupart pour les avoir côtoyés déjà dans d'autres auditions et qui, comme lui, espéraient bien être engagés. Il pensait que beaucoup d'entre eux avaient plus de talent que lui, et il sentait ses chances s'amenuiser, d'autant plus qu'il n'était pas sans savoir que Jacques-Charles n'avait besoin que d'une dizaine d'artistes.

Malgré cela, au lieu de se décourager et de partir, il resta et attendit tranquillement qu'on l'appelle, en se disant qu'il allait lui falloir jouer une rude partie.

Son tour d'auditionner arriva, et il pénétra sur la scène prestigieuse du Moulin-Rouge. La grande rampe allumée l'éblouissait, et la salle n'était pour ses yeux qu'un immense trou noir. Il savait pourtant que Jacques-Charles se tenait dans les premiers rangs, et que cet homme puissant allait d'un rien, d'un mot, d'un signe au régisseur faire de lui un heureux ou un malheureux.

Jean surmonta son trac et, accompagné par le pianiste de service, il attaqua sa chanson. C'était une chanson de Chevalier, évidemment.

Quand il eut fini, du trou noir de la salle aucun signe ne se manifesta et il revint en coulisses. Il ressentait à présent un grand soulagement et se disait que, s'il était recalé, il n'en ferait pas un drame car il était plutôt satisfait de la façon dont il avait chanté. Il vit le régisseur venir vers lui, tandis qu'il rangeait ses chansons dans son carton.

— Comment tu t'appelles ? questionna le régisseur.

— Gabin... Jean Gabin...

— T'as une autre chanson ?

— Comment ça, une autre chanson ? bégaya un peu Jean.

— Ben oui, tu pourrais pas en chanter une autre ? insista le régisseur qui se demandait peut-être s'il avait affaire à un demeuré, tant Jean était repris soudainement par sa timidité.

— Oui, bien sûr ! parvint à dire Jean.

— M. Jacques-Charles voudrait t'entendre une seconde fois. T'es d'accord ?

S'il était d'accord !... Surmontant son émotion, Jean s'empressa de choisir un petit format dans le paquet qu'il avait sous le bras, et le donna au pianiste. C'était encore une chanson de Chevalier.

Le temps que le pianiste jette un coup d'œil sur la partition, Jean scruta la salle. Il ne voyait toujours rien, mais il lui sembla cette fois que les feux de la rampe étaient moins agressifs, presque familiers. Il savait que ceux qui attendaient leur tour d'auditionner, et même ceux qui étaient déjà passés, l'observaient des coulisses et sans doute l'enviaient.

Sollicité par Jacques-Charles de chanter une deuxième chanson, ce n'était pas rien, et, en tout cas, pas donné à tout le monde. Jean était décidé à sortir le meilleur de lui-même.

« Si à cet instant un lion avait brusquement surgi là, sur les planches du Moulin-Rouge, disait Jean en évoquant ce souvenir, je crois que je lui aurais fait toucher terre des deux épaules ou j'en aurais fait de la chair à saucisse. »

C'est donc dans cet état d'esprit qu'il chanta sa seconde chanson.

Ayant terminé, il regagna les coulisses et revit le régisseur rappliquer.

— Attends ici la fin des auditions, lui commanda l'homme sans autre commentaire.

Jean s'assit dans un coin, avec l'impression qu'il pouvait déjà toucher dans sa poche un bout du contrat pour la tournée de Jacques-Charles.

Sur la scène défilaient les autres candidats au voyage pour l'Amérique du Sud. Bien qu'il fût confiant — il était le seul à qui on avait demandé de chanter deux chansons —, le temps lui sembla long.

Quand le dernier candidat eut passé son audition, le régisseur revint.

— Dis donc, Gabin, il y a la Miss qui veut te parler...

Comme un automate, Jean se leva de son siège et regarda le régisseur avec des yeux ronds.

— La Miss ?

— Ben oui, la Miss !...

— Mais... Où ça ?

— Là, dans la salle... Va la voir... elle t'attend.

Étourdi et ne comprenant pas très bien, Jean sortit des coulisses et passa dans la salle. En s'approchant, il découvrit dans la pénombre, assis au premier rang, un groupe de personnes qui l'examinaient. Il y avait Jacques-Charles mais aussi, en effet, Mistinguett entourée de son état-major habituel, certains disaient : sa cour.

C'était évidemment la première fois que Jean voyait la Miss de si près. Elle était au sommet de sa gloire, et Jean l'admirait naturellement autant que Maurice Chevalier.

Très impressionné, et Mistinguett le regardant fixement, il sentit revenir son effroyable timidité.

— Comment que c'est que tu t'appelles ?

— Jean Gabin...

— Tiens !... T'es parent avec Gabin ?

— C'est mon père, Miss...

— Je savais pas qu'il avait un fils dans le métier... Pourquoi t'es venu auditionner ?

— Pour la tournée de M. Jacques-Charles en Amérique du Sud, Miss...

— Tu préférerais pas jouer avec moi dans une revue du Moulin-Rouge ?

Jean sentit sous ses pieds le sol de la salle bouger. En réalité, c'étaient ses jambes qui tremblaient. Il fit l'effort de se raidir un peu.

— Heu... Ça dépend, Miss...

— Ça dépend !... Ça dépend de quoi ? répliqua sèchement Mistinguett.

— Ben, vous savez bien... A Paris, la vie n'est pas facile pour un jeune comme moi, tandis qu'en tournée...

— Combien que c'est que tu veux gagner ? coupa en grognant Mistinguett.

Tout Paris savait que Mistinguett, même si elle ne sortait pas les sous de son propre porte-monnaie, avait la réputation d' « avoir des oursins dans les fouilles », comme disait Jean de ceux qui ne payaient pas.

Son instinct singulier lui commanda cependant de foncer tête baissée :

— 60 francs, Miss... (il crut bon de préciser) 60 francs par jour...

Mistinguett ne le quitta pas des yeux un moment et hésita :

— C'est bon, reviens me voir demain, j'en parlerai à Pierre !

Pierre Foucret était le directeur du Moulin-Rouge et faisait à peu près tout ce que voulait Mistinguett, et il n'était pas le seul dans ce cas à Paris.

Après une nuit d'insomnie, Jean se pointa le lendemain au Moulin-Rouge pour revoir Mistinguett.

— T'auras 40 francs, t'es d'accord ?

« Ben oui, forcément j'étais d'accord, et je n'ai même pas songé à discuter car de la façon dont Miss parlait dans ces cas-là n'impliquait pas l'ombre d'une discussion, c'était à prendre ou à laisser. J'ai pris.

J'ai de toute façon réfléchi dans la nuit qu'il valait mieux être payé un peu moins à Paris, au Moulin-Rouge avec la Miss, que toucher un peu plus à Rio dans une tournée qui, finalement, durerait moins que le spectacle pour lequel elle m'engageait.

Je disais donc adieu à l'Amérique du Sud, et pour toujours, car je n'y ai jamais remis les pieds, et ça m'étonnerait que ça m'arrive maintenant. »

Dans son livre de souvenirs [13], Jean Sablon évoque cette tournée de Jacques-Charles qui partit donc sans Jean le 1er juillet 1928 sur l'*Andès*, le même bateau que Gaby et Jean avaient pris précédemment.

Outre Jean Sablon, Georges Milton, Alice Cocéa, Urban et Adrien Lamy en étaient les vedettes.

Elle dura cinq semaines, et la troupe se produisit au théâtre du grand casino pour son inauguration et celui du Grand Hôtel de Copacabana. Tournée confortable, sans rapport avec celle qu'avaient effectuée, quelques mois plus tôt, Gaby et Jean.

« J'ai jamais eu à regretter cette décision prise d'une façon presque impromptue car je crois qu'elle a beaucoup compté dans ce qui m'est arrivé par la suite.

J'en ai toujours été reconnaissant à Miss qui, comme on dit dans le jargon de notre métier, m'a, ce jour-là, fait une drôle de fleur... »

4.

LE DÉBUT DE LA RENOMMÉE

En réalité, c'était probablement à elle-même que Mistinguett a curieusement cherché à faire une « fleur » en engageant Jean dans sa nouvelle revue *Paris qui tourne* qui devait débuter le 18 avril 1928.

Jean avait chanté deux chansons de Chevalier et, comme le faisaient la plupart des jeunes artistes de l'époque qui, presque inconsciemment, ne parvenaient pas à échapper à ce mimétisme, il avait imité son dieu. Aucune arrière-pensée dans cette démarche, puisqu'il ignorait que Mistinguett était là et qu'elle l'écoutait. S'il l'avait su, sans doute aurait-il, par pudeur, pousser l'imitation moins loin.

Mistinguett était pratiquement chez elle au Moulin-Rouge, comme elle l'était d'ailleurs aux Folies-Bergère ou au Casino de Paris.

Ayant su que Jacques-Charles auditionnait, elle était descendue dans la salle, car elle était elle-même à la recherche de jeunes artistes pour son prochain spectacle.

Il n'est pas douteux que l'imitation innocente de Chevalier, faite par Jean, a impressionné la Miss.

A cette époque elle ne s'était pas encore remise — elle ne s'en remettra jamais complètement — de sa rupture amoureuse et professionnelle avec Maurice Chevalier.

Cette séparation avait pris naissance, selon certains témoins — comme Georges Tabet [1] —, du refus qu'elle avait catégoriquement opposé à une démarche de Chevalier qui exigeait d'avoir son nom en caractères identiques aux siens sur les affiches et programmes de leur spectacle.

Elle était comme ça, la Miss : amoureuse de son partenaire mais ne lui cédant rien sur le plan professionnel. On prétendait même que pas grand-chose au monde ne l'intéressait plus qu'elle-même et sa carrière.

Incontestablement troublée par le talent et le magnétisme de Chevalier qu'elle considérait comme sa création, elle n'avait sans doute jamais imaginé qu'il puisse lui échapper. Mais Chevalier, autant qu'elle-même, ne vivait que pour son métier et ne transigeait pas devant ce qui lui apparaissait comme une entrave à sa réussite et à son ambition.

Il avait donc quitté la Miss et avait été aussitôt engagé par la Paramount à Hollywood pour être l'interprète-chanteur des premiers films parlants tels que *Parade d'amour* (1929). Il devait rapidement y connaître un triomphe international.

Dans cette rivalité pour la conquête de la gloire qui, bien qu'amants, les avait opposés, Chevalier distançait désormais Mistinguett, comme l'écrivit Georges Tabet, « à une hauteur telle qu'elle ne pouvait plus le battre »...

Plus le battre elle-même, mais le faire battre par un autre qu'elle « fabriquerait » comme elle l'avait « fait », lui, Chevalier.

Entremêlés de sentiments d'amour encore, de haine et de jalousie, ses fantasmes poussaient Mistinguett à rechercher et à s'entourer de tout ce qui pouvait lui rappeler Chevalier. Elle le reconnaîtra d'ailleurs plus tard dans ses Mémoires.

Dérisoirement, elle espérait ainsi dénicher l'oiseau rare qui, formé par elle, deviendrait un rival pour son ancien partenaire.

Il n'est donc pas douteux que, ce matin-là, en jetant son dévolu sur le jeune Jean Gabin, Miss ait eu à l'esprit cette pensée qui l'obsédait et il faut donc croire aussi que Jean avait fait une imitation impressionnante du célèbre fantaisiste.

Illusoire cependant, car ni le talent personnel de Jean, encore moins sa nature profonde ne correspondaient à ce qui faisait le charme et le génie de ce monstre de scène qu'était Chevalier. Miss dut s'en rendre compte assez vite — et c'était aussi bien pour Jean — car elle finit par l'apprécier pour ce qu'il était, et ce n'était déjà pas si mal : un chanteur gai, sympathique, à la voix étonnamment juste et un danseur inné et merveilleux — ce dernier point étant le seul où il aurait pu battre Chevalier.

Il n'empêche que, sur cette lancée de sentiments à l'égard de Jean, Mistinguett lui offrit, dans le spectacle, largement plus qu'il n'en avait espéré au départ. Il y chantait notamment en trio avec les sœurs Mazza : « Y faut savoir demander ça gentiment », et fit partie du célèbre tableau « La Du Barry » qui déclencha un scandale. Sur une idée que lui avait donnée Cécile Sorel, Mistinguett en Du Barry montait à l'échafaud et incitait le bourreau à la sauver en lui dévoilant canaillement ses jambes.

Les royalistes manifestèrent tant et si bien que le préfet de police Chiappe interdit la scène. Ce serait Pierre Laval qui aurait fait lever cette interdiction. Comme cependant le sketch continuait à susciter des protestations, Mistinguett décida d'elle-même de le retirer.

*

Miss avait alors cinquante-cinq ans, et moi vingt-quatre. Elle tenait une forme physique exceptionnelle et, sans être réellement belle, elle avait un « chien » terrible, et séduisait.

Professionnellement, elle était à son apogée. Elle organisait et dirigeait tout. Rien dans la revue ne se faisait sans son consentement. Le moindre de ses désirs était un ordre et son influence considérable sur tous ceux qui l'entouraient, de Pierre Foucret, le patron du Moulin, en passant pas Jacques-Charles, et Earl Leslie[2] qui était devenu son partenaire de prédilection, son chorégraphe et ami.

Au départ, je pensais que ma contribution à la revue se limiterait à jouer mon rôle parmi la troupe des boys. Ce fut le cas, mais aussi très vite pendant les répétitions, Miss me proposa de chanter et de danser avec elle en duo. Elle écrivit, avec Didier Gold, les paroles d'une chanson sur une musique de José Padilla que nous chantions ensemble : *La Java de Doudoune*. En duo, j'ai dansé avec elle *La Tempête*. Avec ces deux trucs-là, on a fait un tabac et j'en ai eu ma petite part. Le temps des « becs de gaz dans le lointain » paraissait terminé pour moi, grâce à Miss qui savait mettre ses jeunes partenaires en valeur. Du moins, tant qu'ils ne lui faisaient pas d'ombre. Et moi j'en étais pas encore là et de loin, même si on commençait à citer mon nom dans la presse...

Tout en reconnaissant son talent personnel, Paul Achard dans *La Presse* (28 avril 1928) écrivait : « M. Jean Gabin, qui a une véritable nature, gagnera à se dégager de l'influence que Maurice Chevalier exerce sur lui, comme d'ailleurs sur tous nos jeunes chanteurs... »

Le bruit avait couru dans les journaux de l'époque d'une idylle entre Mistinguett et Jean Gabin. Pour la démentir, Miss avait déclaré avec ironie qu'elle n'aimait que les hommes efféminés... Ce qui n'était pas, assurément, le cas de Jean...

Avec un à-propos qui ne manquait pas d'humour, Jean en avait rajouté à sa manière dans les jours suivants en jouant dans un tableau un personnage précisément très efféminé...

« Même perdu parmi les boys, raconte aujourd'hui Jean Sablon [3], on remarquait Jean à son jeu qui déclenchait les rires des spectateurs. Je me souviens particulièrement d'un tableau où Miss chantait :

Je suis une midinette la... la... la...
On m'suit... Tous ces imbéciles que j'traîne
derrière moi, etc.

Parmi les imbéciles en question, les boys, il y avait Henri Garat [4], je crois, et même Jacques Pills [5]. Jean, lui, déguisé en Tyrolien, un teckel dans les bras, minaudait d'une jolie façon ambiguë avec des " prout ma chère ! ". Il était impayable ! »

*

C'était évidemment formidable ce qui m'arrivait. Je n'avais pas à me plaindre et pourtant je n'arrêtais pas de gémir sur mon sort. 40 francs par jour pour un garçon qui avait pris goût à la vie et à ses plaisirs, ce n'était pas une grosse somme. Les fins de semaine étaient pour moi une période pénible que je supportais mal. M'armant de courage, un jour j'allai frapper à la loge de Miss.

— Bonjour, Miss...

— Qu'est-ce que tu veux ?

— Écoutez, Miss, c'est plus possible... Je suis bien avec vous, mais je peux pas continuer comme ça...

— Comme quoi ?

— Ben, Miss, vous comprenez qu'avec 40 francs...

— Ça va, j'ai compris... J'en parlerai à Pierre (Foucret). Maintenant tire-toi !...

Le lendemain, au moment où nous allions entrer en scène pour *La Java de Doudoune,* elle me glissa :

— T'auras 60 francs, ça te va ?

— Oui, Miss... Merci, Miss...

20 francs de plus par jour, c'était toujours ça de pris. Mais est-ce que la vie augmentait aussi vite à cette époque ?... Quelques semaines plus tard, j'en étais réduit au même point. C'est-à-dire qu'il me manquait toujours de quoi finir la semaine en toute tranquillité. Fort de ma première expérience, je retournai frapper à la porte de Miss.

— Qu'est-ce que tu veux encore ?

— Franchement, Miss, c'est pas pour vous ennuyer, mais, décidément, je préfère me trouver une petite tournée en Amérique du Sud... Il y en a justement une qui se prépare et...

— Ça te reprend !... C'est bon, j'en parlerai à Pierre (Foucret, toujours).

Le lendemain, je tombe sur la Miss, mine renfrognée.

— T'auras 100 francs ![6] T'es content comme ça ?

— Oui, Miss... Merci, Miss...

— Bon ! Et cette fois m'emmerde plus !...

Pas de doute, elle devait m'avoir à la bonne. Un autre, elle l'aurait « lourdé »...

*

« Mistinguett avait un faible pour Jean, raconte aujourd'hui Gaby Basset[7]. Il était une des rares personnes de son entourage à la tutoyer à la fin de la revue et il l'appelait d'un nom qu'il était seul à utiliser : Mick... Elle l'appréciait pour son talent, mais aussi parce qu'il était charmant et drôle comme il savait généralement l'être avec les femmes. Ils ont eu un petit béguin l'un pour l'autre, je crois, pas plus... Ils avaient surtout de grosses discussions à cause des sous. Elle lui disait :

— Toi, ça m'étonnerait que tu finisses dans la misère !

Jean avait des besoins, mais il faut dire qu'elle était un peu radin. Comme elle était au pourcentage sur la recette, plus celle-ci était distribuée à ses partenaires, moins elle en avait pour elle... Quand elle se mettait en colère après lui, elle criait :

— Cochon de Gabin !...

Ça faisait rire Jean qui, un jour, lui a offert un petit cochon de lait tout mignon, avec une faveur autour du cou. Elle a longtemps gardé l'animal dans sa propriété et, parce qu'il avait la blondeur un peu rosée de Jean, elle disait qu'il lui ressemblait.

Jean était un familier de Mistinguett et de sa maison de Bougival où elle aimait assez recevoir. La porte était ouverte à n'importe quel moment pour les gens de " sa cour " dont Jean, désormais, faisait partie. Un jour il m'emmena avec lui.

— Qui c'est, celle-là? demanda Miss en m'examinant d'un air sourcilleux.

— C'est ma " chenille ", répondit Jean en me présentant.

Dans la bouche de Jean, ce n'était pas méchant. Il était même tendre en m'appelant comme ça.

— Une chenille, ça devient un papillon, c'est joli un papillon, disait-il.

Mistinguett aimait être entourée d'hommes, de types riches qui lui faisaient la cour, ou plus simplement de copains et de partenaires, mais elle aimait surtout être la seule femme au milieu d'eux. Son prestige était tel qu'elle n'avait pas grand-chose à redouter mais, malgré ça, je crois qu'elle n'appréciait pas beaucoup la présence des épouses ou des compagnes de ses familiers. Curieusement elle était jalouse, alors que c'est nous qui aurions dû l'être de la façon dont elle attirait et accaparait nos hommes... »

La Revue *Paris qui tourne* prit fin. Mistinguett partit pour le Casino de Paris, tandis que Jean restait au Moulin-Rouge engagé cette fois en « vedette américaine », comme on commençait à dire pour désigner le grand second rôle. La nouvelle revue *Allô, ici Paris* était signée de Jacques-Charles et Earl Leslie et les vedettes, l'Américaine Elsie Janis et le fantaisiste français Georgius.

La première eut lieu le 18 janvier 1929, mais la revue ne connut qu'un demi-succès, la belle Elsie, dont Jean avait gardé un bon souvenir, n'ayant pas l'aura de la Miss. Par contre, Jean fit un triomphe avec son grand copain, le clown Dandy, dans un sketch tantôt intitulé *Le dompteur*, tantôt *Les lions*...

« Dans le sketch *Les lions*, Jean se hissait sans difficulté au niveau comique de Dandy, se souvient Jean Sablon[3]. En le voyant alors, il était assurément difficile d'imaginer que ce jeune premier amusant, qui avait en plus la singularité — pour un comique — d'avoir du charme, deviendrait, quelques brèves années plus tard, l'extraordinaire " tragédien " de cinéma qu'il a été.

De même que ceux qui se sont étonnés au point d'en être déconcertés et même de le lui reprocher, en le découvrant en parfait acteur comique dans certains films de la dernière partie de sa carrière, ne l'avaient assurément pas vu sur les planches du Moulin-Rouge ou aux Bouffes dans *Flossie* et *Arsène Lupin banquier* dans des rôles où il déclenchait les rires... »

Lorsque le rideau tomba sur l'ultime représentation de *Allô, ici Paris*, Jean ignorait que c'était la dernière revue qu'il jouait et que ce serait aussi celle du célèbre Moulin-Rouge. Georges Tabet a raconté, avec humour et un brin de nostalgie, cet épisode de la vie parisienne d'alors[1].

En pleine répétition de la revue suivante où Jean, Dandy et toute la troupe allaient retrouver avec joie leur Miss au retour du Casino de Paris, Pierre Foucret fit annoncer qu'il arrêtait tout, venant, sans prévenir personne, de vendre sa salle à Pathé-Natan, pour en faire un cinéma. L'ogre cinématographique en pleine expansion avec la nouvelle technique qui lui permettait d'être sonore et parlant commençait à étendre son hégémonie sur le monde du spectacle.

Mistinguett piqua une belle colère contre ce « salaud » de Pierre Foucret, mais n'était évidemment guère inquiète pour son avenir.

Quant à Jean, en retrouvant comme il le faisait quotidiennement son ami Dandy à la brasserie Graff à côté du music-hall et en croisant Georges Tabet, il se contenta de dire philosophe : « C'est moche ! »

Moche, certes, mais Jean sentait bien qu'il n'avait plus trop à trembler pour ses fins de semaine. Il était sorti de l'anonymat et n'avait plus à courir les auditions pour trouver un engagement. Au contraire, on venait le solliciter. Le fameux pari qu'il avait fait à son retour du service militaire : « réussir avant cinq ans, ou raccrocher et faire autre chose », il se disait alors qu'il l'avait presque gagné en moins de trois ans.

Le passage du Moulin-Rouge en salle de cinéma tardant un peu à se faire, Pierre Foucret organisa, en attendant, quelques spectacles de variétés. La vedette du premier fut Damia, véritable tragédienne de la chanson réaliste.

Foucret avait proposé à Jean de reprendre son tour de chant et il terminait la première partie en « vedette américaine ».

C'est là, dans sa loge du Moulin-Rouge qu'il ne partageait plus avec personne, qu'un soir de mars 1929 Jean vit entrer Albert Willemetz qui désirait lui parler. Willemetz, que Jean connaissait bien pour avoir joué en 1926 son opérette *Trois jeunes filles nues*, partageait désormais la direction des Bouffes-Parisiens avec Quinson.

Le grand Willemetz venait proposer à Jean un engagement aux Bouffes pour une durée d'un an, et de débuter dès avril ou mai dans l'opérette *Flossie*.

Le 27 mars, Jean répond à la proposition de Willemetz par une lettre manuscrite :

Chers Messieurs Quinson et Willemetz.

Comme suite à nos conversations, j'ai le plaisir de vous informer que j'accepte, en ce qui concerne mon engagement aux Bouffes-Parisiens, les conditions ci-après que vous m'avez proposées. A savoir :

1° Engagement d'un an, à dater du premier mai mil neuf cent vingt-neuf (1er mai 1929).

2° Appointements de trois mille francs par mois (3 000 francs) commençant à courir de la date sus-indiquée.

3° Emploi de « jeune premier » (premier rôle).

4° Inscription à l'affiche sur une seule ligne en caractères identiques à ceux de la première vedette. Par ailleurs, je vous réserve le droit d'option pour l'année qui suivra l'expiration du présent engagement mais sur de nouvelles conditions à débattre trois mois avant sa terminaison...

Il a à peu près l'écriture qu'il gardera avec les années, claire, fine, élégante, et signe « Jean Gabin » en lettres plus grosses et plus épaisses. Un trait indépendant souligne légèrement sa signature oblique et ascensionnelle. Il habite alors 40, rue de Clignancourt à Paris.

Le 29 mars, Willemetz lui répond et lui donne son accord, mais rectifie deux ou trois points.

Je crois qu'il serait plus normal de faire partir ton engagement avec la saison théâtrale prochaine, c'est-à-dire septembre... (1929).

... Pour Flossie *qui doit passer cette année fin avril ou début mai, nous t'engageons aux mêmes conditions (soit 3 000 francs par mois).*

En bon directeur de théâtre qu'il est devenu, Willemetz ne tient pas à payer Jean les mois d'été où, traditionnellement, les théâtres font généralement relâche. Son contrat d'un an partira donc de septembre, mais se trouve précédé par les représentations de *Flossie* dont Willemetz ignore alors la durée.

Autre point modifié par rapport aux propositions de Jean :

« Tu joueras les jeunes premiers *comiques...* »

Willemetz a donc ajouté « comique » au « jeune premier » tout court de Jean.

Enfin, Willemetz exprime son agrément à ce que le nom de Jean soit en caractères identiques à ceux de la première vedette, avec cette réserve cependant qui se veut probablement d'un humour ironique à l'égard des exigences de Jean :

« ... A moins que nous n'ayons aussi un Chevalier ou un Dranem !... »

Flossie débuta le 9 mai 1929. C'était une opérette en trois actes de Marcel Gerbidon, lyrics de Charles L. Pothier, musique de Joseph Szule.

Entouré de Jacqueline Francell, une toute jeune première charmante qui débutait presque, Marthe Derminy, Mireille, Kowal, Louis Blanche, Georges et Robert Ancelin, Jean y était William, le neveu d'un pasteur.

Comme l'avait désiré Willemetz, c'était un rôle comique, personne n'imaginant alors — peut-être pas lui-même — que Jean pouvait jouer autre chose. On avait décidé une fois pour toutes qu'il avait une bouille marrante et populaire, bien faite pour susciter le rire.

De l'énorme succès que remporta *Flossie*, Jean reçut sa part :

« M. Gabin a des qualités précieuses, une autorité qui se dissimule, de l'humour. Il fait songer à M. Sacha Guitry », lisait-on dans *L'Avenir* du 17 juin 1929.

Quant à Pierre Lazareff dans *Paris-Midi* du 9 mai 1929, il saluait le « naturel comique de Jean Gabin ».

Jean venait tout juste d'avoir vingt-cinq ans et pensait que la petite place au soleil qu'il avait espéré obtenir assez rapidement pour ne pas être pris par le démon d' « aller voir ailleurs dans un autre métier », il était bien près de l'atteindre.

En effet, comme les représentations de *Flossie* se prolongeaient (la dernière eut lieu au printemps 1930), Albert Willemetz, sans doute conscient qu'il tenait en Jean une future vedette de la scène, lui fit signer un contrat de trois ans, aux appointements mensuels de 5 000 francs la première année, de 7 000 la deuxième et de 8 000 la troisième. C'était le 7 novembre 1929, et l'application de ce nouveau contrat entrait en vigueur le 1er septembre 1930.

Préalablement engagé à 3 000 francs par mois, Jean était donc censé rester à ce tarif jusqu'à cette date. Il faut croire que, lui aussi conscient de ce qu'il représentait désormais pour Willemetz, Jean « renauda », comme il disait, car il obtint le 15 novembre 1929, et dès cette date, un supplément de 1 500 francs qui portait donc désormais son salaire mensuel à 4 500 francs.

« C'était le pactole, se rappelait Jean en évoquant cette période. Je calculais déjà que trois années assurées de bon salaire aux Bouffes ou au Palais-Royal* me conduiraient à la fin 1932. J'aurais alors pas loin de trente ans, et il me resterait à faire encore quelques années comme ça et je pourrais m'arrêter de faire le " saltimbanque ". Si je faisais gaffe et mettais un peu de tout ce blé de côté, probable que j'allais pas tarder à pouvoir m'acheter une petite ferme bien à moi dans un coin de Normandie, et qu'alors c'en serait fini du théâtre...

Car je n'en démordais pas de ce rêve d'enfant qui m'avait pris à Mériel en me mêlant à la vie de mes voisins fermiers, les Haring...

Les locos, ça m'était passé — un truc de gosse —, mais avoir de la terre et des bêtes dessus qui m'appartenaient, ça, j'y pensais plus que jamais et j'avais toutes raisons de croire qu'avec le contrat que j'avais signé avec le père Willemetz c'était drôlement parti pour... »

C'était parti, oui, mais le but n'était pas encore pour tout de suite. Et, de toute façon, ça ne partirait pas du côté où Jean le croyait alors.

---

* Il ne jouera jamais dans ce théâtre. *(N.d.A.)*

Il avait vingt-cinq ans et tenait une forme physique superbe qu'il entretenait assidûment en faisant du sport, et notamment du vélo, chaque matin au bois de Boulogne, en compagnie de son copain Albert Préjean, jeune premier de comédie comme lui, et de quelques champions cyclistes de l'époque comme Wambst, Leducq, Marcillac, Speicher, Cugniot, Archambault.

Sa passion du vélo l'avait même conduit, quelques mois auparavant, avec trois copains, le comédien Robert Arnoux, le danseur Bill Hixon et le régisseur Gassié, à entreprendre un petit tour de France de près de 2 000 kilomètres, qui les avait menés par étapes de Paris à Paris, en passant par les rives de la Loire, la Bretagne et la Normandie. Exploit qui avait été salué avec admiration et sympathie par la presse, et notamment par un jeune chroniqueur du nom de Paul Gordeaux.

Jean jouait aussi de temps en temps au tennis en compagnie de Marcel Thil, mais il n'aimait pas beaucoup ce sport qu'il trouvait trop « mondain ». Par contre, il était un habitué du Club sportif de l'union des artistes où il jouait régulièrement dans l'équipe de football.

A part cela, Jean était toujours marié avec Gaby qui menait, de son côté, une carrière intéressante. Elle était devenue une chanteuse très recherchée des cabarets parisiens en vogue, et comme comédienne elle remportait un succès personnel dans *La débauche* de Jacques Deval qui se jouait à la Comédie Caumartin.

Ils n'avaient plus le temps de s'amuser ensemble comme à l'époque de leur mouise commune et de l'unique café-crème qu'ils partageaient selon un rite compliqué : Jean buvait la première moitié du bol de café noir, et la seconde était réservée à Gaby qui y ajoutait un peu de lait. Ils avaient mené leur vie de bohème étroitement liés, mais le succès faisait d'eux désormais un couple d'artistes qui, souvent séparés par leur travail, allait le devenir aussi par un certain relâchement des sentiments qui les avaient unis.

Au cours des longues représentations de *Flossie,* Jean tomba amoureux de sa partenaire Jacqueline Francell.

La liaison parut sérieuse à Gaby, au point qu'elle proposa à Jean de divorcer.

Les deux époux décidèrent donc, d'un commun accord, de se séparer, en ce début de 1930.

Après être sortis bras dessus, bras dessous du palais de justice, Jean emmena Gaby dîner à la brasserie Graff.

« Avec un petit sourire, à la fois tendre et un peu triste quand même, il m'a dit :

— Alors, ça y est, Pépette, on se quitte pour de bon ?

J'avais vraiment de la peine mais je la cachais, se souvient Gaby Basset[7].

— Je te laisserai jamais tomber, tu sais, qu'il m'a dit encore.

Et ça a été vrai jusqu'à la fin. Chaque fois que l'occasion lui en a été donnée, il m'a fait jouer dans ses films. J'étais si contente de le retrouver qu'il m'arrivait quand même de râler un peu après lui quand il tardait trop à me faire signe.

Bien plus tard, quand il s'est " rangé pour de bon ", comme il disait, il m'a présentée à sa femme Dominique et, à la naissance de ses enfants dont il était si fier, il m'a invitée à venir les voir. Dans les temps qui ont suivi notre séparation, il continuait à se mêler de ce que je faisais. Des fois abusivement.

Un jour, alors qu'il faisait une course de vélo au bois de Boulogne en compagnie d'Albert Préjean et de quelques cyclistes professionnels, il a appris que l'un d'eux, Jean Cugniot, était devenu mon fiancé. Il a mis un point d'honneur à le battre et il est venu ensuite me faire une scène.

Il était comme ça, Jean, très entier, et un peu jaloux de ce qui lui avait appartenu. Avec le temps, vis-à-vis de moi en tout cas, forcément, ça lui a passé.

Un jour, c'était en 35, je crois, je me suis trouvée à Berlin en même temps que lui. Il tournait *Variétés,* et moi je ne sais plus quoi. Quand il l'a su, il m'a aussitôt téléphoné et m'a invitée à dîner dans un restaurant du Kurfürstendamm. Nous avons passé ensemble une soirée délicieuse comme nous n'en avions peut-être jamais eu du temps de notre vie commune. Il était sincère mais je crois aussi que, curieusement, c'était un peu comme s'il voulait que j'aie des regrets qu'il m'ait quittée tant il s'est montré prévenant et charmant. C'est vrai que j'avais des regrets, il le savait bien.

Le lendemain de cette merveilleuse soirée, il m'a fait envoyer une énorme gerbe de roses comme il ne l'avait jamais fait auparavant, et la lettre qui accompagnait les fleurs est la seule chose que j'aie gardée de lui, et je l'ai toujours.

Durant ces années, j'ai soigneusement caché cette lettre, de crainte que l'homme que j'ai épousé par la suite et avec lequel j'ai partagé une vie heureuse jusqu'à sa mort récente ne la découvre. Ça lui aurait fait de la peine, et il n'aurait sans doute pas compris que je tienne tant à ce souvenir de Jean... »

Séparé de Gaby, donc, Jean enchaîne après *Flossie,* toujours aux Bouffes, *Arsène Lupin banquier* dont la première eut lieu le 7 mai 1930. C'était une opérette d'Yves Mirande et Willemetz, d'après les personnages de Maurice Leblanc qui en tira d'ailleurs un roman après coup.

La musique était de Marcel Lattès. Jean y jouait l'acolyte de Lupin qu'interprétait Kowal, et son personnage l'obligeait à des transformations à la Frégoli : employé de banque, mécano, serveur, secrétaire, faux agent, etc. Il retrouvait comme partenaire sa chère Jacqueline Francell, les autres rôles étant notamment tenus par Lucien Baroux, Paul Faivre, qui était son parrain à la ville, et Meg Lemonnier qui, à l'égal de Jacqueline Francell, allait faire une carrière de jeune première de comédie au cinéma dans les années 30.

Mais, dans *Arsène Lupin,* Jean retrouvait surtout son père qu'il devançait même à l'affiche et qui, pour se différencier de son fils, avait pour la première fois fait précéder son nom unique « Gabin » d'un « Joseph » qui était son deuxième prénom.

C'était la dernière fois que Jean et son père jouaient ensemble.

A la lecture des journaux qui encensaient son fils, et pour une fois parlaient bien peu de lui, sinon pour s'interroger : « Jean Gabin éclipsera-t-il son père ? » on peut se demander quels sentiments éprouvait alors Ferdinand.

Était-il fier, un peu épaté même de la réussite de son rejeton, réussite sur laquelle il est certain qu'il n'aurait pas misé un kopeck au temps où, l'ayant présenté à Fréjol, il l'obligeait à monter sur les planches des Folies à coups de pied dans les fesses ? Était-il pris, au contraire, d'un petit pincement de jalousie devant celui qui, à l'évidence, allait le faire oublier, lui, et d'autant que son âge ne lui permettait plus d'espérer grand-chose ?

On ne peut répondre à ces questions.

Ce qui est certain, c'est que le style de jeu de Jean, simple et naturel, sans effet, basé aussi sur une sorte d'élégance populaire aux intonations justes, démodait finalement, et avec une certaine cruauté, la manière de jouer de la plupart des comédiens de cette époque qui avaient tendance à « théâtraliser » en en faisant « des tonnes » et dont Ferdinand faisait évidemment partie.

Jean était allé, sans le savoir, à une autre école : celle de la rue, celle des gens de la rue, de la Chapelle ou de Montmartre — sans reparler de Mériel —, et l'enseignement qu'il en avait tiré avec son sens aigu de l'observation se retrouvait — et se développa encore par la suite — dans son jeu. Le public populaire des Bouffes se reconnaissait en lui, comme celui du cinéma le fera plus tard.

Dans un gros cahier d'écolier très ancien, aux pages jaunies et flétries, qui a peut-être été tenu par Madeleine, on trouve des coupures de presse de l'époque, soigneusement collées.

« Jean Gabin joue de façon charmante, avec naturel et simplicité » (*Comœdia*)

« Jean Gabin multiplie ses dons précieux de tranquille goguenardise » (*Paris-Midi*)

« (...) Il possède une vraie personnalité comique » (*Aux Écoutes*)

« M. Jean Gabin a mis la salle en joie (...) C'est un de nos comédiens gais les plus doués. Sa puissance comique est irrésistible » (*Paris-Soir*)

« Ce jeune artiste a un très bel avenir dans les comiques d'opérette » (Pierre Veber, *Le Petit Journal*)

Comme quoi on peut être un éminent critique comme l'était Pierre Veber, et se tromper. L'erreur était d'ailleurs excusable, car si l'on avait dit à Jean lui-même que *Arsène Lupin banquier* était, en fait, sa dernière opérette, qu'il ne remettrait même plus les pieds sur une scène de théâtre avant vingt ans, il ne l'aurait assurément pas cru, ou il aurait estimé que, brusquement et d'une manière tout à fait incompréhensible, les choses s'apprêtaient à mal tourner pour lui.

En fait, les choses ne tournaient pas mal, elles tournaient seulement d'une manière inattendue et qu'il n'avait pas prévue, les petits grains de sable du destin se mettant à jouer leur partie.

A côté du théâtre, en effet, un art nouveau avait pris en quelques décades une importance populaire considérable : le cinématographe.

Jean y allait souvent, et, déjà, très jeune, il avait apprécié les serials américains : *Les vampires* de Feuillade, et naturellement, comme tous les jeunes gens de son temps, il avait été amoureux de Pearl White, et avait frémi à ses exploits. Plus tard, Chaplin, Keaton, Langdon, Lloyd l'avaient fait rire aux larmes. Il avait été impressionné aussi par *Forfaiture*, *Nosferatu* et *La caravane vers l'ouest*.

Devenu comédien, il continuait à voir le cinéma uniquement d'un point de vue de spectateur, et jamais à aucun moment il n'a songé, à l'instar de certains de ses camarades, qu'il pourrait lui aussi en faire.

*

A mes yeux, c'était un grand machin très compliqué et très savant. J'ignorais complètement comment ça fonctionnait, et je pensais qu'il fallait être très fort pour jouer dans des films. Je savais que de grands comédiens de théâtre en avaient fait et en faisaient même encore, mais d'une part, privés de leur voix, je les trouvais moins bons qu'au théâtre, et d'autre part j'établissais une grande différence entre leur talent et le mien.

Quand j'étais enfant, je pensais déjà naïvement qu'il fallait être très instruit pour être acteur de théâtre comme l'était mon père. Pour être acteur de cinéma, je me disais alors que ça supposait des qualités que je m'attribuais pas. Par exemple, j'avais beau être sportif, l'idée de devoir sauter d'une maison en flammes et d'un deuxième étage, d'arrêter un cheval au galop, tout ça en ayant l'air d'être naturel et de rigoler comme je le voyais faire à Douglas Fairbanks, je m'en sentais pas capable sans me rompre le cou. Je n'étais évidemment pas le seul à ignorer tout des trucages et de ce que permettait la machinerie cinématographique qui n'était pas alors popularisée comme aujourd'hui. Donc, beaucoup de comédiens étaient comme moi : impressionnés, souvent émerveillés, mais aussi un peu méfiants.

En 1928 et début 1929, j'avais pourtant accepté de faire une expérience au cinéma. Très modeste. C'était avec Dandy, mon copain et partenaire du Moulin-Rouge. Comment ça s'est fait ? Je ne sais plus, mais on s'est retrouvés dans un studio Gaumont à tourner successivement deux courts métrages. D'abord *L'héritage de Lilette,* que Dandy et moi on a toujours appelé *Ohé les valises* et j'ai oublié pourquoi. Ensuite *Les lions ou le dompteur* qui était la reprise de notre sketch du Moulin-Rouge dans la revue *Allô, ici Paris.*

Dandy et moi, on jouait deux clodos et on se promenait devant une ménagerie qui affichait une pancarte : « On demande un dompteur. » Des types se présentaient pour avoir l'emploi, des costauds, des durs. On entendait des rugissements terribles, et les types ressortaient sur des civières.

Dandy, qui mesurait 1,50 m et m'arrivait à l'épaule, entrait à son tour. On entendait un énorme boucan, et finalement Dandy ressortait roulant les mécaniques et affichait un autre écriteau : « On demande des lions. » Ça n'allait pas loin mais c'était quand même assez marrant.

Je ne suis pas sûr que ces deux films aient jamais été projetés en public, et je suppose qu'ils n'existent plus nulle part.

Ce premier contact avec le cinéma ne m'avait pas particulièrement enthousiasmé. D'abord c'était muet[8] et, pour un type comme moi dont la spécialité était surtout de faire entendre sa voix, c'était plutôt frustrant. Mais le pire, c'était pas ça. C'est quand j'ai vu ma gueule à l'écran.

L'opérateur, un nommé Bellavoine, n'était sans doute pas responsable du résultat que j'ai considéré catastrophique pour moi. J'étais très blond — ça ne s'est jamais tellement vu à l'écran par la suite, sauf dans mes deux films américains —, mais là, dans ces deux petits films, j'étais gris, et la seule chose qui ressortait de mon visage, c'était mon nez. J'avais l'habitude de dire pour plaisanter que, lorsque je me mouchais, c'était comme si je serrais la main d'un copain, et quand j'étais enrhumé, évidemment, ça me faisait beaucoup de copains. Comme Cyrano je connaissais donc mon nez mieux que personne. Je savais qu'il était un peu fort comme chez tous les Moncorgé, et le mien avait, en plus, gardé le souvenir d'un coup qui me l'avait un peu cassé quand j'étais môme, du temps où je faisais de la boxe avec Poësy. Mais alors là ! Quand je me suis vu à l'écran avec *ça* au milieu du visage, je me suis dit qu'il valait mieux que je tire l'échelle, et que le cinéma n'était pas fait pour moi, même s'il devenait, comme on l'annonçait alors, « cent pour cent parlant et chantant ».

Cette idée-là était tellement bien ancrée dans ma tête que j'ai refusé sans hésiter la première proposition sérieuse qu'on m'a faite. J'étais aux Bouffes et je jouais *Flossie*. La U.F.A.[9] m'a envoyé un de ses représentants pour me faire signer un contrat comme jeune premier vedette d'un des premiers films parlants qu'ils allaient tourner dans leurs studios berlinois qui étaient les plus modernes et les plus grands d'Europe à l'époque.

Je l'ai su plus tard, à la tête de la U.F.A. il y avait alors un type formidable : Erich Pommer[10].

Le film en question, mis en scène par Wilhelm Thiele, était une sorte d'opérette et devait être tourné en trois versions : allemande, anglaise et française, comme ça se faisait couramment alors, car on ne pratiquait pas le doublage.

Évidemment j'étais engagé pour la version française, et la vedette féminine qui jouait, elle, les trois versions était une grande star de l'époque, Lilian Harvey. Anglaise, elle pouvait jouer dans toutes les langues.

Le film allait s'intituler en français *Le chemin du paradis*.

C'était un rôle « vedette », un bon contrat, mais j'ai quand même refusé. C'est Henri Garat qui a été engagé à ma place. Et René Lefebvre faisait aussi partie de la distribution.

Henri est devenu célèbre du jour au lendemain avec ce film. Assurément, j'avais un peu raté le coche, mais j'étais bien aux Bouffes et j'allais enchaîner avec *Arsène Lupin banquier*.

Berlin aussi ne me disait rien. J'avais gardé une dent contre les « uhlans », et ça m'aurait éloigné des personnes qui m'intéressaient à ce moment-là à Paris.

Mais la raison essentielle de mon refus était que ma petite expérience avec *L'héritage de Lilette* et *Les lions* m'avait convaincu qu'il valait mieux pour moi oublier le cinéma...

*

Heureusement le cinéma, lui, n'allait pas l'oublier. Une des raisons qui avaient poussé Jean à refuser *Le chemin du paradis*, qui nécessitait un séjour de plusieurs semaines à Berlin, était l'existence dans sa vie sentimentale, et à Paris, de Jacqueline Francell. Las, quand Jean se décida à épouser Jacqueline et demanda sa main à son père, celui-ci s'opposa catégoriquement à cette union, et usa même de toute son influence sur sa fille qui était fort jeune pour qu'elle rompe. Ce qu'elle fit.

Les jeunes gens n'en continuèrent pas moins chaque soir sur la scène des Bouffes à jouer les amoureux dans *Arsène Lupin*, même s'il en découlait pour l'un et l'autre une situation difficile à vivre.

C'est alors que le cinéma frappa de nouveau à la porte de Jean Gabin. Les circonstances se prêtaient davantage que quelques semaines plus tôt à ce qu'il entende mieux l'appel, bien qu'il n'eût pas, en tout état de cause, abandonné sa méfiance fondamentale envers cet art qui faisait ressembler son nez à une grosse patate, comme il le disait lui-même.

*

En rentrant chez moi un soir, je trouvai un pneumatique d'un nommé Gargour qui, au nom de Pathé-Natan dont il était un des directeurs de production, me priait de venir le voir dès que possible aux studios de Joinville-le-Pont.

J'avais fait une croix sur mes possibilités de carrière cinématographique, et voilà qu'on me relançait. J'ai été tenté de jeter au panier le message du dénommé Gargour, mais j'ai réfléchi. On me demandait de passer aux studios, on ne me proposait pas vraiment un engagement. Qu'est-ce que je risquais à être poli avec des gens qui s'intéressaient à moi ?

N'ayant rien d'autre à faire ce jour-là, dès le lendemain je me rendis à Joinville. J'étais sur mes gardes et l'œil un peu méfiant. Gargour me déclara que Pathé-Natan cherchait des jeunes premiers pour jouer des comédies chantées et me proposa de faire un essai. Je lui dis que l'essai n'était pas nécessaire, je savais ce que ça donnait : c'était mauvais. Je m'apprêtais à partir en le saluant et en le remerciant, mais il me rattrapa et insista tellement que je finis, un peu pour m'en débarrasser, par accepter. Il me convoquerait dans quelques jours.

Ça ne ressemblait pas exactement à ce que j'avais tant de fois entendu dans un passé somme toute récent : « Laissez votre adresse, on vous écrira... » Mais je pensais quand même qu'on risquait fort de m'oublier, tant j'avais montré de mauvaise volonté.

Le soir, je racontai l'histoire à Gaby. On venait de divorcer, mais on était restés bons copains. Elle m'annonça qu'elle venait de signer un contrat de trois ans avec Pathé-Natan pour jouer dans des comédies chantées et que je serais fou de refuser si on me faisait à moi aussi la même proposition.

Trois jours plus tard, Gargour (obstiné, le brave homme) me convoquait pour l'essai et, poli jusqu'au bout, j'y allai, mais sans grand enthousiasme.

Je constatai aussitôt que, depuis ma modeste expérience avec Dandy, la technique avait radicalement changé. Elle était devenue un « monstre » exigeant, qui bouffait littéralement les pauvres comédiens qui ne disposaient plus de la moindre liberté.

Il y avait des fils qui traînaient partout, des câbles où je m'emmêlais les jambes au moindre mouvement. Il y avait aussi beaucoup de gens pour s'occuper de moi et je n'en voyais pas la raison. Mais surtout il y avait la caméra qu'on appelait plutôt à cette époque l'appareil. Caméra ou appareil, c'était pas rien, cet engin, ça comptait même plus que tout.

— Faites ça ! me disait un type.

Bon, avec la meilleure volonté du monde, j'essayais.

Alors un autre type caché derrière la caméra, l'œil vissé à l'appareil, explosait :

— Il sort du « champ » !

— Vous sortez du « champ », mon vieux ! me répétait celui qui avait l'air de diriger ce bordel.

J'avais beau ne pas y connaître grand-chose, je comprenais tout de même qu'ils parlaient du champ de vision de l'objectif et je cherchais à le délimiter mentalement dans l'espace pour ne pas m'en échapper.

On a fini par me tracer des lignes à la craie sur le sol, que j'étais censé ne pas franchir. Mais allez donc dire un texte que vous n'avez déjà pas eu beaucoup le temps d'apprendre, et être naturel et à l'aise, tout en lorgnant par terre pour vérifier que vous êtes toujours dans leur connerie de « champ ».

— Il tourne le dos à l'appareil ! regueulait le type derrière la caméra.

— Regardez l'appareil, mon vieux, c'est votre tête qu'on veut voir ! me disait le metteur en scène.

Je pensais qu'ils allaient être drôlement surpris quand ils la verraient, et qu'ils se donnaient du mal pour rien, et moi aussi.

J'avais à peine maîtrisé à peu près les problèmes que me causait la caméra qu'un autre type surgissait avec des trucs sur les oreilles :

— On n'entend rien de ce qu'il dit ! Il parle pas devant le micro !

C'était l'ingénieur du son. Le micro, je l'avais oublié, celui-là, j'avais déjà assez à faire autrement.

L'assistant de l'ingénieur du son le tenait au-dessus de ma tête au bout d'une perche et, quand je me déplaçais, il me suivait. Pour qu'on m'entende, c'était tout juste s'il fallait pas que je lève la tête en l'air, et moi, je la baissais au contraire pour regarder par terre où étaient ces putains de traits à la craie que je devais pas dépasser.

— Parle plus fort, ta voix passe pas !

— Non, là tu sors du « champ », reviens !

— Sois un peu plus naturel ! Pourquoi t'as l'air contracté comme ça ?

Contracté, je l'aurais été à moins, et je commençais à pas mal m'énerver, tout prêt à exploser et à les envoyer paître avec tous leurs machins, quand quelqu'un a crié :

— Ça suffit, terminé !...

Le type qui a crié ça n'a jamais su qu'il venait d'empêcher la première gueulante de Jean Gabin sur un plateau de cinéma. Les mauvaises langues diront, bien sûr, que je me suis rattrapé depuis, mais ce jour-là, ce « terminé ! » a résonné dans ma tête comme le mot de la fin de ma carrière cinématographique. Je n'en étais pas au fond plus fâché que ça, car j'avais de toute façon un solide contrat aux Bouffes.

Le « on vous écrira » que m'a lancé Gargour quand je suis parti, et dont depuis mes débuts je connaissais bien la signification, m'aurait ôté mes dernières illusions si j'en avais eu.

Le soir, je n'étais pas malheureux de retrouver mes bonnes planches poussiéreuses des Bouffes et mon personnage à transformation de *Arsène Lupin*, et surtout sans me sentir limiter dans mes mouvements par des traits à la craie sur le sol ni par un mec me criant que je sortais du « champ », ou que ma voix ne passait pas la rampe !

*

Jean était donc tout prêt à oublier le cinéma quand, deux jours plus tard, un nouveau pneu de Gargour le convoquait au siège même de la maison Pathé-Natan, dont le vrai patron était Émile Natan, d'origine roumaine, qui avait racheté la société à Charles Pathé en 1927.

En 1936, Natan devait abandonner Pathé et créer une autre société : Les Films Modernes.

Durant l'occupation allemande, ayant naturellement fui la France, son image fut utilisée par la propagande nazie et vichyste pour démontrer la mainmise des juifs sur le cinéma français.

*

En me rendant à cette convocation de Gargour, je me disais que ces gens de cinéma avaient beau avoir l'air d'être un peu cinglés, ils n'en étaient pas moins bien élevés, car il ne faisait aucun doute pour moi qu'ils me demandaient de passer les voir pour s'excuser de m'avoir dérangé inutilement et que peut-être, bons princes, ils allaient même me dédommager de quelques ronds. La conclusion restant qu'à leur grand regret l'essai ne leur avait pas paru concluant.

J'étais prêt à admettre que le contraire m'aurait étonné.

Eh bien, c'était pas ça du tout! Ces gens étaient réellement plus cinglés que polis, car, en fait, ils m'attendaient pour me faire signer un contrat pour un film au cachet de 500 francs par jour. Vingt jours de tournage à 500 francs, calculez!... Plus du double de ce que j'avais aux Bouffes alors!... Dingues, je vous dis!

— Mais mon essai? j'ai demandé, stupéfait.

— Parfait, parfait! Signez là, cher monsieur Jean Gabin! m'a répondu Natan.

Sans trop comprendre ce qu'il m'arrivait, j'ai signé et je suis parti avec une petite avance sur mon contrat, mais je me disais qu'ils allaient me courir après pour me dire : « Rendez-nous le contrat, c'est un malentendu!... »

*

Personne ne courut derrière Jean Gabin, sinon pour lui communiquer quelques jours plus tard la date du tournage du film qui devait avoir lieu aux studios de Joinville.

Ce film n'empêchait donc pas Jean de poursuivre ses représentations d'*Arsène Lupin* aux Bouffes, et par conséquent il obtint sans difficulté l'accord de Willemetz.

Sur un plan plus personnel, c'était aussi pour Jean une façon d'évacuer un peu de son esprit la déception que lui avait causée sa rupture avec Jacqueline Francell et surtout la vexation que le père de celle-ci lui avait infligée.

Curieusement, c'est à ce moment-là où l'argent lui tombait de tous les côtés que Jean demanda un prêt à Willemetz. Pour quel besoin urgent et conséquent? L'achat de sa première voiture, peut-être... Le document existe, en tout cas, et daté du 30 juin 1930. C'est une reconnaissance de dette en bonne et due forme, et timbrée.

Je soussigné Jean Gabin reconnais avoir reçu de la Société des Bouffes-Parisiens, à titre de prêt, la somme de cinq mille francs (5000) que je m'engage à rembourser à partir de fin septembre 1930 par mensualités de mille (1 000) francs qui me seront retenus sur le montant de mes cachets. (Signé) Jean Gabin.

Au dos du document retrouvé, les remboursements effectués sont soigneusement notés — 500 francs par quinzaine — du 15 septembre 1930 au 31 janvier 1931.

Ces 500 francs qu'on lui retenait tous les quinze jours représentaient en fait le cachet d'une seule de ses journées de tournage du film dont les prises de vues se déroulaient précisément cet automne 1930.

La version française était réalisée par Jean Pujol et la version allemande par Hans Steinhoff[11]. En ce début du parlant, le doublage n'existait pas et la plupart des films étaient tournés en double version (française et allemande), et parfois s'y ajoutait la version anglaise. Les personnages, donc, de ce genre de film étaient joués par des acteurs de nationalités différentes, correspondant à la langue de chaque version ; le rôle de Marcel Grivot qu'interprétait Jean dans la version française a peut-être été joué dans la version allemande par Willy Fritz.

A l'origine, le film devait s'intituler *La chute dans le bonheur*, mais il sortit le 19 décembre 1930 dans les cinémas Max Linder et Royal (ce dernier, situé avenue de Wagram, a depuis longtemps disparu) sous le titre, oh ! combien prémonitoire, de *Chacun sa chance*...

Jean y avait comme partenaires Renée Héribel, André Urban, Jane Pierson, Raymond Cordy. Un jeune premier — copain de Jean — y faisait aussi au cinéma des débuts qui allaient être sans suite de par sa propre décision, tant il se trouva — à l'instar de Jean après les deux petits films avec Dandy — insupportable à regarder : c'était Jean Sablon, dont un critique écrivit à la sortie du film qu' « il devrait adopter une autre coupe pour sa moustache » !

Fort heureusement, Jean Sablon ne l'a pas écouté, mais, déçu par sa prestation cinématographique, il en fit une jaunisse[12].

La coïncidence la plus curieuse de *Chacun sa chance* et qui fut pour Jean une surprise agréable — pour tous deux, d'ailleurs —, c'est qu'il y retrouva, dans le rôle de la jeune première et sa fiancée, son ex-épouse, sa chère Gaby. Elle était même citée avant lui au générique et à l'affichage.

Sur le plateau — mais personne ne le remarqua alors et on l'a appris ces dernières années par une confidence de l'intéressé lui-même — un très jeune accessoiriste, qui venait de monter à Paris de son pays catalan, avait pour nom Charles Trenet.

Louis Berger, qui fut un grand chef électricien de studio et qui avait travaillé sur *Chacun sa chance*, me donnait en 1954 son témoignage sur les débuts de Jean dans ce film.

« Ce gars-là, quand on l'a vu débarquer sur le plateau, il a tout de suite plu aux machinos et aux électros. On trouvait qu'il nous ressemblait. Il était très près de nous, les ouvriers du cinéma. Avec lui, on n'avait pas besoin de grands discours, on se comprenait. Bien sûr, depuis on a tous vieilli, mais il n'a pas changé, pas vis-à-vis de nous en tout cas. Il est resté un copain de travail. Le cinéma ne l'a pas abîmé et, malgré ce qu'il est devenu aujourd'hui, il a gardé un peu l'esprit prolo qu'il avait au temps de *Chacun sa chance*. De film en film, au hasard du boulot, je l'ai trouvé toujours aussi net, aussi franc, honnête et consciencieux qu'à ses débuts. On peut avoir que de la sympathie pour un gars comme ça. »

« Moi, j'avais prévenu tout le monde, racontait Jean en se rappelant le premier jour de tournage de *Chacun sa chance*. D'accord, votre cinéma, je vais vous le faire, mais j'y connais rien et je suis aussi fait pour ça que pour devenir évêque !... Ça sera pour vos pieds, si ça marche pas ! »

Il faut croire que ça n'a pas marché trop mal, puisque pendant le tournage même, à la vue des rushes [13], Pathé-Natan proposa à Jean de signer sans plus attendre un contrat de trois ans à 40 000 francs par film [14].

Chacun sa chance était une comédie-vaudeville chantée et dansée. Gaby et Jean s'y taillaient la part du lion et formaient un couple charmant, manifestant une aisance naturelle aussi bien dans le jeu qu'en chantant ou dansant, et qui leur venait de leur expérience de l'opérette.

Lors de sa sortie, fin 1930, le film fut bien accueilli et connut un succès qui allait davantage profiter à Jean qu'à Gaby. Revu récemment à la télévision, il reste surtout intéressant parce qu'il marque les vrais débuts de Jean Gabin au cinéma et qu'il illustre parfaitement le style et les caractéristiques de sa personnalité d'alors.

L'œuvre, légère, ne manque pas toutefois de ce charme qui s'attache aux choses que le temps a rendues un peu désuètes.

Les gazettes de l'époque sont louangeuses à l'égard de Jean :

« Jean Gabin fait d'excellents débuts dans le film parlant. Ses gestes demeurent aisés et jeunes et sa carrière cinématographique ne semble nullement douteuse. »

« Jean Gabin se révèle excellent artiste de film parlant, parfait d'aisance, fantaisiste sans outrance, doué d'une voix éminemment " phonogénique "... Il n'est pas sans rappeler Maurice Chevalier (...), mais il ne le rappelle pas sans se différencier par des qualités personnelles fort appréciables. »

A quelques jours de la projection publique du film, qu'il n'a pas vu, il reste sceptique quant à son avenir au cinéma qu'il appelle encore, non sans ironie et dérision, l' « art muet ». Il ne semble pas, en tout cas, mesurer l'importance que l'événement va avoir pour la suite de sa carrière et de sa vie.

Du contrat de trois ans avec Pathé-Natan, qui ne sera, il est vrai, qu'un des éléments et non le seul qui vont modifier sa trajectoire, il n'en parle qu'accessoirement dans cette lettre qu'il adresse à son père le 10 décembre 1930, en tournée dans l'est de la France, au Palace-Théâtre d'Épinal.

Lettre dans laquelle Jean fait le point de sa situation et qui est tout à fait étonnante par ce qu'elle révèle de son évolution envers le métier et, dans le même temps, de son désir d'en sortir au plus vite, par cet orgueil un peu naïf qu'il manifeste devant la comparaison qu'on ne cesse d'établir entre Chevalier et lui, et enfin par ce qu'elle démontre des sentiments affectifs d'une grande sensibilité qui le lient alors à son père.

Cher Père.

Mieux vaut tard que jamais. Tu sais d'ailleurs que tous ces temps-ci j'ai beaucoup travaillé. Maintenant, je suis un peu tranquille puisque j'ai fini aux Bouffes dimanche soir.* Les Aventures du roi Pausole *passent jeudi soir « en générale ». Tu sais que je ne suis pas de cette pièce, et du fait, je me repose mais je suis payé quand même. Mon oncle** a dû t'annoncer que j'avais signé un contrat de trois ans pour le cinéma avec la firme Pathé-Natan. J'ai « tourné »* (les guillemets sont de lui*) une opérette en vedette homme, avec Gaby en vedette femme (curieuse coïncidence, hein?)* (parenthèses de lui*), avec un metteur en scène allemand tricoté outre-Rhin, du nom de Steinhoff. Cette opérette s'appelle* Chacun sa chance *et doit sortir le 19 de ce mois-ci. Je suis impatient de la voir car j'ai signé mes trois ans d'après les bouts qu'ils ont vus en projection, mais moi je n'ai encore rien vu. Gaby est paraît-il très bien, très photogénique, très phonogénique et beaucoup de naturel. Moi j'ai vu juste mon essai et tout ce que je puis te dire c'est que j'ai la voix identique à celle de Chevalier.*

*Décidément, pourquoi ne suis-je pas né avant lui ?!!! Je dois re-« tourner » en janvier encore une opérette dont le scénario est exprès fait pour moi et qui sera de Willemetz et Pujol***.*

Voici les nouvelles, vieux père, pour ce qui est de l'art muet !

---

* Il s'agit de la dernière représentation d'*Arsène Lupin banquier. (N.d.A.)*

** Marie-Auguste, frère de Ferdinand. *(N.d.A.)*

*** Le film sera tourné non en janvier, mais courant 1931, et s'appellera *Tout ça ne vaut pas l'amour. (N.d.A.)*

Maintenant, il y a trois jours, Varna m'a fait demander. Je suis donc allé le voir et voici ce qu'il me propose. Trois ans pour le Palace et le Casino de Paris. La première année cinq cents francs par jour, la deuxième six cents et la troisième sept cents, et ceci pendant douze mois de l'année et en première vedette pour la prochaine revue du Palace, et première vedette homme pour la prochaine revue du Casino avec la Miss. Je n'en croyais pas mes oreilles, et pourtant c'est la réalité. Quand je compare mon contrat du Moulin-Rouge d'il y a deux ans (1 300 francs par mois) et les offres actuelles ! Crois-tu ?...

J'ai donc été demander ma liberté à Albert. Pleurs et grincements de dents, j'aime mieux te le dire. Tu comprends, il n'y en a pas ! C'est ce que Varna m'a dit d'ailleurs, que si je reviens au music-hall je serai le premier fantaisiste à Paris, puisque le « grand Maurice » n'est plus des nôtres, et que de plus, son dernier tour de chant au Châtelet a été dans l'ensemble un « bide » puisqu'il n'a pas fait recette. Je suis allé le voir d'ailleurs, moi je l'ai trouvé bien mais le public a marre du bluff dans les journaux et ceci lui a fait beaucoup de tort, il en a été d'ailleurs très affecté. De plus, pas dans l'ambiance et de mauvaises chansons. C'est malgré tout un insuccès pour lui puisque l'on a été obligé de baisser le prix des fauteuils de 200 francs qu'ils étaient, à 80 francs ! Je crois que c'est son premier gros échec moral !*

Il revient néanmoins faire une représentation d'adieu à l'Empire dans quelques jours. Pour l'instant, il est à Londres.

*Or donc, pour en revenir à nos moutons, plus un homme ici pour faire un « boum » et le music-hall réclame, tu le sais mieux que moi, des qualités que seul le music-hall a pu te donner quand tu y as débuté. Jamais un homme de théâtre ne pourra faire une vedette de caf'conc'. C'est pourquoi on me fait cette proposition. Ce n'est pas par fatuité que je dis ça, tu me connais, mais « LUPIN » ayant fait ressortir ces qualités, ils voient tous ce que je peux faire, et ce que j'ai dans le ventre. Je ne me presse pas et j'attends que les Bouffes soient passées** pour pouvoir parler calmement avec Willemetz. Je te tiendrai d'ailleurs au courant. Tu penses bien que je ne veux pas quitter la proie pour l'ombre, car Varna ne pourra me donner une date sûre de début que dans quelques jours... Willemetz m'a dit du coup que la prochaine opérette était faite pour moi. Je connais déjà mon rôle, note bien. Mais maintenant plus de promesses, des actes, je l'avais dit que je te vengerais***. Je ne suis plus un petit garçon. Tu sais que je suis un timide, et quand un timide se met à se montrer !!!*

*Je ne demande à Dieu qu'une chose, la santé pour pouvoir beaucoup travailler, il faut beaucoup travailler quand on veut arriver, et je veux (*souligné encore*) devenir quelqu'un. J'ai vingt-six ans, à quarante ans je veux m'arrêter.*

Enfin, je t'ai assez rasé avec moi. Et toi ? Fais bien attention, ne prends pas

---

* Il s'agit de Willemetz. *(N.d.A.)*
** Il parle de la générale. *(N.d.A.)*
*** Ces derniers mots soulignés fermement. *(N.d.A.)*

froid et prends ce qui te reste à faire en patience. Si ça va comme je l'espère, à ton retour tu leur diras merde à tous et tu pourras aller te reposer à Mériel auprès de ma frangine, et quitter cette vache de métier. Ce sera ton tour.

Encore une fois, pas de blague, et si des fois tu ne te sentais pas bien en route, laisse-les tomber sans t'en faire, je suis là maintenant.

Au revoir, vieux père, je t'embrasse affectueusement comme je t'aime.

Ton bon à nib de fils qui se défend quand même ! Écris-moi chez ma tante... Jean.

On le voit, sans paraître lui en garder rancune, c'est le moins que l'on puisse dire à la lecture de cette lettre, Jean n'a quand même pas oublié l'apostrophe de son père quand celui-ci l'a, quelque sept ans plus tôt, présenté à Fréjol aux Folies-Bergère.

La suggestion faite à son père, de prendre sa retraite, restera sans effet. Non que Jean ait oublié sa promesse (« Je suis là maintenant », autrement dit « tu peux compter sur moi ! ») mais plus simplement parce que Ferdinand n'a jamais envisagé de s'arrêter, quand bien même sa carrière et sa santé allaient en déclinant. Il n'est même pas impossible que Ferdinand fût un peu vexé par la proposition de son fils de subvenir désormais à ses besoins.

Un témoin de cette époque laisse cependant entendre que dans les deux ou trois années qui suivirent, absorbé par son travail, ses voyages et son succès, Jean aurait quelque peu négligé son père.

Les événements qui vont suivre rendent en effet ce témoignage plausible. Toutefois, on trouve tant d'exemples dans sa vie où, avec discrétion et pudeur, Jean a manifesté sa générosité qu'on peut quand même douter qu'il en ait manqué envers ce père dont il semblait de plus en plus proche.

« Je l'avais dit que je te vengerais », écrit-il à son père à propos de Willemetz.

Il est probable que quelque chose se soit passé entre les Bouffes et Ferdinand, car celui-ci avait fait partie de la distribution de la pièce à sa création, et n'en était plus à la fin, puisqu'il avait repris une tournée en province.

D'autre part, il est évident, dans cette lettre, que Jean a rêvé de « succéder » à Maurice Chevalier, cela tient pour beaucoup à ce que l'on ne cessait de lui parler de sa « ressemblance » avec la star du music-hall d'alors, et cela s'ajoutait évidemment à la fascination que l'ancien partenaire de Mistinguett exerçait sur lui. On ne saura de toute façon jamais si Jean aurait pu être l'extraordinaire « meneur de revues » que fut Chevalier, puisque sa destinée l'appela vers d'autres horizons artistiques qui lui firent oublier très vite cette ambition d'un moment.

Le 24 décembre 1930, quelques jours donc après la lettre qu'il écrivait à son père, et cinq jours après la sortie de *Chacun sa chance,* les Films Osso le sollicitèrent pour être l'interprète d'un film, *Méphisto,* aux appointements de 40 000 francs pour cinq semaines de tournage.

Le contrat qui liait Jean à Pathé-Natan n'avait pas de caractère d'exclusivité, et, à condition d'avoir l'accord d'Émile Natan, il pouvait parfaitement travailler pour une autre société.

De même que, lié aux Bouffes-Parisiens jusqu'à la fin 1932, il était, là aussi, dans l'obligation d'avoir l'accord d'Albert Willemetz.

Contre toute évidence, Jean continuait cependant de montrer une certaine méfiance quant à la durée de sa carrière cinématographique, et, comme il l'écrivait à son père à propos des propositions que lui avait faites Henri Varna pour le Casino de Paris, il ne voulait pas lâcher « la proie pour l'ombre ».

D'autre part, il n'était pas de l'opérette qui passait alors aux Bouffes, *Les aventures du roi Pausole,* dont la vedette était Dorville.

*

La môme Francell était la vedette féminine, et dans des petits rôles il y avait deux charmantes débutantes qui allaient faire parler d'elles plus tard. Lorsque je les croisais en coulisses, moi terminant les représentations de *Lupin,* elles répétant *Pausole,* je n'imaginais pas qu'elles seraient toutes deux mes partenaires quelques années après au cinéma. L'une avait une petite bouille marrante de pékinois et se nommait Simone Simon. L'autre, genre distingué déjà, s'appelait Cunati de son vrai nom, se faisait appeler alors Cora Lynn, et allait connaître la gloire sous le nom d'Edwige Feuillère.

Personnellement, à partir de 1934, je l'ai toujours appelée « Madame Ponce Pilate ». Mais ceci est une autre histoire...

N'ayant pas de rôle dans *Pausole,* les propositions de Varna pour le Casino tardant à se concrétiser, j'étais en vacances et ça ne me déplaisait pas, d'autant que Willemetz était obligé de me payer comme si je travaillais.

Je n'avais jamais été aussi peinard de ma vie.

Quelle mouche a subitement piqué Willemetz ? Un jour, il me convoqua dans son bureau :

— Écoute, mon Gabinos...

Oui, il m'appelait comme ça, et Arletty aussi m'a appelé comme ça plus tard. Je donnais moi-même tant de surnoms bizarres aux gens qu'il m'était difficile de me formaliser quand on m'en attribuait.

— Écoute, mon Gabinos, je suis ennuyé... Je ne peux pas me

résoudre à l'idée de te payer à rien faire. D'ailleurs, pour un jeune homme comme toi, c'est pas bon de rester sans travailler... Alors, écoute, mon Gabinos, si tu trouves quelque chose, n'hésite pas, prends, ça arrangera mes affaires...

Sur le coup, j'étais furieux et terriblement déçu par l'attitude de Willemetz. D'un autre côté, il ne me coupait pas les vivres, mon contrat le lui interdisait, si je ne trouvais rien, ou si je décidais de ne rien trouver. Mais j'ai pas voulu tirer sur la ficelle et emmerder Willemetz. Le producteur Adolphe Osso me proposait de faire un film, je me suis dit : « Va pour le cinéma, on verra bien ! »

*

C'est ainsi que la carrière cinématographique de Jean Gabin commença réellement.

Par la force des choses, et le coup de pouce involontaire de Willemetz, Jean ne reviendra pas aux Bouffes. Il n'ira pas non plus au Casino de Paris. Il ne remettra même plus les pieds sur une scène avant 1949. Le cinéma, désormais, allait complètement l'accaparer.

5.

PRÉLUDE À LA GLOIRE

Pour Jean, à présent tout va aller très vite. Il enchaînera film sur film. Il ne choisit ni ses sujets ni ses metteurs en scène et tourne à peu près tout ce qu'on lui propose sans le moindre discernement. Ce qui lui arrive est si inattendu qu'il continue à ne pas y croire vraiment.

Certes, les engagements sont là et les contrats succèdent aux contrats, mais il persiste à penser que cela ne durera pas, qu'il s'agit d'un malentendu et que, engagé presque malgré lui depuis ses débuts dans une voie contre sa nature, sa nature reprendra un jour, bientôt, le dessus, et qu'il finira par envoyer tout balader, à moins que ce ne soit le cinéma qui « le vire quand il en aura marre de sa tronche », comme il le disait lui-même.

Donc, loin de lui l'idée d'avoir, à cette époque, « un plan de carrière », comme on dit aujourd'hui. Il n'a qu'une seule chose en tête : prendre l'argent qu'on veut bien lui donner et s'acheter rapidement la ferme de ses rêves pour s'y retirer.

En 1932, alors qu'il n'a tourné qu'une demi-douzaine de films dont quelques-uns ont connu un certain succès et à la veille de *La belle marinière,* il n'hésite pas à déclarer à la presse :

— Encore un ou deux ans comme ça et je raccroche. Je me retire à la campagne dans une bonne petite ferme bien à moi...

Cette obstination, qui ne le quittera jamais, aurait paru insensée — s'ils l'avaient su — à tous ceux qui, alors, sont témoins de son ascension. Car, si des films qu'il tourne « en quatrième vitesse » — on tournait très vite à cette époque — certains resteront peu dans les mémoires, et notamment la sienne, d'autres émergent et ne sont pas sans qualité.

Mais ce qui fait l'essentiel des uns et des autres, c'est que Jean y impose sa présence avec une force et surtout un ton de vérité et un naturel tout à fait nouveaux.

« J'ai découvert Jean, la première fois, dans *Cœur de lilas,* m'a raconté Jean Grémillon[1]. J'étais en compagnie de René Clair. C'était un bon film de Litvak[2], mais ce qui nous avait le plus impressionnés, René Clair et moi, c'était la prestation de ce nouvel acteur — Jean Gabin — dont la personnalité nous est apparue très singulière. Son jeu — il ne semblait pas " jouer " précisément, tant il était " naturel ", mais on sait combien, pour obtenir ce " naturel "-là, il faut travailler et composer, et ensuite le faire oublier — était d'une simplicité et d'une efficacité très novatrices à l'époque où beaucoup de grands acteurs venus du théâtre n'avaient que trop tendance à charger leurs expressions ou leur voix d'effets que la caméra amplifiait impitoyablement.

Ce n'était pas le cas de Jean Gabin. Je me souviens que René Clair me quitta devant le cinéma Le Colisée, où le film avait été présenté, en me disant :

— Celui-là, ça m'étonnerait qu'on n'en reparle pas. Il va falloir l'inscrire sur nos tablettes.

Je ne sais pas si René Clair a inscrit Jean Gabin sur ses "tablettes " puisqu'ils n'ont jamais tourné ensemble. Moi, oui, et si je n'ai fait que deux films avec Jean dans les années qui suivirent[3], ce n'est pas l'envie qui m'a manqué de vouloir en faire davantage. »

*

J'ai assez vite compris qu'avec la gueule que j'avais, racontait Jean à propos de ses débuts, il valait mieux que j'en fasse le moins possible devant la caméra qui grossissait tout démesurément comme une loupe. J'évitais donc d'exprimer les sentiments des personnages que je jouais par des expressions trop appuyées, car je savais qu'avec ma tronche « bosselée », même bien éclairée, ça pèserait son poids sur l'écran.

Au bout de deux ou trois films, je me suis rendu compte que moins mes traits bougeaient, plus je faisais « vrai » et que l'assemblage des plans au montage rendait clairs, sans les exagérer, les sentiments que j'avais simplement suggérés. Par exemple, si dans un gros plan on me braquait un revolver sous le nez, je savais que c'était pas la peine d'exprimer trop la trouille — si mon personnage devait avoir ce sentiment-là —, car le gros plan du revolver ferait à ma place une partie du boulot, c'est-à-dire que le spectateur, impressionné par cette menace de l'arme sur moi, comprendrait de lui-même que j'aie peur... De même que si mon personnage regardait une femme dont il était amoureux, et si on montrait que cette femme était, dans cet instant, belle et désirable, c'était tout à fait inutile que je montre trop mon envie de la sauter, car pour le spectateur qui verrait la scène, ça paraîtrait évident.

*

Cet homme qui pense alors fermement être destiné à ne faire qu'un bref passage dans le cinéma, plus encore qu'il le croyait de sa carrière sur les planches, réagit devant ce moyen d'expression, nouveau pour lui, avec un formidable instinct des possibilités de nuances et de réserves qu'il offre aux comédiens. Lorsqu'il me parla de la manière dont il avait appréhendé le cinéma, je lui fis remarquer que cela me rappelait la célèbre expérience que fit, au début des années 20, Lev Koulechov[4] et que l'on attribue, souvent à tort, à Poudovkine. Pour montrer l'importance du montage et prouver sa force émotionnelle, ainsi que pour expliquer la nécessité d'une discipline de jeu de l'acteur de cinéma, Koulechov prit un gros plan d'Ivan Mosjoukine dont le visage n'exprimait strictement aucun sentiment, et l'alterna dans un montage entre divers autres plans qui n'avaient pas de rapports entre eux, et notamment pas avec celui unique d'Ivan Mosjoukine.

L'image d'un enfant endormi donnait l'impression que Mosjoukine exprimait la tendresse, celle d'une femme morte la tristesse, celle d'un repas l'appétit, etc. En fait, on l'a bien compris, l'expression de Mosjoukine était toujours identique, qu'il regarde l'enfant, la femme ou le repas, c'était, en fait, le spectateur qui lui attribuait des sentiments différents que le montage suggérait.

Naturellement, Jean n'avait jamais entendu parler, en 1930, de cette expérience ni de Koulechov, et pas même quand je lui en parlai en 1954. Il l'avait donc innocemment mise en pratique dans son jeu, simplement parce que sa « gueule pleine de trous », comme il disait, pouvait devenir trop excessive s'il n'y prenait pas garde, et rendre exagérés les sentiments exprimés.

*

J'ai pas vraiment réfléchi à tous ces trucs, c'était venu comme ça, en me regardant sur l'écran, et en comprenant à la longue de quoi était fait un film. On a dit alors que je jouais « de l'intérieur ». J'avoue que ça me faisait marrer parce que j'ai jamais bien compris ce que ça voulait dire, « jouer de l'intérieur ». Je jouais avec mes tripes, oui ! J'en bavais et je suais sang et eau pour essayer de donner à mes personnages une vérité et un naturel que j'espérais être justes. Mais je n'ai jamais eu l'impression que ça passait par « l'intérieur de ma tête ». Moi, en tout cas, je préférais croire que je bossais, c'est tout. Et c'était pas, et ça n'a jamais été d'ailleurs, toujours facile.

Il m'est arrivé, pour me débarrasser d'un journaliste qui me posait des questions oiseuses à ce sujet, de lui répondre que je ne « pensais » jamais mes personnages, et qu'il suffisait que je me pointe devant la caméra, et allez, hop! ça marchait tout seul et sans effort... Ce con s'empressait de l'écrire. Il fallait qu'il ne connaisse rien à ce métier pour croire que je lui avais dit la vérité. Alors, à quoi ça aurait servi que je lui dise que ce n'était pas aussi simple. Il n'aurait pas davantage compris.

Je n'aime pas, de toute façon, parler de ma petite cuisine d'acteur, parce qu'il me semble que ça fait prétentieux et qu'au fond j'imagine que tout le monde s'en fout. Seul le résultat compte : on est bon ou on est mauvais. Et dans les deux cas, comment je me suis débrouillé pour y parvenir, ça ne regarde que moi. J'ai jamais eu envie d'étaler mes états d'âme de saltimbanque...

*

Autre aspect de la personnalité de Jean, relevé dès cette époque : sa légendaire conscience professionnelle.

« Dans *La belle marinière,* raconte Jeanne Witta[5], Gabin devait se jeter à l'eau pour sauver Madeleine Renaud — qui, elle, était doublée. C'était en février et il faisait froid. Naturellement, on recommença la scène plusieurs fois, et sans jamais broncher Jean plongeait. Ensuite, sur la péniche, une longue scène s'enchaînait directement et donc " raccordait " : il fallait que Jean continue à paraître mouillé de la tête aux pieds. Je l'aidais alors à s'immerger dans une baignoire dont l'eau était aussi froide que celle du fleuve. Par chance pour Madeleine Renaud, on trichait un peu avec elle. Le tournage de cette scène dura toute la journée et, entre chaque prise, Gabin reprenait son bain sans un mot de protestation. Son regard avait l'air de dire : " Allons-y puisque c'est le boulot. " »

Rappeler les films de ce début de carrière, et à travers lesquels Jean Gabin se forma à son métier d'acteur de cinéma, est loin d'être inutile. D'autant que, aussi disparate qu'il soit, chacun recèle un petit bout des éléments qui contribueront à l'explosion du « mythe Gabin » des années 35-40.

Après *Chacun sa chance,* il tourna donc, début 31, le premier ciné-roman français parlant *Méphisto,* film en quatre épisodes : *La mariée d'un jour, Le furet de la tour pointue, Les forains mystérieux, La revanche de l'amour,* réalisé par Henri Debain, Nick Winter et René Navarre. Jean y jouait un policier. Il ne devait retrouver ce personnage que vingt-quatre ans plus tard avec *Razzia sur la schnouff* (1954) et surtout avec *Maigret tend un piège* (1957) et *Maigret et l'affaire Saint-Fiacre* (1959).

Paris béguin (1931), son troisième film, réalisé par Augusto Génina [6] lui procura son premier rôle de « mauvais garçon au cœur tendre marqué par l'acharnement du destin », personnage qui allait lui coller à la peau dans les années 30, au point de paraître « sa véritable identité » et dont l'apogée sera *Pépé le Moko* (1936).

Francis Carco, auteur du scénario, avait remarqué Jean dans *Méphisto* et avait conseillé à Génina de le prendre.

C'est dans *Paris béguin* qu'il joua sa première mort tragique dans les bras de Jane Marnac, et aux côtés d'un nouveau venu qui, un peu comme Jean, sortait du music-hall et des cafés-concerts : Fernandel.

Avant *Paris béguin*, et à l'exception de son premier, *Le blanc et le noir*, d'après la pièce de Sacha Guitry, Fernandel avait tourné une demi-douzaine de petits films (d'une durée de trente ou quarante minutes environ, dits de première partie de programme, qui était alors composé de deux films). C'était, lui aussi, un acteur comique, et, avec Jean, il est ici utilisé à contre-emploi. Jacques Lorcey, dans la biographie de Fernandel dont il est l'auteur [7], note que Fernandel se méfia de Jean Gabin en qui il voyait un rival dans les rôles comiques. Ils s'envoyaient mutuellement des piques. Jean surnommait Fernandel : « Uranie », du nom d'une célèbre trotteuse de l'époque qui faisait les beaux jours de l'hippodrome de Vincennes.

Pour ne pas être en reste, Fernandel appelait Jean : « Albinos », tant celui-ci était blond avec des yeux bleus. Willemetz n'avait pas osé aller si loin, se contentant de « Gabinos ».

De cette rencontre cependant, et des deux qui allaient suivre, allaient naître entre Jean et Fernandel sinon une amitié — elle viendra plus tard en fin de carrière des deux comédiens —, du moins une estime et un respect réciproques.

Toujours au cours de cette même année 1931, Jean tourna le premier film de Jacques Tourneur qui devait ensuite faire carrière aux États-Unis : *Tout ça ne vaut pas l'amour*, d'après un scénario de René Pujol et Albert Willemetz.

Jean y jouait le rôle d'un petit commerçant parisien porteur d'un nœud papillon à pois, qui dansait et chantait.

C'était en effet fréquent à cette époque, même s'il ne s'agissait pas d'opérette, de glisser dans les films quelques chansons. Jean, moins que d'autres, n'échappait à cette règle, et il poussa la chansonnette sinon dans tous ses films, du moins dans certains d'entre eux, jusqu'à *La belle équipe*, et *Pépé le Moko* (1936). *Cœur de lilas* également, en 1931, d'Anatole Litvak, lui donne l'occasion de se faire remarquer réellement pour la première fois. Il retrouve son personnage de mauvais garçon, cette fois plus antipathique que dans *Paris béguin*, aux côtés de la belle Marcelle Romée, qui devait se suicider l'année suivante, et André Luguet.

Pour un soir dont le titre initial était « Stella Maris » (Colette Darfeuil y jouait le rôle titre) fut accueilli si médiocrement par la presse corporative d'alors que les producteurs ne réussirent à le sortir sur les écrans qu'au cours de l'année 1933, profitant, semble-t-il, de la popularité qu'avait prise entre-temps Jean Gabin.

Dans un rôle de quartier-maître de la marine (« rôle » qu'il endossera plus tard dans sa propre vie), Jean y est amoureux d'une chanteuse infidèle. Désespéré et croyant avoir tué un homme au cours d'une rixe, il se suicide en se jetant à la mer.

En raison de cet argument « réaliste » — un homme poussé au désespoir par une femme tue, puis se suicide —, mais surtout sans doute du fait que le film sortit dans les salles en 1933, soit deux ans avant *La bandera* et trois avant *Pépé le Moko,* certains y ont vu, à mon avis abusivement, la naissance du mythe Gabin.

Quant à *Cœurs légers,* dans le rôle d'un gentil opérateur de salle de cinéma, mêlé contre son gré à une sombre histoire de bijoux volés, Jean y retrouvait sa charmante partenaire de *Tout ça ne vaut pas l'amour,* Josselyne Gaël, et y faisait surtout une double rencontre : celle de l'acteur Gabriel Gabrio qui allait devenir dans la vie « Gaby », son meilleur ami, et l'opérateur Eugen Schüfftan qui devait si admirablement éclairer les images de *Quai des Brumes.*

Ces deux films faisaient notamment partie de ceux que Jean feignait d'avoir oubliés et qui d'ailleurs figurent rarement dans ses filmographies[8].

L'année 1932 voit Jean s'expatrier pour la première fois.

Pour les Productions Pathé-Natan, il va tourner à Berlin, dans les célèbres studios de Neubabelsberg, la version française de *Gloria,* mise en scène par Yvan Noé (la version allemande est réalisée par Hans Behrendt). Il a comme partenaire la belle et célèbre vedette allemande Brigitte Helm qui avait été l'héroïne de *Métropolis* (1926) de Fritz Lang, de *L'argent* (1928) de Marcel L'Herbier, et de *L'Atlantide* (1932) de Pabst.

Aux côtés, à nouveau, d'André Luguet, Jean interprète le rôle assez secondaire d'un mécano d'aviation. Il attire cependant l'attention d'un jeune critique de cinéma, Marcel Carné, qui, dans *Ciné-Magazine,* écrit : « La grande révélation du film, c'est encore Jean Gabin, étonnant de naturel et de vérité dans le rôle d'un mécano sensible et gouailleur...

Avec *Gloria,* il achève de se classer parmi nos artistes les plus vrais. »

Toujours pour Pathé-Natan, Jean retrouve la France avec *Les gaietés de l'escadron,* d'après Courteline, mis en scène par Maurice Tourneur, le père de Jacques Tourneur. C'est pour Jean le retour aux rôles comiques de sa carrière théâtrale, et son dernier du genre avant longtemps.

On ne le reverra en effet, dans un personnage « drôle », qu'en 1951 dans le sketch de *La maison Tellier* du film de Max Ophüls, *Le plaisir,* dans lequel il campe un paysan normand savoureux et joyeux drille. Il faudra encore attendre 1958 avec *Archimède le clochard,* puis 1960 avec *Les vieux de la vieille* (tous deux réalisés par Gilles Grangier) pour le revoir interpréter franchement des « comiques ». Dans *Les gaietés* où il joue Fricot, il retrouve Fernandel, mais n'a pas tellement l'occasion de se « mesurer » à Raimu qui campe un étonnant capitaine Hurluret. Ce dernier, qui vient de débuter lui aussi au cinéma, a déjà tourné *Marius* et *Fanny.* Jean et lui n'auront plus jamais l'occasion de se retrouver dans un même film, mais seront dans la vie de grands amis.

La belle marinière, encore 1932, réalisé par Harry Lachmann, d'après une pièce de Marcel Achard, lui donne comme partenaire Madeleine Renaud, partenaire de prédilection puisqu'il l'aura dans quatre autres films au cours de sa carrière[9].

En 1954, Madeleine Renaud déclarait[10] :

« Tant pis pour les drames que cela risque de faire, mais je tiens à dire que je considère Jean Gabin comme le plus grand acteur de cinéma qui existe. Il impose une présence, une vérité, une humanité, une force que l'on n'a pu voir, je pense, que chez Raimu. Il peut jouer n'importe quel rôle... C'est en plus un grand ami très fidèle... Je l'aime dans la vie comme dans le travail... Quand je le rencontre, c'est toujours avec la plus grande joie car on n'imagine pas comme la conversation avec Jean est rassurante, calme et reposante... »

La belle marinière fut un film très réussi et connut un grand succès populaire. Jean y jouait le rôle d'un capitaine de péniche qui sauve une désespérée de la noyade (Madeleine Renaud) et l'épouse. A la fin elle lui préfère son meilleur ami (Pierre Blanchar) et s'en va avec lui.

Dans ce rôle de mari trompé et d'ami trahi, Jean suscitait les éloges de la critique de l'époque.

« Il est naturel, il respire la bonté, l'indulgence. Il est prodigieux de voir ce qu'il peut tirer d'un simple mouvement de sourcils, d'un haussement d'épaules, d'un tapotement des doigts sur la table[11]. »

« J'ai toujours beaucoup aimé ce film, déclarait Jean, des années plus tard. La vie sur la péniche, le fleuve, la campagne autour, c'étaient des éléments très proches de moi. Ça me rappelait Mériel et l'Oise.

« Je considère que c'est mon premier vrai grand rôle. Il m'a permis d'être autre chose qu'un mauvais garçon ou un truand, personnages dans lesquels on avait déjà tendance à vouloir m'enfermer... »

En fait, Jean se trompe, ou du moins il extrapole sur la suite de sa carrière. A l'instant où il tient ces propos — nous sommes en 1953/1954 — il vient de jouer des rôles de gangsters dans *Leur dernière nuit* (1953), *Touchez pas au grisbi* (1953), et quelques années auparavant *Miroir* (1947) et *Au-delà des grilles* (1948). Mais en 1932, avant *La belle marinière* qui est son neuvième film, il n'a joué que deux fois un « mauvais garçon » : *Paris béguin* et *Cœur de lilas,* mais encore aucun personnage de « truand », comme il le pense, et comme d'autres l'ont également pensé.

Dans sa période 1930/1940, il n'a joué qu'une seule fois un gangster, c'est dans *Pépé le Moko* (1936) et il ne devait retrouver ce personnage qu'en 1943, à Hollywood, avec *L'imposteur* de Julien Duvivier. Encore qu'on ne le voyait pas dans l' « exercice » de son métier de gangster, mais dans celui d'un engagé volontaire des Forces françaises libres qui meurt héroïquement pour la patrie... Il a un peu plus joué les « truands » dans la deuxième partie de sa carrière (1945/1976), mais sur soixante-deux films tournés pendant cette période, onze seulement lui donnent un rôle de gangster — en comptant *Le cave se rebiffe* et *L'année sainte* qui sont des fantaisies. C'est donc pour le moins excessif de dire qu'il « tenait à cet emploi », comme il est fréquent qu'on l'écrive. Pas plus sans doute que Cagney, Bogart ou E. G. Robinson en tout cas.

« J'avais été engagé pour jouer le rôle de Sylvestre, et Raimu avait été pressenti pour celui du *captain* de la péniche. Raimu — et c'est dommage car j'aurais bien aimé jouer avec lui — a refusé. Comme la production ne trouvait pas d'acteur pour ce rôle, on m'a demandé de le jouer, et pour Sylvestre on a engagé Pierre Blanchar.

Je n'ai pas regretté d'avoir accepté ce changement, d'abord parce qu'avec Pierrot on s'est bien entendus, et on est devenus de bons copains dans la vie. C'est un type merveilleux.

Ensuite, le rôle du captain m'a donné la possibilité d'exprimer, à travers un personnage d'une certaine épaisseur humaine, des sentiments plus nuancés qu'habituellement. »

« Touchant et pathétique, écrit Philippe Barbier[12] à propos de Jean Gabin dans *La belle marinière,* le comédien fait passer, à travers son regard bleu, une très grande richesse de réflexions sur l'amour, la fidélité, les " pulsions coupables ", la quête du bonheur... »

La foule hurle, que Jean Gabin enchaîna fin 1932, était la version française, tournée à Berlin et réalisée par Jean Daumery, d'un film américain du prestigieux Howard Hawks, qui allait donner, aussitôt après, son œuvre légendaire *Scarface.*

Jean, qui avait rêvé un moment, à l'époque où il était magasinier aux Ateliers de Drancy, de devenir pilote de course automobile, jouait dans ce film un as du volant, et on imagine aisément le plaisir qu'il prit, au moins sur ce point, à le tourner, car l'intrigue sentimentale des deux frères, champions rivaux sur la piste et dans le cœur d'une femme, ne servait en effet que de support à de belles images de courses automobiles habilement réalisées.

Dans la version américaine, le rôle de Jean était tenu par James Cagney et ceux d'Hélène Perdrière et Francine Mussey par Joan Blondell et Anne Dvorak.

Début 1933, Jean retrouvait Brigitte Helm avec *L'Étoile de Valencia* réalisé par Serge de Poligny. Mécanicien à bord d'un bateau de la police maritime, ce rôle n'apportera pas grand-chose à Jean Gabin, sinon qu'il y côtoie la mer, un élément qu'il aime, y fait la connaissance de l'acteur de second plan Thomas Bourdelle, qui restera un de ses copains intimes, et retrouve dans un petit rôle la débutante croisée dans les coulisses des Bouffes au moment où il allait les quitter à jamais, la charmante Simone Simon.

Il enchaîna encore avec la même Brigitte Helm dans *Adieu les beaux jours* (version française André Beucler, version allemande Johannes Meyer). Il y jouait un ingénieur qui tombe amoureux d'une belle aventurière (Brigitte Helm). Il n'est d'ailleurs pas douteux, à ce propos, qu'à l'occasion des trois films qu'ils tournèrent ensemble en 1932 et 1933, Jean et celle qu'on appelait « l'étrange Brigitte Helm » firent ensemble, et pour de vrai, un petit parcours d'amoureux.

Dans le remake de *Adieu les beaux jours* tourné à Hollywood en 1936, réalisé par Frank Borzage et produit par Ernst Lubitsch, le rôle de Jean était repris par Gary Cooper et celui de Brigitte Helm par... Marlène Dietrich...

1933 encore, Jean retrouvait Madeleine Renaud dans *Le tunnel,* réalisé par Kurt Bernhardt (qui se prénommera Curtis quand il ira poursuivre sa carrière aux États-Unis).

Dans ce film aux moyens importants sur un sujet de science-fiction (le percement d'un tunnel sous l'Atlantique entre la France et les États-Unis), Jean y fut, encore une fois, ingénieur mais qui, cette fois, lutte avec virilité contre des dangers spectaculaires pour gagner un pari audacieux auquel il sacrifie celle qu'il aime (Madeleine Renaud). Sa performance de comédien fut unanimement saluée par la presse de l'époque et éclipsa quelque peu le film lui-même qui ne manquait cependant pas de réelles qualités cinématographiques.

Par ailleurs, le dialogue du film est d'Alexandre Arnoux[13].

Cette année 1933 ne s'achèvera pas sans que Jean ne tourne encore un autre film *De haut en bas*. G. W. Pabst, le réalisateur du célèbre *Opéra de quat' sous* amorce ici son déclin. Dans un quartier populaire de Vienne (Autriche), les petites histoires de plusieurs locataires d'une maison s'entremêlent dans une atmosphère de gentille comédie. La distribution ne manque pas de piquer la curiosité puisqu'on y trouve les noms de Michel Simon, Peter Lorre, Margo Lion, Catherine Hessling (ancien modèle d'Auguste Renoir, épouse et principale interprète des premiers films de Jean Renoir).

Bien que sans intérêt pour le cours de sa carrière, ce film a dû procurer à Jean Gabin un plaisir certain puisqu'il y joue le rôle d'un brillant footballeur de l'équipe nationale. Le football qu'il avait pratiqué adolescent continuait à être une des distractions favorites de ses moments de détente. En outre, c'était l'époque du célèbre « Wunderteam » autrichien qui dominait alors le football européen.

Depuis ses débuts fin 1930, Jean a donc tourné à ce moment-là de sa carrière quinze films. Sans discernement ? Certes. Mais le hasard des productions l'autorise finalement à ne pas s'estimer trop malheureux de cette absence de choix. La proportion des films intéressants et même de qualité domine presque, et à travers eux il s'est incontestablement imposé comme un comédien de tout premier plan. Il n'est cependant pas encore « la star ». Le champion de ces années-là est vraisemblablement Charles Boyer qui, d'ailleurs, s'apprête à aller se mesurer aux stars américaines de Hollywood. Raimu, Harry Baur (qui vient d'être le Jean Valjean des *Misérables* de Raymond Bernard), Pierre-Richard Willm, Fernandel — pour ne parler ici que des hommes — devancent probablement encore Jean Gabin dans le domaine de la popularité. Mais Jean a l'avantage sur ses camarades de susciter l'intérêt de ceux qui ne vont pas tarder à s'imposer comme les plus grands metteurs en scène et scénaristes des années à venir. Les Julien Duvivier, Jean Renoir, Jean Grémillon, Marcel Carné, Charles Spaak, Jacques Prévert, Henri Jeanson, sans que l'on puisse, loin de là, sous-estimer leurs œuvres précédentes, semblent avoir attendu Jean Gabin pour s'affirmer définitivement. Et lui-même, Jean, se devait de les rencontrer pour établir le plus extraordinaire « palmarès » (comme il appelait sa carrière) qu'un acteur puisse rêver.

Mais en cette fin d'année 1933, il ignorait encore que 1934

amorcerait le premier grand tournant de sa carrière cinématographique et qu'une double page de sa vie allait être tournée.

En raison des aspects extérieurement bourrus qu'il affichait, notamment à l'égard des inconnus qui l'approchaient, et qui n'étaient qu'une façon de dissimuler sa timidité tout en dressant une frontière entre sa popularité qu'il supportait déjà mal et lui-même, Jean passait aisément, auprès de ceux qui ne le connaissaient pas, pour une sorte de brute.

On le disait « nature », et c'est vrai que son jeu était relevé de ce « naturel » dont Jean Grémillon disait qu'il n'est obtenu que par le travail et une grande maîtrise de soi, une parfaite connaissance de ses possibilités. Mais le plus souvent ce « naturel » dont on l'affublait signifiait dans l'esprit de certains : « non cultivé ». Cet antagonisme entre « nature » et culture, Jean en sera victime presque toute sa vie. Il finira même par en jouer lui-même par provocation. En fait, Jean était quelqu'un de « cultivé » au sens large du terme.

Son goût du sport en général et des disciplines qu'il pratiquait, comme le vélo et le football, ne lui donnait assurément pas, à cette époque, un label de comédien « intellectuel » qu'il ne revendiquait d'ailleurs évidemment pas. Le peu d'empressement qu'il marquait déjà pour les coteries et les sorties mondaines faisait qu'on ne le rangeait pas non plus dans le lot des acteurs « distingués ». Son langage enfin, aussi riche d'expressions et aussi totalement dénué de vulgarité qu'il était, le rattachait à une tradition populaire qu'il revendiquait certes, mais qui allait parfois jusqu'à donner de lui une image mensongère.

De surcroît, la presse — croyant sans doute le flatter — accentuait auprès du public la confusion entre certains personnages qu'il jouait et l'homme dans sa vie privée.

Si on le comparait sur un plan professionnel aux « brutes » américaines à la mode comme Wallace Berry ou Victor Mac Laglen, ce qui était en tout état de cause une appréciation artistiquement erronée, on n'hésitait pas davantage à dessiner de lui un portrait intime de « dur » évoluant à la limite de l'ordre moral et dont le passé recelait des ombres douteuses.

Jean n'était assurément pas le premier ni le dernier comédien à payer ainsi, par une présentation déformée de ce qu'il était, son tribut à sa célébrité naissante.

La réalité était tout autre et la plupart des témoins de cette époque de sa vie le confirment : Jean était plutôt du genre « fleur bleue », et très exactement le contraire d'un macho, comme on dirait aujourd'hui. Sa gentillesse de ses débuts ne se démentait pas et avec la maturité son charme s'était sensiblement affiné.

Il passait généralement pour un excellent camarade auprès de ses partenaires masculins, dont la plupart furent ses amis, et ses partenaires féminines le jugeaient le plus souvent « adorable ».

Le « petit garnement sauvage et grossier » de Mériel était loin. Jean semblait, en effet, prendre plaisir à séduire.

Son élégance n'était pas seulement vestimentaire mais aussi morale. Les hommes appréciaient sa droiture et son honnêteté, les femmes son attention courtoise et discrète qui lui donnait des airs romantiques presque désuets.

Il était gai et amusant comme à ses débuts aux Folies. C'était un tendre et il faisait sa cour avec une assiduité et une délicatesse auxquelles peu de dames savaient résister et celles qui y parvenaient ont gardé de lui un souvenir sensible et ému. Il couvrait les unes et les autres de fleurs qu'il a toujours aimées tout autant qu'offrir.

Il arrivait quelquefois à Jean, dans l'intimité d'une conversation entre garçons, alors qu'il était devenu un père de famille « rangé », d'évoquer avec discrétion et une ironie et une dérision souriantes le temps où, comme il disait, « il était gandin et courtisait ses partenaires féminines ».

Mais les belles actrices qu'il tenait dans ses bras à l'écran n'étaient pas les seules à se laisser éventuellement séduire.

C'est ainsi qu'un soir de l'automne 1933, au cours d'un dîner chez des amis communs à Sannois, une jeune femme qui était danseuse nue au Casino de Paris et à l'Apollo sous le nom de Doriane, mais qui s'appelait en réalité Jeanne Mauchain, allait tomber sous le charme de Jean.

On la disait savoyarde mais elle se prétendait bretonne. Cheveux roux — certains disaient noirs —, un corps sculptural, intelligente, elle évoluait aisément dans des milieux huppés, traînant dans son sillage des hommes fortunés qui la couvraient de cadeaux, ne serait-ce que pour se montrer en sa compagnie.

Un chroniqueur de l'époque la décrit ainsi :

« Un visage pâle, mystérieux, aux paupières bridées, au sourire un peu dédaigneux, aux lèvres pourpres, casqué de cheveux noirs, le front couvert de boucles mousseuses à la “ Katharine Hepburn ”. On pense, en la regardant, à certains Toulouse-Lautrec, et son visage évoque je ne sais quel attirant exotisme... Étrange et joli visage qui abrite une intelligence lucide... »

Lorsqu'ils se rencontrèrent, la carrière de Jean s'annonçait brillante. Quant à Doriane, si à trente-trois ans son pouvoir de séduction était indéniable, son avenir de danseuse nue et de femme adulée était compté. Elle ne manquait certes pas d'hommes dans son entourage prêts à lui assurer des jours tranquilles, mais son fort caractère et son tempérament de femme d'affaires l'autorisaient sans aucun doute à s'accomplir elle-même, loin des planches des music-halls, et sans protection particulière.

Ce soir-là, donc, d'automne 1933, entre Jean et Doriane, ce fut le coup de foudre, au point qu'ils décidèrent rapidement de se marier.

Un tel événement marque le plus souvent une étape dans la vie d'un homme ou d'une femme, mais pour Jean — et d'une autre manière sans doute aussi pour Doriane — il allait se révéler d'importance, et avoir une influence sur sa carrière dans les toutes premières années qui suivirent, et finalement troubler sa vie jusqu'à la fin des années 40.

L'autre événement qui survint à cet instant-là dans la vie de Jean et qui semblait vouloir clore cruellement la première partie de son existence fut la mort de son père.

Peu de temps auparavant, au cours d'une des tournées théâtrales qu'il s'obstinait à faire, Ferdinand, pris d'un sérieux malaise, avait été transporté à l'hôpital d'Aix-en-Provence. Après examen, il lui fut conseillé d'abandonner la tournée et de rentrer chez lui, à Paris, se reposer.

Il avait soixante-cinq ans, et dès lors savait que sa carrière de « saltimbanque » s'achevait là.

Ferdinand avait gardé son logement de la rue Custine où il vivait désormais seul. Il est peu douteux que Jean se préoccupa de lui, mais ses occupations professionnelles ne lui permettaient certainement pas d'être auprès de son père aussi assidu que sa sœur Reine. Madeleine et Poësy séjournaient alors selon toute probabilité à Madagascar où, en tant qu'invalide de guerre, Poësy avait obtenu un poste dans l'administration.

Ferdinand n'avait cessé de suivre avec une grande fierté l'ascension vers la gloire de son « bon à nib » de fils, et chaque fois qu'il en avait l'occasion — il n'hésitait d'ailleurs pas à la provoquer — il répétait à tout-venant :

— Vous savez, je suis le père de Jean Gabin !...

Ce mois de novembre 1933, le froid s'abattit sur Paris d'une manière précoce. Ferdinand se chauffait avec un poêle. Ce poêle tirait-il mal ? C'est probable.

La nuit du 19 novembre, incommodé peut-être par des émanations de gaz carbonique ou pris de suffocations dues à sa santé, Ferdinand ouvrit les deux battants de sa fenêtre, et, ne trouvant pas le sommeil, ou sa toux ne l'incitant guère à se recoucher, il s'assit dans son vieux fauteuil près du poêle. S'endormit-il ainsi ? Le froid pénétrant largement dans la pièce, fut-il pris alors d'un malaise fatal ?

Au matin, Reine le découvrit mort, assis dans son fauteuil, avec, entre ses mains inertes reposant sur ses genoux, le portrait de Jean sur la couverture du magazine *Pour Vous*. Le médecin appelé déclara que la mort l'avait emporté vers cinq heures du matin.

On imagine le bouleversement de Jean apprenant que la dernière image que son père avait eue sous ses yeux de mourant avait été la sienne.

Trois jours plus tard, le 23 novembre, au lendemain de l'enterrement de son père, les bans étant publiés et la date retenue, Jean épousait Doriane dans l'intimité et la discrétion, le cœur partagé entre un profond chagrin et ce qu'il croyait être le début de son futur bonheur.

Depuis sa séparation avec Gaby — et même un peu avant —, Jean avait pris des habitudes de célibataire un peu bohème et malgré l'argent qu'il gagnait il n'avait guère songé ni pris le temps entre les différents films qu'il enchaînait, et qui parfois l'obligeaient à s'expatrier à Berlin notamment, de s'installer réellement dans ses meubles. Il allait d'un appartement à un autre, jamais très longtemps, et le plus souvent même il retournait séjourner chez sa tante Louise ou même chez son père, rue Custine, quand celui-ci était absent.

Différentes lettres qui lui sont adressées à cette époque attestent de ces pérégrinations.

Quand il épousa Doriane, il avait de l'argent assurément. Elle en avait aussi. Sans être ce que l'on appelle communément une femme d'intérieur, Doriane avait le goût des choses installées et même du goût tout court. Elle avait été habituée, depuis des années, au confort, à un certain luxe même, et aux beaux quartiers résidentiels. Alors que Jean, depuis qu'il avait quitté Mériel, n'avait jamais vécu à Paris ailleurs qu'au pied de la butte Montmartre.

Elle incita donc Jean à s'installer dans l'appartement d'une rue calme de Passy — rue Desbordes-Valmore? — qui donnait sur un jardin.

« Des meubles anciens, des boiseries patinées, des taffetas aux tons fanés, des fleurs en quantité formant le plus féminin des appartements », écrira le même chroniqueur anonyme déjà cité.

Il recueillait également dans cette interview de Doriane, qui doit dater vraisemblablement des premiers temps de leur mariage, des confidences qui sont révélatrices du comportement de Jean vis-à-vis de son métier et qu'il a entretenues toute sa vie et jusqu'à la fin, mais dont on aurait pu croire qu'il lui était venu un peu plus tardivement.

« Une fois qu'il est sorti du studio, il n'est plus question de cinéma pour lui, déclarait alors Doriane. Nous n'en parlons jamais. Il a une profonde horreur de la popularité et de ses manifestations. Il aime sincèrement son art mais il veut que rien en lui ne lui rappelle qu'il est comédien. Il est excessivement simple, même quelquefois bourru, et très gêné par tout ce que sa réussite au cinéma apporte d'obligations extérieures. Aussi a-t-il rompu une fois pour toutes avec ces obligations et tient-il essentiellement à ce que le cinéma n'empiète pas sur sa vie. Il ne veut s'occuper ni des lettres d'admiratrices, ni des visites de journalistes, ni des photographes. Il est désespérant d'indifférence pour tout ce qui touche à sa vie d'acteur. »

Sous l'influence de Doriane, Jean était en train de changer. Non sur le plan des rapports de sa vie privée et de son métier — Jean les a toujours, dès le début, soigneusement dissociés —, mais sur le fait qu'il allait désormais laisser Doriane prendre en charge ses relations publiques, comme on dirait aujourd'hui.

Comme tout jeune artiste en pleine ascension, Jean avait été extrêmement sollicité par la presse et, sans doute très naturellement, flatté de l'intérêt qu'on lui portait, sachant aussi qu'il avait besoin de se faire connaître du public, Jean ne refusait pas, à ses débuts, ni les interviews ni les photographes.

La masse de coupures de presse le concernant, qui subsiste de cette époque, l'atteste, mais, très vite, il sera déçu de l'image que donnaient de lui les journalistes, tronquant ou inventant pour les besoins de leur cause ses déclarations et, incapables de rendre la richesse et la vérité de son langage, le faisant s'exprimer dans un argot vulgaire qu'il n'a jamais pratiqué.

Cette réticence naissante de Jean à l'égard des médias de l'époque, Doriane va l'accentuer avec la volonté de donner de Jean une autre image.

D'autre part, femme de tête, ambitieuse pour elle-même sans aucun doute, mais aussi ambitieuse pour Jean, elle va également prendre en charge ses affaires et pratiquement lui servir d'agent, discuter et établir ses contrats avec les producteurs.

Il est probable que Jean, dans un premier temps au moins, n'a trouvé à cette situation, nouvelle pour lui, que des avantages. Il n'a jamais été, en effet, un grand homme d'affaires, et toute sa vie il a été paralysé par la honte qu'il éprouvait devant l'argent qu'il gagnait.

Il n'a jamais non plus tout à fait su estimer — et dans ces années-là sans doute encore davantage que par la suite — sa réelle valeur marchande.

Ce n'était pas assurément le cas de Doriane qui savait parfaitement établir des paramètres entre le montant des cachets de Jean, quand elle l'a connu, et les bénéfices que tiraient les producteurs des films qu'il tournait.

D'autre part, il est plus que probable que Doriane usa de son influence sur Jean pour lui faire oublier, pendant un certain temps, ses rêves d'une prochaine retraite à la campagne, ne se voyant probablement pas elle-même en « fermière » et ne l'ayant certainement pas épousé pour atteindre ce but.

Le temps des grandes amours passé, il semble bien que Jean se lassa vite de l'autorité de Doriane et de sa volonté de régenter sa carrière. Et dès lors, les années qui suivirent et qu'ils vécurent quand même ensemble, ponctuées parfois de brèves séparations, les dressèrent le plus souvent l'un contre l'autre, et ils se déchirèrent jusqu'à leur rupture définitive sur les routes de l'exode de juin 1940.

On sait que Jean s'est toujours montré d'une grande discrétion — y compris dans l'intimité — sur ses rapports avec les femmes qui, officieusement ou officiellement, ont partagé quelque temps sa vie. De sa part, on saurait donc peu de choses de son mariage avec Doriane et de sa vie avec elle si Doriane, elle-même, dans les années qui suivirent la fin de la guerre 1939-1945, à l'occasion de divers procès qu'elle intenta à Jean pour contester les causes de leur divorce, ne l'avait longtemps poursuivi, au travers de déclarations à la presse, de sa rancœur et de sa haine.

Jean et Doriane s'étaient en effet mariés sous le régime de la communauté de biens, et lors du divorce proclamé aux torts réciproques, elle estima que la moitié du patrimoine de Jean lui revenait de droit.

Le tribunal en jugea autrement. Le divorce avait été prononcé d'ailleurs en l'absence de Jean — qui était alors aux États-Unis — le 18 janvier 1943 à Aix-en-Provence.

Après 1945, Doriane multiplia les procédures judiciaires pour avoir gain de cause.

Jean ne répondit jamais aux attaques de Doriane mais il en souffrait, et dès lors il était mal venu de prononcer devant lui le nom de celle qu'il avait appelée autrefois « Dodo ».

En raison de tout cela, on comprendra qu'il est donc impossible d'évoquer la suite de la vie et de la carrière de Jean à partir de 1934, et pour une période capitale, sans faire état, ici et là, des déclarations faites ultérieurement par Doriane et concernant cette même époque en y ajoutant les commentaires qu'elles inspirent, et les rectifications qu'elles nécessitent. Déclarations telles que les a rapportées la presse certes, mais que Doriane n'a jamais démenties, les confirmant au contraire tout à fait dans des conversations privées auprès de personnes dont certaines peuvent encore en témoigner aujourd'hui, au cours d'entretiens que j'ai eus avec elles.

Ainsi donc, Jean et Doriane se sont rencontrés fin septembre ou début octobre 1933, se sont mariés aussitôt, et nous connaissons la situation professionnelle de l'un et de l'autre, alors.

Pourtant, plus tard, si elle ne peut tronquer la date de leur mariage, Doriane laissera s'accréditer une contrevérité, à savoir qu'ils se sont rencontrés en 1930.

Pourquoi ? Parce qu'un de ses arguments essentiels dans la procédure judiciaire qu'elle engagera contre Jean dans les années 40 repose sur le fait que, selon elle, Jean Gabin, en tant que comédien de cinéma, est son œuvre personnelle, qu'elle l'a entièrement « fabriqué » avec patience, obstination, et amour aussi. En conséquence de cette « démonstration » qu'elle fait systématiquement, il devient pour elle évident que Jean lui doit sa renommée et, par là même, la fortune qu'il en a tirée, une part de cette fortune lui revenant donc en toute logique.

« Lorsque je l'ai connu, c'était un homme paresseux, sans allant, sans éducation [14]... C'était alors un petit acteur qui jouait les adjudants au nez rouge dans des vaudevilles militaires. Il ne tenait que de petits rôles et ne montrait guère de talent. »

Astucieusement, Doriane mêle de petites vérités datant des débuts de Jean (1923-1929) — paresseux, petit acteur jouant les « nez rouge » — à l'énorme mensonge fondamental qui tient à la date de leur rencontre. Outre qu'il n'a joué qu'un vaudeville militaire, *Les gaietés de l'escadron* — et c'est en 1932 —, que son talent au théâtre et au cinéma a été largement salué par les critiques, que les témoins de l'époque, dès ses débuts, soulignent son charme, sa gentillesse, et par conséquent... son éducation, en 1933, Jean est un comédien de cinéma tout à fait consacré.

A partir de ce mensonge, Doriane ne cessera d'argumenter afin d'étayer la thèse qu'elle est bien le Pygmalion de Jean Gabin, dont elle pense qu'elle peut, en partie, lui permettre de mieux défendre ses intérêts auprès des tribunaux, dans le différend financier qui l'opposait à Jean dans ces années-là (1945-1948).

D'où l'exagération systématique de son rôle dans l'évolution favorable de la carrière de Jean, et la tenue de propos dont on peut certes comprendre qu'ils étaient inspirés par le sentiment d'avoir été injustement lésée mais qui, en définitive, n'avaient d'autre but que d'exprimer une sourde vengeance et de nuire à Jean Gabin dans une période précisément difficile pour lui, celle de l'après-guerre où il ne retrouvait pas son standing d'avant.

« J'avais de l'argent, et malgré son mauvais caractère *(sic)*, j'ai pu l'aider, déclarait Doriane. Il ne m'en a pas moins fallu des années *(sic)* pour lui apprendre à nouer convenablement une cravate *(sic)*. Il ne savait ni marcher, ni se tenir dans un salon. J'ai dû faire toute son éducation. »

Quand on constate de quelle manière les chroniqueurs de l'époque parlent de l'élégance naturelle avec laquelle Jean dansait aux côtés de Mistinguett, quand on peut le voir en compagnie de Gaby Basset, chanter et danser dans *Chacun sa chance,* et cela bien avant qu'il ne rencontre Doriane, on reste confondu devant ces propos. Et s'il me paraît cependant nécessaire de les évoquer — alors que Jean a gardé un silence méprisant —, c'est qu'ils ont fait en partie leur cheminement dans l'esprit de certains, et par conséquent accréditer l'idée d'un Gabin analphabète, fruste et seulement capable de s'exprimer en argot.

« Jean ne lit jamais rien, sauf les catalogues », déclarait Doriane.

A cela, Jean répondra avec ce sens de la provocation et du mépris qu'il avait envers certains journalistes : « Je ne lis que *Paris-Turf...* »

Et il ajoutait avec humour :

« Si je leur disais que je lis Teilhard de Chardin, ils ne me croiraient pas, alors autant leur dire une autre connerie qui, au moins, est à un niveau qu'ils peuvent comprendre... »

La démonstration que voulait rétrospectivement faire Doriane, c'est qu'elle avait lu pour lui, choisi ses scénarii, ses metteurs en scène, monté ses affaires et les productions de ses films. Trop, assurément, c'est trop, et de la sorte Doriane se déconsidère, nous faisant douter finalement du vraisemblable, à savoir que, selon certains témoins et sur certains points précis, son influence sur Jean, à cet instant de sa carrière, est probable et profitable à Jean, sans cependant revêtir le caractère entier, décisif et exclusif qu'elle prétend.

En ce début 1934, et sans que Doriane y soit pour quelque chose parce que trop récemment entrée dans sa vie, Jean faisait une rencontre qui allait être déterminante pour lui, celle du metteur en scène Julien Duvivier[15].

Duvivier était alors un des réalisateurs les plus en vue. Il tournait depuis 1919, beaucoup, rapidement, et avec une grande habileté technique mais sans grand discernement quant au choix de ses sujets. Il s'était notamment illustré avec des *Tragédie de Lourdes* (1924) et des *Vie miraculeuse de Thérèse Martin* (1929). Sa version muette de *Poil de Carotte* en 1925 et celle parlante et sonore du même sujet en 1932, ainsi que des films comme *David Golder* (1931) avec Harry Baur, et *Les cinq gentlemen maudits* (1932) toujours avec Harry Baur, lui avaient acquis une grande notoriété. Ses chefs-d'œuvre allaient venir précisément de sa rencontre avec Jean.

*

J'ai dû rencontrer Duvivier la première fois vers fin 1932 ou début 1933. Il venait de faire *Poil de Carotte* qui avait été un gros succès. Il m'a proposé de tourner un film d'espionnage, *Mademoiselle Docteur*[16] qui, finalement, ne s'est pas fait avec nous, mais plus tard, en 1936, avec Pabst comme réalisateur, et Pierre Fresnay dans le rôle qui avait été envisagé pour moi[17].

« Dudu » (Duvivier) est revenu à la charge un peu après, en me proposant le rôle de François Paradis de *Maria Chapdelaine*. J'ai dit oui immédiatement. Un peu comme pour *La belle marinière*, l'atmosphère du bouquin de Louis Hémon me convenait, correspondait à ce que j'aimais, la nature, les grands espaces, une histoire humaine toute simple. Et puis je retrouvais comme partenaire ma chère Madeleine (Renaud). Dudu et moi, on voulait vraiment tourner un truc ensemble, donc il n'y a pas eu de problème. On m'avait dit qu'il avait mauvais caractère et on lui avait sans doute dit aussi que le mien n'était pas toujours facile. C'est peut-être parce qu'on s'équilibrait tous les deux qu'il n'y a jamais eu d'histoires entre nous et qu'on s'est parfaitement entendus, au point que c'est avec lui que j'ai fait le plus de films[18].

C'est sur le bateau qui nous amenait au Canada que notre amitié est vraiment née. On a eu le temps de se parler, d'échanger des idées sur pas mal de choses et sur le cinéma en particulier. C'est Duvivier qui m'a appris ce que j'ignorais encore de la technique du cinéma. Il m'a expliqué les objectifs et selon le choix qu'on en faisait pour un plan ce qu'on pouvait en attendre. J'ai bien retenu la leçon et ensuite j'ai su adapter mon jeu ou une certaine façon de me déplacer devant la caméra, en fonction de l'objectif choisi. Du premier coup d'œil, je devinais par l'emplacement de la caméra en rapport à ma propre place comment j'étais « cadré » : en gros plan, aux épaules, à la ceinture ou en pied, et évidemment dans une certaine mesure ça déterminait mon jeu.

A l'expérience, j'ai su aussi qu'il y avait des objectifs qui ne me convenaient pas, qui arrangeaient peut-être ce que voulait obtenir le metteur en scène, mais pas moi. J'ai rarement demandé à ce qu'on en change, je râlais et je m'adaptais en connaissance de cause, c'est tout. Mais il fallait surtout pas qu'on vienne me raconter des histoires à ce sujet.

Pour en revenir à *Maria Chapdelaine* qui était un beau film selon moi, qui a très bien marché, et que j'aimais beaucoup, on en a quand même tous bavé. C'étaient des paysages splendides mais qu'est-ce qu'on a eu froid !

En plus, la nourriture, c'était pas ça, en tout cas pour moi, surtout quand on s'est enfoncés dans le Nord pour tourner avec les tribus Peaux-Rouges du côté du lac Mistassini. Au retour, je me suis rattrapé en passant par New York, où je me souviens avoir mangé... une bouillabaisse !

Dans ce film, je jouais un trappeur vivant en solitaire dans les grandes plaines désertiques et qui, un jour, dans un village qu'il traverse, tombe amoureux d'une fille merveilleuse de simplicité, Maria Chapdelaine. A la fin, une fois de plus dans un film, je mourais, perdu dans les neiges[19].

Mon rival auprès de Madeleine Renaud était un jeune premier beau et charmant qui venait de se révéler au cinéma dans *Lac aux dames*, Jean-Pierre Aumont.

Nous allions nous retrouver en 1937 pour jouer ensemble avec Gaby Morlay *Le messager* de Raymond Rouleau.

J'ai toujours bien aimé Jean-Pierre. On devait se revoir à Hollywood, plus tard, d'où il partit finalement s'engager dans les Forces françaises libres pour y faire une guerre très courageuse.

*

Dans son beau livre de souvenirs, *Le soleil et les ombres*[20], Jean-Pierre Aumont, évoquant sa rencontre avec Gabin dans *Maria Chapdelaine*, se montre laconique :

« Jean Gabin, à l'époque, m'ignorait résolument... »

Lors de l'entretien qu'il m'a accordé, Jean-Pierre Aumont s'explique plus longuement et avec plus de nuance sur cette petite phrase[20].

« Il arrive quelquefois que pendant un tournage, particulièrement en extérieurs, des clans se forment selon les affinités, parmi les comédiens et les techniciens, sans être en aucune manière antagonistes. Ce fut un peu le cas pendant *Maria Chapdelaine*.

Jean et Duvivier étaient très liés. C'étaient, en outre, les “ stars ” du film, et d'autre part s'était joint à eux Thommy Bourdelle qui était, dans la vie, un grand copain de Jean. Par ailleurs, Duvivier s'entendait mal avec Madeleine Renaud et en avait fait un peu sa tête de Turc. Jean et Madeleine s'aimaient bien, mais Jean étant toujours avec Duvivier, Madeleine s'était rapprochée de moi et nous formions un peu un clan à part, du moins hors du tournage. L'expression que j'ai utilisée : “ Jean m'ignorait ”, est donc un peu excessive.

J'ai retrouvé Jean en 1937 dans *Le messager* et nous avons eu dans ce film d'excellents rapports de camaraderie.

Durant notre séjour commun aux États-Unis entre 1941 et 1943, nous nous sommes plus croisés que fréquentés. Marlène Dietrich accaparait beaucoup Jean, et c'est vrai que, là encore, nous ne fréquentions pas les mêmes cercles d'amis.

Nous nous sommes tous deux engagés dans les Forces françaises libres à peu près à la même époque et nous nous sommes revus à Alger en 1943. Puis nos routes ont divergé : je suis parti faire la guerre en Italie dans l'armée du général Juin, et lui dans la 2e D.B. de Leclerc. Fin 1944, on aurait pu se rencontrer sur le front des Vosges où nous étions tous deux, mais curieusement cela ne s'est pas produit.

J'ai revu Jean après la guerre au cours d'un dîner chez André Bernheim qui était alors son agent. Je crois bien que c'est ce soir-là, tant il se montra heureux de me revoir, que j'ai su que Jean m'aimait beaucoup. Il m'appelait " Jeanpiot ", ce qui devait être pour lui un diminutif affectueux de Jean-Pierre. Moi-même, j'avais pour Jean de l'affection, et naturellement la plus grande admiration pour le comédien qu'il était. »

De retour du Canada, Jean allait avoir dans *Zouzou,* réalisé par Marc Allégret, une surprenante partenaire, Joséphine Baker, alors en pleine gloire. Le scandale — pour certains, pour d'autres heureusement plus nombreux ce fut au contraire un ravissement — qu'elle avait suscité dans les années 20 dans *La Revue nègre* en dansant avec, pour seul vêtement, un régime de bananes autour de la taille était encore frais dans les mémoires.

Son premier film, *Princesse Tam Tam,* avait été un échec navrant. Elle prit sa revanche dans son second et dernier film, car *Zouzou* fut un immense succès populaire, le plus grand jusqu'alors — du moins le dit-on — de Jean Gabin.

Joséphine Baker ne s'y révélait pas une grande comédienne — à revoir le film aujourd'hui, on s'aperçoit cependant qu'elle est moins maladroite qu'on ne l'avait prétendu à l'époque —, mais elle y faisait surtout, notamment dans les numéros de music-hall, la preuve de sa souriante et forte personnalité, et son accord avec Jean était d'une étonnante complicité qui dépassait leur rôle respectif dans le film. Il est certain que Jean admirait beaucoup Joséphine, et sa propre et récente expérience du music-hall, le goût qu'il en avait fortement gardé les rapprochaient sensiblement.

Tous deux, en effet, semblaient prendre un grand plaisir à respirer, à l'intérieur du film, l'atmosphère des planches sur lesquelles « Joséphine-Zouzou » triomphait à la fin.

Pour ne pas être en reste, Jean y allait de sa chansonnette, *Ah ! viens Fifine,* en faisant valser merveilleusement Yvette Lebon. On le voyait aussi en matelot au début du film, réplique parfaite de ce qu'il avait été pour de vrai pendant son service militaire.

Curieusement spécialisé à ce moment de sa carrière dans les films religieux, alors que dans ses œuvres majeures il exprimera avec force un pessimisme foncier sur la nature de l'homme, Julien Duvivier se voit chargé en cette année 1934 de l'adaptation du livre du chanoine Joseph Raymond, *Golgotha*.

Soutenu financièrement par les ouailles de l'Eglise catholique comme trois ans plus tard *La Marseillaise* de Renoir le sera par une souscription populaire, *Golgotha* se présente comme une grande fresque historico-sociale, plus réaliste que mystique, qui relate les événements de la dernière semaine de la vie de Jésus, son arrestation, son procès, sa crucifixion sur la colline de Jérusalem nommée Golgotha, puis sa résurrection.

Éclectique dans le choix de ses sujets, animé d'un désir boulimique de faire des films — qui ne le quittera d'ailleurs jamais, hors des studios Duvivier s'ennuyait —, se fiant essentiellement à sa grande maîtrise technique pour se tirer de toutes les embûches, on peut toutefois comprendre avec quel engouement particulier Duvivier se lança dans cette aventure de la Passion du Christ — admirable histoire au demeurant, même pour un athée — à la vue des moyens énormes qui furent mis à sa disposition.

Il devait confier le rôle d'Hérode à Harry Baur et celui du Christ à Robert Le Vigan ; ce dernier, génial comédien de second plan, habité par une sorte de folie qui le faisait s'investir totalement dans les personnages qu'il interprétait, fut marqué pour le reste de sa vie par ce rôle[21].

A l'étonnement de tous et particulièrement du premier intéressé, Duvivier proposa le rôle assez court de Ponce Pilate à Jean Gabin.

Celui-ci se récria fortement devant cette offre qu'il jugeait totalement insolite. Le personnage « n'entrait pas dans ses cordes », comme il disait. Mais au nom de leur amitié récente, Duvivier insista tant que Jean, la mort dans l'âme, finit par accepter. Au chantage à l'amitié dont usa Duvivier pour obtenir son accord, Jean répliqua par un autre chantage. Il venait de lire *La bandera,* un roman de Pierre Mac Orlan dont le héros, Pierre Gilieth, le fascinait. Passionnément désireux d'en faire un film et qu'il fût réalisé par Duvivier, il acheta les droits du roman et exigea du metteur en scène qu'il y participe. Duvivier s'exécuta sans difficulté, persuadé lui-même que le sujet de *La bandera* était porteur d'un film intéressant.

Après avoir donné son accord pour endosser la toge du proconsul romain de Judée, se pliant avec son habituelle conscience professionnelle aux aspects physiques qu'exigeait le rôle — il s'était fait couper les cheveux très court —, Jean prit soudain peur.

« On ne pouvait pas dire que la petite jupette romaine m'allait comme un gant. Les cothurnes me faisaient mal et je me tordais les chevilles en marchant. Et si mon rôle, à la mesure de mes cheveux, était court, je me disais qu'il serait quand même assez long pour qu'on s'aperçoive que j'avais l'air con attifé comme ça. »

C'était le premier personnage historique qu'il jouait[22] et Jean, consciencieusement, demanda qu'on lui fournisse une documentation sur le caractère et le rôle de Pilate dans la tragédie du Christ. D'apprendre que selon certains il aurait été puni par Tibère et serait mort en martyr, pour d'autres en exil à Vienne (Isère), ne paraissait pas suffisant à Jean pour s'investir complètement dans le personnage.

« C'est un soldat sorti du peuple qui parvient à un poste important grâce à son courage, mais qui, étant fonctionnaire — les proconsuls romains équivalaient à nos actuels préfets —, manque d'initiative. En outre, il est dominé par sa femme plus intelligente et plus arriviste que lui, laquelle croit au Christ à la suite d'un songe », déclarait-il à la presse à la veille du tournage[23].

Il est clair que Jean voulait tirer son interprétation de Ponce Pilate vers ce qui ne l'éloignait pas trop des personnages « près du peuple » qu'il avait l'habitude de jouer. Sa grande hantise était d'être « emboîté », de prêter le flanc aux sarcasmes des esprits fins, et que le public — il ne disait jamais « mon » public — ne comprenne pas son choix. Il demanda, et obtint, de la production et de Duvivier de faire une déclaration à la presse pour s'expliquer et prévenir la réaction des persifleurs. Après avoir averti que « la mystique religieuse s'effacera devant la dramatique réalité des faits » et dit (voir plus haut) sa conception du personnage, il termine par ces mots :

« C'est donc sans émotion (*sic*) que j'aborde *Golgotha*. Au reste, je ferai de mon mieux pour faire admettre l'inadmissible. C'est donc dire que je ne m'en lave pas les mains[23]. »

« Évidemment, à la sortie du film, il y en a un qui ne m'a pas loupé : c'était Henri Jeanson. Il a écrit : “ Quant à Jean Gabin, ce n'est pas du Golgotha qu'il descend mais de la Courtille[24], et d'ailleurs il s'en lave les pognes ! ”

C'était plutôt marrant, et je ne lui en ai pas voulu puisque Dudu (Duvivier) et moi on lui a demandé ensuite de travailler sur *Pépé le Moko*. Finalement, *Golgotha* a été un énorme succès populaire et malgré les traits d'esprit qu'il a suscités à mon égard, ce film ne m'a pas fait du tort, le public ayant mieux réagi envers moi que la critique.

A part mes états d'âme sur ma prestation en Ponce Pilate, je garde surtout le souvenir d'un froid étonnamment glacial à Alger où nous avons tourné les extérieurs.

Je me les suis gelées dans ma petite tenue romaine et le pauvre Le

Vigan sur sa croix était vert. Pour un peu, il en serait mort lui aussi... mais de froid ! J'avais comme épouse Edwige Feuillère qui est restée pour moi, quand je la rencontre, cette chère Madame " Ponce Pilate "... »

Jean a toujours gardé une grande défiance envers les personnages « à costumes » historiques ou pas.

— Vous me voyez en costard Henri II ou Louis XV ? disait-il.

Naturellement, dans ces cas-là, pour faire sa démonstration, il exagérait toujours le trait. Il a cependant accepté, avec l'âge, d'endosser le costume des personnages du XIXe siècle car, outre et incidemment le maréchal Lannes dans *Napoléon,* il campa un paysan du temps de Maupassant dans *Le plaisir* (1951), un producteur de spectacles de la Belle Époque dans *French Cancan* (1954), et surtout Jean Valjean dans *Les misérables* (1957). Les personnages « à costumes » commençaient pour lui au XVIIIe et en remontant le temps, et il ne lui venait pas facilement à l'esprit qu'on puisse lui en proposer.

Cela m'incite à raconter ici, comme une parenthèse — mais tout de même reliée à sa création de Ponce Pilate dans *Golgotha* —, une anecdote qui illustre à quel point de confusion cela l'entraînait.

Ça devait être en 1955. J'arrivai chez Jean pour dîner, à l'instant où il reposait le téléphone.

— Vous allez me donner votre avis. Le « Gros » vient de m'appeler pour me proposer de jouer *César.*

Le « Gros », c'était évidemment Jean Renoir avec qui il venait de tourner *French Cancan.*

— Pourquoi pas ?... dis-je prudemment.

— Oui, mais il veut monter ça au théâtre, à l'Empire, et moi, le théâtre, j'en ai tellement bavé avec *La soif*[25] que j'ai pas trop envie de repiquer au truc...

— Dommage ! dis-je encore, j'ai toujours pensé que vous étiez un acteur qui avait le souffle pour jouer ce genre de théâtre.

— Vous me charriez, ou quoi ?

— Pas du tout, je suis sûr que ça finirait même par vous amuser...

— Je m'amuse rarement quand je bosse, parce que, précisément, je bosse, et le théâtre m'épuise !...

Pendant qu'il servait les scotches, je le sentais plongé dans une méditation perplexe.

— Évidemment, c'est un beau rôle, César, et j'ai à peu près l'âge qu'avait Jules...

Le « Jules » sonna un peu bizarrement à mon oreille, m'étonnant surtout de cette familiarité avec le personnage, mais je laissai passer. La réflexion suivante de Jean me rendit davantage circonspect.

— Je vais vous dire, mon vrai problème pour ce rôle, c'est l'accent...

— Je suppose que Renoir ne vous demande pas de le jouer en anglais, avançai-je cette fois prudemment mais n'imaginant pas encore très bien sur quelle pente savonneuse nous étions lancés.

— En anglais ! Mais où vous allez chercher ça ? Évidemment en français !...

— Bon, alors je ne vois pas où est votre problème !

— Vous en avez de bonnes, vous ! Moi, avec mon accent de Barbès, je suis pas du tout certain d'arriver à prendre celui de Marseille, et même, en supposant que j'y arrive, on n'y croira pas !...

Je restai interdit et, un moment, le nez dans mon verre de scotch, je m'interrogeai, perplexe, sur l'embrouillamini qu'avait dû être l'échange de propos, au téléphone, entre Renoir et Jean. Je n'ignorais pas, pour le connaître un peu, que Renoir pouvait être parfois assez confus dans ses explications, à quoi il ajoutait un certain bredouillement congénital. Mais de là à laisser s'installer entre eux une telle confusion ! Car, on l'a sans doute déjà compris, c'est le rôle-titre de *Jules César* de Shakespeare que Renoir avait proposé à Jean. Je savais, en effet, qu'après avoir monté la pièce aux arènes d'Arles, l'année précédente en 1954, Renoir envisageait de la produire à Paris, au théâtre de l'Empire.

A Arles, le rôle avait été tenu par Henri Vidal, entouré de Jean-Pierre Aumont (Marc-Antoine), Paul Meurisse (Brutus) et Jean Topart (Octave).

Henri Vidal ne voulait pas être de l'aventure parisienne et c'est pourquoi Renoir cherchait à le remplacer en sollicitant Gabin.

La raison qui avait fait un moment hésiter Henri Vidal à accepter le rôle à Arles était sans doute la même qui lui faisait refuser le rôle à Paris.

Dans son livre, *Le soleil et les ombres,* Jean-Pierre Aumont raconte avec humour cette histoire qui est si savoureuse que je n'hésite pas trop à la reproduire ici :

— C'est la plus belle œuvre de Shakespeare, j'en connais chaque ligne par cœur, fit Henri (quand Renoir lui proposa de jouer Jules César).

— Bravo, lui répondit Renoir, venez répéter demain.

Le lendemain, Henri arrivait, blême d'indignation.

— Qu'est-ce qu'il vous arrive ? s'enquit Renoir.

— Ce qui m'arrive ? Je viens de découvrir qu'il y a cinq actes.

— Et alors ?

— Et alors, Jules César est assassiné au début du trois !

J'avoue que dans les arguments que j'ai utilisés à un moment de la soirée, pour tenter de convaincre Jean d'accepter le rôle, je n'ai pas pensé à lui signaler que le personnage disparaissait au début du troisième acte, car à l'inverse d'Henri Vidal, et s'il n'avait pas été, a priori, si buté dans son refus, c'eût pu être un élément plutôt favorable à son acceptation.

J'imaginais très bien que, dans l'esprit de Renoir, la présence à l'affiche de Jean dans le rôle de Jules César aurait été un « événement » qui assurait à coup sûr le succès de l'entreprise. En même temps, j'étais convaincu de la sincérité de la démarche de Renoir qui devait croire, dur comme fer, aux possibilités de Jean dans la tragédie shakespearienne. J'y croyais bien moi-même.

Pendant que je réfléchissais à la façon la plus délicate de l'avertir de son erreur, Jean soliloquait sur les avantages et les inconvénients de reprendre un rôle qui avait été créé avec autant d'autorité et de talent par Jules (Raimu). *César*, d'ailleurs, à ma connaissance, n'avait jamais été créé au théâtre, Marcel Pagnol l'ayant écrit directement pour le cinéma pour faire une suite aux triomphes de *Marius* et de *Fanny*.

— Je vais réfléchir, je dois rappeler le « Gros » dans quarante-huit heures pour lui donner ma réponse...

Cette conclusion de Jean m'incita à me jeter à l'eau sur la pointe des pieds, redoutant que son coup de téléphone à Renoir n'aggrave l'imbroglio.

Jean m'écouta, complètement éberlué, puis quand il eut compris la confusion qu'il avait faite, il éclata de rire.

— Mais il est fou, le « Gros » !... Moi en péplum ! Merci, j'ai déjà « donné » avec Ponce Pilate et ça m'a suffi ! Jouer la tragédie ! Et Shakespeare, en plus ! Mais il est complètement dingue de me proposer un truc pareil !...

J'eus beau lui faire part de ma propre conviction, sachant qu'elle comptait encore moins que celle de Renoir, lui dire que je le voyais davantage en tragédien shakespearien et en Jules César qu'en bistrotier marseillais avec un accent méridional fabriqué, il n'en démordit pas. Sans attendre le délai de réflexion que lui avait accordé Renoir, il était décidé à lui téléphoner dès le lendemain pour lui donner sa réponse négative.

Ce qu'il fit, naturellement.

Cette anecdote illustre donc parfaitement l'aversion qu'avait Jean envers les personnages historiques, anciens ou modernes, costumés ou pas costumés.

Je me suis souvent demandé par la suite s'il avait avoué sa méprise à Renoir, et dans le cas contraire, si Renoir avait lui-même compris qu'ils n'avaient pas parlé de la même chose lors de leur première conversation. Je n'ai jamais osé poser la question, ni à l'un ni à l'autre[26].

Début 1935, *Variétés* réalisé par Nicolas Farkas donnait à Jean, comme partenaire, la première star française de l'époque : Annabella.

Dans toutes les filmographies de Jean Gabin, on place le tournage de *La bandera* avant *Variétés*. Erreur qui n'est pas sans conséquences à plus d'un titre, mais surtout dans la compréhension de l'évolution de la carrière de Jean Gabin. On peut en effet dire que *Variétés* est le dernier film qu'il ne choisit pas, *La bandera,* au contraire, ouvrant la voie royale des films voulus et déterminés par lui.

Fernand Gravey, jeune premier de comédie très à la mode et qui venait de se révéler dans *Si j'étais le patron,* et *Fanfare d'amour*[27], était, avec un talent d'acteur dramatique qui s'affirma par la suite, le troisième élément d'un trio de trapézistes que des rivalités amoureuses finissaient par séparer. Le décor du cirque et les personnages de trapézistes rappelaient le *Variétés* du réalisateur allemand André Ewald Dupont, tourné en 1925, mais ce n'était cependant pas le remake du film muet, l'intrigue étant différente.

On peut s'étonner aujourd'hui que Jean ait accepté ce rôle assez antipathique (il tentait par jalousie de tuer son partenaire au cours de leur numéro de trapèze) et d'amoureux qu'Annabella délaissait au profit de Gravey. Outre l'envie de jouer auprès d'Annabella, on peut trouver deux ou trois autres explications à cette décision. Jean, qui attendait que Duvivier finisse *Golgotha* pour faire avec lui *La bandera,* avait un trou dans son programme.

D'autre part, les 350 000 francs[28] qu'il obtint de Natan pour ce rôle représentaient sans aucun doute un solide argument.

« Je suis allée trouver Émile Natan avec qui Jean était sous contrat pour trois ans à 40 000 francs par an seulement, déclarait Doriane à ce propos. J'obtins qu'il le déliât, payai moi-même le dédit, et, persuadant Natan des dons de Jean *(sic)*, je réussis à lui faire confier le grand rôle de *Variétés*. Ce premier film lui rapporta 350 000 francs... »

Cette version de Doriane de la situation de Jean à cette époque est pleine d'inexactitudes, en raison, toujours, de ce qu'elle veut abusivement prouver qu'elle a « fait » sa carrière.

D'abord, le contrat qu'il avait signé avec Pathé-Natan en 1930 pour trois ans était non seulement clos quand Doriane rencontra Jean, mais celui-ci avait même obtenu son abrogation à l'amiable dès la fin de 1932. En outre, Jean n'était pas payé 40 000 francs par an, mais par film.

« Pour un débutant, disait Jean en se rappelant cette époque, ce contrat Pathé-Natan avait été une bonne affaire car j'ai finalement tourné assez peu de films pour cette production[29]. J'avais même été libre de faire des films pour d'autres sociétés[30] et les plus intéressants, je crois. »

La seule vérité qu'on puisse accorder à Doriane dans cette déclaration, c'est les 350 000 francs qu'elle obtint d'Émile Natan pour *Variétés*. Il n'avait jamais en effet touché jusqu'à ce moment une somme aussi importante. Natan, d'ailleurs, devait revendre ce contrat à la Bavaria allemande qui produisit le film qui fut tourné à Berlin.

Annabella, star européenne, jouait les deux versions, française et allemande, alors que dans cette dernière Jean cédait la place à Hans Albert, et Fernand Gravey à Attila Horbiger.

« Ce fut un film très dur pour moi, se souvient Annabella[31]. En raison des deux versions, mais aussi à cause des efforts physiques qu'exigeait mon rôle de trapéziste, alors que j'ai toujours eu le vertige. Jean était le plus attentionné des partenaires et, dans la vie, le plus charmant garçon qui soit. Il était drôle et avait un langage très personnel, éblouissant. Ce n'était pas de l'argot, ni même le langage qu'Audiard lui a fait parler plus tard dans leurs films.

Pour m'épater, il s'amusait des fois à me parler en verlan, mais autrement il maniait une langue très colorée qui n'appartenait qu'à lui.

Malgré l'estime et la sympathie que nous avions l'un pour l'autre, nous n'avons jamais été familiers ni intimes. Je n'ai, par exemple, jamais déjeuné ou dîné avec lui à cette époque-là. J'aimais mon métier, mais le travail fini, je vivais un peu à l'écart. Je venais d'ailleurs de me marier avec Jean Murat.

Le film a été marqué par un accident dont j'ai été victime. Je faisais un numéro de dressage avec un ours. Pour les commodités du tournage, il y avait aussi un " faux " ours. C'est évidemment le vrai qui, lors d'une prise, s'est jeté sur moi. J'ai eu les chevilles presque brisées et le film a été interrompu. Je devais reprendre le tournage avec des pansements aux jambes. C'était pénible et j'étais épuisée.

Je raconte cela pour parler de Jean, car, dans ces instants-là, il se montrait encore plus attentionné qu'à l'ordinaire. A cause de mon accident, nous avions pris du retard, et il aurait dû exprimer quelque impatience car il était pressé d'en terminer pour faire son film suivant, qui allait être *La bandera*. Il en était obsédé et en parlait tout le temps. Le personnage qu'il s'apprêtait à jouer, Gilieth, le fascinait et il pensait que ce serait son premier très grand rôle. Il avait, je crois, beaucoup investi de lui-même dans ce film.

Il me parlait aussi d'une extraordinaire et authentique danseuse berbère qui serait sa partenaire. »

La bandera que Jean allait enchaîner tout de suite après *Variétés* est le premier film phare de sa carrière, le premier d'une longue et prestigieuse série qu'il appelait en termes sportifs son « palmarès ».

« J'ai découvert *La bandera,* déclarait Doriane parlant du roman de Pierre Mac Orlan, trouvé des commanditaires, soumis le projet à Duvivier, et bataillé deux ans pour la réussite du projet. »

Cette fois, Doriane n'est pas loin d'une partielle vérité. Il est probable que c'est elle qui a incité Jean à lire des livres dans le but de rechercher des sujets de films. Cela peut donc être le cas de *La bandera* dont Jean acheta les droits avec Duvivier, et il semble, en effet, qu'il éprouva beaucoup de difficultés à trouver le producteur qui s'y intéressât autant que lui-même.

On entend couramment dire, concernant ces années-là, qu'avec Jean Gabin on montait n'importe quel film. Ce n'était pas toujours vrai et, en tout cas, pas des films que Jean voulait précisément faire avec les scénaristes et les metteurs en scène de son choix, et sur des histoires également admises et défendues par lui. *La belle équipe, La grande illusion, Quai des Brumes, Le jour se lève,* pour ne parler que de ces œuvres marquantes, furent pour Jean autant de combats obstinés pour parvenir à les faire admettre aux producteurs, et ensuite les mener jusqu'au bout.

Le projet de *La bandera,* malgré Gabin et Duvivier, connut donc quelques aléas avant d'être pris en charge par la Société Nouvelle de Cinématographie, qui n'eut pas à le regretter.

En apparence, le thème avait pourtant de quoi séduire l'esprit généralement « romanesque » des producteurs : le héros est un légionnaire qui combat pour la patrie dans les confins marocains. Le thème du légionnaire est, en effet, à la mode alors, et l'exotisme et le colonialisme guerriers qu'il représente, aussi. Mais dans l'adaptation faite par Duvivier et Charles Spaak du célèbre roman populaire de Pierre Mac Orlan, Pierre Gilieth (Gabin) n'est pas exactement le « beau légionnaire qui sent bon le sable chaud » de la chanson. Il n'a rien à voir avec les brillants militaires, propres sur eux et dans leur cœur, des films de Marcel L'Herbier ou de Jacques de Baroncelli qu'interprétait si dignement Victor Francen par exemple, et qui connaissaient une incontestable vogue populaire.

Gilieth est un homme qui en tue un autre dans une bagarre, du côté de la rue Saint-Vincent, à Montmartre.

Dès le départ, il est marqué par le destin et la fatalité, pierres angulaires sur lesquelles une facette essentielle du « mythe Gabin » va se construire. Pourchassé, Gilieth n'a d'autre issue que de tenter de se dissimuler dans la Légion étrangère — celle d'Espagne —, *La bandera.*

Mais un policier obstiné, Lucas (Le Vigan), l'y rejoint. Gilieth le démasque, pourrait le tuer, mais l'épargne. Assiégés dans un fortin par les rebelles, seuls survivants, Gilieth et Lucas se « découvrent » tous deux victimes de la société, un peu à la manière de Jean Valjean et Javert. Gilieth est tué, et Lucas s'en va, porteur de la mémoire de son compagnon.

« *La bandera* est un film foisonnant de qualités, où le talent éblouissant de Jean Gabin se concilie avec la superbe technique de Julien Duvivier qui a tracé son récit cinématographique d'un seul trait, pur et net... », disent du film Philippe Barbier et Jacques Moreau[32].

« Le type de mauvais garçon au grand cœur, du " marginal " romantique, prend ici ses racines », ajoutent J.-C. Missiaen et Jacques Siclier[33].

La bandera fut un succès populaire considérable et pour la première fois, Jean portait pratiquement à lui seul le poids du film sur les épaules, comme on dit dans le métier, malgré les remarquables comédiens qui complétaient la distribution : outre Robert Le Vigan, Pierre Renoir, Aimos, Charles Granval, Gaston Modot, une presque débutante y faisait une apparition, Viviane Romance. La surprise, c'était aussi de trouver dans un rôle relativement secondaire et sous les traits de Aïscha la Slaoui... Annabella !... La star française numéro 1...

« J'avais terminé *Variétés* extrêmement fatiguée, et j'étais un peu lasse du cinéma car j'avais, ces dernières années-là, beaucoup tourné, confie aujourd'hui Annabella[31]. J'avais donc décidé de m'accorder de longues vacances, et refusé de signer pour quelque temps tout contrat. Le cœur léger, j'avais dit au revoir à Jean, à la fin du tournage de *Variétés*, en lui souhaitant bonne chance pour sa chère *Bandera* qu'il allait commencer immédiatement aux studios de Joinville.

Je partis me reposer dans la maison de mes parents au Pilat près d'Arcachon avec des livres à lire, l'impérieux besoin de ne rien faire et surtout de ne pas être dérangée, au point de refuser même de répondre au téléphone.

Il y avait à peine quelques jours que j'étais installée dans ma " retraite " que ma mère vint m'avertir qu'un monsieur voulait me voir. J'étais décidée à être impolie et refusai de le recevoir. Le monsieur en question précisa qu'il venait de la part de Jean Gabin et que c'était très important.

Le nom de Jean Gabin fit l'effet du " Sésame ouvre-toi " du conte. C'était en fait le directeur de production de *La bandera* dont le tournage avait commencé. Par son intermédiaire, Jean me faisait savoir que le film était au bord de la catastrophe car la danseuse berbère qu'ils avaient engagée pour pratiquement l'unique rôle féminin était bien une extraordinaire danseuse, mais ne savait absolument pas jouer la comédie.

Jean me suppliait donc de la remplacer au pied levé.

Je n'ignorais rien des sacrifices de toutes sortes qu'il avait faits pour ce film, du feu sacré qui l'avait animé pour faire aboutir le projet. J'ai pensé aussitôt que je devais l'aider et répondre à son appel.

J'acceptai donc mais demandai quelques jours de délai car mes blessures aux chevilles me faisaient encore souffrir. L'émissaire de Jean me précisa alors qu'en réalité on comptait que je prenne le soir même le train pour Paris, car mon personnage figurait dans une grande scène avec deux cents figurants, dont le tournage était prévu pour le lendemain aux studios.

A peine le temps de faire mes valises, le lendemain, à l'aube, j'étais aux studios à Joinville, entourée d'une équipe fébrile qui me maquilla à la hâte en fille berbère et m'habilla du costume d'Aïscha la Slaoui qui allait épouser Gilieth le légionnaire, selon la coutume de sa tribu, par l'échange du sang.

Mon rôle était court, et on s'étonna un peu, à l'époque, que je l'aie accepté. J'en donne donc ici les raisons profondes, car, bien que Jean exigeât des producteurs que je fusse payée au prix de mes contrats habituels, il est tout à fait certain que, malgré cela, dans l'état d'esprit dans lequel je me trouvais alors, je n'aurais pas accepté de faire ce film si ce n'avait pas été pour lui. C'est vous dire à quel point Jean suscitait la plus grande estime de la part de ceux, dont j'étais, qui l'approchaient, et cela, sans même être réellement amis...

Le tournage aux studios terminé, mon rôle s'achevait.

Je retournai au Pilat poursuivre mes précieuses vacances et laissai partir Jean et l'équipe du film au Maroc où se situaient les extérieurs dont je ne faisais pas partie. Jean me remercia simplement, mais avec cette gentillesse qui a été pour moi le trait dominant de son caractère.

Je ne devais pratiquement pas le revoir avant plusieurs années et ce fut à Hollywood en 1942. C'est là, dans la maison où il vivait avec Marlène Dietrich, que je devais dîner pour la première fois de ma vie avec lui en compagnie de mon mari Tyrone Power, d'André Daven et Danielle Parola.

Cela prouve que, dans ce métier, il n'est pas toujours nécessaire d'avoir des relations suivies pour que certaines personnes suscitent en vous le souvenir d'une amitié et d'une affection fidèles.

Jean, que je ne devais plus jamais revoir après 1945, était de ces rares personnes-là. »

Très décrié aujourd'hui, taxé d'esprit colonialiste et raciste — les rebelles arabes sont évidemment des « salopards » et le film est dédié au général Franco encore « républicain » à l'époque, et patron de la Légion étrangère espagnole —, *La bandera*, en fait, s'inscrivait alors dans le courant d'un romanesque populaire, majoritairement admis à l'époque, mais qui, de nos jours, est fort heureusement aussi majoritairement dépassé. D'où ce rejet qui accable le film à présent, à quoi s'ajoute un style « Duvivier » qui, pour être resté d'une certaine efficacité dramatique, n'en a pas moins vieilli.

Jean lui-même qui avait cependant conservé une affection nostalgique pour *La bandera* admettait qu'il avait, selon son expression, « pris un coup de vieux ». Il avait d'ailleurs tendance à considérer beaucoup de ses films d'avant-guerre, même les plus légendaires, comme ayant mal vieilli, à l'exception peut-être de *La grande illusion* que, curieusement, il n'avait pas considéré en son temps comme un de ses meilleurs films. De même, il lui arrivait de juger ses propres créations, même les plus mythiques, avec sévérité

*

Je cherchais à faire de bons films en tournant des histoires auxquelles je croyais, et avec des scénaristes et des metteurs en scène dont j'admirais le talent. Je me suis battu, durant ces années-là, pour ça, et je me battais pendant le tournage pour que les producteurs ne viennent pas tout foutre en l'air par leurs conneries.

J'ai toujours soutenu à fond mes metteurs en scène et mes scénaristes. J'étais bien payé quand je tournais, mais il m'est arrivé de faire des sacrifices, c'est-à-dire prendre moins de carbure pour inciter un producteur à faire le film comme, par exemple, *La belle équipe*.

J'ai refusé des contrats mirobolants pour des films à la noix que je ne voulais pas faire. J'aurais pu m'en mettre plein « in the pocket » si j'avais pas décidé de ne tourner qu'avec des types comme Duvivier, Renoir, Carné ou Grémillon.

Aujourd'hui, les films que j'ai faits avec eux sont devenus des classiques, certains des chefs-d'œuvre, à ce qu'il paraît, et on se les repasse et repasse dans les cinémathèques et les universités du monde entier, et des types plus intelligents que nous — que moi en tout cas —, des intellectuels, des historiens, des spécialistes de l'art, les dissèquent au scalpel de leur pur esprit.

Nous, on savait pas qu'on faisait des films dont on allait encore parler des décennies plus tard. On essayait seulement de bien faire notre boulot, chacun à son poste, et des films que le public attendait. Des fois, on se plantait. Quand ça arrivait, ça rendait seulement le prochain encore un peu plus difficile à monter et à imposer aux producteurs. Mais on regrettait rien parce qu'on avait la conscience tranquille, qu'on avait fait à peu près ce qu'on avait voulu et qu'en plus, souvent, on s'était bien marrés.

Faire des films en se marrant, ce n'est plus beaucoup le cas aujourd'hui où les plateaux sont devenus des cathédrales, avec cette différence qu'on n'y prie pas — ou si on y prie, c'est pour que le film fasse le maximum de fric — mais on pense. Car les « penseurs » ont envahi notre métier de saltimbanques et dans le même temps ils ont vidé les salles de cinéma.

Moi, j'ai toujours dit que, pour faire un bon film, il faut trois choses : premièrement une bonne histoire, deuxièmement une bonne histoire, et troisièmement une bonne histoire !... On me convaincra pas que le cinéma puisse être autre chose... Le reste c'est de la littérature d'empapaouteurs de mouches.

6.

LES GLORIEUSES ANNÉES GABIN

La bandera n'a fait que préluder aux cinq glorieuses années de Jean Gabin dont le nom, dès lors, s'identifie au meilleur de l'histoire du cinéma français de ce temps-là.

Les autres films les plus importants qui ont compté sans lui à cette époque sont, curieusement, écrits et réalisés par ses scénaristes et ses metteurs en scène attitrés. On pense notamment au *Crime de monsieur Lange* et à *La règle du jeu* de Jean Renoir, à *Drôle de drame* et *Hôtel du Nord* de Marcel Carné, à *L'étrange monsieur Victor* de Jean Grémillon.

Jean est devenu et restera cinq années durant l'incontestable acteur numéro 1 du cinéma français, et même du cinéma européen.

On peut s'interroger sur la suite de sa carrière, si la guerre ne l'avait arrêtée net. A ce moment-là, sa popularité est immense et ce qu'il représente auprès des producteurs et des financiers lui permet en effet d'imposer ses choix. Pas toujours facilement d'ailleurs, car les sujets qu'il veut tourner n'apparaissent pas toujours très commerciaux, parce que les metteurs en scène avec lesquels il désire travailler ne sont pas toujours en odeur de sainteté. Mais il tiendra bon, avec un courage et une honnêteté que pratiquement tout le monde lui reconnaît.

Alors ! Le Jean Gabin qui doutait d'être fait pour ce métier, l'homme qui rêvait seulement d'un bout de terre à cultiver et de bêtes à élever, a-t-il disparu ? Pas vraiment. Mais pris dans le maelström du succès et de la gloire, il reporte un peu ses projets, et en attendant il s'achète une petite propriété en Eure-et-Loir, à Berchères-sur-Vesgre, proche de celle de son grand copain Gabriel Gabrio avec qui, dans ses rares moments de loisir, il va à la chasse ou à la pêche.

Pour entretenir ses rêves, il y entreprend un élevage de poules qui ne durera qu'un temps.

D'autre part, contre toute évidence mais avec une intime conviction, il continue à penser — et il le pensera pratiquement toujours — qu'il est comédien contre nature, sa nature profonde étant faite de pudeur, de timidité, de non-exhibitionnisme.

Un jour, très tard dans sa vie, il fera même cet aveu féroce teinté de cette misogynie qui lui était venue :

— C'est un métier de gonzesse !

« Le plus dur pour moi a été de réaliser le poids que je pesais dans la balance, disait Jean en évoquant cette période 35-40 de sa carrière. Je n'étais pas et je ne suis toujours pas plus modeste qu'un autre, mais c'est quand même difficile de mettre les pieds dans le plat en disant : “ A partir de maintenant, c'est moi qui décide et si vous voulez m'avoir, vous n'avez qu'à fermer vos gueules et me laisser faire ! ” »

On peut, en tout cas, être certain, sur ce point, de l'influence de Doriane. Elle a eu le mérite d'avoir su faire comprendre à Jean le sens réel du pouvoir de décision que désormais il détenait. Avec juste raison, elle s'est aussi évertuée à faire monter les prix de ses contrats.

A-t-elle été aussi déterminante qu'elle l'a prétendu dans le choix de ses sujets ? C'est possible pour un ou deux. On ne trouve, en effet, guère de trace d'un rôle joué par Doriane dans les témoignages recueillis auprès des principaux protagonistes des films importants de Jean à cette époque. A part celui que lui attribue Marcel Carné dans son livre de souvenirs [1] concernant la genèse de *Quai des Brumes* mais qui, en réalité, se révèle faux.

Ce qui est plus certain, répétons-le, Doriane a lu pour Jean et l'a incité à lire lui-même. Ce rôle, même s'il a été limité aux deux ou trois premières années de leur union, a été d'une certaine importance puisqu'il a habitué Jean à poursuivre dans cette voie et à se montrer toujours plus exigeant sur le choix des films qu'il voulait tourner. Il est évident aussi que les rapports de complicité et d'amitié qu'il avait établis avec des gens comme Renoir, Carné, Prévert, Spaak ou Grémillon ont fait le reste.

De cette période prestigieuse pour lui, Jean en parlait souvent dans les années d'après-guerre et parfois avec des sentiments mêlés. Il en était fier certes, et ne regrettait rien, sinon les films qu'il aurait aimé aussi tourner mais qu'il n'a pas faits, faute de temps, faute aussi pour certains de n'avoir trouvé personne pour l'aider à les monter.

— Je me suis souvent mouillé tout seul au départ d'un film, disait-il, en achetant les droits d'un bouquin. Je m'en suis bien pris quatre ou cinq qui me sont restés sur le dos, en pertes plutôt qu'en profits. J'ai tenu des films à bout de bras pour que Renoir ou Carné puissent les réaliser, et après je les tenais encore à bout de bras pour qu'ils puissent les terminer comme ils le voulaient. Ça faisait que j'étais en bagarre continuelle avec les producteurs.

Nous étions en 1953-1954 quand Jean parlait ainsi. Il était encore plongé dans ce qu'il appelait sa « période grise » et, sans être vraiment amer, il était pour le moins déçu qu'on ait alors un peu oublié ce qu'il avait représenté avant la guerre, et les exigences qu'il avait eues dans l'exercice de son métier.

« On me proposait trente films par an, et j'aurais pu faire comme certains de mes camarades qui tournaient beaucoup et souvent n'importe quoi. Ça ne les a pas empêchés de faire de grandes carrières et en s'en mettant plein les poches, en plus ! »

Assurément, il pensait à Fernandel, à Raimu, en disant cela. Très vite il rectifiait :

« J'ai pas de regrets. J'ai travaillé avec des types formidables comme Renoir, Duvivier, Spaak, Prévert, Grémillon, Mac Orlan, Carné, Jeanson, Trauner, Kosma, Jaubert... J'en oublie... Sans parler de mes partenaires comédiens, il faudrait que je cite tous les génériques de mes films. C'étaient des acteurs et des actrices de premier ordre que j'ai aimés. »

Il revenait aussi souvent sur les films qu'il avait voulu faire pendant cette période (1935-1940) et notamment sur certains d'entre eux qui, après tant d'années, le hantaient encore.

« J'ai failli faire un *Nungesser* d'après un scénario de Charles Spaak. Pagnol m'a demandé de jouer Panturle de *Regain* mais j'étais pas libre et c'est Gaby (Gabriel Gabrio) qui l'a fait. J'ai acheté les droits de *Rumeurs* de Simon Gantillon, en vain. Ceux de *Martin Roumagnac* de Pierre-René Wolf, et j'ai fait ce film seulement en 1946, et je me suis planté avec, mais j'y croyais.

Il y a eu aussi le *Coup de grâce* de mon copain Joseph Kessel... Pas fait !... Je voulais faire *Le facteur sonne toujours deux fois*[2] avec Renoir qui n'a pas voulu, puis avec Carné et ça ne s'est pas arrangé non plus. C'est Pierre Chenal qui l'a fait en 1939 avec Fernand Gravey... Moi qui n'aime pas les films costumés, j'étais quand même partant pour un *François Villon* et aussi pour un *Jean-François de Nantes*.

Il y a eu encore *Train d'enfer* de Grémillon qu'on n'a pas fait, et *Casque d'or* qui s'est fait ensuite avec le môme Reggiani et Simone Signoret.

J'ai voulu tourner *La terre* d'après Zola, mais ni Renoir ni Duvivier n'ont voulu, alors !... J'aimerais toujours le tourner, mais...

Et puis il y a eu aussi *Le voyage au bout de la nuit* de Céline. Ça a été longtemps mon livre de chevet à cette époque. C'était en 36, le Front populaire, tout le monde trouvait Céline génial, mais personne ne voulait se mouiller dans ce projet, à ce moment-là avec moi... C'est peut-être aujourd'hui un peu tard d'espérer encore jouer Bardamu, mais j'aimerais pourtant... Ça doit pas être plus facile de monter ça maintenant qu'avant la guerre[3]. »

On oublie souvent aujourd'hui que Jean en prenant des risques sur des films qui sont à présent devenus des « classiques » a aussi parfois rencontré l'échec. Le plus bel exemple étant celui de *La belle équipe.*

Là encore, Doriane se donne le beau rôle, et très probablement abusivement.

« Lorsque Charles Spaak vint m'apporter le scénario de *La belle équipe,* aucun producteur ne voulait faire le film. A force de persuasion, je finis par décider un fabricant de produits pharmaceutiques à le commanditer. »

On ne doute pas, en effet, que Doriane ait gardé certaines de ses relations richissimes d'avant Jean. Toutefois, on voit mal Charles Spaak qui, comme de nombreuses autres personnes qui entouraient professionnellement Jean, n'aimait guère Doriane dont on se méfiait, venir s'adresser particulièrement à elle.

Ce qui est authentique, par contre, c'est que l'esprit du scénario de *La belle équipe* n'inspirait guère les producteurs qui, pour la plupart, redoutaient les conséquences du grand tumulte qui agitait alors la France et les Français. Car nous étions en 1936, et le Front populaire allait exploser.

« C'est vers la fin de 1935 que Duvivier et moi avons jeté sur le papier les premiers éléments du scénario qui allait devenir *La belle équipe,* me racontait un jour, il y a fort longtemps — c'était en 1947 —, Charles Spaak[4].

Comme nous sortions de *La bandera,* que je m'étais personnellement bien entendu avec Gabin, Duvivier aussi cela va de soi, nous lui avions raconté notre petite idée, et Jean s'était aussitôt montré enthousiaste. Cette histoire de copains chômeurs qui gagnaient à la loterie nationale (qui venait d'être instituée), et décidaient de mettre leurs gains en coopérative pour devenir propriétaires d'une guinguette sur les bords de la Marne, enchantait Jean. C'était remarquable de sa part, car, devenu star numéro 1 avec le succès de *La bandera,* il acceptait que son rôle n'écrase pas trop ceux de ses compagnons.

J'ai commencé l'écriture du scénario sans contrat de production car nous étions confiants, certains que la présence et le soutien inconditionnel de Gabin feraient que nous n'aurions aucun problème pour monter le film.

Ce ne fut pas tout à fait le cas, et les choses ont traîné un peu.

Jean, à qui on proposait beaucoup de films durant ce temps, a patiemment attendu sans tourner pendant quelques mois et s'est battu pour que le film se fasse.

Au départ, le sujet s'inspirait de la situation sociale de fin 1935, début 1936, le chômage, les grèves... Le triomphe de la gauche aux élections de 1936 et ce qui se dégage de l'esprit du Front populaire ne s'inscrivirent dans le scénario qu'ensuite, au fur et à mesure de l'évolution de la situation que nous suivions avec beaucoup d'intérêt.

Mais cette histoire d'ouvriers ne rencontrait pas l'adhésion des producteurs qui, eux-mêmes patrons, sentaient avec frayeur venir le boulet du Front populaire.

Par ailleurs, j'étais personnellement débordé par l'écriture, en même temps, de plusieurs scénarios.

A la même époque, Renoir m'avait en effet apporté l'idée qui allait devenir *La grande illusion* et d'autre part j'arrangeais aussi le scénario d'un autre film de Renoir, *Les bas-fonds*. Curieusement, les trois films avaient comme point commun Jean Gabin. C'est dire l'importance de Jean dans notre univers de création.

Sans lui, d'ailleurs, ces films ne se seraient pas faits, tant leurs sujets, et à des titres divers, rencontraient la réticence, pour ne pas dire plus, des producteurs contactés.

Renoir, par exemple, qui avait fait des œuvres importantes mais qui n'avaient pas très bien marché commercialement, suscitait une véritable hostilité de la part des producteurs.

L'un d'eux, apprenant que je travaillais sur un projet avec lui, avait eu cette réflexion :

— Vous allez vous commettre avec cet homme qui fait des films où l'on crache par terre !

Évidemment, il n'était jamais venu à l'idée de Marcel L'Herbier de faire cracher par terre Victor Francen.

Chez Renoir, quand ses personnages faisaient l'amour, ils transpiraient et cela choquait beaucoup les âmes sensibles de nos producteurs.

Donc, je travaillais sur le scénario de *La belle équipe* pour Julien Duvivier, quand Renoir venait me voir pour me parler des *Bas-fonds* et de *La grande illusion*. Il lisait un peu par-dessus mon épaule et s'enthousiasmait au fur et à mesure qu'il découvrait le sujet de *La belle équipe*. Renoir était très engagé politiquement, auprès du parti communiste, et dans bien des meetings son portrait trônait à côté de celui de Maurice Thorez ou de Marty.

La belle équipe avait pour lui un parfum très proche de ses idées. Il commençait aussi à avoir des doutes concernant *La Grande Illusion,* au point qu'il n'était plus très sûr d'avoir envie de tourner ce film. Il finit par me dire ce qu'il avait dans la tête. Il souhaitait faire un échange de sujets avec Duvivier : *La grande illusion* contre *La belle équipe*.

Il me chargea d'aller présenter cette proposition à Duvivier qui tournait à Prague *Le Golem*.

Suspicieux, Duvivier prit connaissance du thème de *La grande illusion* et déclara tout net que cette histoire de prisonniers français pendant la guerre de 14-18 qui cherchent à s'évader ne l'intéressait pas le moins du monde et que, au reste, il était certain qu'elle ne ferait pas un sou. »

Le scénario de *La grande illusion*, qui fut présenté à Duvivier par Spaak à Prague, était loin d'être celui que Renoir tourna par la suite. Mais il serait hasardeux de dire que c'est la raison pour laquelle Duvivier le refusa : il tenait essentiellement à sa *Belle équipe*.

« Je revins donc à Paris et fis part à Renoir du refus de Duvivier. Il en fut un moment accablé, poursuivait Spaak. Mais on connaît la suite : *La belle équipe* malgré toutes ses qualités ne rencontra pas la faveur du public et fut un échec, *La grande illusion* un succès considérable. »

« On a tous cru à *La belle équipe* et moi le premier, racontait Jean Gabin. Cette histoire d'ouvriers qui se mettaient en coopérative, on croyait que c'était quelque chose que les gens avaient envie de voir. On était en plein " Front popu ". On parlait des " lendemains qui chantent " et des " belles espérances ". Tiens donc!

« C'était pendant qu'on tournait, car, quand le film est sorti, les " lendemains qui chantent " chantaient toujours pas. Quant aux " belles espérances ", elles s'étaient déjà fait la malle! On avait mis à côté de la plaque, et c'était dur à avaler, ce bide-là! »

« De nous trois, Duvivier, Gabin et moi, disait Charles Spaak, Jean était évidemment le plus proche des personnages de *La belle équipe* et de l'histoire que nous racontions. Il avait été ouvrier et chômeur dans son jeune temps et il était encore resté très près de ses origines populaires. En plus, il adorait la campagne, le côté rivière et guinguette, la vie à la bonne franquette, la compagnie des copains avec lesquels on partage le haricot de mouton et avec qui on joue à la belote. De nous trois, sans être engagé le moins du monde politiquement — encore qu'il se laissait parfois entraîner par Renoir dans certains meetings politiques[5] —, il était celui qui était le plus sensible aux idées de justice sociale et de fraternité que véhiculait le Front populaire.

Ce n'est pas que Duvivier et moi en étions moralement éloignés, au contraire, mais nous restions sceptiques quant à la finalité de tout ça.

Dans notre scénario, la fin de *La belle équipe* reflétait parfaitement ce scepticisme, puisque les cinq copains ouvriers allaient à l'échec dans leur entreprise communautaire et que Gabin et Vanel, restés seuls, se déchiraient pour une belle garce jouée par Viviane Romance.

Gabin allait jusqu'à tuer Vanel et finissait en prison. »

Il est certain que le pessimisme foncier de Duvivier s'accordait mal avec l'optimisme soulevé par les idées du Front populaire dans certaines couches de la population.

Il rejoignait aussi le goût de Charles Spaak pour les fins « dramatiques ». Il est clair que ni l'un ni l'autre n'avaient voulu faire un film « engagé », comme on dit aujourd'hui, mais plus simplement un film qui reflétait un certain climat social de l'époque sans aller jusqu'à y introduire, comme le remarque Geneviève Guillaume-Grimaud[6], « une critique de la société (...) Le ressort principal restant la fatalité comme dans de nombreux films de l'époque », et elle cite en particulier les films de Carné-Prévert, de Duvivier-Spaak et *Pépé le Moko*.

La belle équipe, avec sa fin tragique et pessimiste, aurait dû rassurer les producteurs puisque ainsi l'œuvre s'inscrivait dans un romanesque « traditionnel » qui n'était guère fait pour éveiller les velléités révolutionnaires des spectateurs.

Malgré cela, le producteur exigea que fût tournée une fin optimiste. A savoir que Jean Gabin ne tuait plus Charles Vanel, et que leur amitié et la cause pour laquelle ils s'étaient battus — leur guinguette — l'emportaient.

Duvivier, Spaak et Gabin acceptèrent de tourner cette autre fin, persuadés qu'elle ne serait jamais utilisée.

Sorti en septembre 1936 avec sa fin « pessimiste », *La belle équipe* fut un échec dès les premiers jours. Curieusement, le public boudait « a priori » sans même savoir de quoi il s'agissait exactement, ni si la fin était « heureuse » ou « malheureuse ». D'autre part, la presse de droite n'aimait pas le scénario et celle de gauche était hésitante, insatisfaite en particulier de cette fin « démobilisatrice ».

— Je vous l'avais dit, larmoyait le producteur, une histoire d'ouvriers n'intéresse personne, et surtout pas les ouvriers.

Pour la première fois en France — cela se faisait aux États-Unis —, on décida de soumettre au verdict d'un référendum public les deux fins du film. Au cinéma Le Dôme à la Varenne (proche du décor champêtre où fut tourné le film), le public populaire d'un samedi soir, à qui l'on projeta le film suivi des deux fins, se prononçait à une forte majorité — 305 voix sur 366 — pour la fin heureuse.

Le producteur triomphait. Duvivier, Spaak et Gabin étaient

atterrés. *La belle équipe* allait donc désormais être exploitée avec son happy end. Pour l'étranger, la fin « pessimiste » fut conservée.

Mais rien n'y fit, et l'échec de *La belle équipe* se confirma.

« On s'est longtemps posé des questions sans trouver les réponses, disait Jean près de vingt ans après la sortie de *La belle équipe*. Par exemple, je chantais dans le film une chanson *Quand on s'promène au bord de l'eau* qu'avaient écrite Dudu et Louis Poterat, sur une musique de Maurice Yvain. Cette chanson, toute la France l'a chantée à cette époque. Curieusement, la chanson a eu plus de succès que le film. Incompréhensible ! »

En voici d'ailleurs le texte :

Du lundi jusqu'au samedi pour gagner des radis
Quand on a fait sans entrain son boulot quotidien
Subi le propriétaire, l'percepteur, la boulangère
Et trimbalé sa vie d'chien
Le dimanche vivement on file à Nogent
Alors brusquement tout devient charmant.
Refrain :
Quand on s'promène au bord de l'eau
Comme tout est beau, quel renouveau
Paris au loin nous semble une prison
On a le cœur plein de chansons.
L'odeur des fleurs nous met la tête à l'envers
Et le bonheur nous sourit pour pas cher
Chagrins et peines de la semaine
Tout est noyé dans le bleu dans le vert...
Un seul dimanche au bord de l'eau
Au trémolo des p'tits oiseaux
Suffit pour que tous les jours semblent beaux
Quand on s'promène au bord de l'eau.

J'connais des gens cafardeux
Qui tout l'temps s'font des cheveux
Et rêvent de filer ailleurs
Dans un monde meilleur
Y dépensent des tas d'oseille
Pour découvrir des merveilles
Ben moi ça m'fait mal au cœur
Car y a pas besoin pour trouver un bon coin
Où l'on se trouve bien de chercher si loin
Refrain.

Cette chanson était restée une des préférées de Jean, et, nostalgique, il la chantait souvent au cours de soirées, à la fin d'un repas, avec des copains.

Le film suivant, *Les bas-fonds,* qui fut réalisé à la fin de l'été 1936, alors que *La belle équipe* sortait sur les écrans, permit à Jean de rencontrer Jean Renoir pour la première fois. Et cette rencontre fut importante pour les deux hommes sur divers plans.

Jean Renoir avait déjà derrière lui une œuvre importante. *La chienne* (1931), *Boudu sauvé des eaux* (1932), *Toni* (1934), *Le crime de M. Lange* (1935) étaient considérés comme des chefs-d'œuvre. Mais, à la vérité, Renoir n'avait pas encore connu un grand succès public qui aurait définitivement rassuré les producteurs à son égard. Il avait tourné deux fois avec Michel Simon, immense acteur qui, lui non plus, hélas, ne connaissait pas le succès qu'il méritait, sans doute parce que son génie inquiétait.

Avec *Les bas-fonds,* Renoir partait un peu plus à l'aise que dans ses autres films car non seulement il avait Gabin, élément rassurant pour les financiers d'un film malgré l'échec de *La belle équipe,* mais un Gabin qui le soutiendrait de toute son autorité s'il rencontrait des difficultés.

*

J'avais évidemment vu les films de Renoir. Au moment de *La chienne,* j'étais un débutant, et je m'étais dit : « J'aimerais bien que ce type me demande pour un film. » Il ne l'a pas fait. Après *La bandera* (fin 1935, je crois), il est enfin venu me trouver pour me proposer de jouer le rôle de Pépel dans *Les bas-fonds.* C'était Alexandre Kamenka, un Russe émigré, homme charmant et bon producteur, qui voulait faire ça.

J'ai lu la pièce de Gorki et une adaptation faite par Jacques Companez[7] et j'ai dit à Renoir que j'étais prêt à tourner avec lui ce qu'il voulait, que j'aimais bien ce que j'avais lu, mais que je n'étais pas chaud pour interpréter un personnage russe parce que je ne m'y sentirais ni crédible ni vraisemblable.

Il a bredouillé quelque chose d'où il ressortait, à mon grand étonnement, qu'il était bien de mon avis. « Bon, j'ai dit, alors ça colle ! » Il a retravaillé le scénario avec Spaak.

Un peu avant le tournage, ils m'ont fait lire une histoire qui s'inspirait de la pièce de Gorki mais qui se situait en banlieue parisienne : je m'appelais Jean et j'étais amoureux d'une certaine

Marie. Tout était français là-dedans. Au moment où on a tourné, je m'appelais à nouveau Pépel, on disait « kopecks » ou « roubles » pour parler d'argent et il y avait des samovars partout. Je n'y comprenais plus rien, mais je faisais confiance à Renoir que j'appelais le « Gros ». Même si le film avec son air bizarre de crème franco-russe n'a pas connu le succès qu'on espérait, j'ai pas regretté[8].

*

Renoir avait besoin de Gabin pour faire son film, et il est évident que les réticences fort justifiées du comédien à jouer un personnage russe l'ont incité d'une façon impérative à « moderniser » et à évacuer l'atmosphère russe de la pièce.

« Je dois dire que, pour ma part, j'avais été très tenté par une reconstitution exacte. Mais trop d'obstacles s'y opposaient », écrira Jean Renoir plus tard[9].

Parmi ceux-ci, Renoir évoquait les problèmes onéreux d'une reconstitution russe et d'époque (début du siècle). Il envisageait donc différentes options du traitement de la pièce de Gorki, y compris et surtout celle de situer le film en France en donnant aux personnages des noms français, et dans le climat et l'atmosphère d'une banlieue parisienne.

Incité par Gabin et aussi par Charles Spaak, et avec l'accord du producteur Kamenka, c'est dans ce sens que le scénario fut écrit. Qu'est-ce qui fit donc changer d'avis Renoir au dernier moment.... Charles Spaak le raconte dans ses Mémoires et me l'avait confirmé personnellement[4].

« Un membre influent du parti communiste, inquiet de nos audaces, était intervenu auprès de Renoir pour lui conseiller de suivre a la lettre l'œuvre de Gorki... »

Avec l'assentiment plus que réticent de Spaak qui, en fait, en pleurait de rage, dans la précipitation, car on était à la veille du début des prises de vues, Renoir réintroduisit d'une manière anarchique et approximative des éléments « russes » — noms des personnages, ambiance, etc.

Renoir expliqua par la suite[9] qu'il avait délibérément choisi de donner à la pièce une atmosphère absolument « neutre » (*sic*).

En fait le résultat fut bâtard et peu crédible — comme l'avait craint Jean Gabin dès le départ. Malgré cela, l'œuvre garde des moments forts, et reste surtout marquée par les superbes interprétations de Gabin et Jouvet, deux « monstres sacrés » qui se fascinaient mutuellement avec un plaisir évident de se donner la réplique.

L'autre grand mérite des *Bas-fonds* est d'avoir scellé l'association Gabin-Renoir, leur rencontre ayant été ressentie par les deux hommes, pourtant si différents par bien des points, comme un événement important de leur vie et de leur carrière.

*

Si Duvivier m'a appris ce qu'était la technique du cinéma, je dois à Jean Renoir d'avoir compris le métier d'acteur. Ça peut paraître étonnant que je dise ça, mais il m'a fait aimer les comédiens...

On dit qu'il est un grand directeur d'acteurs. Moi, un « directeur d'acteurs », j'ai jamais su exactement ce que c'était, lui non plus probablement. Ce que je sais, par contre, c'est que Renoir « comprend » les comédiens et surtout il les aime. Alors peut-être qu'un grand directeur d'acteurs, c'est ça [10]. Il a compris par exemple qu'on fait un métier de trapéziste qui exige souvent une grande tension et que dans ces moments-là le plus blindé d'entre nous est fragile. Le moindre petit grain de sable peut dérégler la mécanique. Des fois, on a l'impression de faire notre numéro de voltigeur sans filet, et, si on loupe, on se dit qu'on va s'écraser.

Avec Renoir, ça n'arrive pas, parce qu'il est le « filet ». Il est même le « porteur ». Il sait nous rattraper au vol. Avec lui, on est rassuré parce qu'il trouvera toujours le moyen de nous saisir par la main si jamais on part en vol plané. Plus simple encore : on sait qu'à la fin de la scène on va trouver son regard sur nous, un regard compréhensif, chaleureux, amical. Ce n'est peut-être pas Jean Gabin qu'il aime, mais le comédien que je suis à ce moment-là. Si tous les metteurs en scène comprenaient à quel point le plus endurci d'entre nous a besoin de ça, ils auraient compris beaucoup.

Évidemment, j'ai jamais été dupe d'un certain trucage de Renoir qui fait partie de sa personnalité. Je suis sûr, par exemple, que ses hésitations de langage, son bredouillement, qu'il exagère parfois, sont des « trucs » qui lui donnent le temps de mettre ses idées en place. C'est comme lorsqu'il arrive sur le plateau, il y a toujours un détail dans le décor qui lui plaît pas. On le change, et, pendant ce temps, ça lui permet de gamberger sa mise en scène [11].

Moi, je me dis quand je vois ça : « Toi, mon petit père, tu sais pas encore où tu vas mettre ta caméra, ni par quel bout tu la prends, ta scène. » A l'époque de *La grande illusion,* ce « truc » me laissait indifférent. Aujourd'hui ça m'impatienterait un peu si ce n'était pas Renoir, parce que je sais qu'il ne fonctionne bien que comme ça.

C'est comme avec les acteurs, son truc encore de leur dire qu'ils sont « épatants » dès la première prise. Et ensuite on recommence six, sept fois, et chaque coup il explose :

— C'est bien simple, là t'es génial, franchement ! Mais si tu veux, on va encore en faire une petite, rien que pour moi !

C'est un numéro, je le sais mais je préfère ça au metteur en scène qui vous laisse en carafe dès qu'il a dit « coupé », et va consulter son cameraman pour être sûr qu'on n'est pas sorti du cadre ou qu'on n'a pas l'ombre du micro sur la tronche. Renoir s'en inquiète aussi des questions techniques, mais il ne donne jamais aux comédiens l'impression que ça compte plus qu'eux. Quand il attaque une scène, il met d'abord les acteurs en place sans la caméra.

— On fait un dessin, on verra après pour la caméra, qu'il dit.

Tu parles ! Mine de rien, tout en ayant l'air de ne s'occuper que des comédiens, il fait des signes cabalistiques et discrets aux techniciens pour leur indiquer l'emplacement de l'appareil. Et le chef opérateur prépare déjà les lumières.

Renoir vous fait croire que sa mise en scène va se régler sur votre jeu. Évidemment, c'est faux. Il finit par faire ce qu'il veut. Par exemple, il y a une chaise dans le décor. Je joue un peu avec.

— Dis donc, coco, j'ai l'impression que cette chaise te gêne ?

Je lui affirme que non.

Un peu plus tard, il revient à la charge.

— Dis donc, Jean, t'es sûr que cette chaise te gêne pas ?... Je me fais peut-être des idées, mais je te sens pas à l'aise... On va quand même pas s'emmerder pour une chaise, hein ?...

J'ai évidemment compris. C'est lui qu'elle gêne, cette chaise.

On la retire.

Et un moment après, il vous dit :

— Remarque, si elle t'aide, cette chaise, on peut la remettre, je sens que tu préfères l'avoir...

Il a simplement changé d'avis. Alors, je reprends la chaise parce qu'après tout je m'en fous. Je peux faire avec ou sans, j'avais même pas d'idée arrêtée là-dessus. J'ai jamais joué une scène en fonction de la présence ou de l'absence d'une connerie de chaise. Et finalement elle reste dans le décor, la chaise, personne s'en occupe et elle sert à rien. Même Renoir l'a oubliée...

Renoir aime aussi les comédiens parce qu'il aurait rêvé d'en être un lui-même. Il a essayé et, à mon avis, il n'a jamais été bon. Il en fait trop et il joue faux.

Le paradoxe, c'est qu'il n'aime que les comédiens qui font le contraire de lui, quand il joue...

*

Jean Renoir s'est souvent et longuement expliqué[12] sur ses méthodes de travail. Il l'a toujours fait avec intelligence et un certain recul qui lui permettait de justifier a posteriori l'exactitude préméditée de son comportement et de ses choix. Dans ces propos, Jean Gabin, au contraire, laisse entendre avec une légère ironie que, au fond, Renoir lui aussi « voltigeait » dans son exercice de metteur en scène, et quelquefois sans filet, ne sachant pas toujours très bien à quoi se raccrocher et où il allait tomber. Mais l'essentiel n'était-il pas, en définitive, qu'il sache toujours faire le bon rétablissement ?

« A propos des *Bas-fonds,* écrivait Jean Renoir[12], je découvrais Jean Gabin : c'était une découverte de taille... Gabin était au sommet de son expression lorsqu'il n'avait pas à forcer la voix. Cet immense acteur obtenait les plus grands effets avec les plus petits moyens. Je conçus à son usage des scènes qui pouvaient être murmurées. Nous ne nous doutions pas que ce style allait conquérir le monde et que les acteurs " murmurants " allaient être légion. Les résultats de cette mode ne sont pas toujours heureux.

Gabin, d'un léger frémissement de son visage impassible, peut exprimer les sentiments les plus violents.

Un autre devrait hurler pour arriver au même résultat. " Le Jean ", comme l'appelait Gabrielle*, bouleversait le public d'un clin d'œil. »

En fait, Jean, bien avant *Les bas-fonds,* avait été cet acteur « murmurant » que découvrait Renoir. Et c'est en particulier cette innovation qu'il avait apportée dans le jeu qui avait attiré l'attention sur lui de gens comme Grémillon et Clair dès la sortie de *Cœur de lilas.*

Au début de sa carrière, Jean Gabin — Raimu aussi — connut des difficultés avec les ingénieurs du son dont l'expérience était forcément récente et qui ne disposaient pas encore d'un matériel très perfectionné ni très sensible. Ils « n'entendaient » pas la voix de Jean dans leurs appareils, voix placée, basse, aux inflexions subtiles. Ils la « perdaient », comme ils disaient, plus habitués qu'ils étaient alors aux acteurs qui arrivaient au cinéma avec une formation et une voix théâtrales.

Faisant allusion à la prolifération des acteurs murmurants, on imagine que Renoir, au moment où il écrit cela, pense notamment à ceux de l'Actor's Studio. Il reconnaît, pour le moins, en Jean Gabin un précurseur — au même titre que Raimu dans un autre registre l'était —

*** Gabrielle avait été le plus célèbre modèle de son père, Auguste Renoir** ***(N.d.A.)***

qui n'est jamais, lui, tombé dans les travers de maniérisme qu'ont parfois exprimés les comédiens sortis de l'école de Strasberg et Kazan. Il est vrai qu'en tout domaine la seule vraie école qu'a connue Jean est celle de la vie, et à celle-là il a surtout appris la simplicité.

On ne manque pas d'être étonné aujourd'hui de découvrir, à la lecture des articles de presse louangeux concernant Jean Gabin dans les années 30, qu'on le disait, non sans fierté chauvine, l'égal d'un Victor Mac Laglen, d'un Wallace Berry ou d'un George Bancroft. C'était voir avec un regard ébloui par tout ce qui venait de Hollywood. Jean Gabin était exactement le contraire de ces comédiens américains qui, à l'exception de Bancroft, étaient plutôt médiocres et dont la moindre expression faisait trembler la toile de l'écran. On l'a aussi comparé à Spencer Tracy, ce qui était mieux et plus juste. En fait, Jean — et sans rechercher un rapport avec lui — admirait surtout James Cagney, plus probablement parce que Cagney venait du music-hall comme lui qu'en raison des emplois quelquefois identiques qu'on leur faisait jouer. Il aimait aussi Henry Fonda dont le jeu tout intérieur se rapprochait du sien sans en avoir toutefois la sourde puissance. Il était aussi fasciné par le naturel et l'aisance d'un Gary Cooper.

Comme on le voit, nous sommes loin, dans ses préférences, de... Victor Mac Laglen !...

« Jean est un acteur unique, disait encore Jean Renoir [13]. Il possède le don, il possède la grâce au sens religieux du mot, exactement comme Anna Magnani. Il a, dans son physique, dans son jeu, une force étonnante, une puissance de moyens d'expression qui lui permettent de jouer " facile ", presque toujours en " dedans ".

Moyens énormes, donc, dont il ne met seulement qu'une petite partie dans l'action, et c'est ce qui, à mon sens, caractérise sa façon de jouer " réel ", de jouer " vrai ". Beaucoup trop de gens ont, à mon avis, ramené Gabin simplement à une sorte de " gueule cinématographique ", exactement la " bête à cinéma ".

Il n'y a rien de plus faux. La gueule, c'est l'acteur qui la compose au plus profond de lui-même. Pour cela, il travaille. Gabin est l'Acteur né, mais, j'insiste bien, c'est l'acteur avec un grand A. Pour en arriver à créer les personnages qu'il a interprétés, il ne lui a pas suffi d'entrer dans la scène, il y a pensé, réfléchi, et leur a donné des caractéristiques.

Gabin compose tous ses rôles. Il y a, malgré les apparences, une profonde différence de ton entre le misérable des *Bas-fonds* et le déserteur de *Quai des Brumes*, entre le chômeur de *La belle équipe* et le prisonnier de *La grande illusion*.

Il n'y a pas de monotonie, mais un constant renouvellement.

L'étendue des émotions que peut fournir Gabin est immense, tout son art est de n'en donner que l'essentiel. En parlant de lui, je pense un peu, et dans un autre domaine, à Charlie Chaplin. L'un et l'autre viennent du café-concert et du music-hall, et je crois que cela a dû beaucoup les aider. Ce qui me plaît chez Gabin, c'est qu'il est un acteur qui travaille et qui transpire en travaillant. »

On comprend aisément à travers ces propos que Renoir et Gabin tiennent l'un sur l'autre à des années de distance des *Bas-fonds* et de *La grande illusion*, à quel point ils ont considéré comme capitale leur rencontre, non seulement sur le plan professionnel, mais aussi sur le plan humain.

En apparence, les deux hommes semblaient avoir peu de rapports communs, mais ce peu a sans doute été alors essentiel dans leur collaboration et leur amitié.

Leur origine sociale, leur éducation, leur tournure d'esprit, leur attitude et leur comportement physique s'opposaient. Le laisser-aller vestimentaire de Renoir, son physique pataud s'opposaient à l'élégance recherchée, même dans la simplicité, à l'aisance du corps souple et sportif de Jean. Le langage cultivé de Renoir, qu'il cherchait parfois maladroitement à dissimuler derrière des tournures populaires, se frottait à la richesse expressive d'une langue des rues que Gabin pratiquait avec le naturel d'un prince des faubourgs périphériques.

Fils d'artiste de renommée mondiale, socialement « bourgeois » par son éducation et sa formation universitaire, Renoir avait accepté l' « héritage » comme une évidence, alors que Jean — pas seulement parce que le sien était plus modeste — l'avait refusé de toute la force de sa nature pour finir par l'accepter « à coups de pied dans le derrière ».

Ces oppositions n'ont pas empêché Jean d'être à l'aise avec Renoir. Sa vie durant, il ne s'est d'ailleurs jamais senti complexé, dans ses rapports et dans ses amitiés, avec des hommes comme Charles Spaak, Jacques Prévert ou Jean Grémillon — pour ne citer que ceux-là — dont le bagage intellectuel était assurément autre que le sien. Jean savait les écouter mais aussi se faire entendre d'eux. Et gare à celui qui se serait laissé aller devant lui à une outrecuidance ou à une boursouflure d'esprit ou de langage, car sa réplique fusait aussitôt, spirituelle ou cruelle, laissant peu de chance à celui qui en était victime de s'en sortir indemne. Car si Jean n'était pas un intellectuel, s'il ne possédait pas cette culture dont on acquiert quelquefois les rudiments à l'université, il avait pour lui ce don exceptionnel d'observer et d'écouter, avec une sensibilité aiguë, de tout retenir dans sa fabuleuse mémoire et... de « gamberger », comme il disait.

Mais, à l'évidence, ce qui a d'abord rapproché Gabin et Renoir fut leur goût commun pour les plaisirs de la vie, et notamment celui de la table, indispensablement lié pour eux au plus solide compagnonnage amical. Davantage encore et d'une manière plus profonde, ce qui les a unis, c'est l'amour identique qu'ils avaient pour les choses de la nature, le terroir, les valeurs traditionnelles, le sentiment aussi d'être issus d'une culture foncièrement française, et d'y être enracinés irrémédiablement.

Plus tard, Jean n'accepta pas l'évolution de Renoir qui alla chercher ailleurs qu'en France son inspiration créatrice, et ce fut même en partie la raison de leur rupture durant quelques temps.

« Quand on est le fils d'Auguste Renoir... », disait Jean, laissant, avec une intention lourde de sens, sa phrase en suspens.

Cet Auguste Renoir dont le fils lui avait fait aimer l'œuvre, lui donnant en même temps à découvrir les impressionnistes et plus généralement ce goût très fort pour la peinture qui ne quittera pas Jean, le rapprochant ainsi de Madeleine, sa sœur.

Malgré leur réconciliation et leurs retrouvailles au moment de *French Cancan* (1954), Jean regrettera toujours que Renoir ait paru oublier le sens qu'ils donnaient ensemble, au temps des *Bas-fonds*, « aux petits matins brumeux sur la Marne en mangeant du brie de Melun arrosé de beaujolais frais ».

L'année 1936 ne s'acheva pas sans que Jean retrouve Julien Duvivier pour *Pépé le Moko*. L'un et l'autre avaient besoin de se remettre ensemble de l'échec de *La belle équipe*. Tournant résolument le dos aux élans généreux du monde ouvrier de leur film précédent, sans doute impressionnés par les grands films de gangsters américains dont *Scarface* de Howard Hawks était la référence d'alors, Duvivier et Gabin, aidés par le roman d'Ashelbé et par Henri Jeanson qui en fit l'adaptation et le dialogue, allaient donner au cinéma français à cette époque son chef-d'œuvre du genre.

Œuvre maîtresse dans la carrière de Duvivier, œuvre phare dans celle de Jean Gabin, *Pépé le Moko* donne à celui-ci une « métaphysique », comme l'écrivent Missiaen et Siclier[14], ajoutant :

« Ici, le mythe Gabin est définitivement façonné, et Marcel Carné n'aura plus qu'à le recueillir. Gabin, le Gabin d'avant-guerre, est là, tout entier, avec son cœur tendre et ses brusques colères, sa présence physique et ses réactions instinctives, son univers de vie foutue et d'évasions manquées où la femme — fatale — passe comme un rêve inaccessible... »

« Jean Gabin compose tous ses personnages », a dit Jean Renoir.

Combien il avait raison de le souligner ! On a trop cru que cette image du « dur de l'écran » correspondait à la personnalité propre de Jean Gabin et qu'il n'avait, par conséquent, aucun effort à faire pour en endosser le costume. Il est certain qu'il donnait à ce personnage tant de vérité que l'identification paraissait aller de soi. Les malfrats de Montmartre, Jean avait eu le loisir de les observer du temps de sa jeunesse vagabonde. Mais la représentation qu'il en donna, notamment dans *Pépé le Moko,* était une véritable « création » qui ne devait rien à personne. On peut seulement dire que la vérité réaliste du personnage de Pépé prenait ses racines dans cette culture populaire qu'il avait acquise très jeune entre Pigalle et Barbès.

Cette « vérité » de Pépé était telle — et le manque de discernement d'une partie du public d'alors entre la représentation cinématographique et la « réalité » s'y ajoutant — qu'après *Pépé le Moko,* Jean fut assailli de propositions de la part de prostituées désireuses de « travailler » pour lui.

« J'aurais peut-être dû accepter, disait Jean de nombreuses années plus tard en en rigolant encore, j'aurais sûrement gagné autant d'argent et je me serais moins fatigué ! »

Son interprétation du gangster Pépé n'avait en tout cas rien à voir avec les grands modèles joués par Paul Muni, Edward G. Robinson ou James Cagney, ancrés eux aussi dans une autre réalité culturelle mais plus hystérique, plus dure, et que venait parfois atténuer une fin rédemptrice. Le code Hays, institué par les « majors » compagnies de Hollywood, veillant hypocritement à la sauvegarde de l'image morale de l'Amérique.

Duvivier savait — comme d'autres metteurs en scène l'ont su — que ce personnage de « dur » sur lequel une partie du mythe Gabin s'est construite était en fait « contre nature » par rapport à la personnalité de l'acteur. Dans la vie, Jean était un homme paisible, soupe au lait certes, prompt à donner des coups de gueule, mais incapable de faire du mal à une mouche, sinon en paroles.

Il avait horreur des agressions physiques et il s'est rarement battu.

Moralement très courageux, il l'était nettement moins physiquement. Par exemple, c'est à cette époque qu'il prit la décision de ne plus jamais prendre l'avion de sa vie, et il tint parole.

Au retour du tournage au Maroc de *La bandera,* l'avion dans lequel il se trouvait en compagnie de Duvivier faillit s'écraser en mer peu après son décollage de Barcelone. Sans un mot, sans un cri, à côté d'un Duvivier blême, Jean avait vu ce jour-là sa dernière minute arriver.

« J'ai jamais compris comment on s'en est sortis, mais je me suis juré que je ne monterais plus dans ces engins tant qu'ils ne seraient pas " accrochés " à un fil ! » retenait-il, non sans humour, de cette aventure.

Toute sa vie il aura horreur de la vitesse, que ce soit en voiture ou en chemin de fer. Horreur aussi des armes, à part le fusil de chasse qu'il maniait avec la prudence du grand chasseur qu'il était. Horreur également de frapper quelqu'un.

On ne cessera pas au cinéma de lui faire donner des coups. Jamais de coups de poing cependant : il refusera, et certains n'ont pas manqué de prétendre que c'était parce qu'il avait peur de se faire mal, ce qui, après tout, était possible car bien dans sa nature. Il donnera des gifles — l'arme des forts et du mépris. Il avait d'ailleurs acquis une grande expérience technique dans cet exercice, et grâce à la finesse et à la petitesse de ses mains il frappait sans tricher, mais sans faire de mal à ses partenaires, qu'ils soient masculins ou féminins. Il n'avait toutefois, contrairement à ce qu'on a dit à ce propos, aucun goût pour ce genre de scène qui le mettait même plutôt mal à l'aise.

Dans *Le rouge est mis* (1957) de Gilles Grangier, et dans un rôle de gangster, il s'était beaucoup amusé à prendre une gifle à son tour : c'était de la part de la comédienne Gina Lenclos qui, dans le film, jouait sa mère.

Il lui avait conseillé de ne pas tricher et il recevait la gifle avec une grande vérité, et se rebellait, surpris, d'un tendre : « Oh, maman ! »

C'est certainement l'unique gifle reçue par Jean Gabin au cinéma, et le nom de la modeste Gina Lenclos — par ailleurs remarquable — devrait, rien que pour cela, rester dans les mémoires.

Avait-il lui-même suggéré cette scène à Grangier et à Audiard ? Il avait gardé, en effet, un grand souvenir de *L'ennemi public* (1931) de William Wellman dans lequel James Cagney, cet autre « gangster », prenait une gifle de la part également de sa mère.

On voit donc à quel point, par tempérament, Jean était peu destiné à jouer un personnage de « dur », surtout si on ajoute à cela qu'il n'avait pas l'ombre d'une fascination pour les « vrais », envers lesquels il manifestait même le plus grand mépris.

On comprend donc que Jean n'aurait certainement pas accepté de se glisser dans la peau de *Pépé le Moko* — malgré l'engouement du public d'alors pour les films de « gangsters » — si Duvivier et Jeanson n'avaient pas donné au personnage une aura romanesque et une épaisseur humaine complexes, où, déjà sous-jacents dans *La bandera,* on retrouvait les thèmes de l'homme accablé par la fatalité et au destin contraire.

« *Pépé le Moko* marque l'installation officielle dans le cinéma français d'alors du romantisme des êtres en marge et de la mythologie de l'échec [14]. »

Balbutiant dans *La bandera,* ce personnage atteint en effet sa plénitude et son apogée avec *Pépé le Moko* qui rencontre auprès des foules, pourtant plongées dans les désillusions du Front populaire, l'angoisse des conséquences de la guerre civile espagnole et de celles de la montée des fascismes en Europe, un succès considérable qui propulse Gabin au zénith de sa gloire, l'enfermant du même coup, abusivement et sans nuance, dans le fameux « mythe » du héros asocial.

Car — doit-on le répéter ? — Pépé est l'unique rôle de gangster qu'il jouera à cette époque, et avant longtemps, et par conséquent le seul personnage réellement asocial de tous ses films d'alors. Lucien Bourrache, sous-officier de spahis redevenant dans le civil typographe de *Gueule d'amour*, Jean, soldat de l'infanterie coloniale de *Quai des Brumes*, Jacques Lantier, mécanicien de locomotive de *La bête humaine*, François, ouvrier sableur du *Jour se lève*, n'ont qu'un rapport lointain avec le truand de *Pépé le Moko*. Ce sont des personnages qui, au contraire, acceptent de jouer leur rôle dans la société mais qui, à l'exemple de Charlot, si on veut bien ne pas trouver la comparaison excessive, en sont rejetés. Ils finissent donc par tuer, être tués, ou se suicident. Et peut-être est-ce le dénominateur commun avec le personnage de Pépé qui se suicide lui aussi, et par amour autant que pour échapper à la police.

Quant aux trois autres films de Gabin de la même époque, leur éloignement du fameux « mythe » est encore plus considérable puisqu'il s'agit du *Messager* — de moindre retentissement, il est vrai, dans sa carrière — où il joue un agent de l'administration coloniale et surtout *La grande illusion*, film dans lequel il interprète le rôle d'un mécanicien que la guerre a promu lieutenant, et *Remorques*, enfin, dans lequel il campe un capitaine de remorqueur.

L'existence d'un « mythe Gabin » est venue d'une exégèse à la mode dans les années 50 et 60, qui me semble avoir eu pour but de mettre en opposition conflictuelle la carrière d'alors du comédien avec l'ancienne. Elle entraînait, en outre et rétrospectivement, l'idée d'une uniformité de compositions contre laquelle s'est élevé Jean Renoir avec juste raison.

Si mythe il y a, il est abusif en tout cas de le faire reposer sur un archétype de personnages. Mais il est bien vrai, en revanche, que l'acteur Jean Gabin, grâce à ces rôles, est entré, lui vivant, dans la mythologie populaire.

C'est à propos de *Pépé le Moko* que Doriane se montra, plus tard, dans ses déclarations publiques ou privées la plus revendicatrice quant à son rôle de « conseillère artistique » qu'elle aurait joué auprès de Jean.

« Je m'occupais de tout, jusqu'aux détails vestimentaires : les chaussures à élastiques, je les avais achetées à Marseille... Le foulard de soie m'appartenait [15]. »

Difficile, en effet, de dire de quand date le soin très particulier que Jean prenait à composer vestimentairement l'aspect physique des personnages qu'il jouait. Je l'ai personnellement connu ne laissant à personne d'autre la tâche de s'en charger.

Dans les films qu'il tourna avant l'arrivée de Doriane dans sa vie, il y avait déjà une grande justesse entre le caractère social ou psychologique de ses personnages et la manière dont il les habillait. Qu'ensuite Doriane lui eût apporté un « plus » dans ce domaine, notamment par son intuition féminine et surtout en ce qui concernait le personnage de *Pépé le Moko,* pourquoi pas ? Que le fameux foulard jaune pâle clairsemé de petits cercles noirs était à elle, pourquoi pas encore ? Mais est-ce aussi Doriane qui a conseillé à Jean de ne pas le nouer, mais de le croiser négligemment autour du cou ?

Cela donna à cet accessoire une aura telle que, dans les mois qui suivirent la sortie de *Pépé le Moko,* beaucoup d'hommes, et notamment bien sûr les maquereaux de Pigalle, portèrent le foulard de cette manière.

Sur ce plan encore du « costume », Jean aimait donner une sorte de « suivi », une « couleur » à ses personnages. C'est ainsi que dans *Pépé le Moko* il porte une chemise noire, une cravate de la même teinte que le foulard « de » Doriane avec des points noirs qui rappellent assurément les cercles de même couleur dudit foulard. A un autre moment, il inverse et porte une cravate noire sur une chemise apparemment jaune pâle. Il se méfiait en général des chemises blanches — comme beaucoup de comédiens qui sont quelque peu attentionnés —, car le blanc « prend » la lumière des spots au détriment du visage.

Sur ce chapitre encore — puisque l'on y est —, Jean abordait presque toujours le personnage qu'il avait à jouer par son habillement. Il ne s'y sentait à l'aise que lorsqu'il avait trouvé sa silhouette vestimentaire en fonction de ses caractéristiques sociales ou psychologiques. Comme il se trompait rarement dans ce domaine, il était exceptionnel que ses metteurs en scène modifient ses choix.

Que l'on se souvienne de *La grande illusion,* par exemple. Il est lieutenant et porte donc un uniforme d'officier, mais ce sont les circonstances de la guerre qui lui ont donné ce rang, dans le civil c'est un ouvrier mécanicien. Donc, malgré son uniforme de lieutenant, il se comporte en « ouvrier », la vareuse largement ouverte, le col négligemment relevé, le képi ou le calot en arrière comme s'il portait une casquette ou un chapeau mou.

En donnant ces détails vestimentaires à son personnage, Jean en rappelle sans cesse et sans discours ses origines prolétariennes qui le différencient d'un de Boëldieu (Pierre Fresnay) ou d'un Rosenthal (Marcel Dalio), officiers comme lui mais d'un milieu aristocratique ou bourgeois.

Neuf ans. Le jardin de la maison de Mériel. Vêtements retaillés par la mère Noret dans de vieilles robes de ses sœurs ou un pantalon usagé de son père. Le béret du costume marin offert par Reine, quatre ans plus tôt. *(D.R.)*

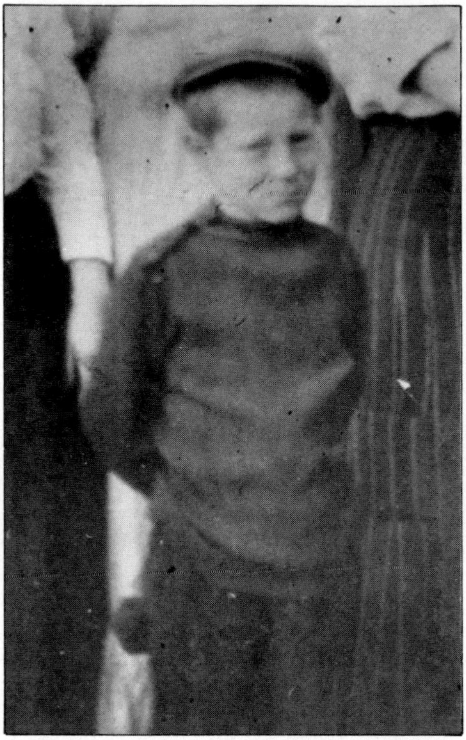

Sa première casquette. *(D.R.)*

Avec sa mère et son père devant l'entrée de la maison à Mériel. *(D.R.)*

1909. Mariage de Madeleine et de Poësy. Jean à côté de son père. Ferdinand dit « Bébé » en militaire. Reine au dernier rang. A droite de la mariée, la grand-mère Marie Mathon-Domage, épouse Petit ; la mère de Jean, assise. A côté, l'oncle Marie-Auguste et la tante Louise. *(D.R.)*

Jean (quinze ou seize ans) ouvrier. *(D.R.)*

Avec sa première épouse, Gaby Basset dans son premier film *Chacun sa chance* (1930). *(Coll. Kipa.)*

Avec Marlene Dietrich dans *Martin Roumagnac* (1946). *(Cinémathèque française.)*

Avec Mistinguett au Moulin-Rouge (1928). *(France-Soir.)*

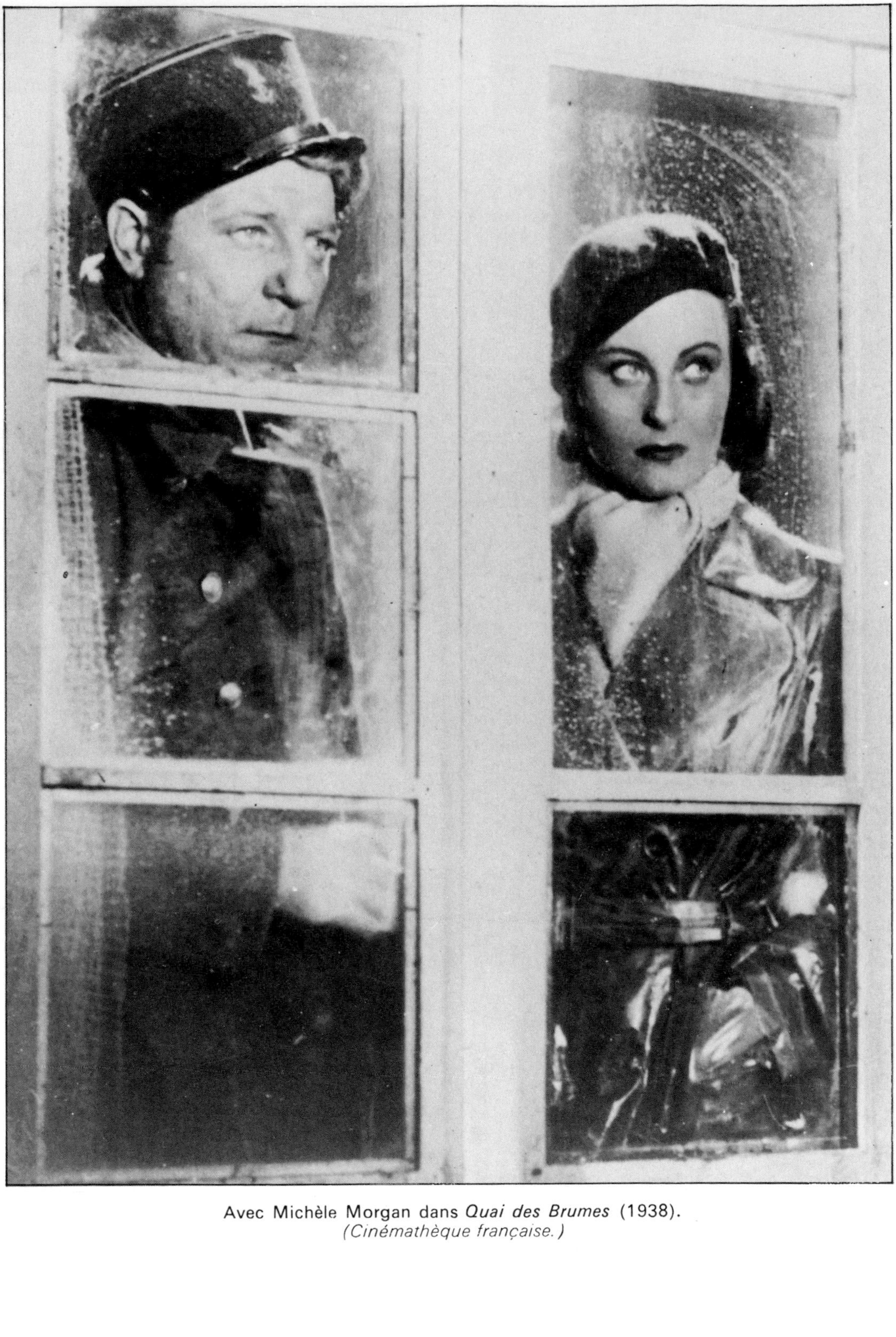

Avec Michèle Morgan dans *Quai des Brumes* (1938).
(Cinémathèque française.)

1940. Saint-Jean-Cap-Ferrat. L'accordéon.
(Ph. Bob Beerman.)

Avec Marcel Thil, champion de boxe, en footballeurs, sous le maillot de l'Olympique de Marseille, en 1940. *(D.R.)*

1953. La boxe. *(D.R.)*

Avec son grand copain, champion cycliste, André Leducq. *(D.R.)*

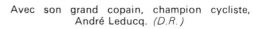

En action, avec Marcel Thil au cours d'un match à Marseille en 1940.
(Champagne Presse, Reims.)

Ski nautique en 1940. *(D.R.)*

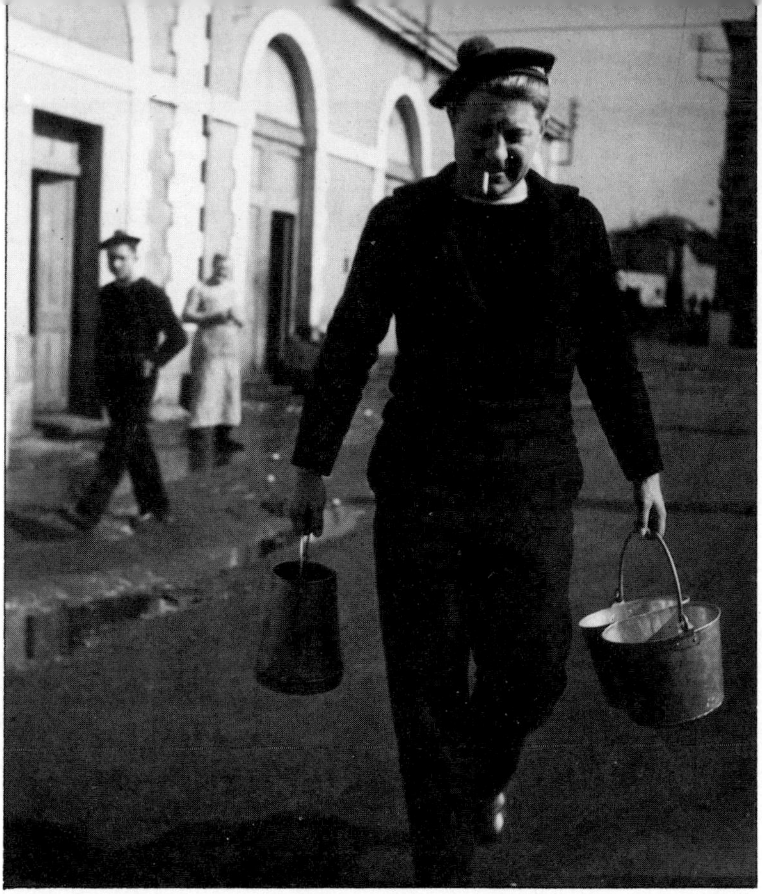

De la « drôle de guerre », à Cherbourg en 1939... *(D.R.)*

... à Berchtesgaden, en 1945, avec *Souffleur II* et son équipage. *(France-Soir.)*

Autre exemple datant sensiblement de la même époque et qui démontre l'étude très poussée que Jean faisait de ses personnages dans leur habillement et en fonction de leur caractère social mais aussi des sentiments que lui, Jean Gabin, leur portait.

Dans *La bête humaine* et dans *Le jour se lève,* il est ouvrier-conducteur de locomotives dans le premier, ouvrier-sableur dans le second, mais à l'inverse du mécanicien d'aviation de *La grande illusion* qui se laisse aller dans la tenue qu'il porte parce qu'elle ne correspond pas à sa véritable fonction sociale, Jean donne à Jacques Lantier de *La bête humaine* et à François du *Jour se lève* une dignité et presque une élégance vestimentaires qui montrent le respect personnel qu'il a pour ces personnages d'ouvriers et l'image qu'il veut en donner.

Il n'est pas douteux que l'approche qu'il a eue de ces personnages prolétariens dans leur aspect vestimentaire — laissons à Carné, Prévert et Renoir leurs aspects moraux — a pour beaucoup contribué à la popularité de Jean dans le monde ouvrier.

Toujours à propos de *Pépé le Moko,* Doriane revendiquait la paternité d'une « trouvaille » qui a eu son importance aussi longtemps du moins que Jean s'est soucié de donner à son visage — à travers les personnages qu'il jouait — un aspect séduisant.

« Dans ses premiers films, déclarait Doriane [15], on photographiait toujours Jean comme s'il avait des yeux noirs. Or, ses yeux sont verts ! Et toute sa personnalité tient dans ce détail. Je dus employer des trésors d'éloquence pour en persuader l'opérateur Kruger. Cela eut une grande importance pour la suite de sa carrière. »

Des yeux verts, Jean ! La mémoire de Doriane lorsqu'elle fait cette déclaration en 1947 et n'ayant pratiquement plus revu Jean depuis 1940 — du moins dans la vie — est-elle défaillante ? Ou bien a-t-elle surtout gardé de lui, à cet instant, le souvenir des colères qu'il prenait alors après elle et dans ce cas peut-être, en effet, que les yeux bleus de Jean devenaient verts... Mais de fureur ! Sérieusement, Jean avait les yeux bleus.

« Une étonnante blondeur, rien de la pâleur décolorée du Nordique, un blond chaud de blés au soleil. Ses yeux bleus sous des cils drus et dorés : un paysage de Beauce ou de Brie », écrit joliment Michèle Morgan [16] en se souvenant de sa première rencontre avec Jean à l'automne 1937.

« Ses yeux étaient d'un bleu lumineux », écrit aussi Charles Higham recueillant les confidences de Marlène Dietrich dans la biographie qu'il lui a consacrée [17].

Bon, ne chicanons pas Doriane sur la couleur des yeux de Jean, bleus ou verts (mais ils étaient bleus et le sont restés jusqu'à la fin de ses jours) : sur le fond, ce qu'elle dit est vraisemblable. Les yeux de Jean, son regard n'avaient pas été réellement mis en valeur avant *Pépé le Moko*. De même la blondeur de ses cheveux et de sa peau et dont parlent tous ceux qui l'ont approché alors.

Les films n'étaient pas en couleurs, ils étaient en « noir et blanc ». Et s'il était donc impossible de rendre la couleur réelle des yeux d'un acteur, au moins avec un pcu d'application pouvait-on faire saisir cette nuance de clarté qu'avait notamment le regard de Jean. Il est vrai qu'elle est apparue dans *Pépé le Moko* et qu'on l'a également mieux vue dans ses films suivants.

Sincèrement, je ne crois pas que Jean ait attaché une grande importance à la chose, en tout cas je n'ai jamais entendu dire par des metteurs en scène ou des opérateurs qu'il ait fait des « caprices » à ce sujet pour qu'on éclaire ses yeux d'une certaine manière à l'époque où il était « gandin », et a fortiori encore moins après. Il était même agacé que l'on perdît du temps à soigner le regard d'un de ses partenaires qui l'exigeait — et notamment quand celui-ci n'était pas une jeune et jolie femme, ce qu'il aurait admis dans ce cas.

C'est arrivé avec ce cher Louis de Funès dans *Le tatoué* (1968) qui tenait à ce que ses yeux bleus soient mis en valeur, ce qui insupportait particulièrement Jean.

Le petit spot dont Doriane exigea des opérateurs des films de Jean à cette époque qu'ils « piquent » sur ses yeux n'est pas né de fantasmes a posteriori, il est, semble-t-il, réel et c'est son invention. Il est évident que Jean, malgré les connaissances techniques qu'il avait, n'y aurait probablement jamais pensé. Avec l'expérience qu'elle avait eue de la scène au Casino de Paris ou à l'Apollo, du temps où elle était danseuse, Doriane savait, elle, l'avantage qu'un visage pouvait tirer de ce détail technique.

Dans un tout autre ordre d'idée et d'une manière plus générale, je reste personnellement perplexe — j'avoue n'avoir jamais tout à fait évoquer ce problème avec lui — sur l'effacement total à l'écran de cette fameuse blondeur de Jean dont parle Michèle Morgan, mais dont d'autres également ont parlé.

Une fois de plus, c'est évident, le « noir et blanc » n'indiquait pas clairement ce genre de tonalité. On sentait certes que Jean n'était pas brun, mais il était bien difficile, à la vue de ses films d'alors notamment, d'imaginer cette « étonnante blondeur » dont parle Michèle Morgan.

Je ne vois qu'une raison à cela : c'est que Jean ne tenait pas à paraître blond.

Il me revient en mémoire cette réflexion qu'il me fit un jour, à propos d'un jeune premier à qui on promettait un bel avenir :

— Il arrivera jamais aux premiers grands rôles, il est blond !

Sa prédiction s'avéra exacte concernant ce jeune acteur, aujourd'hui perdu dans l'anonymat des chauves.

Lorsque, après la guerre, on vit en France les deux films qu'il avait tournés aux États-Unis : *Moontide* (1942) et *L'Imposteur* (1943), on s'étonna de le voir le cheveu ondulé et d'un blond cendré. Les journalistes crurent que les Américains l'avaient transformé à leur goût et à la vision qu'ils avaient du « Frenchie » en lui oxygénant les cheveux et en leur faisant subir une « permanente ». Jean donna alors une explication qu'il me confirma par la suite :

— Dans les studios américains, on prenait grand soin des cheveux des comédiens. Moi, on me les lavait tous les jours et on les traitait... Ils sont devenus comme ça d'une manière naturelle et, en plus, je commençais à grisonner sérieusement. Je ne les ai en tout cas jamais fait friser...

Cela signifie pour le moins qu'ils étaient plutôt blonds que bruns et naturellement ondulés aussi quelques années auparavant, et que, si Jean n'est jamais apparu ainsi dans ses films, c'est qu'il en avait sciemment décidé ainsi.

A-t-il estimé que sa « blondeur » ne convenait pas à sa « gueule bosselée », comme il disait lui-même de son visage ? Craignait-il de s'affadir ? De paraître moins viril ? La mode, il est vrai, était alors à l'homme latin. Quoi qu'il en soit, Jean nous apporte, a posteriori, la preuve — s'il en était encore besoin — de son professionnalisme et qu'il réfléchissait parfaitement aux composantes à l'écran de sa personnalité. Imagine-t-on en effet, par exemple, *Pépé le Moko* blond ondulé ?

Donc, sans aller jusqu'à avancer l'idée qu'à cette époque Jean se teignait les cheveux pour paraître brun ou pour le moins châtain, comme on le voyait dans ses films, on peut être certain, à l'évidence, qu'il n'exigeait pas de ses coiffeurs et maquilleurs ni de ses opérateurs qu'ils fassent ressortir sa blondeur naturelle.

Extérieurement, et particulièrement avec le recul du temps, on a souvent l'impression que dans la carrière d'un acteur ou d'un auteur, qu'il soit metteur en scène ou scénariste, la conception de leurs films se succède selon une chronologie parfaite et toute simple.

Rien n'est généralement plus faux. La plupart du temps, ils s'enchevêtrent. Ainsi, *La grande illusion,* tourné l'hiver 1936-1937, sorti en juin 1937, chevauche, dans les préoccupations permanentes de Jean Gabin, pratiquement trois films : *Les bas-fonds, La belle équipe* et *Pépé le Moko*.

Je l'ai dit, Charles Spaak travaillait déjà sur le scénario de *La grande illusion* quand il rafistolait celui des *Bas-fonds* fin 1935, et qu'il écrivait *La belle équipe.*

Quant à Jean Renoir, c'est pendant le tournage de *Toni* en 1934, ayant retrouvé un de ses camarades de la guerre de 14-18, pilote comme lui et devenu depuis général d'aviation, et en écoutant les récits que celui-ci lui faisait de ses exploits de guerre, notamment de ses diverses évasions des camps de prisonniers en Allemagne, qu'il jeta sur le papier les notes qui allaient servir à l'élaboration des premières versions de *La grande illusion*.

Sur la genèse de ce film, on a beaucoup écrit [18], des choses vraies et de moins vraies, volontairement ou par manque d'information, ou encore parce que cela arrangeait certains de présenter les événements qui ont présidé à l'élaboration et à la réalisation de *La grande illusion* d'une manière plus ou moins tronquée. Jean Renoir lui-même, selon son habitude, s'est ingénié à mêler le faux, le demi-faux et le vrai le plus authentique.

Comme ce film est unanimement considéré depuis sa sortie jusqu'à nos jours comme un des plus grands chefs-d'œuvre de l'histoire du cinéma, il me semble nécessaire de s'y attarder un peu dans ce livre consacré à Jean Gabin, tant celui-ci y joua un rôle primordial à bien des égards.

Sans lui, d'abord, ce film ne se serait pas fait. C'est également le cas d'autres de ses films de cette époque, mais ça l'est encore davantage pour *La grande illusion*. Jean Renoir, d'ailleurs, ne l'a jamais caché.

A l'origine donc, Renoir, s'inspirant des souvenirs de son ami, l'ex-adjudant Pinsard devenu général, apporta à Charles Spaak l'idée de faire un film mettant en scène des prisonniers français pendant la guerre de 14-18 qui tentent et réussissent une évasion.

Spaak trouvant le thème intéressant, Renoir et lui en parlèrent à Jean Gabin avec qui ils étaient en rapport quotidien pour *Les bas-fonds* et *La belle équipe* et qui, lui-même, se montra enthousiaste.

Ce qui intéressait Renoir, c'était de traiter le thème de la confrontation d'un groupe d'hommes aux origines sociales différentes, que des circonstances exceptionnelles, la guerre, un camp de prisonniers, rassemblaient.

Les ressorts dramatiques initiaux étaient basés sur l'opposition sociale entre, notamment, l'aristocrate de Boëldieu (P. Fresnay), officier de carrière, et l'ouvrier mécanicien d'aviation Maréchal (J. Gabin).

Leur état de prisonnier et leur volonté commune de s'évader finissaient par les rapprocher, au point d'abolir, durant un temps, leur antagonisme de classes.

Le titre du film *La grande illusion* a été choisi par Renoir très tardivement et emprunté au roman de Norman Angell paru en 1911, et

Charles Spaak se plaisait à dire dans le privé qu'il n'avait jamais très bien compris ce qu'il signifiait exactement. L'« illusion » était pourtant pour les personnages du film de croire, ou de feindre de croire, que ce qui les avait unis durant la guerre, et leur condition de prisonniers, subsisterait après, une fois la paix revenue.

Dans un des premiers scénarios du film, deux des protagonistes qui avaient réussi à s'évader se séparaient en jurant de se retrouver le soir de Noël 1918 chez Maxim's. La scène finale chez Maxim's le soir de Noël en question ne montrait qu'une table déserte et deux chaises vides, aucun des deux hommes repris sans doute par leur condition sociale et leurs préjugés de classe n'avait tenu sa promesse.

Cette scène, si elle avait été tournée, aurait ressemblé étonnamment à celle qui termine également *Voyage sans retour* de Tay Garnett (1932), film dans lequel William Powell et Kay Francis se faisaient un serment identique. Le jour du rendez-vous qu'ils s'étaient donné dans un bar, ni l'un ni l'autre n'étaient là, et deux verres de cristal s'entrechoquaient et se brisaient symboliquement.

Si elle avait été tournée, elle aurait surtout été exemplaire de la manière un peu empirique et naïve qu'avait Renoir d'aborder certains rapports sociaux. L'idée qu'il suffisait de placer des hommes que tout oppose dans certaines conditions, pour qu'ils se comprennent et s'entendent, était en effet assez chère à Renoir qui n'a jamais poussé ses sympathies d'alors pour le parti communiste jusqu'à l'étude sérieuse des théories marxistes. Ce qui le guidait reposait davantage sur des pulsions émotionnelles d'un moment, des emportements quasi amoureux et d'une totale sincérité dans l'instant, qui pouvaient le jeter, successivement ou en même temps, aussi bien dans les bras d'un marquis que dans ceux d'un ouvrier. L'homme en soi, la séduction qui émanait de lui à ses yeux, ne serait-ce que par un léger détail de sa personnalité, comptait davantage chez Renoir que les positions idéologiques de l'individu.

Dans les premiers scénarios de *La grande illusion*, ce frottement entre des personnages de classe sociale différente était entièrement centré sur les prisonniers français desquels se détachait la figure de Pierre Maréchal que devait jouer et qu'a joué Jean Gabin.

Le premier titre du film était *Les évasions du capitaine Maréchal*. Les geôliers allemands ne jouaient dans l'intrigue aucun rôle moteur.

A la veille du début du tournage, il en était encore ainsi, mais un événement inattendu et « de poids », comme l'écrivit Renoir, a brusquement tout fait basculer : le surgissement extravagant, dans le film, d'Eric von Stroheim[19].

L'histoire a été souvent racontée, de même celle de la rencontre entre Renoir et Stroheim, par les protagonistes eux-mêmes qui n'ont pas forcément dit la vérité, et par d'autres qui n'en ont pas été témoins mais qui la tenaient d'un tel ou d'un tel.

C'est mon cas. Et si je me permets, après tant d'années, de donner ma version, c'est que je la tiens directement de Jacques Becker qui était alors l'assistant de Renoir et de Charles Spaak. Ils m'ont donné leurs témoignages à des années de distance et en « gros » ils concordent, ce qui m'autorise à les mêler[20].

Becker fut un témoin direct et agissant de l'affaire ; quant à Charles Spaak, il admettait si bien, avec l'humour et le cynisme qui caractérisaient son esprit, le rôle secondaire qu'il avait joué à partir de l'engagement de Stroheim qu'il y a encore moins de raison de douter qu'il n'ait dit la vérité.

A quelques jours du début des prises de vues en Alsace, m'ont donc raconté Jacques Becker et Charles Spaak, le directeur de production, Raymond Blondy (dont le frère Pierre Blondy était régisseur du film et fut ensuite un des grands assistants du cinéma français, notamment de Marcel Carné), assistait à un cocktail où se trouvait Eric von Stroheim qui venait de jouer aux côtés d'Edwige Feuillère *Marthe Richard*, réalisé par Raymond Bernard, film qui connaissait un certain succès.

Blondy ignorait qui était en réalité Stroheim, à savoir un des plus grands metteurs en scène du cinéma muet qui s'était mis à dos tout Hollywood par la manifestation d'un génie trop dérangeant et surtout trop dispendieux pour les producteurs. Pour Blondy donc, Stroheim était ce comédien — apparemment allemand — qui venait de s'illustrer dans un rôle d'officier prussien dans *Marthe Richard*. Ce n'est pas trop faire injure à la mémoire de Raymond Blondy, par ailleurs excellent directeur de production, de dire que, au cours de ce cocktail, il avait un peu trop abusé de mélanges d'alcools.

C'est donc dans un certain état d'esprit qu'il demanda à Stroheim s'il voulait jouer le rôle d'un commandant allemand d'un camp de prisonniers de la guerre 14-18, dans un film dont le tournage allait commencer.

Stroheim n'avait alors qu'une envie, c'était de saisir n'importe quelle occasion qui lui permettrait de prolonger son séjour en France à condition, toutefois, de toucher quelques francs. Il accepta donc sans demander d'autres explications.

Blondy lui signa un petit bout de papier qui scellait l'accord et donna rendez-vous à Stroheim pour le lendemain en fin de matinée aux bureaux de la production, lui assurant — ce qui intéressait essentiellement Stroheim — qu'il lui remettrait un premier chèque.

Le lendemain de cette fameuse soirée, le téléphone sonna très tôt chez Jacques Becker : c'était Blondy.

— Tu ne devineras pas qui j'ai engagé pour jouer le rôle du commandant allemand, dit Blondy.

— Comment ça ? Mais le rôle est déjà distribué, c'est X qui doit le jouer, répondit Becker.

— Aucune importance, on dédommagera X, fit Blondy en ajoutant : Le type que j'ai trouvé fera mieux l'affaire.

— C'est qui ? questionna Becker, un peu indifférent et encore mal réveillé.

— Le gars qui joue dans *Marthe Richard*... Un nommé Eric von Stroheim.

— Quoi ! hurla Becker au téléphone, subitement réveillé et complètement abasourdi. Mais tu es fou ! Tu sais qui c'est ?...

— Ben oui, je viens de te le dire ! Le type qui joue dans *Marthe Richard* !

Becker préféra raccrocher pour appeler Renoir et le mettre au courant. Celui-ci en resta muet de stupeur pendant quelques secondes, puis balbutia à plusieurs reprises :

— Mais il est con, ce Blondy ! Il est con, non !

Au bout d'un moment, il questionna Becker :

— Qu'est-ce qu'on peut faire à présent ?

Becker suggéra qu'il convenait que Renoir rencontre Stroheim et lui explique lui-même qu'il y avait eu maldonne, que son engagement dans le film était une erreur.

En effet, le commandant allemand, rôle pour lequel Blondy avait engagé Stroheim, n'avait qu'une brève scène et, en tout et pour tout, quatre répliques !

Renoir et Becker se rendirent donc aux bureaux de la production pour y attendre Stroheim [21]. Renoir était dans tous ses états et ne restait pas en place.

A ce point de l'histoire, il faut en effet savoir que, si Renoir, étant jeune, avait envisagé différents métiers dont celui de céramiste, il avait brutalement basculé en direction du cinéma le jour où il découvrit *Les Rapaces*, un des chefs-d'œuvre de Stroheim en tant que réalisateur. Après quoi, il avait vu tous ses films, les connaissait par cœur, et avait fait de Stroheim son dieu.

D'être à quelques minutes de se trouver face à son dieu l'émotionnait beaucoup, et bien davantage encore l'idée qu'il fallait lui dire qu'il ne tournerait pas dans son film, pour la bonne et simple raison qu'il n'y avait pas de rôle pour lui, du moins assez conséquent, et qui réponde à son standing.

Au bout d'un moment, Stroheim entra en compagnie de Blondy qui jetait des œillades à Renoir et à Becker qui voulaient signifier : Hein ? Qu'est-ce que vous en pensez ? Il a de l'allure, mon Allemand ! Et puis, quelle gueule !

D'une élégance princière, diamant au doigt, canne à pommeau d'or, silhouette raide comme il l'avait dans ses films (en raison d'une blessure de guerre à la colonne vertébrale, prétendait-il quelquefois, et d'autres fois des suites d'une chute de cheval dans sa jeunesse viennoise, les deux versions étant fausses), Stroheim vissa son monocle à un œil pour examiner Renoir qui, impressionné, flageolait un peu sur ses jambes.

Stroheim claqua des talons comme il avait coutume de le faire, voulant ainsi rappeler qu'il avait été officier de cavalerie de l'armée austro-hongroise, ce qui était faux encore, comme étaient fausses ses origines aristocratiques et le nom qu'il prétendait avoir, Erich Stroheim von Mordenwell. En réalité, il s'appelait plus simplement Erich Oswald Stroheim, né en 1885, et était le fils d'un commerçant juif du ghetto de Vienne et n'avait donc pu, comme il le laissait croire également, fréquenter la cour impériale des Habsbourg.

Il inclina également la tête en direction de Renoir et se présenta cérémonieusement :

— Eric von Stroheim !

Bouleversé, Renoir eut une de ses fameuses impulsions émotionnelles : il se précipita sur Stroheim, l'enveloppa de ses bras et il l'embrassa comme du bon pain.

Surmontant son étonnement, Stroheim — qui n'appréciait guère ce genre de familiarité et dont tout contact physique, ne serait-ce qu'une poignée de main qu'il avait d'ailleurs toujours gantée, lui répugnait à moins qu'il ne s'agisse d'une jolie femme évidemment — laissa alors tomber une phrase qui pétrifia Renoir :

— Cher monsieur, racontez-moi mon rôle !

La légende veut que Stroheim lui aurait dit : « Avec vous, mon cher, ce que vous voulez ! »

C'était d'autant plus faux que Stroheim ignorait complètement qui était Renoir et n'avait vu — il l'a avoué plus tard — aucun de ses films.

Stroheim s'exprimait alors indifféremment en anglais ou en allemand et ne connaissait que quelques mots de français du genre « femme », « argent », « champagne », « bordel ». Renoir parlait un peu l'allemand, mais dans l'état de confusion dans lequel il était, il ne trouvait plus ses mots. Le dialogue s'engagea donc entre eux en anglais, Jacques Becker qui parlait cette langue parfaitement leur servant d'interprète.

Répondant donc à la question que lui avait posée Stroheim, Renoir, paniquant et pris de court, bafouilla quelques mots que Becker, stupéfait, avant d'en faire la traduction à Stroheim, demanda à Renoir de lui répéter plus clairement, tant ce qu'ils impliquaient lui paraissait énorme pour la suite.

— Plus tard, rien ne presse, mais c'est un rôle magnifique ! Magnifique ! bredouilla Renoir. Vous êtes un officier allemand d'un camp de prisonniers français pendant la guerre 14-18. Superbe officier ! Je ne vous en dis pas plus pour aujourd'hui !

Et Renoir ajouta devant Becker ahuri :

— Nous partons tourner dans deux jours et le plus important, c'est que vous passiez chez le tailleur vous faire faire vos uniformes !

Ce fut à peu près tout. Stroheim se contenta de cette brève explication — brève, pour cause ! — et s'en alla, satisfait d'avoir touché un premier chèque qui montrait, pour le moins à ses yeux, le sérieux de ce film.

Becker, chargé d'accompagner Stroheim chez un tailleur proche de l'hôtel des Invalides, garda un souvenir impérissable de ces instants où Stroheim arrachait les ciseaux des mains du maître tailleur, découpait lui-même le tissu, se l'ajustait sur le corps en se regardant dans un miroir. Bref, il dirigeait déjà tout, pensait Becker.

Deux jours plus tard, toute l'équipe se retrouvait en Alsace pour tourner. On avait laissé Stroheim à Paris en lui disant qu'il n'était pas des premiers jours de tournage. Stroheim en profita, sans savoir à quoi exactement correspondait son personnage, pour lui inventer un corset dû à une glorieuse blessure de guerre et qui raidirait un peu plus sa silhouette et la fameuse minerve qui lui soutiendrait le menton et lui bloquerait la tête. Il imposa l'un et l'autre à Renoir, et bien d'autres choses encore.

Au bout de quelques jours, Stroheim rejoignit l'équipe et chaque matin, sans y être convoqué, il se présentait sur le lieu de tournage dans son uniforme d'officier allemand, bardé de ses appareils orthopédiques et des décorations qu'il avait également choisies, et, saluant Renoir en claquant des talons :

— Est-ce que je tourne aujourd'hui ?

— Pas aujourd'hui, pas aujourd'hui ! Ni même demain ! bredouillait Renoir avec mille manières aimables, mais en transpirant un peu.

On avait pris soin de loger Stroheim dans un autre hôtel que celui où étaient installés Renoir, Becker et la scripte qui avait pour nom Françoise Giroud, et que Jean Gabin avait surnommée « le petit cheval » pour une raison que j'ignore !...

Chaque nuit, aidé de Becker et de Françoise Giroud qui tapait le texte à la machine et donnait ses suggestions personnelles, Renoir réécrivait le scénario de *La grande illusion* en inventant et en y incorporant le personnage de von Rauffenstein qu'allait jouer si admirablement Stroheim.

J'ajouterai, pour être complet, que, lorsque Stroheim commença à tourner, les versions divergent un peu sur les rapports qu'il eut avec Renoir.

Certains témoins n'hésitent pas à dire que Stroheim dirigeait lui-même ses propres scènes et que Renoir, trop impressionné, laissait faire ; d'autres, au contraire, déclarent qu'il y eut des heurts entre eux, Renoir, malgré son admiration sincère pour Stroheim, ne voulant quand même pas être dépossédé de son film. Au final, les deux hommes tombaient dans les bras l'un de l'autre, Stroheim se montrant parfois très sentimental.

En réalité, *La grande illusion,* comme tous les films de Renoir, fut bien un film de Renoir. Renoir, en effet, a toujours été entouré d'une « troupe » de collaborateurs dont il suscitait les avis et les suggestions. Il prenait ce qui lui convenait, l'arrangeait à sa façon le plus souvent, et rejetait ce qui ne lui plaisait pas. Il était à l'écoute de tous. Ainsi, le personnage de Rosenthal joué par Dalio s'est trouvé modifié au dernier instant par les suggestions de l'acteur. Quant à celui de von Rauffenstein, Stroheim contribua pour une grande part à lui donner son aura.

Si j'ai insisté sur la genèse de *La grande illusion,* c'est qu'elle est une parfaite illustration des cheminements hasardeux par lesquels passent le plus souvent les chefs-d'œuvre — et pas seulement cinématographiques.

Et je l'ai racontée également parce que *La grande illusion* est exemplaire de l'attitude intelligente de Jean Gabin.

En effet, pendant près de deux années, Jean a épaulé sans défaillance Renoir et Spaak dans leurs démarches en vue de « monter » ce film dont aucun producteur ne voulait, malgré la garantie « commerciale » qu'il apportait. Jean ne s'en acharna pas moins à défendre ce projet en y mettant tout le poids de son prestige. Aussi bien Jean Renoir que Charles Spaak reconnurent en leur temps cette attitude d'autant plus méritoire que Jean était sollicité par ailleurs pour d'autres projets qui, sur le papier du moins et du strict point de vue de ses intérêts financiers, étaient certainement aussi intéressants pour lui que *La grande illusion.* Malgré cela, il ne lâcha jamais Renoir.

Ils finirent par trouver un producteur, Frank Rollmer (R.A.C. — Réalisation d'Art Cinématographique), grâce à l'entregent et au dévouement d'un ami haut en couleur de Renoir — Albert Pinkévitz — qui, par ailleurs, inspira le personnage joué par Carette dans le film.

Quand Jean Gabin apprit l'engagement fortuit de Stroheim, puis constata les modifications sensibles que cela entraînait dans le scénario, il ne broncha pas, faisant confiance à Renoir, et sans doute aussi, conscient que l'œuvre s'enrichissait.

Elle s'enrichissait, mais, en fait, elle basculait d'une manière qui ne lui était pas favorable.

Le cœur du scénario initial était l'opposition entre le personnage qu'il jouait — Maréchal — et celui de De Boëldieu (P. Fresnay). Cette opposition trouvait désormais un prolongement d'une complexité intéressante avec la présence capitale de l'officier aristocrate von Rauffenstein, les rapports de caste avec de Boëldieu prenant presque le pas sur ceux de ce dernier avec Maréchal.

Dans le même temps, le rôle de Rosenthal joué par Dalio s'amplifiait également, et c'était lui qui s'évadait avec Gabin.

La signification de cette fin était clairement exprimée par Renoir : le monde n'avait plus besoin des Rauffenstein et des de Boëldieu, et l'avenir appartenait désormais à la bourgeoisie — Rosenthal — et au monde ouvrier — Maréchal — condamnés à ne pas surmonter, au-delà de leur compagnonnage de soldats et de prisonniers, leurs antagonismes de classe.

Un autre que Jean Gabin aurait pu « renauder », comme il disait généralement quand il s'agissait pour lui de rouspéter, devant ces modifications qui lésaient le personnage qu'il jouait. Il aurait pu même se sentir trahi par Renoir.

Il n'a jamais rien exprimé de semblable. La règle pour Jean, notamment à cette époque, était que la qualité du film devait avoir le pas sur le rôle qu'il interprétait. Ses seules réflexions se limitèrent à exprimer une certaine irritation devant les « ronds de jambe » que Renoir faisait à Stroheim.

— Y en a que pour le Schleu !

Il n'avait pas beaucoup de rapports avec Stroheim et les deux hommes ne s'aimaient guère. Jean ne marchait pas dans le « bluff » de Stroheim et trouvait qu'il en « faisait » un peu trop et jouait « en se regardant dans une glace ». Ce qui n'était pas absolument faux.

Par contre, Jean entretenait d'excellentes relations avec Pierre Fresnay dont il avait été l'artisan de son engagement par Renoir qui avait préalablement proposé le rôle à Pierre-Richard Willm. Celui-ci l'ayant refusé, « ne trouvant pas le rôle suffisamment étoffé et intéressant » (c'était avant les modifications liées à l'entrée en scène de Stroheim), il fut également proposé à Louis Jouvet, qui ne s'était pas trouvé libre.

Avec un plaisir presque enfantin, Jean eut l'occasion de prendre sa revanche sur le dédain que lui avait témoigné Stroheim. La fin du film fut célébrée par un repas qui réunissait toute l'équipe. C'était alors une tradition qui, aujourd'hui, s'est un peu perdue. Selon son habitude, Jean poussa la chansonnette. Pour ne pas être en reste, Stroheim entonna des chants militaires. Sous une autre forme, leur opposition se poursuivait. Jean s'ingénia alors à faire boire Stroheim qui, contrairement à la légende qu'il entretenait aussi dans ce domaine, supportait assez mal l'alcool.

A la fin, ivre mort, Stroheim se leva et, se croyant encore dans la peau de von Rauffenstein, lança des ordres débridés en allemand, claquant des talons et saluant. Il perdit finalement l'équilibre et partit à la renverse, s'écroulant dans un paravent qui, dans sa chute, s'enroula mécaniquement autour de lui.

Tout le monde éclata de rire mais Jean un peu plus fort et un peu plus longuement que les autres à la vue d'Eric von Stroheim qui, le corps prisonnier et comme empaqueté dans le paravent duquel seule sa tête dépassait, avait assurément perdu de sa superbe, malgré son monocle toujours vissé à l'œil.

Vingt ans après, Jean, qui avait plutôt la rancune tenace, se plaisait encore à raconter cette histoire et en riait toujours :

— Ce qu'il avait l'air con, le Schleu, dans son paravent !

Lors de sa sortie en juin 1937 au cinéma Marivaux, le film reçut les éloges de la grande majorité de la presse et connut aussitôt un triomphe public qui se répercuta à l'étranger, à l'exception de l'Allemagne et de l'Italie, où il fut interdit.

Malgré la menace du nazisme allemand et la guerre d'Espagne, à près d'un an de Munich et à deux ans de la guerre, *La grande illusion* était reçue comme un message de paix entre les hommes et notamment entre les Français et les Allemands.

Le président Roosevelt déclara : « Tous les démocrates du monde devraient voir ce film. »

Là aussi, on se berçait d'illusions et de plus grandes encore... Interdit pendant l'occupation allemande et le vichysme, *La grande illusion* ressortit une première fois après la guerre pendant l'été 1946. L'ensemble de la presse de gauche se déchaîna alors contre le film qui fut jugé d'un « pacifisme sentimental », cause des maux de Munich et de la guerre.

« Le sang est trop proche », écrivait Georges Altman dans *Franc-Tireur* le 29 août 1946, qui considérait cette ressortie du film « comme une colossale faute de goût », et en interdisait toute publicité dans son journal.

Plus curieusement, le personnage sympathique de Rosenthal (M. Dalio) qui avait soulevé en 1937 les flèches goguenardes de la presse de droite (« on y voit se pointer le nez du juif ») fit figure en 1947, pour la presse de gauche, d'antisémitisme déclaré.

En 1958, Renoir et Spaak, ayant récupéré à leur profit les droits de *La grande illusion,* ressortirent le film dans une version aussi complète que possible. De nouveau, ce fut un triomphe sans plus la moindre réserve de personne, tant en France qu'à travers le monde.

Sans la moindre réserve de personne ?...

Si, celle de Jean Gabin qui n'avait pas déjà, en son temps, considéré de son point de vue *La grande illusion* comme un des plus importants films qu'il ait faits. Et cela tenait sans doute, et après coup, au chambardement dont le scénario avait été l'objet au cours de la réalisation, et à la présence de Stroheim. Avec le recul, dans les années 50, il considérait même que le film était confus et pas très bien construit, mais il reconnaissait quand même qu'il s'en dégageait une grande force émotionnelle et que certaines scènes étaient particulièrement réussies, y compris celles entre Fresnay et Stroheim. Évidemment, il aimait particulièrement la sienne avec Dalio lorsque tous deux évadés s'engueulaient et s'injuriaient en chantant « Il était un petit navire »...

Le film suivant de Jean, *Le messager,* tourné immédiatement après *La grande illusion* s'inscrivit d'une manière tout à fait marginale dans le déroulement de sa carrière à cette époque. Mis en scène par Raymond Rouleau, dont ce n'était pas le premier film en tant que réalisateur, adapté par Marcel Achard d'une pièce d'Henri Bernstein, Jean y reprenait, à l'étonnement de tous, un rôle créé à la scène par Victor Francen, et y avait comme partenaires Gaby Morlay et Jean-Pierre Aumont.

Dans un rôle d'administrateur colonial trompé par une épouse à qui il pardonnait son infidélité après le suicide de l'amant, son meilleur ami, Jean avait quelque peu déconcerté ceux qui ont tendance à vouloir enfermer un comédien dans un personnage type.

« ... Inattendu, écrivait de son interprétation Françoise Hobanne dans *Ciné-Miroir,* mais surtout bouleversant. Il y affirme une maîtrise de comédien complet. »

On peut parfaitement imaginer que Jean, très marqué alors par son rôle de *Pépé le Moko* dont le succès se poursuivait (*La grande illusion* n'était pas encore sortie), ait été tenté de changer radicalement d'emploi et de démontrer qu'il était aussi un comédien capable d'exprimer des sentiments humains plus feutrés. Les reproches que l'on pouvait lui faire, c'est de s'être trompé dans le choix du sujet, non que le film fût médiocre, mais il manquait singulièrement d'originalité et de force dramatique. Il est toutefois probable que la vraie raison qui incita Jean à jouer ce film est qu'il était tiré d'une pièce de Bernstein, cet auteur dont son père, Ferdinand, avait toujours rêvé, en vain, d'être, au moins une fois dans sa vie, l'interprète.

En 1937, Jean était loin d'imaginer que le chanteur de music-hall et d'opérette qu'il avait été remonterait, un jour de 1949, sur les planches pour y jouer *La soif,* précisément de Bernstein.

En acceptant d'être au cinéma — faute de mieux — l'interprète de Bernstein dans *Le messager,* Jean croyait tenir l'unique et définitive occasion de rendre hommage à la mémoire de son père.

Cette volonté de s'évader du personnage du « dur » se manifesta encore dans le film suivant, *Gueule d'amour* de Jean Grémillon, qu'il tourna durant l'été 1937.

Du quatuor de réalisateurs sur lequel reposent « les glorieuses années Gabin », Jean Grémillon suit Duvivier et Renoir, et précède Carné dans la chronologie des rencontres.

Jean Grémillon, qui s'était affirmé dès ses premiers films muets comme un des grands de sa génération, devait connaître un échec public avec sa première œuvre parlante, *La petite Lise* (1930), qui handicapait sérieusement la première partie de sa carrière, les producteurs se méfiant dès lors de l'intransigeance morale et de la rigueur artistique qu'il professait.

Pour survivre et exercer malgré tout son métier, il fut condamné pendant quelques années à tourner des films de commandes dans lesquels il parvenait parfois, malgré tout, à glisser la marque de sa forte et singulière personnalité.

D'une culture encyclopédique, merveilleux musicien, Grémillon se lia d'amitié avec un producteur français — oui, il y en avait de sensibles et d'intelligents —, Raoul Ploquin, qui dirigeait à Berlin les versions françaises de films allemands pour le compte de la grande compagnie germanique U.F.A.

Alors qu'en France la production se montrait timorée et précaire (voir les difficultés rencontrées par Renoir pour *La grande illusion*), la U.F.A. décidait d'entreprendre la production de films français dans le double but de faire travailler ses magnifiques studios de Neubabelsberg près de Berlin et de procurer des devises à l'économie allemande en s'assurant le marché français de la distribution.

Raoul Ploquin se retrouva tout naturellement à la tête de ces productions. Grand professionnel, d'une scrupuleuse honnêteté morale et d'une courtoisie exemplaire, Raoul Ploquin inspira confiance aux artistes français, et c'est ainsi que Jean Gabin signa un contrat avec la U.F.A. le liant à cette société pour deux films à déterminer d'un commun accord.

Jean n'avait pas remis les pieds à Berlin depuis 1935 pour le tournage de *Variétés,* et il est certain que sa décision d'accepter d'y revenir — il n'était pas le seul, la plupart des comédiens et des metteurs en scène français s'y rendirent également, puisque c'était là qu'existaient alors les meilleures possibilités d'exercer leur métier — tint essentiellement à la présence de Ploquin à la direction des productions de la U.F.A.

Par ailleurs, Ploquin se battait pour permettre à son ami Grémillon de faire un film plus en rapport avec son talent et ses ambitions artistiques. Il lui fit donc signer un contrat avec la U.F.A. le 1er juillet 1936 pour tourner un scénario d'Albert Valentin adapté par Charles Spaak et intitulé *Expiation.* Cet *Expiation* deviendra plus tard, lorsqu'il sera tourné, *L'étrange monsieur Victor.* La direction allemande de la U.F.A. fit cependant si bien traîner les choses, notamment parce qu'elle voulait obtenir l'accord de Raimu dans le rôle principal, que le film dut attendre décembre 1937 pour être réalisé.

Entre-temps, Gabin et Ploquin s'étaient mis d'accord pour tourner l'adaptation d'un roman d'André Beucler, *Gueule d'amour.* Ploquin suggéra à Jean le nom de Grémillon comme réalisateur. L'acteur n'ignorait pas les qualités du metteur en scène ni l'injustice qui avait frappé certains de ses films. Il accepta donc de rencontrer Grémillon et, malgré la différence sensible qui existait entre leurs deux personnalités, le courant passa entre eux aussitôt.

Le soutien de Jean allait permettre à Grémillon, après un an de chômage, d'exercer de nouveau son métier et dans des conditions plus confortables que par le passé.

De plus, le succès commercial que rencontra *Gueule d'amour* allait faire tomber les réticences des producteurs à son égard et, sur cette lancée, Grémillon tourna dans les années qui suivirent quatre de ses chefs-d'œuvre : *L'étrange monsieur Victor* (avec Raimu, en 1937-38), *Remorques* (1939-40) où il retrouvait Jean Gabin, et enfin *Lumière d'été* (1942) et *Le ciel est à vous* (1943).

Il est évident que, au départ, le roman de Beucler comptait moins pour Grémillon que sa rencontre avec Gabin.

Selon Charles Spaak, ami de Grémillon et de Gabin, engagé pour écrire l'adaptation, il n'y avait pas de « scénario » dans le bouquin de Beucler, et Ploquin — mais Spaak avait souvent tendance à exagérer — lui aurait même conseillé de ne pas perdre son temps à le lire.

Il est clair cependant que Jean, lui, l'avait lu et qu'il avait été sans aucun doute séduit par l'idée d'interpréter ce personnage de Lucien Bourrache, sous-officier d'un régiment de spahis à l'uniforme particulièrement flatteur pour l'acteur qui l'endosserait et qui avait, en outre, le mérite à ses yeux d'avoir un surnom qu'il se voyait bien porter : « Gueule d'amour ».

Un comédien, même d'une grande exigence artistique tel que Jean à cette époque, sous-estime rarement des éléments romanesques aussi porteurs que ceux-là auprès du public.

Le grand succès du film lui donna d'ailleurs raison.

« On peut penser, écrira Henri Agel en 1969[22], que si le film garde, trente ans après sa sortie, son emprise sur l'affectivité du spectateur, c'est parce qu'il est doté à l'écran d'une modalité d'expérience due à l'utilisation d'une mythologie — celle de Jean Gabin — par un réalisateur sensible et pudique à la fois. L'interprète atteint ici au même niveau humain, à la même densité dramatique qu'il atteindra dans *La grande illusion* et *Le jour se lève*. Mais surtout il annonce la création qu'il fera dans un autre film signé aussi par Grémillon, *Remorques*. »

Si, dans la première partie du film, Grémillon s'appuya en effet sinon sur le « mythe Gabin » dont personne ne parlait alors, les exégèses de cette période du cinéma ne l'inventant qu'après la guerre, du moins sur l'image du « héros prestigieux » dont *Pépé le Moko* et, dans un ordre inférieur, *La bandera* avaient été alors les seuls exemples, ce fut pour mieux le réduire dans la dernière partie de l'œuvre à ce « tragique quotidien » qui touche les êtres humains ordinaires, thématique chère à l'auteur du *Ciel est à vous*.

Ainsi, le beau sous-off de spahis, qui, au début, tournait les cœurs féminins en jouant du prestige de son uniforme et de sa « gueule d'amour », terminait sa vie derrière le comptoir d'un estaminet misérable, marqué à tout jamais par les tourments que lui avait causés une belle garce dont il s'était épris. Il ne trouvait finalement la libération que par le meurtre de celle qui l'avait humilié.

On était donc loin, là, du héros « mythique » de *La bandera* et de *Pépé le Moko* qui choisissait et déterminait lui-même sa mort et non sans romanesque. Dans *Gueule d'amour*, Gabin ne mourait pas — pour une fois —, il était condamné à pire : désemparé, incapable d'assumer son destin de meurtrier d'occasion, il s'effondrait et pleurait dans les bras d'un ami, en le suppliant de le secourir.

On comprenait, avec l'image du train qui l'emportait, et dans une sorte de clin d'œil au soi-disant « mythe », qu'il partait se perdre dans l'anonymat de la Légion étrangère et s'y enfouir sans gloire, porteur d'un drame trop lourd pour lui et sa vie brisée.

L'utilisation, puis la destruction dans *Gueule d'amour* du « mythe Gabin » — je reprends l'expression par commodité — en grande partie né avec *Pépé le Moko*, se trouvait aussi curieusement amplifiée par la présence, dans un rôle sensiblement semblable à celui qu'elle jouait dans le film précédent, de Mireille Balin.

Les ressources de la comédienne, qui n'étaient pas négligeables, n'atteignaient cependant pas celles qu'elle tirait de sa beauté qui était considérable, et si le rôle de Madeleine, garce mais elle-même plus victime que coupable d'être trop belle, lui allait parfaitement, elle reformait aussi à cette occasion, avec Gabin, le couple prestigieux de *Pépé le Moko*. On comprend donc que Ploquin et Grémillon acceptèrent sans difficulté — comme un cadeau même — le souhait exprimé par Jean que Mireille Balin soit de l'aventure.

Car, dans le choix qu'il avait fait de tourner *Gueule d'amour*, la présence éventuelle à ses côtés de la belle Mireille compta sans doute aussi pour beaucoup. Malgré la présence dans sa vie de son épouse Doriane, Jean, dans ce rituel qu'il pratiquait de faire une cour charmante à ses partenaires féminines, s'était, cette fois, un peu emmêlé le cœur en tombant amoureux, l'espace de deux films, de Mireille Balin.

« C'était un beau film, *Gueule d'amour* », disait Jean bien des années après, lorsqu'il évoquait pour moi ses souvenirs.

Malgré tout, dans son intonation, je sentais un « mais »... qu'il ne prononçait pas.

« C'était la première fois qu'on me voyait pleurer à l'écran, lâchait-il finalement, et j'avais un peu peur de jouer ça. »

Il était en effet bouleversant de vérité dans cette scène où il laissait aller ses larmes sur l'épaule de René Lefebvre, mais, paradoxe du comédien et aussi de l'homme en ce qui le concerne plus précisément, lui qui avait souhaité s'évader de l'image du « dur », qui lui collait par trop à la peau et qu'on avait fini par identifier à sa propre personnalité, avait un réflexe de pudeur devant l'impression qu'il gardait d'avoir livré en pâture au public, dans ce court instant de *Gueule d'amour*, beaucoup trop de son être secret. Il en restait encore embarrassé des années plus tard et en conservait comme un regret.

Mathias, son fils, m'a raconté que, dans les années 70, la famille regardant un soir à la télévision *Gueule d'amour*, Jean n'arrêtait pas de « renauder » en répétant : « J'ai fait mieux... »

En cet automne 1937, aux premiers jours de novembre, Jean qui avait dîné seul au restaurant du Berkeley, au coin de l'avenue Matignon et de la rue de Ponthieu, remontait tranquillement les Champs-Élysées en direction du Claridge, où il avait une chambre réservée. C'était en effet dans ce palace qu'il allait séjourner occasionnellement lorsque la tension montait entre Doriane et lui, et qu'elle devenait trop insupportable. Cette fois-là, était-ce que son épouse avait appris sa liaison avec Mireille Balin ? Possible. La belle actrice avait pourtant déjà, pour les besoins de son nouveau film, *Naples au baiser de feu*, rejoint un autre partenaire qui allait aussi succéder dans son cœur à Jean Gabin : Tino Rossi.

Jean avait quitté Berlin où les prises de vues de *Gueule d'amour* étaient pratiquement terminées, mais son séjour à Paris s'annonçait bref, car il devait retourner à Neubabelsberg pour y postsynchroniser certaines scènes d'extérieurs.

Rien ne pressait Jean de rentrer tôt au Claridge et, flânant un peu, il s'arrêta devant la façade du cinéma Le Colisée où l'on jouait un film intitulé *Drôle de drame* avec Françoise Rosay, Louis Jouvet, Michel Simon et Jean-Pierre Aumont.

Le nom du metteur en scène lui disait vaguement quelque chose — un nouveau qui avait fait l'année précédente *Jenny* avec Françoise Rosay. Quant à Jacques Prévert, le scénariste, il connaissait, car la jeune femme qui lui servait alors d'agent artistique, Denise Tual, le lui avait présenté l'année précédente en lui faisant lire l'adaptation qu'il avait faite d'un scénario de Grémillon : *Train d'enfer.*

Ce *Train d'enfer* — il en avait parlé avec Grémillon pendant le tournage de *Gueule d'amour* — devait être son prochain film et Grémillon, naturellement, le mettrait en scène.

Jean tenait d'autant à ce projet qu'il y aurait l'occasion de jouer un mécanicien de locomotive, réalisant ainsi, par le truchement du cinéma, un de ses rêves d'enfant, du temps déjà lointain de Mériel.

Au Colisée, la dernière séance était commencée, de même que la projection du film. Malgré cela, Jean eut envie d'entrer.

La caissière le reconnut et ne lui permit pas de payer sa place.

Dans le noir, on l'installa au fond de la salle qui n'était occupée que par un maigre public qui s'agitait et protestait comme mille. Certains spectateurs s'en allaient même en criant au scandale.

Drôle de drame était sorti le 20 octobre, il y avait à peine deux semaines, et c'était, ce soir-là, la dernière séance, tant l'insuccès était grand et surtout, tant, à chaque représentation, les rares spectateurs qui s'y aventuraient menaçaient de casser les fauteuils.

Naturellement, à Berlin, loin des événements parisiens, Jean avait ignoré tout cela. Ce qui l'avait incité à entrer au Colisée était la présence, dans le film, de Jouvet et Simon qui, sans qu'il ait avec eux de relations amicales, étaient des acteurs qu'il admirait et qui le fascinaient. Le fait que *Drôle de drame* soit signé par Carné et Prévert avait été pour lui secondaire.

« Je ne comprenais pas très bien ce qui se passait, racontait Jean se souvenant de cette soirée. D'abord, j'étais entré, le film était commencé. Ensuite les trois pelés et le tondu de spectateurs qui étaient là n'arrêtaient pas de vociférer, au point que j'avais du mal à saisir toutes les répliques. Mais ça m'a tout de suite paru un film étonnant qui sortait des sentiers battus et je me marrais bien. Je trouvais le scénario bien foutu, plein d'imprévus, et je me disais que le type qui avait fait la mise en scène connaissait drôlement bien son métier. »

Le lendemain de cette découverte, Jean se rendit chez Denise Tual qui avait ses bureaux rue d'Artois, juste derrière le Claridge.

Denise Tual avait été l'épouse du merveilleux comédien Pierre Batcheff (*Un chien andalou* de Luis Bunuel) qui s'était suicidé en 1932. Amie des surréalistes et des frères Prévert comme son second mari Roland Tual, Denise Tual n'avait cessé d'évoluer au cœur même de ces groupes d'artistes et d'intellectuels anticonformistes qui faisaient alors de Paris la capitale de toutes les révolutions culturelles. Elle s'était naturellement frottée aussi au monde du cinéma, notamment comme monteuse, et Alexandre Korda lui avait donné l'idée de créer une sorte d'agence de sujets de films. Associés à Gaston Gallimard, Denise et Roland Tual lancèrent leur société sous le nom de « Synops ». Le colossal fond littéraire de la N.R.F. était à leur disposition pour en traiter la vente des droits cinématographiques.

Indépendamment de cela, d'autres auteurs qui n'appartenaient pas à la N.R.F. vinrent demander à Denise Tual de s'occuper de leurs affaires. De même un acteur célèbre, pas intellectuel pour deux sous mais qui savait sentir où se trouvait son intérêt avec cet instinct du petit garçon sauvage qu'il avait été quand il pistait le renard dans les bois de Mériel, il s'agit bien sûr de Jean Gabin.

« J'avais entr'aperçu Jean, raconte aujourd'hui Denise Tual[23], sur le plateau de *Zouzou,* mais je fis réellement sa connaissance lorsqu'il tournait *Les bas-fonds* en 1936. Jean Renoir était de nos amis, et après m'avoir présentée, il expliqua à Gabin ce que je faisais, à savoir que je lisais beaucoup pour chercher des sujets de film. »

Dans son livre de souvenirs, *Le temps dévoré*[24], Denise décrit à merveille le personnage dans l'instant où une seule préoccupation habite son esprit : la prochaine scène à tourner.

« Jean me regarda sans conviction. Vautré dans son fauteuil, les jambes droites étalées tout de leur long, la casquette rabattue sur le nez, il n'était pas spécialement de bonne humeur. J'étais sensible à cet ours d'une autre sorte, à ce talent énorme fait de naturel, de silences instinctifs ou voulus, à cette voix un peu terne qui éclatait tout à coup dans des colères feintes qui semblaient sincères. Drôle d'animal en vérité ! »

Le « drôle d'animal » était précisément ce jour-là furieux contre un producteur qui l'avait obligé à lire une « connerie » de scénario. Colère apaisée, il lorgna vers Denise Tual, assise près de lui.

— Vous pourriez pas lire pour moi ? lui demanda-t-il.
— J'ai déjà un sujet pour vous, répliqua Denise Tual.
— De qui ?
— Prévert...
— Qui c'est ça, Prévert ?

Il s'agissait de *Train d'enfer*, le scénario de Jean Grémillon sur lequel Jacques Prévert avait retravaillé.

— On se reverra, dit Jean, quand Denise Tual le quitta.

Ils se revirent en effet, au point que Jean confia dès lors ses intérêts artistiques à Synops, Denise Tual attachant particulièrement au service de Gabin Dominique Drouin, qui s'entendit à merveille avec lui.

Donc, s'étant rendu ce matin-là chez Denise Tual, Jean lui fit part de ses sentiments sur *Drôle de drame* et de l'intérêt qu'il portait aux « deux mecs » qui l'avaient fait.

Là-dessus, il repartit pour Berlin terminer *Gueule d'amour*, et indiqua également à Raoul Ploquin son désir de faire un film avec l'association Carné-Prévert. Ploquin, qui connaissait le talent de l'un et de l'autre, fut séduit. Jean avait l'obligation de faire, après *Gueule d'amour*, un second film pour la U.F.A., et un projet avec Carné et Prévert, à condition de trouver un sujet, était une éventualité qui lui convenait.

Travail terminé, Jean rentra à Paris avec Ploquin dans le but de rencontrer très vite Carné et Prévert.

Rendez-vous fut pris chez Allard, un restaurant que Jean aima fréquenter avant comme après la guerre pour sa solide cuisine de tradition.

Carné y vint seul, Jacques Prévert se trouvant alors à Belle-Isle dont il était tombé amoureux.

Dans son livre *La vie à belles dents* [1] dans lequel il relate ses souvenirs, Marcel Carné raconte cette première rencontre avec Jean, si déterminante pour lui après l'échec commercial de *Drôle de drame*. Il en attribue toutefois l'initiative et le mérite à Doriane.

Selon Carné en effet, c'est Doriane qui serait allée voir son film au Colisée en compagnie, précise-t-il, de l'épouse de Raoul Ploquin. A la sortie, enthousiasmées, les deux femmes auraient appelé à Berlin leurs maris pour leur conseiller, à l'un comme à l'autre, de faire un film avec lui.

J'ignore de qui Carné tient ce fait [25]. De Doriane elle-même peut-être qui désirait sans doute montrer à l'entourage nouveau de Jean qu'elle avait sur son mari une certaine influence. Ce qui, à cette époque, n'était plus aussi vrai que cela avait pu l'être lors des premières années de leur union. La preuve en était que dès *Les bas-fonds* (1936) Jean avait demandé à Denise Tual d'être son agent artistique et sa conseillère sur le choix des sujets, rôle que Doriane avait prétendu tenir jusqu'alors.

Rendons-lui d'ailleurs cette justice : à partir de ce moment-là, jamais dans ses déclarations publiques ultérieures, y compris au plus fort de son affrontement juridique avec Jean ni même dans ses confidences privées, elle n'a continué à revendiquer ce rôle.

Interrogé incidemment sur la version que donne Marcel Carné lors d'un entretien qu'il m'a accordé, Raoul Ploquin déclarait[26] :

« Je n'ai pas le souvenir que les choses se soient passées ainsi. Il me semblait que c'était Jean qui, de retour à Berlin d'un bref voyage qu'il avait fait à Paris, m'avait parlé de *Drôle de drame,* et surtout de son désir de faire un film avec ses auteurs. Mais je peux me tromper, c'est si loin. Cependant, cette indication que ma femme aurait été avec Doriane voir *Drôle de drame* me paraît suspecte... »

Consultée à ce propos, Mme Ploquin éclata d'un rire léger et amusé : « C'est loin mais dans ce cas précis ma mémoire ne peut me tromper car jamais, en aucune circonstance, même celle toute simple d'aller au cinéma avec elle, je ne suis sortie en compagnie de Mme Doriane Gabin... J'ai vu *Drôle de drame,* bien sûr, mais sans elle, et la chose qui est vraie, c'est que j'ai beaucoup aimé ce film. »

Jean n'était pas homme à travestir les faits pour les rendre à son avantage s'ils ne l'étaient pas. Dans ce dernier cas, et s'il ne voulait pas en faire état, il avait une attitude plus simple : il se taisait. Il m'a placé deux ou trois fois dans l'obligation de devoir débusquer ce que cachait ce silence.

De mon côté, autant que je l'ai pu, j'ai toujours cherché à confronter son témoignage à ceux d'autres personnes mêlées aux mêmes événements. A quelques détails près, le plus souvent ils ont concordé ou se sont complétés dans le même sens. C'est notamment le cas concernant *Quai des Brumes*. Les témoignages qui m'ont été donnés à des dates et dans des circonstances diverses par Jacques Prévert, Pierre Mac Orlan, Denise Tual, Raoul Ploquin, Alexandre Trauner confirment d'une façon générale la version de Jean Gabin.

Si j'insiste pour rendre aussi clairs que possible les événements qui ont conduit à la réalisation de *Quai des Brumes,* c'est que cette œuvre illustre tout particulièrement le rôle, disons-le, « créateur » joué par Gabin à cette époque, dans la génèse de quelques-uns de ses films.

C'est important de le démontrer pour deux raisons.

D'une part, pour comprendre qu'il n'était pas ce personnage « nature » qui sous-entendait « non cultivé », qui « ne pensait pas », et se contentait d' « engranger le pognon » qu'on lui donnait pour pointer « sa gueule cinématographique », comme on a souvent voulu le faire croire.

D'autre part, après la guerre, lors de sa « traversée du désert », on a si peu tenu compte de l'investissement personnel qu'il avait mis dans ses meilleurs films de 1935 à 1940 que cette attitude a considérablement participé à faire évoluer son caractère vers une sorte de misanthropie et l'a amené à porter sur son métier, que pourtant au fond de lui-même il continuait d'aimer, un regard désenchanté, pour ne pas dire parfois cynique.

Cela étant dit, Marcel Carné donnant une version différente des faits ayant engendré *Le quai des Brumes,* je me permets de donner ici des extraits significatifs de son livre [1], notamment concernant sa rencontre chez Allard avec Jean Gabin et Raoul Ploquin.

« Dès le début du repas, le cinéma fut de la partie. Cependant, comme cela arrive souvent en pareil cas, chacun de nous évitait d'aborder l'objet de la réunion.

Ploquin, le premier, se jeta à l'eau :

— Éventuellement, auriez-vous un sujet pour Jean ? me demanda-t-il.

Si j'en avais un ! Mais deux, trois, cinq !...

Je me gardai cependant d'exprimer ma pensée à haute voix, et me contentai de citer le roman d'un auteur que j'affectionnais entre tous : *Le quai des Brumes* de Pierre Mac Orlan.

Je ne parlai que de celui-là, mais j'en parlai longuement, interminablement, décrivant son atmosphère originale, ses personnages qui ne l'étaient pas moins, sans me douter qu'on ne retrouverait pas grand-chose du roman dans le film qui en serait tiré plus tard...

Lorsqu'on se quitta, Gabin et Ploquin me promirent de lire le livre et de me faire signe dans le courant de la semaine qui suivait.

C'était vague. Cela ressemblait un peu au trop fameux " laissez votre adresse, on vous écrira "...

Cependant, le lendemain, à guère plus de dix minutes d'intervalle, je devais recevoir deux appels téléphoniques. Un premier de Ploquin, puis un second de Gabin. Tous deux, ayant lu le livre dans la nuit, pensaient qu' " on pouvait en tirer un film intéressant ". »

De son côté, Denise Tual déclare [23-24] :

« Pendant le tournage de *La bandera,* Jean s'était lié d'amitié avec Pierre Mac Orlan et avait lu la plupart de ses livres. Curieusement, *Le quai des Brumes* avait échappé à son attention. Quand j'ai travaillé avec lui, je lui ai conseillé de le lire. Ce qu'il a fait. Et avec cet instinct extraordinaire qu'il avait de sentir les choses, il s'enthousiasma et me demanda de lui en réserver les droits. Ce que je fis aisément, puisque l'œuvre de Mac Orlan était éditée chez Gallimard, qui était notre associé à Synops.

« Je crois me souvenir avoir même demandé dès cet instant à Jacques (Prévert) d'écrire quelques pages de notes d'intention en vue d'une adaptation, mais je ne me rappelle pas s'il l'a fait. »

Dès 1935, Jean rendait souvent visite à Mac Orlan dans sa maison de Saint-Cyr-sur-Morin, près de La Ferté-sous-Jouarre. Il n'aimait pas seulement les romans du « Père Mac », comme il l'appelait, mais également l'homme, dont les récits qu'il lui faisait du temps où il bourlinguait à travers le monde le fascinaient.

C'est Mac Orlan qui a donné à Jean le goût de l'accordéon au point de s'en être acheté un à cette époque, et d'en jouer lui-même en essayant de se rappeler les leçons de solfège que sa sœur Madeleine avait eu tant de mal à lui inculquer quand, enfant, elle le forçait à jouer sur le piano de la maison de Mériel.

Jean aimait surtout quand Mac Orlan prenait lui-même son accordéon et, coiffé de son immuable béret écossais surmonté d'un pompon, il lui chantait d'une voix éraillée les chansons qu'il écrivait et que d'autres mettaient en musique. Pierre Mac Orlan a été, en effet, le premier écrivain et poète français, à ma connaissance, à avoir directement écrit pour la chanson.

J'ai moi-même, dans les années 50, d'abord pour les besoins du livre que je projetais d'écrire sur Jean, ensuite plus simplement parce que, moi aussi, le personnage me fascinait, rendu quelques visites à Mac Orlan dont la porte était toujours courtoisement ouverte[27].

« J'ai été content, mais aussi un peu étonné, me disait alors Mac Orlan, quand Jean est venu un jour me dire qu'il voulait faire au cinéma *Le quai des Brumes*. C'était un bouquin fait de petites histoires, avec des personnages dont les destinées se croisaient un instant au " Lapin Agile ", et dont aucun n'était finalement plus important que l'autre. Je ne voyais pas là-dedans de rôle assez conséquent pour l'énorme comédien qu'était alors Jean.

« — Mais quel rôle tu veux donc jouer ?

« — Jean Rabe, ou le soldat, me répondait Jean en ajoutant : Il faudra arranger un peu, sûrement... »

Revenons à ce déjeuner chez Allard. La conversation avec Marcel Carné, en présence de Raoul Ploquin, aurait été la suivante, selon Jean Gabin :

« J'ai demandé à Carné s'il avait lu *Le quai des Brumes* de Mac Orlan.

— Oui, répondit Marcel.

— J'en ai les droits, ça vous dirait de faire le film avec moi ?

Marcel était déjà continuellement agité et nerveux, comme il le sera toute sa vie, et il tortillait aussi déjà les boutons de son veston en roulant les yeux.

— Je sais pas, faut que j'en parle à Jacques, me répondit-il de sa voix précipitée et zézayante (Jean imitait parfaitement la voix de Carné).

On a encore un peu parlé de tout ça, et Marcel répétait de temps en temps avec son cheveu sur la langue :

— Faut que j'en parle à Jacques! Faut que j'en parle à Jacques!

Bref, il en a parlé à Jacques, et moi aussi. On est tous tombés d'accord très vite pour faire *Le quai des Brumes* ensemble, et Ploquin a fait signer à Jacques et Marcel un contrat avec la U.F.A., puisque j'avais encore un film à faire avec les Schleus... »

« C'est alors que je mesurai mon inconséquence, reprend Carné dans son livre, faisant allusion à la proposition qu'il avait faite, selon lui, au cours de ce déjeuner, de tourner le livre de Mac Orlan.

L'action du *Quai des Brumes* se passait à Montmartre, au début du siècle, plus particulièrement au " Lapin Agile ".

Comment reconstituer le vieux Montmartre, celui de la rue des Saules et du cimetière Saint-Vincent, à Neubabelsberg où le film devait être tourné?

J'imaginais la reconstruction à l'allemande : lourde, pesante, théâtrale...

Jc m'en ouvris à Jacques qui aussitôt partagea mes craintes.

Le titre de l'ouvrage de Mac Orlan nous fournit une idée : transporter l'intrigue dans un port, Hambourg par exemple. »

Pierre Prévert a réalisé, en 1961, six heures d'émission[28] sous le titre *Mon frère Jacques*, dans lesquelles Jacques Prévert évoque ses souvenirs, et dialogue aussi avec quelques amis qui ont été mêlés à sa carrière. C'est ainsi qu'il s'entretient un moment avec Marcel Carné de *Quai des Brumes*, sans que celui-ci n'avance aucun des propos qu'il écrira plus tard, en 1975, dans son livre.

D'autre part, dans *Mon frère Jacques*, Jacques Prévert et Jean Gabin évoquent également *Quai des Brumes* et ce qu'il s'est passé après la signature des contrats avec la U.F.A. :

GABIN : Et pis, t'es parti à Belle-Isle, je crois, non?

PRÉVERT : Oui...

GABIN : Et pis t'es revenu un mois plus tard avec le scénario du film à peu près comme on l'a tourné...

PRÉVERT : (riant) Oui... Pour une fois j'ai été rapide...

GABIN : (riant) Oui, pour une fois... Ça n'avait plus aucun rapport avec le bouquin, mais le « Père Mac » était quand même content, hein ?

PRÉVERT : Oui, il s'est pas fâché en tout cas...

« La grande trouvaille de Jacques, disait Mac Orlan[27], c'est d'avoir fondu deux personnages du bouquin — Rabe et le soldat — en un seul et unique, juxtaposant leurs caractéristiques et leurs destinées. De cette façon, évidemment, il y avait un rôle important pour Gabin. Je n'ai jamais su si c'était à ça qu'avait pensé Jean quand il me disait qu'il faudrait " arranger " un peu...

Dans le *Quai*, il était vêtu de la vareuse de la coloniale, et c'était vraiment un colonial de la caserne de Lourcine. Car Jean Gabin possède le don de la vérité, mieux, de l'authentique. Le costume qu'il revêt afin d'interpréter un rôle lui confère instantanément le profit des expériences diverses que représente ce costume. C'est un créateur d'ombres vivantes dont l'aisance est souvent bouleversante. Il apporte à l'art cinématographique la qualité humaine qui permet d'élever à la dignité un rôle quelquefois ingrat. Il est un artiste qui sait résoudre toutes les complications par la simplicité : il est calme, très attentif, bien équilibré. Il me donne l'impression d'un " goal " de la classe des internationaux devant ses buts.

La dernière fois que j'ai vu Jean Gabin chez moi*, il était accompagné d'un beau chien de traîneau à langue d'ébène**.

— Tiens, me dit-il, je te le donne. C'est un chien remarquable, il mord un peu tout le monde.

J'ai refusé le chien à langue noire qui ne m'était pas d'ailleurs antipathique, mais pour des raisons personnelles de sécurité. »

Pendant que Jacques Prévert travaillait à l'adaptation du *Quai des brumes* à Belle-Isle, et dans une conception sans doute convenue avec Carné et Gabin, Carné se rendait à Hambourg pour des repérages et, dans les studios de Neubabelsberg, fit passer des essais pour le rôle féminin à qui Jacques Prévert était en train de donner une tout autre dimension et personnalité que dans le roman. Dans celui-ci, Nelly était une femme « libre » un peu prostituée. Prévert en faisait la filleule de Zabel (Michel Simon) qui n'était plus boucher comme dans l'œuvre de Mac Orlan, mais boutiquier.

* C'était après la sortie de *Quai des Brumes*. *(N.d.A.)*
** En réalité, c'était un chow-chow. *(N.d.A.)*

Trois jeunes actrices passaient ces essais avec Jean Gabin qui, consciencieux, leur donna la réplique : Marie Déa, Gaby Andreu et Jacqueline Laurent.

Carné, aussi bien que Gabin et Prévert, aurait souhaité Michèle Morgan qu'ils avaient tous remarquée dans *Gribouille,* son premier grand rôle, aux côtés de Raimu, mais elle tournait à ce moment-là *Orage* avec Charles Boyer, réalisé, comme son précédent, par Marc Allégret, et le film ne devait pas être terminé pour le début des prises de vues du *Quai*.

Mais le doigt du destin veillait et allait faire que Jean Gabin rencontrerait quand même Michèle Morgan dans le rôle de la petite Nelly aux grands yeux verts, au ciré noir et au béret noir aussi, dans l'arrière-salle du bistro de Panama (Édouard Delmont) au bout du quai des Brumes. Et on sait que cette rencontre n'allait pas seulement être importante pour le film mais pour eux également.

Un doigt du destin plutôt sinistre d'ailleurs, et qui avait nom Dr Goebbels, ministre de l'Information et de la Propagande du gouvernement d'Adolf Hitler.

Chaque projet de film de la U.F.A. était obligatoirement soumis aux services du Dr Goebbels. Quand le scénario de *Quai des Brumes* leur fut soumis, ils opposèrent un veto au tournage du film.

A quelques jours du début des prises de vues, la catastrophe s'abattait sur le projet.

Pour tenter de le sauver, Raoul Ploquin obtenait de la direction de la U.F.A. qu'elle accepte de céder les contrats de Gabin, Prévert et Carné à une production française.

« Curieusement, je n'ai pas le souvenir que la U.F.A. détenait le contrat de Mac Orlan, déclarait à ce sujet Raoul Ploquin[26]. Il est possible qu'il s'inscrivait comme un additif à celui de Jean Gabin. »

C'est en effet ce que semble dire également Denise Tual dans son livre[24].

« Prévert avait exigé une totale liberté pour l'adaptation. Je l'avais obtenue de Mac Orlan en même temps qu'une option pour que le sujet reste entre nos mains*. »

Denise Tual indique également qu'elle était en relation avec le producteur, Grégor Rabinovitch, « israélite d'origine russe, de nationalité allemande, en passe d'être naturalisé français ».

Désirant depuis longtemps faire un film avec Jean Gabin, il

* Sous-entendu à Synops et à Gabin. *(N.d.A.)*

n'hésita pas à reprendre l'ensemble des contrats détenus par la U.F.A. concernant *Quai des Brumes.* Il faisait même une bonne affaire, car la U.F.A. lui céda le contrat de Jean au prix qu'elle l'avait payé un an plus tôt, soit 450 000 francs [29], alors que, depuis le triomphe de *La grande illusion,* il « valait » le double.

« Le problème avec Rabinovitch, se rappelle aujourd'hui Alexandre Trauner [30], c'est qu'il ne lisait pas le français. C'était sa secrétaire, Mme Limbourg, qui lui lisait les scénarios... Au départ, Denise Tual s'était contentée de lui raconter la trame de l'histoire et il était tellement heureux d'avoir Jean Gabin qu'il avait sans doute dû écouter d'une oreille distraite... Mais quand il prit réellement connaissance du scénario, " Rabi ", comme l'appelait Jean, fut littéralement effrayé.

— C'est sale, disait-il, tout est sale ! »

Rabinovitch ne comprenait pas qu'un aussi grand artiste que « Missieu Gabine », comme il disait, puisse aimer cette histoire qui ne pouvait aboutir pour lui qu'à un film qui serait un « grand malheur ». Il tenta donc d'avoir l'appui de Jean pour obtenir des modifications du scénario.

— Moi, j'aime bien... Et je crois qu'on peut faire un bon film, aurait simplement répondu Jean, selon Marcel Carné.

« Sans Jean, ajoute Alexandre Trauner, le *Quai* ne se serait pas fait, ou il ne serait jamais allé jusqu'au bout, car Rabinovitch l'aurait fait arrêter avant, tant il était persuadé qu'il courait vers un " grand malheur ".

Jean a soutenu Carné à bout de bras pendant tout le film et jusqu'au montage en repoussant toutes les récriminations du producteur et en obtenant que Carné tourne son film comme il le désirait... »

Malgré les réticences de Rabinovitch, le film se préparait activement. Le port du Havre remplaçait celui de Hambourg. Aux studios de Joinville, Trauner montait les décors. Carné réussissait à faire engager dans les principaux rôles Michel Simon, Pierre Brasseur, Robert Le Vigan.

L'équipe se rencontrait plus aisément dans les bureaux de Synops que dans ceux de Rabinovitch afin d'éviter d'entendre les gémissements du producteur. Violette Leduc — qui était la standardiste de Denise Tual à Synops — a raconté dans son livre *La bâtarde* l'atmosphère qui y régnait alors :

« Gabin faisait une entrée à la Jupiter.
— La taulière, où est-elle ? disait-il.
— Personne dans la taule ? criait Prévert.
Ils rejetaient en arrière leur chapeau mou. Brune, petite, élégante,

D. T. (Denise Tual) apparaissait ; elle riait de bon cœur à ce qu'ils disaient. Carné, très scrupuleux, travaillait au scénario alors qu'on donnait les premiers coups de pioche dans le brouillard, le roc, la nuit, pour le film : *Quai des Brumes*.

Gabin, vêtu d'une veste de drap chiné vert et marron épaisse comme une pelisse, le cou à l'abri dans un foulard de cachemire, ressemblait à un soudeur qui vit dans les étincelles.

Il leva la tête.

— Je vais pisser, dit-il à un cactus.

Il y a des virilités qui vous font jubiler.

Prévert grillait une cigarette avec un tantinet de nervosité. Marcel Carné émergeait, inquiet, de son long pardessus en poil de chameau... »

Inquiet, Carné ? Nerveux, Prévert ? Sans doute prévoyaient-ils déjà qu'ils n'étaient pas au bout de leur peine. Car la Censure française, présidée alors par Edmond Sée, sans être aussi rigoureuse que celle du Dr Goebbels, n'appréciait guère le scénario et surtout pas cette idée de soldat déserteur, alors que la tension montait en Europe et que l'on préparait peut-être déjà, dans le secret du ministère de la Guerre, les fiches de mobilisation d'août 1938.

Sous réserve que le mot « déserteur » ne soit jamais prononcé, et que le soldat se débarrasse de ses vêtements en les pliant soigneusement sur une chaise au lieu de les jeter pêle-mêle dans la pièce, la Censure accorda finalement son visa.

Durant le tournage du film, Carné, Prévert et Gabin auraient de bien plus grands obstacles à surmonter, ceux que dressait Rabinovitch, aidé en cela par son représentant sur le film, le directeur de production Simon Schiffrin.

Mais pour l'heure, alors que la date du début de tournage approchait, il y avait encore un grave problème à résoudre : celui de l'interprète féminine.

Le retard qu'avait subi le film fut finalement une chance : Michèle Morgan avait, entre-temps, terminé *Orage* et se trouvait libre. Denise Tual lui téléphona et lui fixa un rendez-vous au Fouquet's pour lui présenter Carné et Gabin.

Michèle Morgan a raconté brillamment dans son livre, *Avec ces yeux-là,* sa première rencontre avec Jean Gabin [16].

« Jean Gabin, je ne l'avais jamais rencontré, même pas aperçu. De lui, je ne connaissais que le personnage de ses films, celui qu'il offrait à tous : gouailleur, un peu tombeur, avec des tendresses dans la clarté de l'œil, des colères qui lui blanchissaient les lèvres — une par film. De son image se dégageaient une force qui plaisait, une élégance plus proche de celle des faubourgs que du faubourg Saint-Germain. A le voir plus souvent vêtu en trimardeur qu'en prince, j'avais de lui une image toute faite, un stéréotype de ses personnages.

Le souvenir que j'ai conservé de cette première rencontre : le choc d'une étonnante blondeur, rien de la pâleur décolorée du Nordique, un blond chaud de blés au soleil. Ses yeux bleus sous des cils drus et dorés : un paysage de Beauce ou de Brie. Quant au costume, quelle découverte ! Une élégance très golf, cachemire anglais, strict costume en prince-de-galles, cravate club et bleuet à la boutonnière, sa coquetterie.

Tout était net en lui, il est ce que j'appelle " superbement récuré ". Un homme à after-shave et lavande. Il a la même aisance dans cette tenue que dans celle de ses personnages, à se demander qui est dans la peau de l'autre, du prince ou de l'ouvrier.

Assis à mes côtés, il s'occupe de moi à m'en faire tourner la tête. Amusée, flattée, je regarde ce beau mâle qui gonfle son jabot et fait miroiter son plumage. Pour lui, séduire doit être une habitude, cependant j'en augure plutôt du bien, après tout, je suis ici pour plaire ! Mais pas à lui seul. Il s'est emparé de moi avec une telle autorité que j'en ai presque oublié Marcel Carné, lequel, tout en parlant avec Denise, ne cesse de nous observer. »

Carné observe en effet, et pressent bien que Jean et Michèle vont former un couple idéal, mais pour en être plus sûr — méticuleux comme il le sera toujours — il demande à Michèle Morgan de faire un essai.

Vexée et réticente, croyant même que Jean la piège en jouant auprès d'elle au Fouquet's le jeu de la séduction pour mieux lui faire avaler l'exigence de Carné, Michèle se rend cependant au studio pour l'essai demandé.

Jean est là qui l'attend, prêt à lui donner la réplique avec cette conscience professionnelle, cette gentillesse et cette sérénité nonchalante qui mettent en confiance celui ou celle qui lui fait face sur un plateau pour la première fois.

Carné a choisi le décor de la fête foraine.

« Michèle s'y révéla bouleversante », écrira Marcel Carné.

Quant à Michèle, l'essai terminé, elle interroge Gabin[16] :

« — C'était bien?

Et Gabin, sourire mince et taquin, me répond :

— Qu'est-ce que vous en pensez ?

— Je ne sais pas.

— Vous ne le sentez pas?

— Je sens tant de choses...

Je ne peux pas lui dire que je viens de vivre un rêve, il se méprendrait. Il se méprend déjà, penché vers moi, il me dit :

— Avec ces yeux-là, vous devez voyager beaucoup et en embarquer pas mal. »

Michèle Morgan ne répondra pas. Elle ne veut pas être entraînée dans un marivaudage avec Jean. Elle n'est pas sans savoir qu'il a l'habitude de courtiser ses partenaires. Ce jour-là, la satisfaction de devenir sa prochaine partenaire à l'écran suffit à son bonheur.

Début janvier 1938, toute l'équipe est au Havre pour le tournage, et logée au même hôtel.

Jean et Michèle n'ont pas de scène ensemble les premiers jours. Ils se croisent donc simplement dans les couloirs de l'hôtel, ou au restaurant « La Grosse Tonne », le meilleur du Havre à cette époque.

Des rapports de camarades de travail : « Bonjour... Bonsoir... Ça va ?... Il fait beau, hein ?... Il fait pas beau, hein ? »

Jean, malgré cette apparence de force tranquille qui se dégage de lui, est déjà pris par son personnage de déserteur de l'infanterie coloniale qui erre dans Le Havre, un chien aussi errant que lui sur les talons. Plus rien à voir avec le séducteur du Fouquet's qui a ébloui Michèle, et elle se sent un peu perdue, presque déçue.

Heureusement, près d'elle, il y a la « Grosse », comme l'appelle Jean. C'est Micheline Bonnet, l'habilleuse de Jean depuis quelques années, et qui le restera pendant près de trente ans, presque jusqu'à la fin. Micheline est sans doute la personne qui a le mieux connu Jean.

Grande et forte, la gauloise sans cesse aux lèvres, l'accent de Barbès et des tournures de phrase « à la Gabin », aussi nonchalante dans son langage que physiquement, ne s'alarmant jamais, veillant à tout ce qui est nécessaire au confort de « M'sieur Gabin », véritable mère poule, Micheline la « Grosse », la « Miche », est un personnage haut en couleur presque à la dimension de Jean.

Son cerbère durant tant d'années, elle ne s'est pas fait que des amis dans l'entourage de Jean, et il ne faisait pas bon d'être son ennemi personnel. Dans ce cas, son petit côté florentin risquait de vous valoir, sans que vous sachiez pourquoi, des regards subitement moins cordiaux de Jean. Il la connaissait cependant mieux que personne, et sans réellement subir son influence, la fragilité de Jean était telle sur un tournage qu'il lui arrivait de ne pas rester insensible à certains papotages faussement innocents de Micheline, qui avait la manie et l'habileté de penser souvent à voix haute, sans avoir l'air de s'adresser particulièrement à lui, mais lui faisant ainsi entendre ce qu'elle croyait qu'il devait savoir pour son bien.

Micheline aimait se trouver au cœur des intrigues, et y jouer le rôle de l'écho quand ce n'était pas celui de l'agent de liaison. Y compris même quand on ne le lui demandait pas, car elle était sur ce plan serviable et savait, car elle était intelligente, garder le silence quand il le fallait.

Naturellement, je l'ai bien connue, et longuement, dans l'ombre de Jean. Je crois qu'elle avait un faible pour moi, au point que, les deux ou trois fois où un léger nuage est passé entre Jean et moi, elle a toujours ouvertement pris « mes crosses », comme elle disait. Nous avons eu de bons rapports situés entre l'amitié réelle et la simple camaraderie. Et contrairement à ce que beaucoup de gens pensent, je n'ai jamais sollicité ses confidences, même quand j'ai eu le projet au début des années 50 d'écrire un livre sur Jean. Elle savait pourtant beaucoup de choses de lui. Je n'ai pas voulu — et elle non plus sans doute — entrer dans ce jeu qui m'aurait personnellement mis mal à l'aise dans mes relations avec Jean.

Micheline a souvent été sollicitée par la presse — surtout celle à la recherche du scandale — d'écrire ses souvenirs, et notamment sur Jean Gabin et sur Michèle Morgan, dont elle a été aussi l'habilleuse. Elle s'y est toujours refusée malgré les ponts d'or qu'on lui offrait, même quand, ayant pris sa retraite, elle ne risquait plus de perdre sa place auprès de l'un ou de l'autre, si tant est que les propos qu'elle aurait tenus à cette occasion lui auraient valu l'anathème des intéressés.

Florentine, la « Miche », mais honnête et fidèle envers ceux dont elle avait reçu les confidences, et auprès desquels elle avait vécu en témoin quelques-unes de leurs aventures.

Ce fut donc par Micheline que Michèle Morgan sut, un jour, au Havre, qu'elle ne déplaisait pas à « M'sieur Gabin ».

Discrètement, sans en parler, avec cette prévenance qu'il pouvait avoir envers les personnes qui lui plaisaient, Jean avait demandé à Micheline de s'occuper un peu de Michèle Morgan. Généralement, il n'aimait guère que « son » habilleuse ne soit pas uniquement à son service. Était-ce donc, outre une certaine prévenance, une manœuvre stratégique pour un peu mieux cerner cette « môme » dont les yeux, la jeunesse et le talent l'avaient séduit et qui semblait rester réservée à son égard ?

Entre deux « vannes » du genre « M'sieur Gabin a l'œil qui frise quand il te voit », Micheline s'occupait professionnellement de Michèle et l'aidait à enfiler le fameux ciré noir, et vérifier d'un œil expert que son béret était fixé toujours exactement de la même façon sur sa tête, à cause des « raccords » de scène.

— Ce qu'il lui faut, c'est un ciré et un béret ! avait décrété avec autorité Mlle Chanel, quelques jours avant le début du tournage lorsque Denise Tual lui avait amené Michèle Morgan.

Et elle ne s'était pas trompée, Coco Chanel, comme si, du fond de son salon feutré, elle avait déjà imaginé le climat de brume dans lequel Eugen Schufftan, le chef opérateur de Carné, plongerait la frêle silhouette au ciré noir luisant de pluie de Nelly[31].

Si ce n'étaient les récriminations sans cesse renouvelées de Rabinovitch qui demandait qu'on supprime telle ou telle scène « sale », et continuait de penser que ce film serait un « grand malheur », l'atmosphère de tournage était bonne. Entre deux coups de gueule pour défendre Carné et qui s'adressaient à Schiffrin, directeur de la production : « Foutez-lui la paix, au môme ! Laissez-le faire son boulot ! » Jean était généralement de bonne humeur.

— Comment ça va, ce matin, p'tite tête de « grand malheur » ? disait-il ironique et amusé à Carné.

Le soir, ils allaient à quelques-uns dîner à « La Grosse Tonne », situé dans une des rues « chaudes » de la ville. Sur ce parcours, Jean soulevait l'admiration pressante de ces dames disposées à l'inviter « à monter », même gracieusement.

Un peu las de ces marques de sympathie intempestives, Jean — c'est Marcel Carné qui le raconte dans son livre — avait fini par se servir de Michèle Morgan qu'il tenait serrée contre lui de manière à faire comprendre à ces dames que leurs rêves étaient sans espoir. Polies et bien élevées, elles n'insistaient plus.

Lors d'une des premières scènes que Michèle tourna avec Jean, Marcel Carné fit un plan sur elle, seule, où, face à la caméra, elle devait adresser un regard d'une grande émotion à son partenaire hors caméra.

Dans ces cas-là, on remplace généralement l'acteur qui est hors champ par un assistant, la scripte, un bout de bois, un angle de l'appareil, autrement dit, n'importe qui, n'importe quoi, qui puisse simplement aider le comédien qui joue face à la caméra à fixer son regard.

Dans le cas présent, Carné conseilla à Michèle de regarder l'oreille gauche de l'opérateur Schufftan qui se tenait à côté et un peu en retrait de l'appareil, et qui était donc supposé jouer le rôle de Gabin.

« Pas très exaltant de dédier son amour à une oreille », comme l'écrit Michèle Morgan.

— Moteur ! Partez, Michèle ! crie Carné.

Michèle lève les yeux, et avec toute l'émotion que nécessite la situation dramatique, elle cherche l'oreille de Schufftan, et, surprise, à la place elle trouve le regard tranquille de Jean posé sur elle.

Le plan tourné et réussi, Jean lui glisse avec un sourire :

— Avec mes yeux, c'est tout de même plus facile qu'avec une oreille...

Sur l'instant, Michèle a pu croire que cette marque d'attention de Jean n'était que pour elle. En réalité, il agissait toujours de la sorte, et agira ainsi durant toute sa carrière, que ses partenaires soient féminins ou masculins, importants ou secondaires. Il ne voulait laisser à personne le soin de donner sa réplique, ou, comme ce fut le cas ce jour-là avec Michèle, simplement son regard quand, lui, « hors champ », ses partenaires, face à la caméra, étaient censés jouer ou exprimer des sentiments en fonction de son personnage. C'était évidemment la marque d'un superprofessionnel, doublé d'un comédien attentionné et courtois envers ses camarades, mais, surtout, il pensait qu'il était payé aussi pour être présent, y compris « hors champ » et que cela facilitait le jeu de ses partenaires.

Curieusement, il ne s'est jamais formalisé lorsqu'il arrivait — et c'était souvent — qu'on ne manifeste pas la même attention à son égard. Mais peut-être pensait-on que lui n'avait pas besoin d'être aidé de la sorte...

« Cette attitude de Jean m'avait beaucoup frappée, me disait Annabella lors de l'entretien qu'elle m'a accordé, se rappelant le tournage de *Variétés*. C'était la première fois qu'un de mes partenaires restait sur le plateau pour me donner la réplique " off " lorsqu'on tournait des plans sur moi seule. C'était évidemment une aide considérable. Je ne sais pas si Jean agissait ainsi par professionnalisme ou si ça découlait chez lui d'une gentillesse naturelle, mais je pense qu'il a été, à ma connaissance, le premier comédien à se comporter ainsi.

« Je venais d'être la partenaire de Charles Boyer dans deux films successifs, *La bataille* et *Caravane*, et cela me changeait beaucoup. Non seulement Boyer ne donnait jamais la réplique mais dans un plan à deux, lui et moi, il s'arrangeait toujours par un mouvement tournant à se placer face à la caméra et moi de dos. C'était un comportement à l'opposé de celui de Jean Gabin. »

Dans sa carrière, Jean n'a rencontré qu'une fois une partenaire qui ne comprit pas le sens qu'il donnait à cette aide et qui crut qu'il restait là, près de la caméra, pour la surveiller : c'était Brigitte Bardot dans *En cas de malheur*.

Michèle, elle, avait au contraire apprécié de rencontrer en levant son regard, à la place de l'oreille de Schufftan, les yeux de Jean qui, par-delà la caméra, lui avaient ainsi donné la « réplique »...

Dans ses deux films précédents, elle n'avait pas été habituée à cette prévenance. Non que Raimu dans *Gribouille* se soit montré désagréable avec elle, au contraire, mais il ne pratiquait pas ce genre de collaboration.

Quant à Charles Boyer, son partenaire prestigieux de *Orage,* il n'eut pas avec Michèle une attitude différente de celle qui avait marqué ses rapports avec Annabella. Son hyper-professionnalisme hollywoodien et la courtoisie mondaine qu'il professait ne l'incitaient guère à accomplir des gestes aussi simples.

« Gabin, c'est la vérité dépouillée, celle que l'écran impose, écrit Michèle Morgan dans *Avec ces yeux-là.* Il n'interprète pas son personnage, il le vit. Son naturel m'entraîne. Quand on joue au tennis avec son professeur, on renvoie alors facilement les balles. Avec lui, mes répliques sont des réponses. C'est Jean le premier qui m'a fait comprendre que devant une caméra, cet œil grossissant impitoyable, il fallait " jouer la vie ". »

Michèle est « contente » de travailler avec Jean. Sans trop rêver, elle ose même presque penser qu'elle est « heureuse ».

Et un soir, à l'hôtel, elle l'est réellement en découvrant Jean qui l'attend les bras chargés d'une énorme brassée de roses.

— Bon anniversaire, Michèle !

« Il n'y avait pas que le bouquet, il y avait le regard », se rappelle Michèle tant d'années après.

Le gâteau aux dix-huit bougies soufflées en compagnie de toute l'équipe, Jean propose à Michèle, pour la première fois, de sortir ensemble, rien qu'eux deux, contrairement aux autres soirs où ils vont en bande.

Et naturellement il l'emmène danser, passage obligé pour Jean de toute conquête. Sur une piste, une femme dans ses bras, tango ou valse, valse musette surtout qui, avec lui, ne ressemble en rien aux chaloupées vulgaires des bals de la rue de Lappe, il est dans son élément et s'y sait irrésistible.

En effet, sous le charme, conquise, Michèle ne voit pas le temps passer. Ils sont seuls à évoluer encore sur la piste où les lumières, qui s'éteignent doucement une à une, leur indiquent qu'on ferme, qu'il est tard, très tard.

Ils sortent. Il tombe sur Le Havre une petite pluie fine. Jean aime la pluie, sous le crachin il respire à l'aise.

« On dirait qu'il s'en grise », écrit Michèle Morgan.

Ils vont à pied vers leur hôtel. Jean demande à Michèle de prendre son bras. Cette fois, ce n'est pas pour jouer la comédie aux dames de la rue « chaude » qu'ils font les amoureux.

« Pour Jean, tout est simple », écrit encore Michèle, se souvenant de cet instant-là.

Comme est simple la question qu'il lui pose devant sa porte, dans l'hôtel endormi.

« — On continue ? »

Moins simple à l'évidence est la réponse de Michèle.

« — Non, demain je tourne...

« — Pas demain, tout à l'heure... Alors ? »

Comme cet « alors » résonne étrangement dans la tête de la jeune Michèle.

« — Alors, à demain, Jean », s'entendra-t-elle répondre en se demandant un peu qui parle à sa place.

Contre la porte refermée de sa chambre, laissant Jean s'éloigner de son côté vers la sienne, Michèle se sent brusquement un peu sotte.

Quant à Jean, il est peut-être en train de s'engueuler : « Alors ?! Non mais quel con ! Qu'est-ce qui m'a pris de dire ça ? »

« J'étais amoureuse de lui, c'est certain, se souvient Michèle Morgan aujourd'hui [32]. J'avais dix-huit ans ce soir-là précisément et Jean en avait trente-trois. Il était marié, et de mon côté, j'avais alors un " fiancé " dont j'étais en train de me détacher. En réalité, rien de tout cela ne m'a commandé d'arrêter Jean sur le seuil de ma chambre mais plutôt, je pense, la peur des complications dans notre vie, et aussi dans le travail que nous étions en train de faire ensemble. Le sentiment aussi, sans doute, que Jean et moi méritions peut-être mieux qu'un amour à la sauvette.

Mais dans l'instant qui a suivi, quand je me suis retrouvée seule dans ma chambre, je crois bien avoir regretté de ne pas lui avoir dit tout simplement : " Viens... "

Jean n'aurait pas été ma première aventure amoureuse, et au petit jour tout m'aurait sans doute paru à la fois plus merveilleux et plus simple, même si peut-être dans le même temps tout aurait été déjà terminé entre nous. Cette nuit-là pouvait très bien n'être que la suite tendre d'une soirée qui nous avait tous deux charmés et rapprochés un instant. Rien d'autre.

Je savais qu'il aimait faire sa cour, séduire, qu'il était romantique et tendre, tout le contraire des personnages qu'il jouait le plus souvent. Il aimait surtout avoir des " coups de béguin ", comme il disait. J'aurais pu, j'aurais dû sans doute, cette nuit-là, au Havre, être son " coup de béguin " du moment. Il avait peut-être lu dans mon regard que c'était possible et, avec mes dix-huit ans, j'étais pour lui une conquête facile.

Et pourtant, ça ne s'est pas fait. C'était trop simple, probablement. »

Dans les jours qui suivirent, le regard clair et sans reproche de Jean se posait avec curiosité sur cette « drôle de petite môme », comme il disait en parlant de Michèle. Gentleman, il ne lui tenait aucune rigueur. Ils étaient simplement redevenus de bons camarades.

Pourtant, un soir où Pierre Brasseur, ayant bu, se lança dans des provocations désagréables à l'égard de Michèle, elle surprit le regard « gris de colère » de Jean, qui se retint cependant pour ne pas créer publiquement d'incident.

Les gifles ! Les fameuses gifles de *Quai des Brumes* que Jean donnait à Pierre Brasseur (« Qu'est-ce que t'as ? Tu perds tes arêtes ? ») ont puisé leur étonnant réalisme dans cette colère sourde de Jean qui en voulait encore, plusieurs jours après, à Brasseur de s'être mal conduit envers la « môme ».

Les gifles, Jean les donnait généralement avec une grande vérité mais, avec ses petites mains et sa grande maîtrise, il ne faisait pas mal.

Ce jour-là, celles qu'il a infligées à Brasseur furent d'une violence inouïe. De véritables coups d'assommoir sous lesquels Pierre chancela et blêmit réellement. Le regard qu'il jeta à Jean, regard de haine, n'était probablement pas seulement justifié par la situation conflictuelle écrite par Jacques Prévert pour la circonstance.

Étrangement, la fiction du film rejoignait la réalité et Michèle, dans les deux cas, était responsable de l'antagonisme des deux hommes. Les gifles que Jean, le soldat déserteur, donnait à Lucien, tous deux personnages du film, se trouvaient amplifiées par celles que Gabin n'avait osé donner à Brasseur le fameux soir à l'hôtel, quand ce dernier, ivre, s'en était pris à Michèle.

Cette secrète vengeance devait donner une des scènes les plus « vraies » du cinéma et devenir un morceau d'anthologie dont on parle toujours.

« Trop ! » avait envie de dire souvent Pierre Brasseur qui n'aimait pas qu'on lui rappelle cette scène, pas plus que la seconde où, sur le manège des autos tamponneuses, il recevait encore une terrible paire de claques de la part de Jean. Les deux scènes n'ont évidemment pas été tournées le même jour. La colère de Jean envers Brasseur s'était apaisée et d'ailleurs celui-ci s'était excusé auprès de Michèle, et de belle manière. Mais, comme on dit, le pli était pris. La seconde paire de claques ne pouvait être inférieure à la première dans l'intensité, même si Jean Gabin n'avait plus de raison personnelle d'y mettre la même violence. Car, si la fureur de Jean avait disparu, celle du personnage qu'il jouait n'était pas éteinte, au contraire. « C'est raccord », comme aurait dit Marcel Carné.

A quoi tient la destinée d'un comédien... Cette double paire de claques marqua un tournant dans la carrière de Pierre Brasseur. Jusqu'alors jeune premier de fantaisie de films médiocres, *Quai des Brumes* révéla, particulièrement dans ces deux scènes, le grand comédien qu'il était. Il dut cependant attendre *Lumière d'été* et *Les enfants du paradis* pour qu'on lui donne des rôles à la mesure de son talent, précisément démesuré.

On l'a vu, Brasseur et Jean se connaissaient depuis longtemps, du temps même où, dans un petit hôtel de la rue de Clignancourt autour de l'année 1925, ils partageaient en copains de mauvais sandwiches, Brasseur déjà flanqué de son merveilleux poisson pilote qu'était Dalio.

Connaissant un peu Pierre, connaissant surtout beaucoup mieux Jean, j'ai longtemps pensé que ces claques de *Quai des Brumes* avaient quand même laissé entre eux comme une ombre. Non en raison des circonstances qui les avaient rendues plus violentes qu'elles n'auraient dû, mais plus simplement parce que Brasseur, dans son orgueil personnel, les avait finalement mal admises, venant de Jean Gabin.

Tous deux « enfants de la balle », mais de milieu différent — les parents de Pierre étaient des comédiens de théâtre classique, ceux de Jean, nous le savons, venaient du caf' conc' —, leur style de jeu les opposait. Brasseur était artiste dans l'âme, intellectuel, même s'il ne le montrait pas trop. Dans sa jeunesse, il avait fréquenté les surréalistes. Il écrivait des pièces — notamment *Grisou* qui fut portée à l'écran en 1937, et qu'il joua avec sa femme Odette Joyeux — et il peignait aussi avec une grande originalité.

Dans le privé, on sentait que Brasseur, encore bien des années plus tard, avait mal digéré, même sous l'habit de la fiction dramatique, ces gifles que Gabin lui avait infligées. Il en donnait d'ailleurs une tout autre version : il disait qu'il avait lui-même exigé de Jean qu'il ne triche pas.

En dehors de *Quai des Brumes,* Gabin et Brasseur ne se sont retrouvés ensemble que dans un seul film : *Les grandes familles* (1958). Mais j'ai en mémoire une conversation entre Jean et un metteur en scène discutant de la distribution des rôles pour un film qui, d'ailleurs, ne se fit pas. Un des personnages était à l'évidence fait pour Brasseur, et Jean n'hésita pas.

— C'est pour Pierre, dit-il catégorique, puis mezza voce et dans un soupir il ajouta : Hélas !...

Je n'ai pas osé demander ce que cet « hélas » signifiait au juste, mais il est à peu près certain que, si Jean admirait le comédien Brasseur, quelque chose dans le comportement de l'homme l'irritait.

En raison de tout cela, j'ai été surpris de trouver à la fin du livre qu'il écrivit en 1972 [33], dans un chapitre qu'il appelle « Mon courrier du cœur », ces lignes admiratives d'une inspiration curieusement contradictoire que Pierre Brasseur consacrait à Jean Gabin :

« Cet ours, que certains imbéciles de journalistes croient analphabète, est un gros chien pas si ignorant que cela. Il respire le vent, il hume la température, il est à la fois la boussole, le thermomètre, et le baromètre de sa vie. Il est toujours en chasse. En ayant l'air de dormir (avec des insomnies), il aime son métier d'acteur comme Chevalier, en se faisant croire à lui-même qu'il n'aime que ses pantoufles et sa campagne.

En réalité, il s'aime tel qu'il est, et surtout tel qu'il aurait voulu être, et il aime se regarder dans une glace et se voir avec un autre costume que le sien. C'est un vrai comédien. Il ne fera jamais ses adieux, il aime trop être un autre, car il sait bien, sans s'en rendre compte, qu'il est mieux dans la peau d'un autre que dans la sienne. Tous les personnages qu'il incarne sont ses rêves et ils parlent un langage inconnu. Voilà pourquoi non seulement il les joue bien, mais il les fabrique bien, et de tout son cœur.

Ce qui est incroyable, c'est le nombre de metteurs en scène qui sont tellement heureux de tourner avec lui et qui, derrière son dos, le traitent de " vieux schnock " et se foutent de lui. Mais comme ils en ont besoin et que, dans le fond, il les épate, ils s'accrochent un faux sourire sur le visage dès qu'ils l'aperçoivent sur un plateau, toujours à l'heure, ponctuant leur fausse sympathie par des " Jean, tu es merveilleux !... On a vu la projection, tu es sensationnel ! "...

Oh, Jean, comme je te souhaite de ne pas les croire. Ce sont des monstres d'indifférence et de médiocrité. Moi je t'aime parce que tu es un copain de mon enfance. Je n'ai rien à te demander, rien à attendre de toi et moi, je ne pense qu'à ton bonheur dans ta maison, et le plus longtemps possible dans ton métier. »

— Pour vous, Michèle, c'est terminé, vous pouvez repartir, dit un soir Marcel Carné.

Il voulait dire par là que les prises de vues au Havre étaient finies pour Michèle. L'équipe, avec Jean, resterait encore quelques jours pour tourner des scènes dont elle ne faisait pas partie, avant de rejoindre ensuite les studios de Joinville où tout le monde se retrouverait dans les décors construits par Trauner.

Un instant, malgré cela, Michèle songe à rester.

Pour quoi ? Pour qui ? C'est l'évidence. Pourtant, Jean ne s'est plus jamais hasardé à lui reposer la question : « Et alors ? » ou quelque chose de semblable.

Aurait-elle donné une autre réponse que celle qu'elle avait faite le fameux soir ?

« Le danger est bien là : rester. C'est tentant, le danger », écrira-t-elle plus tard, se souvenant de son hésitation.

— Alors, la môme, tu t'en vas? lui dit tranquillement Jean apprenant son départ pour Paris, ce qui donna à Michèle une envie folle de rester.

Mais non, le lendemain elle part.

« Drôle de petite môme », a dû encore une fois penser Jean.

— T'as de beaux yeux, tu sais...

— Embrassez-moi...

Qui ne se souvient de ces deux répliques qu'échangent Jean, le soldat déserteur de la coloniale, et Nelly adossée à une baraque, dans les flonflons d'une fête foraine ponctués des éclats d'une carabine provenant d'un stand de tir tout proche et qui annoncent, prémonitoires, les coups de feu qui briseront, à la fin du film, un amour né ce soir-là d'un baiser réclamé et donné?

Ah! Ces deux répliques qui avaient à l'époque tant bouleversé les uns, tant choqué les autres! Jamais encore en effet, sur un écran, une femme n'avait osé solliciter d'un homme un baiser avec une telle et simple impudeur, avec un tel désir exprimé dans les yeux admirables de Michèle, alors que ses lèvres, sur la lancée des mots prononcés, restaient entrouvertes, dans une attente calme et fiévreuse. C'était l'équivalent, vingt-sept ans avant — autre temps, autres mœurs —, du « baise-moi » que murmurait Anna Karina à Jean-Paul Belmondo dans *Pierrot le fou* de Godard.

Longtemps morceaux d'anthologie du cinéma, ces deux répliques de *Quai des Brumes*, la première surtout, sont aujourd'hui tombées dans la caricature et la dérision. Dommage!...

Ce célèbre baiser de cinéma fut un baiser « pour de vrai ». C'est Michèle Morgan qui l'écrit. Ce premier baiser échangé par Michèle et Jean le fut devant cinquante techniciens et ponctué par un « Coupez! C'est bon! » de Marcel Carné et dans un climat laborieux qui n'autorisait guère à se laisser aller à un état d'âme romantique, même pas à des regrets pour celui manqué un soir au Havre.

A la sortie du film, en mai 1938, baptisés par la presse « le couple idéal du cinéma français », thème qui fit l'objet de concours, Jean et Michèle avaient réussi pleinement leur amour tragique sur fond de *Quai des Brumes*, mais étaient passés dans la vie à côté du leur.

Malgré cela, sans qu'ils y puissent rien, la légende s'instaura dans le public et même auprès de la profession qu'ils étaient amants. Pourtant, dès *Quai des Brumes* terminé, la vie et leur carrière les séparaient. Michèle partait de son côté tourner à Berlin *L'entraîneuse*, réalisé par Albert Valentin, et Jean, non sans problème, allait retrouver Jean Renoir pour *La bête humaine*.

A la demande de Carné qui avait déjà travaillé avec lui pour *Drôle de drame*, la musique de *Quai des Brumes* fut écrite par le plus merveilleux compositeur de cette époque : Maurice Jaubert (34).

Encore une fois, le producteur Rabinovitch tenta de s'opposer farouchement à ce choix, Jaubert ayant la réputation de voir son nom trop souvent attaché à des chefs-d'œuvre certes, mais qui ne marchaient pas commercialement.

— On n'a pas Wagner, mais on a Jaubert ! disait Gabin pour se moquer de « Rabi ».

Dans une séquence de *Mon frère Jacques* de Pierre Prévert[28], Jean fredonnait à Jacques Prévert avec une justesse et une mémoire stupéfiante le célèbre thème musical que Jaubert avait écrit pour *Quai des Brumes*.

Dans les jours qui précédèrent la sortie officielle du film, qui fut distribué par la société des Films Osso, des projections privées furent organisées. Chacune d'elles plongeait Rabinovitch dans les transes. Un drame cornélien, en effet, agitait son esprit. Devait-il ou ne devait-il pas mettre son nom au générique de cette œuvre qui risquait fort, selon son expression, d'être un « grand malheur » ? Si les spectateurs de ces projections se montraient enthousiastes, il commandait à l'employé chargé de faire le générique :

— Mettez : Grégor Rabinovitch, il présente « Missieu Jean Gabine » dans *Quai des Brumes*.

Si, une autre fois, l'accueil lui avait paru moins bon, il s'empressait de commander le contraire :

— Coupez Grégor Rabinovitch !

C'est ainsi, se rappelle Alexandre Trauner[30], que, lors de la première du film, le nom de Grégor Rabinovitch ne figurait qu'au générique du court métrage qui précédait le film mais pas à celui de *Quai des Brumes*.

Naturellement, quelques jours plus tard, devant le succès remporté par le film auprès du public, le cher « Rabi » fit remettre son nom. Il alla même, dans sa soudaine fierté d'avoir « présidé » à la naissance d'un tel chef-d'œuvre, jusqu'à faire annoncer son film suivant par la formule :

GRÉGOR RABINOVITCH, PRODUCTEUR DE QUAI DES BRUMES,
PRÉSENTE...

Disons, à la décharge de Rabinovitch, qu'il attendait à cette époque sa naturalisation française et qu'il craignait que les autorités ne la lui refusent pour avoir produit un film « sale », et au ton incontestablement subversif.

Sans encore savoir que le film serait un triomphe, mais tradition oblige, Rabinovitch avait organisé à l'issue de la « première » une fête dans un restaurant du bois de Boulogne.

Carné, Gabin et Prévert refusèrent de s'y rendre. Et si Gabin et Prévert n'allèrent même pas à la projection, Carné, lui, y assista et, par la même occasion, savoura son premier succès.

Jacques Prévert et Jean Gabin attendirent, dans un bistro de la rue des Saints-Pères, les nouvelles que Pierre Prévert fut chargé de leur rapporter. Soulagés par le bon accueil fait au film, ils allèrent fêter cela à « La Cloche d'Or », un restaurant proche de Pigalle. Tant et si bien que, complètement ivres, ils provoquèrent une bagarre mémorable. Après, ne voulant pas en rester là, tenant « une petite soupe », comme disait Jean quand il était ivre, ils se rendirent à la fête de Rabinovitch et y déclenchèrent un scandale dont tous les participants se souviennent.

Jacques, debout sur la table que présidait dignement Rabinovitch, le saluait d'un « bras d'honneur », tandis que Jean l'apostrophait :

— Si c'est un bon film, c'est en tout cas pas à cause de toi, « Rabi » ! On l'a fait contre vous tous ! Vous n'avez pas arrêté de nous emmerder et d'emmerder le môme Carné surtout ! Alors maintenant, allez vous rhabiller, bande d'ignares ! Buvez votre « champ' » sans nous ! On vous ignore ! On vous méprise !

Sous les clameurs offusquées qu'on imagine, Jean Gabin et Jacques Prévert firent une sortie titubante, mais néanmoins royale...

L'accueil de la presse fut mitigé. Celle de droite ne manqua pas de relever le caractère « défaitiste » et « morbide » du film, tandis que Georges Sadoul, dans *L'Humanité*, parla de « la politique du chien crevé au fil de l'eau »... Les revues spécialisées de cinéma saluèrent cependant unanimement le film comme un chef-d'œuvre, ainsi que la presse satirique, du *Merle Blanc* au *Canard enchaîné*.

Représentant la France à la Biennale de Venise, *Quai des Brumes* y reçut la récompense suprême, le Lion d'Or, au milieu des vociférations des fascistes italiens — pas seulement italiens ! Car guère plus de deux ans après, sous le régime de l'État français du maréchal Pétain, *Quai des Brumes* fut considéré comme l'exemple type de ces œuvres responsables de la défaite de 1940 !

Tant en 1938 qu'en 1940, on était loin de parler, à propos de *Quai des Brumes*, de la naissance d'un « réalisme poétique ». Un peu comme le fameux « mythe Gabin », cette notion de « réalisme poétique », qu'on attribue à tort et à travers au climat de quelques films français de cette époque, fut une invention d'après-guerre. Et, à ce propos, il me revient en mémoire ce que me disait Pierre Mac Orlan en 1954[27] :

« C'est à Berlin, au début des années 20, dans la déliquescence où se trouvait plongée l'Allemagne de Weimar, dans ce chaos de misère d'où sourdait de chaque coin de rue l'étrangeté d'une réalité qu'imprégnait une poésie sombre et pathétique, qu'est née en moi cette notion de " fantastique social " qu'on retrouve dans mes bouquins et qu'a très bien restitué, visuellement et dans les caractéristiques des personnages, le film de Carné et Prévert... Des êtres " biscornus ", et pourtant bien réels, comme " décalés " par rapport aux décors dans lesquels ils évoluent et où ils jouent leur destin...

Leur film me rappelle une image de Berlin en 1920, une image qui m'a hanté et me hante toujours... C'était une lourde porte de bois sculpté et patiné par le temps et les intempéries dont le heurtoir de vieux bronze imitait une gueule de monstre luciférien... J'ai poussé cette porte comme si elle était celle de l'enfer... Sous le porche obscur, adossé contre un mur suintant le salpêtre, j'ai surpris un couple dépenaillé et sans âge, faisant l'amour debout, en gémissant, dans une détresse commune, et que ma présence honteuse n'a pas importuné... C'est là, pour moi, l'image même de mon " fantastique social " et que reflète parfaitement le film *Quai des Brumes.* »

Michèle Morgan est loin... Elle tourne à Berlin. A Paris, Jean a retrouvé Doriane, leur vie commune, le plus souvent faite de heurts, d'exaspérations, de crises de jalousie. Jean la trompe, mais elle le trompe aussi. Le plus étonnant, c'est qu'il ne se décide pas à la quitter. Pas encore.

Pépé le Moko, La grande illusion, Quai des Brumes, en quelques mois, moins de deux ans en tout cas, c'est le tiercé magique de Jean Gabin. Sa popularité est immense, peut-être pas davantage que celle de Fernandel par exemple, mais d'une autre essence. Tout le monde veut tourner avec lui. Des producteurs lui proposent des contrats. Il en signe certains de bonne foi, pour des projets précis qu'il veut faire, tels que *Rumeurs* de Simon Gantillon dont il a les droits. En réalité, les producteurs spéculent sur son nom et, disposant de sa signature au bas d'un contrat, ils revendent celui-ci à d'autres producteurs en prenant leur marge bénéficiaire.

Jean se révolte contre ces pratiques où il se trouve floué, et il perd du temps pour des projets dont il s'aperçoit trop tard qu'ils n'ont aucune chance d'aboutir. Il fait appel à la Chambre syndicale des producteurs, à l'Union des Artistes dont il est membre, pour que cessent ces filouteries dont il est victime.

Un instant dégoûté des mœurs du cinéma français, il songe à

s'expatrier aux États-Unis. Il faut dire que Louis B. Mayer, patron de la Metro Goldwyn Mayer, Darryl Zanuck et d'autres magnats de Hollywood s'empressent auprès de lui, lui faisant des ponts d'or pour qu'il se décide à franchir l'Atlantique.

La tentation d'accepter est grande, mais Jean se reprend très vite. Réellement, il ne se voit pas vivre ailleurs qu'en France. D'autre part, il sait qu'à Hollywood même les plus grands acteurs n'ont aucun droit sur les choix des sujets et des metteurs en scène. Son luxe, en France, ce luxe qu'il s'est donné et pour lequel, contradictoirement, il est prêt à faire des sacrifices, est de déterminer lui-même, ou en compagnie de ses copains, Renoir, Grémillon, Carné, Prévert, Spaak, les films qu'il veut faire ou qu'ils veulent faire ensemble.

Il renonce donc à Hollywood.

Il pourra continuer à dire à Charles Spaak qui travaille sur son prochain film :

— Tu vas me faire des scènes comme dans la vie, pas, mon pote !

Il veut aussi pouvoir répondre à une question comme celle que lui pose Merry Bromberger dans *L'Intransigeant* :

— Heureux ?

— Pour être heureux vraiment, il faudrait être content de soi. Je ne l'ai jamais été. Dieu me garde de le devenir un jour !

Entre deux films, Jean tente de gérer au mieux sa fortune. Il le fera au cours de cette période, d'une manière plus rationnelle que plus tard dans la seconde partie de sa vie. Doit-on encore voir là l'influence, malgré tout, de Doriane ?

Fin 1937, sans doute pour rendre service à son oncle Marie-Auguste, le frère de son père, il lui rachète pour 8000 francs des parts que celui-ci, qui est clerc d'avoué, détient dans une S.A.R.L. « Les Garages Ville de Paris », dont le siège est 36, rue Friant (XIVe arrondissement) près de la porte d'Orléans. Il s'agit, en fait, d'une station-service et de quelques garages. Il acquerra, plus tard, l'immeuble au-dessus de la station, et juste avant la guerre de 1939 il finira par détenir en association à 50/50 avec M. Eugène Lecat l'ensemble de l'affaire. Curieusement, c'est la seule qu'il conservera jusqu'à la fin de sa vie.

Il achète un terrain au 28 de la rue Charles-Laffitte à Neuilly-sur-Seine et un immeuble 10, rue Maspéro dans le XVIe à Paris, dans lequel il se réserve un appartement qu'il habitera jusqu'après la guerre.

Enfin, sa « folie », il achète une gentilhommière à Saint-Gemme près de Dreux, entourée de plusieurs hectares où il aimera séjourner et se reposer loin des bruits de la ville et du cinéma.

J'ai dit, déjà, à quel point les projets d'un acteur tel que Gabin s'enchevêtraient. Jean avait imaginé tourner dans les premiers mois de

1938 *Train d'enfer* avec Jean Grémillon comme réalisateur, adapté par Jacques Prévert et dialogué par Pierre Bost, d'après un récit de Stéphane Manier. Il tenait particulièrement à ce film, car il y jouait le rôle d'un conducteur de locomotive.

Ce fut une tortueuse et sombre histoire, sur laquelle, encore aujourd'hui, les témoignages divergent, et dont la victime fut, en tout état de cause, Jean Grémillon.

Le succès de *Gueule d'amour* avait enfin donné à Grémillon la possibilité de faire *L'étrange monsieur Victor* avec Raimu. On décida donc de retarder la réalisation de *Train d'enfer,* ce qui permit entre-temps à Jean Gabin de faire *Quai des Brumes.*

Ce dernier film terminé, Grémillon, redevenu libre, prépare activement le tournage de *Train d'enfer,* un projet monté par Roland et Denise Tual et que devait produire Corniglion-Molinier, le célèbre aviateur et homme d'affaires, ami d'André Malraux, et qui avait aussi produit *Drôle de drame.*

Les prises de vues du film devaient débuter en juillet 1938. Mais, tandis que Jean Gabin apprenait auprès de cheminots à conduire lui-même une locomotive, réalisant ainsi son rêve d'enfant, un différend grave devait surgir entre Grémillon et Corniglion-Molinier au sujet du scénario. Il s'ensuivit une rupture et l'abandon du film par Grémillon. Le projet devait être aussitôt revendu à Robert et Raymond Hakim, les producteurs de *Pépé le Moko* qui n'avaient qu'une envie : refaire un film avec Jean Gabin.

Je ne dispose d'aucun élément, d'aucun témoignage, sur l'attitude prise par Jean dans cette affaire, particulièrement vis-à-vis de Grémillon avec qui il était très ami et dont il estimait le talent.

Carné, venant de sortir *Quai des Brumes* avec le succès que l'on connaît, les frères Hakim lui proposèrent *Train d'enfer.*

Dans son livre de souvenirs [1], Marcel Carné raconte les raisons de son refus de succéder à Grémillon dont il était un grand ami, et bien que les Hakim lui assurent que ce dernier avait été entièrement dédommagé.

Carné aurait alors suggéré aux Hakim le roman de Zola, *La bête humaine,* qui se déroule aussi dans les milieux de cheminots et dans lequel Jean pourrait jouer le rôle de Jacques Lantier qui conduit également une locomotive.

Pour le rôle de Séverine, Carné avança aussi le nom de Simone Simon.

Quelques jours plus tard, les frères Hakim reconvoquent Marcel Carné et lui proposent de mettre en scène *La bête humaine* avec Jean Gabin et Simone Simon dans les principaux rôles.

Bien qu'il lui en coûtât, car il trouvait assurément le projet alléchant, Marcel Carné maintint son refus, par solidarité envers Grémillon.

Ainsi *La bête humaine* devait le jour à *Train d'enfer*, et Jean Renoir, à son tour consulté, accepta le projet.

Denise Tual raconte dans *Le temps dévoré* que Roger Martin du Gard travailla à une première adaptation du roman de Zola, mais dont Renoir ne trouva pas l'écriture assez cinématographique.

Roger Martin du Gard se retira avec élégance, et Renoir entreprit de réécrire seul le scénario.

Les prises de vues débutèrent dès juillet 1938 au Havre, que Gabin retrouvait avec plaisir après *Quai des Brumes*. Julien Carette jouait son second sur la locomotive et avait remplacé Charles Blavette prévu dans le projet de Grémillon.

Simone Simon, la petite figurante que Jean avait croisée aux Bouffes-Parisiens, alors qu'il les quittait et qu'elle y faisait ses débuts dans *Les aventures du roi Pausole*, avait été rendue célèbre du jour au lendemain par son interprétation de *Lac aux dames*, en 1934.

Engagée par Hollywood en 1936, elle y avait tourné cinq films, sans y connaître la grande consécration. Elle était donc revenue en France, à la demande des frères Hakim pour y être la partenaire de Jean Gabin dans *La bête humaine*.

Elle y fut d'ailleurs une admirable Séverine et Jean, selon sa bonne habitude, ne manqua pas d'instituer un flirt avec elle qui dura un certain temps.

Une fois encore, l'entente complice entre Gabin et Renoir devait faire merveille. C'était la dernière fois avant longtemps, puisqu'ils ne se retrouvèrent qu'au moment de *French Cancan*, en 1954.

La bête humaine sortit au cinéma Madeleine le 23 décembre 1938 et rencontra un énorme succès, tant auprès de la presse que du public.

En mars 1939, le film fut présenté aux cheminots, et Pierre Sémard, secrétaire général de la Fédération des Cheminots, remit à Jean Gabin un diplôme d'honneur de mécanicien de locomotive, et la burette traditionnelle.

Jean a été longtemps très fier de ce diplôme qui fut bien le seul qu'il ait jamais obtenu en dehors de celui de son certificat d'études primaires, et qui lui rappelait le titre de son grand-père Moncorgé nommé en fin de carrière chef paveur de la Ville de Paris. Il le méritait d'autant qu'il avait, pour les besoins du film, réellement conduit lui-même la « Pacific 231.592 D-D » rebaptisée la « Lison » dans le scénario et dont il continuait à se rappeler encore le numéro d'immatriculation des années plus tard.

Si l'histoire de *La bête humaine* n'avait assurément plus aucun rapport avec celle de *Train d'enfer*, Jean Grémillon eut cependant la surprise désagréable et amère de constater que la fameuse séquence — presque documentaire — qui ouvre le film et montre, pendant plusieurs minutes, le cheminement de la locomotive conduite par Gabin sur le trajet Le Havre-Paris était tout simplement inspirée de son propre scénario, et tout à fait dans son style.

Dans l'équipe d'opérateurs de *La bête humaine,* dirigée par Curt Courant et Claude Renoir, Jean avait eu le plaisir d'y retrouver son neveu Guy Ferrier, le fils de sa sœur Reine, avec qui il entretenait des liens presque fraternels.

Par ailleurs, la sœur cadette de Guy, Nicole, se destinait elle-même à la carrière artistique, puisqu'elle était entrée comme apprentie comédienne chez René Simon. Ses camarades de cours avaient pour noms : François Périer, Gérard Oury, et une petite provinciale fraîchement débarquée de Dieppe, qui s'appelait encore Simone Roussel et dont les admirables yeux verts n'allaient pas tarder à se révéler les plus beaux du cinéma français, sous le nom de Michèle Morgan.

Hasard curieux qui fit se rencontrer dès 1936, au cours Simon, Nicole Ferrier et Michèle Morgan qui ne pouvait alors imaginer qu'elle serait un jour la partenaire, et même plus que cela, de l'oncle de sa meilleure amie. Plus étrange encore, c'est Nicole qui, convoquée pour une figuration dans *Le mioche* que tournait Léonide Moguy et ne pouvant s'y rendre elle-même, poussa Michèle à sa place.

Celle-ci y alla. C'était un peu plus que de la figuration : elle y avait trois mots à dire, et un instant la caméra était sur elle. Mais Jeanne Witta, la scripte, la remarqua.

Quelques mois plus tard, sur les conseils de cette même Jeanne Witta, Marc Allégret devait la convoquer pour un essai en prévision de *Gribouille,* et elle devint la partenaire de Raimu.

Jean Gabin, qui allait au cinéma régulièrement à cette époque, alla voir *Gribouille* pour son vieux copain Raimu. Raimu, il le trouva bon comme d'habitude, mais il lorgna surtout cette « môme » nouvelle et retint son nom.

— Elle est chouette. Faudra penser à elle à la première occasion, dit-il à Denise Tual.

L'occasion sera *Quai des Brumes...*

Une Moncorgé, Nicole Ferrier, a donc innocemment joué un rôle dans la fameuse rencontre de Michèle et de Jean.

Se retrouver ? Michèle et Jean sans doute y pensaient-ils chacun de leur côté, lui tournant *La bête humaine,* elle *L'entraîneuse.*

Ils avaient signé un contrat pour un nouveau film ensemble *Le récif de corail.* C'était la U.F.A. berlinoise qui, n'en voulant pas trop à Gabin d'avoir « commis » *Quai des Brumes,* était parvenue à griller ses concurrents français en faisant signer le couple « mythique » de Carné et Prévert, dès la sortie du film, l'été 1938.

Jean n'était alors plus très chaud pour retourner à Berlin. Ce qu'il se passait là-bas ne lui plaisait guère.

Mais il y avait le bon et loyal Ploquin qui jouait les paravents, et son désir de retrouver Michèle comme partenaire fut plus fort. Et puis, il y avait son « pote » Maurice Gleize, le réalisateur prévu pour *Le récif de corail* dont le talent jusqu'alors (ni même après) n'avait guère eu l'occasion de s'exprimer « sur un bon coup ».

Et c'en est un, assurément, celui qui lui donnait la chance extraordinaire de réunir dans un même film, après *Quai des Brumes,* Gabin et Morgan, et d'avoir aussi comme scénariste Charles Spaak.

Seulement, voilà, dans ce *Récif de corail,* tout dérapa. Maurice Gleize le premier qui, malgré l'appui amical de Gabin, ne se montra pas à la hauteur de ses ambitions. Ce ne fut pas non plus ce que Spaak avait fait de mieux au niveau scénario.

Voulant sans doute refaire un *Quai des Brumes* à leur façon, les dirigeants de la U.F.A., avec des ingrédients dramatiques assez proches de ceux du roman de Mac Orlan — des êtres traqués que le destin accable —, plongeaient Gabin et Morgan dans un climat exotique qui débouchait — loin des brumes du quai — sur un happy end de bon aloi.

L'anomalie de ce film raté dans la carrière de Jean à cette époque conforta l'idée répandue, alors, que cette œuvre n'avait vu le jour que pour mieux abriter ses amours secrètes avec Michèle, et que, tout à sa passion, il n'avait, contrairement à son habitude, pris aucun intérêt au film et l'avait même négligé, au point d'accepter d'y jouer presque un rôle secondaire.

C'était évidemment faux. Jean s'était tout simplement fait piéger par Gleize, par Spaak, par la U.F.A., par tout le monde, et avait malencontreusement entraîné Michèle Morgan dans cette regrettable aventure qui faisait un peu tache dans son « palmarès ».

Pris par la fin du tournage de *La bête humaine,* il était arrivé très tardivement sur ce nouveau film, à un moment où, déjà, les dés étaient jetés et où il ne pouvait plus rien faire pour tenter de redresser la barre.

Ainsi, un « atoll du Pacifique » avait été construit sur une plage méditerranéenne, au Trayas et, se souvient Pierre Prévert[35] alors assistant de Gleize, la moindre grosse vague le submergeait et détruisait les décors qu'il fallait sans cesse « replanter ». Mais il y avait pire : en cette fin de septembre 1938, tout le monde s'attendait à ce qu'une autre vague bien plus conséquente déferle sur l'Europe : la guerre.

Les acteurs, les auteurs, les techniciens du film étaient français et le producteur allemand. L'équipe s'interrogeait — mais ce n'était évidemment pas le plus grave — sur les chances que le film avait de se poursuivre.

Les 29 et 30 septembre, Daladier, Chamberlain, Mussolini et Hitler s'étaient réunis en conférence à Munich. Qu'allait-il en sortir, guerre ou paix ? Paix ! Drôle de paix en vérité qui allait de bien peu précéder une drôle de guerre, puis la guerre tout court.

Mais, début octobre, l'équipe du *Récif de corail* pouvait se dire que, pour le moment du moins, le plus grand péril qui guettait leur entreprise restait les vaguelettes méditerranéennes s'attaquant à leur atoll de fiction.

— Bonjour, Jean !

— Bonjour, Michèle.

« Nous nous dévisageons. La complicité de deux camarades, heureux de se retrouver ! » écrit Michèle Morgan [16] sur cette nouvelle rencontre avec son partenaire de *Quai des Brumes*.

— On y va, tu es prête ? demande Jean.

— Prête à quoi ? s'interroge Michèle qui sent que les choses ne sont plus ce qu'elles avaient été quelques mois plus tôt, au Havre, malgré ce que lui dit Micheline, qui a naturellement débarqué avec « le patron ».

— Tu sais qu'il est content de te revoir, m'sieur Gabin, tu lui as manqué...

Mais c'est déjà très vite : « Au revoir, Michèle... à Berlin. »

Costume bleu marine, chemise lavande et fleur à la boutonnière, Jean, dès le tournage fini sur la Côte, s'en va. Ils doivent se retrouver dans quelques jours à Berlin pour terminer le film dans les studios de Neubabelsberg.

« Ce n'est pas mon retour à Berlin et les quelques moments passés ensemble dans les studios de la U.F.A. qui vont changer les choses », écrit Michèle Morgan, se rappelant ce mois de novembre 1938, où l'air allemand résonne de bruits de bottes d'une jeunesse en uniforme, porteuse de brassards nazis.

La nuit berlinoise, plus inquiétante encore, répercute jusque sous les lambris dorés de ce havre fragile, qu'est encore la Pension Impériale, les cris de haine antisémite et les lueurs, annonciatrices d'autres embrasements, des magasins juifs incendiés. Cette nuit du 9 au 10 novembre 1938, cette « nuit de cristal » comme on l'a appelée par la suite, restera dans la mémoire de ceux qui, comme Michèle et Jean, l'ont vécue avec une impuissance désespérée.

Fuir Berlin au plus vite. Tourner donc, tourner vite. Angoissés, amers, on joue la comédie. Mal, sans y croire, l'esprit ailleurs.

Dans ce climat débarqua un jour, à Neubabelsberg, une délégation du cinéma américain. Drôle d'idée de venir ici jouer les touristes, alors que ceux qui sont contraints d'y être ne pensent qu'à en partir.

A la tête de la délégation : Gary Cooper.

Il y a moins de trois ans, il a repris le rôle de Jean de *Adieu les beaux jours* dans un remake de ce film, *Désir,* réalisé par Frank Borsage, aux côtés de Marlène Dietrich qui remplaçait, elle, sa compatriote Brigitte Helm.

On présente Gary Cooper à Gabin. Ils sont là, face à face, sourire pincé, ne sachant quoi se dire, Cooper ne parlant pas un mot de français et Jean pas un mot d'anglais.

— Qu'est-ce que je peux lui dire, à c'grand con? demande Jean, mezza voce, à Pierre Prévert.

— Montre-lui ta « bête »! réplique le cadet des Prévert.

Jean part d'un énorme éclat de rire, sous le nez de Gary Cooper qui, déconcerté, croit qu'on se paie sa tête, et s'en va dignement.

Le soir même de sa dernière scène tournée, comme tous ses camarades, Jean fuit Berlin. Les « uhlans », comme il les appelait du temps lointain où ils menaçaient Mériel, lui sortent par le nez.

Il ne remettra les pieds en Allemagne que six ans et demi plus tard. Pas dans n'importe quelle circonstance ni n'importe où : à Bershtesgaden, très exactement à l'Obersalzberg, au Berghof d'Hitler, le 4 mai 1945.

Ce jour-là, il n'était d'ailleurs pas Jean Gabin, mais le second maître fusilier Jean Moncorgé, commandant à bord du char « Souffleur II » de la 2e division blindée du général Leclerc...

En cette fin de 1938, les routes de Jean et de Michèle se séparaient à nouveau. Michèle gardait du *Récif de corail* une « impression de non-vécu », à la fois du film et de ses rapports avec Jean.

Tandis qu'elle partait tourner successivement *La loi du Nord* de Jacques Feyder, puis *Les musiciens du ciel* de Georges Lacombe, Jean se préparait à être François, l'ouvrier sableur du *Jour se lève.*

Peu de temps après la sortie de *Quai des Brumes,* Jean avait signé un contrat avec Sigma, une société de production que dirigeait Jean-Pierre Frogerais. Marcel Carné et Jacques Prévert avaient également signé, et c'était donc le trio du *Quai des Brumes* qui se reconstituait.

Au départ, les choses n'allaient pas être aussi simples que pour le *Quai.* En effet, Jean avait rencontré Carné et Prévert début novembre

1937, leur avait proposé le bouquin de Mac Orlan, et, malgré le contretemps dû au refus de la U.F.A. de faire le film, celui-ci avait démarré le 2 janvier 1938. En moins de deux mois, tout avait été réglé.

Cette fois, Jean avait acheté les droits d'un livre de Pierre-René Wolf, *Martin Roumagnac*. C'était l'histoire d'un entrepreneur de maçonnerie qui s'éprenait d'une vamp de petite ville et qu'il tuait dans une crise de jalousie au moment où elle lui avouait qu'elle l'aimait sincèrement. Acquitté en raison d'un faux alibi, il était finalement abattu par un rival éconduit par la belle.

On peut s'interroger encore sur les raisons qui poussèrent Jean à s'intéresser à ce personnage et à cette intrigue, qui rappelaient par certains côtés le thème de *Gueule d'amour* et, plus grave, sur l'obstination qu'il mit à vouloir tourner ce film après la guerre, lors de sa rentrée cinématographique en France. Il se révéla être un échec à tous points de vue, échec qui ne fut pas étranger à cette « période grise » de sa carrière qui suivit.

Lorsqu'il proposa *Martin Roumagnac* à Carné et Prévert, ce dernier, en tout cas, fut catégorique : ce serait sans lui.

Carné suivit Prévert dans le même refus. Jean n'insista pas et rangea *Martin Roumagnac* pour plus tard. Hélas ! Fallait-il encore trouver une autre histoire. Prévert proposa un scénario sur lequel il avait commencé à travailler et qui racontait une histoire de gangsters un peu bizarre. Il avait décidé que, outre celui destiné à Jean, il y aurait également un rôle pour Jules Berry et Arletty.

Jean donna son accord sur le vague schéma que lui avait présenté Prévert, et, faisant confiance comme d'habitude, il partit à Montgenèvre prendre quelques jours de vacances.

Carné, qui avait trouvé un titre, *Rue des vertus,* faisait les repérages des décors extérieurs au fur et à mesure que Jacques Prévert avançait dans l'écriture de son scénario. En fait, d'après Carné, il avançait avec difficulté, ce qui n'était pas dans ses habitudes, et, le temps passant, on était au début de l'année 1939, tout le monde s'inquiétait.

C'est alors qu'un voisin de palier de l'immeuble où habitait Carné sonna un matin chez le metteur en scène en lui tendant quelques feuillets qu'il le pria de lire. Il s'appelait Jacques Viot.

Lecture faite, Marcel Carné ne réfléchit pas longtemps, car il venait d'avoir le coup de foudre [1].

« Non pas pour l'intrigue proprement dite : elle était à peu près inexistante, ou plutôt manquait totalement de consistance, mais pour la manière dont elle était construite.

En effet, pour la première fois dans l'histoire du cinéma, elle commençait par la fin, et se déroulait à la faveur de retours en arrière, sortes de visions du héros sur son passé et sur les raisons qui l'avaient poussé à faire de lui un meurtrier[36]. »

Dans ce texte, extrait de son livre de souvenirs écrit en 1975, Carné indique que le principe du procédé de narration par « retours en arrière » successifs, qui caractérisera *Le jour se lève,* se trouve déjà dans les quelques feuillets que lui donna à lire Jacques Viot, et qui serviront de base au scénario futur.

Par contre, dans une interview qu'il accorda au magazine *Pour Vous* lors de la sortie du film en 1939, Carné ne dit pas exactement la même chose, il dit même plutôt le contraire.

« Vous savez que le sujet initial est de Jacques Viot et que mon ami Jacques Prévert l'a développé en lui donnant cette forme singulière qui caractérise *Le jour se lève...*

(...) Le sujet initial montrait simplement le siège d'une maison dans laquelle un criminel s'est terré (...).

Jean Gabin devant être l'interprète du film, il nous a paru difficile de le prendre simplement comme une sorte de deus ex machina, de lui faire faire, si je puis dire, de la figuration intelligente (...).

C'est alors qu'avec Jacques Prévert nous avons commencé à envisager un découpage qui comporterait des retours en arrière, des évocations du passé — et ce passé a commencé à se former. »

Marcel Carné réussit à convaincre Jacques Prévert de renoncer à son scénario au profit de l'idée apportée par Viot. Le poète de *Paroles* n'était cependant guère enthousiaste.

Le producteur J.-P. Frogerais pensait surtout qu'il allait lui falloir payer un second scénariste, mais il décida de se ranger à l'opinion qu'émettrait Gabin.

Carné, Viot et Frogerais se rendirent auprès de Jean à Montgenèvre pour lui expliquer la situation, et surtout lui proposer le thème du nouveau scénario envisagé.

« J'étais ennuyé parce que Jacques n'était pas là ! m'a un jour dit Jean à propos de cette entrevue. Et, de ce fait, je me demandais ce qu'il en pensait. Mais Carné m'a assuré qu'il était d'accord, alors j'ai dit que, si tout le monde voulait faire le " truc " de Viot, j'étais aussi d'accord... Et c'est comme ça que *Le jour se lève* est parti. »

Prévert et Viot travaillaient à « L'Aigle Noir » à Fontainebleau dans une entente courtoise, sans plus, selon Carné. Il avait été entendu que Jules Berry et Arletty, envisagés dans le scénario de *Rue des vertus,* feraient également partie de la distribution du *Jour se lève.* Jacques Prévert demanda à Carné de prendre également Jacqueline Laurent qui était son amie et à qui le metteur en scène avait déjà fait passer un essai pour *Quai des Brumes* avant l'engagement de Michèle Morgan.

Alexandre Trauner construisit aux studios de Joinville le célèbre décor de l'immeuble de cinq étages qui se dressait, isolé, au-dessus d'une petite place. La chambre du héros qui s'y enferme et vit là sa dernière nuit, tout en revoyant par bribes son passé, était juchée tout en haut.

Ce décor épouvantait le producteur qui n'en voyait pas la nécessité et prétendait qu'une chambre au rez-de-chaussée pouvait aussi bien faire l'affaire, et lui coûterait moins cher [30].

Frogerais égalait presque Rabinovitch dans les récriminations. Il ne comprenait rien à ce film qu'il produisait et chaque jour menaçait de tout arrêter. Une fois même, m'a raconté Jacques Prévert, il avait, sortant un petit revolver du tiroir de son bureau, fait un chantage au suicide si on n'acceptait pas ses demandes de modifications du scénario.

La fois suivante, où il avait convoqué Gabin, Carné et Prévert, pour toujours les mêmes raisons, Trauner — qui les accompagnait — tendit à Frogerais un petit bout de corde en disant qu'avec ça, s'il voulait toujours se suicider, ce serait moins bruyant [37].

Malgré deux ou trois belles scènes qu'il avait avec Jacqueline Laurent, et surtout Arletty — « mon Gabinos » qu'elle lui disait alors qu'il l'appelait Léonie (son vrai prénom) —, Jean avait dû, cette fois, se surpasser pour tenir tête à l'extraordinaire Jules Berry qui ne fut jamais meilleur que dans *Le jour se lève*.

« C'était pour moi presque impossible de jouer avec lui, déclarait Jean, quand il se rappelait les deux ou trois scènes, notamment la dernière où il eut à faire face à Jules Berry. Il me fascinait tellement que j'en arrivais à m'arrêter de jouer à plusieurs reprises pour le regarder faire et ce qu'il faisait tenait du génie... J'en bâillais des ronds de chapeau... A ce degré-là, un acteur, c'est vraiment quelque chose ! Aucun ne m'a épaté comme Berry dans *Le jour se lève*. »

Arletty aussi avait été « épatée » par Jules Berry, et surtout elle s'était montrée curieuse de l' « affrontement » Gabin-Berry un jour où elle ne tournait pas, et où elle était quand même venue sur le plateau rien que pour les voir jouer.

« La relation invisible et muette entre les deux me paraissait plus fascinante que le contenu du dialogue pourtant savoureux. Tout en jouant, Gabin regarde Jules Berry. Et je comprenais qu'il était déconcerté :

— Ça alors ! Mais... Qu'est-ce qu'il fait ? Qu'est-ce qu'il arrive à faire, ce type-là ! C'est étonnant !

Le grand Gabin n'en revenait pas [38]. »

Jean n'avait pas à « affronter » que Jules Berry dans *Le jour se lève*, car une scène qu'il jouait seul lui avait donné une des plus grandes difficultés de sa carrière : celle où, de la fenêtre de sa chambre, il apostrophe la foule en bas sur la place.

Souvenez-vous, comme je le fais moi-même de mémoire : « Mais oui, j'suis un assassin, mais les assassins, ça court les rues !... Hé ! Va y avoir une place à prendre ! Un bon p'tit boulot ! Tout ce qu'il y a de sain !... Quoi, François ?... Quel François ?... Y a plus de François... Y a plus rien, alors, laissez-moi, foutez-moi la paix ! Allez-vous-en ! Je veux qu'on me laisse seul ! Seul ! Vous entendez ? » etc.

Ce sont là des bribes en désordre et approximatives, je le confesse, de ce texte admirable que lui avait écrit Jacques Prévert.

Malgré sa longueur, Jean n'avait pas eu trop de mal à le mémoriser. La difficulté résidait dans le fait qu'il le criait au cours d'une scène de colère qui durait plusieurs minutes.

Un des éléments de la légende qui entourait Gabin était qu'il exigeait d'avoir, dans chacun de ses films, une scène de colère. On confondait avec Raimu. Mais, était-ce vrai, après tout, pour Raimu aussi ? Pour Jean, en tout cas, c'était évidemment faux. Il n'exigeait d'ailleurs jamais rien de particulier, surtout lorsqu'il travaillait avec des gens dont il respectait la liberté de création et envers qui il avait une confiance totale, comme c'était notamment le cas avec Carné et Prévert.

La seule chose qu'il demandait, comme Charles Spaak le rappelait, c'était : « Écris-moi une bonne petite scène *comme dans la vie* ! » Comme dans la vie ! Oui, ça, il y tenait et naturellement, dans la vie, un personnage comme celui qu'on lui faisait jouer souvent, à la fois accablé par un destin contraire et révolté, ne pouvait manquer à un moment ou à un autre de « gueuler » et de se foutre en colère.

En réalité, c'étaient des scènes qu'il redoutait parce qu'il avait, la plupart du temps, beaucoup de mal à les jouer. Il souffrait énormément pour y être « vrai ».

Paradoxe, pensera-t-on, car enfin les colères de Jean dans la vie, sur un plateau notamment, étaient presque aussi courantes et aussi célèbres que celles qu'il jouait à l'écran. La vérité, c'est que ses colères, dans la vie comme au cinéma, étaient « contre nature ». Il en souffrait en effet dans les deux cas de la même façon, et elles le laissaient épuisé physiquement.

Celles hors cinéma l'atteignaient en plus, moralement. Son tempérament intransigeant et, le plus souvent, le sentiment d'une injustice ou d'une malhonnêteté le poussaient à ces explosions instinctives, incontrôlées, où il ne savait que hurler ce qu'il avait sur le cœur. En même temps ou peu après, il était conscient que c'était là de sa part une marque de faiblesse, de sensibilité écorchée et fragile. Il en était embarrassé, presque honteux, tourmenté et malade. Il s'en voulait et, évidemment, en voulait à tout le monde.

Une fois, au studio, après une de ces colères mémorables où il fuyait, encore bouleversé, cacher sa peine dans sa loge, je l'ai surpris dire rageusement entre ses dents, les lèvres blêmes :

— Ah ! Les salauds ! Les salauds ! M'obliger à me mettre dans un état pareil ! S'ils savaient ! Mais qu'est-ce que je leur ai fait pour me faire ça !

Il mettait des heures, souvent il lui fallait une nuit, pour retrouver l'apaisement. Sans doute, dans ces moments-là, se jurait-il à lui-même de ne pas retomber dans le piège.

Ça lui était difficile. Il ne savait pas exprimer ses ressentiments autrement, et de laisser découvrir à tous ce « talon d'Achille », c'était bien ce qui le blessait au plus profond de lui-même.

Lorsque j'ai travaillé à ses côtés et que le matin j'allais le saluer à son arrivée au studio, il était rarement joyeux, car il avait des réveils difficiles, souvent en raison de quelque bon repas arrosé qu'il avait fait la veille.

— J'ai mal au « burlingue ». Cette nuit j'ai failli crever. Va pas falloir trop m'emmerder aujourd'hui !

C'était la litanie courante et, un moment plus tard, ça lui passait. Il était à midi sur le plateau prêt à tourner et, si tout allait bien, l'humeur « normale » revenait et, contrairement à ce qu'on pourrait croire, elle était souvent gaie, enjouée et diserte, surtout s'il avait à côté de lui, comme partenaire, un Bernard Blier, une Danielle Darrieux ou un Louis Seigner qui étaient, entre autres, des gens qu'il adorait.

Certains matins, par contre, je pouvais savoir, rien qu'à son humeur particulièrement épouvantable, le genre de scène qu'il avait à tourner dans la journée : c'était à coup sûr une scène où le personnage qu'il interprétait avait à exprimer des sentiments de mécontentement, de violence, ou de colère.

Il s'y préparait très tôt. Je me disais même parfois qu'il avait dû s'y préparer dès la veille au soir, et qu'à la maison Dominique, sa femme, les enfants et la gouvernante Zelle avaient dû sentir venir cette mise en condition.

Ce jour-là, si j'avais prévu la venue sur le plateau d'un photographe ou l'interview d'un journaliste, il était préférable de les décommander d'urgence. Jean se serait servi d'eux pour mieux faire encore monter sa tension, et malgré l'estime que je portais dans ces instants-là à sa conscience professionnelle, je ne tenais pas à lui rendre ce genre de service dont mon travail ensuite aurait supporté les conséquences.

Sur le plateau, chacun se tenait coi et avait intérêt à remiser pour un jour meilleur son esprit blagueur. La grosse Micheline, dans le dos de Jean, jouait discrètement les sémaphores avec une moue de circonstance pour signaler qu'il valait mieux passer au large du fauteuil dans lequel il était sombrement enfoncé.

Il ne s'agissait pas en effet de le provoquer, et malheur à celui qui se trouvait dans l'axe de son regard si, au cours d'une scène, il « savonnait » son dialogue. C'était forcément à cause du type qui, là, à côté de la caméra, avait bougé exprès pour le gêner. Généralement, on le savait, et ce jour-là c'était le vide autour de la caméra. N'y restaient que ceux qui ne pouvaient pas faire autrement.

Bref, il y avait du génie dans la manière dont Jean, à ces moments-là, entretenait sa mauvaise humeur par tous les moyens qui lui tombaient sous l'œil — et on pouvait lui faire confiance, il n'était jamais à court —, la faisant graduellement monter jusqu'à l'instant où la scène qui la justifiait — à tout le moins ce jour-là — l'en libérait.

Après quoi, surtout s'il était satisfait de la manière dont il avait joué sa colère, ou plus simplement sa mauvaise humeur, il redevenait « normal » et regardait son entourage benoîtement avec l'air de dire : « Ben quoi ! Qu'est-ce qu'il y a ? Pourquoi vous me faites la gueule ? »

Un peu plus tard, enjoué, il commençait à gratter le plancher avec son pied, imitant le cheval qui, avec son sabot, frappe le sol d'impatience dans l'attente de son sac d'avoine, et s'interrogeait sur ce qu'il pourrait bien manger le soir, qui lui procurerait assez de plaisir pour en oublier cette mauvaise journée.

J'étais évidemment certain qu'il trouverait — pour cela aussi je lui faisais confiance — et je savais donc que le lendemain commencerait, pour peu qu'il n'y ait pas inscrit à la feuille de service une nouvelle scène de colère, comme une journée ordinaire.

— Ça va, Jean ?

— Je suis un con, j'ai trop bouffé hier et j'ai mal au « burlingue ».

Allons bon, ça allait, la journée serait tranquille...

Pour jouer la scène de colère du *Jour se lève*, Jean n'avait pas encore mis au point, à cette époque, la technique que j'ai exposée et que je lui ai vu pratiquer dans la seconde partie de sa carrière. Celle qu'il avait utilisée alors — et qu'il utilisait fréquemment en ce temps-là, de son propre aveu — avait l'avantage de peser moins sur son entourage, mais risquait de ruiner sa santé : il buvait.

« Mais oui, j'suis un assassin, mais les assassins, ça court les rues !... » Et la suite... a été jouée ce jour-là, par un Jean Gabin imbibé de whisky...

Cette célèbre colère, il n'a pu la « sortir » que dans cet état.

Le jour se lève a été présenté au cinéma Madeleine en juin 1939 et ni la presse ni le public ne l'ont reçu favorablement.

Pierre Wolff écrivait notamment : « Le jour se lève du pied gauche », et Jacques Chabannes : « On a dépensé sans compter pour encadrer *Le jour se lève* de décors colossaux (...) mais ajoutent-ils vraiment à l'intérêt ?... »

Quant à *Pour Vous,* il accordait au *Jour se lève* la mention B, la mention A étant réservé à *Thérèse de l'Enfant-Jésus, Son oncle de Normandie,* et aux *Ailes de la flotte,* ces chefs-d'œuvre bien connus !

Au soir d'une projection privée organisée pour Prévert, Trauner, Gabin et Viot, les deux premiers s'éloignèrent « après quelques phrases incertaines », comme l'écrit Carné. Quant à Gabin, il avait quelque peu pressenti le « bide » en déclarant : « Ça vaut pas l'*Quai* ! »

Carné avait, en tout cas, eu raison d'affirmer alors que *Le jour se lève* vieillirait mieux.

En 1939, *Le jour se lève* clôturait presque « les glorieuses années Gabin ». Il bouclait, en tout cas, cette période du fameux « mythe Gabin ». *Remorques,* qui allait suivre, fut, en effet, un film à part pour deux raisons : d'abord parce qu'il s'inscrivait précisément hors du « mythe » quant au personnage que Jean y jouait, et même quant au style et au climat de l'œuvre, et ensuite, bien que réalisé en 39-40, il ne sortit sur les écrans qu'en 1941, en pleine occupation allemande, autrement dit, dans un autre monde...

Remorques était, à l'origine, un projet de la U.F.A. allemande. Adapté d'un roman de Roger Vercel, un premier scénario écrit par Charles Spaak fut refusé. André Cayatte, alors scénariste, fut appelé à retravailler le script de Spaak. Nouveau refus de la U.F.A. Quelle chance ! peut-on écrire rétrospectivement, car nous sommes dans l'année 1939 et, quelles que fussent les difficultés que le film rencontra par la suite, elles auraient été bien pires si la U.F.A. l'avait produit. Il est même certain qu'il n'aurait jamais été achevé, compte tenu de ce qu'il allait se passer cette année-là, le 3 septembre.

Comme pour *Quai des Brumes* mais pour des raisons différentes, la U.F.A. finit par passer la main, et renonça à *Remorques.*

Le projet fut repris par la Sedif que dirigeait le producteur Lucachevitch. D'un commun accord entre ce dernier, Grémillon et Jean Gabin, Jacques Prévert fut engagé pour reprendre le scénario. Charles Spaak renonçait à figurer au générique, alors que Cayatte maintenait son nom. Difficile de déterminer ce qu'il restait au final du travail de ses deux premiers scénaristes. On peut cependant être sûr que la part de Jacques Prévert est essentielle, et plus particulièrement en ce qui concerne le dialogue, un des plus beaux, me semble-t-il, à revoir le film aujourd'hui, que Prévert ait écrits, le plus dépouillé en tout cas.

— Écris-moi un dialogue « comme dans la vie », mon pote ! a dû lui dire Jean Gabin selon sa bonne habitude.

Mais on peut également être certain que Jean Grémillon, avec le sens de la mesure qui caractérisa son talent, a veillé au grain pour amener Prévert — qu'il retrouvait en 1942 pour *Lumière d'été* — à ne pas s'égarer dans le délire verbal et poétique, cher à l'auteur de *Paroles*. Encore que, si le dialogue qu'échangeaient Jean Gabin et Madeleine Renaud — son épouse dans le film — relevait d'un langage « quotidien » d'une subtile et pathétique résonance humaine, Prévert retrouvait l'essence même de son inspiration poétique dans les scènes écrites pour Jean Gabin et Michèle Morgan. Une inspiration sans cesse maîtrisée certes, mais qui, dans sa simplicité, atteignait au sublime. Rappelons-nous la scène sur la plage avec la découverte de l'étoile de mer, dans la maison vide au bord de la mer, et celle où les deux amants se séparent à la fin : « Un orage m'a amenée, un orage me reprend », faisait dire Prévert à Michèle Morgan.

La mer a toujours joué un rôle important dans l'œuvre de Jean Grémillon, et dans *Remorques*, plus qu'ailleurs peut-être, elle participait d'une manière particulièrement pathétique au développement de cette thématique qui court dans tous ses films, ce surgissement du « tragique au sein des destinées dites paisibles », comme l'écrivait Pierre Kast.

Pour sa part, sans être réellement un « homme de la mer », Jean Gabin trouvait dans le climat de *Remorques* — les bateaux, les embruns, les longues plages désertes — des éléments très proches de lui et de sa nature. Il avait, en outre, de l'amitié pour Jean Grémillon dont il appréciait la grande rigueur artistique et morale, et dont le langage, d'une autre essence que le sien, le séduisait. Sans doute a-t-il eu plus d'admiration pour l'homme que pour les deux films qu'ils firent ensemble et envers lesquels il montrait quelques réserves.

J'ai expliqué ce qui l'avait embarrassé dans *Gueule d'amour*, où Grémillon avait obtenu de lui qu'il se débarrasse de sa défroque de « héros tragique et romanesque ». Malgré le succès du film, Jean avait un moment craint les conséquences sur sa carrière de ce pari qu'il avait cependant pris en toute conscience. En acceptant de nouveau de retrouver Grémillon avec *Remorques*, il n'ignorait évidemment pas qu'il allait, une fois encore, faire le même pari : celui d'y apparaître dans un personnage situé à l'opposé de ceux sur lesquels il avait bâti sa plus grande gloire d'acteur, c'est-à-dire *Pépé le Moko* et *Quai des Brumes*.

Parenthèse à ce propos : on peut s'interroger sur la façon dont certains l'ont vu dans ses films de cette époque lorsqu'ils prétendaient qu'il jouait toujours le même personnage, et toujours de la même façon !

Pour ma part — et après avoir revu de nombreuses fois le film encore récemment —, je tiens l'interprétation de Jean dans *Remorques* comme une des plus riches, des plus subtiles, des plus humaines de sa carrière, celle où il a le mieux exprimé cet art incomparable qui était le sien « d'être et de vivre », de l'intérieur, le personnage qu'on le chargeait de créer au point de s'y identifier totalement.

Je dois à la vérité de dire que Jean ne partageait ni mon opinion ni mon enthousiasme à ce sujet, et j'ai toujours pensé que la raison en était due, d'une part, au morcellement du tournage du film qui, à cause de la guerre, fut interrompu et repris, et, d'autre part, au fait essentiel que Jean ne vit *Remorques* qu'après la guerre, au début des années 50. Et assurément, pour lui, le décalage était grand. Il s'était entre-temps passé pas mal de choses dans sa vie qui avaient modifié sa vision non seulement sur *Remorques*, mais aussi sur divers aspects de sa carrière d'avant-guerre. A cette époque — ce début des années 50 —, il avait tendance, avec une bizarrerie qui m'étonnait, à juger sévèrement ce qu'il avait fait avant 1939. (Il devait revenir un peu plus tard à une appréciation plus juste et plus conforme de la réalité.) C'était comme si, à l'orée d'une seconde partie de sa vie et de sa carrière — cette dernière se dessinait alors encore mal —, il désirait se remettre en question, faire le vide et refuser ce « fils » qu'il croyait voir à travers ses personnages de *Pépé,* du *Quai* ou *Remorques,* et qui lui rappelait qu'il n'était décidément plus le même, que le temps était passé, et qu'il avait vieilli.

Dans les sentiments complexes que Jean portait sur *Remorques* à cette époque, il ne fallait pas perdre de vue la situation qui était alors la sienne. Malgré quelques films intéressants, il n'avait pas retrouvé l'aura qui avait été la sienne avant le terrible entracte que fut pour lui la guerre (pas seulement pour lui, bien sûr) dans sa vie comme dans son métier.

Remorques avait été, en effet, son dernier film tourné en France, et avait marqué pour lui un sommet à bien des points de vue. A cette occasion, il avait été le premier acteur français, européen, à toucher pour un film un million de francs de l'époque[39].

Enfin, a contrario, il y avait une autre raison pour que *Remorques* compte particulièrement dans la vie de Jean, mais celle-là, en 1950, venant de se marier, d'être père pour la première fois, sans doute que, sans l'avoir oubliée, l'avait-il définitivement et soigneusement rangée dans le rayon secret des souvenirs : c'était sa troisième rencontre avec Michèle Morgan.

En ce début 1939, Michèle Morgan s'apprêtait à terminer les *Musiciens du ciel.* Elle était un peu lasse et fatiguée de tous ces films qu'elle avait pratiquement enchaînés depuis *Quai des Brumes.* Elle aspirait à se reposer, à ne plus penser au cinéma, à vivre autre chose, n'importe quoi, et ne serait-ce que quelques jours. Elle savait que les prises de vues de *Remorques* l'attendaient dès la mi-juillet à Brest, que Jean aussi, peut-être, l'attendait. Il l'attendait pour la troisième fois en moins de deux ans.

Seulement pour tourner ensemble un film de plus, si beau soit-il, elle préférait ne pas trop s'interroger là-dessus et rêvait plutôt à la manière dont elle occuperait les quelques jours dont elle disposait entre ses deux films, l'un s'achevant, l'autre commençant.

Coup de téléphone : c'est Micheline, « la plénipotentiaire aux gros sabots », comme l'appelait Michèle.

— T'es au courant ?

— De quoi ?

— M'sieur Gabin, il divorce !

Michèle garde un silence songeur.

A l'autre bout du fil, Micheline mesure la réussite de son petit effet, et, mine de rien, continue à balancer son message :

— M'sieur Gabin, ça lui plaît bien de tourner *Remorques*... C'est un bon scénario, et Grémillon est son ami... Et puis, de te retrouver, toi, la « môme », ça lui plaît aussi, évidemment !... Ça serait gentil si vous vous rencontriez un peu avant, non, tu crois pas ?

Si, bien sûr, ce serait « gentil », comme disait la Miche, et surtout naturel. Non, pas vraiment naturel. Jean n'appelait pratiquement jamais Michèle au téléphone, et ils ne s'étaient même jamais rencontrés — elle et lui, seuls — en dehors du tournage des films. La dernière fois qu'ils s'étaient vus, c'était à Berlin, il y a six mois. Se sont-ils réellement « vus » d'ailleurs, tant l'un et l'autre se montraient tendus à l'écoute d'événements tellement plus importants, plus graves que ce qui les concernait eux, personnellement ? Et où en étaients-ils au fond, à présent, Michèle et Jean, de leurs rapports ?

Premièrement, ils allaient tourner à nouveau un film ensemble, et ça, c'était tout simple. Tout simple ? Mais oui, ils avaient été sacrés par la presse « le couple idéal du cinéma français » : il était donc normal que les producteurs désirent les réunir à nouveau sur la même affiche. Mais qu'est-ce que les désirs d'un producteur, d'un metteur en scène, ont à voir là-dedans, si ce n'était d'abord et avant tout le désir de Jean et de Michèle de se retrouver ?

Deuxièmement, Jean divorçait. Il se séparait de Doriane. Ainsi, il était libre !

Troisièmement, Michèle aussi était libre, vacante même, et désireuse de vivre un moment hors cinéma.

— N'y compte pas trop ! lui avait dit Denise Tual. Entre les deux films, il n'y aura pas de coupure !

Elle se trompait, la chère Denise, et Michèle en était presque sûre en entendant le téléphone sonner à nouveau cinq minutes à peine après que Micheline eut raccroché.

— C'est moi, Jean...

Avait-il besoin de le dire ! L'agent de liaison, Micheline, avait fait vite à raccorder les fils...

— Je passerai te chercher ce soir...

C'était, au fond, la seule phrase importante qui émergeait des banalités d'usage, et Michèle s'était entendu répondre — cette fois c'était sa voix, personne ne parlait à sa place, elle en était sûre :

— Oui, d'accord... A ce soir !

Il y a des journées au studio qui paraissent plus longues que d'autres, et celle-là, pour Michèle, sur le plateau des *Musiciens du ciel* l'avait été, ô combien !

En rentrant chez elle, le soir, une cinquantaine de roses rouges l'attendaient, semblables à celles que Jean lui avait tendues un soir dans un hôtel du Havre, en lui disant : « Bon anniversaire, Michèle. »

Mais ce soir, ce n'était pas son anniversaire, c'était plus simplement le début d'une fête.

Jean arrivait déjà, il souriait, il riait même, heureux, et embrassait Michèle sur les joues.

Dès les premiers regards échangés, ils ont su. C'était inexplicable, c'était ainsi. Ce qu'ils avaient manqué un soir au Havre — c'était quand ? Un an et demi tout juste —, ce soir ils allaient le réussir. Ils ne laisseraient pas passer une seconde fois la chance qu'ils s'offraient à eux-mêmes d'être — ne serait-ce qu'un temps — heureux ensemble. Cet amour, que tout le monde croyait qu'ils vivaient secrètement depuis des mois et des mois, ne commençait réellement que cette nuit-là, de l'été 39... Mais, quelque part en eux, il avait tout de même commencé bien avant, sans tout à fait se l'avouer.

« C'est séduisant, un homme que l'on séduit, j'étais conquise, écrit Michèle Morgan [16]. Comme une frénésie, tout ce temps perdu, il nous fallait le rattraper. Nous en avions tellement peu devant nous ! Mais cela, nous l'ignorions. »

En écrivant cela, des années après les événements qu'elle relate, Michèle évoquait évidemment les menaces de guerre qui se précisaient, mais pensait-elle déjà que ce bonheur qu'elle vivait et qui avait été si long à venir, ce bonheur qui les emportait Jean et elle un week-end à Auron près de Nice, un autre à Deauville, ne durerait *forcément* qu'un temps ?

« La guerre, il était difficile de ne pas y penser cet été-là, se rappelle aujourd'hui Michèle Morgan [32]. Même si c'était imprécis, si ça n'avait pas, pour moi surtout, encore de réalité, pour personne peut-être en

France à ce moment-là. C'était fou comme les gens semblaient insouciants, comme nous paraissions gais. Je crois qu'on voulait oublier la menace qui pesait, s'étourdir encore un peu, sachant qu'il était impossible de ne pas se réveiller un matin avec, en face de soi, la terrible réalité : la guerre ! Et puis Jean en parlait souvent, même quand il voulait la chasser de son esprit. Il n'avait pas l'humeur guerrière ni même patriotarde, " la fleur au fusil " n'était pas son genre. Il savait simplement que, s'il devait partir " faire son devoir ", il partirait comme les autres, sans rechigner plus que les autres. »

Le temps passait vite, trop vite. Jean et Michèle étaient déjà à Brest en ce milieu de juillet 1939, et tournaient sous la direction amicale et chaleureuse de Jean Grémillon.

— Vous n'aurez pas peur de la mer ? avait-il demandé à Michèle quelques semaines auparavant en lui parlant du film.

Et Michèle, bravement, avait répondu :

— Je ne crois pas...

Alors maintenant, elle était là, silhouette fragile, tête solide, affrontant la mer, à bord du *Cyclone,* ce remorqueur que la tempête chahute. André Laurent, son capitaine, l'a recueillie d'un navire en péril, pas elle, Michèle, mais Catherine, le personnage qu'elle joue. « Un canot l'a apportée » dans la vie d'André, « un canot la remportera » à la fin, le laissant seul, désemparé, comme on l'est dans la vie, quand le destin ou les événements brisent les plus belles amours.

— Tu sais que tu ferais un beau petit moussaillon !

Ce n'était pas du Prévert, mais du Jean Gabin. Il souriait à Michèle, à sa crânerie dans le tangage, à ses yeux plus verts que la mer, plus belle encore le visage mouillé d'embruns.

Ils ne cachaient pas ce qu'ils étaient l'un pour l'autre. Ils « ne cachaient plus », rectifiaient ceux qui s'obstinaient à les croire secrètement unis depuis *Quai des Brumes*.

A l'encontre d'André et Catherine, les personnages qu'ils jouaient et qui, eux, dissimulaient leur amour sur une plage déserte, en le confiant uniquement à une étoile de mer, allant l'abriter des regards dans une maison vide de la lande, Jean et Michèle laissaient éclater leur bonheur au grand jour, sans doute parce qu'ils étaient les seuls à le savoir neuf, à le savoir, peut-être aussi, fragile et précaire.

« Ce sont les derniers beaux jours, alors je veux les vivre égoïstement, pleinement ; nos heures de liberté, nos soirées, nos jours — rares —, nous les passons, Jean et moi, en tête à tête, à nous promener dans Brest... à parcourir la campagne, nous arrêtant dans une auberge discrète... ou allongés sur le sable d'une plage... Comme s'il n'y avait pas de film, pas de rumeurs de guerre, rien que nous, un couple comme un autre[16]... »

Ce couple comme les autres, comme tant d'autres aux quatre coins de la France, en ce jour du 3 septembre 1939, restait soudain figé au milieu de ses camarades du film, le travail suspendu, écoutant les sirènes de Brest qui retentissaient, et auxquelles répondaient, comme un écho plus sinistre encore, les trompes des bateaux dans la rade.

La guerre !

Dans la précipitation, tout se disloquait, le film, l'équipe, chacun sachant que, demain, un autre rôle allait lui être assigné.

La gare de Brest n'avait déjà plus ses couleurs naturelles, des affiches placardées à la hâte appelaient à la mobilisation générale.

Dans le train de nuit qui emportait Jean et Michèle vers Paris le soir même, les mots échangés entre deux silences n'étaient plus les mêmes que quelques heures auparavant, et sortaient difficilement des lèvres avec un goût amer.

— Tu vas partir aussi ?

— Oui, bien sûr, dans quelques jours sûrement...

La couleur du fascicule de Jean lui donne encore quelques heures de liberté supplémentaires.

A Paris, Tolia Eliacheff — le futur époux de Françoise Giroud —, qui dirigeait la production pour le compte de Lucachevitz, décidait de poursuivre le tournage du film en studio aussi longtemps que cela serait possible.

Chaque jour, quelqu'un manquait à l'appel de Jean Grémillon, commandant d'une équipe que les événements désagrégeaient lentement, mais inexorablement.

Et, un matin, Jean lui-même n'apparut pas, lui pourtant toujours à l'heure. Michèle s'angoissait de cette absence.

Comme il devenait difficile de répondre à Grémillon que l'on se sent prête à tourner et à jouer une scène où deux amants se séparent tristement, quand, dans la réalité du jour, il en était de même !...

Seule devant la caméra, cherchant à exprimer les sentiments d'un amour qui se brise, ce n'était plus l'oreille de Schufftan sur laquelle, comme dans *Quai des Brumes,* Michèle fixait son regard, mais sur la porte du studio.

Jean y apparut enfin, et avançait vers elle d'une démarche que le costume qu'il portait rendait un peu plus chaloupée qu'à l'ordinaire.

— Il n'est pas « raccord », dit la scripte ingénument, en constatant qu'il portait un drôle de costume marin.

Pour la scène à jouer, en effet, il devait être en civil. Seulement, voilà, on ne jouait plus. Michèle l'avait compris au premier regard sur lui : Jean avait déjà revêtu l'uniforme de premier maître des fusiliers marins avec sa feuille de route dans la poche, direction Cherbourg.

Il s'en allait « comme les copains », et il était simplement passer dire au revoir. Il sourit à Michèle qui avait la gorge serrée.

Désemparé, Grémillon commandait alors qu'on arrête tout.

— Coupez les lumière ! Terminé !

Lui-même partira quelques jours plus tard, affecté au 22e régiment du train à Versailles.

« Nous nous quittons là, sur le plateau, devant tout le monde ! écrit Michèle au sujet de ces adieux.

— Ça vaut mieux, me murmure Jean. Souris-moi. »

Et comme Grémillon entraînait Jean boire un dernier verre au bar du studio, Micheline, à sa manière, tentait de réconforter Michèle.

— Tu vois, les hommes, c'est comme ça, quand y partent pour la guerre, y vont boire un coup, et nous, on reste là, comme des connes !...

A Cherbourg où il était affecté, Jean Gabin jouait cette fois un rôle assez ordinaire, celui attribué à Moncorgé Jean. Il essayait de se fondre autant qu'il le pouvait dans l'anonymat. Pas facile, on savait qui il était forcément, et sa présence épatait un peu. Certains l'auraient mieux vu au théâtre aux Armées. Mais ce n'était pas son genre : « Il ne peut jouer qu'en composant son personnage », comme disait de lui Jean Renoir et il aurait pu ajouter : « Et il a besoin d'y croire. »

« Faire le guignol devant des types pour leur remonter le moral avant qu'ils montent au casse-pipe, très peu pour moi ! »

C'est ce qu'il répondra quatre ans plus tard, à Alger, à un ministre du général de Gaulle qui voudra l'enrôler dans la troupe de Jean Nohain du théâtre aux Armées.

On peut donc imaginer qu'il avait donné la même réponse, en 1939, à l'offre qui lui avait été faite.

Tandis que la Pologne, pour la défense de laquelle la France et l'Angleterre ont déclaré la guerre à l'Allemagne, succombe seule et héroïque sous les coups de la Wehrmacht et de la Luftwaffe, notre pays jouait une pièce sinistre intitulée *Drôle de guerre*.

C'était tout juste si on échangeait quelques coups de feu par-delà la ligne Maginot. Pourtant, discrètement, sans qu'ils figurent dans les communiqués du haut commandement qui indiquaient imperturbablement « R.A.S. », déjà des hommes mouraient, isolément, comme par hasard, victimes d'une balle perdue du côté du Rhin. C'était « normal » à la guerre qu'il y ait des tués — elle est faite pour ça —, c'était moins « normal » de mourir dans une « drôle de guerre ». Mais peut-être n'avait-elle de drôle que le nom.

De Cherbourg, Jean écrivait. A cette époque, et encore un peu après, il lisait et il aimait écrire.

Michèle recevait de lui régulièrement des lettres en F.M. (franchise militaire) de « quelque part en mer », de « quelque part en France ». Il fallait bien tromper l'ennemi, qu'il ne sache pas que Jean Gabin est à Cherbourg, sur un navire le plus souvent amarré à quai, à ne rien foutre, à s'emmerder, à attendre comme tout le monde qu'il se passe quelque chose.

« Ce n'était pas que j'avais tellement envie d'y aller, à la riflette, se souvenait-il en se rappelant l'hiver 39, mais enfin, pourquoi avoir déclaré cette guerre aux Teutons si c'était pour rester là, à faire les andouilles ? Je me disais par moments que ça ressemblait à une blague, mais j'ai jamais pensé — et je devais pas être le seul quand même — qu'elle se terminerait par une course à pied, à cheval et en voiture, direction le Midi... »

En mai 1940, les choses étant ce qu'elles étaient, Jean, Grémillon et quelques autres techniciens obtenaient une permission exceptionnelle afin d'achever les prises de vues en studio de *Remorques*.

Entre-temps, Michèle Morgan avait tourné un film de Duvivier, *Untel père et fils*, qui ne sortira en France qu'en 1945. Pour la première fois de sa jeune carrière, elle était sans projet. Qui en avait en réalité ? Elle venait de signer un contrat avec R.K.O. pour aller tourner à Hollywood. Denise Tual la pressait d'y partir. Elle préférait attendre, ne pas s'en aller tout de suite.

Pressentiment ?

Un soir, le téléphone sonna. Son amie Nicole Ferrier était là, et ce fut elle qui décrocha : cette voix au bout du fil, elle la connaissait bien. C'était celle de son oncle. Avec un sourire, elle dit à Michèle :

— C'est pour toi...

— Oui, Michèle, c'est moi, Jean, je suis en permission pour un moment, on va finir *Remorques*.

Ainsi, c'était donc possible que tout recommence comme avant, comme s'il n'y avait pas la guerre ? Mais pour combien de temps ?

« Le présent en se ressoudant au passé va effacer ce temps morne où j'ai attendu. Quoi ? Dans ce climat bizarre qui annonce la débâcle, les choses sont différentes », écrit Michèle Morgan.

Tous deux savaient que ces jours précieux, inattendus, qui les réunissaient à nouveau, étaient comptés. Au studio, ils retrouvaient leurs personnages d'André et Catherine de *Remorques*, le soir ils sortaient. On les voyait dans les meilleurs restaurants et ils allaient danser au « Florence ».

« Une frénésie de bonheur, comme s'il pouvait s'emmagasiner, se mettre en réserve », se souvient Michèle.

Mais soudainement, le 10 mai, les Allemands lançaient leurs

blindés à travers les Ardennes, tandis que des milliers de leurs parachutistes se jetaient sur la Hollande. Le 14, à Sedan, l'armée française se trouvait enfoncée.

Tout désormais allait s'ébranler très vite.

« Les événements dramatiques de cette époque ont certes joué un rôle déterminant dans notre séparation, dit aujourd'hui Michèle Morgan[32]. Ils l'ont surtout rendue brutale. Mais même sans eux, j'ai toujours pensé que ce que nous vivions, Jean et moi, n'avait pas d'avenir. La guerre et la débâcle ont précipité notre rupture. Sans cela, et ce qui s'en est suivi, peut-être serions-nous restés encore quelque temps ensemble... quelque temps, pas plus.

Bien sûr Jean avait demandé le divorce, bien sûr j'étais libre, et il allait lui aussi le devenir, mais à aucun moment, malgré cela, je n'ai imaginé que ce qui nous unissait à ce moment-là durerait, et encore moins que cela puisse aboutir à un mariage.

Jean pensait-il autrement ? A-t-il, lui, songé au mariage ? Je n'en sais rien, mais je ne le crois pas. Nous n'en avons jamais parlé. Jean était quelqu'un de très équilibré, de réfléchi, et le monde dans lequel nous vivions en ce temps-là était si précaire, si incertain, qu'il ne prédisposait guère à faire des projets. Nous nous sentions bien ensemble, c'était déjà tellement important que ça nous suffisait.

Et puis les choses s'étaient passées si curieusement entre nous depuis le début... depuis notre première rencontre... Ce qui nous était arrivé quelques jours avant le tournage de *Remorques* était survenu finalement trop tard... Pour moi, en tout cas, j'en suis sûre...

Ce moment entre nous, je l'avais attendu bien avant. Au Havre, certainement, pendant *Quai des Brumes,* malgré le " alors ?... " qui m'avait sottement bloquée un soir... Et même ensuite encore... Mais en cet été 1939, je crois que je n'étais plus autant amoureuse de Jean qu'un an, ou un an et demi auparavant... Mais il était tellement adorable, si attentionné à me plaire, à vouloir me rendre heureuse... Comment, même un peu moins amoureuse, aurais-je pu résister à un déploiement de tant de charme ?... Et puis, avais-je vraiment envie de résister... Je restais cependant lucide...

Ces quelques semaines qui nous furent miraculeusement accordées en mai et début juin 40 ne changèrent rien, sinon que nous avons essayé de les vivre pleinement, peut-être parce que nous pressentions qu'elles étaient pour nous les dernières...

Si dans mon livre je n'ai pas parlé des sentiments de Jean à mon égard, si je n'ai pas écrit : " Jean était amoureux de moi ", c'est évidemment à la fois par pudeur et par modestie. En vérité, je pense qu'il l'était, amoureux — je le pensais aussi à l'époque —, mais c'est vrai que je n'ai mesuré que plus tard, lorsque j'étais aux États-Unis et même plus précisément lors de mon retour en France après la guerre, qu'il l'avait été à un point que je n'avais pas soupçonné. Des amis communs me dirent, en effet, que Jean était resté longtemps désemparé à la suite de mon départ pour les États-Unis...

J'avais tout juste vingt ans quand tout cela s'est passé, et je devais être un peu égoïste... »

« Ce devait être autour du 10 juin 40, se souvient Denise Tual[23]. Déclarée " ville ouverte ", Paris se vidait cependant de ses habitants qui fuyaient l'avance allemande.

Jean Grémillon était parvenu à boucler les dernières prises de vues de *Remorques*. Toutes les productions s'arrêtaient forcément, et, sans projet, j'avais fermé mes bureaux de Synops. J'y étais toutefois ce jour-là où Jean et Michèle passèrent ensemble me dire au revoir. Je revois Jean : il était très calme et portait son uniforme de premier maître fusilier. Avec son col bleu, son béret à pompon rouge, il me rappelait la première fois où je l'avais approché : c'était quand il tournait *Zouzou* et il portait le même costume. Il ne manquait que Joséphine Baker... Nous nous sommes embrassés, et Jean et Michèle sont partis ensemble. »

En quittant Denise Tual, Jean et Michèle ont descendu la rue d'Artois et, sur le terre-plein central de la place Saint-Philippe-du-Roule, ils se sont arrêtés pour échanger encore quelques mots avant de se séparer.

Jean conseilla à Michèle de partir sans attendre, d'aller rejoindre ses parents à La Baule dans la maison qu'elle avait achetée peu de temps auparavant. Il pensait qu'elle y serait en sécurité.

« J'ai envie de lui dire : " Et toi ? que vas-tu faire ? Partons ensemble ! " écrit Michèle dans son livre.

« Je l'ai sûrement pensé un instant, c'est vrai, reprend-elle aujourd'hui, mais je ne l'ai pas dit et, de son côté, il n'a rien proposé non plus. Il était très calme, mais préoccupé. L'uniforme qu'il portait était là pour me rappeler, si je l'avais oublié, qu'il était toujours mobilisé. La permission qui lui avait été accordée n'était pas terminée, et il se demandait comment il allait pouvoir rejoindre Cherbourg. Il m'a dit qu'il avait auparavant des choses à régler à Paris. Nous nous sommes quittés là, tout simplement mais avec un peu d'embarras, sur cette place Saint-Philippe-du-Roule, sans savoir quand nous allions nous revoir, si même, par malheur, nous allions nous revoir un jour. C'était triste à mourir... »

Après avoir quitté Michèle qui s'en va le jour même pour La Baule, Jean, au volant de son coupé Buick beige, passa chez lui rue Maspéro

Doriane n'était pas là. Avait-elle laissé un message lui disant où elle se trouvait ? Elle était encore sa femme, ils n'étaient qu'en instance de divorce.

Jean enfila des vêtements civils, fit rapidement une valise, ramassa quelques papiers et surtout une mallette qui lui était particulièrement précieuse. Elle contenait dix kilos de « jonc », autrement dit de l'or.

Il y avait quelques années déjà que Jean s'était découvert une passion pour ce métal, le « jonc », comme il l'appelait, et il en possédera toujours un peu durant toute sa vie. Il n'avait pas l'esprit spéculateur, mais sécuritaire. Il gardait l'or chez lui, estimant que les malfrats braquaient plutôt les banques que les domiciles des particuliers, du moins à cette époque...

Un an et demi auparavant, en septembre 1938, quand déjà la guerre menaçait, et dans les jours qui avaient précédé les accords de Munich, Jean avait enterré dans son parc de Saint-Gemme quelques lingots d'or en indiquant à Doriane la cachette, au cas où...

Quelques mois plus tard, Jean demanda à Doriane de déterrer l'or.

— Quel or ? Y a pas d'or, Jean !... Y a jamais eu d'or !...

On imagine aisément la stupeur de Jean. Sa colère ? C'est moins sûr. Devant certains événements, il était capable de garder son calme pour mieux en tirer froidement les conséquences. Il est en effet évident que, en se vengeant de la sorte du flirt qu'il avait alors avec Simone Simon, Doriane avait opportunément dans l'esprit de Jean, ce jour-là, laisser couler la goutte d'eau de trop. Car c'est peu après qu'il prit la décision de divorcer.

Malgré le rôle peu agréable de victime qu'il avait joué dans cette histoire, Jean ne s'était pas privé de la raconter avec philosophie autour de lui, car pas moins d'une demi-douzaine de personnes me l'ont racontée. Toutes s'accordent sur la même version des faits, mais divergent sur l'endroit où fut enterré le magot, certains croyant qu'il s'agissait non de la propriété de Jean à Saint-Gemme, mais plutôt de celle de son ami Claude Menier (des Chocolats Menier) à Saint-Jean-Cap-Ferrat.

Par contre, tous, sans se consulter évidemment, et à des dates différentes de témoignages, répètent en termes identiques la fameuse « réplique » de Doriane annonçant benoîtement la mystérieuse « disparition » de l'or, réplique qui, après tant d'années, suscite toujours la même hilarité.

En quittant ce 10 ou 11 juin son appartement de la rue Maspéro, Jean était loin d'imaginer qu'il n'y reviendrait pas avant cinq années.

Il se rendit près de la porte d'Orléans, rue Friant, voir son associé dans l'affaire de garage et de station-service qu'il possédait. Il lui confia ses lingots qu'il n'avait évidemment pas l'intention d'emporter avec lui, ne sachant pas quelles sortes d'événements l'attendaient.

A son retour en France, en 1945, il récupérera d'ailleurs son « jonc » que son associé lui aura soigneusement gardé.

Il se dirigea ensuite vers Dreux au milieu des encombrements créés par l'exode massif des Parisiens.

A Saint-Gemme, il trouva Doriane qui, affolée, prête à partir sans savoir comment, entassait à la hâte dans des valises ce qu'elle avait de plus précieux, et notamment un superbe manteau d'hermine bien embarrassant par le temps caniculaire qu'il faisait sur la France en ce mois de juin 1940.

Incidemment, ce manteau avait une histoire.

Deux ans auparavant, un soir, Jean, en rentrant chez lui, découvrait Doriane se pavanant, provocante, un manteau d'hermine sur les épaules.

— Qu'est-ce que c'est que ça ? interrogea Jean sourcilleux.

— Tu le vois bien !

— Qui te l'a offert ?

— Mais toi, mon chéri ! Il ne te reste qu'à le régler, la facture est sur ton bureau !

Jean « écrasa ». Il avait vu du premier coup d'œil que le manteau d'hermine que Doriane s'était commandé d'autorité et à ses frais était la réplique exacte de celui qu'il avait offert récemment et, croyait-il, discrètement à une charmante actrice qu'il courtisait alors (ce n'était pas Michèle Morgan).

A Saint-Gemme donc, Doriane suppliait Jean de l'emmener. L'emmener où ? Il ne savait pas lui-même où il allait. Une chose était sûre, il lui était désormais impossible de rejoindre son unité à Cherbourg, les panzers allemands, qui avaient franchi la Seine et coupé la route du Cotentin, étaient déjà à Evreux. Dans moins d'une heure, à la vitesse à laquelle ils allaient, ils seraient à Dreux, autrement dit à Saint-Gemme.

Doriane convainquit donc Jean de prendre la route du Sud — comme tout le monde — et lui proposa de se rendre chez des amis à elle à Tardets-Sorholus près d'Oloron-Sainte-Marie dans les Pyrénées-Atlantiques.

Jean pensa-t-il à Michèle à cet instant-là, et à la possibilité de la rejoindre à La Baule ?...

Les valises de Doriane s'entassaient déjà à l'arrière du coupé deux places, au point que Jean ne put lui-même emporter que peu d'affaires, sinon son bel accordéon que Mac Orlan lui avait fait acheter et auquel il tenait tant.

La mort dans l'âme, il abandonna son superbe vélo de course.

De son coffre-fort, il extirpa quelques lingots d'or dont Doriane ignorait l'existence — il avait, comme on le voit, renouvelé son stock et l'avait astucieusement réparti entre Paris et Saint-Gemme — et les glissa sous les deux seuls sièges du coupé.

Jean et Doriane quittaient alors Saint-Gemme avec les Allemands sur les talons, et prenaient la direction d'Orléans où ils atteignaient la nationale 20.

Ceux qui ont vécu cette époque-là se souviennent peut-être que, de toutes les routes encombrées de France en ces jours de mi-juin 40, la nationale 20 fut une des plus difficiles et même une des plus meurtrières. Le flot hétéroclite de civils qui fuyaient l'avance allemande venait s'empêtrer et se heurter à la montée désespérée et hasardeuse de quelques régiments qui avaient, malgré tout, reçu l'ordre de tenter d'arrêter sur la Loire les Panzers Divisions SS.

A cela s'ajoutaient les mitraillages opérés sans le moindre discernement par l'aviation italienne sur les colonnes de civils ou de militaires en débandade.

La chaleur était suffocante. Les véhicules peinaient dans d'incessants sur-places et allaient finalement moins vite que les gens à pied. Il fallait en outre se battre aux stations d'essence pour obtenir les quelques litres de carburant qui permettraient d'aller un peu plus loin.

Comme des centaines de milliers d'autres individus, ce fut cet enfer que Jean et Doriane vécurent alors sur cette route.

Pendant tout le trajet, Doriane ne cessa de récriminer à tout propos, reprochant même à Jean la situation dans laquelle ils se trouvaient plongés.

Après Limoges, ils avancèrent un peu plus vite, mais à une cinquantaine de kilomètres de Toulouse, ayant contourné Montauban, ils furent de nouveau pris dans un embouteillage monstre, et bloqués sur le bord de la route pendant plusieurs heures sous un soleil brûlant.

Doriane, en pleine crise de nerfs, fulminait.

Alors, Jean, n'en pouvant plus, explosa et sortit de la voiture, se laissant aller à une de ses colères naturelles qui le libéraient de ce qu'il avait sur le cœur.

— J'en ai marre, t'entends ! J'en ai marre de toi, de tout ! Je veux plus te voir, je veux plus t'entendre, jamais ! Alors, écoute-moi ! Tu gardes la tire, tu gardes le « jonc », tu prends tout et tu te barres ! Tu te barres où tu veux, n'importe où, je m'en fous ! Pourvu que je t'entende plus, pourvu que je te voie plus ! C'est clair ?

Et laissant Doriane là, abasourdie, dans la Buick avec le « jonc », son manteau d'hermine et le reste, Jean se contenta de prendre son accordéon et s'en alla à pied, sans se retourner, en marchant vers Toulouse.

Colère apaisée, il se sentit enfin libre.

Jean ne devait pratiquement plus jamais revoir Doriane...

En plein cœur de la tourmente de la mi-juin 1940, et en l'espace de quelques heures, il avait dû laisser partir Michèle sans savoir quand il la reverrait et fait ses adieux définitifs à Doriane sur la route de Toulouse...

Sa vie avait basculé...

7.

L'ENTRACTE

Parvenu à Toulouse, Jean apprenait que les Allemands étaient entrés dans Paris et que leurs divisions blindées déferlaient vers la Loire. Nous étions le 14 juin. Le gouvernement présidé par Paul Reynaud était à Bordeaux et s'apprêtait à céder la place à celui du maréchal Pétain. La plus grande confusion régnait et le pays, totalement désorganisé, se trouvait en plein désastre.

Jean réussissait à prendre un train pour Nice, et, démuni de tout mais avec son accordéon, il fut accueilli par son ami Claude Menier dans la propriété de celui-ci à Saint-Jean-Cap-Ferrat.

A La Baule, fuyant l'avance allemande, Michèle Morgan avait tenté d'entraîner sa famille au-delà de la Loire à Saint-Brévin qui devait être occupée quelques jours plus tard. Michèle revenait donc avec les siens à la villa de La Baule.

De son côté, Doriane était parvenue à destination à Tardets-Sorholus dans les Pyrénées-Atlantiques, avec, on le suppose, le coupé Buick de Jean et... le « jonc » qu'il lui avait abandonné dans sa rage.

Robert Klotz, le mari de Nicole (la nièce de Jean), qui se trouvait en Dordogne en juillet 40 en instance d'être démobilisé, devait lire dans *La Dépêche de Toulouse,* à la rubrique des « Avis de recherche », fort importante à cette époque et en ces circonstances, un appel émanant de Doriane. Elle demandait à « tous les membres de sa famille » de lui donner des nouvelles en indiquant une adresse à Tardets-Sorholus.

« Je lui ai écrit, raconte aujourd'hui Robert Klotz, étant par alliance " membre de sa famille " pour lui dire ce qu'il en était en ce qui me concernait. Je n'ai évidemment pas eu de réponse. Je ne crois pas que c'était précisément de mes nouvelles que Doriane attendait », conclut Robert Klotz avec humour.

C'était évidemment des nouvelles de Jean que Doriane espérait. Elle ignorait ce qu'il était devenu après leur dramatique séparation sur la route de Toulouse. Robert Klotz lui-même ne savait pas alors que son oncle se trouvait à Saint-Jean-Cap-Ferrat.

Son épouse Nicole devait, un peu plus tard, informer Jean de l'appel de Doriane, mais on est certain que celui-ci y resta sourd.

Le 16 juin, Pétain demandait l'armistice qui fut officiellement signé le 22. Entre-temps, un jeune général, inconnu du grand public, avait réussi à gagner Londres et le 18 juin il lançait un appel aux Français, les engageant à résister et à poursuivre la guerre, appel qui allait devenir historique mais que bien peu de gens l'entendirent ce jour-là au sens propre comme au figuré.

Le 2 juillet, le gouvernement Pétain s'installait à Vichy qui devenait le centre politique de l'État français et la capitale de la zone libre, c'est-à-dire non occupée par les Allemands.

Le monde artistique et intellectuel s'était presque entièrement réfugié en zone libre (on disait aussi « zone sud », ce qui allait s'avérer plus juste) et se trouvait plus ou moins rassemblé autour de quelques centres comme Toulouse, Montpellier, Marseille, tout le long de la Côte d'Azur. Quelques-uns tentaient déjà de fuir en direction des États-Unis et y réussissaient, comme René Clair, Julien Duvivier, Pierre Lazareff, Marcel Dalio, qui étaient passés en Espagne puis au Portugal par Biarritz. D'autres, par le même chemin, parvinrent dans un premier temps à gagner l'Angleterre, comme Joseph Kessel et son neveu Maurice Druon. D'autres encore n'allaient pas tarder à suivre la même voie, comme Jean Renoir et Jean-Pierre Aumont en direction des États-Unis.

Pour tous, la difficulté était d'obtenir une autorisation du gouvernement de Vichy car, bien entendu, les frontières étaient fermées pour les Français.

Certains, comme Louis Jouvet et sa troupe, campaient à Vichy même, dans l'attente incertaine d'obtenir cette autorisation.

D'une façon générale, il était nécessaire d'avoir une raison professionnelle pour quitter la France : un contrat de travail ou un engagement aux États-Unis qui n'étaient pas en guerre alors, et avaient un ambassadeur à Vichy, l'amiral Lealy ; ou encore on pouvait aussi tenter d'assurer les autorités du nouvel État français qu'on désirait aller représenter à l'étranger le « prestige » de la France du maréchal, ce que bien peu avaient réellement l'intention de faire en vérité. Mais pour qui voulait partir, ceux surtout qui en restant, même en zone libre, étaient en danger — les Français d'origine juive, par exemple, ou trop marqués politiquement comme antifascistes —, tous les moyens étaient bons.

Le groupe des surréalistes avec André Breton, André Masson, Max Ernst et quelques autres comme Anna Seghers et Claude Lévi-Strauss, longtemps réfugiés dans la région de Marseille, s'embarqueront de ce port le 25 mars 1941 à destination des États-Unis[1].

D'autres artistes, d'autres intellectuels décideront de rester en France. Beaucoup d'entre eux, parce qu'ils n'avaient pas la possibilité de faire autrement. Certains — la plupart avec le temps — remonteront à Paris et reprendront leurs activités.

Mais, en cet été 1940, ils étaient encore éparpillés dans cette zone sud que les Allemands n'occupaient pas. Par groupes d'amitiés, d'affinités, ils se cherchaient car les communications étaient difficiles. Le téléphone marchait mal, le courrier, même long et hasardeux, était finalement le moyen le plus commode de communiquer.

Jean Cocteau était réfugié à Perpignan et écrivait à Jean-Pierre Aumont qui, à Vichy, fréquentait des gens comme Madeleine Ozeray, Mireille, Emmanuel Berl, Max Ophuls, Roger Stéphane, André Gide.

Jean Renoir se trouvait dans la Creuse chez Cézanne. Il avait réussi à fuir Rome en catastrophe alors qu'il y tournait *La Tosca* avec Michel Simon au moment de l'entrée en guerre de l'Italie, le 10 juin. Il écrivait à Roland et Denise Tual qui étaient à Florac en Lozère. En août, Renoir devait s'installer à Cagnes-sur-Mer, dans la propriété de ses parents, puis, un peu plus tard, rejoindre les États-Unis.

Ces échanges de lettres entre les uns et les autres permettaient de retisser une toile de relations et même d'envisager de nouveau des projets.

Ce qui frappe le plus aujourd'hui dans ces correspondances échangées en cet été 40, c'est que personne ne semblait avoir la moindre idée quant à l'évolution des événements. La grande préoccupation de la plupart des gens était de reprendre le plus vite possible leur activité comme si rien ne s'était passé, comme s'il n'allait rien se passer qui puisse venir la contrarier.

Il est vrai qu'il y avait pour beaucoup, sinon pour tous, la nécessité de s'organiser et de vivre. Alors, certains montaient des tournées théâtrales comme Pierre Brasseur, d'une part, Jean-Pierre Aumont, d'autre part, et n'hésitaient pas à se produire dans de petites villes, guère habituées à recevoir en temps normal de telles célébrités.

Nice était devenue le centre de ralliement des gens de cinéma. On tentait d'y monter des productions.

A Marseille, Marcel Pagnol achevait son film *La fille du puisatier* dans lequel il rendait hommage au maréchal Pétain.

Tout le monde avait des projets. Marc Allégret espérait faire un film rapidement, et demandait à Michèle Morgan de le rejoindre sur la Côte d'Azur. Celle-ci laissait, non sans inquiétude, sa famille à La Baule, et parvenait à rejoindre Cannes où se trouvaient Danielle Darrieux, Micheline Presle, Louis Jourdan, Michel Auclair, et bien d'autres, comme Jacques Prévert.

Quant à Jean, de Saint-Jean-Cap-Ferrat, il écrivait à Denise Tual, le 25 août[2] :

J'ai eu un coup de téléphone de « Cabuche » qui a une très jolie idée de scénario mais très difficile à réaliser pour l'instant, comme tout d'ailleurs. J'ai reçu un coup de fil du citoyen Prévert en rade de carbure à Cannes. La collectivité du Flore est raide à blanc. J'ai donc fait le nécessaire comme bien tu penses, et j'ai dépanné.*

*Bien triste de ne pas avoir des nouvelles de ce brave Domi**. Je l'ai vu la veille de mon départ sous le bombing de Dreux, il était en excellente forme et d'un moral parfait. Je souhaite de tout mon cœur qu'il soit prisonnier***, car je l'aime beaucoup le « Domi ». Enfin, attendons, comme l'a judicieusement demandé le maréchal, des jours meilleurs. Mais qu'attend-on pour repasser les fumiers qui nous ont mis dans ce Pétain-pétrin ? A bientôt, je vous embrasse tous les deux.*

On remarquera que, dans cette lettre, Jean ne fait aucunement allusion à un éventuel départ pour les États-Unis et, plus surprenant, ne demande pas à Denise Tual des nouvelles de Michèle Morgan. Or, à cette date, il ne savait pas où était Michèle et pensait peut-être qu'elle était toujours à La Baule ou retournée à Paris.

En réalité donc, Michèle était à Cannes, au Grand Hôtel, à quelques kilomètres de Jean, mais tous deux semblaient l'ignorer.

« Ça peut paraître aujourd'hui déconcertant, m'a dit Michèle Morgan[3], mais les communications de ville à ville, même proches, étaient difficiles. On vivait un peu en vase clos, par petits groupes. »

Ces incertitudes sont illustrées par une lettre que Jean Renoir écrivait de Cagnes-sur-Mer, le 24 août, à Denise Tual toujours en Lozère[2].

---

* Surnom que Gabin donnait parfois à Renoir qui avait joué un personnage nommé « Cabuche » dans *La bête humaine*.

** Il s'agit de Dominique Drouin, ami commun à Denise Tual et Jean.

*** Cela peut paraître curieux que Gabin *souhaitait* que son ami soit prisonnier mais, à cette époque, quand on était sans nouvelles d'un soldat, c'était ce qu'on pouvait espérer de moins dramatique pour lui.

J'ai eu très vaguement de vos nouvelles par Marc Allégret qui m'a annoncé que vous deviez rencontrer Michèle Morgan à Marseille. Je lui ai demandé de vous dire, par l'intermédiaire de Michèle Morgan, que je suis à Cagnes (...) Je doute que la commission vous ait été faite...

Les gens oubliaient-ils donc de faire les « commissions » comme le craignait Renoir ? On peut, en effet, s'étonner que Denise Tual n'ait pas averti Michèle Morgan que Jean était à Saint-Jean-Cap-Ferrat puisqu'elle avait reçu une lettre de lui, ou encore que Jacques Prévert, qui était lui-même à Cannes et qui ne pouvait pas manquer de savoir que Michèle y était également, n'ait pas informé Jean quand il lui avait téléphoné pour lui demander du « carbure ». Et que, enfin, Renoir, qui savait Michèle Morgan sur la Côte, par Marc Allégret, n'ait pas, lui non plus, prévenu Gabin.

Bref, il reste là un petit mystère, que personne ne m'a aidé à percer.

Quoi qu'il en soit, Denise Tual rencontra donc Michèle Morgan à Cannes au début septembre, et lui conseilla de tout faire pour partir aux États-Unis, où un contrat avec la R.K.O. l'attendait.

Michèle hésita, mais, sous la pression de Denise Tual, finit par accepter. Auparavant, cependant, elle souhaitait revoir ses parents, et retourner à La Baule en zone occupée.

Denise Tual le lui déconseilla, car elle pouvait être empêchée par les Allemands d'en ressortir. Ce n'était en effet pas facile, alors, de passer de la zone occupée à la zone sud.

En désespoir de cause, Michèle réussissait à faire parvenir une lettre à ses parents à La Baule qui, par retour, l'encouragèrent à quitter la France au plus vite.

Denise Tual organisa le départ de Michèle en liaison avec un agent de la R.K.O. en zone sud, et, exhibant le contrat en bonne et due forme de l'actrice avec la firme hollywoodienne, elle obtint du consulat américain de Nice un visa, et l'autorisation de Vichy.

En train, Michèle devait franchir la frontière espagnole à Port-Vendres, puis, à Barcelone, le directeur de la R.K.O. pour l'Europe devait la rejoindre et avec elle gagner les États-Unis. A Lisbonne, un bateau régulier, l'*Exhocorda,* les emporterait vers New York.

Tout était donc réglé et les dés jetés.

Michèle écrivit quelques lettres d'adieu, dont l'une à Micheline Bonnet à Paris. Elle lui disait qu'elle était sans nouvelles de Jean et la chargeait de lui dire au revoir pour elle quand elle le verrait.

Une fois de plus, l' « agent de liaison » Micheline allait faire son office. Sachant où il était, elle avertit Jean du départ imminent de Michèle.

A trois jours de quitter la France, alors qu'elle préparait un peu tristement ses valises, le téléphone sonna dans la chambre de Michèle au Grand Hôtel de Cannes.

— Michèle ? C'est Jean !

La « grosse » avait rétabli les fils entre eux. Quelque temps auparavant, Jean avait téléphoné à La Baule aux parents de Michèle, qui lui avaient dit qu'elle était « dans le Midi ». Il vient de téléphoner dans tous les palaces de Cannes pour retrouver Michèle.

— Si tu veux, je viens te voir... Quand pars-tu ?...

— Dans trois jours...

— Eh bien, pour un peu je te loupais, tu te tirais sans crier gare.

« Oh ! Que si, j'avais crié, et il le savait bien », écrit Michèle Morgan dans son livre de souvenirs[4].

Le lendemain, Jean la rejoint à Cannes.

« Il nous restait deux jours avant le départ. Un temps trop court, ou trop long », écrit encore Michèle.

« Ces deux jours, nous les avons passés ensemble[3]. Plus amis qu'amants. Nous pressentions que c'étaient les derniers. Un épilogue tendre et triste à la fois.

Jean approuvait mon départ. Il n'a, en tout cas, rien fait pour me décourager. Il ne m'a pas dit alors que lui-même envisageait de partir. Les Allemands de la U.F.A. qui venaient de créer à Paris une société de production, la *Continentale*, avaient essayé de le contacter pour lui demander de tourner avec eux. Il m'a dit qu'il s'y refuserait. Il avait l'air de ne pas savoir ce qu'il allait faire. Je crois que, pendant ces quelques dernières heures avec moi, il ne voulait penser à rien d'autre qu'à nous. A moi surtout. Comme d'habitude, il était charmant et plein d'attentions. Il me donnait des conseils, me disait de prendre garde à tout. Il plaisantait aussi : " Tu vas voir la Greta ! " me disait-il moqueur.

Il m'a accompagnée jusqu'à la gare Saint-Charles à Marseille où je prenais le train pour Barcelone. C'était triste, mais, sans la présence de Jean, cela aurait été encore plus épouvantable. Il m'a acheté des journaux, des bonbons, a installé mes valises dans le filet. On s'est dit au revoir pudiquement, avec embarras, comme lorsque nous nous sommes quittés place Saint-Philippe-du-Roule à Paris, quelques mois plus tôt.

Il est descendu sur le quai et il est resté à attendre que le train parte. A la fenêtre du wagon je lui souriais, la gorge serrée. Il souriait aussi, mais tous les deux nous avions les larmes aux yeux.

Le train est parti. Jean, sur ce quai, a été la dernière image que j'ai emportée de la France pour longtemps...

Et je savais aussi que, cette fois, entre lui et moi, même si nous devions nous revoir, ce que nous avions vécu ensemble si brièvement était fini... »

Pour Michèle, incontestablement, « c'est fini ». Elle n'est plus amoureuse de Jean, et depuis déjà un certain temps, elle n'est liée à lui que par une immense tendresse qui, aussi réelle qu'elle soit, ne remplace pas l'amour. En outre, elle a vingt ans, elle est comédienne, aime son métier, et Hollywood l'attend.

« J'étais jeune et je devais être un peu égoïste », a déjà déclaré Michèle à ce propos.

On peut alors se demander si ce petit *no man's land* qui, durant ces quelques semaines de l'été 40, les a si artificiellement séparés — l'un à Saint-Jean-Cap-Ferrat, l'autre à Cannes — était fortuit.

Pour l'un comme pour l'autre, la vraie séparation s'était faite à Paris, place Saint-Philippe-du-Roule, autour du 10 juin. Même s'ils ne se sont pas dit les mots qui, généralement, concluent une liaison, parce qu'ils sont trop tristes à dire lorsque, comme dans leur cas, à l'amour s'est substituée une chaude tendresse amicale. Ils ne se les diront d'ailleurs jamais. Même pas à la gare Saint-Charles de Marseille. Et pourtant, là, pour Michèle, elle en est sûre — et elle l'affirme encore aujourd'hui —, « c'est fini ».

Mais pour Jean ? Difficile de croire que de Saint-Jean-Cap-Ferrat il n'a jamais su que Michèle était à Cannes depuis juillet. Pourquoi n'a-t-il rien fait pour la joindre ? Pour lui aussi, sans doute, la séparation avait eu lieu à Paris. Mais quand Micheline lui apprend que Michèle s'en va aux États-Unis, c'est alors le choc. L'annonce de la coupure définitive. Il réagit et s'empresse d'aller la voir avant son départ. Il ne la retient cependant pas. Ce n'est pas son genre, et qui plus est, dans les circonstances présentes, dans le « Pétain-pétrin » où la France est plongée, il ne peut prendre la moindre responsabilité envers Michèle.

Il ne lui a pas dit non plus : « Je vais te rejoindre... » Il dit plus vaguement qu'il finira par faire comme elle si les Allemands deviennent trop pressants à son égard. A cet instant, il ne sait même pas si on lui donnera jamais l'autorisation de quitter la France. Il l'accompagne donc à la gare Saint-Charles sans arrière-pensée, comme on accompagne un être cher qui s'en va probablement pour longtemps.

Mais là, sur le quai, en voyant le train s'éloigner et Michèle lui faire un dernier signe d'adieu, Jean ressent vraisemblablement un immense chagrin, et un certain désarroi s'empare de lui. On n'est plus place Saint-Philippe-du-Roule, à Paris, et dans l'incertitude de la mi-juin où rien encore n'est inéluctable. Cette fois, dans quelques heures Michèle sera en Espagne, de l'autre côté d'une frontière que l'on franchit difficilement. Dans deux jours, elle sera sur un bateau qui voguera vers l'Amérique. Un océan et la moitié du monde les sépareront alors, lui, prisonnier d'une Europe hérissée de barbelés et d'interdits, elle, Michèle, libre, dans un pays libre et encore en paix.

Ceux — Tino Rossi, Jacques Prévert notamment — qui ont rencontré Jean dans les jours qui suivirent le départ de Michèle ont tous témoigné de la peine qui était la sienne et du grand trouble qu'il ressentit devant cette séparation qui lui paraissait, à l'évidence, si définitive.

Et c'est presque immédiatement qu'il décida de partir lui aussi. Pour rejoindre Michèle ? Sans aucun doute alors. Il lui câblera d'ailleurs sa décision sur l'*Exhocorda*, le bateau sur lequel elle navigue vers l'Amérique. A New York, une lettre de Jean attendra Michèle, dans laquelle il lui confirme son désir de la rejoindre.

Michèle s'affole-t-elle un peu devant l'éventualité qu'il vienne aux États-Unis « pour elle » ? Craint-elle aussi que cela lui crée des ennuis ? De toute façon, nous savons que pour Michèle « c'est fini ! ».

Elle lui écrit donc. Avec des mots simples, très doux, elle lui fait comprendre honnêtement que, s'il désire venir aux États-Unis, elle doit, elle, Michèle, ne compter pour rien dans la décision qu'il prendra. C'est tendrement dit, mais c'est clair.

Quand Jean prit-il connaissance de cette lettre ? Tardivement. Car, entre-temps, dès qu'il a écrit à Michèle, il se rend à Vichy.

Nous sommes début octobre 1940.

Comme tant d'autres, il veut essayer d'obtenir une autorisation officielle qui lui permettra de quitter la France.

*

« Je ne connaissais pas Jean Gabin à cette époque, raconte Louis-Émile Galey [5], mais j'étais en compagnie de Jean Masson * qui, lui, le connaissait. C'était en octobre 1940 et nous prenions un verre dans un café de Vichy. Jean Gabin était à une autre table. Il séjournait à Vichy dans l'attente d'un rendez-vous avec une autorité gouvernementale afin d'obtenir l'autorisation de partir pour les États-Unis. C'est ce que Jean Masson m'a raconté, après lui avoir un peu parlé. La grande préoccupation de Jean, alors, était de pouvoir emporter son vélo de course avec lui, parce qu'il craignait de ne pas en trouver en Amérique.

— Avec toutes leurs bagnoles, moi, tu comprends, avec mon vélo je serai peinard ! avait-il dit à Masson.

* Speaker à Radio-Luxembourg, puis directeur de la radio à Vichy.

Ça nous avait évidemment bien fait rigoler. »

A Vichy, c'est de Jean-Louis Tixier-Vignancour, alors chargé auprès du gouvernement des services de la radiodiffusion, du cinéma et du livre, que Jean attendait un rendez-vous. Voici ce que M. Tixier-Vignancour m'écrit à ce sujet :

C'est au mois d'octobre 1940, et non pas au début de 1941, que j'ai reçu la visite de Jean Gabin (...) Il m'a indiqué qu'il souhaitait vivement se rendre aux États-Unis pour y représenter, pendant la période douloureuse que nous vivions, le cinéma français*[6].

(...) J'ai étudié avec lui le meilleur moyen de lui permettre de quitter la France, puisque le fait de quitter la France était formellement interdit, sauf autorisation personnelle.

*Ni moi-même ni mes services n'étions compétents pour délivrer cette autorisation. C'est pourquoi ni moi-même ni mes services n'avons eu à accorder ou à refuser une autorisation de quitter le territoire à Jean Gabin**.*

La vérité est que j'ai accompli une démarche personnelle auprès du seul ministre qui avait compétence pour délivrer une telle autorisation, et qui était M. Marcel Peyrouton, ministre de l'Intérieur. Celui-ci avait un bureau dans l'annexe du casino de Vichy. Il m'a réservé un excellent accueil et a accordé cette autorisation.

C'est donc grâce à celui-ci que Jean Gabin a pu rejoindre effectivement les États-Unis.

En conclusion de sa lettre, M. Tixier-Vignancour évoque sa rencontre fortuite avec Jean Gabin à Alger en juillet 1944, lui-même en uniforme de sous-lieutenant d'artillerie de la France libre, et Jean en sous-officier de la marine.

En fait, Jean quittera Vichy en octobre 1940 sans la moindre autorisation officielle, ni de M. Tixier-Vignancour — qui n'y peut rien directement — ni de M. Peyrouton — dont tout dépend à l'évidence.

C'est à son retour chez Claude Menier à Saint-Jean-Cap-Ferrat que, très vraisemblablement, Jean trouva la lettre que Michèle Morgan lui a adressée dès son arrivée à New York. Décide-t-il alors de ne plus partir ? Sa démarche auprès des autorités de Vichy pour quitter la France se révèle-t-elle désormais sans objet ? C'est probable dans un premier temps. Il reste en effet sur la Côte, navigue un peu entre Nice et Cannes pour y rencontrer des amis. Il est vacant et n'a aucun projet.

---

* C'est moi qui avais indiqué à M. Tixier-Vignancour cette date du début 1941 d'après une information que je possédais alors et qui se révéla fausse.

** J'avais fait part à M. Tixier-Vignancour de la position de Jean qui a toujours déclaré que ce dernier ne lui avait pas donné l'autorisation en question.

Bien que son ami Raoul Ploquin ait été nommé à Paris président du Comité d'organisation du cinéma français[7], il s'obstine à ne pas remonter dans la capitale. Il reste également sourd aux demandes de la Continentale allemande[8] qui lui fait des propositions.

« J'avais travaillé dans les studios berlinois, et avec des sociétés allemandes autrefois, déclarait Jean à ce propos, mais la situation n'était plus la même en 1940. Il y avait eu la guerre et nous étions vaincus. Les Allemands étaient des " occupants ", et occupaient notamment Paris où se faisait l'essentiel du cinéma français. Chacun a pris là-dessus la position qu'il a jugé bon de prendre, et je n'ai jamais jeté la pierre à personne à ce sujet à mon retour en 1945. Ce n'est pas en raison d'un patriotisme exagéré que j'ai refusé cette situation ; c'est que quelque chose en moi s'y refusait. Plus simplement, disons que ça m'emmerdait. »

Ne faisant rien, Jean en profite pour s'adonner au sport. Il a racheté un vélo et entretient sa forme en pédalant dans les collines de l'arrière-pays. Il pratique surtout le football, s'entraîne régulièrement avec les professionnels de l'Olympique de Nice comme Chaizaz et Vitry, et devient l'ami de l'avant-centre espagnol du club, José Samitié. Il se lie aussi avec Jean Eskenasi qui deviendra un célèbre journaliste sportif, spécialiste notamment du football. Dans une équipe de vétérans — Jean a alors trente-six ans — dont fait partie son grand copain, le champion de boxe Marcel Thil, il joue plusieurs matches au profit d'œuvres de bienfaisance diverses sous le maillot de l'Olympique de Marseille ou de Nice. Il joue le plus souvent « extrême droit », autrement dit aujourd'hui « ailier droit ».

En dehors de cela, il flemmarde dans la propriété de son ami Claude Menier, son passe-temps favori consistant à jouer de l'accordéon.

Il semble aussi que, pendant cette période, il n'ait pas perdu de vue son divorce avec Doriane car il parvient, non sans difficulté probablement, à faire transférer son dossier à la juridiction d'Aix-en-Provence. Encore une preuve que, en tout état de cause, il n'envisage en aucun cas de retourner à Paris et qu'un départ de France ne fait plus partie de ses préoccupations immédiates. Son divorce ne sera toutefois prononcé par le tribunal d'Aix-en-Provence que le 18 janvier 1943, alors qu'il se trouvera aux États-Unis.

Par ailleurs, en cet hiver 40, les communications avec les États-Unis n'étant pas coupées, des lettres, même difficilement, s'échangeaient. On peut donc être certain que Jean n'était pas sans ignorer qu'à Hollywood Michèle Morgan avait une nouvelle vie sentimentale.

Pratiquement seul des grands comédiens français à refuser de retourner à Paris et d'y travailler sous l'occupation allemande, Jean comprend alors que sa situation va devenir très vite intenable. On le menace de réquisitionner, au profit de l'occupant, sa gentilhommière de Sainte-Gemme. Une *Kommandantur* s'y installera en effet après son départ pour les États-Unis, et les Allemands y mettront le feu et la détruiront en s'enfuyant en 1944.

D'après Nicole Klotz, sa nièce, qui, à sa demande, lui rendait visite de temps en temps à Saint-Jean-Cap-Ferrat, Jean se décida à partir vers la fin de 1940. Elle aussi témoigne qu'il le fera sans autorisation officielle.

De nouveau interrogé par mes soins à ce sujet, M. Tixier-Vignancour a bien voulu me donner, dans une lettre en date du 26 juin 1986, les précisions suivantes :

(...) Au mois d'octobre 1940, et ceci est formel, j'ai reçu la visite à Vichy de nombreuses personnes dont deux, et non pas une, m'ont demandé si je pouvais les aider à quitter la France pour gagner l'Amérique.

Il s'agit en premier lieu évidemment de Jean Gabin, et en second lieu de M. Adolphe Osso, alors célèbre producteur de films (...)

Dans les deux cas, ma démarche a été la même, mais elle n'a pu se produire avec succès qu'après le 13 décembre 1940 auprès de M. Peyrouton.*

J'ai remis cette autorisation aux intéressés, de la main à la main (...).

M. Tixier-Vignancour ajoute que M. Osso l'a remercié en lui envoyant une carte postale des Bermudes au printemps 41 mais reconnaît n'avoir rien reçu de Jean Gabin. Celui-ci l'aurait remercié de vive voix lors de leur rencontre à Alger en juillet 1944.

M. Tixier-Vignancour admet donc, dans cette seconde lettre, que ce serait non en octobre qu'une autorisation aurait été délivrée à Jean, mais « après le 13 décembre 1940 ». Ce qui laisse la date exacte dans une grande imprécision.

Le 13 décembre 1940, c'est à la fois, alors qu'il est chef du gouvernement, l'arrestation de Pierre Laval par la milice, et la constitution d'un nouveau gouvernement, dont la direction est confiée par le maréchal Pétain à Pierre-Étienne Flandin, qui assurera également un certain temps l'intérim du ministère de l'Intérieur avant qu'y soit nommé M. Adrien Marquet.

Donc, M. Peyrouton n'occupe plus ce poste après le 13 décembre,

---

* A savoir, obtenir cette autorisation du ministère de l'Intérieur dont elle dépendait.

et ce ne peut être lui, qui, contrairement à ce qu'écrit M. Tixier-Vignancour, a signé l'autorisation permettant à Jean de sortir légalement de France.

J'avais suggéré à M. Tixier-Vignancour l'idée que, dans l'embrouillamini des rivalités de Vichy (le gouvernement Flandin sera en effet remplacé le 10 février 1941 par le gouvernement Darlan), cette autorisation aurait peut-être pu ne parvenir à Jean qu'après son départ, ou encore qu'elle aurait été annulée à la suite du changement de gouvernement. A cela, M. Tixier-Vignancour répond d'une façon formelle qu'il a remis ce document à Jean Gabin « de la main à la main ».

A ma connaissance et également sauf erreur dans les témoignages dont je dispose à ce sujet, Jean ne s'est rendu à Vichy qu'une seule fois, en octobre 1940. Cela suppose donc que M. Tixier-Vignancour se serait déplacé lui-même, à Saint-Jean-Cap-Ferrat ou ailleurs, pour lui remettre cette autorisation.

Ces événements sont certes éloignés dans le temps, et on sait combien la mémoire humaine est fragile. Pour d'aucuns, ils apparaîtront même comme très secondaires. Pas pour Jean Gabin à ce moment-là. Car s'il ne disposait pas d'autorisation officielle pour quitter la France comme il l'a toujours prétendu, et comme le confirme, entre autres, Nicole Klotz, il prenait le risque d'être arrêté à la frontière, ou encore celui d'être interné en Espagne par les autorités de ce pays, ce qui est fréquemment arrivé à d'autres.

Si j'insiste particulièrement sur ce point, c'est qu'il témoigne de la volonté farouche de Jean de fuir, coûte que coûte, le régime de Vichy, et de son opposition formelle à reprendre une activité artistique dans la France occupée. Cette attitude s'inscrit implicitement dans la démarche qu'il fera deux ans plus tard de s'engager dans les Forces françaises libres. D'autre part, contrairement à la légende répandue, il est clair désormais que ce n'était pas pour rejoindre Michèle Morgan que Jean partait alors pour les États-Unis, mais en raison d'une position morale liée à une obligation vitale.

Et pour en terminer sur le sujet de savoir si Jean a quitté la France avec une autorisation officielle ou pas, je livre ici le témoignage de Louis-Émile Galey qui, sans formellement confirmer la thèse de M. Tixier-Vignancour, apporte peut-être une des clefs de cette controverse[5] :

« J'ignore dans quelles conditions exactes Jean est sorti de France en 1941, mais il m'a dit qu'en 1943, aux États-Unis, lors de son engagement dans les Forces françaises libres, le FBI lui avait fait des histoires en raison de son passeport qui, évidemment, portait l'estampille de l'État français de Vichy, mais, en outre, la mention " propagandiste ", ou quelque chose de ce genre. Naturellement, les choses se sont arrangées, et sa bonne foi d'autant plus reconnue qu'il s'apprêtait à aller combattre dans les forces gaullistes. »

Il semble donc que Jean disposait au moins d'un passeport en règle, du point de vue de Vichy, lorsqu'il est sorti de France. Attendait-il un document autre que ce passeport et qu'il n'a pas reçu, ce qui lui a fait prendre la position que l'on sait ? Il est possible, en effet, que le malentendu vienne de là. Quoi qu'il en soit, Jean préféra s'assurer les services de son ami José Samitié, le footballeur espagnol de l'équipe de Nice, pour passer la frontière et traverser l'Espagne. Il semble que ce soit à Barcelone qu'il obtint du consulat américain son visa pour les États-Unis. Ainsi, son entrée aux États-Unis en février 1941 ne devait soulever aucun problème, puisque les relations diplomatiques entre Vichy et Washington étaient encore normales. Il n'en était évidemment plus de même deux ans plus tard, en 1943.

Cependant, durant tout son séjour aux États-Unis, cette mention « propagandiste » sur son passeport ne semble jamais avoir été relevée. Ce n'est donc que lorsqu'il manifesta le désir de s'engager dans les forces gaullistes que le FBI lui fit curieusement des difficultés. Sans doute ne faut-il voir dans cette tracasserie qu'un des aspects mineurs des relations tendues entre Washington et de Gaulle ; les Américains, jouant à cette époque à Alger la carte du général Giraud, ne tenaient pas tellement, dans le même temps, voir grossir les rangs des partisans gaullistes.

C'est donc à la mi-février 1941 que Jean quitta la France pour les États-Unis. Sa nièce Nicole Klotz vint le rejoindre pour l'aider à préparer ses bagages. Il voulait aussi l'embrasser avant son départ, car elle était le seul membre de sa famille avec lequel il était encore régulièrement en contact, Madeleine, Poësy et Reine étant en zone occupée, et Guy Ferrier, son neveu, prisonnier en Allemagne.

Malgré les aléas qu'a priori supposait ce voyage à travers l'Espagne, le Portugal jusqu'à Lisbonne où il devait s'embarquer, Jean ne voulut pas se séparer de son accordéon ni de son vélo de course, pour les raisons qu'il avait dites à Jean Masson, et il les emporta donc avec lui.

José Samitié accompagna Jean pendant ce voyage, au moins jusqu'à la frontière portugaise. Et Jean a ainsi toujours prétendu, convaincu qu'il était que son passeport ne le protégeait pas totalement, que c'était grâce aux relations de José Samitié qu'il avait pu passer sans encombre les postes frontières de France et d'Espagne, celui-ci lui assurant en outre une certaine tranquillité durant la traversée du territoire espagnol.

Jean n'était pas parti seul : André, son ancien maître d'hôtel, qui était presque devenu pour lui un copain, l'avait suivi.

Une fois aux États-Unis, il semble que les deux hommes se séparèrent au bout d'un certain temps. En souvenir, André offrit à Jean ses boutons de manchette avec ses initiales. Sentimental, Jean les garda toute sa vie, si bien que Dominique, sa femme, les possède encore.

*

Le débarquement à New York de Jean, avec son accordéon et son vélo de course, ne manqua évidemment pas de soulever l'étonnement des douaniers et des employés des services de l'immigration, et provoqua surtout l'hilarité des premières personnes qui l'accueillirent.

Parmi celles-ci, Sylvain Chabert, qui était un vieux copain de Jean, joua un rôle important durant ses premiers pas aux États-Unis. Il s'y était lui-même réfugié peu de temps auparavant en compagnie de son épouse, la chanteuse Irène Hilda, sœur du chef d'orchestre Bernard Hilda.

Sylvain Chabert, qui avait deux ans de plus que Jean, et que celui-ci appelait Zizi, avait été, très jeune, un brillant homme d'affaires et un des fleurons des mondanités parisiennes avant la guerre. Sportif et pratiquant notamment le vélo, Chabert avait fait la connaissance de Jean dès la fin des années 20 sur les pistes cyclables du bois de Boulogne où ils allaient l'un et l'autre courir en compagnie de quelques champions et célébrités de l'époque. Ils s'étaient liés d'amitié, et devaient par la suite continuer de se fréquenter.

Dans les premiers temps, Sylvain Chabert fut le cicérone et le protecteur de Jean à New York, qui n'y connaissait pratiquement personne, en dehors des quelques artistes français qui s'y trouvaient, comme Jean Sablon. Il ne parlait pas non plus l'anglais, sinon quelques mots usuels. Le dépaysement était pour lui particulièrement énorme et, sans la présence de Chabert à ses côtés, il aurait facilement frisé la déprime.

Le plus souvent, il passait ses soirées à *La vie parisienne*, un cabaret dont le propriétaire était Arthur Lesser qui, plus tard, épousera Patachou. Il y retrouvait des amis français, surtout Sylvain Chabert, et écoutait avec plaisir chanter Irène Hilda.

Malgré le soutien moral de Chabert, le problème de Jean, qui n'était pas arrivé aux États-Unis les poches cousues d'or, était de travailler. Peu avant la guerre, les grandes compagnies de Hollywood — M.G.M., Fox — lui avaient fait des propositions qu'il avait refusées.

Son prestige restait évidemment intact, mais, en raison des événements, l'intérêt des compagnies américaines envers lui s'était modifié. Elles ne pouvaient en effet plus compter, en dehors de l'Angleterre et de la Suède, sur le marché européen en ce qui concernait un film avec lui, marché sur lequel il était précisément le plus fort. On ne pouvait jouer désormais avec Jean Gabin que la carte américaine, et, à part Maurice Chevalier et Charles Boyer, pratiquement pas de comédiens français avaient réellement réussi jusqu'alors aux États-Unis.

L'autre handicap de Jean était son ignorance à peu près totale de la langue anglaise.

Il décida donc courageusement d'apprendre — et on sait le peu de goût qu'il a toujours manifesté pour l'étude. Il le fallait cependant, car là était sa survie.

En fait, de son propre aveu, il « apprendra » peu, il « écoutera » surtout, et quand il rencontrera Michèle Morgan à Hollywood quelque temps après son arrivée aux États-Unis, il lui dira :

— Moi, c'est à l'oreille que je prends l'accent. J'écoute, et quand j'ai pigé, je leurs sers un numéro d'imitation !

« Il fut stupéfiant. Jean avait une " oreille " étonnante de justesse et très rapidement il se débrouilla fort convenablement », écrit Michèle Morgan à ce sujet[4].

Il finira même par parler avec un accent tout à fait remarquable.

« J'ai rencontré Jean à New York peu après son arrivée, raconte aujourd'hui Jean Sablon[9], et nous avons dîné ensemble. Il était perdu et avait déjà le mal du pays. Il commençait à peine à parler un peu l'anglais. Il m'a demandé si je connaissais Ginger Rogers. Je la connaissais parfaitement en effet, et je savais même qu'elle était alors à New York.

— Ce serait chouette si tu me la faisais rencontrer, me dit Jean, dont l'admiration pour la blonde Ginger datait d'avant la guerre. Il avait vu tous ses films avec Fred Astaire. Mais, évidemment, je compris que ce n'était pas seulement la danseuse qui l'intéressait.

J'ai organisé un dîner chez moi avec Jean et Ginger. Ils ont semblé pour le moins sympathiser très vite, Jean se débrouillant comme il pouvait en anglais. Il était si expressif que Ginger était sous le charme. Ils sont partis ensemble, et sans être dans le secret, je crois savoir que ce n'est pas cette fois-là que leur idylle a commencé, mais un peu plus tard à Hollywood où ils se sont retrouvés. »

Hollywood ! Jean va bien devoir, finalement, y aller, car c'est là-bas que tout se passe, et où Darryl Zanuck l'attend pour lui faire signer un contrat.

Traverser tout le continent américain d'est en ouest en avion n'était pas encore très courant à cette époque, et on mettait dix-sept heures avec plusieurs arrêts. Mais même si cela avait été le cas contraire, un tel voyage était exclu pour Jean puisque, depuis l'accident qu'il avait failli avoir en compagnie de Duvivier en 1934 du côté de Barcelone, il ne prenait plus, et ne reprit d'ailleurs plus jamais, l'avion de sa vie. Cette obstination n'avait pas trop d'inconvénient dans les années 40, mais elle devait lui en procurer davantage évidemment quand, dans les décennies suivantes, l'avion devint le moyen de locomotion que nous connaissons.

Pour traverser donc en ce temps-là les États-Unis de l'Atlantique au Pacifique, on prenait généralement le train, le *Chief* comme on l'appelait, et le voyage durait pratiquement alors quatre jours.

« C'est ce que j'ai le mieux aimé aux États-Unis, racontait Jean. Je prenais une cabine avec un salon très confortable. J'en sortais pratiquement pas, sinon pour faire quelques pas dans le couloir afin de me dégourdir les jambes, et encore ! Ma cabine était assez grande, et chaque matin je pouvais y faire à l'aise ma culture physique. On m'apportait mes repas, j'y buvais tranquillement ma bière ou mon whisky. Je m'y sentais peinard et je m'ennuyais pas, même quand je voyageais seul, ce que j'aimais tout particulièrement, au contraire. Personne m'emmerdait. J'avais le temps de regarder le paysage, car les trains américains ne roulaient pas très vite, de lire les gazettes, de bouquiner un peu, de somnoler à loisir, et pour gamberger tranquillement, il n'y avait pas de meilleur endroit. Généralement, les gens râlaient d'avoir à passer trois nuits et près de quatre jours dans ce " dur ", moi pas, j'y étais heureux. »

Durant les deux années qu'il passera aux États-Unis, Jean fera de nombreux aller et retour avec le *Chief*, et chaque fois avec un égal bonheur, même lorsque Marlène Dietrich l'accompagnera.

A Hollywood, son contrat signé par Zanuck, Jean fut pris en charge par la Fox.

Michèle Morgan écrit à ce propos qu'il y fut traité à l'égal des stars américaines. Le film prévu pour lui, *Moontide*, n'était pas pour tout de suite, car Jean devait encore améliorer son anglais.

Il l'aurait sans doute amélioré plus rapidement s'il ne s'était pas obstiné à bouder les « parties » américaines au profit de la fréquentation des Français du coin.

Car, naturellement, il retrouva à Hollywood, avec un plaisir certain, ses vieux complices Julien Duvivier et Jean Renoir, son copain Marcel Dalio, et il lui arrivait de croiser de temps en temps Jean-Pierre Aumont, René Clair et Charles Boyer, ce dernier étant là-bas comme chez lui.

Jean n'aimait pas Boyer. Son antipathie datait certainement

d'avant la guerre où il y avait eu entre eux une certaine rivalité professionnelle au cœur du cinéma français, avant que Boyer ne parte pour les États-Unis et ne s'envole vers une gloire internationale. Jean reprochait surtout à Charles Boyer de s'être fait naturaliser américain en pleine débâcle française. En réalité — c'est Jean-Pierre Aumont [10] qui me l'affirme —, Boyer avait demandé sa naturalisation dès 1937, considérant alors que sa carrière et sa vie se dérouleraient désormais pour l'essentiel aux États-Unis. La lenteur de la décision administrative avait fait que la naturalisation était intervenue à un moment qui, psychologiquement, fut malvenu notamment pour Jean qui, dans ce domaine, était d'une exigence morale pointue et n'acceptait pas une analyse plus subtile de la situation de Boyer.

Ce jugement de Jean envers Boyer était d'autant plus injuste — mais Jean n'était pas à une injustice près quand il avait quelqu'un « dans le nez » — que ce dernier se dépensait beaucoup à Hollywood pour accueillir et aider ses anciens compatriotes qui avaient fui la France.

— C'est le remords! laissait laconiquement tomber Jean, lorsqu'on avançait devant lui cet argument en faveur de ce pauvre Charles Boyer.

Évidemment, à Hollywood, il y avait une personne que Jean allait retrouver avec une sensibilité particulière : c'était Michèle Morgan.

On imagine la scène : le téléphone qui sonne un matin dans l'appartement de Michèle à Hollywood. Elle décroche, s'apprêtant à prendre son meilleur accent, celui que tente de lui inculquer chaque jour son professeur d'anglais, le Dr Michneck. Mais c'est une voix française qu'elle connaît bien qui se fait entendre au bout du fil, avec des mots qui la projettent soudainement, et non sans émotion, à quelque temps en arrière dans sa vie :

— Michèle, c'est Jean...

Peut-être a-t-il ajouté, amusé et moqueur :

— J'suis à Olivode...

Ils se sont, en effet, retrouvés dans un restaurant français d'*Olivode* pour manger un bifteck-frites, et boire du beaujolais « de France ».

« C'est bon ces retrouvailles en terre étrangère, écrit Michèle, se souvenant de cette nouvelle rencontre avec Jean. Je ris comme il y a bien longtemps que cela ne m'est pas arrivé, mes yeux se mouillent aussi : un vrai temps de giboulées [4] ! »

Michèle accablait Jean de questions sur la situation en France. Il parlait de ce qu'il savait, de ce qu'il avait vu avant son départ : les lois raciales, la collaboration, le « Pétain-pétrin », comme il disait.

Parlèrent-ils aussi d'eux-mêmes ? Probablement pas. Sur ce sujet, tout avait déjà été dit, et désormais tout était clair entre eux. Ils n'étaient plus que deux bons amis, deux émigrés déracinés qui se retrouvaient non pour évoquer leurs souvenirs communs, mais pour parler de leur pays natal déchiré et si lointain.

Jean chercha-t-il à bluffer un peu Michèle en lui parlant de Ginger Rogers ? Il lui posa en effet la même question qu'à Jean Sablon. Oui, Michèle connaissait Ginger. Elles étaient amies, même.

A son arrivée à Hollywood, la partenaire de Fred Astaire avait été une des premières personnes avec qui Michèle s'était liée.

Et curieusement, Ginger l'avait interrogée sur Jean, fascinée qu'elle avait été en le voyant dans *Port of Shadows (Quai des Brumes)*. C'était avant qu'elle ne le rencontre à New York chez Jean Sablon.

— Au naturel, comment est-il ? avait-elle demandé à Michèle.

— Le naturel de Jean, c'est de l'être, avait joliment répondu Michèle[4].

Tout le monde aux États-Unis — le monde du cinéma et de la presse en tout cas — connaissait la *love story* de Jean et de Michèle, au point que, lorsqu'elle avait débarqué en fanfare à New York, Michèle avait dû subir les assauts d'une meute de journalistes au cours d'une conférence de presse qu'avait organisée la R.K.O. et où on l'avait interrogée sur ses rapports amoureux avec son partenaire de *Quai des Brumes*, le seul film des trois qu'ils avaient faits ensemble sorti aux États-Unis. Là-bas, comme en France évidemment, on croyait que leur aventure avait débuté avec ce film.

Jean, qui était arrivé aux États-Unis plus confidentiellement, avait échappé à cette curiosité.

Amusée par cette étonnante coïncidence qui faisait que chacun de leur côté ces deux-là, Ginger et Jean, désiraient mieux se connaître, Michèle promit à son vieil ami de lui faire rencontrer de nouveau la belle et blonde danseuse.

« Cher Jean, qui redoute les explorations en terrain mouvant, et aime bien savoir où il va mettre les pieds », écrit à ce propos Michèle[4], qui, quelques jours plus tard, organisait un dîner chez elle avec quelques amis américains, et, naturellement, Jean et Ginger.

« Ce jour-là, je ne crois pas que son " oreille " soit utile à Jean, son anglais est encore hésitant, mais avec Ginger il se défend fort bien, et je m'amuse de constater avec quelle rapidité son charme agit (...) Il est vrai que malgré leur beauté (ses invités américains) pas un seul, ce soir, n'a le charme de Jean[4]. »

Son idylle avec Ginger Rogers occupera Jean quelque temps. Il verra peu Michèle dès lors, et ne la verra pratiquement plus quand il rencontrera Marlène Dietrich.

Dans l'attente de tourner *Moontide*, Jean fuyait Hollywood dont il détestait le climat et l'atmosphère factices, et se rendait souvent à New York qu'il préférait de beaucoup.

Ce fut à New York — peut-être un soir à *La vie parisienne* qu'elle fréquentait elle aussi — que Jean rencontra Marlène Dietrich. En fait, ils se connaissaient d'avant la guerre, ayant dîné ensemble à la table de Galtier-Boissière, le directeur de *L'Illustration* qui fut aussi le dialoguiste d'un film de Jean, *Adieu les beaux jours*, en 1933. D'après Marcel Dalio [11], ils s'étaient aussi rencontrés à un dîner chez Léon Bailby, le patron de *L'Intransigeant*.

Charles Higham [12], auteur d'une des meilleures biographies de Marlène Dietrich, prétend qu'ils avaient failli faire un film ensemble, en France, en 1939, réalisé par Pierre Chenal : *Dédée d'Anvers* [13]. Il leur adjoint, dans cette perspective, un partenaire prestigieux, Raimu, et raconte qu'en juillet et août 1939 Jean Gabin, Marlène Dietrich, Raimu et Pierre Chenal séjournaient à Éden Roc, au cap d'Antibes, pour travailler sur le scénario de *Dédée d'Anvers*. Il y avait là également, Joseph von Sternberg, Eric Maria Remarque, Rudi Sieberg, le mari de Marlène, leur fille Maria, et quelques autres amis comme Joe Kennedy et Jo Castairs.

Higham se trompe — ou du moins il fait une confusion. Le projet *Dédée d'Anvers* de Pierre Chenal a existé, mais c'était Corinne Luchaire qui devait en être l'interprète avec... Raimu. Gabin avait également envisagé ce film mais avant, et indépendamment de Chenal. Dans son livre de souvenirs [14], Pierre Chenal évoque en réalité un autre film qu'il prévoyait de faire, en effet, avec Marlène Dietrich et Raimu : *Bruges-la-Morte*. (Bruges n'est évidemment pas loin d'Anvers !...) Eric Maria Remarque devait travailler au scénario. Cela se situait à Éden Roc à la fin de l'été 39, la guerre était proche et personne, au fond, ne croyait à ce film qui, effectivement, tomba à l'eau avant même la déclaration de la guerre. Quant à Jean Gabin, il est bien peu vraisemblable qu'il se soit trouvé au cap d'Antibes à cette date-là, d'abord parce qu'il n'était pas concerné par le projet de *Bruges-la-Morte* et que, surtout, il tournait au même moment à Brest *Remorques* de Jean Grémillon, avec Michèle Morgan.

L'arrivée de Jean aux États-Unis n'était évidemment pas passée inaperçue de Marlène. Elle avait une grande admiration pour lui et connaissait parfaitement ses meilleurs films. On a dit qu'avant de l'avoir rencontré, elle serait intervenue auprès de Zanuck pour qu'il signe un contrat à Jean. Cela n'est pas impossible, car Marlène était très attentive à aider, même discrètement, les réfugiés européens qui débarquaient à cette époque aux États-Unis, et souvent dans des conditions difficiles.

Indépendamment de la fascination qu'exerçait sur Jean la beauté de Marlène, et ce qu'elle représentait comme star, elle avait pour lui l'avantage sensible de parler le français — pratiquement sa deuxième langue car, enfant, elle avait eu une gouvernante française — et d'être profondément européenne. Si européenne qu'aux États-Unis on oubliait parfois qu'elle était allemande — prussienne exactement —, la considérant souvent comme française.

Marlène et Jean, c'était la rencontre de deux « mythes » en apparence opposés. En apparence seulement. Archétype de la vamp, de l'érotisme féminin, de la femme fatale dans les rôles qui ont fait sa gloire, Marlène aurait très bien pu interpréter les personnages féminins de quelques-uns des films de Jean. On pense notamment à ceux de Mireille Balin dans *Pépé le Moko* et *Gueule d'amour,* de Viviane Romance dans *La belle équipe,* sans parler de ceux de Brigitte Helm, sa compatriote, dont elle reprit d'ailleurs le rôle dans le remake d'*Adieu les beaux jours, Desir,* Gary Cooper reprenant le rôle tenu par Jean dans la version française.

Dans la vie, du moins dans la représentation publique qu'elle en donnait, Marlène jouait la star. Son extravagance, ses toilettes, une parfaite maîtrise de sa beauté faisaient d'elle une étoile qui semblait inaccessible au commun des mortels. Dans l'intimité, elle était tout autre. Femme libre certes, entendant mener sa vie comme elle l'entendait et sans souci des ragots, s'exposant publiquement avec ses nombreux et successifs amants, elle était aussi cette « gentille petite ménagère allemande », comme disait d'elle avec affection John Dos Passos.

Elle était intelligente, cultivée, extrêmement sensible et généreuse. D'une folle prodigalité pour les gens qu'elle aimait, et même pour des inconnus.

Après ses débuts hésitants à Berlin dans les années 20, elle s'était brutalement révélée internationalement avec *L'ange bleu* en 1929, qu'avait réalisé l'homme qui a le plus influencé sa carrière, le célèbre Josef von Sternberg[15], et avec qui elle eut, pendant quelques années, une liaison aussi orageuse que passionnée.

Sternberg avait longtemps hésité à l'engager pour jouer le personnage de Lola-Lola. Marlène elle-même n'y tenait pas, ne voulant pas interpréter le rôle d'une prostituée au cœur de pierre. Elle a d'ailleurs toujours prétendu haïr *L'ange bleu* et plus généralement l'image d'elle qu'a « fabriquée » Sternberg à travers ses films. *La femme et le pantin* était le seul qui trouvait grâce à ses yeux.

Un soir, lors d'une réception au château de Reinhardt, Marlène devait subjuguer cependant Sternberg en jouant, jupe relevée, la

Sérénade de Toselli à la scie musicale que Ido Sym, son partenaire de *Café Electric* (1927), lui avait appris à jouer, et avec lequel elle eut un grand amour platonique.

Dès lors, Sternberg considéra qu'elle « était » Lola-Lola et la persuada de jouer le rôle.

L'image de Marlène dans *L'ange bleu* chantant :

Ich bin fesche Lola
Der Liebling des Saison...

ou encore :

Je suis faite pour l'amour
De la tête aux pieds...

reste inoubliable.

Perchée sur un tonneau, portant petite culotte de dentelle et chapeau haut de forme, les jambes largement ouvertes, elle provoqua le plus grand émoi que des foules de spectateurs ressentirent alors dans une salle de cinéma. « Sexe symbole », elle fut immédiatement engagée par Hollywood et ne tourna plus jamais de films en Allemagne, d'autant que, Hitler prenant le pouvoir peu après, Marlène combattit avec courage le nazisme.

Elle s'était mariée à Berlin le 17 mai 1925 avec Rudi Sieberg, un jeune assistant-réalisateur, dont elle eut une fille la même année, Heidede qui, plus tard, s'appellera Maria. Rudi Sieberg fut son seul et unique mari, car, bien qu'ils vécurent le plus souvent séparés, Rudi ayant une liaison très longue avec une autre femme, Tamara, elle avec de nombreux hommes, Marlène refusa obstinément de divorcer.

Rudi et leur fille Maria suivirent Marlène quand elle s'installa aux États-Unis où elle ne cessa de prendre soin d'eux.

Quand Jean rencontra Marlène en cet été 1941, elle était depuis un certain temps cataloguée par les producteurs « catastrophe commerciale » en raison de plusieurs échecs de ses films. Malgré cela, elle tournait assez régulièrement, mais chaque fois non sans difficulté. Il y avait aussi autre chose contre elle : pour les ligues de décence morale dont l'Amérique regorgeait alors, elle était la « scandaleuse » Marlène, la femme qui volait les maris des autres femmes, qui détruisait les ménages comme celui de Sternberg, qui s'affichait en public habillée en *homme* et au bras de ses amants.

Bien que d'origine protestante, Marlène choquait le puritanisme américain.

Le couple Gabin-Dietrich, pour être explosif, ne choqua donc guère davantage. Il étonnait plutôt certains qui le trouvaient irréel, factice, pour ne pas dire anachronique. En réalité, il y eut entre Jean et Marlène une profonde passion, et leur entente, malgré tout ce qui les différenciait, n'était pas une façade « cinéma » pour des besoins publicitaires comme quelques-uns l'ont cru, et dont ils n'avaient rien à faire, ni l'un ni l'autre.

Marlène était *Marlène* en tout état de cause et ne s'était jamais servie de ses compagnons d'un moment pour faire précisément parler d'elle. Quant à Jean, on le sait, il était tout à fait étranger à ce genre de frivolité.

En vérité, Jean, un peu perdu dans cette Amérique, nostalgique de la France, avait trouvé auprès de Marlène une amante-amie qui le comprenait et lui redonnait un certain équilibre.

Évidemment, l'écran des deux *mythes* qu'ils représentaient nous barrant quelque peu le regard, on avait du mal à imaginer le *ménage* qu'ils formèrent alors, et l'atmosphère de ce *foyer familial*. Pourtant, pour beaucoup de ceux qui les fréquentèrent intimement, le *ménage* exista réellement, et le *foyer* aussi.

Certes, Jean restait autant qu'en France discret et simple dans son comportement. Il n'aimait pas mieux à Hollywood qu'à Paris les mondanités et les sorties. Marlène, au contraire, malgré ses authentiques talents de « ménagère allemande », aimait aussi paraître, fréquenter les restaurants, les boîtes de nuit, les spectacles de ballets et d'opéra. Pour lui être agréable sans doute, Jean la suivait mais il détestait ça. Surtout les ballets et les opéras où il s'endormait.

— C'est con un type qui chante alors qu'il est en train de mourir, disait-il péremptoirement.

Marlène ne lui en voulait pas et s'amusait plutôt de ses réflexions à l'emporte-pièce, de sa mauvaise humeur, de son langage des faubourgs qu'elle cherchait d'ailleurs maladroitement à imiter.

« Pose ton *popotin* là ! » était une des grandes révélations « argotiques » de Marlène.

Elle lui reprochait de ne pas lire, de ne pas connaître, notamment, Hemingway qui était un de ses amis.

Jean répliquait vertement qu'il avait rien à foutre de *son* Hemingway et que lui n'avait pas besoin de découvrir la vie dans les livres, qu'il la connaissait autrement pour avoir vécu et qu'il préférait rester dans son coin à « gamberger ».

« Gamberger », un maître mot de Jean. Toute sa vie, il a *gambergé*. A Hollywood avec Marlène Dietrich, comme dans le petit hôtel de la rue de Clignancourt, quand, au temps de la mouise des années 20, il disait déjà à Gaby Basset qui s'inquiétait de ses longs silences : « Je gamberge. » Ce que ce mot recouvrait de réflexions secrètes sur la vie en général, sur la sienne en particulier, plus tard sur celle des siens, sa femme, ses enfants, sur les gens et les choses, qui pourrait le dire vraiment ?

« Jean Gabin est une personne qui m'a donné l'impression d'avoir beaucoup réfléchi sur la vie et les hommes », n'a cessé de me répéter Antoine Pinay [16] lors d'un entretien que j'ai eu avec lui, à propos d'un dîner qu'il fit au début des années 70 en compagnie de l'acteur.

Personnellement, j'ai souvent vu Jean muré dans une profonde méditation au milieu du brouhaha d'un plateau de cinéma. Dans cet exercice, il tolérait le bruit ambiant, mais ne supportait pas qu'on vienne troubler sa réflexion en lui adressant la parole.

M'étonnant un jour qu'il puisse apprécier durant de longs week-ends quasi solitaires à la campagne la présence à ses côtés d'un de ses vieux copains dont je trouvais la fréquentation plutôt sinistre, je m'attirai, de la part de Jean, cette réplique :

— C'est un des rares mecs que je connaisse qui me foute la paix quand je réfléchis.

En somme, ce qui lui arrivait de reprocher à Marlène qui aimait parler et échanger des idées, c'était d'interrompre sa « gamberge » solitaire.

— Tu as la tête vide ! Ça sonne le creux là-dedans ! lui disait-elle en riant et en lui tapotant le front. (Et elle ajoutait :) Mais surtout ne change pas, tu es très bien comme ça !

Cultivée, intelligente, je l'ai dit, ayant beaucoup lu, auteurs anciens et modernes, connaissant par cœur des poèmes de Rilke, fondant en larmes et baisant les mains de James Joyce quand elle le rencontra par hasard, amie d'Hemingway, Remarque, Goward, Chaplin, Welles, pour n'en citer que quelques-uns, Marlène consacra à tous ceux-là dans ses Mémoires [17] un chapitre sous le titre général de « Géants ». Jean Gabin en était et elle le singularisa même par un sous-titre :

ENCORE UN GÉNIE : JEAN GABIN.

C'est dire à quel point elle n'était pas sérieuse quand elle disait de Jean qu'il avait la « tête vide ».

Il est certain qu'elle l'aima et qu'elle l'admira, les deux sentiments étant chez elle indissociables. Quant à Jean, la durée même de leur liaison, qui, malgré quelques *traverses* de l'un comme de l'autre, ne s'interrompit définitivement qu'en 1947, prouve pour le moins que Marlène ne fut pas dans sa vie qu'une simple et agréable opportunité liée à son exil aux États-Unis.

De tous les hommes dont elle fut amoureuse — outre Sternberg, Remarque et Gabin, il y eut Willi Forst, Fritz Lang, Douglas Fairbanks Jr., James Stewart, Mike Todd, Brian Aherne, John Gilbert,

John Wayne, Yul Brynner, Burt Bacharach —, Walter Reisch, qui fut l'ami de Marlène, prétendait qu'elle n'en avait réellement aimé que trois : Igo Sym, l'acteur-musicien qui lui apprit à jouer de la scie musicale, Brian Aherne qui, sans être une star, connut un certain succès dans les années 30, et Michael Wilding, comédien britannique des années 40 et 50.

Charles Higham, qui relève précisément cette appréciation de Reisch dans sa biographie de Marlène, pense pour sa part que deux seuls hommes ont réellement marqué la vie de Marlène Dietrich : Remarque et Gabin [12].

Ce n'est que plus d'un an après son arrivée aux États-Unis que Jean commença le tournage de *Moontide* sous la direction de Fritz Lang qui, pour une raison restée inconnue, fut remplacé au bout de quatre jours par Archie Mayo. Il avait pour partenaires Claude Rains, Thomas Mitchell et surtout la belle et envoûtante Ida Lupino qu'il admira beaucoup. Sans compter parmi les grandes stars de Hollywood, Ida Lupino tourna dans les années 30 et 40, en vedette, avec les plus grands metteurs en scène. Dans la dernière partie de sa carrière, elle devait devenir productrice, scénariste et metteur en scène de quelques films singuliers comme l'était sa propre personnalité. Il semble que Jean s'entendit à merveille avec elle, ce qui ne manqua pas de susciter sinon la jalousie de Marlène qui était au-dessus de ce genre de sentiment, du moins le sarcasme.

« Il (Jean) tourna un film ridicule dont j'ai oublié le titre... », se contente d'écrire Marlène à ce propos dans ses Mémoires [17]. Et elle ajoute pour tout commentaire qu'il s'y exprima correctement en anglais, ce sur quoi, précise-t-elle, elle veilla personnellement, s'étant instituée son professeur dans ce domaine.

Sans être un échec, *Moontide* ne connut pas le succès qu'en espérait la Fox en regard de la personnalité de Jean. A sa sortie en France, après la guerre, sous le titre de *La péniche de l'amour*, la critique française fit la fine bouche, admettant difficilement d'entendre Jean Gabin s'exprimer en anglais, et d'avoir le cheveu blond et ondulé avec déjà des fils argentés.

L'histoire était pourtant assez proche de celles que Jean avait interprétées dans les années qui avaient précédé la guerre, mais naturellement Archie Mayo, le metteur en scène, solide artisan de Hollywood, n'était ni Carné ni Renoir, et le script n'avait pas été écrit par Prévert.

Quant à Jean, personnellement il s'en sortait plutôt bien, et les *spécialistes* saluèrent unanimement son remarquable accent américain.

« Parler anglais dans la vie courante, ça m'était devenu rapidement facile, racontait Jean à ce propos, mais pour jouer ça me causait des problèmes. Ceux qui m'écoutaient, " la " Lupino, mes partenaires, Mayo, trouvaient que ça fonctionnait très bien. Pas pour moi. En jouant en français, je ne m'entends pas vraiment, en anglais, je *m'entendais* et j'avais l'impression que c'était un autre type que moi qui parlait à ma place. Ça me faisait comme un écho et je me sentais complètement *désynchronisé.* Mes gestes, mon corps, tout ce que je ressentais *physiquement,* ce que je pensais aussi, rien me paraissait correspondre à ce que je disais. C'était une impression très pénible. »

Jusqu'au moment de rencontrer Marlène, Jean avait vécu à l'hôtel. Marlène loua, pour Jean et elle, dans le quartier de Brentwood une maison appartenant à Greta Garbo qui avait la sienne tout à côté. Quand ils se rendaient à New York, ils habitaient l'hôtel Pierre, Marlène n'ayant pas, au début de leur liaison, d'appartement dans cette ville, ce qu'elle aura un peu plus tard. Ils allaient voir des spectacles évidemment, et terminaient généralement leur soirée à *La vie parisienne* pour y retrouver Sylvain Chabert et Irène Hilda.

Un soir, à Hollywood, au cours d'une *party* où Marlène avait réussi cette fois à le traîner, Jean, un verre de whisky à la main, traînait son ennui et son air maussade, lorsqu'il partit soudain, d'une manière inattendue, d'un grand éclat de rire : il venait de tomber nez à nez sur Gary Cooper, et sa première réaction avait été de se rappeler qu'à Berlin, trois années plus tôt, face au même Gary Cooper à qui il ne savait quoi dire, Pierre Prévert lui avait glissé à l'oreille : « Montre-lui ta bête ! »

Cooper resta un moment déconcerté de susciter une nouvelle fois l'hilarité de Gabin, mais Jean, qui se débrouillait déjà en anglais, lui en donna la raison, et ils en rirent ensemble.

La plupart du temps, Jean menait une vie casanière comme il a toujours aimé, et préférait passer ses soirées avec Marlène dans leur maison de Brentwood.

« Gabin et Marlène vivaient à Hollywood comme à Provins ou à Orléans, raconte Marcel Dalio dans ses Mémoires [11]. Jean n'aimait pas beaucoup sortir. Marlène, en revanche, aurait volontiers montré son Jean et sa belle gueule d'aristocrate des faubourgs. »

Dalio, qui a vécu dans leur intimité, est de ceux qui affirment qu'ils s'aimaient et qu'ils « ne faisaient pas du cinéma » pour la galerie.

Quelle galerie d'ailleurs ? Ceux qu'ils fréquentaient, qui venaient dîner, étaient de vieilles connaissances de Jean ou de Marlène, comme Jean Renoir, sa femme Dido, Dalio.

La réputation de cordon bleu de Marlène était célèbre. C'est à Vienne, en 1935, qu'elle avait rencontré un gastronome autrichien réputé, Ludwig von Karpathy, qui lui enseigna quelques secrets culinaires pour notamment rester *en forme* comme elle le fut toujours d'ailleurs, tant qu'elle se produisit au cinéma ou sur une scène de music-hall. Pour satisfaire les goûts de Jean, elle avait consciencieusement et avec application étudié la confection de plats plus roboratifs que ceux que lui avait prescrits von Karpathy. Elle possédait une solide bibliothèque de livres de cuisine française. Elle était notamment passée maître dans la préparation du chou farci et du pot-au-feu, et dans quelques autres plats de cette espèce.

Sur ce plan, on peut être sûr que Jean lui était reconnaissant car, malgré toute l'attention dont elle l'entourait, la nostalgie du pays ne le quittait toujours pas, et au moins cette nourriture atténuait un peu son spleen.

Marcel Dalio donne avec humour son appréciation sur Marlène en « ménagère ».

« Star elle était à l'écran, star elle restait dans la vie, même pour préparer des choux farcis à Gabin. Bien sûr les gants et le tablier qu'elle utilisait pour faire la cuisine semblaient sortir de chez Hermès, mais cela faisait partie de son élégance un peu fabriquée en avance sur la mode. Parfois, elle arrivait habillée en homme, toujours et même encore plus élégante que d'habitude. Moi je lui pinçais les fesses. Elle riait (...) J'avais tous les droits. *Ce petit Marcel, il est fou,* disait-elle en coupant des choux dans sa cuisine en or massif (...) Pour moi, parce que je l'ai vu vivre dans l'intimité, Marlène n'a jamais été le personnage mythique fabriqué, avec génie d'ailleurs, par Josef von Sternberg : je l'ai toujours considérée comme une star, certes, mais une star qui savait aussi être femme. »

« Je suis allée dîner un soir chez Jean et Marlène, se souvient Annabella [18], en compagnie de Tyrone Power, André Daven et Danielle Parola. Marlène est venue nous ouvrir avec un petit tablier devant elle et s'excusa de nous avoir fait attendre car elle était occupée à la cuisine à préparer le repas. Je ne me souviens plus de ce que nous avons mangé, mais la maison embaumait d'une bonne odeur d'un plat longuement cuisiné.

Jean tournait alors *Moontide* à la Fox, dont les studios n'étaient guère éloignés de leur maison. Il n'était pas encore rentré et Marlène, de temps en temps, allait ouvrir la porte et, du seuil, regardait si elle le voyait venir, comme l'aurait fait une femme de marin d'un port breton s'alarmant du retard de son homme.

Quand Jean arriva, Marlène se jeta à son cou comme s'il n'était pas parti du matin même, et lui prodigua mille tendresses, s'inquiétant de savoir si la journée s'était bien passée pour lui, s'il n'était pas trop fatigué, etc.

Je connaissais finalement assez peu Jean, mais je savais qu'il était plutôt discret dans les effusions, surtout en public. Il nous souriait avec l'air de nous dire : “ Excusez-moi, mais vous voyez comme elle m'aime. ” Personnellement, j'avoue que j'étais tout de même surprise de voir Marlène se précipiter pour aller chercher les chaussures d'intérieur de Jean et les lui passer aux pieds elle-même, agenouillée près de lui. Son extrême simplicité — car il n'avait pas changé par rapport à l'époque où je l'avais connu en France — paraissait comme se heurter à l'extravagance de Marlène car elle était extravagante, même dans l'attention et la gentillesse qu'elle manifestait à son égard.

A la fin du dîner, Marlène demanda à Jean de nous chanter des chansons en s'accompagnant lui-même à l'accordéon. Elle alla lui chercher l'instrument, puis elle lui mit un foulard un peu canaille autour du cou, et une casquette sur la tête. Sans trop se faire prier, car il aimait ça, Jean chanta quelques chansons de son répertoire du genre *Viens Fifine*. C'était charmant et un peu anachronique dans cette villa hollywoodienne avec piscine et palmiers californiens.

Pour Jean, qui avait le mal du pays, tout cela avait évidemment un petit air nostalgique. A la fin, Marlène a pris sa scie musicale et s'est mise à jouer avec Jean. »

Jean sauvait les apparences, mais en réalité, malgré tout ce que pouvait faire Marlène pour lui être agréable, il s'ennuyait. Quand il ne tournait pas — en deux ans il ne fit que deux films —, Dalio venait passer l'après-midi avec lui au bord de la piscine.

« Selon ma vieille habitude, je parlais, raconte Dalio. Il m'écoutait en silence, taciturne, indifférent peut-être, lointain sûrement. Son esprit était ailleurs.

Mais où ? Je devais le découvrir, un jour où, après m'avoir écouté au fil des heures, il sortit enfin de son mutisme pour me dire avec un soupir :

— Quand même... c'est beau un bœuf !...

Il était déjà en Normandie, à compter les têtes de son futur cheptel ! »

Dans sa maison de Brentwood, une chose parvenait à distraire Jean : c'était de surprendre Greta Garbo en train de l'espionner en catimini. Sa maison était mitoyenne de celle qu'elle avait louée à Jean et Marlène, et chaque après-midi, vers 16 heures, coiffée d'un grand chapeau, des lunettes noires sur les yeux, elle allait se jucher sur une poubelle au fond du jardin, pour observer ce qu'il se passait chez les Gabin-Dietrich. Jean ne manquait évidemment pas de faire profiter de ce spectacle inattendu les copains qui passaient chez lui à l'heure où Garbo se pointait, croyant ne pas être vue. Dalio en fut tout retourné et déçu.

« Cette mère fouettard, ce proprio tatillon, était-ce bien la star que j'avais admirée dans *Ninotchka* et dans *Anna Karenine* ? »

Pas de doute, c'était bien la *Divine* qui, grimpée sur une poubelle, essayait de voir à quelle turpitude se livrait, dans sa maison, ce Français nommé Jean Gabin.

Dans le chapitre qu'elle consacre à Jean dans ses Mémoires, Marlène a des envolées affectives lyriques à son égard à travers lesquelles perce le côté *mutti* allemande de sa sensibilité et qu'attestent tous ceux qui la connaissent.

« Déboussolé, Gabin s'accrochait à moi comme un orphelin à une mère adoptive, et j'étais ravie de le materner jour et nuit.

(...) Le monde connaît le talent d'acteur de Gabin. Inutile d'en parler. En revanche, sa sensibilité est assez méconnue. Sa façade de dur à cuire et son attitude virile étaient complètement artificielles. C'était l'homme le plus sensible que j'aie connu : un petit bébé mourant d'envie de se nicher dans le giron de sa mère, d'être aimé, bercé, dorloté, telle est l'image que je conserve de lui.

(...) Il y a en moi une sorte de désir, de nostalgie, de frustration d'un foyer qui m'attire vers les Français, que je dois à ma jeunesse.

(...) Gabin était l'homme — le super-homme — " l'homme d'une vie ". Il était l'idéal que recherchent toutes les femmes. Rien de faux chez lui. Tout est clair et transparent.

(...) Il était bon, il surpassait ceux qui essayaient vainement de l'imiter. Mais c'était aussi une tête de mule, un être extrêmement possessif et jaloux. Toutes ces qualités me plaisaient, et nous ne nous sommes jamais disputés sérieusement.

(...) J'étais sa mère, sa sœur, son amie et plus encore.

(...) Je l'ai beaucoup aimé. »

Sans doute est-il important de souligner que Marlène a écrit ces lignes près de huit années après la mort de Jean, et qu'à son souvenir vibre encore chez elle une intense affectivité.

Dans le courant de 1942, Marlène loua une autre maison à Westwood et la meubla d'objets hétéroclites qui amusaient Jean.

Préoccupée par la guerre dans laquelle les Américains étaient à présent totalement engagés, elle avait accepté, à la demande du bureau des Services stratégiques, d'enregistrer des chansons en allemand destinées à être diffusées en direction du IIIe Reich. Elle se sentait en effet terriblement impliquée dans la lutte contre le nazisme et aidait beaucoup ses compatriotes antinazis et juifs réfugiés aux États-Unis.

A cette époque, Marlène prêtait son concours à toutes sortes de manifestations de soutien aux soldats ou à l'effort des ouvriers dans les chantiers navals qui construisaient des *Liberty Ship*. Jean l'accompagnait.

C'est alors aussi qu'elle connut ses premiers problèmes avec sa fille Maria qui avait décidé d'être comédienne et qui, encore très jeune, était tombée amoureuse d'un acteur et metteur en scène, Dean Goodman. Marlène avait encouragé les débuts au théâtre de sa fille. Elle allait aux répétitions avec Jean et la conseillait. Elle fut par contre opposée à son mariage. Il semble que Jean ait plutôt soutenu Maria que Marlène dans ce conflit. Marlène n'assista pas au mariage de sa fille, ce que Jean lui reprocha.

Désireuse de s'engager plus à fond dans la lutte contre l'Allemagne nazie, Marlène avait demandé son engagement dans l'armée américaine et d'être envoyée au front pour rendre n'importe quel service. Elle finit par obtenir qu'on la mobilise dans l'organisation des spectacles aux armées.

De son côté, Jean n'en pouvait plus de sa vie américaine et décida fin 1942 de s'engager dans les Forces françaises libres.

« Je m'emmerdais et je me sentais hors du coup de tout ce qu'il se passait dans le monde, racontait Jean. Les États-Unis étaient en guerre, des tas de types de chez eux se battaient sur tous les fronts, mais à Hollywood, à New York, dans le monde où, par la force des choses, j'évoluais, c'était difficile d'avoir l'impression qu'un peu partout des gars se faisaient tuer pour nos pommes, pour qu'on continue à vivre comme on vivait, c'est-à-dire plutôt peinards et libres. Bien sûr, on allait aux manifs pour soutenir l'effort de guerre, on participait à je ne sais quelle " gamelle au soldat ". Je suivais, mais ça me donnait envie de gerber. Je supportais plus tout ça. »

Relatant lors de mon entretien avec lui ces propos de Jean, Jean-Pierre Aumont devait me dire qu'il s'était senti à peu près au même moment dans le même état d'esprit, et c'est la raison pour laquelle il décida, lui aussi, de s'engager.

« La guerre vue de Hollywood avait quelque chose de complètement factice, d'irréel, si l'on voulait bien ne pas trop y penser. Il fallait presque faire un effort pour se dire qu'elle existait et que nous n'en étions pas », ajoutait Jean-Pierre Aumont.

Dans sa biographie de Marlène, Charles Higham relate des propos de Walter Reisch, ami de l'actrice, sur les circonstances de l'engagement de Gabin.

Au cours d'une soirée chez Reisch, Jean et Marlène se seraient querellés et Ernst Lubitsch, présent, aurait pris le parti de la comédienne. Furieux, Jean aurait quitté la soirée, puis Hollywood pour rejoindre les Forces françaises libres. Toujours d'après Higham, Marlène ne l'aurait plus revu avant son départ.

Il est possible qu'il y eut une soirée chez Reisch au cours de laquelle Marlène et Jean se disputèrent. Il est en tout cas faux qu'ils rompirent à ce moment-là. Il est vrai que Jean ne supportait plus Hollywood et qu'il en avait « marre », comme il le disait, d'écouter les propos futiles et les commérages des uns et des autres. Mais ce n'est pas en raison d'une vague querelle ni sur un coup de tête qu'il a décidé de s'engager.

« On nous disait, là-bas, qu'en France tout le monde était dans la Résistance et se battait contre les Allemands. On nous parlait des maquis, des sabotages, des gars fusillés. Depuis que les Américains avaient débarqué en Afrique du Nord en novembre 1942, toute la France était occupée par les Allemands. Si j'avais douté en 1940-41 que la France s'en sorte, je ne doutais plus, depuis que les Américains s'étaient mis dans la danse, que les Alliés gagneraient la guerre et que l'Europe, la France seraient un jour libérées.

C'était en tout cas mon espoir pour toutes sortes de raisons évidentes, mais pour moi surtout l'espoir de pouvoir un jour rentrer en France. J'étais malade à l'idée, dans le cas contraire — celui où les Allemands gagneraient la guerre —, d'être obligé de finir ma vie aux États-Unis. A partir de là, il était clair pour moi que je ne pouvais pas rester les mains dans les poches, continuer de faire des grimaces devant une caméra en étant bien payé en plus, et attendre tranquillement que les autres se fassent descendre pour que je retrouve un jour mon patelin. Je me disais qu'il devait y avoir en France des copains à moi qui se battaient — évidemment j'ai su après qu'il n'y en avait pas eu beaucoup —, qui se faisaient tuer peut-être, fusiller ou déporter.

Je pensais : les Allemands vont finir par prendre la pâtée, la France sera libérée. Alors, je ne me voyais pas débarquer sans avoir personnellement rien fait pour ça. Je ne me voyais surtout pas retrouver des copains à Paris qui, eux, y seraient allés à la riflette et me contenter de leur dire : " Me r'voilà, les potes ! Et vous, comment ça va ? " J'aurais jamais osé les regarder, leur serrer la main, et je voulais pouvoir le faire sans honte. C'est pour tout ça que je suis parti la faire, cette putain de guerre, et la trouille au ventre en plus. »

Il semble donc que Jean ait quitté Hollywood fin 1942. A New York, il prit contact avec Sacha de Manziarly qui dirigeait dans cette ville l'antenne de propagande gaulliste. Il lui fit part de son désir de s'engager dans les Forces françaises libres.

On le félicita de son ralliement, mais on lui fit aussi comprendre qu'il pouvait rendre à la cause pour laquelle il voulait combattre un aussi grand service en restant aux États-Unis pour y tourner un film de propagande en faveur de la France libre.

Jean fut interloqué. Il s'était fait un peu de cinéma dans sa tête et s'était vu déjà, oh ! sans enthousiasme excessif, sur le front tunisien ou Libyen sous le feu des canons de Rommel. Au lieu de cela, on le renvoyait d'où il venait, sous les sunlights de Hollywood, mobilisé certes pour servir la cause gaulliste, mais il n'avait évidemment pas imaginé ce genre d'affectation.

Il accepta cependant, et c'est ainsi que, quelques semaines plus tard, il se retrouva sous la direction de son vieux complice Julien Duvivier à tourner *L'imposteur,* produit par Universal.

Jean-Pierre Aumont m'a rappelé qu'il lui était arrivé la même aventure, lorsque, quelque temps après Jean, il s'était présenté lui aussi devant le capitaine Sacha de Manziarly. Celui-ci l'avait « engagé » pour retourner à Hollywood y faire un film réalisé par Tay Garnett : *La Croix de Lorraine.*

— Ne vous inquiétez pas, dans trois mois la guerre ne sera pas finie ! avait dit Manziarly à Jean-Pierre Aumont, comme il avait dû aussi le dire à Jean.

Le scénario de *L'imposteur* racontait l'histoire d'un homme — Clément — qui, condamné à mort pour le meurtre d'un agent de police, s'évade d'une prison de Tours détruite par un bombardement allemand en juin 40. Il réussit, dans la confusion de la débâcle, à prendre l'identité d'un soldat français, Lafarge. A Saint-Jean-de-Luz, alors que Pétain demande l'armistice, il s'embarque sur un bateau à destination de Brazzaville. Là, il s'engage dans les Forces françaises libres, avec l'intention de déserter et de passer au Congo belge. Les circonstances l'amèneront à commander un groupe de soldats. Pris dans l'enthousiasme collectif, il ne songera plus à déserter et se couvrira même de gloire au Tchad à la bataille de Koufra. Mais son imposture sera découverte et il passera en conseil de guerre. Clément se portera alors volontaire pour une mission périlleuse et mourra héroïquement en soldat de la France libre.

Duvivier fit là un film solide avec tous les rebondissements dramatiques qui convenaient au genre. Le personnage que jouait Gabin était cousin germain de celui de *La bandera* et de ceux sur lesquels son

« mythe » s'était bâti avant guerre. *L'imposteur* joua avec succès aux États-Unis le rôle pour lequel il avait été fait et on estima dans les milieux gaullistes que le quartier-maître fusilier marin Moncorgé alias Jean Gabin avait bien rempli sa première mission.

L'impact du film, lorsqu'il sortit en France, la guerre à peine terminée, ne fut évidemment pas le même. Son opportunité datait, surtout que dans les milieux de gauche on s'interrogeait sur ce que de Gaulle, à la gloire de qui le film avait été fait en son temps, allait faire de son prestige alors qu'il venait de quitter le pouvoir et qu'il s'était réfugié à Colombey dans une attitude expectative mais vigilante.

Tourné en anglais, *L'imposteur* fut évidemment doublé en français, et on fut un peu surpris de ne pas reconnaître la voix de Jean Gabin. C'était en effet son copain Robert Dalban qui lui prêtait la sienne, Jean, au moment de la post-synchronisation, faisant encore la guerre du côté des Vosges.

Dès la fin du tournage de *L'imposteur*, Jean repartit pour New York revoir le capitaine de Manziarly, tout à fait décidé, cette fois, à ce que son désir d'engagement soit pris au sérieux.

« Je sentais qu'on était prêt à me donner un brillant uniforme marqué de la croix de Lorraine avec mission de plastronner à New York ou à Hollywood dans les " parties " en déclamant : " Engagez-vous dans les Forces françaises libres. " J'ai donc décidé d'aller voir l'amiral Lahaie — qui n'était pas amiral à l'époque — et qui représentait à New York les Forces navales françaises libres. Lui s'est empressé d'accepter mon engagement et m'a assuré que je partirais dès que possible pour l'Afrique du Nord. J'ai signé pour la durée de la guerre.

Une seule chose m'ennuyait et je me suis permis de lui en faire part. J'étais quartier-maître et je lui ai dit qu'à mon âge — j'allais bientôt avoir quarante berges — et surtout avec mes cheveux qui blanchissaient j'aurais l'air con avec le col marinier et le béret à pompon. Il a compris mon problème, et c'est comme ça que j'ai été bombardé d'office second maître.

Le grade, je m'en foutais, je m'engageais pas pour la solde, mais second maître, c'était le premier grade qui me permettait de porter une casquette. Et moi, la casquette, ça m'allait mieux. »

Avant d'embarquer, Jean dut se présenter devant une commission administrative américaine qui s'assura qu'il avait bien réglé l'intégralité de ses impôts. C'est probablement là — la commission comportant des représentants du FBI — que Jean connut ses démêlés dont a parlé Louis-Émile Galey à propos de son passeport et de la mention « propagandiste » qu'il portait.

Dans son livre de souvenirs [19], Jean-Pierre Aumont fait également allusion à une commission semblable devant laquelle il eut à répondre à des questions extrêmement serrées à propos de la venue éventuelle aux États-Unis de Louis Jouvet qui se trouvait alors en Amérique du Sud, et dont il se vit, finalement, refuser l'entrée.

La méfiance de l'administration rooseveltienne à l'égard des Français gaullistes était alors extrême.

Mi-avril 1943, Jean reçoit enfin l'ordre d'embarquer à Norfolk, une base navale importante, à l'extrême pointe de la baie de Chesapeake, en Virginie, au sud de New York. Il est nommé officier d'armes à bord de l'escorteur l'*Elorn* chargé, avec d'autres bâtiments du même type, de convoyer des pétroliers à travers l'Atlantique jusqu'à Alger.

Pas très gâté, Jean, pour une première mission. Traverser l'Atlantique à cette époque n'était pas précisément une « planque » en aucun cas, mais les escorteurs de pétroliers et les pétroliers eux-mêmes étaient tout particulièrement les cibles favorites des fameux sous-marins allemands basés notamment à La Rochelle et qui patrouillaient en permanence sur les routes maritimes, à l'affût des convois de ravitaillement destinés à l'Angleterre, à l'U.R.S.S. et depuis quelques mois à l'Afrique du Nord.

Jean avait demandé qu'on ne le ménage pas : il était donc servi.

Les jours qui précédèrent son départ, il les passa à New York avec Marlène qui était venue le rejoindre. Sur l'*Elorn* il n'emportait rien, ni son accordéon ni son vélo qu'il n'avait d'ailleurs pratiquement pas utilisé pendant son séjour aux États-Unis, n'ayant pas voulu prendre le risque de se singulariser fortement. Il n'avait pas non plus besoin d'argent là où il allait. Avec ce que le fisc américain lui avait laissé, il fit un somptueux cadeau à Marlène sur lequel personnellement il resta discret, mais on a quand même parlé d'une rivière de diamants.

Amateur de peinture, il avait acheté, durant son séjour, trois tableaux : un Renoir, un Sisley et un de Vlaminck, auxquels il tenait beaucoup. Les *impressionnistes* n'étaient guère à la mode à cette époque aux États-Unis. Ils le devinrent précisément grâce à la guerre, car certains réfugiés français ou européens avaient débarqué avec des choses précieuses, des tableaux notamment, pour les vendre à leur arrivée afin de pouvoir survivre. Le marché des impressionnistes n'était pas très élevé alors, et Jean avait donc pu acheter ces trois toiles.

Il en fit également cadeau à Marlène.

« J'avais décidé de ne rien garder, racontait Jean à ce sujet. Je partais avec le sentiment que j'allais laissé ma peau dans cette guerre que, pourtant, je voulais faire pour être en règle avec moi-même. Mais avec la trouille que je me payais, je n'arrêtais pas de penser que ce serait une drôle de chance si j'en réchappais. C'est bien connu, dans ces coups-là, la mort frappe toujours en premier les types qui ont la pétoche. Et moi, je l'avais. Je me sentais pas du tout l'âme d'un héros. Si j'avais dû rester aux États-Unis le restant de ma vie, je crois que j'aurais crevé d'ennui, alors, crever pour crever, j'avais choisi mais c'était pas plus marrant pour ça ! »

L'étonnant dans le courage moral que Jean a affirmé sans défaillance et dans des circonstances diverses durant toute sa vie, parfois, comme lors de son embarquement à Norfolk, avec une obstination touchante, c'est qu'il ne commandait pas toujours, et même rarement, tous les moteurs psychiques de son être, et notamment pas son comportement physique. « Physiquement », Jean avait peur, peur d'avoir mal dans sa chair, mais cette peur n'a jamais contraint sa détermination morale.

Dualité déconcertante qui rendait l'individu complexe et fragile, et qu'un psychanalyste expliquerait savamment peut-être, mais pour moi et pour l'avoir souvent observé chez lui, je dirai simplement que ce comportement paradoxal était un des traits les plus caratéristiques de sa personnalité.

Marlène accompagna Jean jusqu'à Norfolk. Il avait jusqu'à deux heures du matin pour embarquer. Ils vont dîner tranquillement dans un restaurant de Hampton tout proche, et entrent dans un cinéma voir un film de Lewis Milestone, *Convoi vers Mourmansk (Our Russian Front)* avec Humphrey Bogart. Celui-ci y joue très précisément le rôle d'un commandant d'escorteur de pétrolier qui traverse l'Atlantique avec un convoi de ravitaillement à destination de Mourmansk. Lors d'une attaque de sous-marins allemands, Bogart, imperturbable sur sa passerelle de commandement, lance des ordres avec l'assurance et le calme qu'il sied au héros qu'il interprète.

Le film est beau et puissant, et Jean en sort très impressionné.

Il fait peu après ses adieux à Marlène et monte à bord de l'*Elorn* qui, à l'aube, lève l'ancre en compagnie d'autres escorteurs qui, au large, rejoignent le convoi de pétroliers qu'ils ont la charge de défendre.

L'*Elorn* est un navire des F.N.F.L. (Forces navales françaises libres), c'est-à-dire que son commandant et l'équipage sont français. Jean est « bidel » en second, autrement dit capitaine d'armes adjoint. C'est un poste de responsabilités, et l'officier qui l'exerce n'est pas de tradition toujours bien vu de l'équipage, car sa fonction exige des hommes rigueur et discipline.

« Bah ! dira Jean un jour, j'étais pas du genre trop emmerdeur, et je crois pas que les hommes aient eu beaucoup à se plaindre de moi, mais il fallait bien faire le boulot pour lequel on était là. C'était pas vraiment un endroit pour rigoler. Ce qu'il y a de très fort sur un bateau, et forcément encore plus en temps de guerre, c'est que tous les gars dépendent les uns des autres. Pas question de tirer au flanc. Du coude à coude dépend la peau de chacun. Ça, j'aimais. »

Une nuit, en plein Atlantique, Jean est officier de quart sur le pont. La nuit est claire, et chaque bâtiment du convoi se détache nettement sur la mer. Aux jumelles il scrute attentivement le ras des flots, comme c'est son rôle, et comme le font aussi au même moment sur les autres escorteurs d'autres officiers de quart à la recherche du périscope ennemi. En Atlantique, les sous-marins sont le seul danger qui guette le convoi. La crainte de la Luftwaffe sera pour plus tard, après Gibraltar éventuellement, à l'approche des côtes africaines.

Jean entend des pas au-dessus de lui sur la passerelle de commandement : ceux du pacha. Depuis qu'il est à bord et qu'il navigue sur l'océan, c'est tout juste si Jean l'a entr'aperçu.

Le second l'a prévenu : le commandant est un peu bizarre, excellent officier et marin, mais renfermé, taciturne, peu bavard et insomniaque.

Jean lève la tête et découvre la silhouette sombre du pacha qui se détache sur la passerelle supérieure.

— Moncorgé, c'est vous ?

— Oui, commandant.

— Il paraît que vous faites du cinéma dans le civil ?

— Oui, commandant.

— Moi, je ne vais jamais au cinéma. J'aime pas ça... J'aime pas ça du tout.

— Question de goût, commandant.

— Ma sœur, qui est une personne bien pensante, trouve que c'est malsain, le cinéma, pas moral... Ces gens qui s'embrassent sur la bouche, c'est dégoûtant...

Là-dessus, le pacha reprend sa promenade nocturne sur sa passerelle, abandonnant le second maître Moncorgé à sa veille aux sous-marins. C'est à peu près la seule conversation que Jean aura avec son commandant pendant la traversée.

Quelques semaines plus tard, à Alger, on rapportera à Jean l'anecdote suivante : au mess des officiers de la marine, un de ses collègues interroge le pacha de l'*Elorn*.

— C'est vous qui avez Jean Gabin sur votre navire ?

— Je ne connais personne de ce nom-là à mon bord, répond le commandant de l'*Elorn.*

— Mais si, l'acteur de cinéma !

— Ah ! Je vois... A bord, il s'appelle Moncorgé...

On lui explique que Jean est un comédien réputé, mondialement connu.

— C'est possible, réplique, sceptique, le pacha de l'*Elorn,* moi je sais pas ce qu'il vaut comme acteur, mais comme capitaine d'armes, je sais qu'il est très bien !...

Au sud des Açores, des sous-marins allemands attaquent. Les escorteurs ripostent. Pour la première fois, Jean est en contact avec la guerre. Un pétrolier est touché et coule lentement. La défense du convoi a été efficace, et l'ennemi redisparaît. Les bâtiments poursuivent leur route en direction de Gibraltar. Ils franchissent le détroit quelques jours plus tard, et s'apprêtent à toucher Alger, leur destination finale.

Sur l'*Elorn,* les anciens disent que la traversée a été une des plus calmes qu'ils ont connues. Jean se dit que la chance est peut-être avec lui.

Pas tout à fait.

Au large du cap Ténès, l'enfer surgit sous la forme d'escadrilles de la Luftwaffe qui, par vagues successives, bombardent le convoi.

Jean commande une des batteries antiaériennes. Les tirs sur les avions ennemis qui piquent sur les bâtiments du convoi dans un bruit infernal sont incessants. Autour de l'*Elorn,* des pétroliers explosent et brûlent avant de couler, des navires d'escorte sont également atteints.

Des gerbes d'eau immenses s'abattent sur les ponts et les batteries de l'*Elorn* causées par l'impact des bombes allemandes qui percutent la mer sans atteindre l'escorteur. Des canots de sauvetage chargés d'hommes qui ont réussi à fuir leur bâtiment en flammes sont mitraillés par les stukas.

— Ah ! Les salauds ! Les salauds ! hurle Jean qui ne joue plus comme dans un film le rôle héroïque d'un commandant de batterie antiaérienne, mais celui bien plus simple, bien plus réel du second maître Moncorgé qui, la trouille au ventre comme les copains, ordonne le tir, sans discontinuer, contre les avions ennemis.

« Le plus drôle, si je puis dire, racontait Jean se souvenant de ce passage en enfer, c'est que, au milieu de ce carnage où je voyais autour de moi des bateaux couler ou flamber, des mecs se faire faucher à leur poste de tir ou dans les canots, j'ai pensé à Bogart dans son film que j'avais vu juste avant mon départ de Norfolk et dans une scène semblable à celle que j'étais en train de vivre pour de vrai. Il était superbe de morgue et de flegme sous le canardement, pas l'ombre d'une peur. Et moi, au contraire, je tremblais. J'avais le *kébour* qui gigotait tout seul sur ma tête, tellement je claquais des dents. Evidemment, j'ai essayé de rien montrer à mes gars qui devaient être dans le même état que moi, mais je pouvais pas m'empêcher de répéter mentalement : Non, mais quel con, ce Bogart ! Je voudrais bien le voir là et surtout voir la gueule qu'il ferait à ma place, ce connard !

Je me suis souvent demandé si c'était pas la pensée obsédante de Bogart au milieu de cette merde qui m'avait épargné. J'aurais peut-être dû lui adresser un petit merci après. »

Lorsque Jean débarqua de l'*Elorn* à Alger au printemps 1943, la ville qu'il avait connue quand il tourna *Pépé le Moko* avait bien changé. Elle grouillait alors d'un monde hétéroclite de politiciens français de tout poil et de tout bord, les uns venant de Londres, partisans de De Gaulle depuis toujours, d'autres également gaullistes mais arrivant de la Métropole, représentants de la Résistance intérieure et de ses courants politiques divers, et enfin ceux qui, transfuges de Vichy, avaient senti à temps le vent de l'histoire tourner et opportunément fui la France occupée.

Ces derniers s'étaient plus particulièrement ralliés à l'amiral Darlan qui, soutenu par les Américains, avait tenté de faire barrage à la France libre de De Gaulle.

Darlan assassiné le 24 décembre 1942, le général Giraud prit sa place et, lui aussi appuyé par Roosevelt, s'opposa à de Gaulle avant de s'avouer vaincu à l'automne 1943, laissant « l'homme du 18 juin » présider et diriger seul le Comité français de Libération nationale (C.F.L.N.)

En ce printemps-là, le pouvoir à Alger, ce sont surtout les Américains qui l'ont. Ils sont partout avec leurs états-majors, leurs conseillers en tout genre, leurs troupes aussi. Ils préparent le premier débarquement des forces alliées sur le continent européen occupé par les Allemands. Ce sera la Sicile le 10 juillet, puis l'Italie, et enfin, le 12 septembre, la première terre française : la Corse.

Quand Jean arrive à Alger, la Tunisie achève d'être reconquise. Incorporés aux « Corps francs d'Afrique », des marins français, transformés pour la circonstance en « biffins », ont participé à la bataille au sein du bataillon Bizerte, ainsi que le 1er R.F.M. (régiment de fusiliers marins).

Jean est marin, il est même fusilier marin. Il espère donc, à Alger, retrouver son arme d'origine plutôt que de repartir sur l'*Elorn*. Mais à Alger, rien n'est simple en ce temps-là, et en attendant il erre dans la ville, déprimé par l'atmosphère de rivalités et d'ambitions qui y règne.

— Jean ! C'est pas croyable, qu'est-ce que tu fais ici ?

Au détour d'une rue, un jeune et bel officier de l'U.S. Navy, portant une fine moustache à la Clark Gable, tombe dans les bras de Jean. C'est John Lodge, un acteur américain qui a tourné un ou deux films en France avant la guerre, particulièrement *De Mayerling à Sarajevo* (1939) de Max Ophuls, avec Edwige Feuillère, et que Jean revit à Hollywood en 1941.

— Ben, tu vois !... La guerre !... Et je m'emmerde aussi ! répond Jean, amer.

Frère cadet de l'homme politique Cabot Lodge, qui sera dans les années 50 le représentant américain à l'O.N.U., John Lodge est officier d'ordonnance d'un amiral américain et s'apprête à participer à un grand dîner avec des officiers supérieurs alliés.

— Accompagne-moi, je t'invite, dit John Lodge désinvolte.

— T'es fou ! Qu'est-ce que j'irais y foutre ? Et puis ça m'amuse pas, ton truc, réplique Jean.

— Mais si, tu verras, ça sera très drôle, insiste Lodge.

« Il était très gentil, John Lodge, et c'est sans doute pour ça que je me suis laissé faire, se souvenait Jean en riant encore de cette soirée à Alger. Je portais mon petit costard de second maître, et j'étais en compagnie de toute une bardée d'amiraux et de généraux alliés. Il y avait aussi Louis Jacquinot qui était secrétaire d'État à la Marine. On m'a placé en *midship*, au bout de la table. Pour sauver la mise, j'ai dû cabotiner toute la soirée et me rappeler que pour eux j'étais surtout Jean Gabin, l'acteur. Ça a semblé les amuser, mais celui qui se marrait le plus, c'était évidemment John Lodge. »

Quelque temps après cette soirée, Jacquinot fit appeler Jean à son bureau. Ministre de la Marine de De Gaulle, Louis Jacquinot, qui occupera souvent ce poste dans les gouvernements de la IVe République, était donc, en fait, le « patron » de Jean.

Cérémonieusement, il avança vers Jean et le serra dans ses bras.

— Gabin, au nom du général de Gaulle, la France libre vous remercie !

Jean, lucide, ne se laisse pas prendre au côté pompeux.

— Je fais ce que je peux, monsieur le Ministre, et puis je suis pressé de rentrer en France, alors je donne un petit coup de main, répondit-il levant la tête vers Jacquinot qui était grand.

— C'est très bien, Gabin, c'est très bien, je vais vous faire affecter au Centre artistique de propagande de la France libre que Jaboune (Jean Nohain), qui vient d'arriver de Londres, est en train de monter ici à Alger. Vous aurez la meilleure place que je puisse vous trouver.

Jean comprit aussitôt qu'il lui proposait une « planque ».

— Je vous remercie, monsieur le Ministre, mais j'ai rien demandé. Moi, je veux pas tricher et je me suis pas engagé pour reprendre mon métier ici, autrement je pouvais aussi bien rester à Hollywood où au moins je gagnais du fric. Moi, je me suis mis dans la tête de la faire, cette guerre, alors si on peut pas me donner une vraie affectation, c'est simple, je repars sur l'*Elorn*.

— Voyons, Gabin, mais c'est trop dangereux ! Ne me dites pas qu'à votre âge vous avez encore envie de jouer les héros ?

— Oh, monsieur le Ministre, moi je veux rien jouer du tout. Et surtout pas les héros. Je peux même vous dire qu'au cap Ténès sur l'*Elorn* j'ai bien senti que j'étais pas capable d'en être un, seulement je veux pas non plus jouer les guignols à l'arrière dans votre troupe de théâtre. J'ai pas fait le voyage pour ça.

— Mais « à l'arrière » comme vous dites, nous combattons aussi. Nous ne faisons pas les guignols ! protesta Jacquinot.

— Oh, je parlais pas de vous, monsieur le Ministre, mais de moi. Guignol, c'est mon métier, et quitte à le jouer, je préfère que ce soit sur un navire en convoi dans l'Atlantique !

Là-dessus, désemparé mais aussi furieux, Jean prit congé de son ministre qui en resta coi.

« J'avais peut-être envoyé le bouchon un peu loin, mais aussi il m'avait vexé en ayant l'air de me prendre pour un rigolo », disait Jean, se rappelant cette conversation qui avait presque tourné à l'altercation.

Il ne repartira cependant pas sur l'*Elorn* et ne retraversera pas l'Atlantique vers les États-Unis. Plus jamais d'ailleurs. Deux jours plus tard, sur instruction personnelle du ministre, il était affecté comme instructeur au Centre Sirocco, l'école des fusiliers marins, retrouvant ainsi son arme d'origine.

Selon ceux qui l'approchèrent à l'époque dans ce nouveau rôle, il fut très respecté par les jeunes recrues qu'il instruisait — le petit « Jeanjean » de Mériel, celui qui désespérait son instituteur, M. Dervelloy, en refusant d'étudier, comme il était loin ! Avec simplicité, sans ostentation, il sut aussi faire oublier à tous qu'il était Jean Gabin.

Et ce ne devait pas être tous les jours facile. Car on n'ignorait pas au Sirocco que, certains soirs, le second maître Moncorgé quittait le Centre pour retrouver une des plus prestigieuses stars du monde : Marlène Dietrich.

Car Marlène était finalement parvenue à ses fins et, mobilisée dans l'armée américaine, portant l'uniforme des WAF, elle avait débarqué à Alger.

Certains ont prétendu qu'elle s'était engagée pour retrouver Jean. C'est faux. Avant même qu'il ait décidé lui-même de s'engager, Marlène avait déjà fait des démarches personnelles dans ce sens.

Qu'elle ait été heureuse de revoir Jean à Alger, c'est certain. Mais c'était aussi le passage obligé pour se rendre sur le front italien où elle était attendue.

Ce qui est vrai, c'est que, tout en exerçant sa mission avec sérieux et courage, Marlène s'arrangea toujours pour retrouver Jean, ne serait-ce que quelques instants, où qu'il se trouvât, y compris au cours des campagnes d'Alsace et d'Allemagne.

Quant à Jean, sans doute était-il lui aussi content de la retrouver au hasard de ses pérégrinations militaires, mais sortir au bras de Marlène était pour lui encore bien plus embarrassant qu'à Hollywood. Même WAF, Marlène restait la star adulée, et traînait toujours avec elle une nuée de généraux alliés auxquels le second maître Moncorgé se serait bien passé d'être présenté.

Marlène resta peu de temps à Alger, et partit sur le front italien où Jean-Pierre Aumont — qui était lieutenant à la 1re division française libre et aide de camp du général Brosset — devait la retrouver. Ils manquèrent même tomber entre les mains de l'ennemi du côté de monte Cassino. Situation qui n'aurait certes pas été agréable pour Aumont mais pouvait, pour Marlène, être encore plus dramatique car, depuis longtemps considérée comme traîtresse par les Allemands, elle risquait, auquel cas, d'être purement et simplement fusillée.

Une semblable aventure faillit d'ailleurs lui arriver une seconde fois en décembre 1944 sur le front de Bastogne.

D'Alger, puis plus tard durant la campagne de France, Jean ne cessa d'écrire à Marlène qui était la seule personne alors à qui il pouvait se confier. Le lieutenant-colonel Robert Cromwell, qui fut chargé d'escorter Marlène en Italie et en France pendant cette période, fait état de l'existence de ces lettres dans le livre de Charles Higham [12].

« Jean Gabin lui écrivait tous les jours. (...) Elle s'abîmait totalement dans la lecture de ses lettres. Jamais je n'avais vu une telle expression de passion sur un visage. »

Fritz Lang raconte également, alors qu'ils tournaient ensemble *Rancho Notorious* (*L'ange des maudits*), que Marlène, avec qui il avait eu une idylle autrefois, lui montra, nostalgique, un paquet de lettres en lui disant qu'elles étaient celles que Jean Gabin lui avait écrites pendant la guerre : nous étions alors en 1952, et Jean avait rompu avec elle depuis trois ans.

A Alger, à l'automne 1943, un homme essayait de convaincre la hiérarchie militaire française de la nécessité de créer un régiment blindé de fusiliers marins : il s'appelait Raymond Maggiar et il était alors capitaine de frégate[20].

Maggiar était de ces marins qui avaient suivi aveuglément leur chef, l'amiral Darlan, et n'avait donc pas rallié de Gaulle. Il avait combattu à bord de son navire les forces alliées avant d'être défait à Diégo-Suarez en 1942, et interné en Angleterre. Fin 1942, au moment de l'assassinat de Darlan, il s'était rendu compte que l'amiral s'était trompé et il avait rallié alors, sinon de Gaulle, du moins la France qui combattait contre les Allemands. Maggiar prit le commandement du bataillon Bizerte qui participa à la libération de la Tunisie.

Avec l'appui du général Juin et de l'amiral Lemonnier, Maggiar s'était donc mis dans la tête de constituer une unité de blindés avec des fusiliers marins, ce qui était tout à fait une innovation. Entreprise longue et difficile à la fois pour convaincre, obtenir des Américains leurs fameux tanks destroyers (T.D.), et former les mille hommes, officiers, sous-officiers et mariniers qui devaient composer le R.B.F.M. Ce fut finalement le général de Gaulle lui-même qui, le 8 avril 1944, donna le coup de pouce pour que l'opération se réalise, mais au lieu d'affecter le R.B.F.M. à l'armée du général de Lattre réservée pour le débarquement en Provence, il décida de l'adjoindre à la 2e division blindée que commandait le général Leclerc, prévue pour participer au débarquement allié en Normandie.

Jean n'entendit parler que très tardivement du R.B.F.M. pour la raison simple qu'il s'était constitué et entraîné non en Algérie, mais au Maroc.

Dès qu'il eut connaissance de son existence et de sa destination — un débarquement en France —, il fit une demande pour y être muté.

Le 29 avril 1944, les éléments de la 2e D.B., dont le R.B.F.M., s'embarquaient à Mers el-Kébir sur les transports de troupes américaines *Fort Brandon, Belgium Sailor* et *Cap Town Castle,* à destination de l'Angleterre.

Jean n'en était pas.

Raymond Maggiar, aujourd'hui amiral du cadre de réserve, raconte[20] :

« Le dernier marin du R.B.F.M. venait d'embarquer. C'était mon tour... Sur la jetée de Mers el-Kébir, au moment même où j'allais monter à l'échelle de coupée, un motard de la marine me remit un message signé de M. Jacquinot, secrétaire d'État à la Marine :

" Le second maître Moncorgé est désigné pour le R.B.F.M. "

C'était Jean Gabin.

... Ce télégramme était pour lui l'aboutissement d'une longue démarche. Jean Gabin n'aura malheureusement pas le temps d'embarquer avec nous. »

C'était en effet trop tard. Au dernier moment, apprenant que le R.B.F.M. s'embarquait, alors que sa demande pour y être affecté n'avait pas encore été acceptée par les services de l'état-major, Jean s'était adressé directement au ministre, le pressant d'intervenir. Jacquinot ne semblant pas lui tenir rigueur des propos un peu verts qu'il avait employés à son égard quelques mois auparavant, et sans doute de plus en plus persuadé que Jean voulait toujours « jouer les héros malgré son âge », accepta d'envoyer un message à la dernière minute au pacha du R.B.F.M. En vain.

Déçu, se répétant furieusement : « Mais qu'est-ce que je fous là ! Qu'est-ce que je fous là, merde ! » Jean vit donc partir sans lui la 2e D.B. et le R.B.F.M., vers l'Angleterre, autrement dit vers la France.

Quelques semaines plus tard en effet, dans la nuit du 3 août 1944, sur la plage de Sainte-Mère-Église, la 2e D.B. et le R.B.F.M. débarquaient et livraient leurs premiers combats sur le sol de France, exactement entre Avranches et Mortain, avant d'amorcer un mouvement vers le sud, vers Le Mans, et de remonter sur Paris, où ils entraient le 25 août.

En apprenant cette nouvelle à Alger, Jean ne tenait pas en place. Il était malade d'« avoir raté le coche », comme il disait. Autrement, il aurait pu déjà être en France à l'heure qu'il était, et à Paris même en plus !

C'est Marlène qui y arrivera avant lui. Jean l'avait chargée d'une mission spéciale qu'elle accomplira avec diligence : retrouver les membres de sa famille, ses sœurs, Madeleine et Reine, Poësy, Nicole, sa nièce, Guy Ferrier, son neveu, tous les siens dont il était sans nouvelles pratiquement depuis l'entrée en guerre des États-Unis.

« Pendant tout le temps que cela avait été possible, déclare aujourd'hui Nicole Klotz [21], mon oncle n'avait cessé de me câbler des États-Unis pour que je lui fasse parvenir des nouvelles de toute la famille. Il s'inquiétait de nous tous. J'étais en zone sud et pendant quelque temps j'ai pu communiquer avec lui. Je lui répondais aussi par câble. Il m'a même envoyé une layette de Hollywood quand je lui ai appris que je venais d'avoir mon premier enfant.

Dès que Marlène est arrivée en France, elle n'a eu de cesse, à la demande de mon oncle, de nous retrouver tous, et elle a pu lui donner de nos nouvelles, car il était encore à Alger. »

« J'étais prisonnier en Allemagne, raconte de son côté Guy Ferrier [22]. Mon oncle Jean avait de mes nouvelles par ma sœur Nicole, et l'adresse de mon stalag. Des États-Unis, lui et Marlène réussissaient par l'intermédiaire d'organismes internationaux, comme la Croix-Rouge, à me faire parvenir régulièrement des colis. Jean est toujours resté attentif aux siens.

A la Libération — je m'étais évadé en 1943 —, c'est Marlène qui nous a tous retrouvés. Elle s'est préoccupée de ce que nous avions besoin et nous a procuré du ravitaillement de l'armée américaine. Elle a été très bien, mais évidemment elle le faisait parce que Jean l'avait chargée de s'occuper de nous. »

A Alger, ce merveilleux été 1944 si plein d'espérance, Jean pourrait tranquillement attendre au Centre Sirocco que la guerre se termine. On était satisfait de son travail d'instructeur qu'il accomplissait avec le même sérieux, la même conscience professionnelle qu'il mettait à exercer son métier d'acteur.

Sa croix de guerre, c'était sûr, il allait l'avoir. Il s'en moquait, mais elle était quand même la preuve qu'il en avait fait un petit bout de cette guerre. Mieux, ce n'était pas encore officiel, mais on parlait de lui attribuer la médaille militaire pour son comportement sur l'*Elorn* durant la bataille, au large du cap Ténès.

Voici d'ailleurs le texte de la citation :

Réserviste de la classe 1924, s'est engagé aux États-Unis en avril 1943 pour prendre sa part de la libération de la France.

*Embarqué à bord de l'escorteur de pétroliers l'*Elorn*, comme capitaine d'armes, a contribué à repousser de violentes attaques d'avions ennemis au large du cap Ténès.*

Volontaire au R.B.F.M., a pris sur sa demande des fonctions de chef de char Souffleur II, *devenant le plus vieux chef de char du régiment.*

A participé à toute la fin de la campagne de la division Leclerc, de Royan à Berchtesgaden, faisant preuve des plus belles qualités d'allant, de courage et de valeur militaire.

Jean n'en demandait pas tant. Il s'était seulement engagé pour pouvoir retrouver un pays libre qui était le sien, et dans lequel il voulait vivre, reprendre son métier et, sans honte et la conscience tranquille, pouvoir serrer la main à ceux qui avaient été contraints d'y rester. Tout cela était déjà pratiquement gagné. Il n'avait plus, là où il était, qu'à patienter un peu.

Mais Jean avait signé un engagement pour la durée de la guerre, et bien que la France fût presque entièrement libérée, la guerre continuait, personne ne sachant alors quand elle se terminerait, tout le monde étant même persuadé que les Allemands s'arc-bouteraient sur leurs frontières avec acharnement.

Pour cette raison, Jean voulait rejoindre le R.B.F.M. en France, et aller jusqu'au bout de ce qu'il avait décidé un soir à Hollywood. Il ignorait aussi, à cette époque, qu'un certain prestige s'attacherait à tous ceux qui, même au plus bas niveau, feraient partie de la célèbre 2e D.B., non seulement parce qu'elle serait la première armée française à entrer dans Paris et Strasbourg, mais grâce aussi au charisme de son chef : Leclerc.

En restant à Alger, Jean était obsédé par l'idée qu'on puisse l'accuser d'avoir fait une guerre de « planqué ». Il le disait à tous ceux qu'il lui arrivait de rencontrer, que ce soit Joseph Kessel ou Saint-Exupéry, ce dernier qu'il retrouvait quelquefois à la même popote.

Jean dut cependant attendre l'automne 44 pour voir son vœu se réaliser, et, auparavant, il passera par un centre d'entraînement spécial qui formait les équipages de tanks destroyers. Il en sortit breveté chef de char.

C'est à bord du croiseur *La-Gloire* qui était accompagné du *Tourville* que Jean rentra en France. Ces deux bâtiments étaient les premiers à pénétrer dans la rade de Brest qui n'était alors que partiellement déminée.

« On était tous aux bastingages, se souvenait-il, et on ouvrait des carreaux grands comme ça, à la vue de la moindre épave qui se présentait devant l'étrave du bateau. On serrait les fesses en nous disant qu'il y aurait bien une de ces putains de mines qui nous sauterait à la gueule ! »

En débarquant, Jean retrouvait Brest qu'il n'avait pas revu bien sûr, depuis qu'il l'avait quitté, le 3 septembre 1939, la guerre interrompant les prises de vues de *Remorques*. Mais le Brest qu'il découvrait n'était plus la ville qu'il avait aimée et où il avait aimé Michèle.

Oh, Barbara, quelle connerie la guerre !
Qu'es-tu devenue maintenant
sous cette pluie de fer, de feu, d'acier, de sang ?
Et celui qui te tenait dans ses bras amoureusement
est-il mort, disparu ou bien encore vivant ?
Oh, Barbara, il pleut sans cesse sur Brest,
mais ce n'est plus pareil et tout est abîmé.
C'est une pluie de deuil terrible et désolée,
ce n'est même plus l'orage de fer, d'acier, de sang,
tout simplement des nuages
qui crèvent comme des chiens,

des chiens qui disparaissent
au fil de l'eau sur Brest
et vont mourir au loin,
au loin, très loin de Brest
dont il ne reste rien.

Peu de temps après Jean, Jacques Prévert allait, lui aussi, redécouvrir Brest détruit, et écrira *Barbara,* ce poème d'amour à une femme et à une ville.

C'est en Lorraine, pendant le dur hiver 44, que Jean rejoignit la 2e D.B. et le R.B.F.M. Il fut incorporé au 2e peloton du 2e escadron que commandait celui qui allait devenir plus tard, bien plus tard, un de ses meilleurs amis, l'enseigne de vaisseau Dan Gélinet. Chef du T.D. *Souffleur II,* Jean participa, dans les premières semaines de 1945, aux combats pour la liquidation de la poche de Colmar qui achevait la libération de l'Alsace.

Le pointeur de *Souffleur II,* Godinec, second de Jean à bord, était le seul rescapé du précédent T.D. à avoir porté le nom de *Souffleur.* Le blindé avait été touché à Grusseheim et avait brûlé. Son chef Le Goff, blessé, et Le Gonidec avaient réussi à s'en sortir, mais leurs deux camarades furent tués. Prissé devait succomber à ses blessures et Le Mercier, bloqué dans sa tourelle, périt dans les flammes.

Jean n'ignorait évidemment pas ce drame et n'avait surtout jamais ignoré que le plus grand danger qui puisse guetter un équipage de char était d'être brûlé vif à l'intérieur de l'engin.

Ainsi, l'aspect paradoxal du caractère de Jean s'affirmait de nouveau. Il avait en effet délibérément choisi de servir dans une arme qui ne pouvait que réveiller en lui ses angoisses et ses peurs obsessionnelles et qu'il ne parviendra encore une fois sinon à surmonter, du moins à affronter que par sa détermination morale d'aller au bout de l'engagement qu'il avait pris envers lui-même : ne pas faire une guerre de « planqué ».

Passons rapidement sur les aspects secondaires. Secondaires ? Pas pour Jean. Il était excessivement superstitieux, et ce qui était arrivé au premier *Souffleur* ne pouvait que le frapper très sensiblement, alors qu'il prenait possession de son successeur *Souffleur II.* Ensuite, Jean souffrait de claustrophobie et ne supportait ni les espaces confinés ni la promiscuité. A l'intérieur d'un T.D., sur ce plan, il était particulièrement servi. Plus déconcertant enfin, Jean avait une peur invraisemblable du feu et de tous les éléments qui peuvent le susciter, de l'allumette à l'essence, en passant par l'électricité. Et là encore, le T.D., avec ses réservoirs de gas-oil, ses batteries électriques, son stock de munitions, ne pouvait que lui inspirer une angoisse permanente.

Sans doute n'était-il pas le seul dans ce cas — et c'était la guerre avec ses dangers pour tous —, mais pour Jean — lui qui ne craquait pas une allumette sans en avoir auparavant soigneusement refermé la boîte, qui ne supportait pas un feu de bois dans une cheminée ni une bougie allumée, qui vérifiait chez lui dix fois plutôt qu'une si le robinet du gaz était fermé — cette période de sa vie avec *Souffleur II* a dû être un cauchemar, et sa volonté d'alors de l'accepter reste incompréhensible pour tous ceux qui l'ont intimement connu. Comme à bord de l'*Elorn,* au cap Ténès où il avait su dissimuler sa peur à ses hommes, jamais ceux qui l'ont approché au temps de *Souffleur II* n'ont remarqué chez lui la moindre défaillance.

« Je l'avais voulu, j'y étais, il fallait bien que je fasse avec ! » aurait sans doute conclu Jean si on l'avait interrogé à ce propos.

Marlène Dietrich avait déjà noté ce comportement paradoxal de Jean, quand elle écrivait dans ses Mémoires [17] :

« Jean Gabin manifestait pour tout ce qui était électrique une profonde méfiance. Inutile de lui demander de remplacer une lampe, de réparer un fer à repasser. Il avait peur de tout ce qui avait un rapport avec le feu. Or, il arrivait souvent que les conducteurs de char périssent au milieu des flammes de leur engin. Conscient de ce danger, Jean Gabin ne recula cependant pas. »

Fin février 1945, la 2e D.B. allait enfin au repos dans le centre de la France. Les escadrons du R.B.F.M. prenaient leur cantonnement, et le 2e, celui de Jean, s'installait à Bourges. C'est à cette occasion que Jean, permissionnaire, retrouva Paris qu'il avait quitté près de cinq années plus tôt, son appartement de la rue Maspéro, sa famille, son associé dans la Société des Garages de la porte d'Orléans. Celui-ci lui avait gardé son « jonc » et, honnêtement, lui présenta les comptes de leur affaire. Jean se rendit également à Sainte-Gemme pour y découvrir, le cœur serré, que les Allemands s'étaient vengés du parti qu'il avait pris, en mettant le feu à sa propriété qui n'était plus qu'un tas de ruines calcinées.

Il y eut une personne que Jean ne chercha pas à retrouver : Doriane. D'ailleurs, il apprit alors qu'elle n'était plus sa femme, leur divorce ayant été prononcé par le tribunal d'Aix-en-Provence en 1943. Au reste, Doriane n'était probablement pas à Paris à cette époque, mais plus vraisemblablement déjà en Savoie, à Megève, où elle allait devenir par la suite propriétaire d'un bar-discothèque. Elle ignorait peut-être où était Jean, et ce qu'il faisait.

Elle ne devait se manifester qu'un peu après la fin de la guerre, quand elle connut la situation de son ancien mari, et pour contester la décision du tribunal qui ne lui attribuait aucune part des biens du ménage, alors qu'ils avaient été mariés sous le régime de la communauté.

Lors de cette permission, Jean retrouvait aussi Paris, un Paris terriblement changé et qui le désorientait. Les pénuries, le marché noir, l'absence de taxis, le métro bondé qu'il prenait par nécessité mais aussi pour y respirer son odeur particulière qui ne ressemble à aucune autre au monde.

Dans ses *Conversations avec Picasso*[23], le photographe Brassaï raconte que Jacques Prévert avait rencontré Gabin sortant du métro, et que celui-ci lui avait dit :

« Pour un type comme moi, avec ma gueule répandue, quel calvaire, le métro ! Autour de moi, je n'entends que des réflexions du genre : “ Regarde, c'est Gabin ! Comme il a vieilli ! Tiens, c'est Gabin ! Il a pris un sacré coup de vieux ! ” ou bien : “ Est-ce que c'est Gabin, ce vieillard aux cheveux blancs ? ” »

Car Jean, le visage émacié et les traits durcis par la guerre, avait désormais, en effet, les cheveux blancs, alors qu'il n'avait tout juste que quarante ans.

Mais, pour Jean, il y avait pire que ces réflexions sur lui. Il apprenait que son cher Céline, en compagnie de son copain Robert Le Vigan, avait suivi Pétain et Laval à Sigmaringen. Aimos, qui avait été son partenaire dans plusieurs films, avait été tué d'une manière douteuse sur les barricades au moment de la libération de Paris. Harry Baur, dénoncé comme juif aux Allemands, était mort. Sacha Guitry avait été un moment jeté en prison, accusé de collaboration, de même que sa copine Arletty qui restait alors assignée à résidence loin de Paris.

Il apprenait également, et en en ressentant un grand malaise, qu'un comité de libération du cinéma français, érigé en tribunal d'épuration, avait condamné des metteurs en scène comme H.-G. Clouzot et H. Decoin, et fait interdire leurs films *Le corbeau* et *Les inconnus dans la maison* qu'ils avaient réalisés pour la Continentale, cette société de production allemande installée à Paris sous l'occupation et qui avait tenté de l'enrôler lui-même en 1940.

Son copain Marcel Carné avait reçu un blâme *, et c'était un autre de ses copains, Pierre Blanchar — Lartigue dans la Résistance — qui le lui avait infligé.

Ce climat de règlements de comptes déroutait Jean. Lui-même était

* On reprochait surtout à M. Carné d'avoir tourné deux films avec Arletty, *Les visiteurs du soir* et *Les enfants du paradis*, et signé un contrat avec la Continentale pour un film qui ne s'était pas fait.

regardé d'un œil suspicieux. Ne disait-on pas de lui qu'il s'était « planqué » à Hollywood où il s'en était mis plein « in the pocket » !

Peu de gens savaient alors dans la profession ce qu'il avait fait réellement, et beaucoup voudront d'ailleurs continuer à l'ignorer, même plus tard, comme si cela leur donnait une meilleure conscience de ce qu'ils avaient eux-mêmes fait, ou pas fait, pendant l'occupation. Il leur était en effet plus facile de croire — au nom sans doute de leur code moral personnel — que Jean était allé s'en mettre plein les poches à Hollywood plutôt que de l'imaginer sur un escorteur de pétroliers ou à la tête d'un char en Alsace.

Il est significatif de cet état d'esprit qu'une personne aussi sérieuse et estimée que Jeanne Witta puisse écrire dans son livre de souvenirs [24], publié en 1980, des lignes comme celles-ci :

« ... A l'instar de beaucoup d'autres, Gabin fila en Amérique au moment de la Seconde Guerre mondiale * ; quand il revint avec Marlène Dietrich, Carné les engagea pour tourner *Les portes de la nuit*. Après que, sous des prétextes invraisemblables, Marlène se fut défilée, Gabin fit de même, laissant tomber Carné et Prévert. Il faut bien dire qu'il ne lui était guère facile alors de jouer un rôle de résistant dans un film consacré à Paris sous l'occupation ! »

Plus loin, Jeanne Witta insiste encore et écrit froidement que, en 1945, « Gabin revient d'Amérique »...

Méconnaissance ? Mauvaise foi ?...

Même cette chère Arletty qui, sans nommer précisément Jean Gabin, y va dans ses Mémoires [25] de son couplet sur les acteurs français « made in U.S.A. » comme elle les appelle, rappliquant au pays en 1945 :

« Ceci fait partie de la rigolade (...) Je les avais vus au moment de la débâcle en 40, ils n'avaient qu'une frousse : celle de rater le dernier avion pour New York **.

Ils se foutaient pas mal de la France.

Leurs performances : avoir passé les carreaux au bleu dans les casernes.

Comment les résistants ont-ils pu se laisser incarner par des acteurs qui avaient passé quatre ans dans les paradis hollywoodiens ? »

---

* Si Gabin avait filé en Amérique « au moment de la Seconde Guerre mondiale », comme le prétend Jeanne Witta, il aurait été porté déserteur. Il fut en réalité mobilisé à Cherbourg dès les premiers jours de septembre 1939.

** « Le dernier avion pour New York » en juin 40 ! ! ! L'image veut être frappante, mais les transports aériens civils à travers l'Atlantique à cette date n'étaient pas monnaie courante.

Vacharde, la copine Arletty ! Et la rancune tenace en plus, car elle publie ce propos à tête reposée alors que, entre-temps, elle a quand même retrouvé dans *L'air de Paris* (1954) cet acteur « made in U.S.A. » qu'était, selon elle, Jean Gabin. Injuste aussi, parce que, finalement, peu de comédiens français se sont réfugiés à l'étranger pendant la guerre, et si au moins deux d'entre eux, Aumont et Gabin — j'en oublie sans doute, qu'ils me pardonnent —, firent à un moment ce qu'ils estimèrent devoir faire, quelques autres — Dalio pour n'en citer qu'un — se portèrent assurément mieux « dans les paradis hollywoodiens » que dans ceux bien connus que furent Dachau ou Buchenwald, où les Allemands n'auraient pas manqué de les « planquer ».

On peut ajouter enfin que ni Aumont ni Gabin — ce dernier refusa en effet celui des *Portes de la nuit* — ne jouèrent des rôles de résistants après la guerre, pas plus d'ailleurs, à ma connaissance, qu'aucun des comédiens français réfugiés à l'étranger pendant cette période, laissant en effet cet honneur à leurs camarades restés en France qui étaient sans doute, comme semble le dire Jeanne Witta, plus crédibles qu'eux dans ces personnages.

Bref, Léonie, comme Gabin appelait tendrement Arletty, devait montrer plus d'humour, même s'il était féroce, lorsqu'elle déclarait à son biographe Pierre Monnier[26] :

« Gabin ? ... Ah oui ! Gabinos !... Marlène Dietrich !... Gabin et moi avons un même " en-carte ". Il a eu sa Prussienne. J'ai eu mon Prussien ! »

Plutôt amer et déçu de ses brèves retrouvailles parisiennes, permission terminée, Jean rejoignait son régiment en cantonnement à Bourges.

Pendant ce temps, le cinéma français libéré se remettait en marche activement.

Sans Jean Gabin.

Lui était pris par un « contrat » qu'il avait eu la malencontreuse idée de signer en avril 1943, qui datait un peu donc, et qui l'obligeait à porter l'uniforme dans une drôle de pièce où il partageait la vedette avec un tank, jusqu'à ce que le rideau tombe au mot « Armistice ».

On pourrait évidemment ne pas le croire, mais Jean, en vérité, était presque content, après avoir respiré durant quelques jours les miasmes parisiens, de retrouver la fraternité rude et simple de ses compagnons d'équipage de *Souffleur II*.

Ceux-ci l'estimaient et le respectaient non parce qu'il était Jean Gabin — ils l'avaient presque oublié —, mais parce que, outre qu'il était leur chef, il était l' « ancien » — le plus vieux chef de char du R.B.F.M. — et qu'à deux ou trois ans près il aurait pu aussi être leur père. Cette situation n'empêchait pas qu'entre eux, c'était souvent la franche rigolade, Jean n'étant jamais le dernier à déclencher les plaisanteries et les « coups fourrés », chers aux bidasses.

Dans les années qui suivirent la guerre, Jean devait d'ailleurs revoir les membres de son équipage et correspondre avec certains d'entre eux, comme Le Gonidec qu'il appelait « Gogo ».

Alors que la 2e D.B. et en conséquence le R.B.F.M. était en cantonnement sur le Rhin, de la Suisse à la Hollande, les Alliés déclenchèrent, le 12 avril 1945, une grande offensive destinée à envahir l'Allemagne, et à en finir au plus vite.

Que la division Leclerc ne soit pas de ce final paraissait invraisemblable à tous ceux qui la composaient. Finalement, une partie d'entre elle reçut l'ordre de rejoindre le front du Rhin, une autre celui de liquider les poches allemandes de l'Atlantique. C'est ainsi que le régiment de Jean fut chargé de s'emparer de Royan.

Le 15 avril, le R.B.F.M. apportait son soutien aux F.F.I. qui assiégeaient la ville depuis des mois. Aidés par l'aviation et des bâtiments de la marine, les T.D. du R.B.F.M. lancèrent contre Royan une offensive d'une rare violence, le 3e escadron en avant-garde chargé de déminer les abords du camp retranché. A l'issue de combats qui durèrent deux jours et deux nuits, Royan finissait par tomber.

A la tête de *Souffleur*, Jean entra dans la ville prise avec tous ses compagnons du R.B.F.M.

En 1956, il tournait à quelques kilomètres de Royan à La Rochelle *Le sang à la tête*, de Gilles Grangier.

J'avais demandé à Jean de participer à une soirée du ciné-club de La Rochelle que dirigeait mon ami Jean-Louis Rieupeyrout[27]. Je ne sais plus quel film de lui fut présenté, mais Jean accepta sans se faire prier — il commençait à avoir l'habitude que je lui tende ce genre de piège — de monter sur la scène et de parler.

Il se trouva quelqu'un dans la salle qui, un peu fielleux, l'interrogea sur son séjour aux États-Unis pendant la guerre. Calmement, Jean évoqua les deux films qu'il fit là-bas, auxquels il n'attachait guère d'intérêt, mais c'est ce soir-là que je l'entendis parler pour la première fois de cette impression de « désynchronisation » qu'il avait ressentie entre son moi profond et la langue anglaise qu'il était obligé de pratiquer. Il ajouta :

« Je vais vous dire une chose. J'ai compris là-bas que j'étais un acteur de caractère " national ", que je ne serai jamais un comédien cosmopolite. Je crois qu'on ne peut pas vraiment jouer la comédie dans une langue qui n'est pas la vôtre, même si on ne s'y défend pas trop mal. Moi, en tout cas, je ne peux pas parce que je ne me sens pas " vrai ", pas

" sincère ". Et quand un comédien commence à gamberger des trucs comme ça, il ne peut pas être bon, il ne lui reste plus qu'à aller se rhabiller tout de suite parce que ça ne marchera pas. Je suis un acteur " national " parce que j'ai besoin de mes mots de tous les jours pour m'exprimer et d'avoir, en plus, les pieds sur le sol de mon pays. J'ai besoin des odeurs de mon pays, de me sentir chez moi, d'avoir ma manière de vivre, ma façon de becqueter, tout ça, quoi ! Sinon, je sais que je suis bon à nib. »

Il fut très applaudi naturellement par une salle tout de même un peu surprise par sa simplicité. Après quoi, il accepta de prendre un verre dans un bistro du coin avec quelques responsables du club, et, accompagné de Gilles Grangier, Louis Page, l'opérateur, et moi-même. La discussion reprit parce que quelqu'un avait cru comprendre qu'il s'était défini comme un acteur « nationaliste ». Il protesta vertement.

« Ça n'a rien à voir. Je suis un vieil anar, alors votre " nationalisme ", vous voyez où je me le mets ! J'ai pas voulu dire que je me sentais un acteur de terroir parce que ça aurait eu l'air con, mais c'est quand même quelque chose comme ça. »

A aucun moment de cette soirée, alors qu'on l'avait amené à parler de son séjour en Amérique, Jean ne fit allusion, de près ou de loin, à son engagement dans les Forces françaises libres ni à la guerre qu'il avait faite.

Quelqu'un lui demanda alors s'il connaissait un peu la région de La Rochelle.

— Je connais surtout un peu plus bas, du côté de Royan. J'étais dans le coin en 45, répondit-il.

— Vous y avez tourné un film ? interrogea le type qui avait une quarantaine d'années, et qui donc pouvait avoir entendu parler de ce qu'il s'était passé en 45 du côté de Royan.

Jean éclata de rire.

— Oui, dit-il, c'est ça, je faisais du cinéma !

Comme j'étais sûr qu'il n'en parlerait pas, c'est moi qui ai précisé à son interlocuteur ce qu'il faisait réellement à Royan en 45. L'autre resta complètement éberlué, puis dit :

— Pourquoi vous n'en avez pas parlé, tout à l'heure, sur la scène ? Vous auriez fait un tabac !

— Justement, répliqua Jean, s'il y avait un endroit où je ne pouvais pas en parler, c'est bien ici, dans ce coin.

— Mais pourquoi ? insista son interlocuteur.

— Parce que, comme vous dites, j'aurais peut-être fait un tabac, mais ça aurait été surtout putain de ma part !

Le bonhomme en resta coi.

Alors que de Royan s'élevaient encore les fumées des incendies à l'aube de cette journée du 18 avril, les hommes du R.B.F.M., épuisés, dormaient n'importe où autour de la ville, dans les prés, dans les bas fossés, au pied de leurs chars.

Une nouvelle surprenante devait les réveiller : l'ordre de rejoindre à toute vitesse le reste de la 2e D.B. dans les derniers combats en territoire allemand.

Les chars étaient embarqués aussitôt à Saint-Jean-d'Angély par le train jusqu'au Rhin. Les véhicules rapides prenaient la route. C'était la ruée pour participer à la victoire finale, comme l'a très bien décrit l'amiral Maggiar dans son livre [20].

Le R.B.F.M. traversait le Rhin en aval de Mannheim, et récupérait ses T.D. Il fonçait désormais en territoire allemand. Le 2e peloton du 2e escadron que commandait Dan Gélinet, celui de Jean, se trouvait en tête de cette course qui ne rencontra pratiquement guère d'opposition. Du côté de Garmisch-Partenkirchen, un ordre arrivait de bifurquer en direction de... Berchtesgaden !

« Le nom brûle l'imagination ! Personne n'osait y croire ! » note Raymond Maggiar.

Les 3 et 4 mai, c'est la dernière course pour le R.B.F.M. et Berchtesgaden était atteinte sans coup férir. Désormais, ce qui comptait, c'était d'investir au sommet de l'Obersalzberg, le Berghof, la « maison » de Hitler.

On croyait à une résistance, on l'espérait presque, mais les SS s'étaient enfuis et une avant-garde du R.B.F.M. atteignait le célèbre repaire sans donner un coup de canon. Une section du R.M.T. était déjà arrivée et avait devancé l'avant-garde du R.B.F.M., mais les T.D. de celui-ci furent les premiers blindés à imprimer leurs marques sur ce coin de terre, symbole du nazisme allemand.

Trois jours plus tard, l'armistice était signé.

« Le char de Jean Gabin, *Souffleur II*, n'avait pas fait partie de l'avant-garde qui avait atteint le Berghof, déclare aujourd'hui l'amiral en retraite Dan Gélinet [28]. Le gros des éléments du R.B.F.M. était resté au pied de l'Obersalzberg.

Le lendemain, les officiers sont montés au Berghof, accompagnant le général Leclerc qui était arrivé avec des officiers américains.

J'ai demandé à Jean Gabin de m'accompagner. Il a accepté. Il refusait généralement toute attention particulière à son égard, tout passe-droit, que nous avions quelquefois tendance à lui offrir, car, bien que simple second maître, il avait, malgré lui, une situation un peu particulière au sein du R.B.F.M.

Il y a eu des photos prises de Jean au Berghof, mais elles furent loupées. »

Peu importait, Jean Gabin avait quand même eu le privilège de camper quelques heures dans la maison de Hitler.

« Je me souviens, reprend Dan Gélinet, que Jean souffrait énormément des yeux. Bien qu'il portât des lunettes de tankiste, se tenir sans cesse la tête à l'extérieur de la tourelle à commander la marche de son char, ses yeux prenaient la poussière de la route, subissaient les émanations des gaz des blindés qui le précédaient. Il se faisait soigner, mais il n'a jamais voulu quitter son poste. »

La fragilité des yeux de Jean date vraisemblablement de cette époque, durant laquelle il souffrit de conjonctivite permanente. Il porta par la suite, presque continuellement, des lunettes sombres car il supportait mal une trop grande clarté. Les projecteurs des studios n'arrangeaient pas non plus ses yeux, et il souffrait particulièrement quand des photographes l'assaillaient à coups de flashes de leurs appareils. Il protestait, mais on croyait à un caprice de star.

Quelques jours plus tard, sur un vaste terrain près de Landsberg, toute la division Leclerc était rassemblée pour la venue du général de Gaulle qui devait la passer en revue. Jean était à la tête de son char, noyé et anonyme au milieu de centaines d'autres blindés. Soudain, il s'entendit appeler :

— Jean !... Jean !...

Il y avait probablement des dizaines de types qui se prénommaient Jean dans la 2e D.B. mais cette voix-là, il la reconnaissait bien, et il savait qu'elle s'adressait à lui. Stupéfait, il découvrait en effet, courant au milieu des chars, en uniforme de l'armée américaine, juchée sur des talons aiguilles qui s'enfonçaient dans les ornières boueuses creusées par les blindés, la silhouette fragile de Marlène Dietrich qui le cherchait désespérément.

Jean, embarrassé, aurait souhaité pour un coup se « planquer », mais un compagnon de l'escadron indiqua son char à Marlène, et elle s'y précipita.

— Jean, cria-t-elle essoufflée au pied du T.D.

— Ben merde alors, qu'est-ce que tu fous là ?

— Je veux t'embrasser.

— Écoute, c'est pas le moment.

Et comme il refusait de descendre du char, Marlène réussit à y grimper et à embrasser Jean dont la tête sortait de la tourelle de *Souffleur II*.

— Tu comprends, même si c'est Marlène, ça te pose des problèmes avec tes supérieurs ! confiait-il à Gilles Grangier quelques années plus tard, qui rapporte partiellement cette anecdote dans son livre de souvenirs [28].

« Notre escadron était au repos du côté de Munich, se souvient son chef d'alors, Dan Gélinet. Un jour, je reçois la visite d'un colonel américain qui m'annonce la venue d'une WAF et me demande si je veux bien accepter sa présence. Je m'étonne d'abord que cette démarche nécessite le déplacement préalable d'un colonel.

— Il s'agit de Marlène Dietrich ! me dit-il.

J'ai évidemment accepté qu'elle rejoigne l'escadron, car nous étions tous contents de voir de près Marlène. Mais cette situation — quel que soit sans doute le plaisir qu'il éprouva à la revoir — plongea Jean Gabin dans un grand embarras, car, je le répète, il n'aimait pas les passe-droits. Nous étions au repos et ce n'était pas une grave entorse à la discipline. En plus, cette venue de Marlène calma un peu sa mauvaise humeur d'alors. Car, l'armistice étant signé depuis le 8 mai, il ne comprenait pas de ne pas être encore démobilisé. Il estimait avoir fait son temps et rempli son engagement, et se trouvant désormais inutile il s'impatientait. Je lui expliquai que ce genre de chose n'intervenait pas du jour au lendemain, mais il rouspétait quand il voyait des camarades rentrer chez eux et nous quitter.

Finalement, sa feuille de démobilisation arriva au régiment dans les premiers jours de juillet.

Je la lui remis naturellement, mais j'insistai pour qu'il accepte de rester quelques jours de plus avec nous, car des éléments du R.B.F.M. avaient été désignés pour participer au premier grand défilé de l'armée française de l'après-guerre sur les Champs-Élysées, et son peloton avec son char *Souffleur II* en faisait partie.

J'avoue que je n'ai pas pu le convaincre d'attendre. Je lui ai alors proposé, comme je l'avais déjà fait avec d'autres démobilisés qui étaient rentrés chez eux, de partir, mais de nous rejoindre à Paris au jour J pour défiler aux commandes de son char. Il m'a répondu que la guerre était finie, et qu'il ne l'avait pas faite pour participer à un défilé, même sur les Champs-Élysées, mais qu'il nous souhaitait à tous bonne chance.

C'est ainsi que, à mon grand regret, mais respectant sa décision, Jean Gabin nous a quittés, et personnellement je ne devais le retrouver que quelque quinze années plus tard... »

« Le jour du défilé, racontait Jean, j'étais à la fenêtre de l'hôtel Claridge sur les Champs-Élysées où j'avais pris une chambre comme ça m'arrivait souvent avant la guerre quand j'étais seul et pour ne pas m'emmerder dans mon appartement.

J'étais donc aux premières loges pour assister à la parade militaire et j'ai évidemment vu passer mon char, *Souffleur II*. A sa tête, il y avait mon second, “ Gogo ” — Le Gonidec —, qui avait l'air content d'être là.

C'était con, mais j'ai pas pu m'empêcher de chialer. »

8.

LA PÉRIODE GRISE

Cette période de sa vie qui s'achevait, et que Jean devait appeler plus tard « l'entracte », allait le marquer plus profondément qu'il ne l'imaginait sans doute lors de son retour à la vie civile à Paris, en juillet 1945. Pour plusieurs raisons, et notamment celle que j'ai déjà soulignée. Si pour beaucoup il « revenait de Hollywood », pour d'autres qui savaient qu'il s'était engagé, le sérieux de cet engagement était souvent discuté, quand il ne soulevait pas les sarcasmes.

Jean ne put pas ne pas le savoir, mais il ne fit rien pour se défendre. Il se disait qu'il avait la conscience tranquille et surtout il ne considérait pas que ce qu'il avait fait lui donnait une position particulière dans un pays qu'il découvrait, encore bouleversé par les déchirements et les épreuves, sachant que beaucoup de ses compatriotes s'étaient battus et avaient souffert dans des conditions plus difficiles que les siennes, et alors que revenaient les survivants des camps nazis.

Jean se tut donc, et les seuls aspects qu'entre copains il racontait volontiers de ce temps où il fut mobilisé étaient ceux où il avait eu la « trouille » — comme au cap Ténès sur l'*Elorn* —, ce qui lui permettait d'ironiser sur lui-même et, comme il était drôle en les racontant, de susciter les rires. Autrement, il resta d'une modestie totale et, sans doute serait-il même étonné que j'aie pu consacrer tant de pages à ces quelque vingt-sept mois de sa vie.

Il n'empêche que Jean s'était, au sens propre, fait des cheveux blancs à la guerre et durant son exil aux États-Unis où il avait connu un moment cette autre peur, celle de ne pouvoir jamais revenir dans son pays. Cet aspect physique devait jouer un rôle psychologique déterminant quelques brèves années plus tard, l'incitant, en effet, à se laisser vieillir précocement. Il tenta bien au cinéma, pendant un certain temps, de le dissimuler par des teintures, mais lui qui détestait tout maquillage supportait mal, moralement et physiquement, cette contrainte qui lui procurait en outre des irritations du cuir chevelu.

Micheline, la « grosse », qui allait redevenir son habilleuse, trouva plus tard une technique pour grisonner ses cheveux, contraignante également, mais dont au moins il ne souffrait pas, et qui consistait à les lui foncer légèrement à l'aide de bouchons brûlés.

Je ne dirai pas que cette histoire de cheveux suggéra à beaucoup dans la profession l'idée que Jean Gabin avait pris « un coup de vieux », comme le disaient sans malice les gens qu'il croisait dans le métro, mais elle incita sans aucun doute certains à penser que le public ne reconnaîtrait pas « son » Gabin, et qu'il n'était peut-être plus la valeur sûre (financièrement parlant) qu'il avait été encore quelques mois avant la guerre. Dame, ça faisait longtemps qu'on ne l'avait plus vu à l'écran, lui ! Est-ce qu'il n'était pas un peu dépassé ?

Certes, Gabin avait changé, mais il n'était pas le seul. Carné, Prévert et d'autres avaient aussi changé. La guerre était passée par là pour tout le monde et avait modifié, davantage que le temps écoulé, les rapports, et finalement le regard que portaient l'un sur l'autre, en se retrouvant, les meilleurs amis.

Un autre élément allait, malgré les premières apparences, desservir l'image de Jean, ou plus exactement aider à démontrer qu'il n'était décidément plus le même : c'est Marlène.

La guerre en Europe terminée, Marlène Dietrich était rentrée à New York, souffrant d'une infection de la mâchoire, les mains et les pieds mal guéris du gel qu'ils avaient subi pendant l'hiver 44 où elle avait failli tomber aux mains du général allemand — son homonyme —, Sepp Dietrich. Sur son uniforme, trois galons indiquaient qu'elle avait passé dix mois dans la zone des combats. Avant de repartir pour les États-Unis, elle avait éprouvé une grande douleur et beaucoup de compassion pour son pays détruit, l'Allemagne, et elle avait eu cette phrase terrible :

— Je pense que nous l'avons cherché !

Beaucoup d'Allemands ne lui pardonnèrent pas. D'autres, qui n'étaient pas Allemands, non plus, mais pour une autre raison : celle d'avoir voulu être un petit soldat, tout en restant Marlène Dietrich.

Elle revint en France retrouver Jean, au mois d'août 1945, et loua un appartement avenue Montaigne, qu'elle occupe toujours.

Jean et Marlène ne reprirent pas exactement à Paris ce qu'il est convenu d'appeler une vie commune, mais disons qu'ils se voyaient régulièrement, sortaient ensemble, vivaient parfois sous le même toit, bref, officiellement leur liaison se poursuivait avec, de la part de l'un ou de l'autre, des intermèdes que Jean appelait des « coups de canif dans le contrat ». Mais l'un et l'autre restaient, à l'évidence, profondément liés.

A Hollywood, ce couple avait choqué la puritaine Amérique et suscité le scepticisme de quelques-uns. A Paris, il souleva carrément l'ironie, bien qu'on en recherchât la compagnie car elle était prestigieuse. Mais, sous le manteau, on disait tout de même :

« Vous vous rendez compte, notre " national " Gabin, avec cette " Chleuh " ! »

C'était donc l'évidence qu'il avait changé puisqu'il s'affichait avec une star hollywoodienne qui ne pouvait manquer de l'influencer dans ses jugements, de susciter chez lui ces caprices qu'on n'attribue généralement qu'aux acteurs américains, et cela dans l'hypothèse où Jean n'aurait pas été déjà contaminé par son séjour à Hollywood.

Bref, pour beaucoup, Marlène était l'« ange maudit » de Jean.

« Hélas, Gabin n'est pas seul. A son bras, il y a " la Grande, la Grande Marlène Dietrich ". Je marche dans l'affaire, dit Gabin, à condition que vous la preniez aussi. On la prit. Prévert se mit au travail. Marlène aussi : elle suggéra coupes et recoupes, ajouts et modifications. Carné refusa. " La Grande " cassa le contrat. »

C'est ainsi que Jeanne Witta — qui était la script-girl du film — résume l'affaire des *Portes de la nuit*[1].

Elle fut en réalité plus complexe que cela.

En 1945, Marcel Carné n'était plus tout à fait le « Môme » que Jean Gabin avait dû soutenir à bout de bras pour lui permettre de faire *Quai des Brumes* et *Le jour se lève*. Pendant la guerre, il avait réalisé avec *Les visiteurs du soir* « le plus grand ébranlement artistique des années de l'occupation », comme l'écrivit fort justement Roger Régent[2], ainsi que ce monument qui, depuis quarante ans, est cité parmi les meilleurs films du monde : *Les enfants du paradis*.

A ces deux films, Jacques Prévert avait apporté sa part, et elle était importante.

A juste titre, Carné était considéré comme un maître, et Jacques Prévert, dont la célébrité allait s'étendre encore avec la publication de son premier recueil *Paroles*, comme le scénariste français numéro 1. Autant dire, alors qu'ils acceptaient déjà difficilement auparavant qu'on les influence dans leur travail de création, que désormais ils l'acceptaient encore moins. Et avec raison.

De retour à Paris, Jean avait tout naturellement renoué ses relations amicales avec Carné et Prévert. Ceux-ci avaient eu, après *Les enfants du paradis,* différents projets comme *Mary Poppins, La lanterne magique, Candide,* dont Jean ne faisait pas partie, et qui n'aboutirent pas pour des raisons diverses. C'est alors que Raymond Borderie, qui dirigeait les productions Pathé, proposa à Carné de refaire un film avec Jean Gabin.

Comme autrefois, on chercha un sujet sur lequel tout le monde serait d'accord. Jean, obstiné, reproposa à ses deux compères *Martin Roumagnac* dont il avait toujours les droits, que Carné et Prévert avaient refusé avant la guerre, et qu'ils refusèrent de nouveau, non sans sarcasmes.

Vexé, Jean n'insista cependant pas.

Un soir, Jean, Marlène, Carné et Prévert allèrent ensemble voir au théâtre Sarah-Bernhardt une représentation des ballets Roland Petit au programme desquels figurait un ballet écrit par Prévert, avec une musique de Joseph Kosma, dans des décors du photographe Brassaï : *Le rendez-vous.*

A l'issue du spectacle, dans une boîte où ils étaient tous allés prendre un verre, Carné proposa de porter à l'écran *Le rendez-vous.* Prévert et Jean donnèrent leur accord. Prévert se mit aussitôt au travail de l'adaptation, Borderie ayant également donné son feu vert. R.K.O., la firme américaine, était coproductrice du projet.

Quelques semaines plus tard, lors d'un déjeuner qui réunissait la petite bande d'amis, Jean suggéra que Marlène fût mise dans le coup. La proposition fut acceptée par tous. Sauf par R.K.O. qui, sensible aux pressions des ligues puritaines américaines qui avaient crié au scandale devant le spectacle de la vie privée du couple Gabin-Dietrich, n'imaginait pas pouvoir faire face à une levée de boucliers encore plus déterminée en les associant dans un film.

Le producteur anglais Alexandre Korda se substitua alors à R.K.O.

Tout allait donc pour le mieux et la préparation du film était suivie par la presse avec un énorme intérêt suscité notamment par la présence à l'affiche de Gabin et Dietrich que, par ailleurs, on voyait partout ensemble dans Paris.

Carné et Brassaï racontent tous deux dans leurs livres[3,4] la soirée où Joseph Kosma et Jacques Prévert firent entendre, pour la première fois, la chanson qu'ils avaient écrite pour le film. Ils ne diffèrent que sur des détails, l'un écrivant que le restaurant où cela se passa s'appelait *Les vieilles,* l'autre *Au vieux Pont-Neuf,* mais tous deux s'accordent à dire qu'il se trouvait rue Dauphine, et qu'il était tenu par... trois « vieilles ».

Ces trois charmantes dames avaient été si pleines d'attention pour Jacques Prévert pendant l'occupation que celui-ci avait voulu les remercier en leur amenant à dîner Jean et Marlène. Jean vint seul finalement, et, outre Carné et Brassaï, il y avait Jacques, Kosma et Trauner.

Pour que Gabin ne soit pas importuné par les autres consommateurs, les trois patronnes avaient dressé la table dans leur propre salle à manger où se trouvait un piano droit. Au cours des apéritifs, un moment, Prévert et Kosma échangèrent un regard complice. Alors, Kosma se mit au piano et commença à chantonner :

Oh, je voudrais tant que tu te souviennes
Des jours heureux où nous étions amis...

Jean fut aussitôt sous le charme, fasciné. Kosma avait à peine terminé qu'il lui demanda de recommencer.

On passa quand même à table, et dans ces instants-là, pas grand-chose généralement peut distraire Jean de ce qu'il a dans son assiette, mais, ce soir-là, dix fois il demanda au pauvre Kosma de lui rejouer la nostalgique mélodie, s'arrêtant lui-même de manger pour l'écouter.

A la fin, Jean la fredonna à son tour :

Les feuilles mortes se ramassent à la pelle
Et le vent du nord les emporte,
dans la nuit froide de l'oubli...

Oui, bien sûr, il s'agissait des *Feuilles mortes,* cette chanson qui allait faire le tour du monde, être chantée pendant des années, aujourd'hui encore, par les plus grands chanteurs, dont notamment Yves Montand.

L'idée de Jacques Prévert, à l'origine, avait été de la faire chanter par Jean et Marlène dans le film, d'après ce que relate Brassaï. Elle ne le fut pas, pour les raisons qu'on verra, mais le plus curieux, c'est que Montand ne la chanta pas non plus. Elle le fut, en définitive, par Irène Joachim, « off », sur les images de la fin du film, alors que Montand marchait douloureusement et seul dans Paris, vers le métro Barbès-Rochechouart, dans l'admirable décor de Trauner.

Des années plus tard, Jean s'enorgueillissait encore d'avoir été le premier à fredonner *Les feuilles mortes* un certain soir de 1945, chez *Les vieilles.*

Prévert avait décidé de travailler au scénario à Saint-Paul-de-Vence qui n'était pas encore à la mode, et où il s'était réfugié vers la fin de la guerre. Il habitait *La Colombe d'Or,* une simple et belle auberge de village dont, par sa présence, il allait assurer par la suite la célébrité.

Trauner et Kosma habitaient non loin et le rejoignaient.

Carné faisait le va-et-vient entre Paris et Saint-Paul, et, de temps en temps, Jean s'y rendait également.

Dans ses souvenirs, Carné évoque avec humour un voyage qu'il fit en voiture pour rejoindre Jacques, en compagnie de Jean, au cours duquel celui-ci, d'une humeur massacrante, ne cessa, durant tout le parcours, de traiter tout — les gens et les choses — de con ! Il voulait en outre dîner et coucher chez *Point* à Vienne, mais le célèbre restaurant était fermé. Carné et lui passèrent, dans un hôtel minable, une nuit cocasse, qui n'eut pas le don de mettre Jean de meilleure humeur. Au contraire !

Jean a toujours été fabriqué de la sorte. A savoir que, lorsqu'il avait une contrariété dans sa vie privée, il ne savait pas la masquer, et elle s'exprimait toujours par un état d'humeur épouvantable, dont il faisait profiter son entourage, quand il ne le rendait pas, en définitive, avec une mauvaise foi éhontée, carrément responsable.

Or, à cette époque, Doriane avait resurgi et commençait à déclencher une série de procédures judiciaires afin de faire réviser, à son profit, le jugement de divorce, réclamant notamment à Jean la moitié de son patrimoine.

Bref, l'état d'esprit dans lequel se trouvait Jean à son arrivée à Saint-Paul ne le prédisposait guère à des séances de travail de tout repos avec Prévert et Carné lorsqu'ils discutèrent du scénario.

« Discuter » était d'ailleurs un mot nouveau dans leur association car, auparavant, pour les films qu'ils avaient faits ensemble, il n'y avait pratiquement jamais eu de « discussion » entre eux, tout au moins au niveau de l'élaboration du scénario. Jean avait toujours fait confiance à Jacques, à partir du moment où ils étaient d'accord, et naturellement avec Carné, sur l'esprit et la ligne générale du film.

Apparemment, ce n'était plus le cas. Jean suggérait des idées à Jacques, quand ce n'étaient pas des répliques du dialogue. Jacques — et on le comprend — le supportait mal.

Dans ses souvenirs, Carné raconte, toujours avec humour mais en y ajoutant cette fois un grain d'ironie au détriment de Jean, une de ces séances de travail :

— Lis-moi un peu c'que t'as écrit ! demande Jean à Jacques.

Jacques commence la lecture d'une scène.

Au bout d'un moment, il s'arrête.

— Et alors ? interroge Gabin, « la Grande », qu'est-ce qu'elle dit ?...

— Je ne sais pas, répond Jacques, je n'ai pas fini d'écrire la scène.

Gabin prend un air inspiré, lève la tête et regarde le ciel comme s'il y cherchait la réponse, puis :

— A mon avis, « la Grande », elle dit...
— Elle dit quoi ? interroge Jacques.
— Elle dit...

Soudain, il se lève d'un bond et éclate :

— Et puis merde, vous me faites chier ! Je vais voir mon pote à Cannes !...

« Jacques ne pouvait travailler que dans une confiance totale et réciproque avec les gens, dit aujourd'hui Alexandre Trauner, se rappelant ces dissensions dont il fut témoin. Il y avait brusquement une incompréhension entre Jean et lui, et ça rendait Jacques malheureux — car il aimait beaucoup Jean —, mais surtout, ça l'irritait. A cette époque — c'était évidemment avant son accident où il chuta d'une fenêtre du Poste Parisien sur les Champs-Élysées, et qui mit ses jours en danger —, Jacques pouvait être parfois d'une grande violence dans ses propos comme dans son comportement. Les désaccords qui surgirent pendant la préparation des *Portes de la nuit* furent une succession de malentendus tout à fait regrettables pour tous, et surtout pour le film. »

D'un autre côté, Carné pense que Jacques n'avait pas l'esprit tout à fait libre à l'époque, tant il était préoccupé par la santé de sa femme Jeanine, qui attendait un enfant.

Carné avoue implicitement que lui-même n'était pas entièrement d'accord sur la direction que prenait Jacques dans l'adaptation du sujet initial : *Le rendez-vous* était un ballet intemporel que Jacques tirait vers « une histoire des plus actuelles où se heurtaient violemment collaborateurs et (...) résistants ».

Les portes de la nuit fut en effet un des rares films français de cette époque à mettre courageusement en lumière une situation qui, hélas, s'inspirait d'une réalité alors encore brûlante.

Cet aspect du scénario qu'écrivait Jacques — notamment les personnages délateurs que devaient jouer si admirablement Saturnin Fabre et Serge Reggiani — fut certainement mal compris par Jean qui n'avait pas vécu l'occupation, son atmosphère complexe, ambigu et délétère, et qui en était resté à cette image qu'il avait eue aux États-Unis d'un peuple qui, malgré ses chefs, s'était tout entier et unanimement dressé contre l'occupant, ce qui avait motivé, pour une large part, son propre engagement dans la guerre. A la limite, il avait du mal, alors, à imaginer que des Français « ordinaires » s'étaient conduits comme des salauds, et avaient dénoncé des juifs et des résistants. Qu'on l'évoquât suscitait en lui un malaise certain.

De son côté, Marlène Dietrich — Brassaï le dit dans son livre — a souvent donné comme raison à sa décision d'abandonner le film — mais ce n'est assurément pas la seule — le fait qu'il présentait la France « sous un trop mauvais jour ».

En réalité, aux réticences et aux récriminations de Jean s'ajoutèrent en effet les exigences de Marlène que Carné et Prévert jugèrent farfelues et inacceptables. Celle-ci avait signé un contrat qui lui permettait de se retirer si le scénario ne lui convenait pas. C'est ce qu'elle fit au bout d'un certain temps.

Jean, lui, ne disposait pas de cette clause de réserve dans le contrat qui le liait à Pathé. Il était dans l'obligation de tourner le film, même si le scénario ne lui convenait pas.

En raison de ses soucis familiaux, le travail de Jacques avait pris un retard considérable, à tel point qu'il ne l'avait pas achevé au jour fixé pour le début des prises de vues.

Il n'est pas contestable que Jean profita de cette opportunité pour quitter le film à son tour, considérant que les dates de son contrat ne pouvaient pas désormais être respectées, compte tenu du retard pris. S'il devait tourner *Les portes de la nuit,* il lui serait impossible de commencer, à la date prévue, son prochain film : *Martin Roumagnac* — enfin ! — réalisé par Georges Lacombe, et produit par Paul-Edmond Decharme, dans lequel il avait comme partenaire... Marlène Dietrich !

Carné et Prévert considérèrent l'attitude de Jean comme une trahison. Carné pensa même qu'il y avait eu machination préméditée afin que *Martin Roumagnac* soit le « premier Gabin » de l'après-guerre.

Il serait cependant juste de souligner, au moins, que Jean n'était pas responsable du retard des *Portes de la nuit*. Il était pressé de tourner un film, lui qui n'en avait pas fait — en France, en tout cas — depuis six ans. D'autre part, il tenait — à tort — à *Martin Roumagnac*. Avant la guerre, du temps du *Quai* ou du *Jour se lève,* il aurait patiemment attendu que Prévert et Carné soient prêts, et c'était notamment cela qui avait changé dans son comportement, et qui surprenait ses amis. Jean était devenu moins souple, impatient, comme s'il sentait déjà que les choses ne se passeraient plus pour lui désormais de la même façon que quelques années auparavant. Il ressentait le besoin de rattraper le temps perdu. Ce n'était pas le cas de Carné et de Prévert dont la carrière avait suivi un déroulement continu et d'une manière extrêmement brillante. Enfin, Jean était parti aux Etats-Unis sans un sou en poche, et durant deux années il n'avait touché que sa solde de second maître fusilier. Certes, à son retour, il avait récupéré ses biens en France et avait même très normalement touché des indemnités pour la destruction par les Allemands de sa maison de Sainte-Gemme. En outre, il sentait que Doriane ne le lâcherait pas dans sa volonté d'obtenir une partie de ce qu'il possédait. Il y avait donc là beaucoup de raisons pour que Jean s'alarme de devoir attendre que Carné et Prévert soient prêts à tourner, indépendamment du fait, exact, qu'il n'était plus très emballé par le sujet.

Mais il y avait encore autre chose, et de plus complexe. Après les cinq années incertaines qu'il venait de passer, Jean éprouvait le besoin de se stabiliser dans sa vie personnelle. On peut toujours penser que Marlène Dietrich n'était peut-être pas la femme qui pouvait le mieux assurer cette stabilité, Jean, lui, le crut. Il est à peu près certain qu'à cette époque il souhaita épouser Marlène. Pour cela, il aurait fallu qu'elle accepte de divorcer de son mari Rudi Sieberg, qui vivait aux États-Unis. Il est non moins certain que Marlène s'y refusa.

Leur vie commune n'en continuait pas moins, et Jean souhaitait que Marlène reste en France. D'où la proposition faite à Carné et Prévert, qu'elle tourne avec lui dans *Les portes*. Pour Marlène, tourner avec Jean était une idée séduisante, qui plus est dans un film de Carné et de Prévert dont elle admirait tant les œuvres précédentes. Quant à Jean, il espérait que la réussite du film convaincrait Marlène qu'elle pouvait aussi bien poursuivre sa carrière en France plutôt que de retourner aux États-Unis où elle était vilipendée par les ligues bien-pensantes.

Plus lucide que Jean, Marlène était sans doute moins convaincue de cette hypothèse. Elle accepta cependant de jouer le jeu mais pas jusqu'au point de faire abstraction de sa forte personnalité, qui ne devait pas manquer de s'affronter rapidement à celles aussi fortes de Carné et de Prévert.

Marlène quittant *Les portes de la nuit*, Jean chercha aussitôt un autre moyen de la retenir en France : ce fut l'idée de *Martin Roumagnac*. Pressé par le temps, il prenait ce qu'il avait sous la main, mais le personnage que Marlène devait y jouer n'était pas, à l'évidence, fait pour elle. Il aurait fallu avoir du temps pour l'adapter à sa personnalité, et un grand scénariste pour exécuter ce travail. Ce ne fut pas le cas.

A l'inverse, il est certain que, tel que nous l'avons vu sous les traits de Nathalie Nattier, le personnage de Malou des *Portes* aurait convenu tout à fait à Marlène. Ne parlons pas de Gabin, c'était l'évidence.

Le résultat de tout cela fut un beau gâchis.

Mais peut-être comprend-on mieux ainsi les raisons extracinématographiques qui poussèrent Jean à abandonner le film de Carné et de Prévert dès lors que Marlène n'en était plus, et à tenter, malgré tout, de retenir celle-ci à Paris avec *Martin Roumagnac*.

Gâchis, ai-je écrit ? Qu'on en juge ! D'abord la rupture d'une belle amitié entre Jean, d'une part, et Carné et Prévert, de l'autre.

Ce n'était pas le moins grave. Ensuite, après un arbitrage du Centre national du cinéma dirigé par Fourré-Cormeray qui devait donner raison à Gabin, et au cours duquel, spectacle pénible, Carné et Jean s'affrontèrent violemment, l'acteur vit Pathé lui intenter un procès dont la conclusion aboutissait, trois ans plus tard, en 1949, à la condamnation de Gabin, alors qu'il tournait *La marie du port* avec... Marcel Carné !

Enfin, le film, première victime de cette suite de différends, de « malentendus », comme le dit encore à présent Trauner, qui souffrit — qui ne le reconnaissait pas, même Carné ? — de l'absence de ceux pour qui il avait été fait et que le jeune et inexpérimenté talent d'Yves Montand et celui encore plus fragile de Nathalie Nattier, malgré leur meilleure volonté, ne pouvaient sauver, les rôles étant trop « lourds » pour eux.

A la sortie du film, la presse fut partagée dans son appréciation, mais l'échec public fut général. C'était injuste. Le film était « raté » mais il restait beau. Paradoxe ? Nullement en ce qui me concerne, ayant été de ceux qui l'ont défendu contre vents et marées, trouvant également abusif de voir, à cette occasion, une partie de la presse et de la profession en profiter pour régler de vieux comptes avec Marcel Carné.

Quant à Jean, lorsque de gros malins, espérant susciter chez lui quelques propos vengeurs, venaient lui dire qu'il avait bien fait de ne pas s'embarquer dans cette galère des « *Portes de l'ennui* », comme quelques-uns appelaient le film, il répliquait vertement :

— Vous êtes des cons, et vous n'y connaissez rien ! C'est un beau film, *Les portes de la nuit*.

Plus tard, il me dira :

— J'ai fait une connerie. J'aurais dû le faire, et Marlène aussi !

Oui, il avait fait une connerie, et même une double, en faisant à la place *Martin Roumagnac*, qui fut un échec sur tous les plans.

Avec Gabin et Marlène, *Les portes* aurait été certainement un tout autre film qui, même s'il n'avait pas connu le succès d'un *Quai des Brumes*, aurait assuré à Jean une « rentrée » plus prestigieuse, conforme, en tout cas, aux films ambitieux qui étaient les siens avant la guerre.

En tout état de cause, s'il avait fait *Les portes de la nuit* — avec ou sans Marlène — et, en revanche, s'il n'avait pas fait *Martin Roumagnac*, Jean n'aurait certainement pas vécu les années qui allaient suivre et qu'il appela sa « période grise » ou encore « le drapeau noir flotte sur la marmite ».

Tout est parti de cette « connerie », comme il disait.

Parlant de *Martin Roumagnac*, voici ce qu'écrit Marlène Dietrich dans ses Mémoires [5] :

« Ce ne fut pas un bon film, et pourtant nous avions été emballés à la lecture du scénario.

Mon rôle était celui d'une beauté provinciale, j'avais les cheveux permanentés et portais des robes ridicules, prétendument à la mode. Gabin m'apprit à parler en avalant mes mots, car il n'était pas question d'employer un français châtié. Assis à côté de la caméra, il me corrigeait avec une patience infinie. Georges Lacombe, le metteur en scène, ne s'exprimait que par onomatopées[6] et Gabin prit les commandes pour me diriger. Il assuma d'énormes responsabilités.

(...) *Martin Roumagnac* fut un échec. Les noms de Gabin et de Marlène Dietrich ne suffirent pas à attirer les spectateurs. Je fus catastrophée, comme chaque fois que j'ai le sentiment d'avoir laissé tomber quelqu'un. Gabin, lui, resta serein : " Attendons un peu ", me dit-il. Mais je ne pouvais pas. Mes problèmes financiers me forcèrent à regagner Hollywood pour y tourner un film... »

Ainsi, Jean avait perdu son double pari : imposer Marlène en France, et qu'elle reste avec lui.

Il n'est pas douteux que, en retour, Marlène insista pour qu'il la suive aux États-Unis, cherchant à le persuader qu'il y ferait désormais meilleure carrière que dans son propre pays.

« Rétrospectivement, je trouve que nous eûmes plutôt la vie facile, Gabin et moi, tant que nous vécûmes aux États-Unis, écrit-elle dans ses Mémoires.

Je ne sais plus aujourd'hui par quel miracle tout marcha si bien. Mais le fait est que les choses paraissaient si faciles. La maison que j'avais dénichée pour lui ressemblait à une maisonnette de pasteur, avec un jardin et une clôture. Gabin s'y sentait bien, il s'y promenait tout autour, appréciant chaque arbre, chaque taillis, me décrivant la France sans jamais dire que la France était mieux que l'Amérique. »

A posteriori donc, Marlène tente encore de se persuader que Jean se serait adapté à l'Amérique s'il l'avait suivie (hypothèse qu'elle n'évoque cependant pas) et feint de croire qu'il aimait la vie américaine et Hollywood. On sait que c'est faux, mais Jean avait certainement la délicatesse de ne pas exprimer brutalement devant elle ses sentiments sur ce qu'elle considérait comme son pays d'adoption, n'émettant — ce qu'elle avoue — que des restrictions sur le mode plaisant.

Leurs deux vies semblaient donc inconciliables, autant sur le plan professionnel que dans la manière dont ils concevaient l'existence. Marlène, émigrée de longue date, cosmopolite et polyglotte, se sentait partout chez elle, alors que Jean avait fortement besoin de conserver ses racines pour sauvegarder sa santé morale et un équilibre psychologique.

Sans se l'avouer donc, leur séparation était inscrite dans le temps.

Séparations momentanées d'abord, suivies de retours : Marlène partait aux États-Unis, puis revenait à Paris dès qu'elle le pouvait pour reprendre avec Jean une sorte de vie commune. Dans ces brefs instants, quand ils ne séjournaient pas à Sainte-Gemme dans la maison que Jean avait fait construire sur son ancienne propriété, à côté de celle qui avait été incendiée, ils habitaient à Paris, et le plus souvent à l'hôtel.

Un jour, à l'approche de son anniversaire, Marlène demanda à Jean ce qu'il aimerait qu'elle lui fasse comme cadeau.

— Écoute, lui dit Jean, je t'ai donné, en quittant les États-Unis, trois tableaux que j'aimais beaucoup. Ils sont à toi, pas de problème ! Je trouve seulement un peu con qu'ils restent enfermés dans un coffre de banque à New York. Ce qui me ferait plaisir, ce serait de les voir ici. On les accrocherait aux murs ; le jour de mon anniversaire je pourrais les regarder, et ça serait pour moi le plus beau cadeau que tu pourrais me faire.

Marlène n'hésita pas un instant, et télégraphia qu'on lui expédie les tableaux.

Le jour de l'anniversaire de Jean, elle les fit suspendre aux murs de leur chambre du Claridge où ils vivaient alors.

Jean, ému aux larmes, put longuement contempler « son » Renoir, « son » Sisley, « son » Vlaminck.

Quelques jours plus tard, Marlène repartit travailler aux Etats-Unis... en remportant « ses » tableaux.

Jean fut fort désappointé, car il est certain qu'en demandant à Marlène de faire venir les tableaux à Paris il avait eu une petite idée derrière la tête. Il l'admettait d'ailleurs, quand, des années plus tard, il racontait l'histoire en riant.

— D'accord, disait-il, ces tableaux, ils étaient à elle puisque je les lui avais donnés. Mais c'était au moment où je pensais que j'avais de sacrées chances de laisser ma peau à « la riflette ». Je m'en étais sorti, elle aurait quand même pu m'en redonner un, non ? Juste pour le geste, quoi !... Le Renoir, par exemple !...

Il restait un moment pensif, puis il ajoutait :

— Vous savez pour combien y en aurait aujourd'hui, de ces tableaux ?... Deux cents briques, au bas mot !...

C'est l'estimation qu'il fit la première fois qu'il me raconta, en 1953 ou 1954, ce que j'appelais « l'histoire des tableaux » dans l'anthologie des plus fameuses histoires de sa vie qu'il aimait évoquer.

Il me la racontait à peu près tous les deux ou trois ans, sachant sans doute qu'elle m'amusait, sans jamais changer quoi que ce soit au récit... sauf quand il en arrivait à l'estimation :

— Vous savez pour combien y en aurait aujourd'hui, de ces tableaux?... Cinq cents briques, mon vieux, et encore... au pif!

Son « pif », dans certaines circonstances, exagérait beaucoup. Jean ne suivait évidemment pas la montée réelle des cours, mais établissait une estimation simplement pour le plaisir de rêver. Moi, je ne pouvais m'empêcher d'éclater de rire. Il me regardait d'un air faussement dépité qui faisait partie du jeu, et concluait péremptoirement, avec une égale mauvaise foi — et celle-là plus qu'une autre, il n'en était pas dupe :

— Marrez-vous ! On voit bien qu'elles sortent pas de votre poche... les cinq cents briques !

La dernière fois qu'il a bien voulu me mettre en joie avec « l'histoire des tableaux », il n'a pas lésiné : on en était carrément au milliard de centimes !

Comme j'aimerais qu'il puisse me la raconter encore ! Je me demande où il en serait de son estimation !...

Marlène aux États-Unis, ou quelque part dans le monde, Jean menait à Paris une vie de garçon, de « vieux garçon », devrais-je même dire. Il ne savait pas vivre seul dans son appartement de la rue Maspéro qui, en outre, lui rappelait Doriane, et dans lequel il n'a jamais amené une autre femme, et surtout pas Dominique quand il l'a épousée.

Jean était un solitaire qui ne se supportait pas seul. Il a toujours eu besoin de sentir la présence de quelqu'un à ses côtés, avec qui il pouvait, durant l'heure, échanger tout au plus trois ou quatre mots, les plus anodins, afin qu'ils ne viennent pas trop troubler ses réflexions intérieures mais nécessaires pour faire comprendre à son compagnon qu'il ne l'avait pas oublié.

Quand il se trouvait seul, Jean vivait ces périodes à l'hôtel Baltimore, avenue Kléber, à deux pas de la place de l'Étoile et des Champs-Élysées, qui était son quartier par excellence.

Dans l'incertitude où il se trouvait, tant sur le plan sentimental que professionnel, avec Doriane en plus qui lui intentait des procès, Jean ne cherchait pas à mieux organiser sa vie.

En période de chasse, il séjournait un peu à Sainte-Gemme, mais son vieux copain « Gaby » Gabrio avec qui il avait si souvent couru les taillis, le fusil à la main, et qui avait habité tout près — c'était même la raison pour laquelle Jean était venu dans cette région — venait de mourir, laissant un grand vide dans l'affectivité de Jean dont le cercle de vrais amis était volontairement très restreint.

A Paris, Jean traînait le plus souvent sa solitude, et lorsque le cafard s'emparait de lui trop fortement, il se rendait au Fouquet's où il était sûr de trouver, à l'heure de l'apéritif, son camarade Tino Rossi.

Après être allé dîner chez Allard ou chez Conti, Jean passait invariablement à l'*Étape,* un bar de la rue Pierre-Charron aujourd'hui disparu, et qui était tenu par Georges Peignot dit « Jo-les-grands-pieds ». Peignot resta longtemps un de ses copains intimes, car il avait cette particulière élégance, que Jean appréciait, d'être taciturne et peu bavard.

A l'*Étape,* Jean éprouvait souvent une petite faim sur le coup de minuit, même après la daube ou le bœuf gros sel d'Allard. Peignot préparait pour eux seuls un petit souper dont Jacques Becker s'inspira dans la scène de *Touchez pas au grisbi,* où, tardivement, le soir, Jean et René Dary se partageaient un bloc de foie gras étalé sur des biscottes parce que « y a pas de bricheton ! ».

Après quoi, Jean aidait Peignot à fermer le bar, puis rentrait au Baltimore à pied, badaud nocturne sur les Champs-Élysées, certain de ne pas être importuné dans sa « gamberge » souvent maussade sur sa vie et son avenir incertain. Parfois, Peignot lui faisait un bout de conduite, et les soirs où Jean tenait « une petite soupe », il s'en prenait à haute voix à « ces salauds de civils » pour lesquels il était allé perdre son temps à la guerre, et qui, maintenant, le trouvaient trop « vioque », et le laissaient « pointer au chômedu ! ».

— Tous des cons ! laissait mornement tomber Peignot pour lui remonter le moral.

— T'as raison, mais qu'y faire, hein ? soupirait exagérément Jean, qui, bras en croix et l'équilibre fragile, prenait le ciel étoilé à témoin de son impuissance à lutter contre l'ingratitude et la connerie humaines.

A cette époque, il avait pris un agent, Paul Olivier, charmant homme qui avait été l'agent de Raimu qui venait de mourir. Jean n'avait aucune proposition de film. Il était comme oublié par la profession. Renoir était resté aux États-Unis. Duvivier était rentré mais n'avait pas de projet pour lui. Grémillon était plongé dans la préparation d'une vaste fresque historique, *Le printemps de la liberté,* qu'il ne tournera pas d'ailleurs. Quant à Carné, indépendamment du fait qu'ils étaient fâchés, il ne valait, paraît-il, plus un kopeck sur le marché, après l'échec des *Portes de la nuit* et le fiasco de son film suivant, *La fleur de l'âge,* dramatiquement interrompu en raison de la défaillance financière du producteur. D'autre part, les metteurs en scène en vogue, issus pour la plupart du cinéma français de sous l'occupation — Clouzot, Autant-Lara, Delannoy, Becker —, ne le connaissaient pas, ou mal (sauf Becker, naturellement, qui avait été l'assistant de Renoir), se méfiaient probablement de ce *has been,* ou avaient tout simplement des projets dans lesquels sa personnalité n'entrait pas.

De temps en temps, des échos de la vie de Marlène à Hollywood lui parvenaient, et ne lui étaient pas toujours agréables. Elle y menait cette existence de femme affranchie et libre, sans hypocrisie, qui fut toujours sa marque. De son côté, pendant cette période, on attribue à Jean deux ou trois aventures sentimentales sans conséquence, dont une fit tapage dans la presse, alors qu'elle était fausse.

Jean avait été invité à un dîner chez Maxim's, et au moment d'en partir, une jeune starlette, charmante et très belle, lui demanda s'il pouvait la raccompagner chez elle.

Il s'agissait de la chère Martine Carol.

Galant, Jean accepta. Devant l'immeuble où elle habitait, Jean descendit de voiture pour la saluer. Martine, avec cet enjouement et cette simplicité qui faisaient son charme, embrassa longuement Jean sur la bouche.

— J'étais surpris, mais j'avoue que c'était pas désagréable, se souvenait Jean avec un sourire, en racontant cette histoire.

L'ennui, c'est que l'homme avec lequel Martine vivait alors avait tout vu d'une fenêtre de l'appartement qu'ils habitaient, et, quand, laissant Jean repartir, elle rentra chez elle, la pauvre eut bien du mal à convaincre le jaloux qu'elle n'avait fait que remercier — à sa façon — son prestigieux chauffeur d'un soir.

Comment cette innocente histoire se répandit-elle dans la presse ? Il est plus que probable que Martine, dont la jeune carrière piétinait, n'a pas trop hésité à alimenter la rumeur qu'elle vivait une aventure sentimentale avec Jean, espérant sans doute que cela aiderait à mieux se faire connaître.

Ce n'était pas bien grave, mais Jean détestait ce genre de fausse situation. Il n'en tint cependant pas rigueur à Martine, puisqu'il ne s'opposa pas à ce qu'elle tourne un petit rôle avec lui dans *Miroir* alors que, désespérée de ne pas réussir, elle avait fait une tentative de suicide.

Car Jean va, en effet, quand même tourner un film en 1947. Ce fut Decharme, son producteur de *Martin Roumagnac*, qui le produisit. Le réalisateur, Raymond Lamy, était un copain que Jean avait connu comme monteur et qui avait déjà tourné un film sans grand intérêt avant la guerre, *Clodoche*. Jean aurait dû se méfier, mais, d'une part, il avait sans doute oublié sa mésaventure avec cet autre copain, Maurice Gleize, auteur du *Récif de corail*, avant la guerre, et sans doute n'avait-il pas alors le choix, puisque les grands metteurs en scène ne le sollicitaient pas. Et il lui fallait, d'autre part, impérativement tourner. Le scénario de *Miroir* était parti d'une idée de son agent Paul Olivier, que développa Carlo Rim. L'action se passait en 1935 et Jean y jouait le rôle d'un homme d'affaires d'apparence bourgeoise, mais dont la façade dissimulait en réalité une activité de gangster.

« Gabin, dans les costumes croisés d'un grand bourgeois, traîne le passé d'un " Pépé le Moko " qui ne serait pas mort sur les quais d'Alger dix ans plus tôt », notent avec justesse, à propos de *Miroir,* J.-C. Missiaen et J. Siclier[6].

L'intérêt du film est qu'il marqua le début de l'évolution du « mythe » Gabin, son embourgeoisement et le « vieillissement » de Jean car, pour la première fois, il avait un fils — un faux fils en l'occurrence — que jouait Daniel Gélin.

Miroir ne fut pas un bon film, et ne participa en rien, au contraire, à redonner du lustre à la carrière de Jean, mais il joua cependant un rôle sur le plan de sa vie privée.

Peu avant *Miroir,* le drame qui était prévisible entre Marlène et Jean éclatait. Marlène voulait impérativement retourner en Amérique pour retrouver sa fille avec qui elle était en conflit. Jean ne supportait plus ces allées et venues incessantes de Marlène entre Paris et les États-Unis. Il lui posa pratiquement un ultimatum : ou elle restait avec lui ou ce serait fini entre eux. Sans doute parce qu'elle ne pouvait pas faire autrement, et aussi parce qu'elle ne croyait pas réellement à la rupture, Marlène partit. Jean ne le lui pardonna pas et dès lors, pour lui, la cassure fut totale.

Jean souffrit vraisemblablement de la décision qu'il avait prise mais il n'en bougea plus malgré les démarches pressantes de Marlène qui essaya de revenir auprès de lui. Elle fit intervenir des amis communs, tenta de joindre Jean au téléphone, lui envoya câbles sur câbles mais il resta de marbre.

Quand il commença *Miroir,* Jean se considérait donc comme un homme « libre ». Et c'est à cette occasion que son chemin croisa — recroisa, pour être plus exact — celui de Colette Mars.

— « Bonjour, bonsoir ! » Ça a dû être à peu près les seuls mots que nous avons échangés la toute première fois que nous nous sommes rencontrés, dit en riant Colette Mars[8].

C'était à Alger en 1943, au cours d'une soirée où le général de Bénouville lui avait présenté Jean Gabin en uniforme de second maître, instructeur au Centre Sirocco. Elle-même, bien que très jeune, portait l'uniforme de l'armée de l'air.

De famille bourgeoise, fille du général Huot, Colette Mars, voulant rejoindre l'Afrique du Nord alors qu'il en était encore temps, quitta la France en avril 1941 pour Casablanca d'abord, puis Alger ensuite. Après le débarquement américain et l'installation en Algérie de De Gaulle, elle s'engagea dans les forces aériennes de la France libre, et servit sous les ordres de Joséphine Baker, elle-même engagée volontaire.

« Je n'étais encore qu'une gamine et lui était... Jean Gabin ! Ce n'était pas rien pour moi. Nous n'étions normalement pas destinés à ce que nos chemins se rencontrent à nouveau. »

Colette Mars était loin d'imaginer alors qu'elle se lancerait dans une profession finalement assez proche de celle qu'exerçait Jean dans le civil. On lui disait qu'elle avait une jolie voix — c'était vrai — et on la priait de chanter au cours de certaines soirées données au profit d'œuvres de bienfaisance. Elle ne pensait cependant pas faire une carrière de chanteuse.

C'est pourtant ce qui arriva.

Peu après son retour en France libérée, fin 1945, elle fit la connaissance de Suzy Solidor qui tenait un cabaret à la mode, 12, rue Sainte-Anne, *La vie parisienne,* plus connu sous le nom de « Chez Suzy Solidor ». Colette y fit ses débuts de chanteuse professionnelle.

Quelque temps plus tard, en 1946, Suzy Solidor, désirant se retirer, proposa à Colette Mars de reprendre son cabaret qui devint alors « Chez Colette Mars ».

Un soir, durant son tour de chant, elle aperçut Jean à une table, en compagnie d'un homme qui était le producteur Paul-Edmond Decharme. Elle n'était évidemment pas surprise de le voir, car il était un habitué de l'endroit où il venait avec Marlène Dietrich.

La première fois qu'ils s'étaient revus, Jean n'avait pas fait le rapprochement entre la jeune fille en uniforme de l'armée de l'air, entr'aperçue à Alger quelques années plus tôt, et cette jeune femme devenue une belle chanteuse à la voix chaude et grave.

« J'ai dû lui rappeler les circonstances de notre première rencontre, dit Colette Mars.

— Ah oui, je me souviens, avait répondu Jean poliment. »

Ce soir-là, en compagnie de Decharme, Jean parla un moment avec Colette, puis il lui demanda brusquement :

— Ça vous dirait de faire du cinéma ?

Le genre de question qui fait toujours un peu « bateau », et dont on se méfie quelque peu quand on est quelqu'un d'aussi lucide que Colette Mars. Mais enfin, c'était Jean Gabin qui la lui posait.

« J'ai dû répondre quelque chose comme : “ Je ne sais pas, je n'y ai jamais songé, et surtout je ne suis pas sûre d'avoir le talent pour ça. ”

— Ça vous poserait pas trop de problème, c'est un rôle de chanteuse, a précisé Jean. Vous seriez d'accord pour faire un essai ?

Je n'ai pas dû dire non, car, en partant, Jean m'a dit :

— Bon, on en reparlera.

Ça ressemblait un peu à “ on vous écrira ”, mais pourtant, trois jours après, la production m'appelait et me convoquait au studio pour faire l'essai. J'étais paniquée. Jouer la comédie, je ne savais pas ce que c'était, et avec Gabin comme partenaire, en plus !

Naturellement Jean était là, calme, gentil et plein d'attentions délicates pour la débutante que j'étais. Sans lui, sans sa présence chaleureuse, j'aurais craqué. Deux jours après, Jean m'a dit que l'essai était bon et que j'étais engagée pour jouer le rôle de Clio, sa maîtresse, dans *Miroir* qu'il s'apprêtait à tourner. J'ai su par la suite que Decharme, le producteur, avait été contre mon engagement, et que c'était Jean qui m'avait imposée. »

La première scène que Colette Mars devait jouer se passait dans un cercle de jeux. En présence de plusieurs dizaines de figurants, une peur panique la prit.

— Il faut que je voie Jean Gabin avant ! réclama-t-elle, affolée.

Jean la fit venir dans sa loge, la calma, la rassura avec des mots tout simples.

— Tu fais comme dans la vie, c'est pas compliqué.

« Pas compliqué ! répète aujourd'hui Colette Mars. Pour lui. Mais pour moi, c'était la mer à boire. " Comme dans la vie ", c'étaient ses mots habituels, et c'est vrai que Jean était au cinéma " comme dans la vie ", mais parce que lui avait un formidable talent pour parvenir à paraître naturel et vrai. »

Jean prit finalement la main de Colette et la conduisit sur le plateau. Il demanda à ce que l'on évacue la figuration un moment, et il la fit répéter seule avec lui.

« C'est vrai que ça m'a soudain paru moins " compliqué " mais c'était à cause de Jean. Lorsqu'il était en face de vous, qu'il vous donnait la réplique, il était tellement " juste " et il émanait de lui une telle vérité, un tel magnétisme, qu'il finissait par vous communiquer un peu de son talent. »

Au bout d'un moment, on fit revenir la figuration. On allait tourner :

« Je tremblais. Jean le sentit. Alors, il prit à nouveau ma main et la garda dans la sienne jusqu'au moment où le metteur en scène cria : " Moteur ! " Il m'a lâchée avec un bon sourire qui exprimait toute sa confiance :

— Ça va aller, me glissa-t-il à mi-voix. »

On fit trois prises seulement de la scène. Après la première, Jean murmura à Colette : « C'est bien. » Après la deuxième : « Ça va ! » Enfin, après la dernière, il s'exclama : « C'est bon. Bravo ! »

« Il ne se répandait jamais longuement en compliments, mais avec lui, on pouvait être sûr que le moindre mot était sincère. Jean ne savait pas tricher. Pas même pour des choses anodines, ces petites conventions qui vous font dire par politesse des propos qu'on ne pense pas réellement mais qui sont sans conséquence. Même ça, Jean s'y refusait. Il ne cachait jamais ses sentiments. »

Un soir, Jean invita Colette à sortir avec lui, et l'emmena dans un bal de la rue de Lappe, un endroit qu'elle ne connaissait pas. Elle savait danser naturellement, mais Jean lui apprit la java et la valse musette.

« C'était nouveau pour moi, mais danser avec Jean, c'était comme jouer la comédie, il n'y avait qu'à suivre, se laisser entraîner par lui. Il était un si merveilleux danseur ! Avec son élégance, la java et la valse musette auraient pu figurer sans choquer au programme du bal des Petits Lits Blancs. »

Ils sortirent désormais souvent ensemble. Immanquablement, Jean fit sa cour à Colette.

« J'étais surprise de découvrir qu'un homme pouvait encore à notre époque — nous étions en 1947 — faire la cour à une femme comme Jean le faisait. C'était doux, tendre, plein de délicatesse et de charme. Comment n'aurais-je pas été séduite ! Je lui ai pourtant résisté, et ce n'était pas facile de résister à Jean dans ces moments-là. J'étais évidemment au courant de sa liaison avec Marlène, mais ce n'était pas la cause de mes réticences, la vraie raison, je l'avoue, était l'orgueil, ma vanité. Je ne pouvais m'empêcher de penser stupidement : " Alors, toute cette gentillesse, cette prévenance au cours de notre travail ensemble dans *Miroir*, ce n'était finalement que pour aboutir à ça ! "

J'étais terriblement injuste, mais je me suis entêtée dans mon refus. »

Jean n'avait aucun goût pour les femmes qui tombaient facilement dans ses bras. Il aimait le long chemin de la conquête durant lequel il pouvait déployer patiemment, avec obstination, toutes les ressources de sa séduction.

Plus tard dans sa vie, « rangé des voitures » comme il disait, lors de ses rares confidences sur sa vie sentimentale d'autrefois, il avouait :

« Aujourd'hui, même si l'envie m'en reprenait, je me rends compte que je n'aurais plus le temps de faire la cour aux dames. Et trouver une femme dans mon lit, comme ça (il claquait sèchement les doigts), ça n'a jamais été mon genre. »

« L'homme que j'étais ! s'exclamait-il fréquemment avec une ironie et une dérision souriantes lorsqu'il évoquait ce temps où " il jouait les godants * " auprès de ces dames. »

---

* « Homme ardent au déduit », d'après le *Dictionnaire d'argot* d'Albert Simonin (Éd. N.R.F.).

L'homme qu'il était alors poursuivit donc la conquête de Colette, lui envoyant des fleurs, l'emmenant dîner chez Allard ou au Méditerranée, place de l'Odéon. Ils allaient dans les dancings — des endroits que Jean aimait beaucoup — et finissaient leurs soirées dans des boîtes, au *Tardets,* ou, bien sûr, à *La vie parisienne,* « Chez Colette Mars ». Il demandait à Colette de lui chanter des chansons de Francis Carco — *Le Petit Caboulot, La Lettre à Nini.* Il adorait et adorera toute sa vie les chansons simples et populaires, poétiques et tendres.

A force de les voir ensemble, la presse s'en mêla.

Pendant le tournage de *Miroir,* alors qu'il n'y avait donc, comme on dit, rien entre eux, *France Dimanche* titra :

« LA FILLE DU GÉNÉRAL HUOT REFUSE D'ÉPOUSER JEAN GABIN. »

« C'était stupide, méchant et faux, dit aujourd'hui Colette Mars. Jean me faisait la cour parce que c'était sa manière d'être avec une femme avec laquelle il sortait, mais il ne m'avait pas demandée en mariage. Pas à ce moment-là.

J'ai dit à Jean :

— Je n'y suis pour rien.

— J'en suis persuadé ! m'a-t-il répondu. »

Peu de temps après, un soir à *La vie parisienne,* Jean s'est trouvé face au journaliste responsable du papier dans *France Dimanche.* Il lui a balancé une paire de claques sans un mot, dignement.

Miroir se termina un jour pour Colette Mars, mais se poursuivit pour Jean.

« J'ai pensé : c'est fini. Jean ne m'appellera plus. Il ne m'invitera plus à sortir avec lui.

Des jours passèrent sans un appel. Ça n'avait aucun rapport avec son silence, mais je tombais malade, avec une bronchite épouvantable qui me bloqua au fond de mon lit. Jean l'apprit et me téléphona aussitôt. Il vint aussi vite me voir, et s'inquiéta de savoir si j'avais un bon médecin, si j'avais bien tout ce qu'il me fallait pour me soigner. Il revint plusieurs soirs me tenir compagnie. Il faisait les courses et me préparait mon pauvre repas de malade, jambon, gruyère, salade, fruits. C'est tout juste s'il me faisait encore la cour. Je n'étais peut-être pas en état de l'inspirer. Il était surtout un ami prévenant et d'une gentillesse touchante. Dans ce nouveau rôle, il était cependant, pour une femme, aussi irrésistible que dans le précédent. Davantage même peut-être, parce que je me sentais plus désarmée.

Quand je fus guérie, c'est moi qui suis allée vers Jean, à un moment sans doute où il ne s'y attendait plus. Il en fut, en effet, presque étonné et notre idylle commença là. »

Quelques mois plus tard, Jean était enfin appelé par un des plus brillants metteurs en scène de la nouvelle génération : René Clément. Ce dernier avait trente-cinq ans, et s'était révélé en 1945 avec un chef-d'œuvre, *La bataille du rail,* qui était au cinéma français ce que *Rome, Ville ouverte* fut au cinéma italien. Mais à la différence de Roberto Rossellini et des réalisateurs italiens de l'école néoréaliste, Clément n'enfermait pas son cinéma dans une idéologie précise, pas plus que dans une éthique définie par un regard sur l'évolution sociale et politique du monde. Il avait été, en effet, le conseiller technique d'œuvres aussi diverses que *Le père tranquille* de Noël-Noël et *La belle et la bête* de Jean Cocteau, avant de signer un parfait film d'aventures, *Les maudits.*

Avec *Le Mura di Malapaga* qui devint en France *Au-delà des grilles,* d'après un scénario de Cesare Zavattini — le pape du néoréalisme italien —, Suso d'Amico et Alfredo Guarini, adapté par Jean Aurenche et Pierre Bost, René Clément se servait encore une fois du « mythe » Gabin, mais en le dépouillant du romantisme et du « réalisme poétique » des années 30.

Tourné entièrement en Italie, dans les décors naturels de Gênes, Jean jouait le rôle d'un meurtrier qui, passager clandestin à bord d'un cargo, tente de fuir. Il a tué sa femme qui, plus jeune que lui, le trompait en lui reprochant d'être trop vieux.

Ainsi Jean, qui avait alors quarante-quatre ans et encore une silhouette mince de sportif, acceptait de jouer un personnage « vieillissant », dans le même temps où Gary Grant, au même âge, et Gary Cooper, de trois ans son aîné, jouaient toujours les godelureaux.

A la sortie du film en France, en 1949, toute la presse souligna cet aspect du personnage, certains pour saluer le courage de Jean d'avoir accepté son « vieillissement », d'autres pour le regretter, nostalgiques du Gabin d'avant-guerre, refusant le passage du temps, et allant jusqu'à écrire : « Jean Gabin est mort. »

Il est vrai que Clément et ses scénaristes « démythifiaient » le mythe Gabin : la raison pour laquelle le personnage qu'il interprétait quittait sa cachette dans le cargo et débarquait à Gênes n'était pas, comme cela aurait été le cas dans le passé, pour accomplir quelque vengeance ou règlement de comptes, mais plus simplement parce que, souffrant d'une terrible rage de dents, il décidait de voir un dentiste.

L'intrigue était solide, la mise en scène de Clément rigoureuse, et l'interprétation de Gabin remarquable. Le film allait connaître un succès d'estime, mais, hélas, ce n'était pas encore avec celui-là que Jean renouerait avec le succès populaire qui lui était nécessaire pour se relancer complètement.

Bien que de tempérament très différent, et n'ayant pas avec lui la qualité de rapports qu'il avait entrevus autrefois avec un Duvivier ou un Renoir, Jean s'était plutôt bien entendu avec Clément, appréciant la technique et le sérieux professionnel du metteur en scène. Son entente fut moins heureuse avec sa partenaire, Isa Miranda, star très sophistiquée des années 30, sorte de Marlène Dietrich sans en avoir l'aura.

De retour en France, Jean retrouvait Colette Mars, mais la présence invisible de Marlène Dietrich se faisait toujours sentir par les télégrammes qu'il recevait d'elle et qu'il n'ouvrait pas.

« Je crois qu'il aimait profondément Marlène, dit Colette Mars, mais il savait que tout avenir avec elle était impossible. Jean voulait se marier et avoir des enfants. Il ne le pouvait pas avec Marlène. Il a alors cru que c'était possible avec moi. Un jour, il m'a demandé de l'épouser. J'étais troublée, et en même temps, cela me paraissait une idée folle.

Jean était d'une extrême jalousie, très possessif dès qu'il aimait. A ma façon, j'étais un peu comme Marlène, je tenais à ma liberté. Je ne me voyais ni en épouse ni en mère de famille, et c'est ainsi que Jean me voulait.

Si j'avais accepté, j'aurais fait une erreur, connaissant bien son caractère et le mien. J'ai donc refusé de l'épouser. Cette fois, c'était vrai, mais la presse n'en a rien su.

L'ai-je déçu ? A-t-il ressenti de la peine ? Je crois qu'il a aimé ma franchise et qu'il m'a été plus tard reconnaissant de mon honnêteté : la preuve est que nous sommes restés d'excellents amis. Et un jour, c'était au début de 1949, il m'a dit, fou de bonheur :

— J'ai rencontré la femme que je vais épouser. C'est avec elle que je vais avoir mes enfants.

C'était Dominique. Il était éperdument amoureux d'elle. Il me l'a présentée, sans rien lui cacher évidemment de ce que nous avions été ensemble un moment.

Dominique et moi sommes devenues de grandes amies. Nous le sommes toujours.

Dieu qu'ils étaient beaux, tous les deux ! On dit que le bonheur rend beau, mais eux, ils l'avaient en plus. »

Évidemment, dès que Dominique entra dans la vie de Jean, plus aucune autre femme n'exista pour lui. Pourtant Marlène était toujours là, quelque part, sentant que, cette fois, Jean lui échappait définitivement. Il l'ignora résolument, ne voulant plus la voir ni même lui adresser la parole. Cette attitude resta incompréhensible pour Marlène et elle en souffrit beaucoup et longtemps.

« Un soir, au cabaret, alors que je chantais, Jean est entré avec Dominique à son bras. Marlène était à une table en compagnie d'un comédien anglais. J'étais paniquée par ce qu'il risquait de se passer. La salle était dans la pénombre. Inspiré, mon maître d'hôtel plaça Jean et Dominique à une table opposée à celle où se trouvait Marlène, et donc il ne la vit pas.

Mon tour de chant terminé, je me précipitai auprès de Marlène pour l'avertir.

— Inutile, je l'ai vu, me dit-elle calmement, puis elle demanda l'addition pour partir.

De la manière dont ils étaient placés l'un et l'autre, Marlène était obligée, pour sortir, de passer derrière Jean. Je suis allée lui dire bonsoir, et en même temps, je l'ai prévenu.

— Jean, Marlène est là.

Il m'a regardée froidement.

— Et alors ?

— Elle est obligée de passer derrière toi, je t'en prie, dis-lui quelque chose, ai-je insisté.

— J'ai rien à lui dire ! fut sa seule réponse.

J'ai précédé Marlène. Elle est passée difficilement derrière la chaise qu'occupait Jean, mais il n'a pas bougé. Marlène est sortie, dignement, ulcérée.

Je découvrais que Jean pouvait être odieux. Mais il aimait Dominique, et il avait peur de lui faire affronter Marlène. Il voulait la protéger. Il ne savait pas encore combien Dominique était forte et équilibrée. Jean a toujours ressenti ce besoin impérieux de protéger ceux qu'il aimait. Ce fut d'abord Dominique. Ce furent ensuite ses enfants. »

1949 devait être une grande date dans l'existence de Jean. Encore une fois, sa vie allait basculer et c'était la dernière fois. Désormais, elle suivra un cours régulier qu'il maintiendra avec détermination jusqu'à la fin, tel qu'il l'avait voulu.

Après *Miroir*, Jean s'était amicalement séparé de son agent Paul Olivier et avait pris pour lui succéder, et sur les instances de Marlène car c'était également le sien, un autre agent : André Bernheim. Celui-ci jouissait d'une grande réputation dans le monde du spectacle, et son entente avec Jean fut remarquable et dura jusqu'à la fin des années 60. Jean le surnommait « le renard argenté » en raison de sa chevelure... argentée. Bernheim avait déjà négocié pour Jean le contrat de *Au-delà des grilles*, et la même année — 1948 — il le convainquit qu'un retour au théâtre lui serait profitable et aiderait à l'évolution de sa carrière. « Retour sur les planches » serait l'expression plus juste, car, du théâtre comme l'envisageait Bernheim, Jean n'en avait jamais réellement fait. Il n'était pas question en effet qu'il revienne à l'opérette de ses débuts, mais qu'il joue une vraie pièce, avec un texte solide.

Jean était loin d'être convaincu de l'intérêt qu'il y avait pour lui d' « aller se faire bouffer tout cru dans la fosse aux lions », comme il disait.

Le coup de génie de Bernheim fut d'avoir mis en présence, au cours d'un déjeuner, Jean et le célèbre dramaturge Henri Bernstein. Les deux hommes s'étaient brièvement rencontrés avant la guerre, lorsque Jean avait joué au cinéma *Le messager* adapté d'une de ses pièces. Ils s'étaient également croisés à New York dans les années 42-43.

A son retour en France, Bernstein avait repris possession de son théâtre des Ambassadeurs mais n'avait pas encore retrouvé le succès auquel il était habitué avant la guerre, n'ayant monté que des reprises de ses anciennes pièces. Malgré son grand âge, il n'avait pas renoncé à écrire une nouvelle œuvre, à condition, selon son vieux principe, d'être assuré qu'elle serait jouée par des comédiens-vedettes. Il est bien certain que l'idée d'écrire une pièce pour Gabin, dont ce serait pratiquement « les débuts » au théâtre, ne devait pas manquer d'exciter l'imagination du vieux dramaturge.

Vraisemblablement séduit par Bernstein, mais surtout en pensant à son père dont on se souvient qu'il avait toujours rêvé d'être l'interprète de cet auteur, Jean donna son accord.

Henri Bernstein écrivit *La soif* pendant que Jean tournait en Italie *Au-delà des grilles*. Vers la fin de 1948, les répétitions commencèrent sous la direction de Bernstein lui-même. Madeleine Robinson et Claude Dauphin étaient les partenaires de Jean.

Lui pour qui, dans son enfance, l'étude avait été un cauchemar et qui avait pris l'habitude au cinéma de ne jamais savoir son texte à l'avance afin de préserver sa spontanéité dut, cette fois, apprendre par cœur plusieurs centaines de répliques. Il y réussit parfaitement, faisant, pour une fois, fonctionner sa prodigieuse mémoire. Il était naturellement toujours à l'heure aux répétitions, apportant au théâtre la même conscience professionnelle qui l'animait au cinéma.

Dans l'ensemble, tout se passa bien. Il avait un grand respect pour Bernstein qu'il avait surnommé « papa », et quand celui-ci s'avisait de lui donner une indication avec l'autorité et l'impatience un peu agacée d'un homme de son âge et de sa réputation, Jean lui disait doucement :

— Écoutez, monsieur Bernstein, moi je ne suis qu'un petit mec du caf' conc. Si vous croyez que ça va pas aller, on déchire le contrat et on n'en parle plus !

— Mais non, mais non ! Tout va très bien ! s'empressait de

répondre Bernstein (qui, en réalité, tremblait un peu devant Jean, comme jamais il ne l'avait fait devant un acteur, et Dieu sait qu'il en avait dirigé, et de grands. Mais Jean le fascinait littéralement).

En fait, Jean jouait au théâtre avec le même naturel dans la voix qu'au cinéma. Il continuait à être cet acteur « murmurant » qu'avait découvert Jean Renoir au temps des *Bas-fonds*. Il jouait avec ses partenaires, pas avec la salle, et se refusait à faire des effets de voix. Bernstein craignait que les spectateurs des derniers fauteuils ne l'entendent mal. Jean n'était pas du genre à négliger ce problème et l'avait parfaitement étudié. Si bien que, lorsque commencèrent les représentations publiques, il était parvenu à travailler l'intensité de sa voix sans en changer le ton fondamental, et, à la grande surprise de Bernstein, les spectateurs du fond de la salle l'entendaient aussi bien que ceux des premiers rangs.

Pendant les semaines que durèrent les répétitions, Jean s'était complètement absorbé dans son travail et n'avait songé à rien d'autre. Il savait depuis le début qu'il jouait une grosse partie mais, sans malice, il s'était dit qu'elle se jouait surtout entre lui et lui.

« C'est le soir de la générale que j'ai seulement réalisé, se souvenait Jean. Quand j'ai entendu monter de la salle la rumeur des invités qui s'installaient. En plus, comme un con, j'ai eu l'idée d'aller les regarder par l'entrebâillement du rideau de scène. Ils étaient *tous* là ! Le Tout-Paris, comme on dit dans la rubrique mondaine des gazettes ! Franchement, je n'ai pensé qu'à ce moment que j'allais me planter ou me faire becqueter par mes partenaires, de merveilleux comédiens, mais aussi des monstres des planches, alors que moi je n'avais aucune expérience de la scène. Et je me suis dit que les autres, dans la salle, étaient venus pour assister à ce spectacle !

Je me suis aussi rappelé d'un seul coup de ce que je pensais des grands comédiens de théâtre quand j'ai débuté dans le métier. Je ne m'étais jamais comparé à eux parce que j'ai jamais cru que j'aurais un jour leur talent pour jouer, sur une scène, un vrai texte, du vrai théâtre. Qu'est-ce qui m'avait pris d'imaginer que je l'avais, à présent, leur talent ? Quand j'ai démarré au cinéma et que ça n'a pas trop mal marché pour moi, je me suis dit que c'était à cause de la gueule que j'avais. Et je me le dis toujours. Talent ou pas talent, sans ma gueule, je n'aurais pas fait la carrière que j'ai faite, j'en suis sûr. Mais, au théâtre, la gueule ça suffit pas. Je le savais, mais je l'avais oublié jusqu'au soir de la générale.

Après avoir entr'aperçu les mecs dans la salle, qui avaient l'air de m'attendre comme au coin d'un bois, j'ai regagné ma loge les cannes tristes et flageolantes. Je me suis dit : “ Mon pote, t’as fait la plus grosse connerie de ta vie de t’être embarqué dans cette galère ! ”

L’angoisse, la trouille, le trac, appelez ça comme vous voudrez, m’a pris d’un seul coup d’un seul. J’ai pensé : “ Il te reste plus qu’à bidonner pour t’en sortir : tombe malade, tout de suite, là, et fais-toi embarquer à l’hosto ! Ou fous le camp n’importe où, mais surtout n’y va pas, ils vont te flinguer ! ”

On a frappé à ma porte, et j’ai entendu comme dans un brouillard la voix du régisseur me crier : “ Ça va être à vous dans cinq minutes, monsieur Gabin ! ”

“ Gabin ! ” C’est drôle, ce nom m’a fait repenser à mon père et me souvenir que c’était à cause de lui que j’avais accepté de jouer cette putain de pièce. J’ai regardé la photo de mon vieux que j’avais mise dans ma loge et je me suis dit : “ Il aurait tant voulu être à ma place ce soir, et qu’on lui dise : Monsieur Gabin, ça va être à vous dans cinq minutes, et entrer en scène pour jouer du Bernstein. Il y serait pas allé, il aurait cavalé ! ”

Alors, j’ai pas pensé à un truc du genre : “ Il va être fier de moi ”, mais plutôt “ je vais te venger, je vais t’offrir ton rêve, mon vieux père. Ton bon à nib de fils va jouer pour toi, rien que pour toi ! ”

Je sais que ça peut paraître con qu’un type, à l’âge que j’avais, gamberge un truc comme ça, mais heureusement que je l’ai fait, sans ça, j’aurais pas pu entrer en scène, moi.

J’y suis allé, la trouille au ventre, comme un gars qui entre dans une cage aux fauves sans avoir son certif de dompteur. Ça m’a aussi rappelé le bombing de l’*Elorn* au cap Ténès, mais, cette fois, c’était pas Bogart que j’avais dans la tronche, mais mon père. J’ai pensé qu’à lui, à rien d’autre. J’ai pas vu la salle, j’ai rien vu. Quelques minutes avant, dans ma loge, je savais plus une broque de mon texte, mais tout m’est revenu d’un coup. Je suis jamais allé au souffleur. J’ai joué toute la pièce dans un état second. Il paraît que ça a marché... »

Ça a même été un triomphe. Pour tout le monde, sans doute, mais pour Jean surtout. Et c’était bien vrai qu’ils étaient venus le voir se faire dévorer. Mais c’est lui qui les a eus.

La pièce elle-même fut loin de faire l’unanimité dans la presse. Certains la trouvaient démodée, snob et bourgeoise, d’autres immorale, mais les trois comédiens en général, et Jean en particulier, furent extrêmement louangés.

« La sobriété, la justesse, l’intensité, la vérité (et celle-là non point servile mais transcendée), M. Gabin a tout. On attendait un acteur et l'on trouve un homme, un artiste et l'on trouve un maître », écrivait Francis Ambrière dans *Opéra*.

On pourrait citer dix autres témoignages du même cru. Ils expriment tous, à travers les compliments, l'étonnement qu'a suscité la performance de Jean. Cet étonnement aurait été encore plus grand si les critiques étaient allés revoir la pièce six mois ou un an plus tard : cas peut-être unique dans les annales du théâtre, Jean jouait toujours de la même façon, avec la même rigueur, la même intensité d'émotion qu'au soir de la générale.

« C'est que je savais pas faire autrement ! racontait Jean, se souvenant que son personnage, Jean Galone, victime d'une crise cardiaque, s'écroulait chaque soir lourdement sur le plancher de la scène. Je me faisais mal et j'avais le corps couvert de bleus. Dauphin, en vieux routier du théâtre, me conseillait de tricher, de me retenir mais je pouvais pas. Je me serais cru moins bon. De même certains soirs, Claude me disait en pleine scène, entre deux répliques, et à mi-voix : " Laisse courir un peu, ' ils ' sont mauvais ce soir, pas la peine de s'épuiser. " Moi, toujours pareil, j'aurais bien voulu faire comme lui, " lever le pied ", mais ça m'était impossible, je me défonçais, même devant une salle " nase ".

Un soir, Madeleine est entrée en scène pas en forme. Elle s'est approchée de moi et m'a glissé à l'oreille :

— Écoute, Jean, je ne me sens pas bien. Alors, tu vas être gentil, je vais sortir et tu vas m'excuser auprès du public.

Sur le coup, j'ai cru qu'elle blaguait, parce que ces deux-là, ils en connaissaient un drôle de bout des choses du théâtre, et n'étaient pas à une plaisanterie près. Mais pas du tout ! Madeleine voulait vraiment quitter la scène.

Alors je l'ai empoignée et serrée contre moi, et je lui ai dit à mi-voix, mais furieusement : " Fais pas le con, tu restes, et tu joues ! "

Elle est restée et elle a joué, mais c'était évidemment pas la gloire. Elle sautait carrément ses répliques et prenait les miennes. Moi, j'étais pommé dans ce cirque, et je savais plus à quoi me raccrocher.

Dans son coin, Dauphin se fendait la pipe. Lui, dans ce cas-là, il se serait arrangé avec tout ça, et le public n'y aurait vu que du feu ; moi, je restais en pleine panouille. J'ai jamais su ni aimé improviser. Je suis un type d'instinct mais j'ai besoin de fonctionner sur du solide. Et puis, je peux le dire en espérant que ça ne fera pas trop de peine ni à Madeleine ni à Claude, mais je trouvais pas cette manière d'agir tout à fait honnête vis-à-vis des spectateurs. Même quand ils étaient " pas bons ", ils avaient payé leurs places.

Dauphin et Robinson arrivaient là chaque soir comme s'ils allaient à une soirée mondaine. Ils avaient sûrement le talent pour ça. Moi, chaque soir j'allais au charbon. C'était le bagne, je suais sang et eau, et chaque soir, en plus, je me payais un trac fou qui me tordait les boyaux.

J'ai joué la pièce dans cet état pendant plus d'un an. Alors, vous comprenez pourquoi, moi, le théâtre, faut plus m'en parler. Mais, attention, j'ai pas regretté cette expérience, j'ai même été content de la faire, pour toutes sortes de raisons, pour mon père, je l'ai dit, mais aussi parce que je me suis prouvé à moi-même que je n'étais pas seulement une " bête de cinéma ", comme " ils " disaient. Après *La soif*, j'aurais pu décider de poursuivre une carrière au théâtre, mais j'y souffrais trop. C'était pas vraiment mon truc. »

Le plus stupéfait de la performance de Jean avait sans doute été Henri Bernstein lui-même. En jouant la carte Gabin, il avait, au départ, surtout visé à faire un « coup », se disant que, même si Jean ne se montrait pas à la hauteur, ses débuts au théâtre susciteraient, dans tous les sens possibles, y compris négatifs, suffisamment d'intérêt pour assurer le succès public de la pièce. D'une certaine manière, le vieux dramaturge ne s'était pas trompé, mais il n'avait pas imaginé que son « coup » se transformerait en « coup d'éclat » pour Jean, dont la présence a littéralement dévoré la pièce et ses partenaires. Dauphin a d'ailleurs abandonné au bout de six mois, et on a prétendu que c'était parce qu'il ne supportait plus que Jean « ramasse tout ». En réalité, ses raisons étaient d'un ordre personnel, mais la manière dont la presse d'alors a évoqué cet incident démontre bien qu'on était sensible à la totale emprise de Jean sur la pièce.

En signe de reconnaissance, Henri Bernstein fit cadeau à Jean d'une superbe montre-bracelet de chez Boucheron où il fit graver cette inscription :

« À JEAN GABIN ET À JEAN GALONE. H. Bernstein ».

Jean la porta pendant quelque temps, mais il finit par préférer les montres à gousset, et la donna à Dominique qui l'a toujours à son poignet.

Dominique ! Elle a surgi dans la vie de Jean alors qu'il en était aux dernières répétitions de *La soif*, quelques jours avant la générale, c'était à la fin janvier 1949.

Rien qu'en raison de la place qu'elle prit dès lors dans son existence, Jean n'aurait jamais dû appeler ces années-là sa « période grise », même s'il faisait ainsi plus précisément allusion à sa situation professionnelle. Car, avec l'entrée de Dominique dans sa vie, ce fut en réalité une « période de bonheur » qui commençait pour Jean, la première peut-être qu'il ait jamais connue. Il existe donc une anomalie à raconter leur rencontre et leurs premières années ensemble dans ce chapitre, mais ce n'est pas moi qui en ai décidé ainsi, mais Jean lui-même ou, plus exactement, cet enchevêtrement d'événements complètement contradictoires qui marquèrent cette période et qui le vit s'interroger anxieusement sur son métier et, dans le même temps, être au comble de ce bonheur qu'il avait enfin trouvé auprès de Dominique.

Elle avait trente et un ans quand elle a rencontré Jean. C'était une grande jeune femme mince, d'une élégance naturelle et très belle. Ses yeux clairs surmontés d'un filet de sourcils, et ses cheveux blonds encadrant un visage aux pommettes légèrement saillantes auraient pu la faire ressembler à un modèle de Modigliani si celui-ci n'avait pas peint plus particulièrement des brunes aux yeux sombres et attristés. Dominique était timide et rougissait facilement, mais elle était aussi intelligente et lucide, et savait parfaitement qu'elle plaisait.

— Qui est cette fille ? demanda Jean à son ami Frédéric Sanet, en découvrant Dominique pour la première fois.

C'était le 28 janvier 1949, au Colony-Club, 15 rue Lamennais, aujourd'hui restaurant Taillevent. Maxim's, fermé pour travaux, y avait transplanté provisoirement ses pénates. Ce soir-là s'y déroulait une brillante réception, et parmi les invités il y avait notamment Jean-Pierre Aumont, Maria Montez, Lespinasse — de Banania. Jean était avec un ami, Maurice Olivier. Frédéric Sanet, qu'on appelait Fred, était directeur de Lancia et y était venu accompagné de Dominique. Ils s'étaient connus l'été précédent à Deauville, et étaient devenus des amis.

Au moment de quitter le Colony-Club, Sanet alla saluer Jean, tandis que Dominique bavardait un instant avec les occupants d'une autre table.

— C'est une amie, elle est mannequin chez Lanvin. Elle s'appelle Dominique, précisa Sanet, en réponse à la question que lui avait posée Jean, qui se contenta, ce jour-là, de suivre d'un regard intéressé et admiratif la sortie de Dominique.

Dominique, comme tout le monde l'appelle encore, était en réalité le nom qu'on lui avait donné quand elle était entrée comme mannequin chez Lanvin. Son état civil porte, lui, les prénoms Marcelle, Christiane, Mary et son patronyme de jeune fille est Fournier. Elle est née à Saint-Etienne le 31 décembre 1917, mais par plaisanterie, et pour que son anniversaire soit célébré avec le nouvel an, son père la déclara officiellement née le 1er janvier 1918[9].

Elle aurait dû naître à Vichy où ses parents vivaient, mais sa mère avait voulu aller accoucher à Saint-Etienne dans sa famille. Chez elle, à Vichy, où elle vécut jusqu'en 1944, on l'appellera toujours Christiane. Son père, qui était fils unique, fut atteint de tuberculose à dix-huit ans.

Il fut soigné et choyé par sa famille mais, de santé fragile, il s'éteignit en 1921. Dominique avait trois ans. Sa mère était couturière à domicile. Dominique avait un frère aîné qui est décédé en 1957, et sa mère est également morte en 1986.

D'un premier amour — « une erreur de jeunesse », dit-elle — Dominique a eu un fils, Jacques dit Jacky, né en 1940, aujourd'hui marié et père de famille.

Quand elle débarqua à Paris avec Jacky, Dominique avait vingt-six ans, et aucun métier. Elle entra à l'école de coiffure Antoine, rue Cambon, pour y apprendre celui de manucure-esthéticienne.

Elle trouva son premier emploi chez Gervais, un coiffeur de la rue Bassano où elle avait notamment comme cliente attitrée la couturière et parfumeuse Nina Ricci. Celle-ci, observatrice, lui conseilla de devenir mannequin et la fit entrer chez Hermès où elle resta un an avant d'être engagée par la maison Lanvin.

Comme on était frappé par une certaine ressemblance qu'elle avait avec Marlène Dietrich, il y avait souvent, chez Lanvin, une robe nommée *Marlène* qu'on lui faisait porter lors des présentations de collection.

Pour Lanvin, elle fit un jour des photos destinées à *Harper-Bazar*. Miss Snow, directrice à Paris du célèbre magazine, lui proposa de devenir cover-girl, mais la maison Lanvin la menaça de se séparer d'elle si elle acceptait l'offre de *Harper-Bazar*. Dominique choisit la sécurité, et resta mannequin.

Car Dominique était très satisfaite de sa vie. Elle gagnait assez d'argent pour élever convenablement Jacky, voyageait souvent, portait des toilettes élégantes, et s'était fait des relations amicales dans des milieux brillants. Elle aimait aussi son indépendance, et ne songeait nullement alors au mariage, car, à trente ans, elle ne voulait pas commettre une seconde erreur.

En cette fin janvier 1949, elle était dans l'impatience d'un voyage qui devait l'amener, début mars, à visiter l'Espagne et le Maroc pour y présenter la collection Lanvin dont elle était devenue un des mannequins-vedettes.

C'est alors que son ami Fred Sanet l'appela pour l'inviter à cette réception du Colony-Club où elle ne prêta guère attention à celui qui, pourtant, ce soir-là, la remarqua et qui s'appelait Jean Gabin. Ce n'était d'ailleurs pas, alors, son acteur préféré. Jean Gabin, elle l'admirait « sans plus », comme elle le dit aujourd'hui en riant.

Ses passions de jeune fille avaient été Pierre-Richard Willm, Pierre Blanchar et Jean Murat.

— Les mauvais, quoi ! laissa tomber Jean, mi-plaisant, mi-sérieux, car Blanchar et Murat étaient de ses amis, le jour où Dominique lui révéla ses goûts.

Il faut croire que le souvenir de cette Dominique entrevue au Colony-Club lui était profondément resté, car, malgré les préoccupations que lui donnait la générale de *La soif*, Jean téléphona le lendemain à son ami Sanet.

— J'aimerais bien revoir la fille avec laquelle tu étais l'autre soir, dit Jean.

— Dominique ? C'est très simple, je te donne son téléphone, tu l'appelles.

— Non, s'empressa de répondre Jean, dont l'audace, avec l'âge et en cette matière, se trouvait toujours tempérée par sa timidité et une certaine prudence. Toi, appelle-la, et si elle est d'accord pour me voir, arrange un rendez-vous au Colony-Club en fin de journée.

— Pourquoi pas ? répondit Dominique amusée, et aussi un peu curieuse, quand Sanet lui fit part de la demande timorée de Jean.

Elle se sentait d'autant plus à l'aise d'aller à ce rendez-vous que Fred lui avait promis d'être là pour la présenter à Jean.

Bientôt 17 heures, ce 1er février 1949...

A une table du Colony-Club, Dominique s'impatientait. Sanet n'était pas encore arrivé, et l'heure approchait où elle verrait certainement entrer Jean Gabin et devrait se présenter elle-même. Un peu agacée, elle monta un instant aux toilettes pour s'examiner dans un miroir. Une habitude machinale de mannequin, mais peut-être aussi, ce jour-là, un peu de coquetterie et le besoin de se calmer.

Elle redescendit et aperçut Jean, installé à une table, qui bavardait avec Claude Dauphin. Par courtoisie, par timidité aussi peut-être, il avait pris soin de ne pas venir seul.

Sur les dernières marches de l'escalier, Dominique n'hésita pas trop. Il aurait été en effet ridicule de sa part qu'elle regagnât sa table. Alors, elle alla droit vers Jean.

— Bonsoir. Je crois que nous attendons tous deux Sanet, et il n'est pas là.

Jean se leva aussitôt pour la saluer.

— Comment ça, il est pas là ?

Il la présenta à Dauphin, qui s'esquiva rapidement. Sanet ne vint pas. Jean et Dominique restèrent seuls et prirent un verre. Ils bavardèrent simplement. Elle parlant de son métier, lui de la pièce qu'il allait jouer.

— Je vous dis pas de venir à la première, il y aura la famille, tout ça... Mais à la générale, si ça vous dit...

Dominique n'était pas libre ce soir-là.

— Alors, à la Couturière, c'est le 7 février.

— Entendu ! dit Dominique.

Ils se séparaient déjà, se disant au revoir. Une rencontre presque banale, en somme, comme il y en avait eu sans doute des milliers d'autres ce soir-là, à la même heure, dans Paris, entre un homme et une femme. Et ces deux-là, comme d'autres, se quittaient, peut-être déçus de s'être regardés de plus près, de s'être parlés, et par conséquent, chacun de son côté décidé éventuellement à ne plus revoir l'autre malgré la promesse échangée de se retrouver dans une semaine, le 7 février.

En réalité, dès cette première rencontre, quelque chose s'était passé entre Jean et Dominique. Outre sa beauté qui correspondait au genre de femme qui l'avait toujours attiré, il avait sans doute apprécié la simplicité de Dominique, senti sa nature nette et franche. Elle avait écouté Jean parler, surprise de découvrir un homme sensible et un peu timide, alors qu'elle s'attendait à rencontrer un acteur célèbre plein de cette assurance que ne pouvait manquer de lui procurer sa gloire. Et puis, au-delà du regard bleu de Jean posé sur elle, autre chose encore l'avait troublé.

« Ses cheveux blancs, se rappelle aujourd'hui Dominique avec un rire destiné à masquer un peu l'émotion que suscite encore en elle ce souvenir. Les cheveux blancs d'un homme m'ont toujours attirée et pour moi Jean avait les plus beaux du monde. »

Alors, elle se rendit, le soir du 7 février, à la Couturière de *La soif*, aux Ambassadeurs.

Quand les trois coups retentirent et que le rideau se leva sur Jean, le torse musclé sous le pull gris sombre, un foulard débordant de son col de chemise ouvert, le visage presque ascétique faisant paraître plus argentée encore sa chevelure, Dominique sut qu'elle ne verrait plus jamais en lui l'acteur, mais l'homme.

« Jean était alors très beau, se souvient Dominique. Plus beau qu'il ne l'avait été quelques années auparavant dans ses films qui l'avaient rendu célèbre. Parce que d'une beauté plus mûre, plus mâle, avec des traits que la vie, la guerre, la peur avaient durcis. Une dureté qu'adoucissaient un sourire généreux et un regard bleu qui avait des éclats joyeux, presque enfantins, quand il était heureux.

C'était impossible pour une femme qui avait la chance de l'approcher de ne pas tomber amoureuse de cet homme-là. Pour cette première raison et puis, un peu plus tard, pour d'autres évidemment moins superficielles, plus profondes, et qu'il me donnait à découvrir lentement car, par pudeur, il dissimulait beaucoup de lui-même, j'ai été cette femme amoureuse. Pas seulement durant les premiers temps — c'était facile —, mais pendant toute notre vie ensemble, alors que pourtant les années passaient sur nous, nous modelaient autrement que ce que nous étions quand nous nous sommes connus, nous apportant aussi, bien sûr, leur cortège de chamailleries quotidiennes, parfois de disputes qui nous faisaient mal mais jamais très gravement, au point que je suis restée amoureuse de Jean jusqu'à la fin. »

Ce soir-là du 7 février 1949, le cœur de Dominique se mit à battre une première fois, quand à la fin du deuxième acte, lorsque, atteint d'une crise cardiaque — Jean Galone, bien sûr, mais elle avait oublié le personnage de la fiction pour ne voir que l'homme réel qui, déjà, l'attirait —, Jean ne se releva pas du divan sur lequel il était étendu, malgré les applaudissements qui montaient de la salle vers lui et qui l'incitaient à le faire. Géniale coquetterie d'acteur qui restait, le rideau tombant, dans la vérité de son personnage, prenant le risque de frustrer le public qui l'acclamait.

Dans la cohue parisienne des vrais et faux amis qui, un moment après, envahissaient sa loge, ce soir-là Jean ne vit sans doute que Dominique. C'est elle en tout cas qu'il entraînait dans sa fuite quelques minutes plus tard. Il l'emmena souper à *La calavados,* rue Pierre-Charron, un endroit qu'ils fréquenteront souvent par la suite, et dont ils aimaient à la fois les lumières tamisées qui rendaient les présences discrètes — celles de Pierre Fresnay et d'Yvonne Printemps à quelques tables de la leur, par exemple — et les airs joués par le pianiste que certains soirs Jean, Dominique et d'autres accompagnaient en chantant.

« Jean était épuisé alors par les efforts qu'exigeait son rôle dans la pièce de Bernstein, se rappelle Dominique. Il se donnait entièrement, et il arrivait même à se faire mal physiquement. Le trac épouvantable qu'il avait constamment en entrant en scène le rendait malade. Au baisser du rideau final, il était souvent livide, exténué en venant saluer au milieu de ses partenaires. C'était peut-être le moment de la soirée qui lui était le plus pénible. Sous les applaudissements, il restait raide, ne s'inclinait pas, même pas d'un mouvement de tête. Il pinçait les lèvres, au point qu'elles disparaissaient de son visage blême.

Notre premier soir, pas plus que les autres soirs qui suivirent, il ne me montra sa fatigue. Il était charmant, gai, et son rire entraînait le mien. Nous étions bien ensemble, et nous comprenions, sans en parler, qu'il allait naturellement se passer quelque chose entre nous. Moi, je pensais à une aventure plus ou moins brève dans le charme d'un moment. Pas un instant je n'ai imaginé ce qui allait arriver. Lui, si, peut-être. J'aurais dû le comprendre à la façon délicate qu'il avait de conduire nos rapports. Je sentais qu'il ne voulait rien brusquer entre nous, qu'il prenait son temps sans doute pour mieux m'observer et me découvrir.

Au lendemain de notre soirée à *La calavados,* à 17 heures précises, l'heure de notre premier rendez-vous au Colony-Club, il y avait à peine plus d'une semaine, Jean me fit envoyer des fleurs chez Lanvin. La première fois, je me souviens, c'était un bouquet de tulipes et de lilas. Cela a duré longtemps, chaque jour, à la même heure, les fleurs de Jean m'arrivaient. C'était toujours des bouquets de fleurs très simples, celles qu'il aimait, je le saurai plus tard. Quand nous avons vécu à la campagne des années après, il avait réservé une grande place pour les fleurs dans le jardin. Naturellement, c'était moi qui m'en occupais et, dans la maison, il y avait toujours des fleurs. Il avait alors beaucoup changé, pas seulement envers moi, envers tout, son regard sur les gens et les choses était devenu plus désabusé. Il donnait toujours l'impression, par son silence, de ne rien remarquer, mais j'étais sûre que, s'il m'était arrivé un jour d'oublier de fleurir la maison, il m'aurait dit : " Qu'est-ce qu'il se passe ? Pourquoi il y a pas de fleurs ? " Il lui arrivait quand même en rentrant certains jours de s'exclamer : " Oh ! Quel beau bouquet ! " Et il paraissait heureux. Alors, ça me payait pour les fois, plus nombreuses, où il ne disait rien. »

Désormais, chaque soir avant de se rendre au théâtre, Jean passait prendre Dominique chez Lanvin à l'angle du faubourg Saint-Honoré et de la rue Boissy-d'Anglas. Avec sa manie d'être à l'heure, il était chaque soir en avance, et se tenait discrètement sur un coin du trottoir, les mains enfoncées dans les poches de son imperméable mastic, col relevé, casquette enfoncée sur les yeux dissimulés par des lunettes noires. Jean a toujours cru qu'ainsi il échappait à la curiosité des gens. S'il s'était mis un écriteau dans le dos avec son nom JEAN GABIN, il n'aurait pas été, en fait, mieux identifié.

— Ton Jules est là et t'attend ! disaient en riant les collègues de Dominique.

Elle rejoignait Jean et ils allaient quelquefois dans un bistro de la rue Boissy-d'Anglas, *Chez André,* passer un moment avant de se rendre au théâtre. Il était tôt, et généralement les comédiens ne mangent pas avant d'entrer en scène, mais Jean aimait grignoter quelques toasts de caviar ou de saumon fumé en buvant un peu de vodka.

Après le théâtre, ils finissaient la soirée chez Carrère et là, Jean mangeait copieusement souvent des huîtres — que Dominique n'aime pas — ou des fruits de mer. Ils avaient l'un et l'autre passé l'âge de la jeunesse — Jean bien davantage que Dominique —, mais, dans ces instants-là, ils se sentaient seuls au monde comme tous les amoureux.

Jean, qui, dans les endroits publics, craignait tant les regards curieux posés sur lui, ne voyait personne d'autre que Dominique.

Alors, un soir, c'était le 19 février, précisément le jour de la Saint-Gabin — « je ne l'ai pas fait exprès », dit aujourd'hui Dominique en souriant —, ils sont entrés ensemble à l'hôtel Baltimore où Jean habitait.

« Je continuais de penser que je vivais une merveilleuse aventure sans me poser de questions sur sa durée. J'étais heureuse de la vivre, c'est tout. Et puis, très vite, Jean m'a dit qu'il voulait un enfant, un enfant de moi. Il m'a demandé, avec beaucoup de tendresse, d'émotion et de gravité, de ne rien faire pour ne pas en avoir.

J'étais troublée, mais en même temps je ne parvenais pas à prendre vraiment au sérieux cette volonté, ce désir qu'il avait de vouloir un enfant. C'était une chose à laquelle je ne m'attendais pas, et il me semblait que, brusquement, tout allait très vite.

Un soir, chez Carrère, il m'a dit :

— On met tout sur la table et on fait le tri !

Jean aimait les situations nettes. J'ai parlé de Jacky, bien sûr, qui avait neuf ans. Il m'a déconcertée par une question :

— Et les dettes ?

— Quelles dettes ? lui ai-je demandé.

— Tu dois d'argent nulle part, à personne ?

— Nulle part, à personne.

C'est lui qui avait l'air surpris à présent, et je comprenais que d'autres femmes avant moi avaient dû lui créer quelques problèmes à ce sujet. Moi, je n'avais pas de passif. Que mon fils Jacky, et celui-là je le revendiquais et j'y tenais. C'était à prendre avec moi ou il laissait le tout. Il a pris.

On a continué à faire le tri, comme il disait. Je me suis racontée. Lui aussi, mais je ne lui ai posé aucune question parce que ce qu'il y avait eu avant dans sa vie ne m'intéressait pas. Je ne vivais que pour l'instant présent, lui et moi, rien derrière. Aussi, ce soir-là, nous n'avons pas parlé de Marlène. Bien plus tard, il me dira avec encore un peu d'étonnement :

— Tu es la première qui ne m'aies pas parlé d'elle.

C'était vrai, je n'avais jamais prononcé son nom et c'est lui qui m'en a parlé le premier.

Quand je travaillais chez Hermès, on m'a dit qu'ils venaient souvent ensemble faire des achats, mais je ne les ai jamais vus. Je devais les apercevoir une fois dans le faubourg Saint-Honoré : ils roulaient dans une Canadienne décapotable, cette sorte de voiture en partie carrossée en bois. Jean conduisait et Marlène était à ses côtés. Ils avaient évidemment de l'allure, tous les deux.

Ce soir-là, chez Carrère, que Jean ne m'ait parlé ni de Marlène ni de Doriane ne m'a pas choqué. Ça le regardait. Il est resté envers moi comme envers tout le monde d'une grande discrétion sur les femmes qu'il a connues. De Doriane, il ne m'en a parlé que plus tard et il m'a dit seulement ce qu'il estimait que je devais savoir. »

Dans l'agenda de Dominique, la date du 3 mars était depuis longtemps soulignée. C'était celle de son départ pour un voyage en Espagne et au Maroc, où la maison Lanvin l'envoyait présenter sa collection. La veille, elle préparait ses valises.

— Reste ! Pars pas ! lui dit Jean soudainement.

L'idée qu'elle allait le quitter, ne serait-ce que quelques jours, deux semaines tout au plus, lui était devenue subitement insupportable.

— Mais c'est impossible. Il faut que je parte ! répondit Dominique.

— Non, tu pars pas. On va se marier.

Il a dit cela simplement, comme une chose qui aurait mûri en lui depuis quelque temps. Il n'attendait même pas de réponse de Dominique, un oui, un non, c'était une évidence pour lui. Il prit le téléphone et le présenta à Dominique.

— Appelle-les, et dis-leur que tu pars pas. Dis-leur aussi qu'ils ne comptent plus sur toi. T'as plus besoin de travailler, à présent.

Ne sachant plus très bien où elle en était, comme un automate, Dominique composa un numéro. Elle tremblait un peu. Jean lui prit la main. Pas facile d'expliquer qu'elle avait rencontré l'homme de sa vie et qu'il ne voulait plus se séparer d'elle.

A l'autre bout du fil, ce fut l'incompréhension, puis la colère. Quand elle raccrocha, Dominique venait de dire définitivement adieu à son métier de mannequin, mais Jean était là, qui lui souriait, avec, dans son regard bleu, ce petit éclat enfantin des instants heureux.

Ils se marièrent le 28 mars 1949, tout juste deux mois après leur premier rendez-vous au Colony-Club. Quelques jours auparavant, Dominique avait annoncé à Jean qu'elle attendait un enfant. Il était doublement heureux.

La cérémonie eut lieu à la mairie du XVIe arrondissement. Dominique avait pour témoin Fred Sanet, le responsable de leur rencontre, et Jean, André Bernheim et le dessinateur Don qui était un de ses vieux copains.

Ils dînèrent chez Maxim's en compagnie de quelques amis parmi lesquels Henri Bernstein, heureux que Jean ait choisi le jour de relâche des Ambassadeurs pour se marier, et Marcel Carné avec qui Jean s'était réconcilié, on verra pourquoi.

Naturellement, il y eut les plaisanteries d'usage : quand les mariés s'éclipsèrent de chez Maxim's pour filer seuls, un gros malin avait attaché une casserole à la voiture de Jean. Il dut s'arrêter en pleine place de la Concorde pour décrocher le bruyant objet, à la grande joie de la meute des photographes qui les poursuivaient.

— Ah ! Les cons ! disait Jean en riant.

Ils allèrent danser au *Florence,* puis, tard dans la nuit, rien ne coupant l'appétit à Jean, le bonheur encore moins que les jours moins heureux, il entraîna Dominique à *La cloche d'or,* un restaurant près de Pigalle, pour y manger une solide soupe à l'oignon.

Puis ils rentrèrent « chez eux », à l'hôtel Baltimore, et, alors que Paris commençait à s'éveiller, ils allaient vivre, au comble du bonheur, leur première nuit d'époux.

Dominique lisait peu les journaux à cette époque. Ce n'était pas le cas de Jean qui voyait s'étaler, à la une de certains, les interviews incendiaires de son ex-femme Doriane qui, le connaissant, savait sans doute que la pression publique qu'elle faisait peser sur lui le sensibiliserait davantage maintenant qu'il était marié.

De cour d'appel en Cour de cassation, Doriane voyait sa requête pour obtenir la moitié des biens de Jean repoussée malgré qu'ils aient été mariés sous le régime de la communauté.

En laissant de côté l'opinion que l'on pouvait avoir sur Doriane, son comportement très discutable, et sans parler non plus qu'à l'évidence Jean avait contribué pour plus que l'essentiel à l'existence du patrimoine du couple, au pied de la lettre de la loi il pouvait parfaitement apparaître à un esprit objectif que Doriane était victime d'une injustice.

Certes, elle était probablement mal conseillée, et la haine dont elle poursuivait Jean lui faisait commettre personnellement des erreurs. A vouloir trop prouver, et au-delà même du raisonnable, exagérant son rôle dans l'évolution de la carrière de Jean, par exemple, certaines de ses assertions se retournaient contre elle. Mais on peut aussi se demander, sans mettre fondamentalement en cause l'objectivité des différents juges qui tranchèrent cette affaire, si Doriane n'était pas, peut-être, en tout premier lieu, victime de la personnalité de Jean. Pas seulement de la renommée du comédien, mais surtout, dans ces années d'immédiate après-guerre, de l'engagé volontaire Jean Moncorgé, médaillé militaire, à l'attitude morale exemplaire.

Quoi qu'il en soit, Jean était las des attaques de Doriane. Il voulait qu'elles cessent, et il comprit qu'il ne disposait que d'un moyen pour cela : accorder lui-même à Doriane ce qu'elle n'avait pu obtenir des tribunaux. Il s'était marié, Dominique attendait un enfant, il avait ce qu'il avait voulu tous ces derniers temps avec obstination, il entendait donc vivre en paix et faire table rase de son passé.

A l'exception de l'affaire des garages de la porte d'Orléans, dans laquelle il avait un associé à parts égales, et de sa ferme de Digny près de Dreux qu'il venait d'acheter — soixante-dix hectares de culture qu'il exploitait lui-même —, il décida de vendre tous ses biens : sa propriété de Sainte-Gemme, son terrain rue Charles-Laffitte, l'immeuble de la rue Maspéro dans lequel il avait son appartement.

Personne n'a jamais connu le montant de la somme — on a parlé de plusieurs dizaines de millions de l'époque — que Jean régla à Doriane. Pas même Dominique qu'il n'avait surtout pas voulu mêler à cette affaire et qui n'en a perçu que quelques échos confus des années plus tard, lorsque, dans ses jours de mauvaise humeur, la rancœur de Jean envers Doriane resurgissait du plus profond de lui-même, en raison de ce qu'elle l'avait obligé à faire.

Il avait alors oublié que c'était à ce prix qu'il avait acquis sa tranquillité.

Cette tranquillité, en cette année 1949, Jean ne devait cependan pas encore l'obtenir complètement après avoir réglé le problème Doriane. Aucun rapport entre les deux, naturellement, mais il restait, d'une certaine manière, le problème Marlène.

Pour lui, il n'existait pratiquement plus depuis deux ans, depuis le moment où il avait exigé de Marlène qu'elle choisisse entre sa vie aux États-Unis ou sa vie à Paris avec lui. On sait que pour Marlène rien n'avait été réglé par ce diktat. Elle espérait toujours que Jean finirait par céder et qu'ils reprendraient une vie commune entrecoupée, comme par le passé, de séparations professionnelles.

Marlène n'avait évidemment pas ignoré l'idylle de Jean avec Colette Mars, mais elle ne s'en était pas vraiment formalisée, ne croyant probablement pas qu'elle puisse durer. Par contre, le mariage de Jean, sa soudaineté, l'avait bouleversée et elle était aussitôt revenue à Paris, désirant le voir, lui parler et avoir avec lui une explication.

« Jean était ennemi des explications dans ce domaine, raconte Dominique. Il avait le plus grand souci des situations nettes dans tous les autres aspects des rapports humains, mais se refusait à donner des explications dans une rupture amoureuse ou même amicale.

A l'égard de Marlène, j'ai toujours considéré qu'il avait eu tort. Je le lui ai dit. Malgré que tout fût terminé entre eux depuis longtemps, j'aurais de beaucoup préféré quant à moi qu'il accepte de la voir et qu'il s'explique une dernière fois avec elle. Je n'ai pas pu le convaincre. Pour Jean, ce qui était fini de son point de vue était fini et il n'y avait pas à revenir là-dessus. Il a donc laissé les choses en l'état et cela n'a été, pendant un moment, agréable pour personne. »

Il est peu probable que Marlène reprochait à Jean son mariage. Elle n'ignorait pas le désir obstiné de Jean de fonder une famille, d'avoir des enfants, ce qu'elle ne pouvait lui donner. Elle l'aimait assez et elle avait surtout une trop grande liberté d'esprit, sans parler de son intelligence, pour ne pas accepter qu'il connaisse le bonheur avec une autre. Ce qu'elle ne supportait pas en revanche, c'était que Jean ait aussi décidé de rompre leur amitié et ces rapports d'estime et d'affection qui les avaient unis et que, selon elle, rien ne justifiait qu'ils soient brisés par ce mariage.

Marlène avait en effet conservé des relations amicales très fortes avec la plupart des hommes dont elle avait un moment partagé la vie. Et Jean, qui était un de ceux qui avaient le plus compté, lui échappait et la fuyait. C'était très douloureux pour elle.

D'après certains témoignages, il n'est pas invraisemblable de penser que le désir profond de Marlène aurait été que Jean lui présentât Dominique dont elle se serait évertuée à devenir l'amie. De même, elle aurait souhaité connaître les enfants de Jean, pouvoir les aimer et s'en faire aimer, être admise en somme à l'égale d'une parente dans l'intimité de sa famille.

C'était très précisément ce à quoi Jean était fermement opposé. Il n'avait pas vécu avec Marlène sans connaître son caractère et, à cet égard, son état d'esprit. En conséquence, il redoutait qu'une rupture douce qui sauvegarderait leur amitié n'ouvre en fait à Marlène les portes de sa nouvelle famille. A l'inverse, il comptait bien que la rupture brutale, sans explication, qu'il avait opérée et qui, pour une fois, ne lui donnait pas le beau rôle — Jean n'avait en effet rien à reprocher à Marlène et en a toujours convenu — aurait l'avantage d'exclure totalement et définitivement Marlène de sa nouvelle vie.

Cette seconde solution choisie en connaissance de cause correspondait également à son tempérament et aussi, en définitive, à son goût des situations nettes. Elle était cruelle et même injuste pour Marlène, mais l'excuse qu'il pouvait faire valoir était qu'il n'avait alors qu'une seule et exclusive préoccupation : Dominique et les enfants qu'il attendait qu'elle lui donne.

Sans doute Jean n'avait pas imaginé qu'à son attitude rigoureusement fermée Marlène, profondément blessée, répondrait par une démarche passionnelle qu'elle mena longuement, des années durant, presque jusqu'à l'obsession, afin de renouer au moins amicalement avec lui. Longtemps, en effet, elle cherchera à le revoir, lui faisant parvenir des messages par l'intermédiaire d'amis communs. Aucune menace, bien entendu, dans ces appels de Marlène, simplement ce désir fou, pathétique, qu'elle avait de vouloir parler à Jean.

Un jour, des années pourtant s'étaient déjà écoulées, Jean et Dominique entrèrent chez un antiquaire. Marlène arriva presque sur leurs talons. Les suivait-elle ? Jean eut alors une attitude insensée : il poussa Dominique à l'écart, se précipita vers Marlène et, furieux, il exigea qu'elle sorte immédiatement. Marlène obéit et disparut sans un mot.

Dans sa biographie de Marlène Dietrich, Charles Higham [10] rapporte ce témoignage de Jean Marais :

« Elle était toujours amoureuse de Gabin, même en 1954 et 1955. Il habitait rue François-Ier près de chez Dior, et elle dans son appartement de l'avenue Montaigne tout à côté. Elle me demandait de l'accompagner pour aller s'asseoir à la terrasse d'un café en face de son immeuble dans l'espoir de l'apercevoir, ne fût-ce qu'une seconde, au moment où il sortirait.

Nous restions là des heures et des heures, parfois des journées entières. Il était marié et il ne pouvait être question pour eux de recommencer à sortir ensemble.

Dans sa solitude, pleine de nostalgie, Marlène me traînait voir tous les films de Jean Gabin. Nous les regardions plusieurs fois de suite, elle riait ou s'exclamait, elle faisait des commentaires sur certains de ses gestes, sur des scènes qui lui rappelaient leur histoire d'amour (...) Tout était dit avec la plus grande tendresse, l'affection la plus sincère. »

A la fin de 1976, quand elle apprit la mort de Jean, Marlène téléphona à Marcel Dalio et lui dit :

— Je suis veuve pour la seconde fois.

Son mari Rudi Sieberg était décédé quelques mois auparavant.

Marlène a dit de Jean dans ses Mémoires publiés en 1984 [5] qu'il était « un être idéal tel qu'il apparaît dans nos rêves ». Et elle a aussi avoué : « Mon amour pour lui resta fort, indéfectible. »

A l'âme exaltée, profondément allemande de Marlène, on aurait tort de ne pas ajouter une réelle et profonde générosité de cœur. Mais, comme elle le dit elle-même, il lui a toujours été difficile de faire croire à sa sincérité : « Sans doute par ma faute ou par celle de mon image », ajoute-t-elle avec une amère lucidité.

Bien qu'il continuât de jouer tous les soirs au théâtre, Jean n'oubliait pas le cinéma. Il avait acheté les droits d'un roman de

Georges Simenon *La Marie du port.* Il tournera dix films [11] adaptés de l'œuvre de cet auteur qu'il appréciait particulièrement pour la qualité de ses personnages, les atmosphères et les lieux dans lesquels il situait ses récits.

Jean trouva un producteur, renommé à l'époque, qui était Sacha Gordine, mais n'avait pas de metteur en scène. Finalement, il demanda Marcel Carné. Gordine fit la moue. Depuis l'échec des *Portes de la nuit,* Carné avait tenté de monter plusieurs projets, en vain. On se méfiait de lui.

— Je croyais que vous étiez fâchés ? essaya d'argumenter Gordine.

— Justement, ça sera une occasion pour qu'on le soit plus ! rétorqua Jean qui, sans prendre sur lui l'entière responsabilité de ce qui était arrivé au moment des *Portes,* n'en trouvait pas moins injuste la situation que les producteurs faisaient depuis au metteur en scène.

« Tout d'abord, je me récriai, écrit Marcel Carné dans ses Mémoires [3]. Le souvenir du croc-en-jambe des *Portes de la nuit* était encore trop récent pour que je n'en aie pas gardé une certaine amertume... »

Et après avoir évoqué le « fichu caractère » de Jean, admettant cependant qu'il est « un des grands bonshommes du cinéma français », Carné écrit froidement cette phrase... désarmante :

« Le talent m'a toujours désarmé, même si celui à qui la providence l'a octroyé ne fait guère montre de grandes qualités humaines, alors qu'il devrait s'estimer privilégié et se conduire comme tel... D'ailleurs, quelles qu'aient été la gravité de son acte et les conséquences désastreuses qui en avaient résulté pour moi, ce n'était, malgré tout, pas entièrement la faute de Gabin... C'est dire que je l'avais absous... »

En fonction de quoi, Carné accepta la proposition que lui faisait Jean de tourner son premier film depuis trois ans.

Il y avait pourtant quelqu'un qui n'avait pas « absous » Gabin et qui, moins « magnanime » que Carné, lui avait fait un procès pour rupture abusive de contrat et l'avait finalement gagné, c'était la société Pathé. L'ironie de la chose fut que Jean dut payer son dédit à Pathé en plein tournage de *La Marie du port.*

Montrant à Carné le chèque de trois millions de francs* qu'il venait de signer, il dit :

« Vise un peu ce que me coûtent tes conneries ! »

Ce qui étonna le plus Marcel Carné, c'est qu'il n'en profita pas pour « piquer une gueulante » et qu'il se contenta de sourire. Cela tenait

* En équivalence monétaire : 318 000 francs de 1985.

au fait que Jean était heureux au temps de *La Marie du port,* dont on tournait les extérieurs à Cherbourg pendant le mois de relâche d'été du théâtre des Ambassadeurs. Il avait en effet Dominique à ses côtés, qui tricotait sagement des layettes, et il pouvait contrôler d'un œil attendri son ventre prendre chaque jour un peu plus d'ampleur. C'était son enfant que Dominique portait, et rien ne pouvait donc alors, même la perte de procès contre Pathé, venir contrarier la bonne humeur et le bonheur de Jean.

De ce fait, le tournage du film se déroula dans une excellente ambiance, et Marcel Carné ne réussit même pas à mettre Jean de mauvaise humeur le jour où il lui demanda, pour les besoins d'une scène, d'émettre un rire « satanique ».

— Écoute, dit Jean à Carné avec humour, je peux te faire un rire « à la Gabin », mais « satanique », ça, je peux pas. Moi j'ai jamais su comment Satan rigolait.

Mais Carné tenait malgré tout à son rire « satanique ».

Alors Jean :

— Bon, d'accord, dans ce cas, montre-moi comment il fait !

Du coup, Carné préféra ne pas insister et se contenta d'un rire « à la Gabin ».

A propos de ce dédit qu'il paya à Pathé en 1949, Jean devait savourer sept ans plus tard une douce revanche. Il tournait *Les misérables,* que Pathé produisait avec la société Defa de Berlin-Est, dans les studios de celle-ci.

Pour des raisons diverses, le tournage prit un retard considérable. On n'en était qu'à la moitié du film lorsque le contrat que Jean avait signé avec Pathé pour le nombre de semaines initialement prévu allait toucher à sa fin. Jean s'inquiétait régulièrement de cette situation auprès du représentant de Pathé, le charmant Paul Cadéac, qui, invariablement, lui répondait :

— C'est pas ça qui m'inquiète...

Racontant cette histoire qui le faisait bien rire après coup, Jean disait :

— On était en pleine Berezina, le coût du film était en train de doubler, mon contrat se terminait, alors qu'il restait encore plusieurs semaines de tournage, et l'autre n'arrêtait pas de répéter : « C'est pas ça qui m'inquiète » ! Ben, j'ai jamais su au juste ce qui l'inquiétait réellement, ce brave Cadéac, mais ce que je sais, c'est qu'au jour J, mon contrat terminé, j'ai « baissé le compteur ».

« Baisser le compteur » était une expression que Jean prononçait avec jubilation. En même temps, d'un air entendu, il faisait le geste du chauffeur de taxi qui baisse son compteur. Ça l'amusait d'en parler, mais en fait il n'aimait pas tellement se trouver dans cette situation, car cela signifiait que le tournage du film avait pris du retard sur le plan de travail prévu, et, quand bien même il n'y était pour rien, il avait toujours peur, ne serait-ce par un quelconque écho dans la presse, qu'on lui en fasse éventuellement supporter la responsabilité. D'autre part, il aimait se sentir solidaire de la bonne marche générale d'un film.

Un acteur de son importance signe généralement un contrat pour une somme globale et pour une durée de semaines de travail calculée en fonction du temps initialement prévu pour la réalisation du film. Si, pour une raison ou une autre, un dépassement intervient, une clause du contrat prévoit qu'un cachet, dont le montant est fixé à l'avance, sera versé à l'acteur sur la base de chaque journée supplémentaire de tournage.

Dans le cas d'un Jean Gabin, la somme devait être assez importante. Le plus fréquemment, le dépassement n'excède guère quelques jours, parfois même un seul jour. Pour *Les misérables*, le dépassement hors contrat, concernant Jean, fut de plusieurs dizaines de jours.

« Je leur ai pas fait de cadeau, exultait Jean en se souvenant de cette histoire. Pathé m'a payé le dépassement au cacheton journalier, et ça leur a coûté un maxi ! Même en tenant compte de la dévaluation, le carbure qu'ils m'avaient piqué pour *Les portes de la nuit*, je me le suis remboursé au centuple ! »

A ma connaissance, c'est une des rares fois — mais son importance était tout à fait exceptionnelle — que Jean s'était trouvé dans la situation de « baisser le compteur ». Généralement, et surtout quand il avait le film « sur les endosses », comme il disait — autrement dit lorsqu'il en portait moralement la responsabilité —, il ne souhaitait pas que ça arrive, même si ça lui faisait un peu plus de « carbure in the pocket » et cela pour les raisons que j'ai indiquées mais aussi parce qu'à la fin d'un film il était fatigué et en avait un peu marre, et qu'il était surtout pressé de « rentrer dans ses terres », de retrouver sa famille et de s'occuper de ses bovins ou de ses chevaux.

Après les extérieurs à Cherbourg, le tournage de *La Marie du port* se poursuivit aux studios de Joinville. Jean avait repris *La soif* aux Ambassadeurs, dont le succès ne faiblissait pas. Il menait une vie infernale. Il arrivait au studio vers 11 heures, tournait jusqu'à 20 heures, fonçait ensuite au théâtre pour entrer en scène à 21 heures. Après la représentation, phénomène d'excitation propre à tous les comédiens de théâtre, il ne parvenait pas à se coucher avant 2 heures du matin, et ne trouvait le sommeil que quelques instants avant de se relever pour partir tourner toute une nouvelle journée. Il était souvent pris de douleurs épouvantables à l'estomac et au ventre, tellement sa vie était déréglée.

Il vivait toujours à l'hôtel Baltimore, alors que Dominique allait accoucher. Ayant une maison à Versailles qu'il n'habitait pas, André Bernheim la loua à Jean et à Dominique, qui s'y installèrent. Jacky fut inscrit à l'école du Chesnay. Naturellement, Jean avait donné un surnom à son beau-fils, *le Frelon,* et ce n'était pas, pour une fois, ce qu'il avait trouvé de mieux. Encore qu'il ne fût pas certain qu'en faisant ce choix Jean ait réellement pensé à l'aspect péjoratif qu'il sous-entendait. En fait, Jacky avait alors une dizaine d'années et, comme tous les enfants de cet âge, il était très remuant et parlait beaucoup, autrement dit Jean, qui aimait le calme, trouvait que le garçon « bourdonnait » un peu trop autour de lui.

Le lundi 28 novembre 1949, à la clinique du Belvédère à Paris, Dominique donnait naissance à Florence. Pour le principe, Jean « renauda » un peu car il ne bénéficiait pas de la journée de repos exceptionnelle à laquelle il aurait eu droit en cette circonstance si la petite Florence n'était pas précisément née le jour de relâche du théâtre. En revanche, Henri Bernstein s'en félicita ironiquement. A la vérité, Jean était aux anges, l'enfant était belle, se portait comme un charme et la maman aussi.

Maman ! C'est tout naturellement ainsi que, dès lors, Jean appela Dominique.

« Ça ne m'a pas choquée, dit Dominique. J'étais effectivement maman, la maman de son enfant, et plus tard de ses autres enfants. Jean aimait ce mot et lui donnait toutes les intonations possibles. Par la suite, quand il lui arrivait de m'appeler Dominique, c'est qu'il était en " pétard " après moi. Marcelle, mon vrai prénom, c'était pour se moquer ou il avait envie de rigoler. Il m'a aussi donné des surnoms comme à tout le monde. J'ai été *la Grande, la Gisquette* et aussi *Ho !* »

La maison de Versailles avait des inconvénients. L'endroit n'était pas désagréable près des jardins et des serres du château, mais l'hiver, après le théâtre, il arrivait que Jean ne puisse rentrer en raison du brouillard ou du verglas. Il lui fallait alors aller coucher seul de nouveau au Baltimore, et il fulminait de vivre un jour sans voir Dominique et sa fille.

Il se décida finalement à acheter une maison, un hôtel particulier, rue Édouard-Nortier à Neuilly-sur-Seine. Il y fit pas mal de travaux et s'y installa fin février 1950 avec les siens plus la mère de Dominique, Mme Fournier, et sa tante Louise qui s'occupait de Florence.

Il y avait un grand jardin très agréable — les espaces verts, leur proximité, le grand air seront des éléments qui, désormais, obséderont Jean en pensant à la santé de ses enfants. Des pruniers, des pommiers l'agrémentaient, et Jean y fit planter des poiriers en espaliers et de superbes rosiers.

Il avait réservé un petit coin pour les fines herbes qu'il appréciait en cuisine, et réussit même à faire pousser des tomates.

Dans ce jardin, Jean et Dominique aimaient se promener.

« C'est dans cette maison, la première qui était à nous et que j'ai habitée avec Jean, dans ce jardin que j'ai réalisé vraiment que j'étais heureuse, que nous étions heureux, Jean et moi, se souvient Dominique. Je me disais : Eh bien, voilà, c'est ça, le bonheur, c'est aussi merveilleux et aussi simple que ça !

C'est pourtant à la même époque que j'ai entendu, pour la première fois, Jean dire cette expression : " Le drapeau noir flotte sur la marmite*. " Il voulait ainsi signifier que ses affaires n'allaient pas très bien et qu'il fallait que nous fassions attention à notre façon de vivre. Je n'ai jamais vraiment senti l'existence de ce " drapeau noir " sur notre maison. Jean exagérait beaucoup ses difficultés d'alors**. Nous menions une vie plus que correcte, compte tenu de son standing. C'est même l'époque de notre vie où nous sommes le plus sortis. Surtout lorsque Monique T. est entrée chez nous pour s'occuper de Florence, puis ensuite de mes deux autres enfants. Nous l'appelions Zelle, comme les enfants qui ne parvenaient pas, tout petits, à dire *Mademoiselle*. Zelle est restée avec nous pendant près de vingt ans.

Nous sortions donc : au restaurant, au cinéma, au théâtre, dans les boîtes, même au début que je fus enceinte de ma seconde fille Valérie, qui allait naître le 23 septembre 1952. Jean paraissait très gai, très détendu, malgré cette inquiétude qu'il avait concernant son métier.

— Si ça ne repartait pas pour moi ? s'interrogeait-il souvent.

Il ne pensait évidemment pas que " ça repartirait " pour lui, au point où cela s'est fait après 1955, au moment où il est redevenu une grande vedette. Il espérait au mieux que ça continuerait comme c'était alors, mais, des fois, il pensait aussi que ça pouvait s'arrêter complètement et ça le rendait inquiet.

— Qu'est-ce que je ferais si ça s'arrêtait ?... Moi, je ne sais rien faire d'autre ! me disait-il.

---

* Michel Audiard en fit le titre d'un de ses films qu'il réalisa en 1971 avec Jean Gabin.

** C'est l'époque où il acheva de vendre la plupart de ses biens pour payer à Doriane ce qu'elle réclamait.

La naissance de son anxiété, qu'il ne montrait pas trop à l'extérieur, est venue, je crois, à cette époque, et nous en étions sans doute en partie responsables, moi, les enfants, qu'il avait pourtant si fortement désirés. Il avait peur de ne pouvoir faire face à ses responsabilités envers nous. Bien entendu, je suis sûre qu'il y serait toujours parvenu, même si ça n'avait pas marché pour lui autant qu'il le voulait, mais il avait l'ambition de nous offrir beaucoup plus que l'ordinaire, surtout aux enfants. »

Jean, ayant terminé *La soif* en mars 1950, partit aussitôt en Italie tourner *Pour l'amour du ciel*, réalisé par Luigi Zampa d'après un scénario de Cesare Zavattini [12]. Inspiré d'une parabole de l'Évangile (« Il est plus facile à un chameau de passer par le trou d'une aiguille qu'à un riche de pénétrer dans le royaume des cieux »), le film était, d'une certaine manière, une sorte de démarquage — dans l'esprit du moins car il n'en avait pas le style poétique — de *Miracle à Milan* du même Zavattini, que De Sica avait réalisé l'année précédente.

Jean y jouait le rôle d'un riche industriel qui meurt dans un accident. Parvenu au ciel, on lui refuse l'entrée du paradis, car il n'a pas mené une vie d'honnête homme. On lui permet de revenir sur terre, disposant de douze heures pour réparer ses fautes. Il se démène sans compter mais ne réussit pas complètement dans son entreprise, se heurtant notamment à l'irascibilité d'un « mauvais pauvre ». Le délai écoulé, l'industriel, de nouveau mort, se présente devant ses juges qui l'acceptent quand même parmi les élus, ayant démontré sa bonne volonté.

Malgré ses qualités et son originalité, le film ne connut aucun succès en France.

En 1951 et 1952, Jean enchaînera pratiquement le tournage de sept films dont quatre méritent l'attention : *La nuit est mon royaume* (Georges Lacombe), *Le plaisir* (Max Ophüls), *La vérité sur bébé Donge* (Henri Decoin) et *La minute de vérité* (Jean Delannoy) [13].

Dans *La nuit est mon royaume* — un scénario aux ressorts trop conventionnels —, il jouait un mécanicien de locomotive qui, à la suite d'un accident, devient aveugle. Il s'y montrait d'une vérité bouleversante, et il obtint avec ce film le grand prix d'interprétation au festival de Venise 1951. Dans *Le plaisir* — merveilleux film —, il interprétait dans l'épisode de *La maison Tellier* un paysan normand de la fin du siècle dernier, émoustillé par les pensionnaires d'une maison close venues passer une journée à la campagne. Sa composition était drôle, et aussi pleine d'émotion. Il avait, pour la première fois, comme partenaire, Danielle Darrieux qu'il admirait et qu'il aimait beaucoup.

Dans *La vérité sur bébé Donge*, il retrouvait Danielle Darrieux, et dans le film suivant, *La minute de vérité,* Michèle Morgan. Deux films qui ne manquaient pas de qualités et firent, en outre, une excellente carrière.

C'est en fonction de ses deux prestigieuses partenaires qu'on peut mesurer le statut particulier qu'il avait à l'époque. Dans les deux cas, en effet, il n'était que la seconde vedette du film, derrière Darrieux dans l'un, derrière Morgan dans l'autre. Elles étaient non seulement mentionnées avant lui au générique et à l'affichage — ce qui professionnellement est très significatif —, mais l'action dramatique des deux films reposait également sur leurs personnages, et non sur ceux joués par Jean.

Comme disent les Italiens, Darrieux, d'une part, Morgan, d'autre part, étaient les protagonistes et Jean l'antagoniste (pour ne pas employer le terme plus juste mais plus « barbare » de deutéragoniste).

Dans *Bébé Donge,* le caractère *passif* de son personnage était d'autant plus accentué qu'il jouait une grande partie du film étendu sur un lit, où, mourant, il revoyait sa vie. Mais l'action dramatique était déterminée par le personnage joué par Danielle Darrieux.

Dans *La minute de vérité,* également construit sur le principe des flashes-back, l'élément moteur du film était Michèle Morgan, Jean se contentant de lui donner la réplique, notamment dans une scène brillante où, grâce au dialogue d'Henri Jeanson, il parvenait à tirer son épingle du jeu.

Contrairement à ce qui était le cas entre 1935 et 1940, aucun de ces films — à part *La nuit est mon royaume* — n'était « monté » sur lui. En outre, les rôles qu'on lui donnait à jouer ne lui offraient guère la possibilité d'exprimer toute sa puissance dramatique. Il les interprétait « honnêtement », et même remarquablement, mais on comprend que le public ne retrouvait pas, à travers ces interprétations, le « héros » des films d'antan.

Chacun de ces rôles l'enfonçait un peu plus dans des personnages de « bourgeois » arrivé — industriel, médecin — qui tournaient le dos à l'image du Gabin « populaire » d'autrefois. Amorcé avec *La Marie du port* — qu'il a voulu puisqu'il en avait acheté les droits —, le personnage du mari quinquagénaire trompé s'affirmait encore plus nettement dans *La minute de vérité,* et sera, en définitive, mal accepté.

« Gabin passif n'est plus Gabin. Si grand comédien soit-il, ce rôle ne lui convient pas. Il y a des lois dramatiques auxquelles on ne peut échapper impunément. On ne fait pas un cocu presque content de celui qui s'est successivement identifié au déserteur du *Quai des Brumes,* à l'officier de *La grande illusion,* au mauvais garçon de *La bandera* ou de *Pépé le Moko,* au meurtrier du *Jour se lève* », écrivait alors Simone Dubreuilh, critique de *Libération**.

* Il s'agit, bien entendu, de l'ancien *Libération,* issu de la Résistance.

Si la presse admettait mal le nouveau Gabin, il était évident que le public ne suivait pas mieux dans son ensemble.

Une anecdote, datant de cette époque, illustre assez bien cette baisse de popularité de Jean : Martine Carol était devenue la star de *Caroline chérie* et, profitant de sa vogue, certains exploitants n'hésitèrent pas à ressortir dans leurs salles *Miroir,* où elle débutait presque, en mentionnant son nom sur les affiches en caractères énormes, alors que celui de Jean Gabin était cité en second et en petits caractères.

Naturellement, Jean était parfaitement conscient que sa carrière lui échappait, et qu'il n'avait sur elle aucune prise. Il souffrait de ne plus disposer, comme autrefois, des moyens de choisir ses films et ses personnages. Il n'était plus désormais qu'un bon comédien « ordinaire » avec le désavantage, cependant, de traîner avec lui le fantôme d'un passé prestigieux dont il aurait presque souhaité alors se défaire, tant il servait à établir des comparaisons qui défavorisaient sa carrière présente. Par réaction, il en était arrivé ainsi à remettre en cause ses films des années 35-40 et à préférer quelques-uns de ceux qu'il tournait à ce moment-là et qu'il trouvait moins « romantiques » et plus « vrais ».

Si Jean réagissait surtout par dépit, d'autres — des exégètes des années 60 — estimèrent aussi que ses films et ses rôles, entre 1949 et 1958, furent nettement plus valables et plus courageux de sa part que ceux qui suivirent et qui le replacèrent pourtant au sommet de la popularité. Le problème pour Jean, à cette époque, était que, malgré la qualité de beaucoup de ses films, aucun ne le faisait précisément renouer avec cette popularité qu'il ne retrouvera que plus tard.

Obsédé donc par l'image que cette carrière en demi-teinte — sa « période grise » — pouvait s'arrêter, alors qu'il n'était plus seul dans la vie et chargé de famille, il acceptait sans discernement de tourner ce qu'on lui proposait, se disant à chaque film qu'il serait peut-être son dernier. Il ne comptait plus, et de loin, parmi les comédiens les mieux payés. D'une façon générale, ses cachets évoluaient entre trois et quatre millions *. Ce n'étaient certes pas des sommes médiocres, en regard de ce que touchaient beaucoup d'autres comédiens de renom, mais elles n'avaient rien de commun en équivalence avec celles qu'il avait obtenues dans les années qui précédèrent la guerre.

Fernandel — dont la carrière a toujours connu des hauts et des bas

* En 1955, son cachet pour *Gas-oil* un an après la sortie de *Touchez pas au grisbi,* qui avait été un triomphe, était encore de 5 millions, soit en équivalence monétaire : 400 000 francs de 1985.

— triomphait à ce moment-là dans *Le petit monde de Don Camillo,* et la star française la plus populaire était sans conteste Gérard Philipe, grâce notamment à *Fanfan la Tulipe.* Quant à Eddie Constantine, il n'allait pas tarder lui aussi à connaître la gloire avec le personnage de Lemmy Caution.

Fallait-il voir là la raison pour laquelle Jean, laissant de côté son vieux copain Fernandel, détestait cordialement Gérard Philipe et Eddie Constantine ? Le jugement sévère et partial qu'il portait sur ces deux comédiens, qui le devançaient largement au box-office, s'appuyait toutefois davantage sur une argumentation critique de leur talent que sur une expression de simple jalousie professionnelle.

C'est au début des années 50 que la vieille idée qui, au fond, ne l'avait jamais réellement quitté de posséder des terres et une ferme allait de nouveau s'imposer à Jean d'une manière décisive, et qu'il croyait même impérativement vitale pour lui. Il envisageait tout à fait l'éventualité que sa carrière de comédien cesse, et, par conséquent, il entendait préparer sa reconversion dans le seul domaine où il se sentait capable d'exercer une nouvelle profession : celle d'agriculteur-éleveur. Ce faisant, il réalisait aussi son rêve d'enfant, et l'accomplissement d'un désir que les années n'avaient pas vraiment émoussé.

Peu payé — par rapport tout au moins à son standing — mais tournant pas mal de films, Jean décidait cependant d'investir l'essentiel de ses gains dans l'achat de terres. Possédant déjà une ferme de 70 hectares de culture à Digny en Eure-et-Loir, qu'il exploitait directement, il jeta son dévolu sur une région située entre Moulins-la-Marche et L'Aigle, dans l'Orne.

Il acheta une ferme de 30 hectares à Bonmoulins près de Moulins-la-Marche, qu'il loua à des fermiers. En 1952, il se porta acquéreur d'un domaine de 42 hectares d'herbages, la *Pichonnière,* située à cheval sur les communes de Bonnefoi et des Aspres. La *Pichonnière* possédait une vieille demeure de style mais en très mauvais état et donc guère habitable. Dans la foulée, il achetait également à Bonnefoi 27 hectares avec une petite maison qu'il aménagea et dans laquelle il vint souvent habiter, notamment quand il ne tournait pas.

C'est sur ces bases que Jean allait, au cours des années 50, bâtir un domaine terrien d'une certaine importance. Car, lorsqu'il avait pris une décision, il était d'une impatience folle et n'aimait pas voir traîner les choses. Il n'avait, en affaires, aucune malignité. Disons même tout net qu'il était un mauvais homme d'affaires. Ainsi, il ne discutait aucun prix et réglait cash. Il n'était pas dupe non plus qu'il avait contre lui de s'appeler Jean Gabin et qu'aux yeux de beaucoup, au début du moins, il apparaissait surtout comme un comédien qui désirait se passer un caprice et s'amuser à jouer au fermier. On le regardait donc venir avec un certain intérêt et, naturellement, on ne lui faisait pas de cadeaux, d'autant qu'il n'était pas du genre à les solliciter.

Jean achetait des terres quelquefois en friche et inexploitées à prix d'or, tant son désir de se constituer rapidement un patrimoine était grand.

De cette façon, il achetait souvent des terres qui devaient se révéler médiocres à certains usages. Il n'écoutait aucun conseil et n'en faisait qu'à sa tête.

C'était, par exemple, l'époque du rush immobilier, mais il n'a jamais voulu entendre ceux — dont Dominique — qui lui conseillaient d'investir dans la pierre. Son « truc » à lui, c'était la terre et il ne voulait pas en démordre. Il gardait naïvement de son enfance le souvenir de ses voisins fermiers, les Haring, en se disant que, à leur image, avec des terres et une bonne ferme, on pouvait faire vivre une famille. C'était le but de son entreprise au cas où il lui arriverait de devoir cesser son métier de comédien.

Il n'avait aucune disposition d'esprit pour la spéculation quelle qu'elle soit.

C'est au cours de cette année 1952 que j'ai connu Jean et qu'ont commencé nos relations. Je n'ose écrire « notre amitié ». Car la seule chose, contrairement à la légende, dont il était réellement avare, c'était de grands mots. Par pudeur, et aussi parce qu'il s'en méfiait, il ne les prononçait guère mais il savait, à sa manière, vous manifester la réalité de ses sentiments qu'il n'avait pas pour habitude de galvauder. Peu de gens, en fait, pouvaient, et peuvent encore aujourd'hui, se prévaloir de son amitié, mais ceux-là en ont connu la qualité.

Ce qui m'avait frappé dans le Jean Gabin d'alors, et contrairement à l'image qu'il donnait de lui, c'était sa disponibilité. J'en ai bénéficié le jour où je l'ai amené au ciné-club d'Argenteuil, et j'ai encore, par la suite, profité de sa bonne disposition d'esprit de cette époque. Je crois qu'elle correspondait chez lui, au moment où il s'interrogeait sur sa carrière, à un besoin d'aller vers le public, ne fût-ce que pour essayer de comprendre les raisons de sa disgrâce. Mais il trouvait aussi dans ces contacts un grand réconfort, car il se rendait compte que beaucoup ne l'avaient pas oublié et l'admiraient toujours.

Par ailleurs, l'équilibre qu'il avait trouvé dans son mariage avec Dominique, puis avec la naissance de ses filles Florence et Valérie, n'était pas encore troublé par cette sourde anxiété qui le saisira un peu plus tard en prenant de plus en plus conscience, jusqu'à l'obsession, de ses nouvelles responsabilités.

Une histoire dans laquelle je l'ai, presque malgré moi, entraîné illustre bien son état d'esprit d'alors.

La rumeur de mes rapports avec Jean avait rapidement fait le tour du petit monde dans lequel je traînais journellement mes guêtres de cinéphile : les ciné-clubs, les revues de cinéma, la Cinémathèque. Un jour, le cher Henri Langlois, qui dirigeait la Cinémathèque française, me demanda le service de lui « amener » Gabin pour une soirée qu'il organisait. Comme d'habitude, ses explications étaient embrouillées, et je ne compris pas très bien de quoi il s'agissait. Innocemment cependant, j'en parlai à Jean, en me disant que sa réponse serait certainement négative.

— La Cinémathèque, c'est quoi ? interrogea-t-il.

— Un peu le genre ciné-club...

— C'est bien alors ?

— Oui. Très bien, même.

— Vous m'accompagnerez ?

— Si vous voulez...

— Bon, alors c'est d'accord.

J'étais surpris et, pour tout dire, aussi un peu inquiet. Les soirées de la Cinémathèque, les ordinaires comme les spéciales, je connaissais. Elles avaient souvent le charme de l'imprévu, et reflétaient généralement l'exaltation sympathique et brouillonne de ces deux doux dingues de cinoche qu'étaient Henri Langlois et Merry Meerson qui présidaient à leurs destinées.

Pour les piliers du Temple dont j'étais avec d'autres jeunes gens qui avaient alors des noms inconnus : Truffaut, Godard, Chabrol, Rossif et tant d'autres du même acabit, les fantaisies d'Henri et de Merry nous étaient si familières qu'elles ne suscitaient chez nous que de franches rigolades. J'étais évidemment moins sûr qu'elles déclencheraient chez Jean la même hilarité si, par hasard, il en était la victime.

C'est donc avec circonspection que je l'entraînai à cette séance.

Langlois, les vêtements aussi négligés qu'à l'ordinaire, pas rasé depuis deux jours, les cheveux n'ayant pas vu un peigne depuis belle lurette, accueillit Gabin avec affection et admiration. Il l'invita à s'asseoir au premier rang, le nez sur l'écran qui était en plus haut perché, mais c'était considéré à la Cinémathèque comme la place de choix.

A notre surprise à Jean et à moi, il y avait là Michel Simon, Charles Vanel, et je ne sais plus qui d'autre, tous logés à la même enseigne, c'est-à-dire destinés à sortir de là deux heures plus tard avec, pour le moins, un torticolis. Avant d'en être affligés, tous ces vieux camarades s'empressèrent de s'embrasser, Jean, comme à son habitude, se montrant le plus réticent à ce rituel du milieu du spectacle.

— Avec certains, faut faire gaffe, on sait jamais s'ils vont pas en profiter pour vous mordre, avait-il l'habitude de dire.

Ce soir-là, personne ne mordit personne, mais je sentais Jean méfiant. Il me regardait comme si je lui avais tendu un piège. En fait, j'y étais tombé comme lui, victime des facéties de Langlois. C'était en effet une soirée destinée aux anciens élèves de l'École polytechnique. Pas exactement le même genre de public qu'au ciné-club d'Argenteuil.

Les premiers discours éclairèrent Jean qui me glissa, grognon :

— Je sens que je vais m'emmerder !

Heureusement, rendons justice à Langlois, ce qui était important à la Cinémathèque, c'étaient moins les discours que ce qu'il se passait sur l'écran. Il avait choisi pour ouvrir la séance des films de Méliès et d'Émile Cohl.

Dès le début de la projection, je constatai que la mauvaise humeur de Jean disparaissait. Le nez levé vers l'écran, il s'étonnait et riait aux inventions géniales de ces pionniers du cinéma qu'il découvrait pour la première fois. Jean Wiener, au piano au pied de la scène, improvisait selon son habitude une musique pleine d'humour qui l'enchantait.

— C'est marrant, je connaissais pas, me glissait Jean tout heureux.

Des extraits de vieux films muets suivirent. Jean s'exaltait presque en reconnaissant sur l'écran des comédiens qui n'avaient plus de noms pour personne, sauf pour lui, et parmi eux des camarades de son père qu'il se rappelait avoir rencontrés autrefois, quand il était enfant, chez lui, à Mériel.

— Lui, c'est Untel... Et celui-là, c'est... Ah, j'ai oublié son nom mais ça me reviendra ! Je me demande ce qu'ils sont devenus.

A voir leur âge sur l'écran, et compte tenu de la date des films, il y avait, hélas, de fortes probabilités pour qu'ils ne soient plus de ce monde, mais trop heureux de les retrouver l'espace de cet instant magique, Jean ne semblait pas penser à cette funeste éventualité.

La deuxième partie était consacrée au cinéma parlant et il y avait notamment un extrait de *La chienne* de Jean Renoir, la fameuse scène où Michel Simon tue Janie Marèse. Après quoi, Langlois pria Michel Simon de dire quelques mots.

Je sentis aussitôt le regard lourd de Jean s'abattre sur moi.

— On va pas me faire ce coup-là, à moi aussi ?

— Je le crains, Jean. Je suis désolé, j'ignorais.

— Vous ignoriez, vous ignoriez ! Fallait vous renseigner, mon vieux ! Vous avez vu la gueule des types dans la salle ? Tous l'air constipé ! Je crois que je vais me tirer, oui !

Il ronchonnait à mon oreille, et j'avais du mal à suivre ce que disait Michel Simon qui marmonnait un peu plus que d'habitude, visiblement pris d'une forte émotion. Il évoquait le souvenir de Janie Marèse, sa partenaire, dont il avait été épris à l'époque, et en vain. Celle-ci était, dans la vie comme dans le film, la maîtresse de Georges Flament, un acteur étrange qui eut son heure de gloire dans les années 30, et qui évoluait entre le milieu cinématographique et l'autre.

Dans la scène où il la tuait de plusieurs coups de coupe-papier, Michel Simon lacérait littéralement le corps de Janie Marèse. Le film à peine achevé, Janie Marèse devait trouver la mort dans l'accident d'une voiture conduite par Flament, et son corps portait étrangement les mêmes sortes de blessures mortelles que celles que lui avait infligées Michel Simon dans la fiction.

Jean Renoir devait raconter dans un livre de souvenirs, paru en 1974[14], que, le jour de l'enterrement de Janie Marèse, Michel Simon, bouleversé par cette funèbre coïncidence, s'était évanoui.

Ayant terminé son évocation, Michel Simon rejoignit sa place mais soudain il vacilla et s'écroula, à demi évanoui, aux pieds de Jean.

— Il manquait plus que ça ! grinça Jean entre ses dents, sans la moindre compassion.

Il s'efforça, cependant, de relever Michel Simon qui suffoquait par terre. Langlois et moi l'aidâmes dans cette corvée : Simon retrouva rapidement ses sens et sa place aux côtés de Jean, mais l'incident avait jeté un froid.

— Faut toujours qu'il fasse son numéro, çui-là ! me glissa Jean sans l'ombre d'une indulgence.

La séance se poursuivit, Jean manifestant mezza voce quelque exaspération devant les reniflements de Michel Simon qui avait quand même du mal à se remettre. Arriva alors un extrait du *Jour se lève*, la scène où Gabin tue Jules Berry. Je pris alors conscience que tous les extraits présentés mettaient en scène des meurtres. Jean aussi et au même moment.

— C'est un parano, *votre* Langlois ! me lança-t-il sourdement.

C'était encore le temps où je découvrais petit à petit les travers de Jean, particulièrement cette façon bien à lui — expression de sa légendaire mauvaise foi — de transférer sur les autres la mauvaise humeur, l'irritation ou la contrariété que lui procuraient une personne ou un événement. Il disait alors *votre* « Untel » ou *vos* « machins », en donnant à l'adjectif possessif une intonation accentuée, destinée à ne vous laisser aucun doute sur ce qu'il estimait être votre responsabilité, se dégageant ainsi lui-même de l'affaire, surtout si, en fait, il y était personnellement impliqué jusqu'au cou. Naturellement, le plus souvent, ce n'était pas sérieux de sa part, et il savait parfaitement qu'on n'en était pas dupe, mais ça l'amusait.

Parano, Langlois, donc ! Pas exactement, mais c'était vrai qu'il avait du goût pour certaines associations d'idées, pas toujours heureuses, dans les montages d'extraits de film qu'il lui arrivait de présenter.

Avant la projection du morceau du *Jour se lève,* Langlois avait demandé à Jean s'il désirait parler avant ou après.

— Après... Après, ça sera mieux, susurra suavement Jean qui ajouta hypocritement à mi-voix à mon oreille : Mieux, ça m'étonnerait, car j'ai bien l'intention de me tirer avant que la lumière revienne dans la salle !

Je me faisais donc du souci. Pendant la projection, il parut soudain être amusé par une idée qu'il me communiqua à voix basse :

— Un coup de pot que *votre* Langlois n'ait pas choisi une scène du *Quai des Brumes* ! Vous savez celle où j'écrase la tête de Michel Simon à coups de brique ! Tel que je le connais, le Michel, il aurait repiqué sa petite crise émotive, et on se serait bien marrés !

Pendant ce temps, sur l'écran, Gabin criait à Jules Berry :

— Tu vas fermer ta gueule, hein ?... Tu vas la fermer, dis !

Puis il se saisissait du pistolet et abattait Berry.

— Là, t'es bien avancé à présent !...

— Et toi, balbutiait Jules Berry dans un dernier râle avant de dévaler l'escalier, blessé à mort.

Jean, pressentant la fin de l'extrait, s'apprêtait alors à s'éclipser vers la sortie. A cet instant, Michel Simon tomba de nouveau, mais cette fois dans les bras de Jean et, s'accrochant désespérément à lui, l'empêcha involontairement de prendre la fuite.

— Oh, Jean ! Ce pauvre Jules ! Ce pauvre Jules ! Lui aussi, il est mort ! sanglotait Michel Simon sur l'épaule de Jean, ainsi immobilisé.

Je m'attendais à une explosion de sa part. La salle s'éclaira et, à ma grande surprise, je découvris le visage cramoisi de Jean se retenant pour ne pas éclater de rire, tellement il trouvait finalement la situation inattendue et cocasse.

— Mais, j'y suis pour rien, moi, Michel, si Jules est mort, parvint-il à dire en maîtrisant son hilarité et en tentant de consoler son trop sensible camarade.

— Je sais, je sais, bredouillait Michel Simon entre deux sanglots et de sa voix chevrotante, mais c'est triste tout de même que Jules soit mort, tu trouves pas * ?

On parvint à apaiser Michel Simon, mais Jean, coincé et l'humeur

---

* Jules Berry était mort deux ans plus tôt, en 1951.

tout de même un peu libérée par l'incident tragi-comique, se résigna, à l'invitation de Langlois, à prendre la parole.

— Vous avez vu ce soir de très vieux films et des moins vieux. Je ne sais pas si ça vous a appris quelque chose sur le cinéma. Moi, oui. Et puis j'ai revu des camarades. Certains ont disparu en pleine gloire, comme on dit. D'autres ont disparu parce que vaincus et oubliés. Enfin, d'autres sont toujours là mais avec, comme moi, des cheveux blancs. Ça ne serait pas très gai tout ça si le cinéma n'était pas ce qu'il est : une bien belle chose qui nous fait rire, pleurer, comme dans la vie. On en a besoin du cinéma, quand il est beau comme celui de ce soir. Je trouve qu'aujourd'hui il se repose un peu trop sur ses lauriers. Je voudrais dire encore que la Cinémathèque, les ciné-clubs, tout ça, c'est très chouette et que ça devrait être mieux aidé. Il y a des hauts fonctionnaires parmi vous, eh bien, vous devriez le dire à vos ministres. Et là-dessus, messieurs, mesdames, je vous dis bonsoir.

Il fut très applaudi. En descendant de la petite scène d'où il avait parlé, Jean se vit soudain enlacé et embrassé comme du bon pain par une dame aux atours généreux au milieu desquels il disparut à moitié, enveloppé aussi par les longs châles que portait traditionnellement la personne en question et d'où s'exhalait généralement et généreusement un parfum capiteux.

— Jean, tu as été magnifique ! Magnifique, je te dis ! fit la dame dont la voix grave aux accents rauques évoquait les rives, à la fois charmeuses et tumultueuses, de la Moskova.

— Je vous remercie bien, madame, répondit Jean, impressionné et en émergeant des châles et des bras tentaculaires.

Puis, s'enfuyant avec moi, il m'interrogea :

— Qui c'est, celle-là ?

— Merry Meerson...

— La femme de Lazare * ?

Je lui confirme.

— Merde alors, je l'ai pas reconnue ! Elle était une des plus belles femmes de Paris autrefois. Extravagante et folle, elle séduisait qui elle voulait.

J'essayais de lui dire que Merry avait conservé quelques traits qui avaient fait sa réputation, mais il était maintenant trop pressé pour m'entendre. Il avait faim et avait décrété qu'il était encore temps d'aller manger un couscous chez *Martin-Alma*, rue Jean-Goujon, à deux pas de

---

* Lazare Meerson, mort en 1938, fut un des plus grands décorateurs de l'histoire du cinéma, le maître de Trauner et de tant d'autres, et travailla beaucoup avec Jacques Feyder et René Clair.

chez lui, car il habitait désormais rue François-Ier, près de la place du même nom.

Chez *Martin-Alma,* il avait ses habitudes, et je les ai plusieurs fois partagées. Une ou deux anisettes Gras avec de petits amuse-gueule épicés qui lui ouvraient un appétit qu'il n'avait d'ailleurs jamais fermé. Suivaient des merguez, une bonne part de *pastilla* et enfin un solide couscous-méchoui, le tout arrosé d'une ou deux bouteilles de Royal Kébir.

A un moment, Jean renifla ses vêtements.

— Qu'est-ce que je sens ?

— Merry ! dis-je.

— Quoi ?

— Le parfum de Merry Meerson, dus-je préciser.

Ça lui gâcha un peu son couscous, et il essaya de s'en remettre avec deux Chivas à la fin du repas. Jean se mit alors à entonner *Le dénicheur,* suivi de *Viens Fifine.* Mais les patrons de l'établissement, pour qui ce récital n'était peut-être pas une nouveauté, nous mirent gentiment à la porte vers 1 heure du matin.

Sur le trottoir, alors que nous étions à quelque deux cents mètres de son domicile, Jean se figea avec une exclamation péremptoire :

— Faut que je gourde !

Il aimait bien qu'on l'accompagne dans ce genre d'exercice et d'un commun accord nous avons choisi une palissade adéquate à son besoin impérieux, qu'il commentait toujours sobrement.

— Le scotch, mon vieux, c'est diurétique !

Ainsi soulagé, il se sentit plus à l'aise pour reprendre quelques autres de ses vieux airs préférés, esquissant même sur la chaussée quelques pas de danse qui m'étonnèrent par leur élégance et leur équilibre. Je dois en effet préciser que Jean, même tenant une « petite soupe », ne titubait jamais, au pire sa démarche s'alourdissait un peu, mais il n'y avait généralement rien d'anormal à cela, après ce qu'il avait mangé et bu dans ces cas-là.

A l'angle de la rue Jean-Goujon et de la rue François-Ier, juste en face de chez lui, il s'arrêta de chanter et, brusquement courroucé, le nez en l'air, lança une bordée d'injures que la décence m'interdit de répéter ici. J'étais dans un état qui ne me permettait pas de réaliser sur-le-champ ce qui motivait cette subite fureur, et après qui il en avait. Je découvris finalement que c'était Eddie Constantine alias Lemmy Caution, dont la silhouette du haut d'une affiche géante provoquait Jean et lui cherchait visiblement des noises.

Ayant dit ses quatre vérités à ce pauvre Constantine qui se garda bien de répliquer, Jean, apaisé, l'abandonna aux manigances de *La môme, vert-de-gris,* et par la même occasion m'abandonna également, car nous étions parvenus devant sa porte.

— Je vous dis pas de monter prendre une bière, ce serait pas raisonnable. Je bosse demain, *moi,* et avec toutes *vos* conneries, il est maintenant 2 heures du mat !

C'est à peu près à la même époque, 1953, au cœur de cette soi-disant « période grise », que Jean rencontra Gilles Grangier. En fait, ils se connaissaient depuis 1936, s'étant croisés sur quelques plateaux à Berlin ou à Joinville-le-Pont — Grangier était alors régisseur ou assistant —, et avaient échangé quelques propos sur la boxe ou le cyclisme dont ils étaient amateurs l'un et l'autre.

Devenu metteur en scène en 1943 avec un *Adémaï, bandit d'honneur* de bon aloi, qu'interprétait Noël-Noël, Grangier avait ensuite beaucoup tourné, pas toujours les films de ses rêves, mais de sa production émergeaient cependant *Leçon de conduite* (1945) et *Danger de mort* (1947), par exemple. Bon artisan, solide technicien, homme affable et bon vivant, modeste aussi, Gilles Grangier exerçait consciencieusement son métier sans se prendre la tête entre les mains. Il aimait le cinéma, le sien, qui était souvent à la bonne franquette et qui était finalement très personnel parce que le reflet de son caractère léger et charmant, mais il savait aussi, sans ostracisme, apprécier celui de ses confrères. Je crois cependant que ce qu'il aimait par-dessus tout dans son métier, c'était qu'il lui offrait la possibilité, à chaque film, d'avoir des rapports humains et souvent amicaux avec des gens, qu'ils soient techniciens ou acteurs. Il faisait régner sur son plateau une ambiance chaleureuse et détendue avec une autorité qui ne se prenait pas au sérieux, le moindre de ses ordres commençant toujours par un « s'il vous plaît », auquel tout le monde obéissait.

La rencontre de Grangier avec Jean devait donner naissance à une solide amitié entre les deux hommes qui, comme les vieux ménages, résista à toutes les engueulades, les grognes et les jalousies, parce qu'il s'y trouvait mêlées beaucoup de tendresses réciproques et de joies communes. Leur rencontre devait aussi donner naissance à douze films pour le meilleur et pour le pire. Pour le pire surtout, n'hésitèrent pas à dire les thuriféraires de la « nouvelle vague », dans le début des années 60, qui firent de Gilles Grangier, avec d'autres, une des victimes expiatoires de la « révolution » cinématographique qu'ils entendaient faire en dégageant la place, sabre au clair.

C'était injuste. D'abord parce que le nécessaire renouvellement du langage cinématographique et l'apport de nouvelles valeurs éthiques et esthétiques sécrétées par l'évolution de la société n'impliquaient pas forcément la condamnation et encore moins la disparition d'un cinéma de conception honorablement populaire, qui fait aujourd'hui tant défaut à la bonne santé économique de la profession, et dont la résurgence répétée sur les écrans de télévision procure pourtant, qu'on le veuille ou non, encore quelque plaisir à des millions de spectateurs, ceux-là même qui n'éprouvent plus, par contre, l'envie de se déplacer dans les salles de cinéma, n'y trouvant apparemment plus ce qu'ils aiment.

Injuste aussi, parce que, sans toucher à des sommets artistiques qu'ils ne proposaient au reste pas d'atteindre, des films comme *Gas-Oil*, *Le sang à la tête*, *Le rouge est mis*, ou *Le cave se rebiffe* étaient des œuvres d'excellente facture, bien jouées, exécutées avec une grande probité professionnelle et, pour le cas où ces arguments ne satisferaient pas des esprits chagrins, j'y ajouterai d'une qualité bien supérieure à celle qu'on se plaît aujourd'hui à reconnaître à certains « nanars » de jadis. Comme les films de Grangier ne datent que de naguère, ils ont donc encore quelque chance de rédemption.

Pour ma part, ce qui m'a toujours séduit dans les meilleurs films que Grangier a faits avec Jean, c'est le souci d'exactitude des milieux sociaux décrits et la qualité « sensuelle », au sens large du terme, des atmosphères. Un maître dans ce domaine comme Georges Simenon, qui attachait à ses valeurs l'importance que l'on sait, disait du *Sang à la tête* qu'il était un des films qui avait le mieux restitué l'atmosphère singulière de ses romans. De même que, dans *Gas-Oil*, les routiers avaient parfaitement reconnu leur milieu, et les mariniers le leur dans *La vierge du Rhin*.

Cette *Vierge du Rhin* fut le premier film que Gabin et Grangier firent ensemble. Ce ne fut pas exactement une réussite, et au soir de la première projection, Jean, qui savait parfois prendre sa part de responsabilités dans l'échec autant que dans le succès, glissa à Grangier cette réflexion superbe :

— T'en fais pas, je t'en ferai un autre.

Ils en firent onze autres.

Et avant tout, je crois, pour le plaisir qu'ils avaient de se retrouver. Les sentiments qui les liaient ont vraisemblablement été quelquefois responsables de certains de leurs échecs, car ils manquaient l'un envers l'autre de rigueur et de sévérité, et ces échecs entraînaient parfois leurs brouilles. Jean reprochait alors à Grangier sa légèreté et son manque d'ambition, mais il serait juste de dire que c'étaient précisément cette légèreté et cette bonhomie de Gilles qui, hors des studios et du film en tout cas, le séduisaient.

Quand ils tournaient en extérieurs, comme pour *La vierge du Rhin* par exemple, leurs soirées et leurs jours de repos dominicaux faisaient songer aux bordées de vieux loups de mer.

Dans un très joli livre de souvenirs [15], Gilles Grangier raconte avec une affectueuse nostalgie quelques-unes de leurs frasques, généralement commandées par la douce et extravagante folie qu'il prenait à Jean après quelques solides agapes arrosées ici de vin de Moselle. Car, le plus souvent, tout commençait autour d'une table, lieu magique pour Jean de toute convivialité et où pouvaient naître quelquefois de grandes amitiés.

Grangier rappelle notamment ce déjeuner pris dans un restaurant d'une petite ville rhénane où Jean lui demanda de choisir le menu, car la carte était en allemand. Grangier se piquait en effet de connaître les subtilités de la langue de Goethe. Si bien qu'il fit manger à Jean, au cours du même repas, trois truites successives. Il est vrai, annoncées et accommodées de manières différentes.

Des années plus tard, Jean qui, aussi plaisante qu'elle était, avait la rancune tenace en accablait encore Grangier dans les moments opportuns.

— Méfiez-vous de c't'engeance, disait-il en désignant son ami, il m'a fait un jour bouffer trois truites à la suite !

Un dimanche, après un de ces déjeuners, copieusement arrosé, dans un restaurant de Colmar, Jean entraîna Grangier dans un pèlerinage au Haut-Kœnigsbourg, où il avait tourné *La grande illusion*. Les gardiens de la forteresse, ayant reconnu Jean, les invitèrent à prendre un verre dans leur bureau. De petits coups de blanc en petits coups de blanc, la suite du pèlerinage se trouva quelque peu perturbée et manqua tout à fait de dignité. Jean en effet n'a jamais eu le vin triste, il l'avait même plutôt gai. Ainsi, Grangier raconte qu'à la suite de leur visite au Haut-Kœnigsbourg, Jean fut pris d'une idée fixe, celle de retrouver dans la région un cantonnement qu'il avait pratiqué au temps de la guerre au R.B.F.M. et où il avait eu l'occasion de rencontrer le colonel Massu, devenu depuis général.

Cette recherche hasardeuse et vaine, ponctuée de nombreuses haltes dans les estaminets de campagne, les amena à rallier Strasbourg sur le coup de 2 heures du matin. Dînant ordinairement tard, et Jean étant particulièrement noctambule, tous deux connaissaient bien le petit monde de la nuit qui gravitait autour de la place Kléber.

« Une gentille pute est venue nous embrasser, raconte Grangier, Jean, toujours grand siècle, lui a offert tout l'étalage d'une fleuriste ambulante. La radeuse, émue, lui demanda des nouvelles d'Édith Piaf. Jean en profita pour attaquer *L'accordéoniste* avec un sens étonnant de l'opportunité :

La fille de joie est triste
Au coin de la rue là-bas...

... En plus de l'habituel folklore de la nuit, des employés municipaux nettoyaient les rails du tramway en y faisant passer un véhicule du genre draisine qui, dans l'imagination de Jean, a aussitôt évoqué de vieux souvenirs.

Je savais ce qui allait se passer. J'éprouvais une espèce de fatigue et n'aspirais qu'à retrouver au plus vite mon lit, quitte à le prendre en marche.

— Allez, viens, Jean, on travaille demain !

— Oh, toi, toujours popote ! Fous-moi la paix !

Les nettoyeurs du tram nous ont accueillis avec l'habituelle sympathie !

— Ah, v'là Jean Gabin !

— Vous allez bien boire un coup de gnôle avec nous. De ce temps-là ça réchauffe !

C'était reparti ! J'abandonnai tout espoir de rentrer tout de suite. D'autant que Jean, décidément déchaîné, sautait sur la draisine et, sous l'œil bienveillant des employés, commençait à la faire manœuvrer.

— Regarde, Gilles, ça marche !

Il venait de retrouver sa locomotive du Paris-Le Havre... Moi je courais à côté de l'engin, heureusement pas trop rapide. Jean m'ignorait superbement. Les cheveux dans le vent, il hurlait :

— C'est dantesque ! La bête humaine !

Sur quoi, il vociférait son cri de guerre, l'antique signe de ralliement des rôdeurs de barrières :

— Ohé, ohé, la coterie !

A ces cris, au vacarme de l'engin sur les rails, des lumières s'allumaient une à une autour de la place, des fenêtres s'ouvraient, des silhouettes mal réveillées découvraient le tableau : Gabin rugissant, fièrement juché sur un véhicule des travaux publics et sillonnant Strasbourg endormi.

La plupart, j'en suis sûr, sont retournés au lit, persuadés d'avoir rêvé... »

Après *La vierge du Rhin,* Jean s'apprêtait à retrouver Marcel Carné pour un film qui se déroulait dans les milieux de la boxe, *L'air de Paris.* Il y avait comme partenaires Arletty qui jouait son épouse, et un débutant, Roland Lesaffre, protégé de Carné, mais que Jean avait connu jeune mataf à Alger en 1944, et champion de boxe de la marine.

Le producteur Robert Dorfmann, associé à Cino Del Duca,

préparait, en même temps que *L'air de Paris,* le prochain film de Jacques Becker, *Touchez pas au grisbi,* d'après un livre d'Albert Simonin : l'histoire d'un truand qui, ayant réussi un grand coup, décide de raccrocher, mais, pour sauver son vieux complice et ami tombé dans un traquenard, il est cependant contraint de tout perdre.

Comme toujours chez Jacques Becker, le scénario qu'il avait écrit avec Maurice Griffe et Albert Simonin était d'une grande rigueur quant au récit, au milieu décrit et à la qualité des personnages. Il reposait pour l'essentiel sur un thème qui lui était cher : l'amitié entre des hommes.

Pour tous ceux qui avaient eu connaissance de ce scénario, il était évident que le héros, Max, était un rôle en or pour Jean Gabin. Naturellement, Becker ne l'ignorait pas non plus mais il s'en défendait obstinément. Il avait beaucoup d'admiration pour Jean qu'il connaissait notamment depuis l'époque de *La grande illusion,* mais il avait tendance à ne pas aimer tourner avec des acteurs « vieux ». La jeunesse l'attirait et le fascinait, et ce n'était pas pour rien que la majorité des films qu'il avait faits mettaient en scène des personnages jeunes joués par conséquent par de jeunes comédiens.

Casque d'or, son merveilleux chef-d'œuvre, n'avait pas très bien marché, pas plus que son dernier film, *Rue de l'Estrape. Touchez pas au grisbi* n'était peut-être pas pour Becker le sujet de ses rêves, mais son caractère de polar l'autorisait à espérer au moins un succès public dont sa carrière avait besoin. Il voulait cependant rester fidèle à sa passion pour la jeunesse dont la compagnie réconfortait sa proche cinquantaine. Il avait donc proposé le rôle de Max, le héros du grisbi, à Daniel Gélin qui était un de ses comédiens préférés, mais qui l'avait refusé tout net [16]. Becker s'était même presque fâché avec lui quand Gélin lui avait soutenu qu'il était fou de ne pas prendre Gabin qui, à l'évidence, était le personnage.

C'était précisément ce qui accentuait la méfiance de Jacques Becker envers le choix de Jean, car il était de ces metteurs en scène qui n'aimaient pas les évidences, et redoutaient toujours que l'aura personnelle d'un acteur ne marque trop le personnage auquel il souhaitait toujours laisser une certaine ambiguïté.

Gélin exit, Becker s'entêta et engagea François Périer qui avait envie de sortir de ses rôles de jeune premier de comédie. Mais peu de temps avant le début du tournage, Becker, qui était quelqu'un de très hésitant, fut brusquement pris d'un doute et, sans que le talent de François Périer n'entre en cause, il craignit d'aller à l'échec alors qu'il avait précisément accepté de faire ce film avec l'ambition première de réussir un succès commercial. Il se décida donc à faire lire le scénario à

Gabin qui, naturellement, n'était pas sans avoir entendu dire que le rôle était « à l'évidence » pour lui.

Lecture faite, Jean en convint et trouva, en outre, l'histoire intéressante. C'est, en tout cas, ce qu'il déclara à Becker quand celui-ci lui téléphona pour savoir ce qu'il en pensait.

— Tu serais d'accord pour le faire ? demanda Becker à Jean.

— Je serais d'accord, mais comme je sais qu'il y a le môme Périer sur le coup, moi je bougerai pas tant que t'auras pas régler ton problème avec lui.

— Évidemment, je vais le faire, mais ce qui m'embête, c'est que ça va être la deuxième fois que je lui fais ce coup-là, à Périer, bégaya Jacques Becker qui avait un peu pris le tic de son maître Jean Renoir.

— Démerde-toi, répondit Jean, mais avant de te donner mon accord, je veux être assuré que tout est correct avec Périer.

L'histoire ne dit pas comment Becker régla l'affaire avec François Périer, mais finalement Jean fit *Touchez pas au grisbi*, *L'air de Paris* ayant été, pour cette raison, reporté de quelques semaines.

Ce fut heureux pour Jean, mais aussi pour Becker qui remporta là le plus grand succès de sa trop brève carrière[17].

D'une manière générale, les films de Becker étaient d'une exceptionnelle rigueur. Dans sa mise en scène, chaque plan était filmé de façon telle qu'on n'imaginait pas un instant qu'il puisse l'être d'une autre manière *. Ses choix concernant les acteurs étaient toujours justes et il dirigeait ceux-ci avec une grande précision. Cette rigueur et ce souci presque maniaques de la précision émanaient du caractère profond de Jacques Becker, mais, paradoxalement, il souffrait beaucoup pour les exprimer. Il cheminait très lentement vers ce but, perpétuellement en proie au doute, et sa pensée avait les plus grandes difficultés à parvenir à un choix et à la définition exacte, minutieuse même, de ce qu'il voulait intimement.

C'était ainsi, et, après ses déjà longues hésitations pour le rôle de Max entre Gélin, Périer et Gabin, il n'arrivait pas non plus à se décider pour le choix des comédiens concernant les seconds rôles.

Notamment celui de Pierrot, le vieux truand retiré des affaires et patron de la boîte de nuit. Il avait fait beaucoup d'essais, mais en vain.

La veille du début du tournage, il croisa par hasard Paul Frankeur

* L'influence et le rôle qu'eut auprès de Jacques Becker sa monteuse attitrée, Marguerite Renoir, furent aussi capitaux pour son œuvre qu'ils l'avaient été pour celle de Jean Renoir. Les exégètes d'une trop exclusive notion de l'auteur d'un film feraient bien d'y penser. Cette grande artiste qui resta dans l'ombre de ces deux maîtres vient de mourir (1987).

dans un couloir du studio où celui-ci était venu simplement saluer son copain Gabin.

— Qu'est-ce que tu fais, en ce moment, Paul ? lui demanda Becker.

— Rien, je suis au chômedu, répondit Frankeur.

— J'ai un rôle pour toi, dit simplement Becker.

Et, pressé par le temps, il engagea Paul Frankeur pour jouer Pierrot, un des meilleurs rôles de celui-ci. Par ailleurs, Jean lui conseilla de prendre Gaby Basset pour celui de Marinette, et il accepta.

— A ton âge, tu vas arrêter de lever les gambettes ! avait dit Jean à sa première femme Gaby Basset, en lui apprenant qu'elle avait le rôle.

Ces comédiens étaient finalement en osmose parfaite avec les personnages qu'ils avaient à interpréter. De même que René Dary qui paraissait être né pour jouer Riton, son meilleur rôle, et dont on avait tenté, avant 1939, de faire un rival de Jean Gabin.

Mais la grande révélation du film fut un débutant non professionnel, Lino Ventura. On a souvent dit que c'était Gabin qui l'avait découvert. C'est faux. Jacques Becker l'avait repéré au cours d'une soirée de catch. Ancien catcheur lui-même, Lino Ventura était alors organisateur de spectacles sportifs.

« Le jour où j'ai été convoqué pour tourner, se souvient Lino Ventura [18], j'ai mis mes petites affaires dans un sac et j'y suis allé en me disant que j'avais été cinglé d'accepter la proposition de Jacques. Je n'avais pas l'ombre d'une idée de ce que c'était de jouer la comédie, et je ne connaissais évidemment rien au cinéma du point de vue du tournage. Ça me paraissait pas fait pour moi qui étais un peu comme Jean, réservé et pudique. J'étais donc sûr que je courais à la catastrophe et qu'on allait se payer ma tête.

Alors, quand je suis arrivé au studio, j'ai dit aussitôt :

— Je veux voir M. Gabin !

J'avais en face de moi des mines effarées qui signifiaient qu'on ne dérange pas comme ça Jean Gabin. J'ai insisté, et un " innocent " — Jean Becker, le fils de l'assistant de Jacques — a bien voulu se dévouer et m'a conduit à la loge de Jean.

J'ai frappé. Une voix parigote et nasillarde — c'était son habilleuse, Micheline Bonnet — m'a répondu à travers la porte :

— Qu'est-ce que c'est ?

— Je m'appelle Lino Ventura, je joue dans le film, et je veux voir M. Gabin.

— C'est impossible ! m'a répondu Micheline.

— Qu'est-ce qui se passe ? Qui c'est ? a alors dit une voix d'homme que j'ai tout de suite reconnue.

J'ai répété qui j'étais et que " je voulais voir M. Gabin ".

— Bon, ben, entrez, a dit Jean.

Je suis entré et je suis resté planté devant lui qui me regardait. Il était en maillot de corps et les bretelles lui pendaient sur le pantalon. Gabin, c'était pour moi quelque chose ! Mon idole ! Quand j'étais jeunot, j'essayais de me fringuer comme lui. Et je l'avais là, à deux pas, et j'allais " jouer " avec ce bonhomme.

— Ça va ? qu'il m'a demandé.

— Ça va, j'ai répondu.

— Bon, ben, alors à tout à l'heure ! il a ajouté.

Rien d'autre. C'était tout simple, et j'étais rassuré. Je suis sorti de sa loge en me disant que maintenant je pouvais essayer de le faire, leur cinéma. Mais si Jean ne m'avait pas reçu comme il l'a fait, s'il ne m'avait pas dit ce qu'il m'a dit, je me serais tiré séance tenante et on m'aurait jamais revu. »

« Je me souviens d'un soir où Jean est rentré du studio alors qu'il tournait *Touchez pas au grisbi,* raconte Dominique. Il était rare qu'il parle de ce qu'il s'était passé durant sa journée, mais ce jour-là il m'a tout de suite dit :

— Il y a un type dans le film, c'est quelque chose ! Celui-là, ça m'étonnerait qu'on n'en reparle pas !

C'était Lino. Il avait formidablement impressionné Jean, qui n'était pas dans son métier facilement impressionnable. Il y a eu tout de suite beaucoup d'affinités entre eux, sur le plateau, hors du plateau, dans la vie. Lino a été un des rares amis véritables de Jean. Et pourtant, qu'est-ce qu'ils s'engueulaient ! »

Quand ils ne passaient par leur temps à s'engueuler, en effet, ces deux-là s'aimaient d'amitié et d'estime réciproques, trop pudiques, bien sûr, pour se le dire. Les sentiments qui les liaient étaient tels qu'ils pouvaient se permettre de se disputer comme des chiffonniers en sachant que ça ne remettrait rien en cause, et rares étaient ceux qui se querellaient avec Jean, sans généralement y laisser des plumes. Il supportait, en effet, de peu de personnes qu'on lui donne, hors cinéma, la réplique dans ce genre de scène.

S'il revient à Jacques Becker d'avoir déniché Lino Ventura, c'est à Jean que celui-ci doit d'avoir poursuivi sa carrière.

« Quand le *Grisbi* est sorti, en mars 1954, le film a fait un tabac, Jean a fait un tabac, on a tous eu là-dedans notre part du succès, et moi la mienne, se souvient Lino Ventura. Mais après, personne ne m'a rien proposé, et je suis retourné à mes affaires. C'est Jean qui m'a redemandé à la fin de l'année pour *Razzia sur la schnouf*, puis ça a été à nouveau le vide pour moi jusqu'au moment où Jean m'a encore fait signe pour *Crime et châtiment*, et surtout en 1957 pour *Le rouge est mis* de Grangier. Après, c'est parti, et on n'a retourné qu'une seule fois ensemble dans *Le clan des Siciliens* de Verneuil, en 1969. »

Lino Ventura ne dira plus grand-chose sur Jean et sur ce qui les a liés, sinon cet aveu qu'il laissa échapper malgré lui :

« Plus de dix ans après sa mort, lorsqu'il m'arrive de traverser Bonnefoi, de passer si près de ce domaine que je ne veux plus revoir parce qu'il était précisément toute sa vie et où son souvenir est encore si présent, l'envie de chialer me prend... Alors, comment je pourrais décemment parler de lui ?... »

C'est pendant qu'il tournait *L'air de Paris* de Marcel Carné, qu'il avait enchaîné immédiatement derrière *Touchez pas au grisbi* — et ce dernier film n'étant pas encore sorti —, que j'ai demandé à Jean d'accepter que la Fédération française des ciné-clubs, dont je m'occupais alors, fête ses cinquante ans et ses vingt-cinq ans de cinéma, au cours d'une soirée salle Pleyel à Paris. En fait, je voulais rééditer avec des moyens plus importants et dans un cadre plus prestigieux la soirée Gabin du ciné-club d'Argenteuil.

Je lui en parlai dans sa loge au studio pendant qu'un maquilleur lui faisait les oreilles en chou-fleur pour les besoins du personnage qu'il interprétait, un ancien boxeur devenu manager.

— Argenteuil, c'était marrant et on était entre nous, me dit-il, réticent à ma proposition. A Paris, à Pleyel, les journalistes et les photographes, et toutes sortes de gens risquent de rappliquer, et ça va m'emmerder.

Je ne lui cachai pas que, au risque qu'il soit « emmerdé » en effet, c'était le but de l'opération afin de faire parler de l'action des ciné-clubs et d'améliorer la trésorerie de l'organisation en remplissant Pleyel grâce à lui.

— Si je comprends bien, vous cherchez à me piéger, reprit-il en riant. Vous voulez que je vous donne un coup de main à vous faire un peu de blé pour vos ciné-clubs ?...

Hypocritement, je savais que j'avais mis le doigt sur la corde sensible, mais sa modestie faillit un moment tout faire rater.

— Vous vous gourez peut-être... Qui vous dit que vous allez remplir Pleyel avec moi ?... Vous devriez demander à votre ami Gérard Philipe, lui, il marche fort. Ça serait pour vous plus sûr qu'avec moi.

Gérard Philipe, sa bête noire ! Jean avait cessé d'en dire du mal devant moi car il savait que je le connaissais et que je l'aimais bien, mais le *votre* qu'il utilisait encore pour parler de lui restait significatif de sa pensée. Je répondis à son argument que Gérard Philipe nous aidait souvent en prêtant son concours à nos manifestations et que, en l'occurrence, il n'avait pas cinquante ans, et surtout qu'il ne portait pas encore sur ses épaules, comme lui à travers ses films, vingt-cinq ans d'histoire du cinéma français.

— Ben, pour ça, faudra qu'il attende encore un peu, glissa Jean avec un sourire amusé qui voulait atténuer l'immodestie exceptionnelle de sa réfléxion.

Nous marchions à présent dans le couloir qui allait vers le plateau où on l'avait appelé pour tourner. Je l'abandonnai à une réflexion silencieuse qui me préoccupait.

— Alors, comme ça, Gérard Philipe vous donne un coup de main ? m'interrogea-t-il, perplexe et sortant de son silence.

Je fus de nouveau affirmatif mais je sentais que cette idée le tracassait, et, un instant, je redoutai qu'il ne me dise — il en était parfaitement capable : « Eh bien, alors, démerdez-vous avec lui une fois de plus ! »

Il s'arrêta à la porte du plateau, me fit face en levant l'index de sa main droite jauni par l'abus des Craven et qu'il courbait un peu quand il avait le sentiment de vous dire une chose importante :

— Bon, alors, écoutez... Je vais vous le faire, votre truc, mais je vous préviens, si c'est le bide, ça sera pour vos pieds, faudra pas venir me le reprocher, hein ?.... Et puis, autre chose, pas question que je l'ouvre à votre soirée, hein ?... Vous me le jurez ?...

Ce genre de serment ne m'avait pas trop mal réussi à Argenteuil, je jurai donc.

J'avais donc son accord. Pas un instant Jean n'a réellement réalisé qu'en fait, c'était un hommage que nous lui rendions, ni l'ampleur que nous voulions lui donner. Autrement, il aurait peut-être carrément dit non. Il avait dit oui, sans doute un peu pour damer le pion à Gérard Philipe, mais aussi, surtout, parce qu'il trouvait que les ciné-clubs, « c'était chouette », comme il disait.

La séance était prévue pour la mi-avril 1954, en pleines vacances pascales, et devait clôturer le congrès des ciné-clubs.

Notre revue *Ciné-Club,* dont j'assurais alors le secrétariat de rédaction, consacra un numéro spécial à Jean Gabin et publia notamment des témoignages que j'avais recueillis auprès d'un certain nombre de personnalités — metteurs en scène, comédiens, techniciens — qui avaient travaillé auprès de Jean [19].

Parallèlement, je préparais un montage avec les scènes les plus célèbres de ses principaux films, y compris parmi les plus récents, et

Jacques Becker me confia un extrait de *Touchez pas au grisbi* qui allait sortir sur les écrans.

En dehors du public, la profession était largement invitée à cet hommage, et j'obtins la présence dans la salle, autour de lui, de quelques-unes de ses plus prestigieuses partenaires : Michèle Morgan, Arletty, Madeleine Renaud, et aussi de plus récentes comme Jeanne Moreau.

Jean Grémillon, Marcel Carné, Jean Delannoy, Henri Decoin avaient accepté de prendre la parole, tandis que Jean Renoir, Jacques Becker et Yves Montand enregistraient ou envoyaient des messages.

Je demandai aussi à Jacques Prévert un texte en « hommage à Gabin », qu'il écrivit en forme de poème, comme il se devait, et je chargeai Serge Reggiani de le dire sur scène. Il fut aussi publié dans la revue *Ciné-Club* et le voici dans son intégralité :

Le regard toujours bleu et encore enfantin
Sourit
Les lèvres minces accusent
les blessures de la vie.
On ne meurt qu'une fois
dit un dit-on
On meurt souvent
On meurt tout le temps
Répond Jean Gabin sur l'écran
Jean Gabin
acteur tragique de Paris
gentleman du cinéma élisabéthain
dans la périphérie du film quotidien.

Le cinéma n'a jamais été muet
Il avait tant de choses à dire
primitivement
qu'il le disait en se taisant
internationalement.

Plus tard on le paya pour parler
il ne put faire autrement.
Jean Gabin est l'un de ceux qui l'ont le
mieux aidé
à dire ses pauvres rêves
fastueux et vivants.

La voix de Jean Gabin est vraie
c'est la voix de son regard

la voix des gestes de ses mains
tout marche ensemble.

Jean Gabin est synchrone de la tête aux pieds.
L'acteur le plus fragile et le plus solide
en même temps.
Sobre comme le vin rouge
simple comme une tache de sang
et parfois gai comme le petit vin blanc
il joue « comme dans la vie »
comme dans la vie mystérieuse et rêvée.

Jean Gabin
c'est l'évidence même
l'évidence même d'un être humain
qui joue son rôle publiquement
devant tant d'autres qui jouent le
leur secrètement
et si mal la plupart du temps.

Acteur lyrique et peintre de talent
il réussit toujours le portrait
de ce qu'il a à faire
de ce qu'il a à dire
à montrer
et sans même y penser il ajoute
sa couleur à lui
et donne son avis sur l'amour
son avis sur la vie
ou sur la mort la faim l'ennui
simplement
en se jouant.

Une lueur de bonheur peut durer si longtemps
le malheur des uns ne fait pas le bonheur
des autres
il fait seulement semblant.
Jean Gabin
Toujours le même, jamais pareil
Toujours Jean Gabin
Toujours quelqu'un.

Jacques PRÉVERT,
Solstice de Mars, 1954.

Lorsque Jean, que je tenais au courant des préparatifs, commença à réaliser ce qui se tramait, il paniqua un peu, surtout à l'idée que des gens allaient parler de lui sur scène.

— Oh! la la! Je les connais, les hypocrites! Ils vont se croire obligés de dire du bien de moi alors qu'ils en pensent du mal! Je tiens pas à être embaumé!...

Je l'avais vu déjà tremblant devant ce gentil public de banlieue à Argenteuil, je savais combien il avait souffert du contact direct avec cet autre public de *La soif* qui, pourtant, l'ovationnait tous les soirs, je craignais donc que, au dernier moment, il ne « craque » à la pensée qu'à Pleyel il ne serait pas seulement en face d'un public anonyme mais aussi — et c'était ce qu'il redoutait le plus — face à une partie des membres de sa propre profession. Pour le rassurer un peu, je lui dis que j'inviterai également des gens très proches de lui comme son habilleuse Micheline, sa maquilleuse-coiffeuse, son chauffeur de production, des électriciens et des machinistes des studios avec lesquels il travaillait depuis des années, et qui l'aimaient bien.

— Oh! Faites pas ça! Les pauvres, y vont se croire obligés de venir, et ça va les emmerder! Ma tronche, ils la voient tous les jours sur le plateau, vous allez pas, en plus, leur demander d'aller la revoir un soir à Pleyel! Qu'est-ce qu'ils en ont à foutre!

Ils en avaient « à foutre » puisqu'ils sont venus, et très heureux d'en être, de l'hommage au « patron ».

J'avais prévu d'ouvrir la séance en rappelant que Jean Gabin avait commencé sa vie d'artiste par la chanson et l'opérette. N'ayant pu obtenir un extrait de son premier film, *Chacun sa chance,* qui aurait parfaitement illustré mon propos, j'eus l'idée, un peu saugrenue, de faire installer un vieux phonographe à pavillon sur un des côtés de la scène, qui devait donner aux spectateurs l'illusion qu'il marchait. En fait, le disque où Gabin chantait « C'est chouette d'être un monsieur », tiré de l'opérette *Arsène Lupin banquier,* la dernière qu'il ait créée aux Bouffes-Parisiens en 1930, était diffusé de la cabine de projection par les haut-parleurs de la salle.

Je présentai la soirée en me tenant de l'autre côté de la scène, et le projecteur qui, au départ, était sur moi devait se déplacer à la fin de mon intervention préliminaire pour aller éclairer uniquement le phonographe dès que la voix de Gabin se ferait entendre. Comme la salle était plongée dans le noir, je pensai que cette petite mise en scène ferait son effet. Elle en fit un... Ridicule! Le type chargé de la manœuvre oublia de déplacer le projecteur et le laissa obstinément braqué sur moi, alors qu'on entendait Gabin chanter. La confusion était totale. Beaucoup de personnes dans la salle, ne reconnaissant pas la voix de Gabin, crurent que c'était moi qui poussais la chansonnette et n'en voyaient assurément pas l'intérêt. Aussi discrètement que possible, je faisais des gestes désespérés au préposé pour qu'il détourne le projecteur, mais il ne comprenait pas. Je décidai donc d'aller moi-même vers le phonographe en traversant toute la scène et en espérant que le type aurait l'idée de me suivre avec son projo. Par chance, c'est ce qu'il fit, et enfin le public découvrit le phonographe, sans cependant mieux comprendre ce que tout cela signifiait, pas même Jean qui n'avait pas reconnu sa voix et qui s'était demandé pourquoi on avait pris quelqu'un pour l'imiter.

Bref, les deux mille spectateurs d'une salle Pleyel archicomble, et le plus brillant parterre de vedettes et de personnalités qu'on puisse rêver, voulurent bien quand même applaudir ce prologue dont le sens resta un mystère pour tous.

Heureusement, tout devait mieux marcher pour la suite.

Le montage présenté se composait d'extraits de films allant des *Gaietés de l'escadron* (1932) à *Touchez pas au grisbi* (1954), en passant par *Les bas-fonds, Pépé le Moko, La grande illusion, Quai des Brumes, Le jour se lève, Remorques, La Marie du port, La vérité sur bébé Donge, La minute de vérité,* et bien d'autres encore...

De temps en temps, un Carné, un Delannoy, un Renoir (celui-ci par la voix de Dalio) venaient dire quelques mots à propos de Jean et de sa carrière. La plupart le faisaient avec simplicité et sans arrière-pensées.

Marcel Carné, en coulisses, grognait un peu et me glissait avec amertume : Moi aussi j'ai vingt-cinq ans de cinéma ! regrettant à l'évidence que ce ne soit pas à lui qu'on rende hommage ce soir-là.

Puis là-dessus il se précipita sur scène pour dire que Jean Gabin était un merveilleux comédien et qu'il avait très mauvais caractère !

Ceux qui dans la salle connaissaient bien l'un et l'autre partirent d'un grand éclat de rire, dont le sens échappa quelque peu à ce brave Carné.

Recroquevillé dans sa loge, sa femme Dominique à côté de lui, Jean regardait et écoutait, et au bout d'un moment il ne put empêcher ses yeux de s'embuer quelque peu.

Sans pitié, l'armée de photographes qui ne cessaient de le braquer s'en donna à cœur joie.

Le lendemain, la plupart des journaux publiaient en première page la photo de Gabin, le nez dans son mouchoir. Tous titraient dans le genre :

« Le dur de l'écran a pleuré »
ou « Le vieux lion pleure ».

Jean, commentant ces photographies quelques jours plus tard, grommela avec sa légendaire bonne foi :

— Les cons ! Je chialais pas, je me mouchais !

Le problème, c'est qu'il se moucha en effet une grande partie de la soirée.

Dès la fin du montage, Serge Reggiani devait enchaîner en disant le texte de Jacques Prévert. Et après, c'était fini... Pas pour moi. Je m'étais mis dans la tête que Jean apparaîtrait en scène aux derniers mots du poème de Jacques, mais naturellement je ne l'avais pas prévenu de ma petite idée car ça lui aurait gâché sa soirée rien que d'y penser. Je lui expédiai dans sa loge ma collaboratrice, avec mission de lui dire, sur le ton le plus tragique dont elle était capable, que j'avais un grave problème qu'il était seul à pouvoir résoudre. Fut-il réellement dupe de mon stratagème ? En tout cas, il se précipita aussitôt en coulisses pour me rejoindre.

— Qu'est-ce qu'il y a ? Qu'est-ce qui se passe ? me dit-il avec une inquiétude qui s'ajoutait à l'émotion qui ne l'avait pas quitté de la soirée.

J'avais un peu honte de moi.

— Rien, Jean, tout va bien, j'ai seulement besoin de vous.

— Pour quoi faire ?

— Écoutez, Jean, ce n'est pas moi qui peux aller sur scène conclure cette soirée, ça ne peut être que vous. Personne ne comprendrait que vous ne vous montriez pas.

Je m'attendais à ce qu'il « renaude ». Au lieu de ça, il était hébété, « à côté de ses pompes », comme il aurait dit.

— Ah bon ?... Vous croyez ?... Faut que j'y aille, alors ?...

J'avais auprès de moi Serge Reggiani qui allait entrer en scène pour dire le poème de Jacques Prévert, et Paul Frankeur qui en sortait mais qui n'avait pu terminer son petit compliment et avait dû fuir précipitamment en coulisses, la voix brisée par l'émotion après avoir — confus de ce qu'il lui arrivait — plusieurs fois répété dans le micro, à la grande hilarité des spectateurs : « Ah ben, merde ! Ah ben, merde alors ! »

— Quel bide je me suis pris ! gémissait Frankeur en reniflant encore ses larmes.

Curieusement, il y eut beaucoup d'émotion au cours de cette soirée, par ailleurs si gaie.

Pendant ce temps, Jean, perplexe, ne savait quelle décision prendre concernant ma demande. Reggiani et Frankeur se firent mes alliés pour le convaincre.

— C'est... comment dire... une question de politesse, décréta finalement Serge Reggiani, avec une gravité sentencieuse qui impressionna Jean qui n'a jamais aimé être pris en défaut sur ce plan-là.

Il écarta les bras avec un profond soupir désespéré :

— Dans ce cas !...

Puis, à mon grand étonnement, il ajouta timidement :

— Je crois même que ce serait gentil que je leur dise quelque chose... Je sais pas quoi, mais... quelque chose, hein ?...

Il sollicitait mon approbation. Je ne pouvais que la lui donner.

Je lui allumai une cigarette, sentant à quel point, comme le condamné, il en avait besoin, faisant en même temps taire d'un geste les inquiétudes du pompier de service.

Jean tendait l'oreille vers la scène et écoutait, bouleversé, le poème de Jacques que disait Serge Reggiani dans un silence de cathédrale.

— Tout de même, il envoie un peu loin le bouchon, le Jacques ! parvenait-il à me dire tout bas d'une voix altérée, alors que celle de Serge se taisait enfin et qu'une vague d'applaudissements nous parvenait de la salle.

— C'est à vous, Jean !...

— Ah, merde ! Ah bon !... C'est à moi, alors !...

Il aspira une grande bouffée de sa cigarette, puis prit tout son temps pour l'écraser avec le plus grand soin, à la satisfaction du pompier qui le surveillait. Ce geste, cette attitude, je devais les lui voir faire des centaines de fois, quand, en studio, on l'appelait pour une scène. Coquetterie de star qui aime se faire attendre, disaient certains qui croyaient le connaître. En vérité, c'était sa manière à lui de se concentrer et de tenter d'éliminer l'anxiété qui le tenaillait presque toujours avant d'aller vers la caméra et de jouer.

Ce soir-là, à Pleyel, il n'avait pas à jouer, et c'était pire pour lui. « Encore une petite minute, monsieur le bourreau... »

— Allons, vite, Jean, il faut y aller ! lui disait l'impitoyable Sanson que j'étais à cet instant.

A mon admonestation, Jean n'eut pas une réplique à la Du Barry, mais à la Gabin :

— Faut y aller ! Faut y aller ! Vous me faites marrer, vous ! Si vous croyez que c'est facile ! J'ai pas envie de me planter comme ce con de Frankeur, moi !...

Je le poussai littéralement vers une petite porte qui ouvrait sur l'extrême côté de la scène. J'avais calculé en le faisant entrer par là que le public ne le verrait peut-être pas tout de suite et que, ayant une bonne dizaine de pas à faire pour gagner le centre de la scène, cela lui donnerait le temps de se décontracter.

Une ovation monstre le cueillit de plein fouet dès son apparition, brisa mon plan et fit chanceler la faible résistance à l'émotion dont Jean avait tenté de se barder en grognant après moi quelques secondes plus tôt.

Deux mille personnes debout criaient des bravos et applaudissaient à tout rompre. Et parmi cette assistance, il y avait ses partenaires les plus prestigieux, ses égaux en talent et en gloire, ses auteurs, ses metteurs en scène.

Cela dura plusieurs minutes. Un calvaire pour lui, et une angoisse pour moi : « Il n'y arrivera pas », pensai-je en l'observant de la coulisse. Il secouait la tête mécaniquement, et ses lèvres minces et blêmes tremblaient, tandis que ses mains fines saisissaient le micro. Il essaya de se planter bien droit devant avec un mouvement pour équilibrer ses jambes qui lui était familier même lorsqu'il jouait la comédie, et je vis ses épaules se soulever un peu comme s'il prenait sa respiration. Tout le monde crut qu'il allait parler, moi aussi, je l'avoue. Un silence se fit instantanément, mais ce silence et ces deux milliers de regards vers lui l'achevèrent. Il put à peine dire un « merci » qui s'étrangla au fond de sa gorge et, tel un boxeur groggy mais qui a quand même gagné un rude combat, il écarta les bras en signe d'impuissance, puis joignit ses mains en avant pour faire comprendre qu'il remerciait mais qu'il était incapable de l'exprimer autrement que par ce simple geste.

Personne ne s'attendait, en réalité, à autre chose de sa part, car l'ovation reprit de plus belle. Il sortit de scène à reculons, son regard bleu fragile rosissant sous l'effet des larmes qui brouillaient ses yeux.

Je crois quand même qu'à cet instant il était formidablement heureux.

« Jean m'avait invité, se souvient Lino Ventura. Il m'avait placé dans un petit coin pas très loin de lui et m'avait dit avec une certaine fierté :

— Regarde bien, gars, tu vas voir ce que c'est vingt-cinq ans de carrière dans ce métier.

Vingt-cinq ans de carrière ! J'étais épaté, et, en plus, il y avait de quoi, à voir sur l'écran ce qu'avait fait le bonhomme. Et après ça, il en a eu encore vingt-deux, et au sommet ! »

Quand Jean s'arracha à la scène, il vint vers moi en coulisses mais il était en « petits morceaux » et mit quelques secondes à récupérer l'intégrité de sa complexe personne. Puis, ayant repris ses esprits, il explosa dans son numéro favori que j'appelais de « fausse mauvaise foi ».

— Non mais, t'as vu !... T'as vu, hein ?... Tu vas tout de même pas me dire que c'est de ma faute ! J'ai voulu leur parler, leur dire quelque chose, mais ces « cons » se sont remis à applaudir, alors ils ont tout foutu par terre ! Pour que je leur parle après, c'était rideau !

Il était encore tellement remué qu'il s'était un peu oublié et m'avait tutoyé. Ce fut l'unique fois.

Et si, en effet, ce soir-là, le rideau s'était baissé sur un pan important de sa vie et de sa carrière, il n'allait pas tarder à se relever sur une autre partie aussi riche, quand bien même fut-elle jugée par certains moins capitale que la première.

Curieusement, de cette première partie de la vie et de la carrière de Jean, un témoin très proche, qui n'avait pas été spécialement invité, s'était fondu dans l'anonymat de la salle Pleyel. C'était Doriane. Je ne l'ai appris que récemment, par les témoignages de Nicole et Robert Kotz, les nièce et neveu de Jean, qui la virent et lui parlèrent un moment. Jean ne sut jamais qu'elle avait tenu à assister à l'hommage qui lui avait été rendu.

Contrairement à ce que l'on a toujours cru, *Touchez pas au grisbi*, malgré le succès considérable du film, et celui personnel aussi important que Jean y remporta, n'a pas tout à fait marqué la fin de la « période grise » de celui-ci. Ce fut cependant son premier grand triomphe de l'après-guerre, comparable à celui de *Pépé le Moko*. La comparaison entre les deux films ne s'arrête pas là. Dans les deux, Jean y jouait un gangster, mais si le « romantique » Pépé s'ouvrait le ventre à la fin, accroché aux grilles du port d'Alger, et voyant partir sans lui celle qui l'avait séduit, Max du *Grisbi* se contentait de mettre ses lunettes de quinquagénaire réaliste et de rejoindre au lit pour un devoir pré-conjugal la belle et riche étrangère qui s'apprête à lui assurer bourgeoisement ses vieux jours plus sûrement que le meilleur des casses.

— Max, tu m'aimes ? quémandait la jolie dame nue sous les draps.

A quoi, prenant son temps pour écraser soigneusement son mégot de cigarette, comme le faisait Jean dans la vie, Max répondait par une des répliques les plus superbement dépouillées de l'histoire du cinéma en cette circonstance :

— J'arrive !...

Si Jacques Becker s'était obstiné à ne pas prendre Jean pour le *Grisbi*, nous aurions raté la plus fine et la plus ambiguë transposition moderne du fameux « mythe Gabin ».

Revalorisé donc sur le plan du prestige, Jean allait connaître dans les mois qui suivirent, et qui voyaient cependant le succès du film de Becker s'affirmer, une période de désarroi. Curieusement, en effet, il n'avait aucune proposition. Il avait achevé en mars de tourner *L'air de Paris* qui devait sortir à l'automne 1954. Jean allait de nouveau obtenir le prix d'interprétation au festival de Venise avec ce film qui fut jugé estimable et connut un succès moyen.

L'ambiance du tournage avait été très mauvaise.

A l'origine, dans le scénario de Jacques Viot, l'action dramatique était centrée sur le couple Arletty-Gabin, et notamment sur ce dernier. Jacques Sigurd, qui en fit l'adaptation avec Carné et écrivit les dialogues, centra l'intérêt de l'histoire sur le jeune Roland Lesaffre. Quand Jean le constata, il s'estima trahi et, de mauvaise humeur, accepta quand même de faire le film tel quel. Dans l'œuvre précédente de Carné, *Thérèse Raquin,* Lesaffre avait habilement campé un petit rôle qui lui avait valu d'être très remarqué. De l'aveu même de Carné, ce succès lui était un peu monté à la tête. Pas méchant mais cabochard, manquant encore d'expérience, son attitude pendant le tournage irrita passablement Jean, qui finit par ne plus lui adresser la parole. Par ailleurs, Carné, qui avait peur que Gabin ne « bouffe » son protégé, exagérait les angles de prises de vues qui avantageaient ce dernier. Jean connaissait trop le métier pour ne pas s'en rendre compte, et mettait parfois de la mauvaise volonté à se plier aux exigences de Carné.

« Vous vous rendez compte, me racontait Jean à ce propos et encore ulcéré en y pensant, Carné osant me dire à moi que je lui " cachais " sa vedette ! Sa vedette, c'était le môme Lesaffre ! »

L'air de Paris marqua la fin, dans les aigreurs de l'âge, d'une collaboration qui fut prestigieuse et à laquelle Jacques Prévert, hélas, n'apportait déjà plus la contribution de son talent depuis longtemps.

Au début de l'été 1954, profitant des vacances dans le Midi de Dominique partie avec Florence et Valérie, Jean entrait discrètement dans une clinique de Neuilly-sur-Seine, pour y subir un check-up.

Seuls son agent André Bernheim et moi-même étions au courant de ce bref séjour en clinique. Il n'est même pas certain qu'il en avait informé Dominique, car elle n'en a gardé aujourd'hui aucun souvenir, et s'en étonne même.

Jean avait-il connu une alerte de santé qu'il a voulu cacher ? Lorsque je m'en inquiétai, il me dit seulement qu'il aurait aussi bien pu faire faire ses examens en se rendant à plusieurs reprises à la clinique, mais que, étant seul à Paris, il avait trouvé plus commode d'y prendre carrément pension.

J'allai passer quelques heures avec lui les trois après-midi qu'il y séjourna, et il se désolait de ne pouvoir m'offrir qu'une bière de mauvaise qualité. C'est au cours de ces instants que je découvrais son désarroi. Il n'avait aucun projet, tout au plus l'éventualité de faire un film vers la fin de l'année, d'après un bouquin qu'il était en train de lire, étendu sur son lit de clinique, et qui était *Razzia sur la schnouf* d'Auguste Le Breton, qu'envisageait de réaliser Henri Decoin.

« Qu'est-ce que je peux faire ? me demandait-il, en s'interrogeant surtout sur lui-même. Depuis la fin de la guerre, j'ai tourné pas mal de films, en définitive, pas tous bons, et tous n'ont pas non plus très bien marché mais j'ai quand même travaillé, on me demandait. Et à présent, après le *Grisbi* qui fait un " malheur ", rien ! Rien !... Merde, faut que je fasse quoi, alors, hein ?... »

Évidemment, je ne savais que dire, sinon bêtement que « ça allait bien finir par venir ». Mais je découvrais surtout, pour la première fois — Dominique, bien sûr, l'avait senti avant moi —, qu'étaient en train de naître en lui les prémices d'une anxiété qui n'allait cesser de se développer et qui, plus tard, se transformerait parfois en angoisse, paradoxalement dans les années où, redevenu une star incontestée, il accumulait succès sur succès.

« Après chaque film, se souvient Dominique, Jean disait : " Oui, d'accord, celui-là, il marche, mais le prochain ?... Attendons. " Ainsi, toutes les dernières années de sa vie, où tout se déroula pour lui professionnellement d'une façon formidable, il a " attendu ", dans l'angoisse, le film qui ne marcherait pas. Il avait le sentiment que celui-là le jetterait brutalement, du jour au lendemain, en bas de son piédestal, ce qui, évidemment, était, en tout état de cause, peu vraisemblable. D'autant qu'à des niveaux différents tous ses films étaient des succès. Mais Jean, malgré cela, comme s'il désirait se donner des soucis, se faire mal même, s'obstinait à répéter : " Oui, mais faut voir ce que va donner le suivant ." Il était devenu d'un pessimisme désespérant, alors que son succès dépassait ce qu'il avait connu avant la guerre, et qu'il n'avait jamais été aussi populaire. »

C'est dans ce paradoxe que réside l'aspect le plus mystérieux de l'évolution de sa personnalité. Ne prit-il jamais conscience de ce qu'il lui arrivait ? Fut-il incapable — lui qui ne manquait pas de farouche volonté parfois — de lutter contre la montée de cette anxiété qui allait progressivement le tarauder, le plonger dans l'angoisse pour des raisons souvent dérisoires, lui faire finalement porter sur le monde et les hommes un regard de plus en plus misanthropique ? Quelle fissure secrète s'est faite en lui un jour, déclenchant ces phénomènes psychologiques qui devaient parfois le rendre si malheureux et rendre malheureux aussi ceux qu'il aimait par-dessus tout, et qui l'aimaient ? Qui pourrait donner des réponses à ces questions auxquelles lui-même, sans doute, n'aurait su répondre ?

« Pas moi, en tout cas, dit aujourd'hui Dominique. Personne probablement. J'ai vécu auprès de Jean pendant vingt-sept ans. Les vingt premières années, j'ai cherché à le comprendre, et je me suis posé bien des questions. Les sept dernières, j'ai renoncé, sachant que je ne trouverais pas qui il était réellement. C'est très douloureux à avouer, mais Jean est resté pour moi une énigme.

Par pudeur, il dissimulait beaucoup de lui-même. Pour se protéger et aussi, sans doute, pour nous protéger, les enfants et moi. Sans se rendre compte cependant qu'en définitive, ce qu'il voulait garder pour lui, il nous le faisait subir d'une autre façon, et qu'alors il devenait pour nous incompréhensible.

Son caractère ne s'est pas modifié du jour au lendemain, ça a été très lent et très progressif, et, heureusement, cette inquiétude qui était en lui n'était pas permanente. Il a toujours conservé des moments au cours desquels il était très détendu, très gai, charmant, mais la moindre contrariété pouvait brusquement le fermer sur lui-même, il s'emmurait, ou, au contraire, il explosait d'une grande colère, souvent pour des riens. Ça ne durait jamais très longtemps, et c'était toujours lui qui revenait, l'œil clair, plein de malice, prêt à la blague, et avec l'air de dire : " Vous avez pas bientôt fini de faire la gueule ! "

On ne lui faisait pas la gueule, on était trop contents qu'il ait à nouveau l'air heureux. Mais le mystère restait... »

Début juillet 1954, je partis en voyage pour quelques semaines. Ses examens cliniques s'étaient, semblait-il, révélés satisfaisants, mais je laissais Jean désorienté quant aux suites de sa carrière, et de plus en plus préoccupé d'aménager et de rendre productif son domaine terrien. Pour y parvenir, il lui fallait toutefois faire des films et que l'argent rentre.

De loin, j'appris avec satisfaction par les journaux qu'il avait été engagé dans *Napoléon* de Sacha Guitry et qu'il allait également faire, durant l'été aux côtés d'Henri Vidal, un film d'Edmond T. Gréville, *Le port du désir*. De retour à Paris au début de l'automne, j'apprenais encore que Jean Renoir lui offrait le rôle principal de son nouveau film, *French Cancan*. Je pensais que mon pronostic était bon, et que « ça revenait pour lui ». Lorsque je revis Jean, je fus étonné qu'il ne partageât pas mon sentiment.

— Vous vous trompez complètement, me dit-il en souriant, tout à fait serein et calme pourtant.

Il analysa pour moi, avec lucidité, la vraie situation qu'en réalité il affrontait :

« *Napoléon,* c'est une blague, une revue à grand spectacle, et j'ai tourné un jour comme presque tout le monde, me disait-il. Dans *Le port du désir,* j'ai le second rôle, rien à faire, et j'ai tourné seulement dix jours. Quant à *French Cancan,* c'était Charles Boyer qui devait le jouer mais il a refusé, alors le " Gros ", en désespoir de cause, m'a appelé pour le remplacer au pied levé, un peu le coup du *Grisbi*, vous comprenez ? »

Je comprenais en effet. Jean supportait difficilement que ni Becker ni Renoir n'aient songé à lui dès le départ. La signification était claire : ces deux-là, comme d'autres, ne croyaient plus en lui, le jugeaient fini, et ne l'avaient appelé qu'en dernier ressort, « en roue de secours », comme le reconnaissait Jean. Dans cet instant-là, il ne mettait en avant aucun argument d'ordre sentimental, notamment vis-à-vis de Renoir dont il aurait pu, au fond, attendre un renvoi d'ascenseur de première classe. S'il le pensait, il n'en parlait en tout cas pas. Sa situation était donc injuste et incompréhensible — c'est moi qui le dis —, mais l'analyse qu'il en faisait était, hélas, correcte.

Si le résultat de tout cela était plutôt satisfaisant sur le plan pécuniaire, en revanche sa confiance en lui, ce qu'il estimait encore représenter, était sensiblement ébranlée. Et c'est cette confiance qui va désormais lui manquer et pour très longtemps. Les succès à venir n'y changeront rien et ne parviendront plus jamais à l'apaiser réellement. Mais, comme le dit Dominique, l'anxiété qui désormais était la sienne n'était, heureusement, pas permanente et, en cet automne 1954, Jean retrouvait sa gaieté et ce sens extraordinaire de la drôlerie, qui était le sien, pour me faire le récit de son épopée « napoléonienne » avec Sacha Guitry. Il expédia en effet rapidement *Le port du désir* en me disant qu'au dernier moment le producteur l'avait voulu pour donner un peu de standing à son film, et l'avait engagé à la journée comme un second rôle. Jean avait exigé « une brique » par cachet, et comme, en définitive, il avait tourné dix jours, il avait réalisé avec ce film, dont il espérait qu'il sortirait en cachette, sa meilleure affaire financière depuis la guerre.

Napoléon s'était présenté un peu de la même façon. Ce film « cavalcade » de Guitry suivait *Si Versailles m'était conté* et précédait *Si Paris nous était conté*. De ce triptyque mégalomane dans lequel tous les comédiens français étaient passés, la plupart ne faisant qu'une simple apparition, Jean disait ironiquement :

« Il ne fallait pas faire le premier parce que ça ne payait pas encore, et pas le dernier parce que ça ne marcherait plus. Le bon, c'était le deuxième. Ils avaient ramassé tellement de carbure avec le précédent qu'ils dépensaient sans compter sur le numéro deux. »

Il avait raison. Pour une journée de travail, Jean obtint un cachet de deux millions de francs !

— Un des plus beaux contrats de ma vie, disait-il en en riant encore des années après.

La décision d'engager Jean releva d'une volonté exclusive de Sacha Guitry lui-même. Il avait la plus grande admiration pour lui et ne concevait pas de ne pas l'avoir alors qu'il avait eu tous les autres grands acteurs français. Le producteur Clément Duhour était d'un avis contraire. Ancien champion sportif, ancien chanteur, comédien et même réalisateur sur la fin de sa carrière, il semblait porter à Gabin des sentiments mystérieux de jalousie et de rancune que n'expliquait pas le fait qu'il avait été aussi l'époux de Viviane Romance. Bref, le Maître obtint « son cher Jean », comme il l'appelait, et lui confia le rôle « écrasant » du maréchal Lannes. Ce qui permit à Jean de dire quand on lui demandait ce qu'il faisait dans *Napoléon :* « Je fais Lannes », mais en mettant un accent circonflexe sur le « â », ce qui donnait « Je fais l'âne ».

Très curieusement, à ce propos, Jean ne fit jamais le rapprochement — du moins, il n'en parla pas — entre ce maréchal Lannes, qu'il interpréta, et son descendant Louis-Auguste-Jean Lannes, marquis de Montebello, mort foudroyé sur une colline de Mériel et dont l'épître gravée sur le monument à sa mémoire, « Nul ne sait le jour ni l'heure », l'avait si profondément marqué étant enfant qu'il continuait à la prononcer en certaines circonstances. Sans doute avait-il oublié qu'il s'agissait d'un Lannes.

La production de *Napoléon* pria Jean de se rendre chez un tailleur militaire des Invalides afin de se faire exécuter un costume de maréchal d'Empire. Il fit trois essayages notamment pour le pantalon, car il commençait, à cette époque, à avoir des problèmes de « gonflette » comme il disait en évoquant son tour de taille. Enfin, il fit également de longs essayages pour l'exécution parfaite d'une paire de bottes de cavalier, chez l'un des plus grands bottiers de Paris.

« Avec mon costard et mes pompes de maréchal d'Empire, je pris le dur pour Cannes, racontait Jean en jubilant. Une tire de dix mètres de long avec chauffeur m'attendait, ainsi qu'une suite au Carlton. Le lendemain matin, on m'emmena sur le lieu de tournage dans l'arrière-pays. Sacha Guitry, que j'étais le seul à ne pas appeler " Maître " mais " monsieur ", m'accueillit avec la plus affable courtoisie. Il me rappela — ce dont je ne me souvenais évidemment pas — qu'il avait caressé mon front quand j'étais gamin, un soir au Palais-Royal où mon père jouait et où il avait dû me traîner pour essayer de me convaincre des beautés du métier qu'était le sien, et que je ne voulais pas faire.

— " Comme c'eût été dommage ! " a bien voulu me dire le Maître, à qui je rappelais mon entêtement premier*.

Ensuite, il m'expliqua soigneusement la scène que j'avais à tourner.

* Jean était un remarquable imitateur et prenait donc, en la circonstance, la voix célèbre de Guitry. (*N.d.A.*)

Ça se passait sous une tente près du champ de bataille d'Essling. J'étais étendu — Lannes, évidemment — sur un lit de camp, les deux jambes coupées, et, au moment de mourir, je m'accrochais à l'Empereur qui était joué par Raymond Pellegrin et, d'une voix moribonde, je parvenais à lui dire cette phrase définitive que j'avais intérêt à pas louper car c'était la seule que j'avais à prononcer : " Assez... Assez de guerre, Sire ! " et je trépassais aussitôt dans les bras du môme Pellegrin !

Je crois bien me souvenir qu'on n'a fait qu'une ou deux prises parce que, quand même, ce coup-là, j'aurais mis de la mauvaise volonté à me gourer dans mon texte. Tout le monde avait été si gentil et si prévenant avec moi que je leur devais bien ça. La seule difficulté que j'ai rencontrée en jouant cette scène a été de parvenir à ne pas me marrer en voyant mon superbe bénard de maréchal, qui m'avait valu de faire trois essayages, étendu près de moi, et qu'un accessoiriste consciencieux avait ensanglanté en raison du boulet autrichien qui m'avait cisaillé les pattes. Quant à mes belles pompes faites sur mesure, j'ai forcément jamais eu l'occasion de les mettre, et elles gisaient au pied de mon lit, mais, sans doute par un réflexe d'économie, l'accessoiriste les avait, elles, laissées intactes. Ce qui était évidemment anachronique, compte tenu de ce qu'il m'était arrivé aux jambes !

Bref, le soir même, je reprenais le " Bleu " pour Paris avec les remerciements empressés de Sacha pour ce qu'il considérait " ma si précieuse collaboration ". Tout de même, il y a des fois où le cinéma est un chouette métier, surtout quand on le fait en plus avec des gens qui paient bien et qui sont aussi bien élevés. »

Il y a une suite à cette histoire, que Jean me raconta plus tard quand elle intervint.

Un jour, le tournage de *Napoléon* étant terminé, un assistant de Sacha Guitry appela Jean au téléphone pour lui annoncer, navré, qu'il y avait eu tant de mistral quand ils avaient tourné sa scène que sa précieuse et unique phrase s'était envolée dans le vent. Le Maître priait donc Jean de bien vouloir passer, à sa convenance, au studio d'enregistrement pour redire son dialogue. Jean n'a jamais beaucoup aimé la postsynchronisation mais, là, ça ne lui demandait pas un gros effort.

Cependant, pour faire un peu marcher l'assistant, Jean lui dit soudain :

— Écoute, ça tombe bien car j'ai réfléchi que Lannes était de Lectoure et qu'il avait donc forcément un accent.

— Quel accent ? interrogea l'assistant, interloqué.

— Ben, celui du Gers ! répondit Jean qui en donna aussitôt un exemple à l'assistant en prononçant avec l'accent gersois : Aché ! Aché de guerre, Chirre !

C'était, en tout cas, à peu près comme cela que Jean imaginait l'accent du Gers. L'assistant, impressionné, lui demanda de patienter un moment au téléphone afin d'aller prendre l'avis du Maître. Puis il revint en disant à Jean :

— Le Maître me charge de vous dire que, compte tenu de ce qu'elle a coûté à la production, il attache à votre voix et à votre accent propre plus de prix qu'à la vérité historique.

Jean aimait beaucoup l'esprit de Guitry, et a ri longtemps à cette histoire.

French Cancan était le premier film que Jean Renoir tournait en France depuis *La règle du jeu* (1938-1939). Gabin et lui étaient brouillés depuis quelque temps. Jean avait été ulcéré d'apprendre que Renoir avait pris la nationalité américaine. Il considérait cela comme un reniement de toutes ces valeurs « nationales » qui les avaient liés avant la guerre, valeurs que Jean avait toujours ressenties d'instinct et que Renoir avait « théorisées » pour lui au cours de leurs longues conversations d'autrefois. Il avait toujours considéré le « Gros », au même titre que Jacques Prévert, comme une sorte de frère de sang, au point que, dans le passé, il ne s'était pas trop attardé à reprocher à Renoir certains écarts comme celui qui pourtant l'avait beaucoup troublé de s'être un moment entiché, peu avant la guerre, du comte Ciano, et de l'avoir suivi en Italie pour y tourner *La Tosca.*

Jean s'était choqué de l'évolution de Jean Renoir, de son amour de l'Amérique, alors même qu'y régnait le maccarthysme, l'emprisonnement ou la mise à l'index pour leurs idées politiques d'un certain nombre de metteurs en scène, scénaristes et acteurs américains.

Il n'admettait pas non plus que Renoir raillât désormais l'idée de « nation » et proclamât son universalisme.

— Quand on est le fils d'Auguste Renoir!... répétait Jean en s'enfermant, comme cela lui arrivait souvent, dans une réaction instinctive et sommaire.

Car, en effet, sans doute n'a-t-il jamais cherché à comprendre les raisons — fort complexes et personnelles — que Renoir avait d'être resté vivre aux États-Unis[20]. Pour lui, à ce moment-là, il avait tout simplement trahi leur jeunesse à tous les deux.

Lorsqu'ils se seront réconciliés, pour les besoins de *French Cancan,* Jean admettra durant le tournage que, malgré tout ce qu'il lui reprochait, le « Gros » n'avait pas tellement changé et qu'il avait retrouvé, avec quelques années de plus, l'homme séduisant, bon vivant, « français » qu'il avait aimé autrefois.

De son côté, Jean Renoir, qui n'a, sauf erreur de ma part, jamais fait allusion dans ses écrits à cette brouille avec Gabin, et par conséquent aux raisons qu'invoquait l'acteur, déclarait combien il était heureux de retrouver son « compagnon ». « J'aime Jean Gabin, et il m'aime », écrira-t-il dans son livre, *Ma vie et mes films*, au moment de *French Cancan*.

Et de même, Renoir n'a jamais dit, à propos de *French Cancan*, que la présence de Gabin lui fut imposée par le producteur Deutschmeister qui dirigeait la Franco-London, une des plus importantes sociétés de production de l'époque.

« Jean Renoir voulait Danièle Delorme pour jouer la petite Nini, Arletty pour le rôle de Lola et Charles Boyer pour interpréter Danglard, dont le personnage s'inspirait de la vie de Ziegler, le fondateur du Moulin-Rouge, raconte aujourd'hui Jean Serge[21] qui était très proche de Jean Renoir à l'époque. Je ne suis pas sûr que Charles Boyer ait réellement refusé le rôle. Je crois plutôt que son prix était trop élevé pour la production, et c'est Deutschmeister qui demanda à Renoir de prendre Jean Gabin qui venait de triompher dans *Touchez pas au grisbi*, et qui était libre. De même que " Deutsch " imposa Françoise Arnoul, qui était plus en vogue que Delorme, et Maria Félix, plus internationale, à la place d'Arletty.

Renoir et Gabin étaient en effet brouillés, Gabin reprochant à Renoir d'être devenu un " Amerlock ", comme il disait. C'est Renoir qui fit les premiers pas vers Gabin, car il y était contraint par " Deutsch " qui savait, en outre, qu'il aurait l'acteur français pour bien moins cher que Boyer. Comme il se devait entre ces deux-là, ce fut autour d'une table que la réconciliation eut lieu, où ils ne se jetèrent à la figure que la conception différente qu'ils avaient de la recette du lapin à la moutarde*. Le reste fut oublié rapidement, et ils s'entendirent à merveille durant le film. »

Ce n'était pas la première fois qu'il y avait une discussion entre eux à propos de recettes de cuisine, et d'avoir repris cette habitude lors de leur réconciliation était de bon augure et prouvait — du moins en apparence — qu'ils n'avaient pas trop changé. A propos de recettes, Jean a toujours prétendu que celle des pommes de terre à l'huile, dont Jean Renoir faisait longuement mention dans une scène savoureuse de *La règle du jeu*, était celle qu'il lui avait donnée lorsqu'il tournait *Les bas-*

---

* Dans son livre, *Ma vie et mes films*, Renoir fait d'ailleurs allusion à cette recette du lapin à la moutarde donnée par Gabin, mais en la situant dans un autre contexte.

fonds, le jour où on leur avait servi à la cantine du studio une « salade de pommes de terre froide assaisonnée d'huile et de vinaigre » tout à fait indigeste.

Pour ceux que cela intéresserait, voici cette recette à peu près telle que Jean l'avait donnée à Renoir et telle que l'acteur Léon Larive — qui jouait le rôle du cuisinier du marquis de La Chesnaye qu'interprétait Dalio — la restituait en partie dans une scène de *La règle du jeu*[22] :

« Prenez des pommes de terre de taille moyenne à chair ferme et jaune — Belle de Fontenay ou Hainaut — que vous faites cuire dans leur robe à l'eau salée ou, encore mieux, à la vapeur. A cuisson précise, pelez-les et coupez-les en rondelles de trois ou quatre millimètres d'épaisseur. Il est essentiel d'exécuter cette opération les pommes de terre encore brûlantes car l'huile d'arachide devra impérativement être versée dessus alors qu'elles sont encore chaudes. Salez, poivrez, ajoutez selon les goûts un peu de noix de muscade *ou* de la ciboulette hachée, mais pas les deux. Ajoutez oignons tranchés en fines lamelles et arrosez d'un peu de chablis ou de meursault. Servir tiède est de la première importance. »

French Cancan était le premier film « en couleurs » que tournait Jean. Fut-il mal maquillé ? Il détestait cela, on le sait, et un film en couleurs exige un maquillage plus soutenu qu'un film en noir et blanc. Le résultat ne lui fut pas personnellement très favorable. D'autre part, c'était, sauf erreur, la première fois qu'on utilisait en France le procédé « technicolor », et je crois me souvenir que Renoir et le chef opérateur Michel Kelber connurent quelques problèmes au moment du tirage des copies. C'était aussi pour Jean — si on oublie *Golgotha,* et si l'on excepte le rôle de paysan de la fin du XIXe siècle dans *Le plaisir* et celui fort bref du maréchal Lannes dans *Napoléon* — son premier vrai rôle « en costume ». Il est difficile de dire que les vêtements élégants de la fin du siècle dernier qu'il portait ne lui allaient pas, mais le port — pour la vérité historique — d'une chemise très blanche, parfois au col cassé et souvent un peu trop montant, n'a certainement pas favorisé le bon éclairage de son visage.

A part cela, Jean se montra très à l'aise dans ce rôle où il jouait encore les séducteurs — lucide quant à son âge comme l'était le personnage qu'il interprétait — et dans l'atmosphère du film dont il se sentait très proche. C'était en effet toute l'époque qu'avaient connue son père et sa mère à leurs débuts dans les caf' conc' de Montmartre, et le film était imprégné des refrains des idoles d'alors de ses parents, Paulus, Esther Lekain, Eugénie Buffet, Paul Delmet et Yvette Guilbert.

Ne serait-ce que pour cela, Jean avait adoré *French Cancan* et il avait pu aussi y démontrer que, malgré l'âge, il avait conservé ses talents de danseur dans la fameuse scène du quadrille du bal populaire de « La Reine Blanche » qui allait devenir le Moulin-Rouge.

Pour les avoir longuement observés l'un et l'autre durant notamment le tournage de cette séquence, il m'est permis de témoigner de la parfaite osmose qui régnait entre Renoir et Jean, d'une part, et, d'autre part, entre Jean Gabin et le personnage de Danglard qu'il interprétait, au point qu'il me paraissait inimaginable que Renoir ait failli — à l'exemple de Becker quelques mois plus tôt pour *Le grisbi* — commettre la même erreur de se priver volontairement d'une telle collaboration.

Dès la fin du tournage de *French Cancan,* qui sortira avec succès sur les écrans parisiens en mai 1955, Jean va enchaîner avec *Razzia sur la schnouf* (Henri Decoin), *Chiens perdus sans collier* (Jean Delannoy), *Gas-Oil* (Gilles Grangier), *Des gens sans importance* (Henri Verneuil) et *Voici le temps des assassins* (Julien Duvivier). Ces cinq films, au cours de la même année 1955 ! L'année suivante, 1956, il en tournera également quatre : *Le sang à la tête* (Gilles Grangier), *La traversée de Paris* (Claude Autant-Lara), *Crime et châtiment* (Georges Lampin), *Le cas du docteur Laurent* (Jean-Paul Le Chanois). Quatre encore en 1957 : *Le rouge est mis* (Gilles Grangier), *Maigret tend un piège* (Jean Delannoy), *Les misérables* (Jean-Paul Le Chanois), *Le désordre et la nuit* (Gilles Grangier). Invraisemblable ! On le demande, et on le redemande, et de toute sa vie il n'a jamais autant tourné. Il est pris d'une véritable boulimie de films et de personnages divers qui lui assurent, à côté de quelques succès moyens, trois grands triomphes avec *La traversée de Paris, Maigret tend un piège,* et *Les misérables*[23].

On ne va pas analyser dans le détail chacun de ces films qui tous, dans leur genre et à des niveaux différents certes, sont de cette « qualité dite française » sur laquelle la jeune critique d'alors — celle de *Arts,* des *Cahiers du cinéma,* de *Positif,* et de quelques autres news magazines — devait tirer à boulets rouges, exception faite pour *La traversée de Paris,* certainement le film phare de Jean à cette époque.

Il est plus intéressant de remarquer la diversité des personnages qu'il interprète et qui, désormais, ne permet plus de situer l'acteur dans un genre défini : le « mythe Gabin » est loin.

Un seul rôle de gangster, *Le rouge est mis,* contre quatre rôles de policier, *Razzia sur la schnouf, Crime et châtiment, Maigret tend un piège* et *Le désordre et la nuit.* Deux chauffeurs routiers, *Gas-Oil* et *Des gens sans importance,* contre un juge, *Chiens perdus sans collier,* un restaurateur-cuisinier de renom, *Voici le temps des assassins,* un armateur bourgeois, *Le sang à la tête,* un médecin-accoucheur, *Le cas du docteur Laurent,* un peintre « arrivé » et anar, *La traversée de Paris,* et enfin, un nouveau rôle mythique, celui de Jean Valjean, *Les misérables.*

On notera encore que *Gas-Oil* marque les débuts de la collaboration Gabin-Audiard — c'est Grangier qui les a fait se connaître —, et le rôle que le dialoguiste jouera désormais dans la plupart de ses films sera capital, notamment dans l'immédiate période qui va suivre celle dont nous parlons maintenant. On s'est souvent interrogé pour savoir lequel des deux avait influencé l'autre quant au langage que désormais Jean emploiera à travers ses personnages. En fait, ils étaient très proches l'un de l'autre de par leurs origines populaires et, à quelques années de différence, ils avaient, dans leur jeunesse, fréquenté les mêmes milieux. Cependant, il y avait un langage Gabin et un langage Audiard mais, cousins germains, ils s'interpénétrèrent aisément. En outre, ce langage n'était pas uniforme — il le paraissait souvent, tant le dialogue d'Audiard était ajusté à la personnalité de Gabin —, Maigret ne parlait cependant pas comme le baron Schoudler des *Grandes familles,* et l'ouvrier de *La rue des Prairies* comme *Le baron de l'écluse.*

Jean, dont le verbe dans la vie et dans l'intimité d'une conversation pouvait être éblouissant d'invention, était certainement incapable d'*écrire* un dialogue de cinéma. Par contre, il savait « travailler » celui que lui écrivait Michel Audiard qui était souvent prolifique, abusait parfois de formules et de mots d'auteur, et se laissait aller à quelques « tunnels », autrement dit des répliques trop longues que Jean n'appréciait guère. On disait de Jean qu'il n'aimait pas ces « tunnels » parce qu'il était trop paresseux pour les apprendre par cœur. Cependant, chaque fois qu'ils étaient impérativement nécessaires à la scène ou au personnage, il les a acceptés. Je pense notamment à la grande tirade de la scène de la Chambre des députés dans *Le Président* — un véritable discours ! Autrement, il trouvait qu'un « tunnel » avait souvent tendance à détruire le rythme d'une séquence et que la même chose pouvait être dite avec moins de mots. C'est ainsi qu'il lui arrivait, juste avant de tourner une scène, de faire de petites coupes et de légers arrangements dans le dialogue d'Audiard, le resserrant, lui donnant ce rythme que lui, acteur, sentait mieux que personne parce qu'il savait sur quel tempo il le jouerait. Ce faisant, Jean respectait l'esprit du dialogue d'Audiard et, celui-ci n'étant pas présent sur le tournage, il demandait toujours l'approbation de son metteur en scène.

Je n'ai jamais été témoin de grandes querelles à ce sujet entre Jean et Michel Audiard, même si, comme tout auteur, ce dernier n'aimait guère qu'on touche à son dialogue. Mais, de Jean, il l'acceptait mieux que d'un autre, car il pouvait constater qu'il ne se trompait pas souvent et qu'aucun acteur ne faisait mieux briller son dialogue que lui.

Par contre, il y eut entre eux des querelles légendaires, parfois même d'une grande violence verbale, surtout de la part de Jean. Des ruptures aussi. Michel Audiard, par tempérament, avait le don de prendre un peu les choses à la légère, ce qui irritait Jean, d'un caractère beaucoup plus rigoureux et surtout anxieux. D'autre part, avec juste raison, Michel Audiard ne voulait pas s'enfermer exclusivement dans le rôle de « dialoguiste de Jean Gabin » et, par conséquent, entendait également travailler pour d'autres. Jean supportait mal cette situation. Disons le mot, il était jaloux, mais il redoutait aussi que le travail qu'Audiard devait faire pour lui n'en pâtisse et notamment ne prenne du retard. Alors éclataient les chamailleries, les disputes, les reproches divers.

Dans ces moments-là, Jean faisait rarement dans la nuance.

— Quand je pense que j'ai sorti cet homme-là de la boue ! disait-il à Audiard, sachant, au fond, que tout le monde comprendrait qu'il s'agissait là d'une image pour le moins exagérée. (Il s'en délectait cependant.)

L'air narquois, Michel ne prenait jamais très au sérieux les colères de Jean, d'autant qu'il savait que, lorsqu'il lui apporterait son scénario, celui-ci dirait :

— Ben, c'est pas mal, mais t'as quand même mis le temps !

Ces deux-là étaient plutôt avares de compliments l'un envers l'autre, mais ils savaient que, au fond, ils n'avaient pas besoin de s'en faire car ils se portaient finalement une grande estime réciproque.

Ce qui n'empêchait toutefois jamais Jean d'y aller de ses réflexions à l'emporte-pièce dont il aimait accabler ses amis : un jour, Audiard arriva chez lui, en Normandie, au volant d'une superbe Porsche flambant neuve.

Jean, dont la « folie » en matière de voitures ne dépassait pas, à cette époque, le dernier modèle Peugeot, examina le somptueux véhicule d'Audiard avec circonspection puis laissa tomber en aparté :

— Ce type vit au-dessus de ses moyens... Les quatre roues sont à moi !

Le cher Grangier était aussi souvent victime de quelques sentences que Jean aimait bien balancer : Jean le vit un jour arriver au studio au volant d'une Cadillac que Grangier avait rachetée à leur producteur Jacques Bar.

— On commence en Cadillac et on finit à bicyclette ! lança Jean qui avait le goût des formules lapidaires.

A l'analyse des films qu'il tourna à cette époque, on remarquera que Jean cherchait de plus en plus à jouer des personnages qui lui permettaient d'exprimer des valeurs humaines auxquelles lui-même croyait : honnêteté, justice, comportement moral rigoureux. Ce que certains traduiront curieusement par « poujadisme » et esprit « franchouillard » en lui opposant encore et toujours le fameux « mythe Gabin » de jadis qu'ils « inventeront » précisément dans ces années-là pour étayer leurs arguments.

On jettera alors au visage de Gabin ses rôles de « marginaux » et de « révoltés » contre la société, qu'il avait joués dans son jeune temps, ne voulant pas le voir vieillir et n'admettant surtout pas son « embourgeoisement », ni qu'il devienne à travers les personnages qu'il interprétait désormais ce qu'ils appelaient « le défenseur de valeurs morales bourgeoises du temps » !

Eh oui, Gabin vieillissait comme tout le monde. L'homme de soixante ans ne se comportait plus comme l'homme de trente ans qu'il avait été, il ne portait plus sur le monde et sur les hommes le même regard que celui qu'il avait eu dans sa jeunesse. Mais quel est l'homme de soixante ans qui, se souvenant de ce qu'il a été trente ou quarante ans plus tôt, oserait réellement lui jeter la première pierre ?

Et puis quoi ! Le juge pour enfants de *Chiens perdus sans collier*, le médecin pionnier, pratiquant la méthode « révolutionnaire » alors de l'accouchement sans douleur du *Cas du docteur Laurent*, sans même appeler à la rescousse le père Hugo et Jean Valjean, sont-ce là des personnages si conformistes et si condamnables ?

Sans entrer dans une polémique à ce sujet, on peut simplement dire que ces personnages sont pour la plupart représentatifs de la société de l'époque et, naturellement, on admettra que cette société-là, comme tout autre, peut toujours être contestée.

Ce qu'on ne peut contester, c'était le droit de Gabin d'assumer la réalité de son âge, les valeurs morales qu'il estimait devoir véhiculer et qui, pour lui — cela en étonnera beaucoup —, s'inscrivaient dans le droit fil de ce que, d'une certaine manière, il avait défendu aussi, à travers ses personnages de *La grande illusion*, du *Quai des Brumes*, ou du *Jour se lève*. Personne, même rétrospectivement, n'a jamais pensé à lui reprocher d'avoir été, en 1939, le patron petit-bourgeois de *Remorques* dont les valeurs morales « conformistes » étaient cependant tout autant largement affichées.

Et puis, de temps en temps, pour montrer sans doute que, durant cette période de sa carrière, il était moins sectaire que ses détracteurs, Jean Gabin réendossait son habit de « vieil anar » qui séduit tant ceux qui lui reprochent son embourgeoisement : c'était notamment avec le personnage de Grandgil de *La traversée de Paris*, son meilleur film incontestablement de cette époque. Mais Grandgil était un « anar » de droite dont l'esprit libertaire est sécurisé — même en pleine occupation allemande — par le confort matériel et moral que lui procure la reconnaissance par tous de son talent d'artiste.

Jean disait personnellement de lui-même :

— Je suis un vieil anarchiste... de droite, forcément ! Avec le pognon que je gagne, personne me croirait si je disais... de gauche !

La fameuse apostrophe de son personnage, Grandgil, dans le film d'Autant-Lara qui interloquait tant certains spectateurs : « Salauds de pauvres ! » Jean, dans la vie, aurait pu la transformer en « ces cons de pauvres ! » ce qui, évidemment, ne veut pas dire tout à fait la même chose.

Il ajoutait en effet :

— Si j'étais à la place du mec qui travaille au smig en usine, je descendrais dans la rue et je fouterais tout en l'air !

Un peu naïvement, Jean ne comprenait pas qu'un homme puisse accepter de vivre sans argent.

— Quand on a trente ans et qu'on n'a pas de pognon, c'est qu'on est forcément un con ! disait-il un jour devant moi froidement.

Il rencontra alors mon regard très appuyé sur lui : j'avais trente ans, pas d'argent, il le savait.

— Oui, bon, d'accord, ajouta-t-il d'un air embarrassé, évidemment, y a des exceptions.

Ce genre de « retournement » de Jean me faisait généralement éclater de rire. Ça ne lui plaisait pas tant, et alors, pour se venger, il hochait la tête en disant :

— C'est vrai, après tout, que vous êtes un peu con !

Jean avait avec l'argent des rapports complexes. J'en parle ici brièvement, à propos précisément de son côté « anar-bourgeois » qui se reflétait parfois dans les personnages qu'il interprétait. Il a toujours ressenti un malaise devant l'argent qu'on lui donnait pour faire, comme il disait, « des grimaces » sur un écran.

— Il en avait même parfois honte, précise aujourd'hui Dominique.

Et M. Pouzaud, qui, en tant qu'entrepreneur de maçonnerie, travailla durant vingt années pour Jean à la construction et à l'aménagement de son domaine de la *Pichonnière,* déclare[24] :

« M. Gabin n'a jamais joué au “ riche ” comme s'il avait honte de l'argent qu'il possédait et qu'il avait pourtant honnêtement gagné par son travail dans le cinéma. Il donnait l'impression d'être plus fier de ce que lui rapportaient parfois les produits de son élevage. »

Durant cette période de sa carrière — 1955-1958 —, Jean était nettement sous-payé par rapport à ce qu'il représentait réellement de « valeur marchande » — c'est-à-dire en fonction du succès de ses films —, même si cette « valeur » n'était pas encore celle qu'il atteindra à partir de 1958-1959 où elle restera, d'ailleurs, intrinsèquement sous-évaluée, mais pour une raison dont Jean était lui-même responsable et dont je reparlerai.

Au fur et à mesure que le succès revint, qu'il eut de plus en plus de propositions, il ne poussa jamais son agent André Bernheim à monter ses prix. Il freinait même les exigences de celui-ci, qui était parfaitement lucide quant à la vraie situation professionnelle de son client. Jean avait en effet délibérément choisi une autre politique qui consistait à gagner moins en tournant en échange beaucoup de films. D'être autant sollicité le réconfortait moralement et en définitive le résultat était le même : il gagnait autant d'argent. Sans toutefois paraître réaliser qu'il devait pour cela travailler deux fois plus.

La raison de ce comportement — qui consistait aussi à ne pas mettre tous ses œufs dans le même panier — résidait dans la peur qui ne le quittait pas de l'éventuel échec d'un de ses films sur le plan commercial et du sentiment de responsabilité qui aurait été alors le sien. Il ne voulait pas s'entendre dire par un producteur : « Je vous donne beaucoup d'argent, monsieur Gabin, et votre film n'ayant pas marché, je suis perdant. »

Il pensait naïvement qu'on ne pourrait pas l'accabler de ce genre de reproche le cas échéant, s'il était moins exigeant, au départ, sur le montant de son cachet. Mais, en fait, comme il n'y eut durant cette période pratiquement pas d'échecs, Jean d'une certaine manière était floué.

Certains de ses producteurs d'alors reconnaissent aujourd'hui avoir « sous-payé » Jean. En contrepartie, celui-ci exigeait que son contrat soit parfaitement exécuté et tenait surtout farouchement au respect des dates d'échéance des versements prévus. Or, même dans les sociétés les plus sérieuses, c'est souvent la chose la plus difficile à obtenir, car les producteurs s'alimentent sur des prêts bancaires et les quelques jours d'agio de gagnés sur des sommes importantes peuvent se révéler très précieux à l'équilibre de l'affaire.

Pour Jean le respect des dates était, par contre, capital. Non qu'il craignait de ne pas être payé mais simplement parce que, à cette époque — et cela continuera pratiquement jusqu'à la fin de sa vie — il s'était engagé dans la construction et l'agrandissement de son domaine de la *Pichonnière* et il avait donc lui-même à faire face à des engagements financiers à des dates qu'il entendait, lui, respecter. L'argent qui rentrait de ses films ressortait en effet aussitôt de l'autre côté pour bâtir son rêve.

Rêve qui se trouvait désormais complété par cet autre auquel il tenait encore plus fortement — mais les deux dans son esprit s'imbriquaient — et qui était devenu une réalité : sa famille. Car, après ses filles Florence et Valérie, Mathias, son garçon, était né le 22 novembre 1955.

Sa « période grise », qui le fut uniquement sur un plan professionnel, et davantage moralement que pécuniairement, était en tout état de cause terminée.

9.

LA PICHONNIÈRE

Première partie

Lorsque Jean acheta en juillet 1952 le domaine de la *Pichonnière* et ses 42 hectares, tout était à refaire.

« C'était affreux, se souvient Dominique. En fait d'herbages, ça ressemblait plutôt à la lande bretonne. La maison n'était pas laide, elle avait même un certain style, mais elle était dans un état épouvantable et évidemment inhabitable. Pratiquement, c'était le domaine des poules, et la baignoire servait de réserve à grains. Les étables et tous les bâtiments annexes étaient délabrés. Bref, il fallait repartir de zéro mais c'était précisément ce qui plaisait à Jean. Il n'aurait jamais envisagé d'acheter — il ne l'a jamais fait — quelque chose où il n'aurait eu qu'à s'installer. Ce qui l'excitait, c'était quand il y avait, au contraire, tout à faire. Il était un bâtisseur dans l'âme. Il se passionnait à imaginer ce que ça allait devenir, à établir des plans en conséquence. A partir de cette période des années 50, il n'a fait que ça, bâtir jusqu'à la fin de sa vie pratiquement. Il lui est arrivé de démolir ce qu'il avait construit parce que ça ne lui plaisait plus ou qu'il trouvait que c'était mal adapté à une nouvelle idée qu'il venait d'avoir, mais, en réalité, je sentais surtout que ça lui faisait plaisir de rebâtir autre chose. »

A la *Pichonnière,* Jean a commencé à raser les étables et à en construire d'autres ultramodernes.

« Chaque stalle des vaches devait avoir cinq mètres carrés, précise Gaston Pouzaud, l'entrepreneur-maçon de Moulins-la-Marche qui travailla pour Jean[1]. Le sol comportait une rigole naturellement, mais M. Gabin ne voulait pas qu'il soit en pente, parce qu'il avait appris que les vaches donnent moins de lait quand elles sont en déséquilibre. Plus tard, quand je lui ai construit les boxes pour ses chevaux, il a eu une exigence de qualité et de confort encore plus grande. C'était passionnant de travailler pour lui. M. Gabin n'acceptait que la perfection. »

« Avant que Jean ne se décide à construire notre propre maison, j'ai souvent pensé que nous aurions pu aussi bien aller vivre dans les étables ou les boxes », dit aujourd'hui Dominique en riant.

Parallèlement, il fit remettre en état les herbages et réaménagea la maison elle-même pour y loger un régisseur et sa famille.

« A la *Pichonnière,* comme ailleurs sur d'autres fermes qu'il a eues, M. Gabin n'a jamais logé son personnel autrement que dans des maisons qu'il remettait à neuf de fond en comble », indique encore Gaston Pouzaud.

Quand il séjournait à Bonnefoi, Jean et sa famille logeaient dans une maison du village qu'il avait achetée peu après la *Pichonnière,* avec 27 hectares d'herbages qu'il échangea contre d'autres terres situées autour de la *Pichonnière,* car son but était de bâtir un vaste domaine d'un seul tenant et qui finit par atteindre 150 hectares. Il s'étendait à la fois sur la commune des Aspres et sur celle de Bonnefoi. Un petit ruisseau, le Vivier-Tranchant, le traversait.

Dans cette opération de remembrement, il fut loin d'être gagnant.

« Les gens qui avaient des terres susceptibles d'intéresser M. Gabin le voyaient venir de loin et faisaient monter les prix, explique Pouzaud. Il n'a jamais fait la moindre bonne affaire dans ces histoires, mais il ne voulait pas qu'on puisse dire qu'il en avait fait une, justement. Il voulait être en bonne entente avec tout le monde, et naturellement il y en a qui en ont profité. S'il pouvait rendre service, il le faisait avec empressement.

... Un de ses voisins aux Génettes, M. Boulet par exemple, avait besoin de quelques hectares. M. Gabin n'a pas hésité à les lui donner. Un autre de ses voisins, M. Cheignon, voulait prendre sa retraite et se retirer ailleurs, mais il ne trouvait personne pour lui racheter sa petite ferme qui ne valait rien.

— Achetez-moi ma maison et les quelques terres autour, demandait tout le temps M. Cheignon à M. Gabin.

— J'ai pas besoin de votre maison, monsieur Cheignon, lui disait M. Gabin.

Mais l'autre insistait, si bien qu'un jour M. Gabin m'a dit : " Je vais lui prendre sa maison à M. Cheignon... Il est de ma classe. "

J'ai pensé : " On n'achète pas une maison dont on n'a pas besoin parce que la personne qui veut vous la vendre est de votre classe. "

Surtout que la maison, il lui a achetée un bon prix à M. Cheignon. Après il m'a dit : " Rasez-la, Pouzaud, j'ai rien à en faire. " Il n'y avait en effet rien à en faire, elle était en torchis et d'un coup de bulldozer elle a été par terre. Quant aux terres qui allaient avec, ça valait guère mieux. Tout ça, M. Gabin le savait, mais voilà, ce Cheignon qu'il connaissait pas plus que ça, il était de " sa classe " !

M. Gabin, il avait un cœur d'or. J'ai compris très vite que cet homme-là, quand il se mcttait à guculcr, c'était pour pas pleurer.

Un jour, je lui appris qu'un de mes ouvriers qu'il connaissait un peu venait de perdre sa petite fille qui s'était noyée dans une rivière. M. Gabin n'avait jamais vu la gosse mais il a été bouleversé et m'a tout de suite demandé ce qu'il pouvait faire pour les parents. Une autre fois, un ouvrier s'est blessé sur le chantier et a dû être hospitalisé un long moment. M. Gabin me demandait continuellement de ses nouvelles, s'inquiétait de savoir si sa femme n'avait besoin de rien et me donnait chaque fois quelque argent pour que je le remette au gars mais il voulait pas que je dise que ça venait de lui. C'était un homme timide, et les remerciements l'embarrassaient. »

Jean démarra son exploitation avec une trentaine de vaches normandes et un taureau. Il installa à la *Pichonnière* rénovée un couple qui y amena quelques bêtes lui appartenant. Malheureusement, celles-ci se révélèrent très vite atteintes de brucellose et contaminèrent celles de Jean, qui dut faire abattre tout le cheptel. Il renvoya le couple, convaincu qu'il n'ignorait pas la maladie de ses bêtes.

Il racheta aussitôt une quarantaine de vaches normandes et engagea un nouvel employé. Produisant du lait et de la crème en utilisant des procédés techniques très modernes, Jean commença alors son élevage de veaux, vendant les mâles, conservant les femelles. C'est cette exploitation qu'il développera jusqu'à posséder deux cent cinquante vaches et plusieurs taureaux.

Pour alimenter un cheptel de cette importance, Jean continuera progressivement à acheter de nouvelles terres d'herbages ou de cultures : 32 hectares au Merlerault, 30 autres sur la commune de Moulins-la-Marche. Il acheta aussi un vieux manoir dont personne ne voulait et envisagea un moment d'en faire sa demeure.

« M. Marre, son architecte, et moi-même, dit Gaston Pouzaud, avons déconseillé à M. Gabin de tenter une restauration car le manoir était " pourri ". Et puis, à la réflexion, M. Gabin a finalement trouvé qu'il était trop éloigné de la *Pichonnière* pour en faire sa maison. On l'a démoli — il n'y avait rien d'autre à faire — et on a récupéré quelques pierres de Grisons, une pierre aux reflets rougeâtres de la région, avec d'autres du même style que M. Gabin acheta aux trappistes de l'abbaye de Soligny, propriétaires d'une carrière, qui servirent à construire les colonnes d'angle de la *Moncorgerie*. »

La *Moncorgerie*, c'est le nom que Jean donna tout naturellement à la maison qu'il décida de construire finalement au cœur même du domaine de la *Pichonnière*. Il l'éleva au sommet d'un tertre dont la pente douce s'inclinait en direction des bâtiments de la ferme situés quelque quatre cents mètres plus bas, et face à la vieille demeure rénovée de la *Pichonnière*. C'est d'ailleurs pour la différencier de cette dernière, et non par une ostentation qui n'était pas dans son caractère, que Jean lui donna son nom.

Les travaux commencèrent au mois d'août 1956 et s'achevèrent à Noël 1957.

« Quand M. Gabin avait décidé quelque chose, il fallait toujours faire vite, dit Gaston Pouzaud. On a même commencé sans permis de construire. En même temps, il voulait que tout soit parfait. Une maison comme celle-là, on n'en construit plus aujourd'hui. On ne trouverait peut-être même plus les ouvriers pour la faire. »

« Jean n'a pas voulu que je me mêle de la maison tant qu'elle ne serait pas terminée, raconte de son côté Dominique. C'était un peu comme s'il désirait m'y faire entrer comme on fait entrer dans sa première demeure une jeune épousée. Avec nos trois enfants, nous n'étions pourtant plus tout à fait des jeunes mariés. Je n'allais donc pas à la *Pichonnière* à l'époque des travaux, lui y passait tout son temps libre, et même les week-ends quand il tournait. »

Jean-Paul Guibert, le beau-frère de Michel Audiard, qui fut son producteur pour un grand nombre de films entre 1955 et 1959, se souvient des problèmes que lui causait Jean en fin de semaine[2].

« A cette époque, quand nous tournions en studio, on travaillait le samedi. Ça n'arrangeait pas Jean qui avait envie de s'échapper le plus tôt possible pour aller dans ses terres en Normandie. Il souhaitait donc que l'on arrange un peu le plan de travail pour être libéré au plus tard le samedi à midi. Ce n'était pas toujours facile, mais il avait une façon à la fois aimable et ferme de demander qu'on ne voyait pas comment lui refuser sans prendre le risque qu'il nous fasse la tête toute la semaine suivante... »

De son côté, Dominique s'agaçait de voir partir Jean pendant les week-ends alors qu'elle restait à Paris avec les enfants dans leur appartement de la rue François-Ier. D'autant que Jean se faisait accompagner à la *Pichonnière* par son vieux copain « Jo-les-grands-pieds », Georges Peignot, qui avait alors abandonné son bar de *l'Étape*, rue Pierre-Charron, et était devenu rentier.

Jean, qui ne pouvait quitter la maison ne serait-ce que quelques heures sans appeler deux ou trois fois pour savoir comment allaient les enfants, téléphonait naturellement à Dominique de nombreuses fois durant le week-end. Un dimanche, par dépit et un peu aussi par vengeance, Dominique emmena toute sa petite famille avec Zelle la gouvernante déjeuner chez Ledoyen dans les jardins des Champs-Élysées.

Jean évidemment appela la maison, et, comme exceptionnellement personne ne décrochait, il fut soudain inquiet. Il retéléphona plusieurs fois jusqu'au moment où, Dominique étant rentrée, on lui répondit enfin.

— Ben, où t'étais, maman ?

— Au restaurant !

— Quoi !... Avec les enfants ?

— Parfaitement ! Il n'y a pas de raison pour qu'on ne se distraie pas, nous aussi !

Rassuré, Jean prit bien la chose et éclata même de rire.

« Le jour où Jean m'a enfin fait découvrir notre maison, j'ai été effarée, poursuit Dominique qui rit aujourd'hui à ce souvenir, mais n'en eut pas autant envie précisément ce jour-là. Tout était gris de la cave au grenier, à l'exception du plafond de la salle à manger et celui du premier étage qui avaient été peints en vert. Une peinture grise affreuse !

J'ai dit : " C'est pas possible, où êtes-vous allés chercher un gris aussi laid ? "

— C'est le gris de la chemise à Pouzaud, m'a répondu Jean qui, devant ma réaction, n'était quand même pas très fier. Il m'expliqua que, le jour où ils avaient décidé du choix des peintures, Pouzaud portait une chemise dont le gris leur avait paru agréable à l'œil. Ce gris-là, je n'ai jamais su ce que ça pouvait donner sur Pouzaud, mais j'étais à même de constater que, sur les murs de la maison, le résultat n'était pas brillant.

Jean crut avoir sa revanche et retourner la situation en sa faveur en me faisant entrer dans la cuisine dont il était très fier de l'aménagement. Mais alors là, j'ai eu les bras qui m'en sont tombés ! Ils avaient tout simplement oublié de mettre du carrelage sur les murs — gris aussi naturellement —, autour des éléments de cuisine et des bacs-éviers !

— Ça se fait plus ! tenta de décréter Jean qui, en même temps, échangeait avec Pouzaud un regard tout de même circonspect.

J'ai évidemment obtenu mon carrelage un peu plus tard, menaçant Jean de ne jamais mettre les pieds dans cette cuisine, autrement.

Le joyau de l'endroit était un énorme fourneau comme on en voyait autrefois dans les grandes maisons bourgeoises. Jean l'avait spécialement fait faire en tôle et fonte noires cerclées de cuivre avec une barre de protection, également en cuivre. Une partie était conçue pour fonctionner à l'électricité et l'autre, la partie royale de l'objet, marchait au bois ou au charbon. Ce n'était pas d'un entretien facile mais il était superbe, je devais l'admettre. L'ennui, et je n'ai jamais très bien su ce qu'il s'était passé, c'est qu'il n'y avait pas de foyer, et, bien sûr, il ne marcha jamais !

Ce genre de bévue arrivait souvent à Jean — et Dieu sait qu'il essayait toujours de bien faire ! — quand il voulait, entêté comme il était, se mêler de choses qui n'étaient pas toujours de sa compétence. Mais il aimait avoir des idées sur tout. Ce n'était pas vraiment de la prétention, il était plutôt naïf.

A part cela, et après quelques modifications que je suis parvenue à imposer, la maison était devenue très agréable et c'est vrai qu'elle était belle. »

En se lançant dans cette entreprise pour les raisons que l'on sait — assurer sa retraite éventuelle et réaliser son rêve d'enfant —, Jean n'avait jamais imaginé faire autre chose que de l'élevage de bovins et l'ensemble de la *Pichonnière* n'avait été conçu que pour cette fonction.

Mais un jour, par l'entremise de M. Desvaux qui était le régisseur du domaine, un nommé Andrieux proposa à Jean de lui vendre une jument, Hortensia VII, une trotteuse qui ne courait plus et poulinait et qui, en son temps, avait gagné dix-huit millions de centimes de prix, ce qui, à l'époque, n'était pas si mal.

En souvenir de son père, Jean s'était toujours intéressé aux chevaux. Pas seulement d'un point de vue de joueur — il l'avait été très peu et avait cessé du jour où il avait eu de l'argent —, mais il avait possédé pendant sa vie, à deux ou trois reprises, un cheval qu'il faisait courir sans évidemment s'en occuper lui-même. La dernière fois, peu après la guerre, et en association avec son ami Maurice Ollivier, un riche propriétaire terrien d'Afrique du Nord qu'il avait connu à Alger en 1943, Jean avait eu une jument, Joséphine, qui n'avait couru qu'à Deauville.

Jean était donc troublé par la proposition d'Andrieux qui ne voulait vendre qu'à lui son Hortensia. Il en faisait une affaire sentimentale : il admirait Jean, ce qu'il avait fait du domaine de la *Pichonnière,* et pensait que sa jument y serait heureuse, étant née en plus dans une ferme toute proche.

Naturellement, la corde sensible de Jean vibrait déjà un peu. D'autre part, le bonhomme ne demandait pour Hortensia qui était pleine par Dick William, un excellent étalon, qu'une somme dérisoire, trois millions de centimes, et en prime il offrait également une autre jument, Belga D.

Jean se laissa donc tenter.

C'est ainsi que, par le plus grand des hasards et le caprice obstiné d'un dénommé Andrieux, Jean devint propriétaire-éleveur de trotteurs et que, tout en conservant son exploitation de bovins, la *Pichonnière* se transforma assez rapidement en *Haras de la Pichonnière.*

Le temps que Gaston Pouzaud construise les boxes des nouveaux pensionnaires — car rien évidemment n'était prévu pour cela —, Jean mit en pension chez l'entraîneur Marcel Dejean, au Merlerault, Hortensia et Belga D, lui confiant également l'élevage des premiers produits des deux juments.

Belga D produisit une pouliche que Jean baptisa Quelle Allure mais qui, hélas, se révéla n'en avoir précisément aucune et ne fit rien de bon. Par contre, Hortensia donna naissance à un poulain dont elle était pleine quand elle fut achetée à Andrieux et que Jean s'empressa d'appeler Quartier-Maître. Il était très fier de son cheval qu'entraînèrent et drivèrent les frères Gougeon et qui, bien qu'il ne gagnât pas de grandes courses, fut un des meilleurs trois ans de sa génération.

A la fin de sa carrière de trotteur, Quartier-Maître fut vendu comme étalon, et il mourut « fou ».

Hortensia devait également donner à Jean : Talma, Scottish et Rabouilleuse, notamment.

Dans sa précipitation pour faire face à la nouvelle situation, Jean commit une erreur dans l'implantation et la construction des boxes destinés aux chevaux. Bâtis en bas d'un terrain en pente, ils étaient fréquemment inondés par temps de pluie. Conçus sans auvents, le travail de récurage des boxes se faisait mal, les ouvriers n'étant pas à l'abri des intempéries. Enfin, plus grave, par mauvais temps également, le fourrage n'était pas non plus protégé au moment d'être introduit dans les boxes, et par conséquent se trouvait mouillé.

Jean décida donc d'en construire d'autres mieux placés, avec des auvents surplombant largement le trottoir d'accès aux entrées et installa au-dessus des greniers à fourrage qui permettaient, par des trappes, d'alimenter directement les chevaux avec une herbe bien sèche, quel que soit le temps.

Jean se sépara alors de son régisseur Desvaux dont il n'était pas satisfait et qui, en tout état de cause, ne se montrait pas à la hauteur de la nouvelle entreprise. Il chargea un moment son beau-fils Jacky, qui avait alors une vingtaine d'années, de cette succession et, comme parallèlement son élevage de bovins continuait à prendre de l'extension, il engagea du personnel pour s'occuper des chevaux, des vaches, des veaux et pour cultiver ses hectares de terre dont les produits servaient à alimenter en fourrage et en céréales l'ensemble de son cheptel.

Un vaste jardin produisait des légumes, le poulailler ses diverses volailles et des œufs, et la crémerie le beurre, car il y aura jusqu'à quinze employés nourris et logés en permanence à la *Pichonnière*.

Tout cela prenait donc une drôle d'allure. Et, encore une fois, la personnalité complexe de Jean s'exprimait à travers de nouveaux paradoxes.

Il y avait chez cet homme, lancé dans cette aventure à plus de cinquante ans et que tout le monde affirmait paresseux — lui-même se définissait comme fainéant —, un besoin de s'occuper sans cesse et de s'épuiser à la tâche entre l'extension et la marche de son domaine et son travail au cinéma à une époque où il enchaînait précisément film sur film. Aspirant profondément à la tranquillité, il semblait en même temps avoir une attirance jubilatoire à plonger dans les soucis et les préoccupations que ne manquaient évidemment pas de lui procurer ses nouvelles occupations. Cet homme que l'on disait avare — mais ça, c'était rigoureusement faux — ou que, pour le moins, on accusait de savoir compter engloutissait précisément, sans compter, une fortune à entourer son domaine de plusieurs kilomètres de lisses en béton de chez Varin-Pichon — « le Dior de la clôture », comme disait Dominique —, et faisait poser sur les portes de ses boxes des verrous en cuivre de marine, n'hésitant d'ailleurs pas à les faire changer quelque temps après pour les remplacer par des répliques de ceux du centre d'entraînement de Gros-Bois qu'il trouvait encore plus beaux. Enfin, il y avait aussi chez cet homme raisonnable une passion, une folie et une démesure qui le conduisaient à ne jamais rien faire à moitié.

Ainsi, sur le chemin où il s'était engagé, Jean, désormais, ne s'arrêterait qu'ayant atteint son but, quoi qu'il lui en coûtât.

Mais ce but, qu'était-il au juste ? Que cherchait-il en fin de compte ?

La poursuite d'un rêve né dans son enfance à Mériel et jamais oublié ? Mais ne le dépassait-il pas déjà ? Le désir de sécuriser ses vieux jours ? Le moindre placement immobilier lui aurait rapporté davantage, et surtout moins de soucis, tout en lui faisant passer ses jours de repos que lui laissait son activité cinématographique dans une chaise longue. Léguer à ses enfants — ce qui était chez lui une obsession permanente — quelque chose de lui-même qui ne serait pas seulement cette image à facettes aussi multiples que trompeuses que leur livrait l'écran ? N'allait-il pas jusqu'à dire avec une candeur aussi insensée que redoutable dans ses conséquences éventuelles : « Ils n'auront pas besoin de gagner de pognon, ils auront le mien » ? Cherchait-il à atteindre encore autre chose que nous ignorions parce qu'il l'a gardé pour lui avec cette pudeur maladive qui l'habitait ?

Par exemple, un besoin sourd mais impérieux d'exprimer ce qu'il avait de plus profond en lui, d'accomplir une « œuvre » qui ne devait rien à personne qu'à lui-même, dont il était à la fois l'auteur, le metteur en scène et l'acteur, et d'y affirmer sa vraie personnalité plus hautement que, de son point de vue, le cinéma lui avait permis de le faire, sans toutefois rejeter ce métier de « saltimbanque » qu'il aimait bien davantage qu'il ne le prétendait et qui, autre paradoxe, lui offrait la possibilité de vivre et de réaliser son ambition intime et personnelle.

— Jean restera une énigme, répète toujours aujourd'hui Dominique.

10.

RETOUR À LA GLOIRE

Au moment de *Gas-Oil* en 1955, Gilles Grangier n'avait pas seulement présidé à la rencontre de Jean et de Michel Audiard, mais aussi à celle de Jean avec le jeune producteur Jean-Paul Guibert. Entreprenant, Guibert était parvenu à obtenir de Georges Simenon une option de blocage sur toute la série des Maigret et des droits de deux d'entre eux, *Maigret tend un piège* et *Maigret et l'affaire Saint-Fiacre.*

Le fait que Gabin accepte de jouer le célèbre commissaire favorisa assurément la tractation. Dans le rôle, il succédait à Pierre Renoir, Harry Baur, Charles Laughton et Albert Préjean. Pour la circonstance, et avec le soin qui lui était habituel, Jean alla choisir ses costumes à La Belle Jardinière et, se souvenant du grand-père Moncorgé, le paveur de rues, et de l'image d' « honnête homme » qu'il lui avait laissée en soutenant son pantalon à la fois avec une ceinture et des bretelles, il fit porter à Maigret les mêmes attributs.

C'était, après *La traversée de Paris,* la deuxième fois qu'il fumait la pipe au cinéma, ce qui, à l'époque, lui arrivait fréquemment dans la vie. Un charmant comédien, Paul Mercey, qui tournait souvent dans ses films — pas seulement à cause de cela ! — lui fournissait régulièrement un tabac blond et très parfumé que l'on ne trouvait pas en France et qu'il lui rapportait de Suisse.

Ayant deux Maigret à tourner ensemble et envisageant d'autres projets, Jean proposa à Jean-Paul Guibert de lui signer un contrat de trois ans à raison de deux films par an. Guibert sentant que l'acteur avait de nouveau le vent en poupe accepta, d'autant que, en contrepartie, assuré d'avoir ces films à son programme pour les trois années à venir, ce qui ne lui interdisait pas d'en faire éventuellement d'autres ailleurs, Jean consentait des prix relativement raisonnables.

« Il fit le premier film pour moi au cachet de cinq millions de centimes, et trois ans plus tard, le dernier, *Le baron de l'écluse,* à vingt-cinq millions si ma mémoire est bonne », précise aujourd'hui Jean-Paul Guibert [1].

Pris dans l'engrenage de la *Pichonnière,* Jean avait impérativement besoin de se sécuriser financièrement. Ce style de contrat à plusieurs films sur deux ou trois ans, commencé avec Jean-Paul Guibert, il allait le répéter par la suite avec d'autres producteurs, notamment Jacques Bar et Maurice Jacquin. De la sorte, ses prix pour chaque film se trouvaient pratiquement déterminés à la signature du contrat général et s'ils subissaient une relative progressivité — comme dans le contrat avec Guibert —, le succès, ou l'insuccès, d'un film n'avait guère d'influence sur eux. Au coup par coup, après *Maigret tend un piège,* et plus encore après le succès considérable des *Grandes familles,* Jean aurait pu, vraisemblablement, doubler ses prix. Avec le système de contrat qu'il avait choisi, la progression du montant de son cachet était moins sensible. C'est en ce sens qu'il est permis d'écrire qu'il a été sous-payé. L'avantage qu'il tirait de cette situation était d'avoir, si j'ose dire, une sorte de « garantie d'emploi », ce qui lui permettait de lancer ses travaux de la *Pichonnière* avec la relative assurance — relative, car rien dans le cinéma n'est jamais définitivement acquis malgré les contrats — de pouvoir en couvrir les frais.

Outre les deux *Maigret* (Jean Delannoy), *Les grandes familles* (Denys de La Patellière) et *Le baron de l'écluse* (Jean Delannoy) déjà cités, l'association Gabin-Guibert donna également *Archimède le clochard* (Gilles Grangier) et *Rue des prairies* (Denys de La Patellière). Rien que des succès avec au sommet celui des *Grandes familles* *.

« Je n'ai eu avec Jean que des rapports professionnels, raconte aujourd'hui Jean-Paul Guibert avec nostalgie. Je l'ai toujours regretté mais je crois qu'il l'a voulu ainsi. Jean avait un esprit qui faisait qu'il lui était impossible de se lier " affectivement " avec un producteur, car il y a forcément entre celui-ci et un acteur des problèmes d'argent sur lesquels il était très pointu, et qui établissaient pour lui comme un écran à des relations d'amitié. J'avais personnellement beaucoup d'admiration et de respect pour lui, et sa personnalité me fascinait. Je serais

---

* Près de 500 000 entrées en première exclusivité à Paris, dans trois salles seulement.

aujourd'hui très fier d'avoir été, ne serait-ce qu'un moment, son ami. Il ne l'a pas voulu. »

Même s'il avait avec certains d'entre eux de bonnes relations, Jean, en effet, ne s'est jamais lié d'amitié avec un producteur. A ma connaissance, lui qui tutoyait tout le monde sur un film, n'en a jamais tutoyé aucun. De même que, quelle que soit la qualité de ses rapports avec un directeur de production — qui représente sur un film les intérêts du producteur —, il ne le tutoyait pas non plus. Jean avait, avec ceux qui représentaient le côté financier d'un film, des relations de salarié à patron. Vieux réflexe de « classe » qui lui venait de ses débuts dans la vie où il avait été ouvrier. Il faut, en effet, savoir que, quel que soit le montant de son cachet, un acteur, même comme Jean Gabin, le perçoit en « salaire ». Il a une fiche de paie, au même titre qu'un simple technicien ou un ouvrier de la production. Il cotise à la Sécurité sociale, à la caisse des allocations familiales, pour sa retraite, etc. S'il est au chômage, après épuisement d'une certaine franchise, il peut toucher des indemnités. Bien entendu, ce dernier point n'a jamais été le cas de Jean.

Je ne prétends pas que Jean percevait ses rapports avec les producteurs en fonction uniquement de cet état de choses, mais je crois qu'il gardait au fond de lui-même le fort sentiment d'être — même à titre exceptionnel — un salarié et que, quelque part, cela lui donnait un réflexe de méfiance ou pour le moins de prudence vis-à-vis de celui qui restait à ses yeux un « patron ».

Au début de sa collaboration avec un producteur, tout allait généralement très bien. Je ne connais cependant pas d'exemple que cela ne se soit pas gâté à chaque fois assez vite.

Un film, même dans le meilleur des cas, ne se déroule jamais sans incidents ou frictions à des niveaux divers. Jean avait pour principe de défendre généralement ses metteurs en scène s'il surgissait un conflit entre ceux-ci et la production, et cela engendrait forcément une querelle entre lui-même et le producteur. Si, autres cas plus rares mais qui se sont produits, Jean lui-même entrait en conflit avec son metteur en scène, il était bien exceptionnel qu'il n'en fasse pas, en définitive, porter la responsabilité sur le producteur.

Il arrivait souvent que Jean ait raison sur le fond. Il lui arrivait aussi, et plus fréquemment qu'il ne le croyait, d'avoir tort. Mais il se butait et devenait odieux. « Chiant », comme disaient certains, et non sans raison. Quand Jean avait pris quelqu'un « dans le nez », sa victime n'avait plus la moindre chance à ses yeux, même si elle n'était pas responsable réellement des causes du conflit. Il était alors d'une mauvaise foi absolue.

« Jean n'acceptait pas d'être critiqué et admettait difficilement, pour ne pas dire jamais, d'avoir tort, reconnaît Dominique qui eut elle-même, dans leur vie privée, à souffrir du caractère farouchement intransigeant de son mari. Il était aussi d'une extrême méfiance et, comme tous les gens trop méfiants, il se trompait souvent : il donnait ainsi sa confiance à une personne qui ne la méritait pas, et se méfiait d'une autre dont il n'avait rien à redouter, au contraire. Quand à la longue il découvrait avoir été trahi, c'était terrible pour celui qui l'avait trompé, d'autant que Jean était très sensible à cela. »

Durant cette période, et pratiquement jusqu'à la fin, Jean allait travailler avec un petit groupe de metteurs en scène attitrés, le plus souvent les mêmes scénaristes-dialoguistes, Michel Audiard surtout, mais aussi Alphonse Boudard et Pascal Jardin. Il finira même, à l'époque de son exclusivité chez le producteur Jacques Bar, par exiger d'avoir la même équipe technique à chaque film. Dans son contrat figurait une liste de personnes qu'il voulait impérativement avec lui. Cela allait de Micheline Bonnet, son habilleuse de toujours, au directeur de la photographie qui, à partir du *Rouge est mis* (1957) jusqu'à *Monsieur* (1964) — et à l'exception d'un ou deux films —, sera Louis Page, en passant par l'ingénieur du son Jean Rieul et le perchman Marcel Corvaisier, le photographe Marcel Dole, la coiffeuse-maquilleuse Yvonne Caspérina, le chauffeur de sa voiture de production Robert Fugier, ses décorateurs, notamment Jacques Colombier — un grand copain à lui —, René Renoux, Robert Clavel. En outre, il appréciait également de retrouver sur ses films les mêmes équipes d'ouvriers machinistes et électriciens — collaborateurs « secondaires » d'un film mais combien précieux — dont il connaissait certains depuis très longtemps et qui, presque tous, l'appelaient Jean et le tutoyaient, alors que peu de techniciens de haut rang se permettaient ce privilège.

Pourquoi ces exigences ? Caprices de star ? Non pas. D'abord, les personnes que Jean voulait avoir avec lui étaient tous de remarquables professionnels et des gens de bonne compagnie. Tous connaissaient ses qualités et ses défauts, ses habitudes, et cela facilitait les rapports mais aussi le travail. Jean avait également le sens de la fidélité, mais il faut bien avouer qu'il détestait surtout les « têtes nouvelles ». Il lui fallait un certain temps pour s'habituer aux gens, pour les apprécier et leur faire confiance. Il préférait donc éviter cela.

Il attachait par exemple — autant que ses metteurs en scène — une grande importance à la qualité « sonore » de ses films. D'autant que, de par son style de jeu, sa voix grave et basse n'était pas toujours des plus faciles à enregistrer pour les ingénieurs du son. Elle avait parfois si peu d'inflexions au cours d'une scène qu'il était étonnant de constater l'infime oscillation de l'aiguille du potentiomètre de l'appareil enregistreur qui, par contre, s'agitait dès qu'un partenaire lui donnait la réplique.

Jean racontait souvent, à ce propos, une histoire qui était arrivée à Raimu dont le style de jeu était sensiblement le même que le sien.

C'était dans je ne sais plus quel film. Raimu joue une scène, et, à la fin, l'ingénieur du son vient le trouver et lui dit :

— Vous pourriez pas parler un peu plus fort, j'entends rien.

Raimu jette un regard de travers au technicien, mais, conciliant, dit qu'il va essayer. On recommence la scène.

L'ingénieur réapparaît.

— Je vous entends toujours mal, dit-il à Raimu.

— Vous m'étonnez ! répond l'acteur, qui commence à manifester un certain agacement.

On refait la scène une énième fois pour l'ingénieur du son qui ne se montre toujours pas satisfait. Pour une raison simple, en réalité : d'une prise à l'autre, Raimu ne changeait pas son timbre naturel de voix.

— Je suis désolé, mais j'entends pas, insiste l'homme du son.

Alors, Raimu explose d'une de ses célèbres colères :

— Et comme ça, *môssieu,* est-ce que vous m'entendez ? hurle-t-il.

— Comme ça, oui ! répond l'autre, un peu impressionné tout de même.

— Parfait ! dit Raimu.

Et il crie à la cantonade :

— Virez-moi ce con !

Évidemment, Jean, qui riait beaucoup de cette histoire, n'a jamais eu ce genre de problème avec Jean Rieul ou « Coco » Corvaisier, le perchman, qui étaient des maîtres dans leur métier, mais qui, en outre, se passionnaient à devoir maîtriser les difficultés que la voix de Jean leur imposait.

Après certaines scènes, notamment lorsqu'il avait un dialogue un peu long, Jean allait toujours écouter l'enregistrement et demandait à Rieul de lui minuter son texte.

— Je vais essayer de donner plus de rythme et tâcher de gagner dix secondes, disait Jean, qui repartait jouer sa scène sur un tempo plus rapide.

Il revenait écouter et n'était toujours pas satisfait.

— Si je pouvais le dire en cinq secondes de moins encore, je serais dans le bon rythme, maugréait-il contre lui-même.

Généralement, il finissait par réussir ce qu'il voulait obtenir. Une fois qu'il avait pris le ton d'une scène, le rythme était la chose à laquelle il attachait le plus d'importance.

Une autre raison pour laquelle il prenait grand soin de la qualité sonore, c'est qu'il avait horreur d'avoir à se postsynchroniser. En studio, il n'y a guère de problème, mais, en extérieurs, il est souvent difficile à l'ingénieur du son de ne pas capter les bruits ambiants naturels qui n'ont rien à voir avec le film, en même temps que le dialogue d'une scène. Dans ces cas-là, on se contente de faire un son « témoin » qui mémorise le dialogue des comédiens qui, ensuite, se postsynchronisent dans un studio d'enregistrement, autrement dit ils se doublent eux-mêmes. Cet exercice se fait à la fin du tournage du film : la scène est projetée sur un écran, et en dessous le texte du dialogue défile sur ce qu'on appelle une bande « rythmo » qui marque précisément le tempo sur lequel le texte doit être dit. Le comédien doit rejouer sa scène en synchronisme exact avec le mouvement de ses lèvres sur l'écran. Il doit en outre essayer de retrouver le ton et l'émotion qu'il avait en la jouant quelques semaines auparavant. Ce qui n'est pas toujours facile, car l'ambiance n'est évidemment plus la même : il n'a plus, pour l'aider, ni le décor ni les objets qui l'entouraient et, s'il se déplaçait en jouant la scène, en « synchro » il est rivé devant un micro suspendu devant lui, sa principale préoccupation étant de bien suivre le déroulement du texte pour être synchrone.

Il y a des acteurs spécialisés dans cet exercice, notamment ceux qui « doublent » en français les films étrangers. Il existe également des comédiens qui ne sont pas des spécialistes mais qui s'adaptent remarquablement à cette technique. Je pense à un homme comme Alain Delon, par exemple.

Jean, par contre, avait horreur de cette contrainte. Il ne s'y sentait pas à l'aise ni naturel, et n'avait aucune habileté en la matière. C'est donc la raison « égoïste » qui le faisait exiger de Jean Rieul, autant que celui-ci le pouvait, des miracles lors du tournage pour s'éviter l' « enfer » de la synchronisation. Mais ce n'était pas toujours possible.

Dans *Le cave se rebiffe* de Gilles Grangier, Jean avait tourné une séquence sur un bateau-mouche naviguant sur la Seine. Il y avait pour partenaire un acteur suisse, Heinrich Gretler, qu'il ne connaissait pas et qui avait un fort accent bernois — il avait été choisi dans le rôle pour cette raison. Malgré les prodiges tentés par Jean Rieul, on dut se résoudre à synchroniser toute la scène.

Le jour de la synchro, Jean, croyant avoir affaire en la personne de Heinrich Gretler à un comédien inexpérimenté, lui expliqua avec gentillesse comment tout cela fonctionnait. L'autre acquiesçait poliment et remerciait Jean de son amabilité. Quand commença le travail,

Gretler « balança » son texte au quart de poil dans le rythme et la tonalité qui convenaient, alors que Jean « savonnait » le sien en avance ou en retard sur le déroulement de la bande « rythmo » qui indique le parfait synchronisme.

On recommença plusieurs fois, et chaque fois Gretler « envoyait » son dialogue sans problème avec une aisance déconcertante, tandis que Jean bafouillait et, vexé, commençait à pousser des gueulantes sur « cette connerie de synchronisation ».

A la fin, en ayant terminé tout de même, Jean alla s'informer auprès de Grangier sur Heinrich Gretler :

— D'où tu l'as sorti, çui-là ?...

— C'est le grand spécialiste suisse de la postsynchronisation, il double en français tous les films allemands ! lui répond Grangier.

— Merde ! fit Jean doublement vexé, et moi qui voulais lui expliquer comme ça marchait, c'te connerie !

Fidélité, ai-je dit de Jean, à propos de son désir d'être entouré toujours des mêmes techniciens. Certes, et dans certains cas comme celui du directeur de la photographie Louis Page, on peut même parler d'amitié. Jean avait connu Page avant la guerre puisqu'il avait été l'assistant d'Armand Thirard pour *Remorques* de Grémillon dont il tourna, par la suite, tous les films en tant que directeur de la photographie. Il s'était révélé avec *L'espoir* d'André Malraux en 1939. Après la guerre, Jean l'avait retrouvé dans *Au-delà des grilles* et *Des gens sans importance*. A partir du *Rouge est mis,* Page devint l'opérateur attitré de Jean.

Louis Page était un des grands dans son domaine. Intelligent et cultivé, il était, sous un aspect quelque peu taciturne, le plus charmant et le plus courtois des hommes. Il avait une autre qualité primordiale aux yeux de Jean : il était d'une efficacité discrète, et, contrairement à certains de ses collègues, on ne l'entendait pas sur un plateau. Il était en outre peu bavard. Jean lui faisait une confiance totale, et Page et lui se comprenaient d'un simple regard, car ils n'échangeaient peut-être pas trois mots dans une journée de travail. Fidélité et amitié de la part de Jean à l'égard de Louis Page, mais aussi, il faut bien le reconnaître, intérêt. Car nul autre mieux que Page ne savait se débrouiller avec les « travers » de Jean dont on sait, par exemple, qu'il n'aimait pas se maquiller, ou très peu. Pour « compenser » cette absence de maquillage, Page était dans l'obligation de trouver des solutions techniques, sinon le visage de Jean serait apparu blafard et en discordance, notamment, avec celui d'une partenaire dont le maquillage était au contraire accentué.

Naturellement, Jean connaissait les difficultés qu'il imposait à

Page, et, que celui-ci les résolve sans un mot, il ne l'en appréciait et ne l'en admirait que davantage. D'autre part, il y avait des objectifs de caméra que Jean n'aimait pas parce qu'ils « l'écrasaient » dans le décor. Là encore, Louis Page veillait, comme il veillait à laisser toujours un espace — un peu d'air, comme il disait — au-dessus de la tête de Jean dans un plan rapproché ou un gros plan, car il avait découvert qu'ainsi le visage de l'acteur, avec ses cheveux grisonnants puis blancs, prenait un « équilibre » qui lui était plus favorable.

Les raisons pour lesquelles Jean travaillait toujours avec les mêmes metteurs en scène répondaient sensiblement au même type de rapports. Il n'avait cependant pas avec tous les mêmes affinités qu'avec Gilles Grangier. Ses relations avec Jean Delannoy, avec qui il fit six films, n'étaient pas les mêmes qu'avec Denys de La Patellière, avec qui il en fit six également, ou avec Jean-Paul Le Chanois qui fut son metteur en scène à quatre reprises, de même qu'avec Henri Verneuil dont il tourna cinq films.

Il les appréciait tous évidemment, en premier lieu pour leur talent et leur professionnalisme. Il aimait chez Jean Delannoy sa parfaite maîtrise des éléments qui composent un film, son ton mesuré, sa parfaite courtoisie et le côté très gentleman du personnage. L'estime qu'il portait à Delannoy ne l'avait cependant pas empêché de l'affliger d'un surnom peu respectable, le crâne du metteur en scène étant hautement dégarni : « Bobo la tête ». En extérieurs, lorsqu'ils se retrouvaient tous deux autour d'une table, les soirées avec Delannoy, pour aussi agréables qu'elles étaient, ne relevaient pas de la même ambiance que celles passées avec Gilles Grangier.

A table, pas plus qu'ailleurs, Jean n'appréciait la solitude et il aimait qu'on le suive dans ses folies culinaires. Ce n'était pas dans la nature de Jean Delannoy.

Jean racontait une anecdote à ce propos :

« Un soir, on dînait tous les deux, Delannoy et moi, et sans doute pour m'être agréable, j'ai nettement senti qu'il était décidé exceptionnellement à faire un effort. D'ailleurs, il a attaqué en disant :

— Ah, ce soir, Jean, je me sens disposé à faire une folie.

J'étais impressionné de le voir très attentivement étudier la carte et je redoutais que, pour me faire plaisir, il se rende malade. Finalement il a annoncé, royal :

— Je prendrai un chateaubriand bien cuit, avec des haricots verts sans beurre !

— Et avec ça ? Un peu de vin quand même ? lui dis-je.

— De l'eau ! répondit Delannoy. " Ma folie " a des limites.

Évidemment, concluait Jean en rapportant cette histoire, moi, si je suivais son régime, j'aurais pas les " tubulures " * en pleine détresse. »

De tous ses metteurs en scène, Delannoy est probablement celui qui a écrit sur Jean les choses les plus justes, et, en tout cas, dites avec le plus de sensibilité et d'intelligence :

« J'ai appris à aimer les hommes pour ce qu'ils gardent de leur enfance, et Gabin est de ceux-là. Il y a dans l'œil de ce monstre sacré une fraîcheur qui ne trompe pas, et, quand il le faut, une bonté qui est peut-être le seul sentiment qu'un acteur ne puisse exprimer sans l'éprouver.

On dit beaucoup de choses sur Gabin : on se trompe presque toujours. Quand il joue une scène, le moindre incident, le plus petit bruit l'arrêtent, le cabrent, comme un poulain. Ses réactions semblent disproportionnées avec l'objet, on invoque son mauvais caractère. C'est ignorer l'importance de la concentration chez ce timide. C'est oublier qu'un acteur qui " se donne ", selon l'expression consacrée, abandonne une part de lui-même qui, pour enrichir les autres, le rendra plus pauvre et plus vulnérable. Ce " dur " est un sensible. Cet homme tranquille est un inquiet. La sûreté de son jeu, c'est un tremblement intérieur dominé avec peine. Et c'est la raison même de son très grand talent (...).

Personne mieux que lui ne sait dépister le mot excessif, le geste qui dépasse l'intention. Quand une phrase du texte l'embarrasse, c'est presque toujours la phrase qui a tort. Car le trait dominant de ce bourru, souvent brutal, jamais grossier, de cet enfant du peuple aux expressions imaginées, jamais vulgaires, c'est la pudeur[2]. »

Je crois, par contre, que les quatre films que Jean fit avec Jean-Paul Le Chanois furent un peu le fait des circonstances. Il avait aimé leur premier, *Le cas du docteur Laurent*, dans lequel il jouait le rôle d'un médecin pionnier de l'accouchement sans douleur, mais les deux hommes n'avaient pas réellement de sympathie l'un pour l'autre et donc leurs rapports furent purement professionnels, Jean piquant parfois de belles colères contre Le Chanois qu'il appelait avec un humour féroce « Le Chafus », son vrai nom étant Dreyfus.

Quant à Denys de La Patellière, Jean le considérait comme un copain avec lequel il ne pouvait rien arriver de grave, sinon les habituels coups de gueule sans conséquence qui surgissent presque naturellement au cours d'un film. Ils firent ensemble deux énormes succès, *Les grandes familles* et *Le tonnerre de Dieu*.

D'Henri Verneuil, Jean appréciait la grande technique hollywoo-

* C'est ainsi qu'il appelait ses intestins.

dienne et le sérieux de son travail. D'autre part, il se régalait des talents de conteur de ce Marseillais d'origine arménienne. Verneuil parvenait même à bluffer Jean avec des tours de prestidigitation tout à fait remarquables.

Ils furent un moment très amis, se fâchèrent lors de *Mélodie en sous-sol,* qui fut un énorme succès, et se réconcilièrent pour *Le clan des Siciliens.*

« J'ai connu Jean en 1955, raconte Henri Verneuil[3]. Je m'apprêtais à tourner *Notre-Dame de Paris,* mais finalement j'ai refusé de faire le film car on ne m'accordait pas la liberté sur le montage final. C'est Delannoy qui l'a fait. Je me trouvais donc libre. André Bernheim m'a appelé en me demandant si j'avais une idée pour Jean Gabin qui disposait d'une date dans son programme. J'ai proposé le roman de Serge Groussard, *Des gens sans importance,* que j'ai adapté avec François Boyer. Jean retrouvait un personnage de chauffeur de poids lourd qu'il avait déjà interprété dans *Gas-Oil,* mais la dramaturgie du film était complètement différente.

Les premiers contacts avec lui ont été difficiles. Je ne le connaissais pas, et j'avais du mal à " faire le tour " de ce personnage qui était pour moi impressionnant. Il n'aimait pas que j'utilise des moyens techniques trop compliqués. Je me souviens d'un long travelling dans une scène du début du film où il jouait avec Yvette Étiévant qui interprétait le rôle de sa femme. Son personnage devait être de mauvaise humeur, mais Jean l'était encore davantage personnellement. Tout l'agaçait, le mouvement de l'appareil sur les rails, la durée de la séquence qui était tournée en continuité et qui l'obligeait à dire d'un trait un texte assez long. Je me disais que nos rapports étaient mal partis, mais quand il a vu le film, il l'a aimé et l'a trouvé bon et intéressant pour lui.

On s'est retrouvés quand il a eu signé son contrat de trois ans chez le producteur Jacques Bar, et là j'ai fait trois films, un par an, avec lui. Le premier fut *Le Président* en 1960. Il avait, dans ce film, un véritable discours à faire à la Chambre des députés. Bien entendu, je ne l'ai pas tourné en continuité mais à un moment, alors que Jean parlait, j'effectuais un très long travelling panoramique sur l'ensemble du vaste décor, avec lui toujours présent dans le cadre. Il avait donc à jouer d'affilée un très long texte. Il n'aimait pas beaucoup ça, mais là c'était indispensable et Jean avait trop de conscience professionnelle pour ergoter ou discuter dans un cas semblable. J'ai su par la suite que, contrairement à ses habitudes, il avait longuement appris le texte par cœur, mais, malgré cela, il commit plusieurs erreurs, et, à d'autres moments, lui n'en commettait pas mais la prise n'était pas bonne pour une autre raison, technique par exemple. Ce plan, on l'a refait cinquante-quatre fois. C'était dément. Nous avions tous souffert et Jean plus particulièrement. Le soir, nous étions tous soulagés d'en avoir terminé. Le lendemain, Roman, le technicien en charge du film au laboratoire G.T.M. qui développait notre pellicule, arrive sur le tournage et me dit :

— Tout va bien, sauf...

Je l'interromps avec un pressentiment :

— Ne me dites pas... ?

— Si, me dit Roman, benoîtement, le travelling pano a pris un défaut au tirage.

La fameuse scène, tant de fois recommencée, devait être refaite. J'étais abasourdi mais aussi je pensais à Jean à qui il allait falloir annoncer la chose. N'écoutant que mon courage, je dis au naïf Roman :

— Vous voyez ce monsieur là-bas ? Vous savez qui c'est ?

— Naturellement... C'est Jean Gabin, me répond l'autre.

— Très bien, alors allez lui annoncer ça vous-même ! dis-je.

Je vis le petit Roman, inconscient, s'approcher de Jean et lui balancer sans prudence oratoire son boniment. Dieu ! Ce fut une explosion ! Hiroshima ! Si le pauvre Roman avait pu disparaître dans un trou, il l'aurait fait. Il se demandait ce qui lui arrivait. Jean y alla d'un chapelet d'injures et d'anathèmes comme j'en ai rarement entendu ! Roman mit plusieurs jours à s'en remettre et ne rentrait par la suite dans le studio que sur la pointe des pieds. Quand Jean l'apercevait, même encore à la fin du film, il l'accueillait d'un :

— Tiens, v'là le saboteur !

En réalité, il ne lui en voulait plus, et d'ailleurs, Roman personnellement n'avait été pour rien dans cet incident qui arrive, hélas, quelquefois dans le métier, et Jean avait précisément trop de métier pour que, à froid, il ne puisse pas comprendre. Mais je dois dire que, à chaud, ça lui avait quand même procuré un sacré coup de sang d'avoir à recommencer cette scène maudite dont il croyait bien s'être débarrassé. Quand on l'a retournée, on n'a refait que quatorze prises seulement. C'était malgré tout un net progrès.

Jean était un acteur *énorme,* d'une *énormité* du niveau de sa personnalité. D'admiratif au début, j'ai fini par aimer cet homme, avec ses qualités et ses défauts, les uns pesant autant que les autres, ce qui n'est pas peu dire.

Au début de mon travail avec lui, devant ses accès de mauvaise humeur, son irritation au moindre incident dérisoire sur le plateau, j'ai pensé comme tout le monde : il est “ chiant ”, il a un sale caractère, c'est un “ emmerdeur ” né. Puis, j'ai trouvé que c'était tout de même un peu simpliste comme appréciation. J'ai cherché à l'analyser, je me suis demandé pourquoi il pouvait brutalement être si désagréable alors qu'à d'autres moments il était drôle, détendu, charmant. Je ne suis évidemment pas sûr d'avoir trouvé, mais je crois, avant toute chose, qu'il était habité par une fabuleuse angoisse. Angoisse de mal faire, de ne pas être à la hauteur de ce qu'on lui demandait de faire. Alors, cette inquiétude l'entraînait à des discussions, à des colères même pour vous amener à ses vues sur la scène qu'on allait tourner. S'il avait finalement le sentiment qu'on les partageait, il était rassuré et ça marchait. Il fallait parfois " tricher " un peu avec lui pour ne pas l'alarmer, mais c'était très difficile car il avait une connaissance parfaite du métier.

Pour se conforter, Jean ne voulait jouer en définitive qu'un personnage qu'il connaissait bien : Jean Gabin. Il gommait du personnage qu'il avait à interpréter tout ce qui n'était pas " lui ", autrement dit ce qu'il ne ressentait pas personnellement : ses sentiments, sa vision de la vie, sa moralité très stricte, son intransigeante intégrité, etc.

Il me tenait parfois des propos qui me déconcertaient.

— Dans la vie, je ne dirais pas ça !... (Ou)... Dans la vie, je ne ferais pas ça !

Je lui disais :

— Mais Jean, tu ne joues pas " toi " mais tel personnage !

Il n'en démordait que très rarement. D'une manière ou d'une autre, il réussissait à " transporter " sa propre personnalité dans le personnage qu'il avait à jouer. Le résultat donnait une sorte de fusion étonnante, et c'est peut-être à cause de cela qu'il paraissait toujours à l'écran d'une grande vérité. »

Sans avoir eu connaissance des réflexions d'Henri Verneuil sur cette « fusion » qu'opérait Jean entre lui-même et le personnage qu'il avait à jouer, Dominique Gabin apporte un témoignage un peu plus ambigu sur la même question :

« Jean n'avait aucun problème pour jouer le rôle d'un gangster ou d'un flic. Il ne les sous-estimait pas, mais enfin c'était généralement sans réelles difficultés pour lui. Et, à ce propos, je voudrais préciser que, contrairement à ce que certains prétendaient, ce n'était pas par coquetterie que Jean disait qu'il n'étudiait jamais ses textes et ses rôles. C'était vrai. Quand il avait lu le scénario une fois, souvent bien avant le tournage, qu'il avait trouvé comment il habillerait son personnage et quelques autres détails le concernant, ça lui suffisait pour se plonger dedans entièrement. Je ne l'ai pratiquement jamais vu pendant un film lire un scénario à la maison. Il ne l'emportait jamais avec lui et le laissait à son habilleuse ou dans sa loge lorsqu'il quittait le studio. Il ne travaillait très précisément son texte que sur le plateau avant de tourner la scène, mais il savait déjà depuis longtemps comment il la jouerait. Il n'avait pas besoin, pour y penser, de connaître le dialogue par cœur.

Chaque soir, il savait très exactement ce qu'il allait tourner le lendemain. Il pensait certainement beaucoup au film et à son personnage, mais sans avoir besoin de se référer au scénario.

Je ne l'ai vu que deux fois étudier un texte à la maison : la longue tirade à la Chambre des députés dans *Le Président* et la lecture qu'il faisait de l'article 353 du code pénal dans *Verdict.* A part cela, je le répète, il n'y avait pas de scénarios à la maison.

Par contre, lorsqu'il avait à jouer des rôles très éloignés de sa personnalité comme celui du baron Schoudler des *Grandes familles* ou celui du *Président,* il avait tendance à se comporter à la maison en " baron Schoudler " ou en " Président ". Il prenait pour parler aux enfants ou à moi, à quiconque qui se trouvait là, un langage et un ton qui n'étaient pas les siens ordinairement, mais ceux du personnage. Il " l'endossait " déjà physiquement et moralement.

Pendant le tournage des *Grandes familles,* il se tenait à table, lui qui aimait plutôt ses aises en cette occasion, un peu comme le baron Schoudler. Il exigeait des enfants qu'ils fassent attention à leur tenue et à leur langage, alors que, habituellement, ça lui était égal dans la limite où leur agitation et leurs bavardages ne l'agaçaient pas trop. Bref, mentalement, il s'efforçait de penser et de se comporter en baron Schoudler.

De même, avant et pendant le *Président,* où il jouait à un moment du film un personnage nettement plus vieux qu'il n'était en réalité — il avait alors cinquante-six ans —, il " emportait ", si j'ose dire, à la maison ce vieillissement dans sa démarche et dans ses attitudes. Comme il interprétait en outre un homme politique, il s'est, pendant ce temps, un peu plus intéressé à la politique que d'habitude et il observait à la télévision le comportement des politiciens.

En revanche, il a fait l'inverse pour son rôle de patriarche campagnard de *La Horse* dans lequel il a transposé beaucoup de lui-même, tel qu'il était en tout cas dès qu'il avait quitté Paris et les studios et qu'il se retrouvait chez lui, à la *Pichonnière.* »

Mathias, le fils de Jean, tient à ce propos un langage identique :

« Auguste Maroilleur, le personnage de *La Horse,* pour moi, c'est papa, à peu près tel que je l'ai connu enfant et adolescent à la *Pichonnière.* Tel qu'il était habillé, tel que je le voyais parcourir les herbages et les champs. Le même comportement taciturne et autoritaire, la même droiture morale. Dans la scène où toute la famille est à table, lui en bout, mangeant le nez dans son assiette, sans dire un mot, et personne qui moufte autour de lui, c'est presque une réplique de ce qui se passait parfois à la maison quand il était de mauvaise humeur. A la différence que mes sœurs et moi étions moins impressionnés par notre père que les personnages qui jouent ses enfants dans le film. On finissait par rigoler et par chahuter devant lui, même s'il n'aimait pas tellement ça et nous engueulait. »

Gaston Pouzaud se souvient d'un jour où, travaillant à la *Pichonnière* à la construction de quelque bâtiment, il aperçut une espèce de clochard qui se promenait dans la propriété.

« J'ai arrêté mon travail et je suis allé au-devant du type pour lui demander ce qu'il faisait là. Je l'ai interpellé au loin, et soudain, j'ai entendu " le clochard " me répondre tranquillement :

— Oh, Pouzaud, c'est moi...

J'en revenais pas de ne pas l'avoir reconnu, car c'était M. Gabin naturellement ! J'ai su bien plus tard qu'il se préparait à jouer *Archimède le clochard,* mais sur le moment il ne m'a pas donné d'explications à son comportement et moi, je me suis bien gardé de lui demander pourquoi il avait l'air brusquement d'un clochard au point que je me méprenne. Parce que, avec M. Gabin, on ne parlait de toute façon jamais de cinéma, jamais ! Il n'aimait pas. Je ne lui posais pas de questions à ce sujet. Quand quelqu'un s'en avisait, il détournait la conversation vite fait ! »

« J'ai regretté, dit Dominique, que Jean ait accepté trop tôt dans sa carrière de jouer des rôles de " vieux ". Il avait cinquante-quatre ans quand il a joué *Archimède le clochard,* et tout juste cinquante-six quand il a interprété le vieillard presque sénile des *Vieux de la vieille.* Je crois que ces personnages ont influé sur son vieillissement personnel. Déjà ses cheveux prématurément blancs ont joué un rôle. Peu à peu, il s'est ainsi laissé aller physiquement et mentalement dans sa propre vie à prendre quelque chose à ces personnages qu'il jouait pourtant en les " composant ".

D'ailleurs, d'une manière générale, je me suis souvent demandé si, dans les dernières années de son existence, tous ces rôles, tous ces personnages si divers qu'il avait interprétés durant sa longue carrière, ne se bousculaient pas en lui et n'envahissaient pas un peu sa propre personnalité au point d'influencer son comportement et son caractère sans qu'il en ait réellement conscience, évidemment. Il pouvait en effet, d'un jour à l'autre, dans une seule journée même, parfois d'une heure à l'autre, apparaître sous des aspects tellement différents. Un instant bon, gentil, sensible, drôle, puis subitement devenir désagréable, coléreux pour des raisons qui, à mes yeux, ne justifiaient en rien ce brutal changement. Dans cette attitude versatile, il était certainement quelque part lui-même bien sûr, mais, en même temps, j'avais l'impression de sentir chez lui plusieurs personnalités dont il ne maîtrisait pas les comportements, qui s'opposaient, se heurtaient. Jusqu'à donner une

De Jean Galone, *La Soif,* au théâtre en 1949...
(Ph. Robert Randal.)

... au baron Schoudler, des *Grandes Familles,* 1958. Le retour à la gloire.
(Production Filmsonor-Intermondia Films.)

1949. Les fiançailles avec Dominique.
(Ph. Alex Quinio.)

1951. Le début de la famille. Florence et Jacky, le jour de sa communion. *(D.R.)*

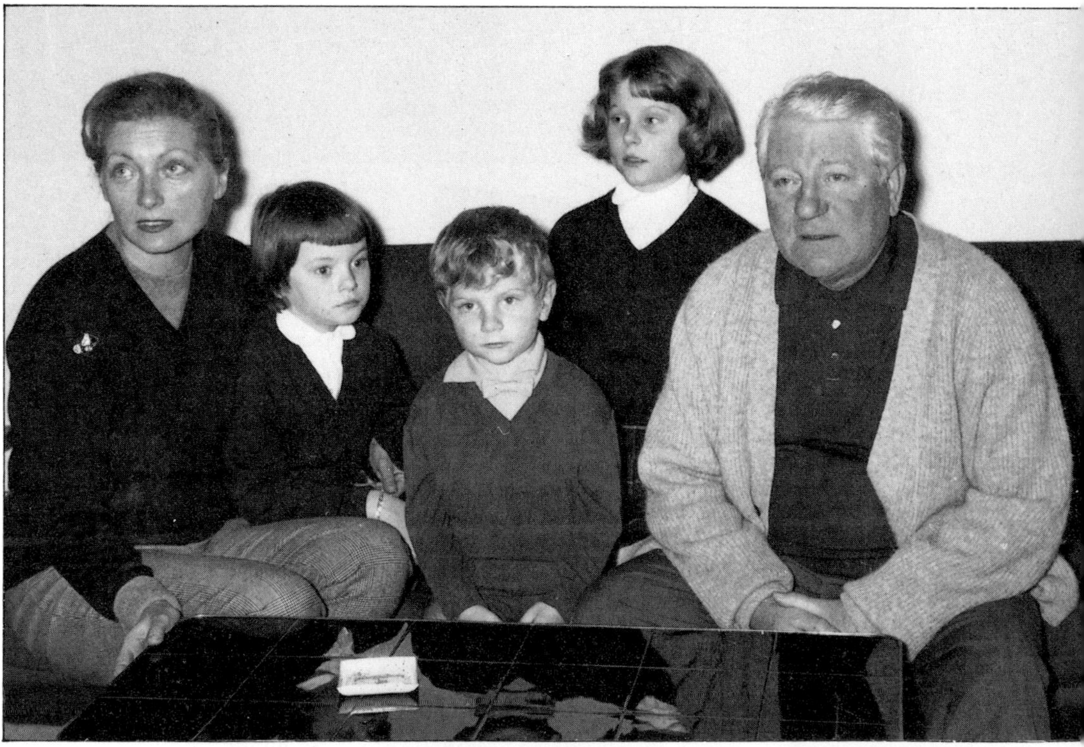

La famille à *la Moncorgerie,* début 1960. Valérie, Mathias et Florence. *(D.R.)*

Jean « la tendresse »,
avec Valérie... *(D.R.)*

... Florence... *(D.R.)*

... Mathias, le jour du retour
de la *Jeanne,* à Toulon (1976).
(Ph. Gamma.)

Avec Fernandel. Des *Gaîtés de l'escadron* (1932) à *L'âge ingrat* (1964). *(D.R.)*

Une collaboration et une amitié capitales : Jacques Prévert (1955). *(Ph. Claude Schwartz.)*

Deux amis et partenaires, Lino Ventura et Alain Delon dans *Le clan des Siciliens* (1969). *(Production Fox-Europa.)*

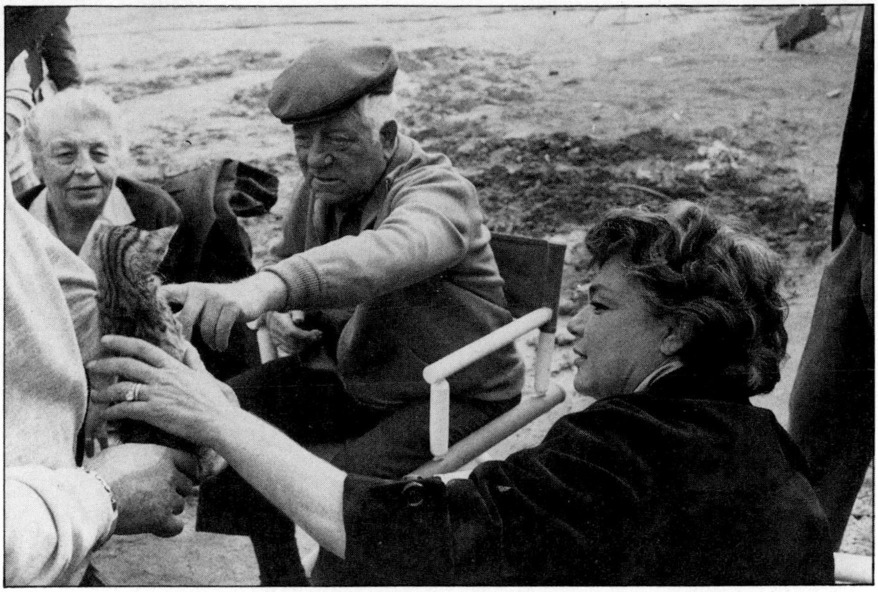

Un de ses derniers coups de cœur : *Le Chat* (1971) et sa rencontre avec Simone Signoret. A gauche, Micheline Bonnet. *(Ph. André Grassart, France-Soir.)*

Jean et « ses fils » : Jean-Paul Belmondo et Alain Delon (1969). *(D.R.)*

Avec Micheline Bonnet, son habilleuse, et Yvonne Gaspérina, sa maquilleuse-coiffeuse (1961). *(Ph. M. Dole.)*

Le rire de Jean (au ciné-club d'Argenteuil en 1954). *(D.R.)*

Jean et Quartier-Maître, son trotteur favori. *(D.R.)*

La Légion d'honneur remise par M. Fourré-Cormeray (1960). *(Ph. Raoul Marie.)*

Sur la *Jeanne d'Arc* entre Yvon Bourges, ministre de la Défense nationale, et l'amiral Joire-Noulens, chef d'État-Major de la marine (1975). *(Porte-hélicoptères* Jeanne d'Arc, *section photo.)*

Vue d'ensemble de *la Pichonnière* et de *la Moncorgerie* (en haut à droite). *(Ph. J.Y. Grandemange, France-Soir.)*

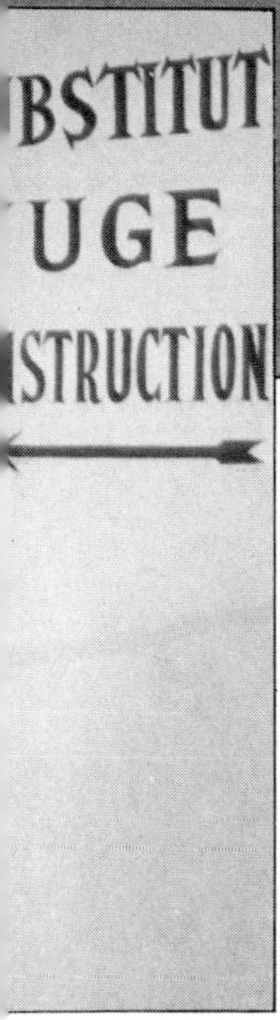

Le drame. Le procès contre les paysans (1964). *(Ph. Jean Ker. Apis.)*

Dominique et Jean : leur dernière photographie ensemble, le jour des soixante-dix ans de Jean (1974). *(D.R.)*

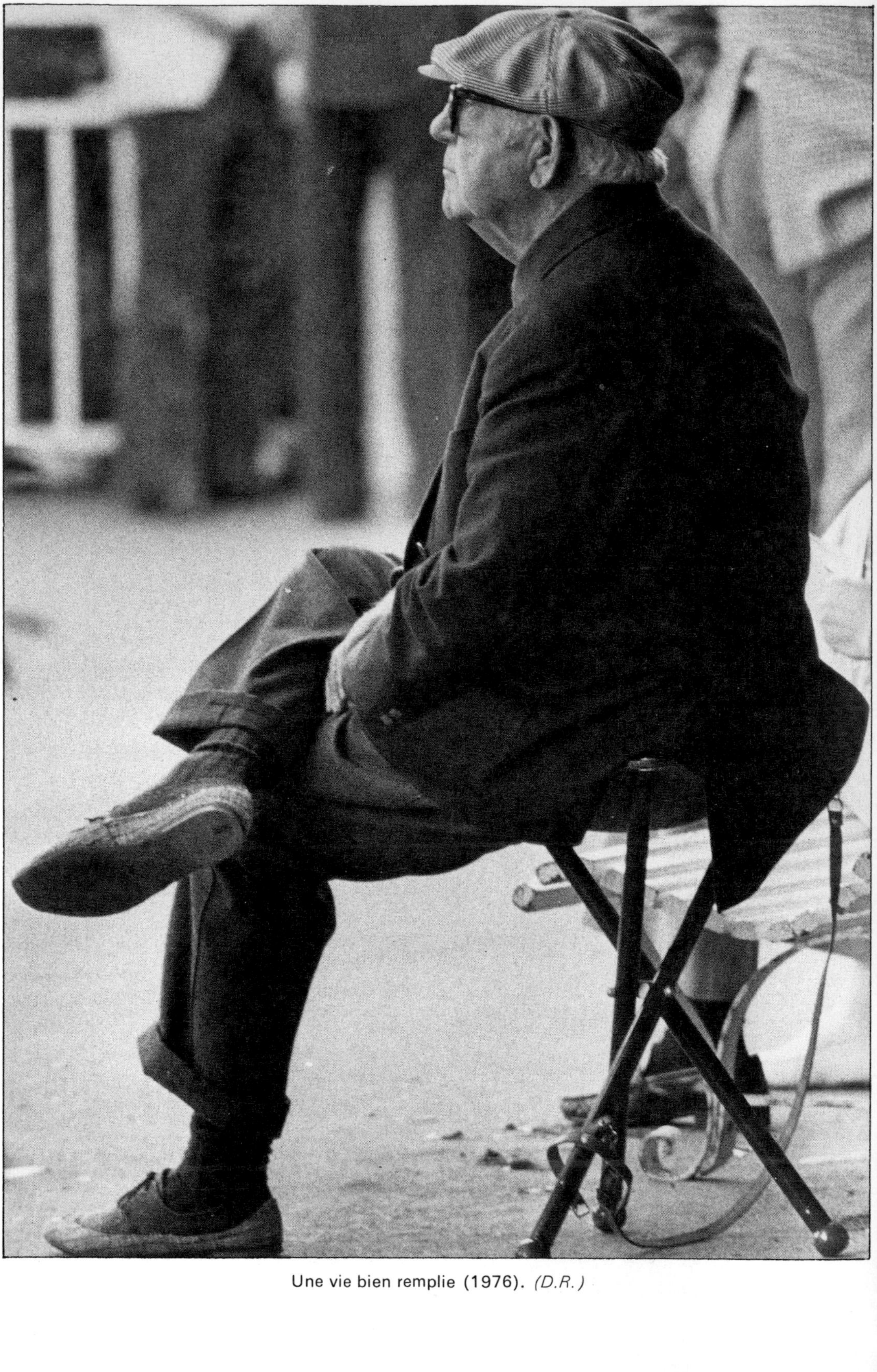

Une vie bien remplie (1976). *(D.R.)*

sorte de méli-mélo d'individu, et je me disais qu'il ne pouvait pas être comme ça sans en souffrir au fond de lui-même.

Connaissait-il la raison pour laquelle il était ainsi ? Ne pouvait-il rien contre la manifestation de ces aspects si divers et si contradictoires de sa personnalité ?

Il m'arrive encore fréquemment de repenser à tout cela. Je continue de m'interroger et je m'épuise moralement à ne pas trouver les réponses. La seule chose dont je suis désormais sûre, c'est qu'il serait trop facile, comme le font certains qui l'ont pourtant approché de près mais qui n'ont finalement perçu et retenu de lui qu'un aspect superficiel, des clichés en quelque sorte comme pouvait en donner la presse, de conclure, pour s'en débarrasser, par un simple : il était *comme ça,* un point c'est tout. Je sais trop ce que cela veut dire pour avoir cru moi-même, certains jours de grand désarroi, à cette apparence, hélas, la plus évidente qu'il donnait de lui : son sale caractère, ses colères, sa mauvaise foi, son égoïsme, même. Oui, c'est vrai, il était *ça* mais pas *seulement,* je le sais, ses enfants le savent, et ses amis, ceux qui ont su l'aimer malgré ses défauts, le savent également. Mais ce que je me demande à présent, c'est s'il n'était pas, en définitive, quelqu'un d'autre que nous n'avons pas su saisir ni comprendre. Et la seule excuse que nous pourrions alors nous donner est qu'il n'ait rien fait par pudeur pour que nous le comprenions. Car cela aussi, c'était dans son caractère. »

A partir de la naissance de ses enfants, Jean n'a plus vécu que dans une préoccupation constante envers eux, qui allait parfois jusqu'à l'obsession. Quand il tournait, il téléphonait plusieurs fois par jour à la maison pour s'inquiéter de leur santé, même s'ils se portaient comme un charme quand il les avait quittés le matin. Il interrogeait Dominique pour savoir s'ils avaient bien déjeuné, si la promenade de l'après-midi s'était passée sans incident — ils auraient pu tomber en jouant, s'écorcher un genou — et si, en rentrant, ils avaient pris leur goûter. Plus tard, il s'inquiétera de savoir s'ils sont bien revenus de l'école. Parfois, un peu excédée par cette attention tatillonne, pressée aussi par les soucis ordinaires de la maison, il arrivait que Dominique le rembarre gentiment ou avec humour. Il ne s'en formalisait pas trop.

— Tu me fais marrer, faut bien que je sache, non ? lui disait-il.

Un jour, Dominique eut la malencontreuse idée de lui avouer au téléphone que Valérie avait failli avaler, avec son fromage blanc, un petit bout de verre. L'éclat d'une ampoule du réfrigérateur qui s'était cassée avait échappé à la vigilance des femmes de la maison. Jean était aux cent coups, engueulant Dominique, la gouvernante Zelle, la cuisinière. A l'en croire, elles avaient failli, par leur négligence, *tuer* sa fille !

Comme tout cela paraissait excessif à ses intimes et que, en outre, nous avions tendance à considérer qu'il en rajoutait, nous le plaisantions fréquemment sur les inquiétudes que lui procuraient ses enfants.

Je crois aujourd'hui que nous avions tort, car elles n'étaient certainement pas feintes, même si, parfois, elles ne manquaient pas, bien sûr, de susciter nos rires.

— Toi, lui disait Gilles Grangier en l'accueillant un matin au studio, à voir la tête que t'as, je sens que tu vas être chiant toute la journée !

— Ben, mets-toi à ma place, répondait Jean véritablement préoccupé, la Pougne* m'a fait une poussée de fièvre cette nuit !

On ne peut douter aujourd'hui que l'anxiété qu'il avait en permanence pour l'existence même de ses enfants, et l'idée qu'il se faisait de son rôle de père — il en avait une image un peu archaïque et très moralisatrice — et des responsabilités qu'il considérait avoir envers eux ont, pour une part sensible, poussé Jean vers un vieillissement prématuré.

C'est ainsi que, par exemple, peu après la naissance de Mathias, il eut le souci de l'image que ses enfants découvriraient de lui au cinéma quand ils grandiraient.

Par respect pour eux et envers leur mère, il ne voulut plus interpréter de rôles qui le mettraient en situation de brûler encore de passion amoureuse et d'avoir à embrasser une partenaire. Le dernier film de ce genre qu'il joua fut *En cas de malheur* (1958). Il avait alors cinquante-quatre ans.

— J'ai plus l'âge de jouer les godants. Je suis père, disait-il.

A partir de là, il rechercha surtout à jouer des « pères » en effet, et même des « grands-pères », ou des personnages qui ne l'obligeaient pas, en tout cas, à faire le « gandin ». Cette décision, qui l'enfermait prématurément dans un certain style de rôles, participa aussi à ce fameux « vieillissement » auquel Dominique elle-même fut sensible.

Le sentiment que ses enfants pourraient avoir honte de lui ou pour le moins ressentir une gêne à le voir prendre dans ses bras, même sur un écran, une autre femme que leur mère était très fort en lui.

— Je ne veux pas que mes mômes soient raillés par leurs camarades parce qu'ils m'auront vu, moi leur père, filer un patin à Bardot, disait-il sans rire le moins du monde.

---

* Surnom de Valérie enfant.

De même, il ne voulut pas, pendant longtemps, que ses enfants voient certains de ses films. On ne parlait jamais de cinéma à la maison et ses enfants eurent très tard la révélation de la place et de l'importance exactes de leur père dans le cinéma. Mathias, qui avait vingt et un ans à la mort de Jean, n'a découvert la plupart de ses films qu'après sa disparition. Il les possède en cassettes désormais pratiquement tous, se les passant et se les repassant, mais il ne supporte pas les films que, précisément, Jean ne souhaitait pas que ses enfants voient, comme cet *En cas de malheur,* notamment.

Ce film de Claude Autant-Lara qu'il tourna en 1958, Jean avait failli d'ailleurs le refuser à la lecture du scénario définitif, en raison de certaines scènes qu'il considérait comme « immorales » par rapport à cette image de « père » qui ne le quittait plus. Il le fit cependant, mais dans un malaise constant.

En cas de malheur marqua la fin irrémédiable de sa période, disons, de « séducteur ».

C'était le deuxième film qu'il faisait avec Autant-Lara, le premier ayant été *La traversée de Paris,* film dans lequel Jean fit la connaissance de Bourvil qu'il admirait, qu'il appelait « le André », et qui devint son ami. C'est Jean qui, par la suite, devait suggérer à Le Chanois de prendre Bourvil dans le rôle en « contre-emploi » de Thénardier des *Misérables.* Il était fasciné par la manière qu'avait Bourvil d'aborder certaines scènes : un peu à la façon des comédiens japonais, il « s'échauffait » auparavant en faisant certains exercices physiques et respiratoires qui l'amenaient à une sorte de transe.

Dans la scène des *Misérables* où Bourvil/Thénardier menaçait Gabin/Valjean d'un fer rouge, ce dernier n'était pas plus rassuré que cela en constatant dans quelle réelle excitation de violence et de haine était son camarade.

— Oh, le André, fais pas l'con, hein ? C'est que du cinéma ! lui lançait Jean, quelque peu inquiet.

Jean avait beaucoup aimé *La traversée de Paris* qu'il considérait comme un de ses meilleurs films de l'après-guerre. En revanche, il avait un peu moins aimé, dirons-nous, son metteur en scène Claude Autant-Lara dont il supportait difficilement le caractère irascible, et surtout les manies. Celui-ci avait en effet l'habitude de se placer au pied de la caméra juste devant le comédien en train de jouer sa scène et de marmonner en même temps que lui le dialogue, tout en mimant toutes ses expressions. C'était une attitude qui irritait Jean au plus haut point, lui qui a toujours eu un grand besoin de concentration. Cela faisait évidemment l'objet de querelles entre eux, et on raconte — c'est Marcel Dalio qui l'écrit dans son livre de souvenirs[4] — qu'un jour

Jean arriva sur le plateau avec un paravent en disant à Autant-Lara.

— Reste derrière, que je ne te voie pas !

Les deux hommes n'avaient aucune sympathie l'un pour l'autre, mais, si Jean resta publiquement muet là-dessus, Autant-Lara ne se priva jamais, dans ses déclarations, d'exprimer ses sentiments :

« C'est un acteur moyen, au fond. Il ne " se déplace " jamais. Faut l'habiller sur mesure, sinon... Ce n'est pas un acteur : c'est une personnalité, et c'est autre chose (...) Il ne lui faut pas des metteurs en scène, il lui faut des domestiques qui abondent dans le sens de la continuité à tout prix de son petit fricot personnel. Je n'étais pas de la race des metteurs en scène qu'il lui fallait[5]... »

Plus que la présence d'Autant-Lara derrière la caméra, ce qui incita Jean, au début du moins, à tourner *En cas de malheur*, c'est qu'il s'agissait, d'une part, d'un roman de son auteur fétiche Georges Simenon et que, d'autre part, il allait y retrouver sa chère « Madame Ponce Pilate », c'est-à-dire Edwige Feuillère, et qu'enfin la présence, face à lui, de Brigitte Bardot ne lui était pas indifférente, loin de là !

Contrairement à ce que l'on a écrit alors, Jean et Brigitte Bardot s'entendirent fort bien. On a prétendu qu'il lui aurait dit lors de leur première rencontre sur le plateau :

— Mademoiselle, j'aime les femmes grandes. Vous êtes grande, donc je vous aime.

Ce qui est en tout cas vrai, c'est que la blondeur de Brigitte et ses belles et longues jambes entraient tout à fait dans les canons de son idéal féminin. Il avait beau avoir fait une croix sur un certain passé de sa vie, Jean avait gardé — il le gardera toujours — le désir de plaire aux dames, même si ce n'était plus, à l'égard de ses partenaires, qu'en tout bien tout honneur.

Leur seul point de désaccord — j'y ai déjà fait allusion — résida dans le fait que Bardot ne comprit pas pourquoi Jean lui donnait la réplique quand il était lui-même hors champ. Cette expression de sa grande conscience professionnelle, doublée d'une marque de courtoisie, d'autres l'avaient appréciée, et qu'elle puisse embarrasser Brigitte Bardot, Jean en fut déconcerté.

A part cela, s'il la trouvait un peu dilettante, il appréciait sa gentillesse et sa simplicité, et il adorait la faire rire en lui racontant des histoires dans son langage particulièrement imagé.

— Je rentre chez moi, lui disait-il en la quittant le soir, les harengs sont déjà sur le feu[6].

La maison, pour Jean, en cette année 1958, c'était encore son appartement de la rue François-Ier. Plus pour longtemps. Il avait été particulièrement « traumatisé » par les travaux de réfection de la cabine d'ascenseur qui l'avaient obligé à monter les cinq étages à pied pendant plusieurs semaines. S'il y avait une chose dont Jean avait horreur, c'étaient les escaliers ! Il décida donc de déménager et de ne plus jamais habiter à un étage élevé. Promesse qu'il tint, comme à peu près toutes celles qu'il se fit, et il n'habita plus, désormais, que des maisons avec un premier, ou un appartement en duplex... mais en rez-de-chaussée.

Il avait aussi décrété que l'air de Paris n'était pas bon pour les enfants et que leur santé, bien qu'ils ne fussent pas malades, serait plus florissante au bord de la mer.

Ayant acheté à Dominique, en 1956, à la limite de Deauville et de Tourgeville, une maison, *Le petit boqueteau,* où ils allaient parfois se reposer, Jean décida de s'y installer et d'y vivre totalement. Il vendit l'appartement de la rue François-Ier au président Houphouët-Boigny qui était alors ministre d'État du nouveau gouvernement de Gaulle, et, toujours pressé de se débarrasser des choses qui ne l'intéressaient plus, il fut loin de faire une bonne affaire avec cette vente.

A Deauville, Jean mit Florence et Valérie en pension dans une institution catholique. Il faisait partie de ces gens qui, bien que rigoureusement athées, ne dédaignaient pas que leurs enfants reçoivent certains bienfaits de l'éducation chrétienne. Pas au point cependant que ses filles sortent de table avec la faim, ce qu'il ne pouvait pas supporter. Il les reprit donc rapidement à la maison et engagea pour leurs études une institutrice à demeure.

Jean s'enticha alors d'une autre maison, plus proche du centre de Deauville, l'*Héliotrope,* qu'il acheta sur-le-champ, sans prendre la précaution de consulter un architecte, en l'occurrence celui qui travaillait déjà sur la *Pichonnière,* M. Marre. Quand celui-ci examina la villa, il conseilla à Jean de l'abattre et d'en reconstruire une autre, car l'*Héliotrope* se révéla « bancale ». Désappointé, Jean s'abstint de la détruire ou d'y faire des travaux, mais ne l'habita évidemment jamais. Il la revendit plus tard à perte.

Entre-temps, il avait découvert la maison de ses rêves, juste en face de « la bancale », qui portait un nom que par superstition il n'aimait pas — *La Malmaison* — et donc il l'appela simplement *La grande maison.* Avec son goût forcené pour la chose à bâtir, Jean y entreprit, avec l'aide de son ami Jacques Colombier, des travaux considérables.

« Un jour, se souvient Dominique, en arrivant à la maison, j'ai été stupéfaite de constater que de l'entre-sol on pouvait voir deux étages plus haut la charpente de la toiture. Il avait fait démolir les deux salles de bains du 1er et du 2e étage pour en refaire les sols.

— Tu verras, quand ça sera fini, ça sera mieux, qu'il m'a dit pour me rassurer en voyant mon air effaré.

Rassurée, je ne l'étais qu'à moitié. Je ne voulais surtout pas qu'il me refasse le coup de la *Moncorgerie*. Cette fois, je désirais surveiller tout ça de très près, et même m'en occuper. Il ne pouvait pas m'évincer facilement — et il n'en a pas eu vraiment le désir — car j'étais pratiquement sur place, puisque nous habitions alors à l'autre bout de Deauville *Le petit boqueteau* que nous appelions surtout *La petite maison*. Nous y étions très bien d'ailleurs. Il y avait un beau jardin tranquille dans lequel Jean parvenait, lorsque le cinéma et ses chantiers ne l'appelaient pas, à faire un peu de chaise longue.

Quand *La grande maison* fut terminée, elle se révéla très agréable. On s'y installa à partir du 1er octobre 1960. Jean vendit alors *Le petit boqueteau* qui m'appartenait puisqu'il me l'avait offert, et promit qu'il me reverserait l'argent pour que j'en fasse ce que je voudrais. Naturellement, je n'en vis jamais la couleur et j'ai toujours supposé qu'il avait englouti le prix de la vente de *ma* maison dans la construction de quelques nouveaux boxes à la *Pichonnière*.

Jean était très dispendieux pour tout ce qui concernait les maisons que nous avons habitées, et surtout, bien sûr, pour la *Pichonnière* pour laquelle rien n'était trop beau. Par contre, il était assez près de ses sous pour les dépenses courantes ordinaires, aussi bien vis-à-vis de moi qui n'ai jamais eu pourtant des besoins ou des exigences exagérées qu'envers les enfants, même quand ils ont grandi. Il faisait un " drame " pour leur donner de l'argent de poche. Il n'en avait pas eu, lui, disait-il, mais surtout il ne voulait pas leur donner le sentiment que les choses étaient faciles et que leur père avait de l'argent. D'ailleurs, on ne parlait jamais de ça devant eux. Ils ont grandi dans une ignorance totale quant à l'argent que leur père gagnait. Jean avait honte de sa situation d'homme finalement riche. Ni moi ni les enfants ne manquions évidemment de rien, mais il était contre le superflu. Ce n'était pas de l'avarice. Je n'ai connu personne dans ma vie qui ait dépensé sans compter autant d'argent que Jean, mais c'était pour lui une question d'ordre moral.

J'ai longtemps insisté pour qu'il fasse construire à la *Pichonnière* une petite piscine. Pour les enfants, ç'aurait été un bien et une distraction. Nous étions dans une situation où, financièrement, il pouvait le faire sans problème, et en rapport avec ce qu'il avait investi dans le domaine, ça n'aurait représenté qu'une goutte d'eau. Il n'a jamais voulu.

— Tu n'y penses pas ! Qu'est-ce que diront les gens ? me disait-il.

Ce qu'il dépensait pour la *Pichonnière*, c'était pour lui différent. Et puis avec la piscine, peut-être aussi avait-il peur qu'il arrive quelque chose aux enfants. »

A cause des enfants, surtout quand ils grandirent et allèrent en classe, Jean prit l'habitude de consacrer quelques semaines d'été à des vacances en famille. Peu après la naissance de Florence, Jean et Dominique avaient séjourné à Port-Manech et avaient découvert à Sainte-Anne-la-Palud une petite pension de famille au bord de la mer, qui fit leur conquête. Elle était tenue par Mme L'Helgouach qui faisait un beurre blanc comme Jean n'en avait jamais mangé. Il y avait seulement douze chambres, et la salle de bains était sur le palier. Généralement en juillet, Jean et sa famille s'y rendirent durant douze années. Il appréciait la simplicité et la tranquillité de l'endroit qui n'était fréquenté que par des habitués qu'il retrouvait d'année en année et qui, par conséquent, avaient fini par un peu oublier qu'il était Jean Gabin, et le laissaient en paix.

Avec les autres pensionnaires de Mme L'Helgouach, Jean jouait au volley-ball et aux boules sur la plage, et allait pêcher la nuit en mer. Sans parler des petits plats que lui mitonnait Mme L'Helgouach, Jean vivait là, avec les siens, des moments paisibles comme il les aimait encore à cette époque.

Le goût de Jean pour la Bretagne et la Normandie, pour le climat tempéré de ces régions dont il appréciait même le petit crachin et l'air frisquet, ne fit pas toujours l'affaire des enfants.

« On a découvert le Midi et la Côte d'Azur quand on a eu dix-huit ans, dit Florence. Il a fallu qu'on " râle " drôlement pour que papa nous y envoie. »

Jean détestait le soleil et la chaleur. Passer la Loire, c'était pour lui faire un voyage au bout du monde chez les « sauvages ». Pascal Jardin s'en est souvenu quand, dans *L'âge ingrat*, il fait « descendre » dans le Midi le personnage que joue Jean, afin d'y rencontrer Fernandel.

Fernandel et Jean avaient d'ailleurs, sur ce sujet climatique et régional, des discussions épiques.

« Nous étions bien à Deauville dans notre *Grande maison*, dit Dominique, reprenant le fil de ses souvenirs. De là, nous allions souvent séjourner aussi à la *Moncorgerie*. L'inconvénient, c'était que, lorsqu'il tournait un film à Paris, Jean devait obligatoirement vivre à l'hôtel. Il avait choisi *le Pergolèse*, l'hôtel où descendait de Gaulle quand il venait dans la capitale, avant qu'il ne revienne au pouvoir.

A Deauville, surtout hors saison, Jean aimait se promener au bord de la mer, jamais du côté des " planches " trop fréquentées pour lui, et nous revenions en prenant les rues " agaçantes ", comme il appelait les rues adjacentes. Il aimait déformer les noms des choses et avait des expressions bien à lui pour commenter ce qu'il voyait. D'un homme pas beau, moche, il disait : " C'est un hotu. " C'est le nom d'un poisson très laid, je crois. D'une fille pas très jolie, il disait : " Celle-là, elle a intérêt à faire des études et à les réussir ! " S'il survenait un petit incident, que quelqu'un casse quelque chose, ou qu'une voiture en accroche une autre, ou que deux personnes se disputent, il disait : " Tiens donc, v'là que ça rate ! " D'une fille pas très nette, il disait aussi qu'elle portait son astrakan entre les orteils. »

Ce dimanche de mai 1959, le producteur Jacques Bar passait le week-end dans sa maison de Deauville. C'était le jour de la finale rejouée de la Coupe de France de football entre Le Havre et Sochaux *, que la télévision retransmettait, mais son appareil était en panne. Il téléphona à Jean Gabin, qui habitait encore *Le petit boqueteau*, pour s'inviter à voir le match chez lui. Ils avaient, deux ans auparavant, fait un film ensemble, *Le rouge est mis* de Gilles Grangier.

Féru de football, Jean, durant le match, fit étalage de ses connaissances techniques en la matière. Celui-ci terminé, Jacques Bar et lui en vinrent à parler de leur situation professionnelle. Jacques Bar venait de produire quatre films successifs avec Fernandel et avait envie de « changer d'air ». D'autre part, il était en train de signer un accord avec la Metro Goldwyn-Mayer (M.G.M.) qui devait lier sa société à la puissante compagnie américaine.

De son côté, Jean arrivait à la fin de ses accords avec Jean-Paul Guibert, qui n'était pas en état de les poursuivre en raison d'un différend avec son coproducteur Filmsonor. Jean allait donc se trouver libre. Il avait, selon lui, beaucoup trop fait de films ces dernières années, et se plaignait que le fisc « lui bouffe tout son pognon ». Il était décidé à ne plus tourner que deux films par an et souhaitait renouveler l'opération Guibert en signant un contrat exclusif et de longue durée avec un autre producteur, ses cachets lui étant réglés mensuellement.

Jacques Bar et lui tombèrent d'accord sur un contrat d'une durée de trois ans pour cinq films, Jean touchant pour chacun des deux premiers la somme de 500 000 francs, et pour chacun des trois suivants 600 000 francs [7].

Il fut entendu que le coût moyen de chaque production serait situé entre 2,8 et 3 millions de francs [8], ce qui était très confortable. Le contrat prévoyait que le scénariste de base serait Michel Audiard pour tous les films, ceux-ci étant réalisés en alternance par Gilles Grangier et Henri Verneuil. Naturellement, Jean obtint d'avoir à ses

* Au cours du premier match, les deux équipes n'avaient pu se départager et avaient fait match nul 2-2. Lors de la deuxième édition, Le Havre battit Sochaux 2-0.

côtés son équipe habituelle allant de Louis Page à Micheline Bonnet.

Selon l'accord passé entre Jacques Bar et la M.G.M., la compagnie américaine avait les droits mondiaux de distribution des films de Gabin, à l'exception de la France où elle acceptait d'être placée en concurrence avec la « meilleure offre ». C'est ainsi que le premier film de la série, *Les vieux de la vieille,* fut, sur le territoire français, distribué par Cinédis.

Au même moment, Maurice Jacquin, patron de la Comacico, importante société de distribution de films, ayant notamment de gros intérêts en Afrique, rachetait l'ancienne compagnie allemande, la U.F.A. Jacquin désirait démarrer sur la France d'une manière prestigieuse et il ne voyait qu'un seul homme qui puisse le lui permettre, c'était Jean Gabin à qui il vouait une grande admiration. Il proposa donc à Jacques Bar de prendre sur le territoire français l'exclusivité des quatre prochains films de Jean.

« Ce fut étonnant, se souvient Jacques Bar[9]. Jacquin voulait tellement ces films de Gabin qu'il me tendit son carnet de chèques en me disant : " Inscrivez la somme que vous voulez pour chaque film, je signerai. " J'écrivis le chiffre de 2 millions. C'était une somme énorme à l'époque, pour un à-valoir. Jacquin ne tiqua pas et signa. J'aurais dû demander davantage. Toute sa confiance reposait sur Gabin, car je n'avais même pas encore de sujets pour les quatre films sur lesquels Jacquin s'était engagé. Naturellement, la M.G.M. ne chercha pas à s'aligner sur l'offre de Maurice Jacquin et laissa la distribution des films en France à UFA/Comacico. La M.G.M. gardait les droits internationaux et était coproductrice par le canal d'une société que j'avais mise en place : la C.I.P.R.A. »

J'ai eu le bonheur de connaître de très près cette période de la carrière de Jean chez Jacques Bar.

Comme cela lui arrivait souvent, Jean était alors fâché avec la plupart des attachés de presse sur la place de Paris et refusait tous ceux que Jacques Bar lui proposait.

Le rôle d'un attaché de presse consiste à assurer les bonnes relations entre les éléments d'un film, acteurs, metteur en scène et tous les médias, d'organiser les visites des journalistes et des photographes, des télévisions et des radios sur le tournage, dans le but de promouvoir le film favorablement. Dans la plupart des cas, cela se borne surtout à satisfaire les vedettes en leur obtenant des interviews et des photos d'elles dans la presse.

Généralement, l'attaché de presse est « free-lance », c'est-à-dire qu'il n'est lié à une production que pour la durée d'un film, et encore, partiellement, car il s'occupe de plusieurs autres films en même temps, et pour des productions différentes. C'est dire qu'il ne peut donc pas être en permanence sur le tournage d'un seul film et que, en son absence, n'importe quel journaliste ou photographe peut entrer sur un plateau interviewer ou photographier les vedettes si elles veulent bien s'y prêter. Cela crée parfois des incidents préjudiciables au travail et à l'ambiance du film.

Jean détestait ce système anarchique, et, s'il n'avait tenu qu'à lui, on aurait tout simplement interdit le plateau à tous journalistes et photographes, ce qui n'était pas non plus, pour la production, une bonne politique promotionnelle.

Car le problème d'un attaché de presse, avec Jean, était inverse de celui qu'il avait le plus ordinairement avec d'autres comédiens : à savoir que ceux-ci se plaignent généralement de ne pas avoir assez de journalistes ou de photographes, alors que Jean se plaignait d'en voir trop et n'importe comment.

D'autre part, en raison des accords passés entre Jacques Bar et la M.G.M., la compagnie américaine exigeait que l'attaché de presse des films de Gabin répercute un certain nombre d'informations en direction de ses services dans le monde, notamment New York et Culver City, siège de la société.

Tout cela impliquait donc de trouver un attaché de presse qui soit entièrement lié à la production et que, pratiquement, il suive en permanence chaque film, qu'il soit en outre agréé par la M.G.M. et par... Jean Gabin.

C'est dans ce contexte « cornélien » que Jean eut la curieuse idée de proposer à Jacques Bar de m'engager pour cette fonction à laquelle je ne connaissais strictement rien.

— Vous n'êtes pas si con que ça, vous y arriverez, m'a dit Jean alors en souriant et pour m'encourager, à sa manière. (Il ajouta, pour me convaincre d'accepter, cette réflexion superbe de sa part :) Je vous aiderai.

A ce point-là, je dois préciser une chose — et après quoi j'en aurai fini de parler de mon cas personnel —, car elle éclaire encore une fois un certain aspect du caractère de Jean. Quelques mois avant cela en effet, je m'étais pratiquement brouillé avec lui, sans que nous ayons échangé un mot plus haut que l'autre. La raison n'a guère d'importance, disons simplement qu'il n'avait pas tenu une promesse qu'il m'avait faite de son plein gré, et que cela m'avait quelque peu agacé. J'avais décidé de marquer le coup en prenant mes distances avec lui, et j'étais resté quelque temps sans le voir ni lui donner de mes nouvelles. Naturellement, hypocritement, nous en prenions l'un et l'autre par l'entremise de relations communes. Jean connaissait parfaitement le motif de mon attitude, et, selon sa bonne habitude, il attendait une circonstance qui lui soit favorable pour, mine de rien et le nez enfariné d'innocence, faire le premier pas de la réconciliation.

C'est dans cet état d'esprit qu'il me lança cet appel pour me proposer de devenir l'attaché de presse des films qu'il allait faire chez Jacques Bar.

Trois jours avant qu'il ne le fasse — et sans doute qu'il n'y songe —, le hasard nous avait remis en présence chez Jacques Prévert qui habitait alors cité Véron, au-dessus du Moulin-Rouge à Paris. Pierrot Prévert, également là, tournait son film *Mon frère Jacques* dans lequel Jean devait évoquer ses souvenirs de *Quai des Brumes* et du *Jour se lève*.

Surpris de me voir autant que je l'étais moi-même, il tomba exceptionnellement dans mes bras, et ce fut une des deux fois où il m'embrassa — il était plutôt avare de ce genre d'effusion — en vingt-cinq ans de relations amicales.

— Un revenant ! Un revenant ! clamait-il à mon égard, apparemment heureux de la circonstance qui nous faisait nous retrouver et sans, bien sûr, faire allusion à la cause qui avait valu que je joue quelque temps envers lui les fantômes.

Curieusement, les frères Prévert, qui avaient été à l'origine de ma première rencontre avec Jean, en 1952, lors de sa venue au ciné-club d'Argenteuil, jouaient de nouveau un rôle dans nos retrouvailles.

Nous sommes sortis ensemble de chez Jacques Prévert et avons fait quelques pas sur le boulevard de Clichy pour échanger quelques mots avant de nous séparer.

— Je commence un film demain, à Saint-Maurice*, avec le Gros**. Je compte que vous viendrez nous voir, me dit Jean.

Je promis. Trois jours plus tard, n'y étant pas encore allé, il me faisait appeler pour ce que l'on sait.

— J'hésite un peu, lui dis-je avant de signer mon contrat avec Jacques Bar, qui me proposait non seulement de m'occuper des films de Jean, mais de l'ensemble de sa production qui était très importante.

Cette situation plaisait à Jean qui ne voulait pas donner l'impression que j'allais être son attaché de presse personnel. Ce qui, effectivement, ne fut pas le cas.

— Pourquoi vous hésitez ? demanda Jean.

— Travailler avec vous tous les jours, pendant des semaines, et plusieurs fois par an, je ne pense pas que ça va m'être facile, et je redoute qu'on ne finisse par se fâcher pour de bon.

---

* Studio Saint-Maurice près de Paris.

** Surnom de Gilles Grangier après avoir été celui qu'il donnait à Jean Renoir.

— Alors, vous êtes aussi con que les autres, hein? Vous croyez aussi que j'ai mauvais caractère! maugréa-t-il faussement.

— Oui, lui dis-je simplement.

— Bon, d'accord, on verra bien! En attendant, allez signer votre contrat, et ce soir on se fait une petite bouffe ensemble pour fêter ça... avant qu'on se fâche!

Nous avions raison tous les deux : à part deux petites engueulades, nous sommes sortis de là sans nous être fâchés mais, effectivement, il avait encore plus mauvais caractère durant un tournage que dans sa vie privée.

Quels moments exceptionnels j'ai passés à ses côtés pendant cette longue traversée et malgré quelques coups de tabac prévisibles et sans conséquence! Je dois ajouter aussi que je m'entendis à merveille avec Jacques Bar et que l'ambiance chez lui était à la fois sympathique et très professionnelle[9].

Jean ne souhaitait pas seulement être entouré de ses techniciens familiers, il aimait aussi retrouver à ses côtés les mêmes partenaires, chaque fois que le film le permettait : c'est ainsi que de remarquables comédiens comme Bernard Blier, Paul Frankeur, Louis Seigner, Henri Crémieux, Alfred Adam, Noël Roquevert, Suzanne Flon, Michel Auclair, Jean Desailly et d'autres que j'oublie, hélas, ont tourné un grand nombre de fois à ses côtés.

Il agissait de la même façon pour les petits rôles et manifestait envers quelques comédiens, dont il estimait le talent, une fidélité absolue et on les retrouvait à ses côtés de film en film : Gabriel Gobin, Albert Dinan, Robert Dalban, Gabrielle Fontan, Paul Mercey, Jacques Marin, Hélène Dieudonné, Paulette Dubost, Marcel Pérès, Paul Faivre — qui était son parrain — et Gaby Basset bien évidemment, mais là encore, j'en oublie forcément.

Quand on le lui faisait remarquer, il répondait :

— Et alors? Ils sont bons, non?

Jean — il l'a dit et répété — adorait les acteurs, les grands comme les « petits ». « C'est chouette, un acteur », l'a-t-on souvent entendu proclamer. J'ai dit ceux qui, dans le cours de sa carrière, l'avaient fasciné, tels que Jules Berry, Danielle Darrieux, Madeleine Renaud, Raimu, Fernandel, Bourvil et dans une certaine mesure aussi Louis Jouvet, Michel Simon et Pierre Fresnay.

Quand on lui demandait s'il aurait aimé être metteur en scène, il répondait :

— Je suis trop fainéant pour ça, mais il y a une chose qui m'aurait surtout intéressé, ce sont les comédiens. Pas pour les diriger, mais pour avoir le loisir et le bonheur de les voir jouer pour moi. Je sais qu'avec quelques-uns je me serais régalé.

En invitant certains à être ses partenaires, Jean se régalait aussi. Je pense notamment à son extraordinaire complicité avec Bernard Blier qui débordait largement le cadre professionnel. Entre les prises, Blier et Jean n'arrêtaient pas de se raconter des histoires qui les faisaient rire, ou de monter des farces dont leurs autres partenaires, quand ce n'était pas leur metteur en scène, étaient les « victimes ».

— Si on faisait « ça », suggérait Blier, donnant une idée de blague.

— Oui, oui, oui, faisait Jean, excité déjà, et les yeux brillants de cette joyeuse malice qu'ils devaient avoir déjà au temps des farces de son enfance à Mériel.

Dans *Le cave se rebiffe*, le cher Frank Villard a subi avec humour quelques-unes de leurs plaisanteries. Le film était une comédie, ils pouvaient se le permettre.

— Frank, t'as ta braguette ouverte, glissait Jean en douce à son partenaire, au moment où celui-ci allait donner sa réplique.

Il en faut moins à un acteur pour se perturber.

A la demande de leur agent commun André Bernheim, Grangier et Gabin avaient donné un rôle assez important à la charmante Martine Carol dont la gloire s'était brusquement écroulée. Sur le film, entre elle et Jean, cela avait plutôt mal commencé. La pauvre s'était laissé piéger par un journaliste auquel elle avait donné — sans mon accord — une interview, et qui avait titré son papier dans le style : « Martine retrouve son ancien amour : Jean Gabin. » Cela voulait rappeler une vieille histoire : le fameux baiser qu'elle avait donné à Jean un soir, et d'où était partie la rumeur — fausse — de leur liaison.

Quand Jean lut le journal, il piqua une colère terrible. Il engueula Martine au point de la faire pleurer, et prévint Bernheim que, si elle récidivait dans « ses conneries », il la ferait virer du film.

Bien entendu, il s'en serait montré bien incapable. Jean ne s'est jamais livré, durant toute sa carrière et même au moment de sa toute-puissance, à ce genre de procédé.

Martine retint donc la leçon, mais elle était alors en pleine crise morale et croyait que la bière était un bon remontant pour elle. En vérité, vers la fin de l'après-midi, cela lui causait surtout quelques problèmes de mémoire et de concentration.

Il y eut un jour une scène où elle donnait la réplique à Jean, Blier, Balpétré et Villard. Elle devait ouvrir une porte, dans le décor où il y en avait plusieurs, notamment celles des placards. Malgré de nombreuses prises et des explications patientes de Grangier, elle ne parvint jamais à trouver la bonne porte. Elle en ouvrait toujours une mauvaise*. Grangier craignait que Jean ne finisse par exploser. Ce fut le contraire. Ce jour-là, c'est lui qui craqua et piqua une colère terrible, alors que Jean, plié en deux, riait aux larmes devant le spectacle de Martine ouvrant toutes les portes, sauf la bonne.

Gentiment, Jean alla même jusqu'à prendre sa défense auprès de Grangier.

— Elle tient juste une « petite soupe », c'est pas grave, laisse-la aller se reposer un peu, disait-il pour calmer son metteur en scène qui voyait sa journée perturbée.

Jean n'avait jamais tourné avec Françoise Rosay. Elle n'avait qu'une scène avec lui, dans le film, mais quelle scène! Paul Feyder, l'assistant de Grangier, était le fils de Rosay, et Jean le taquinait en lui disant :

— Tiens-toi tranquille, Paul, ta maman t'a à l'œil!

Il y avait eu un problème concernant la distribution de ce rôle. A la suite d'une première écriture du scénario, Audiard et Albert Simonin avaient dessiné un personnage dont Grangier et Jean estimèrent qu'il serait parfait pour Gabrielle Dorziat. Un second travail modifia le personnage de telle façon qu'ils jugèrent qu'il conviendrait mieux à Françoise Rosay. Mais Dorziat avait déjà signé son contrat. Ce sont des situations qui arrivent quelquefois, et elles ne sont jamais agréables pour le comédien qui, au dernier moment, se voit ainsi éliminé au profit d'un autre, même pour une raison valable. Généralement, le directeur de production se charge de prévenir l'agent du comédien, ou le metteur en scène en parle directement avec l'acteur s'il a des relations particulières avec lui, et surtout s'il a une bonne éducation.

Dans le cas présent, Jean prit tout sur lui et ne voulut laisser à personne le soin d'avertir Gabrielle Dorziat, qu'il considérait comme une grande dame du métier et pour qui il n'avait qu'estime et admiration. Il la pria donc de venir le voir au studio.

Je revois Jean accueillant Gabrielle Dorziat en l'embrassant et la faisant asseoir sur un banc des jardins du studio. Il lui dit la vérité : il s'était trompé, le rôle n'était pas pour elle, et Rosay conviendrait mieux.

Naturellement Dorziat fut d'une dignité totale. Ils parlèrent ensuite longuement du métier. Elle était venue en taxi. Jean chargea son chauffeur de production de la raccompagner, l'embrassa et lui dit :

— A bientôt, Gabrielle.

---

* François Truffaut a mis en scène une histoire semblable dans son film *La nuit américaine*.

Personne ne fut étonné de retrouver Gabrielle Dorziat au générique de son film suivant, *Un singe en hiver*.

Jean ne laissait jamais traîner ce genre de chose.

Avec Bernard Blier, Jean avait deux sujets de conversation qui dominaient nettement les autres, quand ils voulaient bien être sérieux : c'était le sport et la bouffe.

Jean avait une mémoire encyclopédique des événements sportifs, notamment de ceux qui dataient de sa jeunesse. Cela donnait ce genre de conversation :

— Paris-Roubaix 1928, premier Leducq ! Deuxième Binda !...

Pour le faire marcher, Blier l'interrompait :

— A combien du premier ?

— Deux minutes quinze, monsieur ! répliquait Jean sans hésiter et sans qu'on sache d'ailleurs s'il bluffait ou pas.

— Tu vas pas me dire que c'est l'érudition, ça ! protestait parfois Michel Audiard qui, bien qu'ancien « pistard » dans son jeune temps, n'avait pas en la matière les mêmes connaissances que Jean, qui l'avait surnommé « le p'tit cycliste », ou « le cycliste », et dont il disait, les jours de mauvaise humeur, qu'il n'avait à son palmarès sportif que la livraison des journaux !

A quoi Audiard rétorquait, pour le désarçonner :

— Si on parlait un peu de Céline ?

Alors là, Jean balançait tout de go quelques répliques du *Voyage au bout de la nuit,* qu'il avait gardées en mémoire du temps où il avait voulu jouer Ferdinand Bardamu.

Il était d'ailleurs, à ce propos, assez coutumier de ce genre d'exploit. Grangier raconte dans son livre de souvenirs [11] qu'un jour, lors d'un tournage en extérieurs où ils se morfondaient dans un hôtel en attendant que la pluie cesse de tomber, Jean, pour détendre l'atmosphère, est brusquement apparu drapé dans un peignoir de bain comme d'une toge et, olympien, a déclamé, à la stupeur générale, une série d'alexandrins de Corneille.

Tout le monde s'est évidemment demandé où il les avait appris. Pas en jouant une tragédie de Corneille à la Comédie-Française, parce qu'on l'aurait su. Souvenir d'une leçon du temps de Janson-de-Sailly ?

Si Jean faisait volontiers étalage de sa culture sportive, à l'inverse, dans le domaine de l'autre, la grande, il avait volontairement tendance à faire dans l'anticulture. Grangier a raison d'imaginer que, si un cuistre s'était aventuré à le questionner sur Chateaubriand, il aurait probablement répondu, rien que pour s'offrir une petite jubilation à voir la tête du type, que c'était le nom d'un square, ou un steak épais qu'il préférait saignant.

De la même façon, parlant du cinéma ou de son métier d'acteur, il disait : MON ART, en accentuant chaque mot, et avec une intonation de dérision tout à fait féroce. Il refusait résolument de se prendre au sérieux et caricaturait tout ce qui tendait à le faire passer pour un « artiste ».

Il se gaussait gentiment de Fernandel qui, lui au contraire, ne prononçait pas une phrase sans dire : « Nous autres, les artistes. »

« Des saltimbanques, Fernand ! C'est tout ce qu'on est, et c'est déjà pas si mal ! » répliquait Jean.

Si sa timidité et une évidente absence de confiance due à ses origines populaires bloquaient son langage dès qu'il était face à un public ou devant un micro, croyant dans ces cas-là mieux s'en tirer en balançant quelques tournures argotiques, il savait parfaitement, quand il le voulait et quand les circonstances l'exigeaient, s'exprimer dans une langue châtiée.

Jean ne commettait, par exemple, aucune erreur de syntaxe, tant à l'écrit qu'à l'oral. Je ne crois pas non plus qu'il ait jamais prononcé un seul mot du dialogue d'un auteur sans en connaître le sens exact. Il n'aurait certainement pas pu le dire autrement. Je l'ai entendu un jour en remontrer précisément à un auteur qui s'était égaré sur l'attribution respective, à la grenouille et au corbeau, des termes *coasser* et *croasser*. Je sais bien que dans ces cas-là son enfance campagnarde à Mériel devait lui servir, mais dans *Le gentleman d'Epsom*, il prononçait le mot *cloaque* avec une perfection aussi juste que rare. Essayez, vous verrez que ce n'est pas si facile que cela.

En conséquence, il était effarant de l'entendre dire, parfois, dans une interview : « Moi, je ne sais pas parler... Faudrait qu'on m'écrive les mots comme au cinéma... »

Pourquoi jouait-il ce rôle de quasi-analphabète ? Mal, en plus, car, pour qui le connaissait, il n'y était pas crédible. Certains ont prétendu qu'il se comportait ainsi avec l'idée de rester proche d'un public populaire. Je n'en crois rien. D'abord, parce qu'il n'était pas du genre à se livrer à cette sorte de démagogie — à aucune d'ailleurs — et qu'ensuite, ce n'était évidemment pas la meilleure image qu'il donnait de lui-même.

En réalité, au-delà de sa profonde timidité, Jean était curieusement totalement paralysé devant un micro ou une caméra de télévision. Cet homme qui avait un sens inné de la repartie, de la réplique qui fait mouche, perdait toute notion de son langage habituel dès qu'on lui posait des questions en brandissant sous son nez micro et caméra. Je n'ai jamais vu une bonne prestation de lui à la télévision, pas plus que je n'en ai entendu à la radio.

Pis, dans ces occasions, il était totalement vulnérable, et un rien le piégeait.

Je l'ai vu rembarrer vertement et avec une aisance fulgurante de langage des journalistes qui, bloc-notes en main, lui posaient des questions saugrenues ou qu'il estimait insolentes. Les mêmes questions devant un micro ou une caméra de télévision le laissaient désemparé et sans réplique.

L'exemple type est celui-ci : cela se passait dans un coin du studio et il avait accepté — sans enthousiasme, selon son habitude — d'enregistrer une interview pour la télévision. Le journaliste de service lui posa quelques questions anodines auxquelles il répondit, puis celle-ci :

— Combien gagnez-vous ?

Le genre de question dont il avait horreur et qui, posée par un journaliste de la presse écrite, hors micro et hors caméra, l'aurait fait bondir, dans le style :

— Est-ce que vous demandez au P.-D.G. de Citroën ou à votre banquier combien il gagne ? Alors pourquoi moi ?...

Et là, par décence, je limite les imprécations dont il aurait accablé l'imprudent.

Au contraire, devant la caméra qui tournait, à la même question Jean se perdait en explications et bafouillait une sorte de justification un peu honteuse.

Je pris la décision de crier : « Coupez ! »

Surpris, le cameraman a obéi et Jean m'a regardé stupéfait, ne comprenant pas ce que je venais de faire.

— Nous ne sommes pas en direct, Jean, on peut recommencer et supprimer cette question si vous souhaitez ne pas y répondre, lui dis-je.

Il n'avait pas pensé à cela. Quand il a compris que la caméra ne tournait plus, il a explosé contre le journaliste et, fou de rage, il l'a presque injurié. Tant et si bien que j'ai eu du mal à lui faire reprendre l'interview. Mais sa colère de s'être un instant laissé déborder lui avait rendu son naturel et toute son agilité verbale, et il a dit au journaliste :

— Reposez-la, votre question, et vous allez voir ce que je vais répondre !

Il a dit cela sur un ton tellement féroce et menaçant que le type, prudent, s'en est bien gardé.

Le reste de l'interview s'est alors déroulé normalement.

Quelques années plus tard, devant de telles interrogations, il avait acquis une meilleure aisance et au « combien gagnez-vous ? » il répondait avec ironie : « Pas assez ! »

Tout ceci pour dire que je n'ai jamais réussi à m'expliquer tout à fait son manque d'aisance dans une interview, surtout radiophonique ou télévisuelle. Je crois, en définitive, que, de la même manière qu'il se sentait mal à l'aise devant les manifestations que suscitait sa popularité — il détestait donner des autographes car, à la limite, il trouvait cela indécent de sa part —, il admettait difficilement, hors de la représentation qu'il donnait de lui sur un écran dans l'exercice de son métier, qu'on s'intéresse à sa personne, et s'en sentait même gêné, jusqu'à perdre une grande partie de son assurance qui était déjà quelquefois bien fragile.

Un point sur lequel, en tout cas, il se sentait à l'aise — on ne l'a jamais interviewé là-dessus —, c'est la gastronomie. Mais cela, je crois qu'on l'a déjà compris depuis quelques pages.

Il était plus gourmand que réellement gourmet, au point qu'il n'avait, si j'ose dire, aucune hygiène alimentaire, et qu'il pouvait atteindre dans ce domaine la démesure, les dérèglements de santé qui s'ensuivaient et dont il souffrait ne faisant office de frein qu'un court moment. Le temps exactement que cela passe.

Il aimait en effet les solides nourritures qui tiennent au corps et que lui avaient fait découvrir, dès son enfance, les femmes de sa maison : Hélène, sa mère, qui cuisinait bien quand elle le voulait, sa grand-mère Marie Mathon-Domage épouse Petit, la tante Louise, et même sa sœur Madeleine. On remarquera d'ailleurs au passage que Jean a vécu son enfance entouré de femmes.

S'il cuisinait lui-même très rarement — Valérie se souvient cependant encore d'un bœuf bourguignon que son père, un jour où ils étaient seuls à la maison, avait mitonné rien que pour elle et lui —, il savait parfaitement indiquer une recette et en surveiller l'exécution. Quant à en apprécier le résultat, il était de première force. Dominique avoue que Jean lui a beaucoup appris dans ce domaine, notamment la façon de cuisiner le gibier qu'il rapportait de la chasse, à l'époque où il s'adonnait encore à ce sport.

Ses plats préférés étaient le bœuf gros sel, la daube aux haricots rouges, le ragoût de mouton, le cœur de bœuf farci, tous les farcis d'ailleurs en général, le petit salé aux lentilles, la choucroute, les potées aux choux, l'andouillette grillée « bien noire », précisait-il, le lapin aux pruneaux ou à la moutarde... J'arrête là. Comme dirait Dominique, Jean aimait tout sauf le mou. Mais en dehors du chou et à la rigueur des haricots grains, il n'appréciait guère les légumes verts et en préférait certains plutôt en conserve que frais, notamment les asperges et les petits pois, ce qui faisait l'objet d'un grave différend entre nous.

Il adorait tous les poissons de mer, les plus nobles aussi de lac ou de rivière. Il m'a entretenu durant des années, avec encore des larmes dans les yeux, du souvenir qu'il avait gardé d'un omble chevalier au beurre blanc qu'il avait pourtant mangé quelques lustres plus tôt. Il était capable de toutes les folies pour une petite marmite de pêcheur de grande classe.

Un soir, pendant le tournage d'*Un singe en hiver*, où nous dînions seuls dans un restaurant de Trouville, j'ai vu Jean — je dis « vu », car, n'ayant pu le suivre après un moment, je me suis contenté de l'observer — manger successivement quatre plats de poissons différents qu'il avait fait précéder d'ailleurs d'un solide plateau de fruits de mer. Il m'avait d'abord surpris par le choix tout à fait raisonnable d'une simple sole grillée. Il est vrai que le chef lui avait précisé qu'elles venaient de Gravelines, et il avait décrété que, dans ce cas, c'était la meilleure façon d'apprécier la saveur singulière des soles de cette région.

Pendant que nous les dégustions, il m'expliqua que les fonds du côté de Gravelines étaient sableux et qu'il y poussait un plancton végétal particulier dont les soles du coin se régalaient, leur donnant ainsi un parfum que l'on pouvait reconnaître dès la cuisson.

Aussi remarquable que fût en effet la sole de Gravelines, elle avait contre elle de n'être que *grillée* et n'avait donc servi qu'à ouvrir son appétit. Il s'empressa de le combler en partie, en commandant une raie au beurre noir puis, ne trouvant pas agréable de rester sur le goût cartilagineux et iodé de ce sélacien, il s'avisa ensuite que la carte proposait un crabe farci, et n'y résista pas. C'est d'ailleurs à cet instant que je l'abandonnai, le laissant commander un quatrième poisson dont j'avoue avoir oublié quelle tête il avait. Je dois préciser qu'il mangea tout cela pratiquement sans pain — sans doute estima-t-il devoir laisser un peu de place dans son estomac pour le reste — et arrosé de deux bouteilles de sancerre blanc, que je l'aidai un peu à vider. Il renonça au plateau de fromages avec sagesse, mais sa volonté sombra devant un énorme baba au rhum que lui proposa la patronne.

On comprendra donc que Jean n'avait aucun goût pour une cuisine sophistiquée aux portions congrues. Il n'aurait pas été adepte de la « nouvelle cuisine », et aurait poussé des hurlements si on lui avait présenté du foie gras aux haricots verts ou du caviar dans une pomme de terre.

Il n'était cependant pas contre des mets très simples comme une salade de tomates, à condition que celles-ci soient pelées et vidées de leurs graines, arrosées d'un jus de citron et d'un trait d'huile d'olive de Nyons.

Il n'avait dans ce domaine, encore moins que dans d'autres, aucune indulgence pour les erreurs d'appréciation et les approximations culinaires. Je connais plus d'un chef — dont un de réputation mondiale — qui s'est entendu dire ses quatre vérités qui, chez Jean, étaient toujours plus nombreuses et qu'il pouvait aussi résumer d'une appréciation définitive lancée d'un air outré :

— Dites tout de suite que vous voulez me buter !

Une de ses cuisinières personnelles a bien cru, un jour, que c'était elle que Jean allait « buter ». Il était seul à Paris, et comme tous les gourmands — mais lui l'était à un degré pathologique —, il avait rêvé durant toute la journée, au studio, à des pêches au Brouilly qu'il lui avait demandé de lui préparer pour son dessert.

En en parlant entre deux prises de vues, il raclait le sol du pied, comme il avait l'habitude de faire pour marquer caricaturalement son excitation et son impatience.

Las, quand l'instant tant attendu arriva, Jean s'étrangla de fureur : la brave femme par inadvertance avait salé les pêches au lieu de les sucrer. Jean hurlait tant qu'elle avoua à Dominique, quelques jours plus tard, qu'elle avait bien cru que « M. Gabin allait la tuer ».

Jean à table, c'était un poème épique, et si vous réunissiez à ses côtés Bernard Blier, Gilles Grangier et Lino Ventura, alors ça devenait carrément l'odyssée de la bouffe. C'était à celui qui « écarterait » le premier. « Écarter » était l'expression inventée par Jean qui signifiait « se tacher ». Une fois que tous les convives avaient « écarté » au moins une fois, il restait à désigner, à la dérision des autres, celui qui « écarterait » le plus loin ou le plus gros. Jean était imbattable dans cette compétition.

« J'apportais deux ou trois fois par semaine des polos de Jean à nettoyer et j'en étais presque embarrassée, raconte Dominique. J'avais expliqué à la teinturière que Jean appelait ça " écarter ". Un jour, elle m'a dit pour me consoler : " J'ai un autre client qui 'écarte' aussi beaucoup, c'est M. Tino Rossi. " »

Tant que Jean a encore fait un peu de sport, jusqu'au début des années 50, il parvenait tant bien que mal à conserver une certaine silhouette de jeune homme. Dominique se souvient qu'à Port-Manech, en 1950, il enfilait un survêtement et partait très tôt le matin courir sur la plage et s'épuisait à des exercices physiques. Il en revenait ruisselant. A partir du jour où il a décidé de ne plus jouer les « gandins » au cinéma, il a assurément prêté moins d'attention à son tour de taille, estimant même que, compte tenu des personnages que désormais il jouait, un certain embonpoint n'était pas un inconvénient. Dominique a bien tenté plusieurs fois de le mettre au régime, mais il ne supportait pas très longtemps le steak grillé-salade, ou l'œuf à la coque et le fromage blanc zéro pour cent. Il finissait toujours par aller voir en catimini sa cuisinière, Mme Chesnot, et lui demandait de lui fricoter une petite marmite de nourriture plus roborative.

Ce qui a sauvé Jean de l'obésité complète, c'est finalement le tournage des films. Il ne déjeunait jamais et se contentait de prendre, vers 2 heures de l'après-midi, un thé avec deux biscottes et un peu de miel — le miel lui adoucissant la voix encrassée par la fumée des Craven. Il n'aimait pas être dérangé pendant cet instant et donc il se préoccupait de savoir avec une anxiété de débutant si précisément on n'aurait pas besoin de lui quand il prendrait son thé. Son inquiétude était d'autant plus dérisoire que Jean ne quittait jamais le plateau, même pas pour grignoter ses deux biscottes.

La loge qu'avait Jean — la plus belle du studio — ne lui servait qu'à se déshabiller en arrivant le matin et à se rhabiller le soir. Dans la journée, il y faisait de petits sauts pour téléphoner à Dominique et prendre des nouvelles des enfants. Il revenait rapidement s'installer dans son coin sur le plateau, comme s'il craignait qu'on ne le réprimande pour son absence.

Beaucoup de comédiens, entre deux prises de vues, retournent dans leur loge se reposer, lire ou faire ce que bon leur semble. Quand on a besoin d'eux, un assistant court les chercher.

Dès ses débuts, et jusqu'à la fin de sa carrière, Jean est toujours resté en permanence sur le plateau. Il se choisissait un endroit un peu à l'écart mais pas trop parce qu'il aimait surveiller la préparation de la scène qu'il allait tourner.

Il avait évidemment une « doublure » — Paul, qui resta avec lui des années durant — sur laquelle on réglait les lumières.

De sa place, Jean observait et savait donc à l'avance comment la scène allait se dérouler.

Il ne s'installait jamais sous un praticable, de peur — il n'avait pas tort en vieil habitué qu'il était des studios — qu'un spot ne tombe au cours d'une manœuvre. Il avait naturellement son fauteuil marqué à son nom, et autour de lui siégeait ce que certains appelaient « sa cour », mais qui, en réalité, étaient des gens dont il pouvait avoir besoin à chaque instant et qu'il n'aurait pas aimé qu'on aille les faire chercher. Ceux-ci le savaient et se tenaient donc près de lui : c'étaient pour l'essentiel son habilleuse Micheline et sa maquilleuse-coiffeuse Yvonne Gaspérina.

Entre deux prises de vues, Jean étudiait la scène qu'il allait jouer, ou, s'il la savait, discutait ou « gambergeait ». Si les vêtements qu'il portait exigeaient qu'il en prenne grand soin, il se tenait d'une manière particulière sur son siège, veillant à ne pas les froisser, étendait ses jambes pour ne pas casser le pli du pantalon et bougeait le moins possible. Il fumait cigarette sur cigarette, alternant Craven et Gitanes, et ne se servait pour les allumer que d'allumettes. Il n'aimait pas les briquets, et encore moins qu'on lui offre du feu de crainte qu'on ne le brûle. Cela m'arrivait au début que nous nous connaissions, et il a eu la politesse de ne jamais refuser la flamme du briquet ou de l'allumette que je lui tendais, mais j'ai compris par la suite qu'il n'en était pas plus rassuré pour autant.

Il fumait tellement qu'il avait l'index et le majeur de la main droite littéralement cramés. Lino Ventura le plaisantait en lui disant qu'il pouvait aussi bien allumer une cigarette avec le mégot de la précédente et qu'ainsi il économiserait une fortune en boîtes d'allumettes.

Il avait près de lui un couvercle métallique de boîte de pellicule cloué sur un trépied de bois qui sert traditionnellement de cendrier dans les studios. Micheline le vidait de temps en temps. Jean n'avait jamais sur lui ses cigarettes et ses allumettes pour ne pas déformer ses poches éventuellement. C'était Micheline qui les tenait à sa disposition, et des dizaines de fois par jour, on entendait Jean dire :

— Micheline, mes cigarettes !

Ou il disait simplement : « Micheline !... » Et Micheline comprenait et se pointait avec cigarettes et allumettes.

— Oui, m'sieu Gabin ! Voilà, m'sieu Gabin !...

Lorsqu'on l'appelait pour tourner une scène, il éteignait soigneusement sa cigarette dans le cendrier à quelque stade de consomption qu'elle fût. Cela lui prenait un certain temps qui était parfaitement calculé et qui lui permettait de se concentrer. Il se levait, Micheline vérifiait sa tenue vestimentaire, Yvonne contrôlait son maquillage et sa coiffure, et il avait souvent là un petit moment d'agacement, notamment quand elle tenait à lui redonner un coup de peigne.

— Ça va, ça va, disait-il en l'écartant un peu.

Yvonne, parce qu'elle était maquilleuse et qu'il n'aimait pas se maquiller, était un peu son souffre-douleur, surtout les jours de mauvaise humeur. Elle était très douce et presque effacée et le laissait dire, accoutumée à ses grognements sans conséquence.

Micheline lui enlevait sa « bavette », un kleenex qu'il prenait soin de placer autour de son cou afin que son maquillage ne tache pas son col de chemise ou sa cravate. Cette « bavette » me causa beaucoup de soucis quand je fus « son » attaché de presse, car je ne tenais pas à ce qu'on le photographie avec, et ce n'était pas toujours facile de la lui faire enlever, sa conscience professionnelle passant avant une bonne photo dont il n'avait que faire.

Prêt à jouer, il se tenait un moment immobile, bien en équilibre sur ses jambes, à l'entrée du décor, et observait le remue-ménage qui précède l'instant où le metteur en scène va dire : « moteur ! » Les « silence, on tourne ! » se répercutent alors d'assistant en assistant, et on n'entend jamais autant de bruit sur un plateau qu'à cet instant-là, dix personnes ayant soudainement quelque chose à faire, indispensable à la bonne exécution de la prise qu'on va tourner.

« Pique un peu le 22 ! Élargis le 14 ! » crie le chef opérateur.

Quant au cameraman, à l'œilleton de la caméra, il a subitement découvert un reflet dans un miroir qu'il faut impérativement atténuer.

L'accessoiriste se précipite alors pour « mater » le miroir.

De bonne humeur et dans une bonne ambiance, Jean regardait généralement ce tohu-bohu avec philosophie, mais n'en pensait pas moins sur le peu de cas qu'on faisait de la concentration du comédien.

Dans le cas contraire — d'humeur exécrable ou souffrant de quelque chose —, il retournait ostensiblement se rasseoir et attendait simplement qu'on le rappelle. L'assistant chargé de cette mission avait alors intérêt à avoir du doigté, ou être en excellents termes avec lui, mais d'une manière générale il n'évitait pas les récriminations de Jean.

— Vous en avez terminé de votre petit bordel ? Ça y est ? Je peux aller jouer la comédie tranquillement ? C'est sûr ?...

Si l'assistant avait de l'humour, il pouvait toujours s'essayer à lui dire :

— On est prêts, monsieur Gabin, mais prenez votre temps...

Ce dont Jean ne se privait pas, pour bien marquer sa réprobation. Malheur à l'assistant novice qui se serait hasardé à venir lui dire quelque chose du genre : « On vous attend, monsieur Gabin. »

— Non, *môssieu* ! On ne m'attend jamais ! C'est moi qui attends toujours !

C'était vrai bien sûr, mais Jean savait aussi parfaitement que la technique d'un film impose aux comédiens une grande patience. Ce qu'il acceptait mal, c'était qu'on lui dise que tout était prêt alors que ça ne l'était pas. Il avait besoin de se concentrer durant un temps donné et, si on le faisait attendre, il perdait de cette concentration et devait se remettre en « condition ».

A l'instant de tourner, il demandait toujours une cigarette à Micheline bien qu'il vînt d'en éteindre une à peine consumée.

Je crois que le temps très bref qu'il prenait à craquer une allumette et à tirer quelques bouffées lui était nécessaire pour refouler la petite anxiété qu'il avait avant de jouer, surtout s'il s'agissait d'un film dramatique. Il confiait ensuite sa cigarette allumée à Micheline et allait se placer devant la caméra. Il ramenait toujours légèrement une jambe pour s'équilibrer, pinçait ses lèvres plusieurs fois pour leur donner un peu de couleur, se raclait la gorge et avalait sa salive. Il était alors prêt.

La prise tournée, le metteur en scène ayant dit : « Coupez ! » Jean avait aussitôt un petit regard vers lui — même s'il n'avait pas avec celui-ci d'affinités particulières — et son regard exprimait toujours une petite interrogation inquiète qui signifiait : Est-ce que ça va ?

Tous les comédiens ont besoin d'être rassurés, même les plus grands, souvent surtout les plus grands. Le metteur en scène qui, à cet instant, ne répond pas au regard du comédien par son propre regard apaisant sur lui ne connaît rien au métier d'acteur ni même peut-être à celui de metteur en scène.

Jean détestait les réalisateurs qui, le plan fini, ne s'inquiétaient que de savoir comment avait marché la technique.

Quand le metteur en scène crie « Coupez ! » il ajoute souvent « On en refait une autre tout de suite ! ». L'assistant s'égosille alors : « Gardons le silence, personne ne bouge ! » C'est précisément le moment dont profitent dix personnes pour s'agiter en tous sens, ayant chacune un petit détail à rectifier ou à régler. On crie aussi : « Laissez le rouge ! » Cela signifie qu'une lampe rouge à l'entrée du plateau est allumée, que personne n'est autorisé à pénétrer et que, dans les couloirs d'accès, le silence doit aussi être respecté.

Dans son coin, l'acteur attend au milieu de ce tohu-bohu, essayant de garder cette émotion qu'il a donnée et qu'on va lui redemander d'exprimer avec le même naturel dans un instant.

Jean cherchait à échapper quelque peu à ce tumulte désordonné en allant tirer quelques bouffées de sa cigarette que Micheline lui avait gardée allumée. Pour le plaisir sans doute d'entendre Jean ronchonner après elle, Yvonne s'empressait de vérifier si sa coiffure était « raccord ». Et immanquablement, respectant le rite instauré entre eux, Jean la rembarrait :

— Fous-moi la paix, Yvonne !

— Bien, monsieur Gabin, disait-elle en échangeant dans son dos un regard complice avec Micheline.

Deux prises, trois, quatre, parfois davantage selon la difficulté du plan, du dialogue — Jean a « savonné » ou n'a pas « savonné », à moins que ce ne soit son partenaire, ce qui dans ce cas le réjouissait toujours : « Ah ! C' coup-là, c'est pas moi, hein ? » disait-il avec un large sourire.

Ainsi se déroulait une journée ordinaire de travail de Jean. Au beau temps, il allait parfois respirer un peu dehors. Il aimait les studios de Saint-Maurice qui pourtant, lorsqu'il habitait Neuilly, l'obligeaient à traverser tout Paris, parce qu'il y avait un jardin et un plan d'eau qu'il appréciait.

Le tournage terminé vers 20 heures, il restait avec toute l'équipe voir les rushes — les scènes tournées la veille. Il faisait peu de commentaires, n'analysait jamais rien par rapport à lui-même mais toujours en fonction du film en général. Il s'attardait quelquefois à parler dans la cour un instant, et son chauffeur de production attitré, Robert Fugier, durant tout un temps, puis Louis Granddidier ensuite, le ramenait chez lui à une vitesse raisonnable. Il s'asseyait toujours à l'avant et, comme il éprouvait le besoin de respirer, il roulait la vitre quelque peu baissée.

Certains jours, selon le plan de travail, le metteur en scène lui disait vers 17 ou 18 heures qu'il pouvait partir car on n'avait plus besoin de lui. Il arrivait que cela l'arrangeât et qu'il l'eût même demandé dans la mesure où c'était possible. D'autres fois, c'était plus inattendu et il n'avait rien prévu de particulier. Dans un cas comme dans l'autre, il s'inquiétait toujours :

— T'es sûr ? Je peux partir ?...

On le lui affirmait. Malgré cela, il traînait un peu, allait consulter l'assistant.

— Bon, alors, il paraît que je peux partir ?

— Oui, monsieur Gabin, on va tourner les contrechamps sur « X ». Vous n'avez pas besoin de rester.

Il vérifiait alors dans son scénario l'importance des plans qu'on allait tourner sur son ou sa partenaire.

— Ben, alors, je vais aller me changer. Si on a besoin de moi, je suis dans ma loge...

— Non, monsieur Gabin, on n'aura plus besoin de vous, insistait l'assistant.

Jean contrôlait une dernière fois qu'aucune erreur n'avait été faite, et, entraînant Micheline et Yvonne, il gagnait sa loge pour se démaquiller et quitter ses vêtements de tournage.

Il ne traînait pas, et on le voyait revenir sur le plateau pour donner « off » la réplique en contrechamp à son ou sa partenaire. Des fois, il revenait simplement pour s'assurer qu'on n'avait réellement plus besoin de lui.

— Bon, alors, je peux partir ?... répétait-il.

Oui, pour la énième fois, on l'en assurait. Il en paraissait comme embarrassé. Je l'ai vu faire ce « cirque » des dizaines de fois, mais, dans le même temps, il vous aurait affirmé que ce métier le fatiguait, ne l'intéressait plus, et qu'il ne le faisait que pour le « pognon ».

Lors d'un tournage en extérieurs, les choses ne se passaient guère de façon différente, sinon qu'il n'aimait pas beaucoup tourner le matin.

— On ne joue pas la comédie à 9 heures du mat', disait-il non sans raison.

Pour lui, en tout cas, c'était très difficile. D'abord parce que, invariablement, il s'était couché tard. Il était impossible de le mettre au lit avant minuit ou 1 heure du matin. Et ensuite, comme il avait généralement trop mangé et parfois aussi un peu trop bu, il ne trouvait pas le sommeil immédiatement. Cela lui donnait donc des réveils difficiles.

A Paris, chez lui, pour être à 11 heures au studio — les horaires de travail sont 12 heures-20 heures sans interruption —, il se levait au plus tard vers 7 h 30-8 heures. Il préparait lui-même son café, ne déjeunait pas, et ne commençait à ouvrir un œil — le plus souvent mauvais — qu'après avoir bu sa deuxième tasse et fumé sa première Gitane — la Gitane était sa cigarette matinale plutôt que la Craven. Puis il passait près de deux heures dans sa salle de bains, car, s'il n'avait pas d'hygiène alimentaire, Jean avait, par contre, une hygiène corporelle presque maniaque. Il ne se trouvait en état de prononcer ses premières paroles de la journée qu'environ deux heures après son réveil et le plus fréquemment cela se bornait à exprimer quelques récriminations sur sa santé.

— J'ai les intestins en papier de soie. Un de ces jours, je vais en crever...

« Quand il quittait la maison pour le studio, se souvient Dominique, Jean donnait l'impression qu'il pouvait ne pas rentrer le soir. Ou plutôt il nous regardait avec le sentiment qu'il n'allait retrouver ni sa femme ni ses enfants. En partant, il avait toujours une sorte d'inquiétude. »

En extérieurs, pour être prêt à tourner à 9 heures, Jean était dans l'obligation de se réveiller au moins à 6 heures. Le même processus que chez lui se déroulait alors : le café que la servante de l'hôtel lui montait en quantité abondante, sa première Gitane fumée, l'œil morne et dans le vague, la cérémonie de la salle de bains puis son chauffeur en bas qui l'attendait pour le conduire sur le lieu de tournage.

Il disposait sur place d'une superbe caravane pour se maquiller et changer de vêtements. Mais, comme à sa loge au studio, il n'y remettait plus les pieds de la journée, détestant tout enfermement. Il restait sur le lieu de tournage quel que soit le temps, le nez au vent, assis dans son fauteuil entre les prises de vues, ou s'il faisait vraiment froid ou s'il pleuvait, il allait s'asseoir dans sa voiture, vitre baissée, aussi près que possible du tournage pour pouvoir, comme au studio, observer et aussi pour qu'on n'ait pas besoin d'aller le chercher quand on avait besoin de lui.

Lors des tournages nocturnes, il agissait exactement de la même façon. De jour, en extérieurs, il y a un bref arrêt pour le déjeuner, soit sur place avec une cantine, soit dans un restaurant s'il en existe un très proche. Généralement, Jean déjeunait avec l'équipe. Quelquefois, quand le plan de travail s'y prêtait, on s'arrangeait pour lui donner un peu plus de temps. Mais, comme en studio quand on lui disait qu'il pouvait partir, il s'assurait, là encore, qu'il n'y avait pas de malentendu.

Jean, en effet, malgré son statut de grande vedette, et moralement le « patron » du film, craignait toujours qu'on ne lui fasse porter un « chapeau » quelconque.

Ménager Jean n'était pas toujours chose aisée. Certes, il acceptait qu'on lui accorde certains privilèges à condition qu'ils ne créent pas de problèmes sur le bon déroulement du tournage. Mais, dans ce domaine, il ne fallait surtout pas commettre d'erreur psychologique. J'ai, par exemple, le souvenir de ce qu'il en a coûté en engueulade « gabinesque » à un directeur de production peu averti de son tempérament. Nous tournions de nuit au bord de la mer. C'était en janvier et il faisait un froid épouvantable. Tout le monde était frigorifié. Vers 22 heures, le directeur de production vint trouver Jean qui, malgré le temps glacial, était comme d'habitude dans sa voiture — alors que sa caravane, elle, était chauffée — attendant de tourner. Il l'informa qu'un souper chaud avait été préparé dans un restaurant, assez loin du lieu où nous tournions. Naturellement, Jean en fut réjoui, mais, au moment de s'y rendre, il eut brusquement un pressentiment et rappela le directeur de production.

— Toute l'équipe va bouffer aussi ? demanda Jean.

— Non, vous seulement, le restaurant est trop loin. L'équipe va manger des sandwiches sur place.

Il était vrai qu'aucun arrêt de travail n'était prévu et que déplacer toute l'équipe dans un restaurant éloigné de plusieurs kilomètres aurait fait perdre un temps considérable. Et dans le cinéma plus qu'ailleurs, le temps, c'est de l'argent.

Malgré cela, Jean explosa.

— Dans ce cas, votre souper chaud seulement pour moi, vous allez vous le mettre au cul, mon vieux ! Je ne bougerai pas d'ici ! Et si, dans moins d'une heure, vous ne vous êtes pas démerdé pour faire apporter une soupe chaude à tous les gars, j'arrête de tourner ! C'est clair ?

Le pauvre directeur de production s'exécuta en vitesse, et, une heure et demie après le coup de sang de Gabin, toute l'équipe mangeait sur place une soupe épaisse et chaude, sans que l'on ait eu besoin, pratiquement, d'arrêter le tournage.

— Si j'avais pas eu du nez, en m'envoyant bouffer tout seul un truc chaud, ce con me faisait passer pour un salaud ! renaudait encore Jean, en mangeant lui aussi sa soupe, assis dans sa voiture.

Car c'était bien là le problème perpétuel de Jean qui, par tempérament, était pourtant plutôt égoïste : autant qu'il le pouvait, il n'acceptait jamais d'avoir une attitude qui puisse le faire mal juger.

Il était cependant souvent « mal jugé » par ceux qui ne voulaient voir qu'un versant de son personnage.

C'est que, d'abord, Jean n'étalait jamais ses bons côtés et les cachait même, au contraire. Ensuite, il y avait la « légende » Gabin, bien ancrée dans l'esprit de certains : sale caractère, emmerdeur, exigeant, égoïste, avare, que sais-je encore !

Avare ? Il est certain que Jean détestait les « tapeurs » mais surtout l'état d'esprit qu'impliquait cette démarche le mettait mal à l'aise. C'était lui qui se sentait honteux d'avoir à donner de l'argent. Il était aussi contre le principe des pourboires, et pourtant il en donnait de royaux, accompagnés de son mépris.

— Ils sont payés pour faire leur boulot. S'ils ne le sont pas assez, qu'ils gueulent pour l'être davantage, mais j'ai honte pour eux qu'ils acceptent de tendre la main, disait-il avec sa manière d'être définitif dans ses jugements.

Il était également contre tout ce qui ressemblait à de la charité ou de la mendicité. Il en faisait une question de dignité mais aussi, je crois, l'existence même de certains problèmes sociaux lui faisait peur personnellement, car il avait tendance à tout ramener à lui.

— Si j'avais pas le rond, je crèverais, mais je serais incapable de mendier, affirmait-il.

Un jour, un vieux copain comédien, que Jean faisait tourner dans ses films de temps en temps, vint l'attendre à sa porte. Il était sans travail et sans le sou, et demandait à Jean de l'aider. Celui-ci était sorti faire quelques pas dehors et n'avait rien sur lui. Il est revenu à son appartement établir un chèque conséquent, et avant de le porter à son copain, les yeux embués par l'émotion et bouleversé, il dit à Dominique :

— Tu te rends compte ! C'est terrible ! Si ça m'arrivait à moi !

Bien entendu ce n'est pas de Jean que je tiens cette histoire qui éclaire encore une fois, d'un jour singulier, sa personnalité.

Je dois ajouter que ce comédien disait dans le privé que Jean lui avait brisé sa carrière, et que, en lui offrant de tourner dans ses films des seconds rôles, il avait ainsi fait en sorte qu'il ne devienne pas pour lui un concurrent. Ce brave type estimait en effet qu'il aurait pu jouer tous les grands rôles de Jean.

Ce métier fait souvent perdre tout sens de la réalité.

Il arrivait quelquefois que l'anniversaire ou la fête de Jean tombât lors du tournage d'un film. La production et l'équipe lui organisaient une petite fête et lui faisaient alors des cadeaux. Il en était à la fois heureux et mal à l'aise. Réellement, je ne dirais pas qu'il aimait.

Il n'appréciait pas davantage cette tradition qui veut que, au cours d'un tournage, les uns et les autres offrent des « vins d'honneur ». Il s'y rendait par politesse et il lui arrivait d'en faire autant lui-même, mais trouvait ça « con », comme il disait.

A part cela, il a offert, en certaines circonstances, de véritables banquets à toute l'équipe. Plus communément, au cours d'un film en extérieurs, il n'était pas rare qu'une douzaine de personnes, sans y avoir été spécialement invitées, se retrouvaient à sa table. Chacun partait à la fin, sans se soucier de savoir qui réglerait l'addition. J'essayais parfois de la lui soustraire car j'avais la possibilité de l'inclure dans les notes de frais de la production, mais il s'y refusait obstinément et payait. Toujours cette obsession de se trouver en porte à faux.

Il disait des gens qui ne mettaient pas facilement la main au porte-monnaie qu'ils avaient des « oursins dans les fouilles ». Le moins que l'on puisse dire, c'est que Jean n'en avait pas dans les siennes. Tous ses amis intimes le reconnaissent et ajoutent, ce qui est assez vrai, qu'il ne laissait jamais aux autres le temps de payer. Personnellement, j'avoue avoir rarement pu le faire.

Durant le tournage du *Cave se rebiffe*, un jeune assistant stagiaire fut appelé à aller faire son service en Algérie, alors que la guerre s'y déroulait. On connaissait peu ce garçon, mais l'équipe du film organisa une quête en sa faveur. Le technicien chargé de ramasser l'argent présenta une corbeille à Jean, assis comme à l'accoutumée dans son fauteuil derrière un décor.

— Je n'ai pas d'argent, se contenta-t-il de dire, en détournant son regard.

Il n'en avait évidemment jamais sur lui quand il tournait mais il lui aurait suffi d'envoyer Micheline en chercher dans sa loge. Il ne bougea pas.

Le soir, en quittant le film, le garçon est allé lui dire au revoir. Jean ne l'avait aperçu qu'une ou deux fois. Il lui serra la main chaleureusement en lui disant : « Bonne chance, mon gars. »

Le bruit s'était évidemment répandu que Jean n'avait rien donné à la quête, et les réflexions habituelles sur son avarisme allaient bon train. J'avoue que j'étais moi-même troublé par cette attitude.

Quelques semaines plus tard, j'ouvrais du courrier dans mon bureau du studio. Machinalement, je décachetai une lettre dont je m'aperçus trop tard à la lecture qu'elle était destinée à Jean. Elle venait d'Algérie, et était du jeune stagiaire. Il remerciait Jean pour les deux mandats que celui-ci lui avait envoyés depuis qu'il était parti. N'ayant pas son adresse personnelle, il lui écrivait au studio.

Embarrassé, je remis la lettre dans l'enveloppe mais sans pouvoir la refermer car je l'avais, en partie, déchirée. Je la donnai à Jean sur le plateau en m'excusant de l'avoir ouverte par mégarde. Il la parcourut puis leva vers moi un regard sourcilleux :

— Vous l'avez lue ?

— Oui ! lui dis-je avec un petit sourire ironique.

— Bon, ben, alors tâchez de la boucler, hein ! J'ai pas envie de passer pour une pomme !

Par l'intermédiaire de Micheline, il avait obtenu l'adresse de l'affectation militaire du garçon et avait chargé son habilleuse de lui envoyer chaque mois un mandat. L'avare Gabin, qui, d'une certaine façon en effet, était vraiment une « pomme », continua à expédier de l'argent au soldat pendant tout le séjour de celui-ci en Algérie, sans que personne — à part Micheline et moi qui étions tenus au secret — n'en sût jamais rien. Pas même sa femme Dominique, à qui j'ai révélé cette histoire.

Les acteurs célèbres sont généralement très sollicités par toutes sortes de gens qui leur demandent, sous un prétexte quelconque, de l'argent. Souvent ces lettres parviennent au studio.

J'ai vu Jean en déchirer plus d'une rageusement en disant :

« Tous ces tapeurs m'emmerdent !... »

Un jour, au studio d'Épinay, je reçus la visite d'un homme d'une trentaine d'années, d'allure modeste, poli et effacé, qui me demanda de remettre une lettre à Alain Delon. Il attendait la réponse de l'acteur. Je remis la lettre à Alain qui me la fit lire : l'homme expliquait qu'il était au chômage et que, sa femme l'ayant abandonné, il avait à sa charge deux petites filles dont il joignait une photographie. Sa situation était si désespérée qu'il allait être dans l'obligation de confier ses deux gamines à l'Assistance publique si on ne l'aidait pas.

— Tu crois que c'est du bluff ? me demanda Alain.

Je lui répondis que l'homme me paraissait honnête et digne, et qu'il pouvait le voir s'il le désirait car il attendait à la régie du film.

Alain refusa de le rencontrer mais me chargea de lui remettre une importante somme d'argent.

L'homme remercia et partit.

Le lendemain, je me rendis au studio de Boulogne saluer Jean qui tournait un film dont je n'étais pas l'attaché de presse. En arrivant, je le croisai dans un couloir mais, pressé, il s'éclipsa vers sa loge, déclarant qu'il avait une chose urgente à faire et me demanda de l'attendre sur le plateau.

Je crus qu'il était parti téléphoner à Dominique selon son habitude, mais Micheline me détrompa. « M'sieur Gabin » venait d'être bouleversé par la lettre d'un pauvre homme qui, abandonné par sa femme, menaçait de se jeter à l'eau avec ses deux fillettes si on ne lui portait pas secours.

La forme était nettement plus dramatique mais le fond restait le même : il s'agissait du même type qui avait « tapé » Alain Delon la veille, la description des deux gamines sur la photographie jointe que me faisait Micheline ne me laissait aucun doute. L'escroc aux sentiments était en train de se faire un joli petit magot sur le dos de quelques stars au cœur sensible.

Je mis « la Grosse » au courant de ma conviction que « M'sieur Gabin » était en train de se faire avoir.

— Oh là là ! Surtout lui dis pas, il serait furieux et vexé. Et la prochaine fois qu'un brave type viendra le « taper », il l'enverra sur les roses. Mieux vaut qu'il donne à la fois à un escroc et à un honnête homme dans le besoin plutôt que, dans le doute, il donne plus rien à personne !

J'avoue avoir toujours admiré chez Micheline sa sage philosophie des choses de la vie. Pour finir de me convaincre de ne pas révéler à Jean l'escroquerie dont il était victime, elle ajouta :

— Si t'avais vu, en plus, la tête de M'sieur Gabin quand il a découvert la photographie des fillettes !... J'ai cru qu'il allait fondre en larmes ! Tu penses, à quelque chose près, elles ont l'air d'avoir l'âge de ses mômes ! Ça a dû lui faire un choc d'imaginer que le type voulait les noyer !

Je comprenais que la situation, habilement décrite par l'escroc, avait dû toucher Jean, mais que, en plus, il avait aussitôt transposé confusément sur les deux gamines les sentiments d'amour angoissé qu'il portait à ses propres enfants.

Jean nous rejoignit après un moment, visiblement plus détendu car soulagé — il devait l'être en effet de quelques gros billets — d'avoir accompli sa bonne action. Bien entendu, il ne me souffla mot de ce qu'il venait de faire et se montra, durant les deux heures que je restai avec lui, particulièrement disert.

De mon côté, je me gardai bien — comme je l'avais promis à la Miche — de l'informer que, ce jour-là, il était vraiment passé, aux yeux d'un escroc en tout cas, pour une « pomme ».

— Bonjour, monsieur.

— Bonjour, monsieur.

J'affirme encore aujourd'hui, après plus de vingt ans, que c'est par cette simple et noble formule de politesse que se sont salués lors de leur première rencontre, dans le bureau du producteur Jacques Bar en décembre 1961, Jean Gabin et Jean-Paul Belmondo.

Je n'ai pu en convaincre les journalistes qui m'interrogeaient alors pour connaître les premières paroles « historiques » échangées entre les deux comédiens qui allaient être réunis dans un film, *Un singe en hiver*, réalisé par Henri Verneuil.

« SALUT MÔME ! » a titré l'ensemble de la presse, le lendemain, faisant ainsi preuve d'un sens peu commun de l'uniformité dans l'imagination, et attribuant naturellement ce propos au « vieux lion » à qui on faisait dire, en outre, qu'il considérait, tel un monarque, Jean-Paul comme son « dauphin », son « héritier », son « fils spirituel ».

Je voudrais rapprocher cet événement d'un autre qui eut lieu à l'automne suivant, donc quelques mois plus tard, également dans le bureau de Jacques Bar :

— Bonjour, monsieur.

— Bonjour, monsieur.

Cette fois, c'était Jean Gabin et Alain Delon qui se saluaient ainsi pour la première fois. Eux aussi allaient être réunis pour un film, *Mélodie en sous-sol*, réalisé par Henri Verneuil, qui a toujours été un homme à la main heureuse.

Naturellement, le lendemain, la presse salua ce nouvel événement avec un sens du renouvellement de la formule qui me laissa pantois. « SALUT MÔME ! » faisait-on répéter encore au « vieux lion » qui, décidément en mal d'héritier pour une couronne que pourtant, de toute évidence, il n'entendait pas lâcher de sitôt, avait déclaré — la presse *dixit* — qu'Alain Delon était son « dauphin » et son « fils spirituel ».

« Quand Jean m'a dit " monsieur ", se souvient Alain Delon aujourd'hui [13], j'ai eu l'impression que c'était la première fois qu'on m'appelait ainsi. Que ce fût lui m'a causé une grande émotion. Jusqu'alors, on m'avait plutôt traité en " môme ". »

Le « môme », Alain le deviendra quelques jours plus tard aux yeux de Jean, comme Jean-Paul le fut peu avant, comme Gérard Depardieu le sera quelques années après également lorsque Jean le découvrira à ses côtés dans *L'affaire Dominici* (1973).

Jean a même dit, de ce dernier :

— Celui-là, il pourra jouer tous mes rôles !

Le « môme » était donc le nom familier et affectueux que Jean donnait à ceux qui auraient pu être ses « fils » dans la vie, et dont il appréciait la présence auprès de lui, dans un film ou dans l'existence.

A part cela, je ne crois pas que Jean ait jamais parlé à propos d'aucun d'eux d' « héritier », de « successeur », etc. On le lui a souvent fait dire dans la presse. On a également souvent *essayé* de le lui faire dire à la radio ou à la télévision mais il n'a, en réalité, jamais employé ces termes, sinon pour les démentir. Pour la bonne et simple raison qu'il les aurait trouvés tout à fait immodestes de sa part s'il les avait prononcés.

« Je ne détiens aucune couronne, disait-il, je suis roi de rien du tout, et donc j'ai pas à désigner d'héritier. Tout ça, c'est des conneries de journalistes ! Des gars comme Jean-Paul, Alain, Depardieu et deux ou trois autres ont un grand talent personnel qui leur appartient en propre et ils feront certainement une longue carrière. Je leur souhaite. Ils ont joué déjà, et ils peuvent jouer encore, des personnages dans la lignée de ceux que j'ai moi-même joués à certaines époques de ma carrière, mais leur filiation avec moi s'arrête là.

En plaisantant, j'ai souvent comparé ma carrière à un palmarès de sportif mais j'ai jamais considéré que ça me donnait le droit de léguer un titre à quiconque... »

La rencontre Gabin-Belmondo aurait très bien pu ne pas avoir lieu car *Un singe en hiver* n'était pas prévu normalement au programme des films de Jean à ce moment-là.

Le tournage du *Cave se rebiffe* allait s'achever au printemps 1961, et Jean ne décolérait pas, une fois de plus, après Michel Audiard qui était parti en vacances en Italie sans avoir trouvé le sujet de leur prochain film que devait réaliser Henri Verneuil en octobre de la même année. Finalement, Michel revint à Paris et, prudent, téléphona d'abord à Henri Verneuil qui tournait aux studios d'Épinay *Les lions sont lâchés*.

Leur conversation peut se résumer ainsi :

— T'as appelé « le vieux » ? demanda Verneuil.

« Le vieux », c'est ainsi que son entourage immédiat appelait Jean. Il le savait et s'en moquait. Ce n'était pas le cas de Dominique qui détestait qu'on le nomme ainsi.

— Pas encore, j'ai préféré t'appeler d'abord, répondit Audiard.

— Il est en pétard après toi, je te préviens, répliqua Verneuil. T'as trouvé un sujet ?

— Non, rien. Et toi ?

— Pas eu le temps. On m'a parlé d'un bouquin de Roger Vercel : *Au large de l'Éden,* l'histoire d'un capitaine de morutier, mais j'ai pas lu... Appelle « le vieux » tout de suite, et explique-toi avec lui, conclut Verneuil.

Ce que fit Michel Audiard immédiatement en appelant Jean aux studios de Saint-Maurice. Comme c'est moi qui pris la communication, je crus bon d'avertir Michel que « le vieux » était en pétard et que... Il m'interrompit car il commençait à le savoir et, de toute façon, s'en doutait déjà un peu.

Je courus chercher Jean qui fit interrompre le tournage et

rappliqua dare-dare au téléphone. En traversant la grande cour du studio, il se faisait déjà la voix :

— Ce petit salaud, il va m'entendre ! Des vacances ! Je lui en foutrais des vacances ! Est-ce que j'en prends, moi !

En entrant dans mon bureau, il prit d'un bond le téléphone. Je n'avais pas l'écouteur naturellement, mais je ne suis pas sûr que, durant une minute, montre en main, Michel eût beaucoup le loisir de placer un mot. Jean lui débita tout d'un trait, un torrent d'imprécations diverses qui, normalement, auraient dû anéantir à jamais quelqu'un de moins stoïque et philosophe que Michel Audiard.

Un peu épuisé et le souffle court, Jean finit par aborder le problème qui le préoccupait essentiellement.

— Et en plus, je suppose que *môssieu* va me dire qu'il a pas trouvé de sujet !

Je vis Jean s'étonner un peu.

— Ah bon ! Tout de même !... C'est quoi ?...

Soudain intéressé, Jean écoutait attentivement :

— Vercel, j'aime bien, finit-il par dire au téléphone, soudain rasséréné. J'ai fait *Remorques* d'après un de ses bouquins. Bon, ben faut voir, et surtout faire vite, hein ? Tiens, on pourrait peut-être se faire une petite bouffe ce soir avec Henri, Jacques Bar et nous deux pour qu'on parle de ça. Je vais dire *au* Brunelin d'arranger ça !...

Il raccrocha, apaisé. Je le raccompagnai jusqu'au plateau et il me confirma d'organiser le soir même un dîner au Fouquet's, en me demandant d'avertir Jacques Bar et Henri Verneuil.

— Le « cycliste » est quand même revenu avec un sujet, me dit Jean, chemin faisant, un bouquin de Vercel, *Au large de l'Éden,* l'histoire d'un capitaine de morutier... Vous connaissez ?

Non, je ne connaissais pas, ce qui n'était pas grave. Ce qui évidemment l'était davantage, c'est que, on l'a compris, et moi j'allais le comprendre en appelant Verneuil, personne, en réalité, ne connaissait le bouquin de Vercel. Pour se tirer d'affaire et endiguer le flot d'anathèmes dont Jean le submergeait au téléphone, Michel Audiard avait eu la présence d'esprit de balancer à tout hasard l'idée de ce bouquin dont Verneuil venait de lui parler, sans même l'avoir lu.

Mon rôle ne consistait pas à vendre la mèche, mais à organiser un dîner auquel, d'ailleurs, je n'assistai pas et qui eut lieu en effet au Fouquet's. Je me disais que, dans la douce euphorie qui gagnait toujours Jean au cours de ce genre d'agapes et après quelques verres de scotch, Michel et Henri considéreraient probablement qu'il serait dans un état plus propice à entendre et à accepter la vérité : à savoir qu'ils n'avaient pas lu le livre de Vercel et que, en conséquence, pratiquement on n'avait toujours pas de sujet pour le film de Jean du mois d'octobre.

Je fus donc un peu surpris, le lendemain matin, en arrivant aux bureaux de la production rue Pierre-Charron, d'entendre Jacques Bar me demander d'envoyer un coursier chez l'éditeur de *Au large de l'Éden* afin de rapporter une dizaine d'exemplaires du bouquin qu'il me chargeait, en outre, de distribuer à toutes les personnes intéressées. Jean, naturellement, Audiard, Albert Simonin — qui secondait alors Michel —, Henri Verneuil, ainsi que lui-même.

A mon interrogation prudente et quelque peu étonnée, Jacques Bar m'expliqua que, au cours du dîner, Michel avait très brillamment, selon son habitude, « vendu » à Jean l'idée du bouquin de Vercel que lui, Jacques Bar, n'avait pas encore lu, mais dont le thème, tel que l'avait développé Audiard, lui avait paru grandiose.

Michel avait même dit à Jean :

— Tu comprends, y en a marre de ces films où t'as toujours le cul dans un fauteuil. On va te faire un film de grand large. Toi, Jean, qui aimes la mer, tu vas pouvoir la respirer à pleins poumons pour le coup ! Tu vas être à la barre d'un morutier luttant dans les tempêtes. Et pis ton regard bleu sur la banquise blanche, ça va être drôlement chouette ! Tu te vois déjà, non ?

Je n'étais pas sûr que Jacques Bar n'exagérait pas un peu les propos de Michel en me les rapportant, mais je ne doutais pas que Jean, sous les lambris du Fouquet's, et avec le sens épique et lyrique que lui donnait généralement l'absorption d'un ou deux whiskies, s'était déjà choisi sa casquette marquée d'une ancre de marine, et qu'il s'était « vu » en reflet, dans les miroirs du prestigieux restaurant, à la barre de son morutier.

Je ne dis mot bien sûr de ce que je savais à Jacques Bar, d'autant qu'il m'affirmait déjà, avec son optimisme qui quelquefois m'épuisait, qu'on allait donc faire ce film dont les extérieurs seraient tournés au large de la Norvège. Je connaissais un peu ce pays pour y être allé, et j'avais rencontré des cinéastes norvégiens qui m'avaient assuré incidemment qu'on ne pouvait y tourner en extérieurs pratiquement que quelques semaines durant l'été. Le reste du temps, le vrai jour était extrêmement court, et dès l'automne, le territoire était dans la brume.

Je fis part de mes informations à Jacques Bar qui ne s'y arrêta pas une seconde, tant il était convaincu que son dynamisme, qui était grand certes, balaierait les brumes de Norvège, même au mois de novembre.

Nous fûmes tous embarqués dans cette galère qui avait la forme d'un morutier. Je sus par la suite que, à la lecture du livre de Vercel, Audiard, Verneuil et Simonin firent des têtes de mérous désappointés et sceptiques, mais n'en enfilèrent pas moins leur gilet de sauvetage, et courageusement montèrent sur le pont pour écrire leur scénario, pris qu'ils étaient déjà dans les mailles du chalut.

De son côté, Jacques Bar avait expédié Costa Gavras et l'opérateur André Dumaître au Groenland afin d'en rapporter des images de tempête qui devaient servir en « transparences » à certaines scènes du film. Il avait aussi délégué en Norvège une autre équipe pour y faire des repérages.

Enfin, pour que Jean se familiarise sans tarder avec le décor dans lequel évoluait son prochain personnage, Bar l'emmena un jour à Saint-Malo sur le morutier qu'il avait déjà loué pour les besoins du film. Michel Audiard, qui avait quand même envie de voir de près à quoi ressemblait exactement ce genre de bateau, les accompagna.

Jean resta un court instant sur le pont et en redescendit en assurant que tout était parfait. Le seul inconvénient qu'il voyait dans tout cela résidait dans le fait que ce morutier puait abominablement la morue. Audiard, lui, se disait que c'était plutôt dans l'écriture de son scénario qu'il aurait aimé la sentir. Or, ce n'était pas le cas. Ce brave Albert Simonin, qui était censé l'aider dans sa tâche, n'avait même jamais pêché un goujon sur les bords de la Marne et ne lui était donc pas d'un grand secours. Tous deux rencontraient dans leur travail des vents debout, et ils avaient beau tirer des bords, ils naviguaient mal. Michel avouant notamment un jour à Verneuil qu'il ne savait pas comment ça parlait, un patron de morutier.

Quelques semaines plus tard, il y eut la traditionnelle lecture du scénario dans la salle de conférences de chez Jacques Bar. Les personnes concernées, dont moi-même, avaient déjà eu en main un exemplaire de « la chose », qui nous avait pour le moins laissés rêveurs.

Nous attendions avec une certaine anxiété ce qui allait sortir de la lecture du scénario faite à haute voix par Albert Simonin, qui s'étouffait souvent avec la fumée de sa cigarette, celle-ci ne quittant généralement pas ses lèvres. Il s'agissait sans doute d'une habile tactique de sa part pour éclipser à travers ses toussotements les nœuds marins de l'intrigue à caractère psychologique et dramatique que Michel et lui n'avaient pas très bien su nouer.

A l'extrémité de la grande table, aussi vaste qu'une étendue marine, Jean écouta sans un mot la lecture du scénario, fumant Craven sur Craven. Quand Albert Simonin prononça le mot « fin » au milieu d'une quinte de toux apoplectique, un silence de « pot au noir » succéda, chacun évitant le regard de l'autre. Jean, le premier, décida de baisser les voiles.

— Messieurs, il me semble que notre bateau n'est qu'un frêle esquif, et je crains que nous ne tenions pas le large avec ça. Dans ces conditions, je crois qu'il est préférable de rester au port.

N'étant pas présent, je n'affirmerais pas que ce furent là ses paroles exactes, mais le résultat fut le même : le film venait de sombrer corps et biens, et Jean avait pris l'initiative du sabordage, au grand soulagement du reste de l'équipage qui ne se voyait pas en effet très bien embarqué sur ce morutier-là.

On décida donc de trouver un autre sujet, étant entendu qu'il n'y aurait pas de film de Jean cet automne, mais qu'on en tournerait un dans l'hiver, c'est-à-dire au mieux en janvier 1962. Encore fallait-il trouver un sujet qui correspondait à la saison hivernale.

Je ne dirais pas que cet aspect inspira Audiard, mais il proposa précisément *Un singe en hiver*. Il ne mettait qu'une seule condition pour se lancer dans l'adaptation du livre d'Antoine Blondin : que Jean-Paul Belmondo donne la réplique au « vieux ». Le sujet mettait en scène un vieil alcoolique sevré qui replongeait dans ses exploits éthyliques sous l'influence d'un jeune homme lui rappelant ses vingt ans. Jean donna son accord et se montra enchanté de se mesurer à un représentant de la jeune génération de comédiens issue de la « nouvelle vague ».

Cette « nouvelle vague », dont les thuriféraires l'avaient amplement traîné dans la boue, lui, le vieil acteur, avec quelques autres, leur reprochant de faire un cinéma dit de « qualité française », appréciation qu'il fallait assurément comprendre, pour le moins, comme une injure.

A propos de cette « nouvelle vague », je voudrais dire que Jean fut doublement ulcéré. D'abord, parce que la plupart de ses représentants tirèrent sur lui à boulets rouges, et qu'ensuite, dans une sorte de logique qu'il était difficile de leur reprocher mais qu'il admettait quand même mal, aucun d'entre eux ne vint jamais lui proposer un film.

Il m'attaquait là-dessus à sa manière :

— *Vos* amis de la « nouvelle vague », qu'est-ce qu'ils croient, ces petits morveux ? Que je suis fini et plus capable de m'intéresser à un genre de cinéma différent de celui que je fais ? D'abord, en quoi il est nouveau, leur cinéma ? Leurs films racontent une histoire, non ? Moi, je suis pour les histoires, alors !

Cela m'était difficile de lui expliquer que c'était l'esprit et le ton qui changeaient tout et faisaient la différence, ainsi qu'une approche nouvelle de l'écriture cinématographique.

— La « nouvelle vague », je sais ce que c'est. Avant la guerre, c'était moi, disait-il cette fois non sans un certain orgueil.

Il ajoutait : « Je sais qu'il y en a parmi eux qui ont du mal à monter leur film. Qu'ils viennent me trouver avec une bonne histoire et je les aiderai. Comme j'ai aidé Carné et Renoir autrefois. S'ils m'offrent un bon scénario, un personnage intéressant, qu'ils tournent ça en mettant la caméra au plafond ou en filmant à travers leur poche, qu'est-ce que j'en ai à foutre si le résultat est bien !

Il revenait souvent sur ce sujet autour de l'année 1960 qui avait vu les Godard, Truffaut, Resnais, Chabrol et compagnie faire leurs premiers films. Jean ne s'était pas plus donné la peine de voir ceux-là que d'autres — il n'allait alors pratiquement jamais au cinéma — mais il en entendait parler. Il souffrait du mépris dans lequel ces jeunes metteurs en scène le tenaient et aussi de se sentir mis sur la touche par toute une nouvelle génération.

Je ne parvenais pas à lui faire comprendre que ces jeunes gens abordaient le cinéma avec une conception esthétique et morale différente de la sienne, et avec, pour certains d'entre eux, une volonté d'innover dans l'écriture cinématographique, qui ne correspondait pas au style classique des films qu'il tournait.

Il répétait alors son antienne :

— A partir d'une bonne histoire, on peut voir pour tout le reste.

J'avançais l'argument que, si les Godard, Truffaut, Chabrol et consorts ne voulaient pas tourner avec lui, c'est qu'ils avaient aussi peur de sa réputation et de sa trop envahissante personnalité.

— S'ils s'arrêtent à ça, ce sont des cons ! s'exclamait-il.

Plus tard, quand il découvrit certains des films de ces metteurs en scène à la télévision, dont il était un spectateur acharné, il disait :

— Ils m'épatent pas, *vos* gars de la « nouvelle vague ». Je trouve même leurs films un peu chiants et mal foutus. D'ailleurs, maintenant, ils commencent déjà à faire « ancienne vague », comme moi !...

Je suis persuadé aujourd'hui que Jean aurait parfaitement pu s'entendre avec un Alain Resnais dont la rigueur esthétique et morale ne lui aurait pas déplu — et n'avaient-ils pas tous les deux du goût pour les mélodrames d'Henri Bernstein ? — avec un François Truffaut dont la sensibilité d'écorché aurait été très proche de la sienne, avec un Claude Chabrol dont il aurait apprécié l'humour et l'ironie grinçante, et avec qui les soirées à une table de quelque bonne auberge seraient sans doute restées mémorables.

Si le hasard faisait qu'ils lisent ces lignes, je n'irai pas jusqu'à imaginer que Resnais, Chabrol et quelques autres de leur génération ne ressentent quelques regrets. Au moins, qu'ils sachent que Jean Gabin, lui, en a eu de ne pas les avoir rencontrés.

Ce n'étaient en tout cas pas Godard et Chabrol, avec lesquels il venait de tourner, qui alimentaient les conversations de Jean-Paul Belmondo avec Jean, pendant *Un singe en hiver*. C'était le sport. Jean avait trouvé en son jeune partenaire un interlocuteur réceptif à son érudition en la matière.

Nous tournions dans les environs de Deauville, et une partie de l'équipe logeait au Normandy, le seul palace de l'endroit qui était ouvert au mois de janvier.

Le soir, après le dîner, Jean lançait des défis qu'il se gardait bien de relever lui-même, se contentant d'être juge à l'arrivée de courses cyclistes qu'il organisait autour de l'hôtel. Belmondo, Costa Gavras, Claude Pinoteau — ces derniers étaient alors assistants —, Maurice Auzel, ancien champion de boxe, devenu la « doublure » de Jean-Paul, enfourchaient d'antiques bicyclettes appartenant au personnel du Normandy et bataillaient ferme autour d'un pâté de maisons, dans une sorte d'omnium où tous les traquenards étaient permis. Jean les encourageait et riait devant leurs prouesses.

Dans la journée, quand nous tournions au bord de la mer, entre deux prises de vues, Jean participait allégrement à des parties de football sur la plage, retrouvant, malgré le poids des ans, ses sensations du temps où il jouait « extrême droit ». Il n'était pas peu fier de « planter » quelques buts à Jean-Paul Belmondo dont le talent de goal n'était pourtant pas une légende.

C'est dire combien Jean et le « môme » se sont merveilleusement entendus sur le plateau et hors plateau. Ils avaient une complicité naturelle, malgré une approche du métier totalement différente. La nécessaire concentration dont Jean avait besoin avant de jouer une scène dramatique se trouvait confrontée à l'extravagante décontraction de Jean-Paul, capable, quelques secondes avant, de rigoler ou de se livrer à toutes sortes de facéties. Ce comportement épatait Jean, mais parfois aussi l'inquiétait.

— Il a beau être doué le « môme », il faut qu'il fasse gaffe. A se laisser aller comme ça, il finira par prendre de mauvaises habitudes. C'est jamais bon pour un acteur d'être trop sûr de soi.

Dès avant le film, Jean m'avait averti :

— Vous vous occuperez surtout de Jean-Paul, hein ?

Il devait me répéter à peu près la même chose lorsqu'il tourna quelques mois plus tard avec Alain Delon, et quelques années après avec Fernandel. C'était son grand souci. Personne n'ignorait mes liens particuliers avec lui, et il craignait toujours qu'on ne l'accuse de bénéficier d'un certain favoritisme de ma part dans mon travail de relations publiques. Je m'en suis naturellement toujours bien gardé, sachant que, en tout état de cause, cela lui aurait déplu. Et aussi parce que, à l'évidence, l'impact sur les médias d'un film comprenant deux acteurs-vedettes reposait précisément sur une étroite association de leurs personnalités.

Il en fut ainsi avec Gabin-Belmondo, comme un peu après avec

Gabin-Delon, puis plus tard avec Gabin-Fernandel pour ne parler que des films qui m'ont directement concerné. La difficulté, dans l'existence de ces duos majeurs, résidait à déjouer les tentations d'une certaine presse à imaginer une rivalité et un désaccord entre les deux protagonistes. Dans les trois cas d'associations dont je parle, l'entente fut réellement si parfaite et si évidente que je ne connus pas trop de problèmes de ce côté-là.

Cependant, il restait que j'avais davantage à me soucier des rapports particuliers de Jean avec les journalistes et les photographes, car ils étaient souvent conflictuels. Ses partenaires me causaient moins de soucis, leurs relations avec les médias étant généralement moins crispées et plus simples.

Il était en effet impossible à Jean d'être, à quelques exceptions près, décontracté avec un journaliste, et je devais donc veiller sur lui plus particulièrement. Il avait envers beaucoup d'entre eux une méfiance instinctive qui venait d'une longue pratique des mœurs de certains et dont il avait été victime.

Pour quelques journalistes, il existait une image publique de Jean Gabin — celle du râleur, du cabochard — qu'il avait, certes, en partie aidé à fabriquer par ses coups de gueule envers eux, mais qu'ils avaient une fois pour toutes peaufinée et dont ils ne dérogeaient plus, allant sciemment, pour la justifier, jusqu'à publier des contre-vérités.

Ainsi, un soir, Jean débarqua à Nice pour le tournage d'un film. La production avait prévu de le loger au Negresco. En arrivant, il s'étonna de ne voir personne de l'équipe. On lui répondit qu'elle était installée à l'annexe du Negresco, juste derrière le palace. Il était seul à habiter celui-ci.

Je l'ai déjà dit, ce solitaire ne détestait rien moins que la solitude et l'isolement. En outre, il trouvait cette situation ridicule et exigea donc d'être logé à l'annexe avec tout le monde. On lui fit remarquer qu'il était tard pour effectuer convenablement ce changement, et on lui conseilla de s'installer pour la nuit dans l'appartement qui avait été préparé à son intention au Negresco, lui promettant que, dès le lendemain, il pourrait retrouver ses camarades à l'annexe.

Naturellement, un journaliste passa par là et eut connaissance de cette information, qui parut le lendemain dans *Nice-Matin.* Il y était écrit que, pas plus tôt arrivé à Nice, M. Gabin avait fait son premier caprice de star : prévu d'être logé avec toute l'équipe du film à l'annexe du Negresco, il avait exigé sur-le-champ qu'on lui donnât le meilleur appartement du palace, considérant que l'annexe était indigne de son standing.

C'était exactement le genre d'écho qui, quoi qu'il en dise, atteignait Jean profondément.

Ce qu'il détestait aussi chez certains journalistes, c'était leur incorrection et leur incompétence.

Ainsi, un jour, je reçus au studio un journaliste qui avait sollicité une interview de Jean. J'avais bien vu qu'il mastiquait avec énergie et bruyamment un chewing-gum et que cela lui donnait une élocution un peu baveuse, mais j'ai pensé que je n'avais pas à lui en faire la remarque, et qu'il renoncerait à sa mastication quand je lui présenterais Jean. Il n'en fit rien, hélas. Dès qu'il ouvrit la bouche, Jean lui jeta un regard de travers. Malgré le chewing-gum sur lequel ses mâchoires s'acharnaient en un mouvement continu, il avait fait un certain effort, et sa question avait été compréhensible.

Jean y répondit cependant en mimant une mastication encore supérieure à la sienne, de telle sorte que ce qu'il dit resta tout à fait obscur.

Je compris tout de suite que les choses allaient se gâter. Inconscient et n'ayant rien saisi, et pour cause, à ce que Jean lui avait répondu, l'autre lui demanda de répéter.

Imperturbable, Jean renouvela son numéro de mastication, étant encore moins compréhensible que précédemment.

— Vous vous foutez de moi ? interrogea l'impoli qui, de plus, était sourcilleux.

Alors, cessant de « mastiquer », Jean retrouva soudainement sa plus belle voix de bronze et sa plus parfaite élocution :

— Oui, monsieur, car vous êtes un pignouf, et je vous dis merde !

Là-dessus, j'estimai l' « interview » terminée, et je priai aussitôt le journaliste au chewing-gum de quitter le plateau.

Mais on imagine aisément le genre d'écho qu'il publia quelques jours plus tard dans son journal : Jean Gabin, toujours aussi irascible, l'avait proprement fait jeter dehors par son attaché de presse, à la suite d'une question embarrassante à laquelle il n'avait pas voulu répondre.

Une autre fois, le responsable de la page « spectacles » du défunt *Paris-Jour* me demanda de recevoir un jeune journaliste. Je remettais toujours une documentation abondante concernant le film et la carrière de Jean à ceux qui sollicitaient un entretien avec lui, et généralement je m'entretenais en plus quelques minutes avec eux au bar du studio en leur donnant quelques « tuyaux » qui leur permettaient une meilleure approche psychologique de Jean. Ce jeune journaliste était sympathique et poli — en tout cas il ne mâchait pas de chewing-gum —, et je ne me méfiai pas trop, je l'avoue, lorsqu'il me déclara qu'il ne consulterait pas ma documentation pour ne pas se laisser influencer. Il entendait rester l'esprit libre. « Soit », dis-je, et je le conduisis sur le plateau où je le présentai à Jean.

Il posa une ou deux questions pas trop stupides, auxquelles Jean répondit courtoisement, et, rassuré, je m'apprêtais à les laisser discuter ensemble quand sa question suivante m'arrêta net :

— Est-ce que vous avez fait du cinéma avant la guerre ?

Je vis Jean en rester bouche bée et comme cloué sur place.

J'ai préféré ne pas attendre qu'il se remette de sa stupéfaction et, craignant que le jeune imbécile ne subisse ses foudres, je pris celui-ci par le bras et, énergiquement, l'invitai à sortir séance tenante.

En quittant le plateau, j'entendais Jean pousser des « Oh, oh ! » qui me laissaient supposer qu'il était encore un peu K.O.

La jeunesse du journaliste ne me paraissait pas une excuse à son incompétence, et comme il protestait et s'interrogeait sur la raison pour laquelle je l'avais sorti du plateau, je lui conseillai, quitte à ce que cela influence quelque peu son libre arbitre, de consulter la documentation que je lui avais remise sur la carrière de Gabin.

Le temps de téléphoner à *Paris-Jour* pour faire part de mon sentiment sur ce qu'il s'était passé, je revins sur le plateau, à vrai dire pas très fier, et m'attendais au pire.

Je me trompais : assis dans son fauteuil, les bras écartés pour mimer encore sa surprise, Jean riait et n'arrêtait pas de répéter :

— Ben, ça alors ! Ben, ça alors !... C'coup-là, on me l'avait encore jamais fait ! Il a quand même envoyé loin le bouchon, *votre* journaliste !

Heureusement, tous les journalistes n'étaient pas comme *mon* journaliste de ce jour-là ! Il y en avait que je n avais pas besoin de présenter longuement à Jean, et il était même content d'en voir certains qu'il estimait pour leur professionnalisme et leur honnêteté, comme François Chalais ou Pierre Tchernia, et d'autres qu'il considérait comme des copains de longue date, Robert Chazal par exemple. Il avait aussi ses vieilles connaissances qui remontaient à l'avant-guerre. Certaines ne tenaient plus, en raison de leur âge, des chroniques importantes dans des journaux à gros tirage mais travaillaient encore pour des magazines, presque confidentiels, ou de petits journaux de province. Mon rôle consistait à ne négliger personne, toutefois il était non moins évident que, bousculé par le temps et les demandes, il m'arrivait d'être obligé d'opérer des choix d'intérêt.

— Jean, Jany Casanova aimerait venir vous voir, lui disais-je.

— Ben, qu'elle vienne quand elle veut, la Jany !

— On ne dispose pas de beaucoup de temps, je préférerais que vous acceptiez de donner une interview au correspondant du *Herald Tribune*.

— J'en ai rien à foutre, de « votre » *Herald Tribune*, Jany c'est une vieille copine, dites-lui donc de venir ! Au moins, avec elle, je vais me marrer !

Il me faisait également le coup avec quelques autres vieux journalistes qu'il connaissait depuis les années 30, et avec lesquels il avait toujours entretenu d'excellents rapports. Il avait, sur ce plan aussi, un grand sens de la fidélité. Mais il y avait autre chose qui commandait sa démarche : un certain nombre d'entre eux se trouvaient un peu sur la touche, terminant leur carrière dans des revues de second plan, et Jean se disait que ça les aiderait peut-être d'avoir une interview de lui.

Les soirées pendant le tournage en extérieurs d'*Un singe en hiver* se déroulaient à peu près toujours de la même manière. Il n'y avait pratiquement pas de restaurants convenables ouverts en cette saison hivernale à Deauville, et nous nous rabattions sur deux ou trois bistrots du port de Trouville ou, parfois, sur quelque auberge de la région. Certains soirs, Jean dînait en compagnie de quelques membres de l'équipe, tels que Belmondo, Verneuil, Louis Page, Paul Frankeur, et cela constituait une grande tablée qui prenait des allures de fête, Jean, selon son habitude, poussant la chansonnette à la fin du repas.

Souvent, épuisés par leur journée de travail et en prévision aussi de celle du lendemain, redoutant également les atermoiements de Jean quand il était question d'aller se coucher, la plupart nous abandonnaient sur le coup de 23 heures.

— On se prend un dernier petit scotch, et on rentre aussi, me disait alors Jean, dont je restais le seul compagnon.

Nous étions donc partis pour le « dernier petit scotch » qui était parfois suivi de « son petit frère ».

Poussés gentiment dehors par le patron qui voulait fermer son établissement, nous nous retrouvions sur le trottoir, et il arrivait que Jean décidât de rentrer à pied du port de Trouville au Normandy à Deauville.

— C'est l'heure idéale pour s'oxygéner les poumons de l'air marin, décrétait-il.

Le problème, c'est qu'il « s'oxygénait » en fumant cinq ou six Craven sur le parcours que nous faisions en flânant.

Nous arrivions enfin au Normandy où nous sonnions le veilleur de nuit déjà endormi. Jean prenait sa clef en indiquant l'heure fort matinale à laquelle il désirait qu'on le réveille. Tous les soirs, j'espérais — pour sa santé et son repos, d'abord, et pour les miens, ensuite — qu'il monterait dans sa chambre sans plus attendre, pressé que j'étais de retrouver la mienne. C'est alors que je l'entendais dire :

— Vous prendriez pas une petite bière, à c't'heure, vous ?

— Moi, non, Jean.

— Ah, mais c'est que moi, j'en prendrais bien une petite. Et vous n'allez tout de même pas me laisser tomber comme ça, non ?...

— O.K., Jean, rien qu'une, et en vitesse, alors !

Tête du veilleur de nuit qui, à plus de minuit, allait nous chercher deux Tuborg que nous buvions dans le seul salon de l'hôtel qui était ouvert pour nous et pour la circonstance. Bière doucement bue, je voyais alors, avec une certaine appréhension, Jean se palper l'estomac en grimaçant

— Je me demande ce qui m'a fait ça. Je me sens un peu lourdingue, pas vous ?

— Moi, non, Jean.

J'avais beau donner une intonation un peu lourde de signification à mes paroles, il lui paraissait indispensable de m'englober dans sa subite préoccupation concernant ses problèmes digestifs.

— Tout de même, ce serait plus raisonnable qu'on se prenne une petite camomille avant d'aller au pieu, vous pensez pas ?

Je ne pensais plus rien car, généralement à cet instant-là, je tombais de sommeil. Je savais aussi que, si je l'abandonnais là, à boire seul sa tisane, il aurait le sentiment d'une abominable trahison de ma part et qu'il risquait de me faire la gueule le lendemain, au moins pendant la matinée où, de toute façon, il se montrait rarement de bonne humeur, ayant encore le « burlingue en délire »

Re-tête donc du veilleur de nuit qui, à près d'une heure du matin, se rendait aux cuisines nous préparer une verveine ou un tilleul.

— Vous trouvez pas que les gens se couchent tôt ? disait alors Jean benoîtement.

Oui, je trouvais ! Et je trouvais même qu'ils avaient raison ! Mais je ne le lui disais pas parce qu'il avait l'air tellement content d'avoir obtenu ce qu'il voulait et de savourer ce moment de calme dans cet hôtel, où, effectivement, tout le monde dormait depuis longtemps, au cœur de cette ville elle-même endormie· Nous parlions presque à mi-voix, de tout, de rien, avec ces trouées de silence qu'il appréciait particulièrement dès l'instant que, en grand égoïste qu'il était, il avait réussi à accrocher quelqu'un pour lui tenir compagnie.

Naturellement, je comprenais bien que le « petit dernier », la bière, la tisane, tout ça n'était que le prétexte à retarder d'autant le moment où il se retrouverait seul dans sa chambre, face peut-être à une insomnie, et à « gamberger » sur quelques problèmes qui le tracassaient : ses enfants, la *Pichonnière,* son prochain film, et quoi d'autre encore que je ne pouvais deviner !

Dans ces moments-là, Jean m'a souvent donné l'impression qu'il redoutait le sommeil et que d'y devoir sombrer finalement par la force des choses ajoutait à son anxiété naturelle. Je ne l'ai jamais vu en effet « avoir sommeil » ni entendu dire le soir : « Je suis fatigué », mais c'étaient généralement ses premiers mots le matin au réveil.

Enfin, tisane bue tranquillement, et ayant épuisé tous les prétextes à retarder l'instant de la séparation, il se levait et, sur un ton qu'il se plaisait à rendre cérémonieux, déclarait :

— Cher ami, il n'y a pas de bonne société qui ne se quitte. Je vous souhaite donc une bonne nuit.

Je préférais cette formule à l'autre qu'il n'hésitait pas quelquefois à assener à ses amis dans les mêmes circonstances, et avec la plus évidente mauvaise foi :

— Avec *vos* conneries de me faire boire et parler, vous avez vu l'heure qu'il est ?

Nous étions en janvier et février 1962, et l'on peut s'étonner que, tournant à Deauville, Jean habitât le Normandy. C'est qu'en fait il y avait déjà belle lurette que sa « Grande maison » dans cette ville ne lui servait plus que de résidence secondaire.

« Il n'y avait pas tellement longtemps que nous y étions complètement installés, se souvient Dominique, qu'un jour Jean m'a dit :

— Tu te sens bien, toi, à Deauville ?

— Oui, pourquoi ? Pas toi ?

— Bah, c'est pas ça !

J'avais compris que la bougeotte le reprenait.

— Bon, d'accord, alors on va où maintenant ?

— Mais j'ai rien dit ! Tout de suite tu te fais des idées ! protesta-t-il.

J'avais raison de m'en faire. Il a décidé de quitter Deauville parce que, en définitive, l'air marin n'était pas si bon que ça pour les enfants et que celui de la campagne leur conviendrait mieux.

On est donc partis habiter la *Moncorgerie*. C'était un moindre mal, et Jean, quand il ne tournait pas, pouvait en effet surveiller son élevage de bovins et de trotteurs de plus près.

Mais ça n'a pas duré longtemps.

— Ça ne te manque pas un peu, toi, Paris ? m'a-t-il demandé un jour, sournoisement.

Je n'avais pas à me donner la peine de lui répondre, je pouvais déjà, une fois de plus, préparer les malles.

Il a acheté un appartement rue Labordère à Neuilly près du bois de Boulogne. Il voulait toujours être proche d'un grand espace vert pour que les enfants aillent s'y promener sans problème. Selon son habitude, il entreprit des travaux conséquents dans cet appartement que, pour une raison que j'ai presque oubliée on n'a jamais habit´

Entre-temps, il avait eu l'idée faramineuse de nous installer, toute la famille, à l'hôtel Trianon à Versailles. C'était évidemment une façon comme une autre de se rapprocher de Paris. Je n'y avais pratiquement plus rien à faire, sinon m'occuper des enfants avec Zelle.

Je n'ai pas trouvé cela désagréable au début, mais je me suis quand même un peu vite lassée de cette vie de palace qui, en outre, ne convenait pas du tout aux enfants.

Jean a alors déniché une merveilleuse maison avec un grand jardin, à Versailles également. Il a naturellement décidé d'y faire d'importants travaux. Ils étaient presque terminés et nous nous apprêtions à emménager quand il a appris par hasard que le jeune enfant des précédents propriétaires y était mort de la “ maladie bleue ”. Il était très superstitieux et surtout très sensible à tout ce qui touche les enfants en général.

— Il n'est pas question que nous habitions une maison dans laquelle un enfant est mort, déclara-t-il aussitôt.

Il s'est empressé de la revendre en perdant beaucoup d'argent, mais pour rien au monde il n'aurait voulu la garder.

Il a alors trouvé à louer un appartement en duplex au rez-de-chaussée, boulevard du Commandant-Charcot à Neuilly, face au bois. C'était du provisoire, mais peut-être qu'il devait commencer à se fatiguer de déménager, car nous y sommes restés douze ans, jusqu'en 1973.

Notre vie s'est alors partagée entre “ Charcot ” et la *Moncorgerie* où nous séjournions très souvent, particulièrement pendant les vacances scolaires des enfants. C'était pour moi, à chaque voyage, la corvée d'embarquer dans un grand break toute la maisonnée qui ne comprenait pas seulement les enfants et Zelle, mais aussi le chien, le chat, le mainate et tout le reste qui suivait à l'aller comme au retour. »

Son domaine de la *Pichonnière* prenait en effet, à cette époque, de plus en plus de place dans les préoccupations de Jean. Une place qui allait même lui faire vivre, durant l'été 1962, un véritable drame.

11.

LA PICHONNIÈRE

Deuxième partie

A côté de son important élevage de bovins, Jean avait également, désormais, une écurie de trotteurs. A son premier titre d'agriculteur-éleveur, il pouvait à présent ajouter celui officiel de « propriétaire-éleveur faisant courir ». Sur les champs de courses, de Vincennes ou de province, ses couleurs étaient casaque jaune et toque mauve. Il conservera les mêmes lorsque, plus tard, il fera courir des galopeurs. Le domaine portait maintenant le nom de « Haras de la Pichonnière ».

Il avait engagé un entraîneur à la maison, M. Boulivet, qui entretenait bien les chevaux mais devait se montrer à l'expérience meilleur « soigneur » que « coureur », autrement dit moins qualifié pour faire courir et faire gagner les chevaux.

Pour se décharger d'une partie de sa tâche qui devenait trop lourde pour lui, Jean souhaitait également engager un « chef de culture » ou un régisseur, mais, échaudé par ses précédentes expériences, il restait prudent. M. Desclos, président de la société de courses de Moulins-la-Marche, lui conseilla de prendre Bernard Odolant, un homme sérieux qui, bien qu'encore jeune — il avait à peine trente ans —, était très expérimenté dans les problèmes de culture en général et dans l'élevage de chevaux.

« M. Gabin m'avait demandé d'aller le voir dans sa maison de Deauville, raconte Bernard Odolant[1]. C'était à la fin de l'année 1960, un lundi. J'étais très impressionné à l'idée de le rencontrer et j'avais aussi un peu peur de travailler chez lui. En même temps, j'en avais très envie, car c'était une place très recherchée. Tout le monde voulait travailler chez M. Gabin.

Très simplement, il m'a d'abord parlé de sa famille et de ses enfants, puis ensuite il m'a fait part de ses projets pour la *Pichonnière*.

— Je vous demande de me suivre, m'a-t-il dit.

Cette expression m'a beaucoup frappé et m'a mis en confiance.

Il m'a installé avec les miens dans la vieille demeure rénovée de la *Pichonnière* bien située au centre du domaine. J'ai travaillé pendant seize ans aux côtés de M. Gabin, et ce sont les plus belles années de ma vie. C'était un homme extraordinaire que je respectais et pour lequel j'avais beaucoup d'admiration et d'estime. Il m'appelait Bernard et m'a toujours vouvoyé. Je l'appelais « monsieur Gabin » comme tout le monde à la *Pichonnière*. Il ne tutoyait aucun de ses employés, même ceux qui étaient avec lui depuis déjà des années, même les plus jeunes. Il marquait le plus grand respect pour le moindre d'entre eux, et ne leur faisait jamais de réflexions. S'il y avait à redire, il considérait que ça me regardait et qu'il n'avait pas à s'en mêler. Il n'y avait qu'une chose qui le faisait intervenir directement auprès des gars : il ne supportait pas qu'ils pissent le long d'un mur.

— Allez faire ça ailleurs, y a de la place, leur disait-il en grognant.

Ça n'allait jamais plus loin.

Une chose le terrorisait, c'était qu'on fume dans les boxes ou les étables.

— Écoutez, les gars, je préfère que vous arrêtiez le travail, que vous sortiez cinq minutes dehors en fumer une tranquillement plutôt que vous fassiez ça à l'intérieur, leur conseillait-il.

Nous parlions beaucoup, nous échangions toutes sortes d'idées, mais jamais M. Gabin ne s'est mêlé de mon travail ou n'a contredit une décision que j'avais prise. »

Il y avait, à cette époque, une quinzaine d'employés qui travaillaient en permanence à la *Pichonnière*. Ils y étaient tous logés. L'épouse de Bernard Odolant, Jacqueline, était chargée de nourrir toute cette petite communauté. Il y avait en outre, à la *Pichonnière*, un hôte très particulier, c'était Georges Peignot, le vieux copain de Jean, du temps où celui-ci, dans les années d'après-guerre, venait en solitaire finir ses soirées à son bar, *l'Étape*.

Cette histoire vaut la peine d'être racontée, car elle illustre une fois de plus un trait saillant du caractère de Jean Gabin.

Après avoir vendu son bar, Peignot, que Jean appelait Jo-les-grands-pieds, avait vécu de ses rentes et placé notamment un peu d'argent dans un élevage de bovins en Nivernais.

N'ayant rien à faire quand Jean tournait en studio, Peignot venait régulièrement lui tenir compagnie sur le coup de 16 heures. Il s'asseyait à ses côtés, et tous deux, selon leur habitude, n'échangeaient pas plus de cinq paroles durant les quatre heures qui suivaient.

Toujours tiré à quatre épingles, élégant, le cheveu grisonnant soigneusement plaqué, Peignot avait le visage lustré au point que l'on pouvait se demander s'il ne l'astiquait pas avec le même produit qui faisait briller ses chaussures toujours impeccables. Bref, Jo-les-grands-pieds était aussi propre sur lui qu'il était peu bavard, et Jean donc l'appréciait.

Ce n'était pas tout à fait le cas de Dominique qui le supportait mal. Peignot, vieux garçon et ne sachant que faire de ses soirées, Jean le ramenait en effet souvent dîner à la maison. Chacun à un bout de la table, Dominique entre eux, celle-ci « s'amusait » de leur « conversation ».

— T'es content de ce que t'as tourné aujourd'hui ? demandait Peignot qui n'avait pas ouvert la bouche depuis un long moment.

Il se passait alors bien cinq bonnes minutes avant que Jean, le nez dans son assiette, ne se décide à répondre.

— Pas mal.

Quelques nouvelles minutes s'écoulaient et Peignot disait :

— Tu tournes quoi demain ?

Dominique se levait de table, allait à la cuisine découper le gigot et revenait pour entendre Jean répondre enfin à Peignot :

— Je sais pas encore.

Pour distraire et occuper un peu Peignot qui s'ennuyait, Jean lui avait fait jouer quelques brèves silhouettes dans quelques-uns de ses films. Peignot avait pris l'affaire très au sérieux, et c'était tout juste s'il n'envisageait pas de se faire inscrire dans un cours d'art dramatique pour se perfectionner.

Au moment de *Touchez pas au grisbi*, Jacques Becker, qui avait trouvé que la tête de Peignot ressemblait assez à celle d'un « Peau-Rouge » de Pigalle, lui avait fait faire des essais pour le rôle d'un vieux truand qu'a finalement joué Paul Frankeur. Les essais se révélèrent médiocres : la tête de Peignot, ça allait, mais sa voix c'était pas ça. Malgré tout, Jo-les-grands-pieds avait décidé qu'il avait des dispositions pour entamer, même sur le tard, une carrière d'acteur.

Jean n'avait évidemment pas, dans tous les films qu'il faisait, l'occasion d'offrir chaque fois à Peignot de jouer « les becs de gaz dans le lointain ». Il tourna donc un certain nombre de films sans faire appel à lui. Peignot prit fort mal la chose, au point qu'il se brouilla complètement avec Jean.

Le rencontrant un jour par hasard, il m'expliqua, le plus sérieusement du monde, ses griefs envers Jean et il eut cette conclusion savoureuse et tragique à la fois :

— Tu comprends, il a eu peur que je finisse par lui faucher ses rôles.

Je n'ai jamais su si Jean avait eu vent de ce que lui reprochait Jo-les-grands-pieds, mais lui demandant un jour s'il avait quand même de ses nouvelles, il m'en donna d'une manière lapidaire :

— C'est un con ! me dit-il.

De l'apprendre, je n'en étais pas plus surpris que ça. Quant à Dominique, elle n'exprimait, en vérité, aucun regret devant cette rupture.

Quelques années plus tard, en l'an 1960, Jean étant seul à la *Pichonnière,* il eut la surprise de voir débarquer d'une vieille 4 CV, qui n'avait plus une goutte d'essence dans son réservoir et qui, en tout état de cause vu son état général, ne pouvait guère aller plus loin, le cher Jo-les-grands-pieds, avec deux valises qui étaient, avec le véhicule délabré, tout ce qui lui restait de sa fortune.

— Voilà, j'ai plus un sou, et je sais pas où aller, dit-il dans un raccourci éloquent de sa situation.

— Bon, ben, reste là, dit Jean simplement, pas rancunier et sans doute ému devant la détresse de son ancien copain.

C'est ainsi que Georges Peignot devint l'hôte permanent, logé, nourri, blanchi, plus argent de poche, de la *Moncorgerie* et de la *Pichonnière*. Évidemment, Dominique ne fut pas des plus heureuses en apprenant la nouvelle, mais que pouvait-elle faire contre le sens aigu qu'avait Jean de la fidélité à un vieux copain, même si la conduite de celui-ci à son égard n'avait pas été des plus correctes ?

Au bout d'un certain temps, Dominique obtint tout de même que Peignot ne vive pas sous leur toit, à leur table et dans leur intimité quasi permanente.

Jean installa donc son copain dans une des nombreuses chambres que comportaient les bâtiments du domaine, et Peignot prit désormais ses repas chez Jacqueline Odolant.

Naturellement, Jean ne le considéra jamais comme un employé. Mais, à ne rien faire, Peignot s'ennuyait et, comme il avait quelques dispositions pour le jardinage, il se proposa pour s'occuper du potager. De l'aveu de Jean, il se montra plus doué dans cette activité, qu'il menait en dilettante, que dans celle de comédien.

Ainsi, Jean garda Peignot auprès de lui pendant de longues années, et si l'histoire se terminait ici, elle pourrait être jolie, mais en réalité, par la faute de Jo-les-grands-pieds, elle finit plus tristement. Fort en effet de son statut particulier à la *Pichonnière* — il y était la seule personne qui tutoyait le patron —, Peignot se crut, à la longue, investi de quelque autorité sur le personnel. Il se mêlait de tout ce qui ne le regardait pas, et, comme il avait du temps libre, il était le plus parfait inventeur ou rapporteur de ragots.

Las d'enregistrer les plaintes de ses employés au sujet de Peignot, comprenant que celui-ci était en train de mettre le désordre dans son affaire qui n'était pas déjà facile à diriger, Jean fut contraint finalement de prier Peignot de quitter la *Pichonnière*.

Un bienfait n'attendant jamais longtemps son châtiment, comme disait, je crois, Talleyrand, une fois parti, Peignot ne trouva rien de mieux que de dénoncer Jean à l'administration pour ne pas l'avoir déclaré à la Sécurité sociale durant son hébergement gracieux à la *Pichonnière*. Bien entendu, Jean eut tôt fait d'apporter la preuve que Peignot n'avait jamais été son employé, et l'affaire fut classée.

Quelque temps plus tard, Jo-les-grands-pieds s'éteignait brutalement à l'hôpital d'Argentan, atteint d'un cancer.

Il y avait eu autrefois, à Moulins-la-Marche, une société de courses. Elle était en sommeil depuis des années. Jean décida de la faire renaître. Il fit construire sur un de ses terrains un champ de courses, éleva une vaste tribune et des bâtiments divers dont ceux destinés à recevoir les guichets du Pari mutuel. Aujourd'hui, l'hippodrome porte son nom — *Jean Gabin* — et chaque année, au cours d'une réunion, un *Prix Jean Gabin* est attribué par Dominique au vainqueur d'une épreuve. Mathias Moncorgé, le fils de Jean, est désormais président de la Société de courses de Moulins-la-Marche, et, par une activité entreprenante, maintient très haut dans la région le souvenir de son père.

« Je crois, dit Bernard Odolant, que l'intérêt de M. Gabin s'est longtemps partagé à égalité entre les bovins et les chevaux. Mais finalement, il a nettement penché ensuite pour les chevaux. Le clan entraînement était pour lui l' " aristocratie " de la *Pichonnière*. Après mon arrivée, il a encore fait construire des boxes autour d'une cour, qu'il a appelée *La Cour Hortensia*, du nom de la première poulinière qu'il avait achetée et qui l'avait mené à s'intéresser aux chevaux, et notamment, dans un premier temps, aux trotteurs.

On pouvait entrer à la *Pichonnière* par quatre grands portails situés à des points opposés du domaine qui était traversé de routes qu'il avait fait construire pour faciliter la circulation des engins de culture et des camions de fourrage. Il avait aussi aménagé pour l'entraînement une piste de huit cents mètres avec une montée.

— Comme à Vincennes, soulignait-il fièrement.

M. Gabin pouvait nommer tous ses chevaux par leurs noms, même les poulains, et il les reconnaissait au premier coup d'œil. Il passait des heures à étudier dans les livres la généalogie des chevaux. Il était imbattable sur le " papier " d'un cheval. Il connaissait les pedigrees de certains par cœur. Il se passionnait à étudier aussi les " courants de sang ". Il était obsédé par le désir de " sortir " lui-même un champion. C'est difficile et rare, une vraie loterie. A son échelle, la *Pichonnière* était une entreprise artisanale importante, mais elle restait quand même relativement modeste si on la comparait aux grands haras qui eux, vu le nombre considérable d'étalons et de poulinières qu'ils possèdent, avec de grands pedigrees en plus, ont forcément plus de chances de " sortir " le champion. M. Gabin savait tout ça, il en était parfaitement conscient mais il s'obstinait et espérait quand même. Je crois que M. Gabin était fait pour " faire naître et vendre ". Pas pour élever et faire courir. Cette partie-là était un gouffre financier pour lui. Mais il aimait. »

L'hiver, pour la saison de trot à Vincennes, Jean louait une partie du centre d'entraînement de Gros-Bois près de Boissy-Saint-Léger, et y installait ses trotteurs. L'entraîneur, M. Boulivet, avec deux lads et le matériel, suivait. S'il ne disposa jamais d'un grand champion, au moins Jean eut-il quelques chevaux qui lui donnèrent malgré tout des satisfactions : en dehors de Quartier-Maître qui était de son élevage, Nuit Kaki notamment, qui fut son premier achat, et Toronto III, également acheté.

« Tout cela coûtait une fortune, dit Dominique. La *Pichonnière,* c'était la danseuse de Jean, un rêve aussi qu'il poursuivait et pour la réalisation duquel il refusait de compter. Les comptes, c'était moi qui les tenais précisément, mais il ne voulait jamais les voir dans le détail. Il me disait : " Donne-moi seulement le chiffre en bas de la colonne. " Je le lui donnais. C'était le montant du déficit d'exploitation, et cela signifiait qu'il devait mettre de sa poche. Il le faisait et ça repartait.

Pour s'en sortir, peut-être, il aurait fallu que Jean accepte d'entrer dans le cercle fermé des grands propriétaires, dans ce que j'appelais la " mafia des courses ". Il s'y est toujours refusé. »

Dominique a toujours préféré les bovins aux chevaux. Elle aimait surtout les vaches normandes avec leurs grandes taches rousses. Les nivernaises, toutes blanches, elle les appelait les « vaches nues ». Les goûts des enfants étaient très partagés. Valérie, la cadette, avait la même préférence que sa mère.

« Il y avait surtout deux vaches qui m'attiraient, se souvient Valérie. L'une s'appelait La Caille. Elle était très vieille et aveugle, mais c'est elle qui menait le troupeau aux pâturages et rentrait toujours la première à l'étable. Elle trouvait sa stalle d'instinct. L'autre, Tulipe, était une normande et avait la particularité d'avoir la tête toute blanche. Elle ne supportait pas qu'on la traie mécaniquement, il a toujours fallu la traire à la main. »

Mathias, le benjamin, hésita longtemps plus tard entre la culture et les chevaux, avant de se décider pour ces derniers. Il dirige aujourd'hui, en compagnie de son épouse Élisabeth, le Haras de l'Orne près d'Argentan et y réussit brillamment.

Quant à Florence, l'aînée, elle fut toute jeune attirée par les chevaux. Elle tenta même de faire une carrière de jockey.

« Parmi tous les rêves de Jean, dit Dominique, il y avait assurément celui que ses enfants construisent leur vie sur le domaine. Je ne sais pas si cela aurait été possible, mais tous les trois, en tout cas, avaient du goût pour les bêtes quand ils étaient petits puis adolescents. Mais Jean interdisait à Florence de s'approcher des chevaux, à Valérie des vaches, et à Mathias des engins de culture. Il avait toujours peur pour eux du coup de sabot d'un cheval, de l'encornement d'une vache ou qu'un engin mécanique les blesse. Il prétendait que, si les enfants allaient dans les boxes ou les étables, ils ennuyaient les ouvriers. C'était faux, évidemment. A la campagne, les gens aiment bien, au contraire, que les enfants s'intéressent à leur travail. En réalité, comme toujours, il était angoissé qu'il puisse leur arriver quelque chose.

Son attitude, les interdits qu'il leur imposait ont fini par avoir raison de l'intérêt que les enfants portaient aux activités du domaine, et les deux filles, en tout cas, s'en sont peu à peu détournées. Jean en a souffert, mais c'était de sa faute. Il voulait certaines choses de toutes ses forces, et, dans le même temps, une autre force en lui, consciemment ou inconsciemment, je n'ai jamais su, le poussait à agir dans le sens contraire.

Je crois, par exemple, que Jean n'a jamais réellement pensé que les enfants nous quitteraient un jour pour vivre leur vie. Quand ils étaient petits déjà, il ne s'est sans doute jamais vraiment imaginé qu'ils grandiraient.

A la *Moncorgerie,* ils avaient chacun leur chambre, et je suis sûre qu'à l'époque où il l'a construite il a pensé qu'il les verrait vivre là toute leur existence, lui, le père continuant à veiller sur eux et à les protéger jusqu'à son dernier souffle.

Comme saint Thomas, Jean ne croyait qu'à ce qu'il voyait. Et encore ! Il s'est vraiment rendu compte que les filles n'étaient plus des bébés le jour où elles ont commencé à lui tenir tête et à discuter, à ne pas être forcément d'accord avec tout ce qu'il disait ou faisait, à demander aussi un peu plus de liberté pour vivre leur petite vie de jeune fille ; bref, comme tous les jeunes, elles éprouvaient le besoin de secouer l'autorité du père, des parents.

Ça a été pour lui une réelle surprise, et il a très mal supporté ce passage. Paradoxalement encore une fois, il voulait retenir ses enfants près de lui mais ne faisait guère ce qu'il fallait pour ça. Et l'aurait-il fait, en aurait-il été capable, que probablement ça n'aurait rien changé : les enfants sont faits pour quitter les parents, c'est dans la nature des choses, et si Jean, d'un côté, le comprenait, de l'autre, il l'admettait plus difficilement.

Malgré cela, plus tard, il a quand même envisagé un moment de leur construire à chacun une maison sur le domaine. Une manière comme une autre de les garder près de lui. Puis il y a renoncé quand il a compris que ce rêve-là aussi se heurtait à la réalité de la vie. »

Bien avant cela, une autre réalité en cet été 1962 allait frapper Jean : cela se passa dans la nuit du vendredi 27 au samedi 28 juillet, à 5 heures du matin. Sept cents agriculteurs de la région encerclèrent la *Moncorgerie,* et treize d'entre eux, leurs chefs, des dirigeants syndicaux appartenant au Centre national des jeunes agriculteurs (C.N.J.A.) ou à la Fédération nationale des syndicats d'exploitants agricoles (F.N.S.E.A.), exigèrent d'être reçus par Jean Gabin pour lui présenter des revendications qui étaient, en fait, des diktats.

Deux d'entre eux, Gérard Pottier et Maurice Thorel, étaient les principaux initiateurs et organisateurs de cette expédition. Pottier était de Normandel et conseiller municipal. Il avait un moment brigué en vain un titre de conseiller général. Il était membre de la J.A.C. (Jeunesse agricole catholique) que Jean appelait « le Vatican rouge ». Il possédait une ferme de 70 hectares. Après l'affaire, il quittera le pays et s'installera dans l'Yonne sur un domaine de 150 hectares. Quant à Maurice Thorel il est aujourd'hui décédé.

C'est le 26, au cours d'une réunion de leur syndicat, que Pottier et Thorel avaient eu l'idée d'une manifestation qui, par son éclat, attirerait l'attention des pouvoirs publics et du monde en général sur la situation préoccupante et souvent difficile des jeunes agriculteurs.

Gerty Colin a parfaitement rapporté l'état d'esprit qui présida à cette réunion[2] :

« La veille, ils avaient eu connaissance des résultats d'une enquête menée depuis trois ans par une équipe désignée par eux pour effectuer une sorte de recensement, et les conclusions les avaient convaincus de la nuisance pour eux des cumuls abusifs : cumuls d'exploitations et cumuls de professions. A leur sens, trop de particuliers non agriculteurs, exerçant des métiers libéraux ou industriels bien rémunérés, achetaient des terres pour les faire exploiter par des ouvriers agricoles. Un septième de la superficie cultivable du canton de L'Aigle, canton où les jeunes trouvaient difficilement des fermes à louer pour y pratiquer leur métier, appartenait à des propriétaires — 35, révélait l'enquête — qui étaient par ailleurs commerçants, industriels, médecins ou artistes. Cette situation de fait, selon le rapport, mettait une entrave au droit au travail des petits paysans dépourvus de capitaux.

Aussi bien n'était-elle pas ignorée des pouvoirs publics, cette situation. A ce moment même, une loi anti-cumul était discutée devant les Chambres et devait être votée incessamment. Mais, à la réunion du 26 juillet, un membre régional du C.N.J.A., qui revenait de Paris, fit un compte rendu des débats parlementaires auxquels il avait assisté et exprima la crainte que la loi ne fût sujette à trop d'amendements et n'atteignît pas son but. Les personnes présentes furent d'accord qu'il fallait faire quelque chose, et c'est alors que Maurice Thorel avança le nom de Jean Gabin, parfait exemple de cumulard. »

D'autant plus parfait que, s'il était loin d'être le « cumulard » le plus important de la région — d'autres avaient des domaines qui atteignaient jusqu'à 1 000 hectares — et si par ailleurs une partie de l'activité de la *Pichonnière* s'exerçait dans l'exploitation particulière d'un élevage de chevaux, la célébrité de Jean Gabin était la plus sûre garantie pour ces agriculteurs en colère que les médias relaieraient largement leur intervention. Sur ce point, en effet, cela dépassa leurs espérances.

La décision prise en petit comité, il fut entendu que le but de l'opération serait gardé secret et que les centaines d'agriculteurs convoqués à y participer n'en apprendraient la destination réelle qu'au dernier moment afin d'éviter toute fuite.

« L'après-midi, ils mirent au point leur plan d'action et firent passer le mot dans toute la région d'une manifestation pour la nuit à venir, écrit encore Gerty Colin. Ils fixèrent quatre points de ralliement dans la forêt, et chronométrèrent les temps nécessaires aux voitures les plus lentes pour venir de ces points à la *Pichonnière*. A 4 h 30, les manifestants devaient être réunis aux abords du portail de la propriété.

Lorsque Gérard Pottier y fut et se retourna pour voir la colonne en marche, il fut émerveillé par les dizaines et dizaines de voitures. *Les phares illuminaient le terrain légèrement vallonné, c'était magnifique,* racontera-t-il plus tard.

A 5 heures moins le quart, il monta sur une voiture et dit aux hommes réunis au nom de quelle cause il les avait convoqués, leur demandant de rester calmes et précisant que lui et les douze autres responsables qui pénétreraient chez l'acteur lui demanderaient de louer sa ferme de Digny et celle du Merlerault à de jeunes agriculteurs en mal de terres. »

« Dans l'après-midi, se souvient Bernard Odolant, nous avons remarqué une Simca qui a tourné longtemps autour de la *Pichonnière*. Il n'y avait là rien d'anormal, nous étions en effet habitués à ce que des gens rôdent autour du domaine à cause de la personnalité de M. Gabin. Certains même, parfois, n'hésitaient pas à entrer carrément. C'est tout juste si la *Pichonnière* ne figurait pas au programme des excursions de certaines agences de voyages. Des cars bourrés de touristes pénétraient dans la propriété pour visiter. Le samedi, notamment, jour des mariages, c'était fréquent qu'entre le passage à l'église ou à la mairie et le repas de noces, on vienne en cortège visiter la *Pichonnière*. Il est arrivé plusieurs fois que M. Gabin se trouvait là, et les visiteurs étaient ravis de le voir. Pas lui évidemment, qui détestait ça.

— C'est pas Lisieux, ici ! disait-il sur un ton rogue.

Un jour, un jeune homme lui a répondu :

— Écoutez, monsieur Gabin, on paie pour aller vous voir au cinéma, alors, pour une fois qu'on peut vous voir gratuitement !

Ça ne l'a pas convaincu et il a dit :

— Est-ce que je vais chez vous, moi ?

— On voudrait bien ! Vous seriez le bienvenu ! a répliqué le jeune homme.

Alors, M. Gabin a souri parce qu'il a trouvé la réflexion sympathique, et il est parti en les laissant regarder les boxes et les chevaux. »

Donc, ce jour-là, il y avait cette voiture qui tournait autour de la propriété. Ce n'est que le lendemain que Bernard Odolant comprit le rôle qu'elle avait joué : elle espionnait. Pour que le coup réussisse et puisse avoir le retentissement qu'ils en attendaient auprès des médias, il était impératif pour les organisateurs de l'opération que Jean Gabin soit présent. Or, nous étions vendredi, et dans leur précipitation à monter cette affaire, ils avaient pris un risque : généralement, le vendredi, Jean partait rejoindre Dominique et les enfants qui, l'été, séjournaient quelque temps dans leur maison de Deauville. Ce vendredi-là, à 4 heures de l'après-midi, Jean hésitait encore, se demandant s'il partirait assez tôt pour dîner à Deauville avec les siens ou s'il attendrait le lendemain matin, samedi.

Il a finalement décidé de rester. A 19 heures, la Simca a disparu. On connaissait les habitudes de Jean dans la région et on savait donc que, s'il était encore là à cette heure-ci, c'est qu'il passerait la nuit à la *Moncorgerie*. C'est ce dont voulaient s'assurer les occupants de la Simca. L'opération pouvait démarrer.

« Si M. Gabin était parti, pense Bernard Odolant, il ne se serait probablement rien passé, en tout cas pas cette nuit-là, et même peut-être plus jamais, car le rassemblement était déjà lancé et son but aurait été éventé. Il n'aurait sans doute pas été facile de le recommencer, du moins en ce qui concernait M. Gabin. »

Vers 4 heures du matin, Bernard et Jacqueline Odolant étaient réveillés par le bruit de plusieurs voitures qui s'approchaient de la *Pichonnière*. Ils se levèrent et aperçurent, au loin sur la route qui cerne le domaine presque tout autour, un défilé de plusieurs dizaines de véhicules de toutes sortes, dont des engins de culture qui, phares allumés, se dirigeaient vers la *Moncorgerie*. Celle-ci avait sa propre entrée et était située au sommet d'un tertre à quatre cents mètres au moins de la *Pichonnière* où les Odolant habitaient, et autour de laquelle étaient implantés les bâtiments des chevaux et des bovins, ainsi que les logements du personnel.

L'intention des manifestants n'était pas d'intervenir du côté de la *Pichonnière* — cela ne les intéressait pas en effet — mais directement au domicile de Jean Gabin. Dans la crainte que Jean ou quelqu'un de la *Pichonnière* n'alerte la gendarmerie, ils avaient déjà coupé les fils téléphoniques à l'extérieur de la propriété. Ce qu'ils ignoraient, par contre, c'est que la *Pichonnière* et la *Moncorgerie* étaient reliées par un téléphone intérieur.

« J'ai donc appelé M. Gabin, raconte Bernard Odolant. Il dormait et n'avait encore rien entendu. Je lui ai dit qu'il se passait quelque chose d'anormal et que plusieurs dizaines de véhicules montaient vers la *Moncorgerie*.

— Voulez-vous que j'appelle la gendarmerie ? je lui ai demandé.

— Mais non, c'est inutile, qu'il m'a répondu.

Il m'a aussi dit de ne pas bouger de la *Pichonnière* et de rester sur place avec les employés pour veiller à la sécurité des bêtes.

En réalité, je crois que, à ce moment-là encore, il n'imaginait pas un instant qu'il pouvait être concerné par cet énorme déplacement de gens. Moi-même d'ailleurs, malgré ce qui apparaissait de plus en plus comme une évidence, j'avais du mal à y croire.

Je n'étais pas le seul dans ce cas. Un de mes cousins m'a appelé le lendemain quand il a appris ce qui s'était passé à la *Pichonnière*. La veille, il avait eu vent qu'il se préparait quelque chose de ce genre sans connaître le but de l'opération. Discrètement, il avait informé certains gros propriétaires de la région, mais pas un instant il n'a pensé que ça pouvait être M. Gabin qui serait visé, et il ne m'a donc même pas averti. »

Jean avait de bonnes raisons de se croire parfaitement intégré au monde agricole de la région. Il était en bons termes avec tous, et on semblait même avoir oublié qu'il était aussi Jean Gabin, l'acteur. Il allait souvent prendre un verre dans les bistros du pays, ne parlait avec les gens que des problèmes qui les préoccupaient, leurs champs, leurs bêtes, les difficultés du monde rural et paysan. Il prenait fréquemment ses repas dans les restaurants de la région, comme au Dauphin à L'Aigle.

Tout le monde savait que, dans les opérations qu'il avait effectuées pour bâtir la *Pichonnière* et ses fermes annexes, il s'était comporté plus que correctement. La plupart des terres qu'il avait achetées au prix fort étaient en jachère, y compris celles de la *Pichonnière,* et il les avait remises en valeur autant qu'il l'avait pu car toutes n'étaient pas de première qualité. « Il n'a volé personne, il a été plutôt volé », souligne encore aujourd'hui Bernard Odolant.

Aux comices agricoles de Bonnefoi, il remettait chaque année un Prix Jean Gabin au propriétaire du meilleur champ de céréales ou de légumes. On peut aussi rappeler ce qu'il avait fait afin de faire revivre la société de courses de Moulins-la-Marche et ce vaste terrain qu'il avait prêté pour y construire l'hippodrome qui était devenu la fierté de toute la région. C'étaient ses propres employés qui entretenaient la piste.

M. Chéret, le maire de Bonnefoi à cette époque, avait été informé, en tant que délégué syndical de la commune, de ce qui se préparait contre Jean Gabin. Il n'avait rien fait pour l'empêcher, et ne l'avait même pas averti. Jean, naturellement, payait des impôts locaux très conséquents à la commune de Bonnefoi comme à celle des Aspres. En plus, il entretenait de bonnes relations avec M. Chéret avec qui il avait fait des échanges de terres qui avaient été très avantageux pour celui-ci.

Jean cotisait à toutes les organisations qui le sollicitaient, et elles ne manquaient pas de se vanter de l'avoir comme adhérent. L'hiver précédent, afin de se solidariser plus totalement avec le monde agricole dont il estimait faire partie, il avait adhéré à la F.N.S.E.A.

Par une curieuse ironie, cette nuit du 27 au 28 juillet, c'étaient des responsables régionaux de cette organisation, dont il était lui-même membre, qui s'attaquaient à lui et venaient le menacer.

Robert Moncorgé, un cousin de Jean — il était le fils de la tante Louise —, était venu s'installer l'année précédente à la *Pichonnière* avec son épouse Germaine et son fils Henri. Ils y travaillaient et étaient logés dans une maison près de celle de la *Moncorgerie.*

Réveillés par le bruit de l'immense rassemblement autour de la propriété, ils sortirent à l'instant où une douzaine de personnes — les responsables — en franchissaient le portail.

« On ne peut pas dire qu'ils sont entrés de force, raconte Robert Moncorgé, le portail n'était jamais verrouillé. Ils n'ont eu qu'à le pousser. Au début, seuls les chefs ont pénétré dans la propriété, les autres — on a su après qu'ils étaient au moins sept cents — sont restés dehors. Un des leaders nous a dit qu'ils venaient pour parler à M. Gabin. A 5 heures du matin, on se doutait bien que c'était pas seulement pour lui dire bonjour. Ma femme est allée voir Jean et moi je suis resté à discuter un peu avec les types qui attendaient tranquillement. »

« Il était déjà debout évidemment, enchaîne Germaine Moncorgé. Je lui ai dit que des gens voulaient le voir et lui parler. Il était très calme et m'a demandé de retourner les avertir qu'il allait les recevoir dans une dizaine de minutes, le temps pour lui de s'habiller. »

Alerté lui aussi, Georges Peignot avait, entre-temps, rejoint Jean dans la maison. Paniquant un peu, il était allé décrocher un fusil de chasse. Jean lui a arraché le fusil des mains et a fait disparaître l'arme en disant à Peignot de se tenir tranquille et d'aller se calmer à la cuisine. Il a revêtu un costume de ville et, quand il a été prêt, il est aussitôt sorti sur le perron. Il a observé un instant, en silence, les treize responsables qui se tenaient à quelques mètres de là et dont il devinait les visages dans la clarté du jour qui se levait. Il ne connaissait aucun de ces hommes.

— Qui est le responsable ? a-t-il demandé.

— Nous sommes tous les responsables, a répondu Pottier.

Il a ajouté en désignant à Jean un groupe d'hommes qui attendaient près du portail :

— Les adhérents sont dehors !

Du geste et de la voix, Jean les a invités à le suivre et les a fait entrer dans son bureau.

« Je suis entré avec eux pour être près de Jean, et je me suis tenu dans un coin sans intervenir », précise Robert Moncorgé * qui fut donc un témoin oculaire de l'affrontement et qui m'indique que, à quelques détails près, le récit que Gerty Colin a fait dans son livre de la discussion est très proche de la vérité [3].

« Le type qui a parlé — Pottier — a présenté à Jean ses douze compagnons en précisant pour chacun leurs responsabilités municipales et professionnelles. Aucun n'était de la région proche de la *Pichonnière* et

* Robert Moncorgé, de dix ans le cadet de Jean, était un homme de solide corpulence.

ils nous étaient inconnus. Il a ensuite parlé des difficultés des agriculteurs.

Après un moment, Jean l'a interrompu :

— En quoi ça me concerne, tout ça ? il a demandé.

Naturellement, il avait déjà compris ce que les autres voulaient. Alors, Jean a parlé assez longuement. Il a dit que tout ce qu'il possédait ici avait été honnêtement acheté par lui, avec l'argent qu'il avait gagné au cinéma. Il aurait pu placer cet argent ailleurs, dans l'immobilier par exemple, et ça lui aurait rapporté davantage que ce que lui rapportait la *Pichonnière,* mais c'était la terre qui l'intéressait. Il avait toujours voulu avoir une ferme, cultiver et faire de l'élevage. Il a dit aussi qu'il espérait bien finir ses jours ici, et qu'il ferait construire pour chacun de ses enfants une maison sur le domaine de la *Pichonnière* pour qu'ils continuent ce qu'il avait commencé.

Alors Pottier a répondu que Jean avait assez pour lui et ses enfants, avec les 150 hectares de la *Pichonnière,* et il lui demandait de louer à de jeunes agriculteurs qui en avaient besoin ses fermes de Digny et de Merlerault.

Jean s'est un peu emporté pour expliquer que ses fermes de Digny et de Merlerault étaient indispensables au fonctionnement de la *Pichonnière* puisqu'elles lui fournissaient notamment l'avoine pour ses chevaux.

Le ton était correct mais montait un peu. Pottier a insisté en répétant que Jean devait absolument se séparer de ses fermes. Il a précisé qu'ils n'avaient aucune revendication à formuler concernant la *Pichonnière* proprement dite.

— Vous êtes donc décidés à m'emmerder ! Dans ces conditions, je vais tout vendre ! a répondu Jean en élevant la voix.

Pottier a alors dit que ça n'intéressait personne qu'il vende, que les jeunes agriculteurs n'avaient pas assez d'argent pour acheter et que la seule chose qu'il voulait obtenir de lui, c'était uniquement qu'il s'engage à louer ses fermes.

A l'extérieur, les types s'impatientaient. Il y avait déjà un moment que la discussion durait. Ça commençait à gueuler. Je suis sorti pour voir ce qui se passait. J'ai surpris Peignot qui écoutait derrière la porte du bureau en tendant l'oreille. Il n'était visiblement pas rassuré. Une fois dehors, j'ai vu toute cette foule qui envahissait à présent carrément la propriété autour de la *Moncorgerie.* Personne n'est allé vers la *Pichonnière* en bas, où Odolant et les employés étaient restés. Des types escaladaient les murs pour sauter dans le jardin. Au passage, ils cassaient évidemment les tuiles anciennes qui formaient le faîtage des murs. Ils se sont répandus un peu partout en cernant la maison. Ils ont saccagé le potager et ont bouffé les fraises en disant en rigolant : " C'est à nous tout ça ! " D'autres s'amusaient à pisser sur les rosiers. Devant la tension qui montait de plus en plus, Pottier et d'autres responsables sont sortis pour recommander à leurs copains de rester calmes. Mais les types s'énervaient et gueulaient après Jean en lui lançant des injures et en le menaçant.

Pottier est alors revenu dans le bureau et a dit :

— Si vous ne cédez pas, ils vont tout casser !

Un peu blême, Jean a répondu :

— Ils casseraient le travail de toute ma vie !

Les responsables étaient à la limite d'être débordés par leurs troupes. Des types n'hésitaient même plus à entrer jusque dans la maison à présent, et quelques-uns ont poussé la porte du bureau pour crier des insanités à Jean.

— Je suis correct, dites-leur de l'être aussi ! a commandé Jean à Pottier, qui a fait sortir ceux qui voulaient s'introduire dans le bureau.

Je crois que, à partir de ce moment-là, Pottier et les autres responsables ont commencé à avoir peur. Les choses ne se déroulaient pas comme ils l'avaient prévu. Ils avaient sans doute imaginé que Jean paniquerait et céderait rapidement à leur demande. Ils seraient alors ressortis très vite dire à leurs gars qu'ils avaient obtenu ce qu'ils étaient venus chercher et qu'ils avaient gagné. La manif aurait été terminée, et chacun serait rentré chez soi. Au lieu de ça, Jean ne cédait sur rien et discutait d'arrache-pied pour dire qu'il était dans son bon droit. La réunion s'éternisait, et forcément la tension montait de plus en plus, du moins à l'extérieur où, à tout moment, la situation pouvait devenir dangereuse.

Durant tout le temps, Jean est resté calme, lucide. Il n'a à aucun moment perdu son sang-froid. Avait-il peur ? C'est possible parce qu'il y avait de quoi, quand on entend gueuler autour de sa maison sept cents types en colère qui ont l'air d'être prêts à faire n'importe quoi ! La moindre étincelle, le truc de travers, et tout pouvait éclater. Jean n'a en tout cas pas montré un seul instant qu'il avait peur. »

Cette attitude de Jean, dont j'ai dit que le courage moral l'emportait chez lui sur le courage physique proprement dit mais que le premier commandait impérativement l'autre dans certaines circonstances, comme celle de sa conduite pendant la guerre, cette attitude de sang-froid dont il a fait preuve lors de cette nuit dramatique, me rappelle dans une moindre mesure un incident dont il fut le protagoniste lors du tournage du *Sang à la tête* de Gilles Grangier, à La Rochelle, en 1956[4].

Il avait tourné en 1954 *Gas-Oil* (Gilles Grangier), puis en 1955 *Des gens sans importance* (Henri Verneuil) dans lesquels il interprétait un rôle de chauffeur routier qui lui avait valu une grande popularité dans cette corporation et il avait été fait « routier d'honneur ». Précisément, alors qu'il tournait à La Rochelle, les routiers de la région donnaient une fête à quelques kilomètres de cette ville et avaient sollicité la présence de Jean. Il avait volontiers donné son accord. Le soir en question, le tournage dura plus tard que prévu et Jean ne put répondre à l'invitation. Dans la confusion, personne ne songea à en avertir les routiers. A minuit, ceux-ci s'impatientant, furieux, se mirent en route avec leurs camions, à la recherche de Gabin, et le trouvèrent naturellement sur le lieu de tournage. Trente bahuts y débouchèrent et, en manière de protestation pour l'injure qui leur avait été faite, ils bloquèrent le travail du film.

Éméchés par pas mal de libations, ils commencèrent à réclamer Gabin sur l'air des lampions, considérant que l'acteur s'était moqué d'eux et les avait méprisés en ne tenant pas sa promesse d'assister à leur banquet. Les types étaient prêts à en venir aux mains avec les techniciens du film qui commençaient à être irrités de leur attitude. « La bagarre paraissait inévitable », se rappelle Grangier. C'est alors que Jean a demandé à ses camarades de se calmer et de le laisser faire. Il s'est avancé tout seul au-devant des routiers qui, pour le moins, l'agressaient de quelques boniments de leur façon.

Mais finalement, ce type tout seul devant eux, qui étaient quelques dizaines de malabars, leur a fait impression et ils ont cessé leurs vociférations. Dans le silence, Jean leur a parlé calmement un moment et ils l'ont écouté. Puis ils sont remontés dans leurs camions et sont repartis tranquillement.

Jean est revenu vers l'équipe du film, placide et les mains dans les poches.

— T'as entendu le dialogue ? qu'il a dit à Grangier, c'était peut-être pas de l'Audiard mais ça a quand même porté.

En fait, personne n'avait très distinctement entendu ce qu'il avait dit aux routiers pour les calmer. Si ce n'était pas du « Audiard », ce devait être à coup sûr du « pur Gabin », et ce n'était pas plus mal. Car, contrairement à ce qu'il disait publiquement, Jean n'avait besoin du dialogue d'aucun auteur pour parler aux gens. Il avait le sens des mots justes qui touchaient ou impressionnaient.

Ce fut, semble-t-il, aussi le cas de la fameuse nuit de la *Moncorgerie*.

Gerty Colin écrit que, à un moment, « bouleversé et la voix lasse », il aurait fini par dire : « Si je n'ai pas vendu d'ici la fin de l'année, je mettrai des locataires à Digny et à Merlerault. »

Robert Moncorgé conteste cette phrase car il n'a pas entendu Jean la prononcer. Par contre, il se souvient que Pottier a voulu lui faire signer un papier selon lequel Jean se serait engagé à louer ses deux fermes.

— Je ne signerai rien, a répondu Jean fermement.

Un point que Gerty Colin confirme en d'autres termes, ajoutant cependant que Jean aurait « donné sa parole » qu'il s'engageait à louer ses fermes.

Quoi qu'il en fût de la conclusion, Pottier et ses camarades décidèrent alors de quitter le bureau, pressés sans doute de calmer l'excitation de leurs troupes et de leur annoncer qu'ils avaient obtenu « satisfaction ». La foule laissa éclater sa joie et accepta de se retirer de la propriété. La longue cohorte de véhicules se remit en marche dans le jour qui maintenant était levé, chacun rentrait chez soi, satisfait de sa nuit.

Une nuit qui avait failli briser le rêve d'un homme et qui le marquait profondément et à jamais. Pendant tout le temps qu'il eut à s'opposer à ses interlocuteurs et à faire face à cette foule anonyme et injurieuse, Jean contrôla parfaitement ses nerfs. Mais, quand le silence retomba sur la *Moncorgerie,* il s'écroula et ne put retenir ses larmes. Il était brusquement un homme défait, pris d'un immense chagrin. Si ses agresseurs avaient réellement « cassé » la *Pichonnière* — « toute une vie de travail », comme il leur avait dit un peu naïvement mais avec une sincérité touchante —, il n'aurait pas été plus malheureux qu'il ne l'était déjà là, à présent. Car c'était lui personnellement qu'ils avaient quand même « détruit ».

Jean exerçait un métier — celui de comédien — qu'il avait fini par aimer et qui lui était même beaucoup plus indispensable qu'il ne le croyait ou faisait semblant de croire — combien de fois n'avait-il pas annoncé sa retraite, son désir de se retirer sans jamais parvenir à s'y résoudre ? — mais ce métier, il l'accomplissait à l'intérieur d'une profession dans laquelle il n'était jamais parvenu à s'intégrer complètement. Autant il se sentait à l'aise dans l'atmosphère créatrice d'un studio, où, malgré un apparent désordre, prédominaient le sérieux du travail et cette ambiance de compagnonnage qu'il aimait en définitive, autant il restait au niveau d'ensemble du milieu professionnel du cinéma une sorte de marginal. Il en détestait l'incohérence et souvent l'incompétence, et les sentiments superficiels qui y régnaient.

Or Jean, ce solitaire, cet individualiste forcené, cet « anar », ressentait — autre paradoxe de son caractère — le besoin impérieux d'appartenir à un milieu sociologique stable et défini dans lequel non seulement il se sentait intégré et admis, mais, plus important, où il pouvait donner ce qu'il avait de meilleur : sa profonde générosité de cœur. Un milieu avec lequel aussi sa conscience morale et sa philosophie — il disait plus simplement « ma vue sur les choses et les gens » — se trouvaient en harmonie.

Rebuté dans son jeune âge par les métiers artistiques de son père et de sa mère, contraint finalement d'entrer à son tour dans la même voie qu'eux, et alors qu'il y affirmait progressivement son talent, il n'en avait pas moins, cependant, persisté longtemps à revendiquer des origines prolétariennes. Non par démagogie populiste ni même du fait qu'il avait lui-même débuté dans la vie comme ouvrier, mais par l'exigence morale qui le poussait à se rattacher à un milieu qu'il trouvait plus « sérieux », moins frivole en tout cas, que celui dans lequel il évoluait et qui, par-delà ses parents, le reliait instinctivement à son grand-père Moncorgé, paveur de rues, à son grand-père Petit, métallo chez Cail, et à ses oncles du côté maternel, tous typographes.

Victime de sa fortune et de sa gloire, de son talent qui était la cause de l'une et l'autre, Jean se trouvait comme déraciné dans ce milieu du spectacle qu'il ne considéra jamais, de par son tempérament, comme tout à fait le sien. Alors, puisant aux sources mêmes de son enfance campagnarde de Mériel, se souvenant de ses voisins fermiers, les Haring, et de leur univers qu'il avait aimé et qui l'avait marqué, Jean crut trouver, dans ce milieu rural et paysan de l'Orne, cet enracinement profond qu'il cherchait. Il avait tant donné de lui-même pour cela, s'y était si totalement investi, qu'il pensait y être parvenu. Mais à l'aube de ce 28 juillet, il se réveillait face à la plus cruelle des réalités. On le rejetait et pour lui, c'était comme si on l'avait brisé.

Quand Jean commença à émerger de son cauchemar, il eut une pensée pour Dominique et ses enfants. Il réalisa alors qu'ils auraient pu se trouver là et vivre ce moment dans la peur. Alors, l'indignation, la colère prirent soudain le dessus sur son abattement. A présent, il se révoltait. Non contre cette injustice dont il venait d'être victime, mais à cette idée rétrospective qu'il aurait pu entendre ses enfants pleurer de crainte devant cette foule envahissante et criante.

— Je me suis souvent demandé ce que j'aurais fait dans ce cas-là. Je ne suis pas sûr que j'aurais gardé mon sang-froid. Ça aurait pu tourner au tragique.

Il s'empressa de vouloir joindre Dominique à Deauville pour l'informer afin qu'elle n'apprenne pas ce qui s'était passé par la radio. C'est alors seulement qu'il s'avisa que les fils du téléphone avaient été coupés.

Pottier et les responsables affirmèrent qu'ils n'avaient jamais donné cet ordre. Ils admirent y avoir pensé lors de la préparation de l'opération mais ils y avaient renoncé pour ne pas être accusés de ce délit.

La coupure de la ligne téléphonique resta donc le fait d'anonymes. L'administration des P. et T. ne porta pas plainte et rétablit rapidement la ligne. Jean qui, lui, voulut porter plainte, notamment pour ce fait, dut y renoncer car le délit avait été opéré hors de sa propriété.

A Deauville, ce matin-là, Dominique n'écouta pas la radio et sortit tranquillement faire ses courses, ignorant tout du drame. Comme cela lui arrivait souvent, elle passa dans la matinée dire bonjour à ses amis M. et Mme Boitard, qui tenaient une importante agence immobilière à Deauville. Ce sont eux qui l'informèrent de ce qui s'était passé, du moins tel qu'ils l'avaient entendu rapporter par la radio.

Affolée, Dominique s'empressa d'appeler Jean à la *Moncorgerie*, ne comprenant pas qu'il ne l'ait pas avertie. Comme le téléphone restait muet — et pour cause —, elle appela M. Aguesseau, un ami qui était huissier à Moulins-la-Marche. Elle eut à l'appareil Mme Aguesseau qui ne put lui donner de détails et lui déclara que son mari était parti à la *Pichonnière* et n'en était pas encore revenu. Dominique chargea Mme Aguesseau de faire dire à Jean qu'il l'appelle.

Sans doute n'osa-t-il pas aller téléphoner d'une cabine des Aspres ou de Bonnefoi — longtemps il ne regardera plus personne dans ces communes, de crainte de croiser le regard de quelqu'un qui se serait trouvé dans la foule anonyme qui l'avait agressé. Aussi, sachant que désormais Dominique était au courant, pris par d'autres préoccupations, ne téléphona-t-il à Deauville que le soir après le rétablissement de la ligne.

On aurait pu imaginer le désir de Jean, à cet instant-là, de fuir la *Moncorgerie* et la *Pichonnière*, et de retrouver sa famille à Deauville. Au contraire, il décida de rester sur place, comme s'il voulait montrer que personne ne réussirait à le pousser hors de chez lui, et qu'il entendait bien continuer à se battre pour conserver ce qu'il avait créé de toutes pièces. En fait, Jean avait déjà repris le dessus. Ce fut donc Dominique qui, laissant les enfants à Deauville à la garde de Zelle, vint le lendemain matin dimanche à la *Pichonnière*.

Ils passèrent ensemble une journée calme, troublée cependant par les nombreux appels d'amis qui leur apportaient leur réconfort et leur soutien.

Comme l'avaient espéré les responsables syndicaux de l'opération, les médias — presse, radio, télévision — s'emparèrent de l'affaire. Beaucoup de commentaires précisaient que le comédien avait été surtout victime de sa célébrité, qu'il n'avait assurément rien à se reprocher et n'avait enfreint aucune loi. Des hommes politiques, tout en exprimant leur timide réprobation pour l'action de force qui avait été entreprise par les agriculteurs, n'en essayaient pas moins de les excuser — électoralisme oblige !

La presse dans son ensemble — les hebdomadaires politiques de tous bords compris — informa largement dans un sens qui se révéla plutôt favorable aux agriculteurs. Personne n'osait en effet jeter une larme sur ce Gabin que certes on aimait bien comme comédien mais qui, après tout, n'avait qu'à faire comme tout le monde et placer sa fortune dans l'immobilier où il n'aurait gêné personne et même, mieux encore, pourquoi pas en Suisse ? ce qu'on lui aurait encore moins reproché, au lieu d'aller jouer au « paysan ».

Dans ce concert médiatique et politique, seule la presse communiste, et *L'Humanité* en particulier, prit nettement la défense du comédien.

Les médias ne manquèrent évidemment pas de demander à d'autres « cumulards » ce qu'ils pensaient de l' « affaire Gabin ». La réflexion, à ce propos, de l'un d'entre eux blessa Jean profondément, compte tenu de l'estime et même de l'amitié qu'il portait à la personne en question : le cher Bourvil — « le André », comme Jean l'appelait affectueusement — pris probablement au dépourvu, craignant sans doute pour ses propres intérêts, déclara en effet que son cas était différent puisque, de par ses parents, ses origines paysannes étaient incontestables. C'était maladroit, et surtout triste, de voir ainsi se briser une amitié.

Jean devait dire à ce propos, plus tard, non sans humour, mais avec quand même beaucoup d'amertume :

— Que Bourvil soit un paysan, je veux bien, mais alors, au nom du principe de « cumulard » qu'on me reproche, on devrait lui interdire de faire du spectacle et du cinéma !

Le lundi, alors que Dominique regagnait Deauville, Jean se rendit à Paris. Calmement, colère et indignation tombées, il avait décidé de porter l'affaire devant la justice, et il chargeait Me Floriot de le soutenir dans la plainte qu'il déposait auprès du juge d'instruction du palais de justice d'Alençon — plainte contre X pour violation de domicile et tentative d'extorsion de signature.

En agissant ainsi, Jean n'entendait pas spécialement poursuivre de sa vengeance les meneurs de l'opération. Il ne leur pardonnait pas mais, d'une certaine manière, il comprenait leurs problèmes. Il voulait surtout que son honneur de citoyen respectueux des lois en vigueur soit reconnu. La loi anti-cumul — et qui n'avait évidemment pas d'effet rétroactif — ne fut en effet promulguée que le 8 août 1962, et ne reçut son décret d'application pour le département de l'Orne que le 12 avril 1964, à quelques jours du procès.

Par cette plainte, Jean souhaitait également mettre en cause les pouvoirs publics dont il estimait qu'ils ne l'avaient pas défendu. L'enquête avait été menée mollement. Une trentaine à peine de manifestants avaient été identifiés. Dans les villages, la loi du silence régnait. Pas une voix au gouvernement ne s'était élevée pour prendre sa défense, et il voua par la suite aux hommes politiques qui y siégeaient alors — Pompidou était Premier ministre — un mépris total. Comme dans l'excessif Jean ne lésinait jamais, même le prestige de De Gaulle, alors président de la République, en avait pris un coup à ses yeux.

Énorme et émouvante consolation pour Jean : dans les jours qui suivirent, il reçut plus de quatre mille lettres provenant de tous les horizons et de tous les milieux et dont les signataires lui exprimaient leur sympathie. (Seulement dix l'insultaient, dont sept sans signature.)

Jean, qui n'avait plus depuis longtemps le goût de la lecture, prit le temps d'en lire le plus grand nombre. Certaines étaient bouleversantes et émanaient d'anciens de la 2e D.B. ou de marins, qu'il n'avait pas croisés au temps de son engagement et de la guerre, mais qui reconnaissaient en lui le camarade de combat, le compagnon des temps difficiles, et se montraient prêts à venir le défendre si besoin était. Chez ceux-là, et chez d'autres, souvent de condition sociale modeste, nulle trace de jalousie envers celui qui avait « réussi » mais au contraire de l'admiration pour le comédien, et aussi pour l'homme que Jean était à leurs yeux.

Le 21 avril 1964, presque deux ans après la fameuse nuit, le procès s'ouvrait au palais de justice d'Alençon par un coup de théâtre. En plein tribunal, Jean décidait de retirer sa plainte. Il passait l'éponge. En fait, il n'oubliera jamais.

Certains interprétèrent cette attitude comme un acte démagogique et paternaliste. En fait, devant le retentissement médiatique que prenait l'affaire, Jean qui en était la vedette malgré lui ne souhaitait pas, en plus, prêter son concours involontaire aux buts que s'étaient assignés ceux qui avaient envahi sa propriété : sensibiliser l'opinion publique aux difficultés que rencontraient les agriculteurs. Il se rendait compte qu'il n'avait été qu'un pion — de choix certes — sur un échiquier d'intérêts à la fois corporatifs et politiques, et il entendait se retirer de ce jeu-là.

Malgré cela, la justice rendit son verdict : les prévenus furent condamnés à cinq cents francs d'amende chacun et Gérard Pottier à quinze jours de prison avec sursis.

Ce n'était finalement pas cher payé pour avoir jeté le trouble, une nuit, dans la vie d'un homme. Jean avait fait réparer depuis longtemps les dégradations qu'ils avaient commises et n'avait envoyé la facture à personne. La *Pichonnière* continuait, c'était l'essentiel pour lui, mais son cœur, qui en avait déjà pas mal pris durant son existence, devait rester particulièrement marqué par ce coup-là.

12.

LE CINÉMA... QUAND MÊME

Cette fin d'été, Jean, encore mal remis de ce qu'il avait vécu quelques semaines plus tôt, devait en plus accuser une certaine déception à la lecture du scénario de son prochain film : il s'agissait de *Mélodie en sous-sol* que devait réaliser Henri Verneuil. Ce film, qui était le sixième qu'il faisait avec le producteur Jacques Bar, avait été rajouté au contrat initial et, cette fois, en lieu et place de la U.F.A.-Comacico de Maurice Jacquin, c'était Metro-Goldwyn-Mayer qui en avait les droits sur la France, ainsi que sur le monde entier.

Jean percevait, pour ce film, un cachet de 850 000 francs qui était enfin une somme qui correspondait plus valablement que les précédentes à sa « valeur commerciale ».

C'était le dernier film qu'il faisait avec Jacques Bar, pour plusieurs raisons. D'abord, celui-ci s'apprêtait à poursuivre sa carrière de producteur aux États-Unis, et ensuite, le temps idyllique entre Jean et lui était terminé en tout état de cause. Comme d'habitude, après s'être merveilleusement entendu avec Bar, Jean avait fini par lui trouver des défauts nés de petits différends successifs inhérents à ce genre de longue collaboration.

Mon contrat s'achevait chez Jacques — je continuerai cependant à travailler avec lui en free-lance pendant encore quelques années — et ce n'étaient donc pas des intérêts personnels qui m'incitaient à le défendre auprès de Jean, mais simplement le sens de la justice. Je n'ai d'ailleurs jamais très bien compris ce que Jean lui reprochait exactement. Il se contenta de répondre à mes arguments en faveur de Jacques Bar par un seul, mais que, le connaissant, je jugeai rédhibitoire :

— Je me méfie d'un type qui mange des sardines arrosées de liqueur de menthe !

Il n'y avait plus qu'à tirer l'échelle, la rupture entre Jean et Jacques Bar était en effet irrémédiable...

Le scénario que Michel Audiard, Henri Verneuil et Albert Simonin avaient adapté d'un roman de John Trinian racontait l'histoire d'un hold-up audacieux au casino de Palm Beach de Cannes.

Deux truands, un vieux et un jeune, en étaient les héros. Quand on sait que ces deux personnages furent joués par Jean Gabin et Alain Delon, on se dit que les auteurs ont voulu refaire le coup d'*Un singe en hiver* qui avait habilement associé avec succès, l'année précédente, Jean à un représentant de la génération montante, c'est-à-dire Jean-Paul Belmondo, mais en réalité, à l'origine, le projet ne se présentait pas tout à fait de la même façon, car cette fois-ci, pour donner la réplique à Jean, on avait engagé un jeune comédien certes, mais à peu près inconnu. Or, à la lecture du scénario, il apparaissait avec évidence que c'était lui qui avait le rôle principal et qui, pour l'essentiel, menait l'action. J'ai déjà dit que Jean se souciait peu dans un film de calculer s'il avait plus ou moins de scènes que son (ou sa) partenaire du moment s'il estimait le scénario bon. Ici, il lui sembla cependant qu'il était assez sensiblement défavorisé et que, en outre, son rôle manquait de relief. D'autre part, il considérait qu'il servait par trop « la soupe » à un comédien dont il ne mettait pas en cause l'éventuel talent, mais qui n'avait en rien le prestige naissant d'un Belmondo et d'un Delon.

Bref, Jean ne voulait pas tourner le scénario tel qu'il était et demanda à Michel Audiard et à Henri Verneuil d'y retravailler.

Ces deux derniers s'y refusèrent avec une obstination qui choqua Jean profondément. Son moral, cette année-là, avait été déjà particulièrement ébranlé, et, un moment déçu par l'attitude de ses deux amis, il fut tenté de ne pas faire le film. C'est alors qu'Alain Delon entra en scène.

Alain avait une situation particulière. Il avait débuté en 1957 et avait tourné rapidement deux ou trois films qui étaient des comédies — notamment *Christine* où il fit la connaissance de Romy Schneider et avec qui il allait vivre dans les années suivantes une grande histoire d'amour.

Très vite remarqué, il fut engagé par René Clément qui lui confia le rôle principal de *Plein soleil*[1]. Le film ne rencontra pas en France un grand succès, mais fit une carrière internationale importante. A la suite de cela, Luchino Visconti prit Alain Delon comme vedette de *Rocco et ses frères*. L'année suivante, il tournait encore un film de René Clément, *Quelle joie de vivre,* puis, avec Michelangelo Antonioni : *L'éclipse*.

Tous ces films étaient, à des titres divers, remarquables, mais n'avaient pas connu en France tout le succès qu'ils méritaient. Ils avaient été, en outre, tournés en Italie.

Alain Delon était alors un acteur très recherché par des metteurs en scène prestigieux, professionnellement et internationalement réputé, mais dont la popularité en France était encore loin d'atteindre celle qui s'attachait à son « rival » en âge et en talent, Jean-Paul Belmondo. Il avait donc le désir de combler ce handicap, et de faire en France un film qui l'imposerait plus nettement sur le plan public. Il avait été naturellement impressionné par ce qu'avait donné l'association de Belmondo avec Gabin dans *Un singe en hiver*, et rêvait pour lui d'une opération semblable.

Son agent d'alors, Georges Beaume, eut vent du scénario de *Mélodie en sous-sol* et du rôle qu'Alain pouvait éventuellement y interpréter auprès de Gabin. Il en parla à Verneuil et à Jacques Bar qui furent séduits par cette perspective, mêmes s'ils avaient déjà un jeune acteur sous contrat pour ledit rôle. Consultée, la direction de la M.G.M. s'opposa dans un premier temps à l'engagement d'Alain Delon. Elle considérait que Jean Gabin suffisait pour assurer le succès du film et n'entendait pas régler un cachet supplémentaire de 250 000 francs, qui était la somme que réclamait Alain. Celui-ci fit alors une contre-proposition : il acceptait de ne pas être payé en échange de la cession des droits d'exploitation du film à son profit sur trois territoires : le Japon, le Brésil et l'Argentine. La M.G.M. accepta, accorda à Alain : le Japon, l'Argentine, et l'U.R.S.S. à la place du Brésil. L'engagement d'Alain Delon fut signé sur cette base. On dédommagea naturellement le jeune comédien qui avait été initialement engagé et qui fit d'ailleurs, par la suite, une petite carrière sans grand retentissement.

Delon n'était cependant pas encore au bout de ses peines dans la volonté obstinée qui l'animait d'être le partenaire de Jean. Il tournait en effet, à ce moment-là, *Le guépard* de Luchino Visconti. Ce film avait pris un retard considérable, et le contrat d'Alain était échu depuis longtemps, mais celui-ci poursuivait cependant son travail par amitié pour le metteur en scène italien. Ayant signé pour *Mélodie en sous-sol*, Alain demanda à Visconti d'en finir avec lui et de tourner en priorité les scènes qu'il lui restait à jouer, afin qu'il soit libéré pour le film de Verneuil. Visconti prit mal la chose et ne fit aucun effort pour libérer Alain, pensant que celui-ci n'oserait pas le quitter. Il se trompait. Devant la mauvaise volonté de Visconti, Alain, étant de toute façon hors contrat, abandonna *Le guépard* au profit du film avec Gabin.

Fâché, Visconti se vengea en supprimant dans le montage final du *Guépard* plusieurs scènes avec Delon qui n'étaient pas tout à fait indispensables à la construction dramatique du film.

Visconti et Delon heureusement se réconcilièrent par la suite.

D'un autre côté, la présence, désormais, d'Alain dans le film amena Jean à réviser sa position et l'incita à accepter de le faire. Il n'en continua pas moins à exprimer de grandes réserves sur le scénario, et notamment concernant le peu de scènes que les deux comédiens avaient ensemble, contrairement à ce qu'il s'était passé entre Belmondo et lui dans *Un singe en hiver.* Il trouvait cela d'autant plus dommage à présent que ce n'était plus un jeune comédien inconnu qu'il avait en face de lui, mais Alain Delon.

Telle qu'elle était construite, l'action faisait que, au cœur du film, durant un très long temps, les deux acteurs se trouvaient séparés : Delon s'introduisait en effet dans le casino du Palm Beach afin d'atteindre la salle des coffres par le système d'aération, puis par la cage d'ascenseur, tandis que Jean n'avait rien d'autre à faire que de l'attendre dehors, dans une voiture. Jean appelait ironiquement cette séquence celle du « tuyau » — Alain rampait en effet longuement dans une sorte de gaine.

— On se retrouvera au bout du « tuyau », répétait dérisoirement Jean à Alain.

Obstinément, Audiard ne voulut rien changer au scénario, pas plus qu'il n'accepta l'autre critique que Jean formulait et qui concernait le rôle joué par Maurice Biraud. Jean considérait que ce personnage n'avait aucun intérêt, et qu'il était, de plus, exagérément et inutilement présent dans l'action. Audiard, très lié avec Biraud, avait expressément écrit ce rôle pour son ami. Les scènes de celui-ci étaient, en outre, essentiellement avec Jean. Ce dernier, qui avait lui-même un très grand sens de la fidélité et de l'amitié, n'acceptait cependant pas que Michel introduise dans le film un personnage de cette importance sans autre motivation que celle d'offrir un rôle à un copain. Jean et Biraud avaient tourné ensemble l'année précédente *Le cave se rebiffe,* et leurs rapports avaient été excellents. Pour les raisons indiquées, ils furent exécrables dans *Mélodie en sous-sol,* Jean reportant sur ce pauvre Biraud toute sa rancœur envers Audiard. Les scènes avec Jean furent un calvaire pour Biraud qui, toutefois, ne broncha pas. Jamais je n'ai vu Jean se conduire si odieusement avec un partenaire. A ce point-là, je pense que le cas est unique dans sa carrière.

J'essayais en vain, pendant le film, de lui dire que Maurice Biraud n'était pas responsable. Rien n'y fit. D'ailleurs, Jean n'entretint, durant le tournage du film, que des relations professionnelles avec Henri Verneuil, et se fâcha carrément avec Michel Audiard, avec qui il ne tourna plus avant 1967, et ensuite épisodiquement. Ce fut pareil avec Henri Verneuil qu'il ne retrouva qu'avec *Le clan des Siciliens,* en 1969.

Autrement dit, Jean fit, dans ce film, essentiellement acte de présence sans forcer outre mesure son talent. Il ne croyait ni à sa qualité ni à sa réusiste. Et là, il se trompait.

Mélodie en sous-sol fut le plus important succès des films qu'il fit chez Jacques Bar. Succès international qui plus est, grâce, d'une certaine manière, à la présence d'Alain Delon qui vendit « son » film sur les territoires dont il possédait les droits, notamment au Japon où il était, depuis son triomphe là-bas dans *Plein soleil,* la star occidentale numéro un, ce que la direction de la M.G.M. semblait ignorer en lui cédant ce pays. Alain Delon avait sacrifié 250 000 francs au départ, mais à la fin il avait gagné, avec ce film, une petite fortune.

Quant à Henri Verneuil, il gagna, avec la réussite de *Mélodie en sous-sol,* un contrat avcc la M.G.M. pour aller tourner au Mexique un film américain.

Jean eut l'honnêteté de dire à Verneuil une fois le film terminé :

— C'est *ton* film, s'il marche, il ne le devra qu'à toi.

Tout ne fut pas tendu et triste pendant le tournage, tant en extérieurs à Cannes qu'en studio à Paris. J'avais même rarement vu Jean aussi facétieux dans un film — quand du moins Maurice Biraud n'était pas en face de lui. Il est vrai que le personnage qu'il jouait n'exigeait pas une grande concentration de sa part. Aussi se livra-t-il à quelques plaisanteries qu'il ne se serait pas permis ordinairement. Certaines d'entre elles, en effet, allèrent jusqu'à jeter sérieusement la perturbation dans le bon déroulement du film et du travail d'Henri Verneuil. Mais trop de choses lui avaient fait de la peine dans ce film, et l'esprit du petit garçon cabochard de Mériel qui demeurait en lui refaisait surface.

Ainsi, un jour, Verneuil tournait une séquence importante qui mobilisait dans la grande salle des fêtes du Palm Beach cinq cents figurants en smoking et robe du soir, un orchestre de trente musiciens, et sur la scène un bataillon de girls. Un travelling panoramique de longue durée, dont la mise au point technique avait demandé du temps, devait « couvrir » en un plan-séquence tous les éléments vivants du décor. Verneuil avait effectué déjà plusieurs prises, mais, insatisfait, il désirait, par sécurité, en faire une dernière.

La fin de la journée approchait, et compte tenu du « coût » de ce décor, avec notamment sa masse de figuration, il n'était évidemment pas question de remettre au lendemain le tournage de cette séquence. Il fallait donc qu'elle soit « en boîte » impérativement à 19 h 30, heure fatidique à laquelle s'arrêtait normalement le travail. Au-delà, c'était le dépassement en heures supplémentaires qui risquait de coûter également cher à la production.

En bon professionnel qu'il était, Verneuil le savait naturellement, et il pressait le mouvement pour en finir.

Jean ne faisait pas partie de cette scène, mais, selon son habitude, il était assis dans un coin du décor au fond de la salle.

Une idée saugrenue — peu conforme à son éthique professionnelle — lui vint. Il fit passer un message à Michel Magne, le compositeur du film qui dirigeait en personne l'orchestre, lui conseillant de jouer à la prochaine prise *La Marseillaise* aux lieu et place de la petite musique guillerette sur le rythme de laquelle dansaient les girls.

Inconscient, et surtout peu habitué à certaines contraintes d'un tournage, Magne releva le défi et donna la consigne à ses musiciens. Lorsque Verneuil cria « Moteur ! » l'orchestre attaqua les premières mesures de l'hymne national. La panique s'empara des girls qui se demandaient ce qu'il se passait ; l'équipe technique, qui avait, elle, déjà compris, arrêta la lourde et compliquée machinerie qui avait été laborieusement mise en place ; quant aux cinq cents figurants, ils se levèrent d'un bloc, au garde-à-vous, trop contents de se détendre un peu.

Au fond de la salle, dans son coin, Jean riait sous cape de l'incroyable désordre qu'il venait de déclencher avec la complicité naïve et innocente de Michel Magne.

S'il y avait dans la salle quelqu'un qui ne participait pas à cette hilarité générale — en dehors du directeur de production Jacques Juranville, qui devait commencer à se demander combien cette « petite » plaisanterie allait coûter à la production —, c'était évidemment Henri Verneuil. Il était vert, mais, avec un calme imperturbable, il attendit froidement, sans un mot, que Magne veuille bien donner l'ordre à ses musiciens d'arrêter. Verneuil prononça alors une parole superbe de dignité, mais qui pesait son poids. « Merci », dit-il en s'adressant à Michel Magne qui comprit brusquement que la volonté facétieuse de Jean l'avait peut-être entraîné un peu loin. Il était en effet 19 h 25, et il ne restait donc que cinq minutes pour tout remettre en place, et tenter quand même de faire cette dernière prise dans les délais.

La grande science professionnelle d'Henri Verneuil, qui garda un sang-froid remarquable, y parvint. Mais je pense qu'il n'a jamais su — il l'apprendra donc s'il lit ces lignes — que Jean avait été l'instigateur de ce « coup fourré », et sans doute n'a-t-il jamais, même un instant, imaginer, connaissant son habituel sérieux sur le plan du travail, que cela ait pu venir de lui.

Le soir, dînant en tête à tête avec Jean à *La Voile au Vent*, un bistro du port de Cannes que nous fréquentions assidûment, il m'a fait, pas très fier, l'aveu de « sa faute ». Comme excuse, il avança qu'il n'avait pas remarqué l'heure qu'il était, ce qui avait évidemment donné à la facétie une proportion qui, sans l'habileté de Verneuil, aurait pu virer à la catastrophe pour la production.

— Je reconnais que j'ai quand même envoyé un peu loin le bouchon, conclut Jean, confus.

Ses « remords » ne l'empêchèrent cependant pas, quelques semaines plus tard, en studio, de refaire une plaisanterie, heureusement plus drôle et de moindre conséquence, que cette fois il « signa », si j'ose dire, car il en fut le protagoniste, au vu et au su de tous.

On tournait une scène au cours de laquelle Delon frappait au visage un gardien de la salle des coffres qu'il était en train de dévaliser. Le garçon jouant le rôle du gardien avait été évidemment choisi pour ses capacités professionnelles à encaisser une violente gifle, mais Verneuil tenait à remplacer sa tête, au moment où Alain allait le frapper, par un gros gigot de mouton suspendu dans le décor. Par une habile alternance de « champ » et de « contrechamp », il pensait ainsi obtenir plus de violence dans le mouvement d'Alain, à condition que la main de celui-ci rencontre au bout de sa course un objet qui « réceptionne » le coup. Naturellement, à l'écran, le gigot n'apparaîtrait pas et le spectateur aurait le sentiment que la gifle avait bel et bien été donnée au gardien.

Durant toute la journée, ce gigot resta suspendu au milieu du décor, et, comme il était à hauteur d'homme, tout le monde se cognait la tête dedans.

Dans le déroulement de la scène, après avoir giflé le gigot — autrement dit le gardien —, Delon se précipitait pour ouvrir une lourde porte blindée par laquelle Jean apparaissait, superbe vieux truand, élégamment chapeauté et le visage masqué d'un foulard.

C'était, en fait, l'instant où, dans le film, Jean retrouvait Alain au bout du fameux « tuyau » qui avait tant suscité son ironie.

C'est alors que Jean me demanda discrètement d'aller lui chercher au restaurant du studio une casserole avec un bouquet garni et des flageolets. Je connaissais le scénario, et je me doutais bien que cela ne faisait pas partie des accessoires nécessaires à la scène. Je revins très vite avec les ingrédients demandés, et Jean disparut avec, mystérieusement, au moment où, précisément, Verneuil le priait de prendre sa place derrière la porte blindée, car on allait tourner.

« Moteur !... Action !... » commanda Verneuil.

A cet ordre, Delon « gifla » le gigot avec conviction, puis se précipita à la porte blindée pour l'ouvrir à Jean qui était censé y apparaître en caïd élégant et sûr de lui. Mais Alain partit alors d'un grand éclat de rire qui n'était pas prévu au scénario : Jean apparut en effet, son distingué chapeau de guingois sur le sommet du crâne, bord relevé à la mode paysanne, la casserole de flageolets à la main, l'échine courbée, mimant un vieux paysan harassé par les ans, et s'exclamant avec l'accent berrichon :

— Je viens pour le gigot ! Où qu'il est, hein ? Où est-ce donc qu'il est, ce gigot de malheur ?

C'était drôle, inattendu, et tout le monde éclata de rire. Sauf Verneuil qui eut du mal à esquisser un sourire. Il savait que Jean, en agissant ainsi, exprimait en fait une sorte de rancune à son égard.

Georges Wilson, qui avait remporté l'année même le prix de l'interprétation au festival de Cannes pour son rôle dans *Une aussi longue absence* d'Henri Colpi, avait été engagé par Verneuil pour jouer un vieux truand retiré des affaires. Il n'avait qu'une scène, et il la jouait avec Jean. On tournait sur un quai du port de Cannes. Wilson ne parvenait pas à prendre le ton, et sa voix habituée à couvrir le grand espace de la salle du T.N.P. à Chaillot portait trop loin. Il criait, alors que Jean qui lui donnait la réplique murmurait.

Jean n'allait jamais au théâtre et se tenait peu au courant des activités du spectacle en général. Il ignorait donc qui était exactement Wilson. Avec sa gentillesse habituelle à l'égard de ce partenaire qu'il croyait être un « débutant » dans le métier, il lui donna quelques conseils. Wilson ne s'en formalisa pas, et finit par jouer la scène comme il convenait.

— Vous voyez, c'est aussi simple que ça, lui dit Jean avec un bon sourire.

Modeste, Wilson acquiesça et le remercia.

Je pris Jean à part, estimant qu'il valait mieux qu'il sache, même un peu tard, qui était Wilson : c'est-à-dire un grand comédien et metteur en scène de théâtre, et notamment le bras droit de Jean Vilar au T.N.P.

Un peu embarrassé de l'avoir ignoré, Jean me dit :

— Dans ce cas, ce serait peut-être bien que je l'invite à dîner ?

Il alla aussitôt faire part de son invitation à Wilson et ajouta quelques mots destinés à effacer la bévue qu'il considérait avoir faite durant le tournage de la scène.

Wilson reprenant le train dès le lendemain pour retrouver son cher T.N.P., le dîner eut lieu le soir même. La table était dressée dans le couloir d'accès au restaurant de l'hôtel Majestic où nous logions, le restaurant lui-même étant alors fermé pour travaux. Nous étions en novembre et hors saison, et la direction de l'hôtel en profitait pour faire des transformations.

Jean m'avait demandé de me joindre à eux. Nous étions les trois seuls dîneurs, et l'atmosphère de ce couloir était assez sinistre. Je m'inquiétais un peu de ce que Jean et Wilson allaient trouver à se dire.

Je me trompais. Jean évoqua avec humour ses débuts aux Bouffes-Parisiens et le genre de personnage de « nez rouge » qu'il jouait alors, disant aussi son admiration pour les comédiens du théâtre, du « vrai théâtre », comme il disait, en comparaison de celui qu'il avait fréquenté alors.

Wilson était sous le charme. Il avait vu Jean dans *La soif* et lui exprima son admiration. Ils parlèrent aussi du T.N.P., du rôle que celui-ci jouait dans la vie culturelle française. Ils évoquèrent Jean Vilar, et naturellement Gérard Philipe qui était mort depuis trois ans, et Jean se garda bien de faire part de ses sentiments à son égard.

C'était finalement étonnant de constater comme les vues de ces deux comédiens, si différents, se rejoignaient sur l'essentiel. Ils se quittèrent enchantés de leur rencontre et de leur soirée. Et moi aussi je l'étais, car cela s'était passé beaucoup mieux que je ne l'avais craint au départ.

— Il est très bien, ce Wilson, me dit Jean en conclusion.

Le petit drame, c'est que Georges Wilson n'apparut pas dans le film, car sa scène fut coupée au montage. Quand il le sut, Jean s'en montra affecté :

— Ce n'était pas une bonne scène et elle était inutile, convint-il, mais j'aimerais que Wilson sache que je ne suis pour rien dans cette coupe.

J'ignore s'il se donna la peine de lui téléphoner pour le lui dire. Le plus curieux — et peut-être en souvenir de leur soirée ensemble ? — Wilson exigea que son nom malgré tout reste au générique et sur les affiches du film.

En raison des rapports un peu tendus qu'il avait alors avec Henri Verneuil et Maurice Biraud, Jean se tenait à l'écart de tous les dîners en commun avec l'équipe. Nous mangions tous les soirs pratiquement seuls tous les deux dans quelque bistro de Cannes. Une seule fois, il a dérogé à nos habitudes pour répondre à une invitation de Robert Hossein qui était de passage et qui l'invita à souper au restaurant de l'ancien champion cycliste Apo Lazaridès, dans l'arrière-pays.

Jean me demanda de l'accompagner. Ce fut épique. Le restaurant d'Apo Lazaridès était tout ce que détestait Jean. Genre « cabane bambou » de luxe, tables les unes sur les autres, sièges inconfortables, musique tonitruante, éclairage rare.

Observant Jean, je me disais à tout instant qu'il allait éclater. Mais non, il supporta tout cela avec gentillesse, ne voulant pas faire de peine à Robert Hossein.

De retour au Majestic, il m'avoua :

— Je suis sourdingue, j'ai le cul en marmelade et en plus, avec leur éclairage à la con, j'ai cherché mon assiette toute la soirée et j'ai même pas vu ce que j'ai becqueté ! Bah ! C'était quand même gentil de la part *du* Robert !

A Cannes, pendant le tournage de *Mélodie en sous-sol,* Alain Delon fêta ses vingt-sept ans, et organisa un grand dîner à l'*Oasis* à La Napoule. Il y invita toute l'équipe du film, et naturellement Jean. Les rapports qu'avait ce dernier avec Alain étaient très différents de ceux qu'il avait eus avec Jean-Paul Belmondo dans *Un singe en hiver.* Cela tenait à ce que les caractères des deux jeunes comédiens s'opposaient. Autant Jean-Paul s'était montré décontracté à la fois dans le travail et dans ses relations personnelles avec Jean, autant Alain restait quelque peu tendu et sans cesse sous pression, comme paralysé par le respect et l'admiration qu'il vouait à son aîné.

Il compensait cette relative réserve par une attention de tous les instants à son égard, et par une prévenance presque filiale qui le poussaient, par exemple, à aller au-devant de Jean pour le saluer quand celui-ci arrivait sur le lieu de tournage, ou à lui téléphoner pour prendre de ses nouvelles le jour où il ne tournait pas.

Sans trop le montrer, comme à son habitude, Jean était très sensible à l'attitude respectueuse et visiblement affectueuse d'Alain. Le vieil ours ne détestait pas se laisser apprivoiser. En outre, dans l'extrême sérieux et le goût de la perfection qu'avait Alain envers son métier, cette tension et cette angoisse qui l'habitaient sans cesse lorsqu'il jouait, Jean se reconnaissait un peu. Ce qui n'avait pas été le cas avec Jean-Paul, dont la facilité l'avait plutôt dérouté.

Jean était embarrassé pour se rendre à ce dîner d'anniversaire d'Alain, car, comme à l'accoutumée, il n'avait emporté dans ses bagages personnels aucun costume, et ne possédait qu'une veste de sport qu'il mettait chaque jour, et n'avait, en plus, ni chemise ni cravate. Dans la vie courante, Jean portait essentiellement des polos. Superbes d'ailleurs.

Je l'assurai que personne ne se formaliserait de sa tenue, surtout pas Alain ni Romy Schneider.

— Si Romy Schneider est là, raison de plus pour que je n'y aille pas sapé comme un loquedu ! Et même pour Alain, ce serait gentil que je fasse un effort.

Je le laissai à ses problèmes vestimentaires.

Le soir, il arriva à l'*Oasis* « sapé » comme un seigneur. Il avait emprunté un des costumes élégants de son personnage du film : chemise, cravate, chaussures comprises. Une meute de photographes était là.

— J'espère qu'ils vont nous laisser bouffer tranquilles, me dit Jean sur un ton qui impliquait que je m'en arrange.

C'était en effet mon boulot. Je réussis donc à convaincre les photographes d'attendre la fin du repas pour se livrer à leurs activités. Je les en avais convaincus d'autant plus facilement que je leur fis servir à peu près le même dîner que le nôtre dans une salle annexe, leur promettant qu'ils auraient tout loisir de faire des photos au moment où on apporterait le gâteau d'anniversaire.

Jean présidait la table principale aux côtés de Romy Schneider et d'Alain, et se montra gai et charmant toute la soirée, ravi de *voir* cette fois ce qu'il avait dans son assiette, et sachant en apprécier la qualité. Comme il craignait d' « écarter » sur son beau costume du film, il mangeait avec une infinie précaution, ce qui n'était pas dans ses habitudes, la serviette placée haut sur sa poitrine. Micheline qui était en face de lui le quittait à peine du regard, surveillant le moindre « écartement ».

La fin du repas arriva, et un maître d'hôtel entra, portant cérémonieusement sur un plateau une énorme tarte aux pommes surmontée de vingt-sept bougies. C'était le moment pour moi de faire entrer dans notre salle la meute des photographes qui avaient jusqu'alors sagement attendu à côté. Évidemment, ils voulaient photographier la tarte monumentale avec les bougies, Jean, Romy et Alain. Je disposai donc le maître d'hôtel avec la tarte qu'il tenait à bout de bras derrière les trois vedettes assises à la table, et priai Jean d'ôter sa serviette, ce qu'il fit, ne redoutant plus d' « écarter ». Les photographes entrèrent en action et firent partir leurs flashes.

Ému sans doute de poser à côté de célébrités, et à l'idée aussi que son image paraîtrait à leurs côtés dans la presse les jours suivants, le maître d'hôtel, dont le bras peut-être commençait à fatiguer, laissa inconsciemment glisser l'énorme tarte qui dévala doucement tout entière sur Jean qui était assis en dessous.

Le « gag », qui n'était pas sans rappeler ceux du bon vieux temps des débuts du cinématographe, fit son effet sur l'assistance qui partit d'un énorme et inextinguible éclat de rire. Alain et Romy, pour leur part, riaient tant que, par décence pour Jean, ils crurent préférable de disparaître un moment tous deux sous la table afin de continuer à pouffer librement, ne pouvant, de toute façon, rien faire pour s'arrêter.

A ce concert d'hilarité générale, quatre personnes au moins ne participaient pas : le maître d'hôtel assurément, Micheline et moi qui savions que le costume était celui du film et qu'il « jouait » le lendemain dans une scène, et enfin Jean, que la stupeur avait un instant rendu muet, mais qui explosait à présent, debout, tout en essayant de se débarrasser des morceaux dégoulinants de la tarte aux pommes.

Ce n'était plus sous le poids de celle-ci que le pauvre maître d'hôtel ployait, mais sous les imprécations que Jean lui lançait, fou de rage.

Micheline et moi étions les seuls à comprendre que ce n'était pas après ce maladroit que Jean en avait, mais après lui-même. Pour mieux rendre hommage à Alain et à Romy, il avait en effet commis, malgré toute l'expérience qu'il avait de ce métier, une faute professionnelle d'importance en revêtant pour cette soirée un costume du film.

Quand Jean se calma enfin, ce fut pour appeler au secours :

— Micheline !

— Oui, m'sieur Gabin, je suis là !

La brave « Miche » avait depuis un moment bondit de sa place et, réclamant de l'eau chaude, s'empressait déjà de débarrasser le beau costume des traces de tarte et de bougies. Les rires s'apaisant, Alain et Romy resurgissaient de dessous la table, et, l'air faussement compatissant, écoutaient les commentaires de Jean :

— Non mais, faut être con, hein ! Faut être con !

Tout le monde croyait qu'il s'adressait encore au maître d'hôtel, et Alain et Romy approuvaient du chef, mais en réalité c'était de lui dont il parlait à présent.

Je priai les photographes de sortir, et dans une pièce à côté, je tentai sur eux un petit chantage auquel un attaché de presse est parfois contraint de se livrer :

— Celui d'entre vous qui « sortira » une photo de Gabin recevant la tarte sur lui ne travaillera plus jamais sur un film dont j'aurai la charge. En compensation du sacrifice que je vous demande, je suis prêt à offrir à chacun d'entre vous toute facilité pour faire un reportage photographique avec Jean Gabin, durant le temps que nous serons à Cannes.

Ils acceptèrent le marché, et je leur offris le champagne. A mon grand étonnement, et à ma connaissance, aucune photo de Jean se débattant avec la tarte aux pommes ne parut dans la presse. Je sus plus tard, par l'aveu d'un des photographes présents, qu'en fait ils avaient été si surpris et avaient eux-mêmes tant ri de la situation que beaucoup d'entre eux en avaient oublié d'appuyer sur leurs appareils.

Je ne m'en plaignis pas pour une fois, mais cela prouvait surtout qu'ils n'étaient pas des supers pour avoir raté un scoop pareil.

La brave Micheline passa sa nuit à nettoyer costume, chemise et cravate, en mobilisant les moyens de l'hôtel. J'ai supposé que Jean n'avait pas lui non plus beaucoup dormi à la première question qu'il me posa le matin, alors que je lui rendais visite dans sa chambre :

— Le costard ? m'interrogea-t-il d'un ton rogue et angoissé.

Je le rassurai : la « Miche » avait fait des merveilles et tout allait bien. Il en parut nettement soulagé, mais je sentais qu'il ne se pardonnait toujours pas sa « faute » à la manière naturellement amicale dont il tint à me la faire partager :

— Vous ! Avec *vos* conneries !

Plus tard, lorsque nous mangions ensemble et qu'il s'amusait à me « charrier » en me voyant « écarter » le premier, j'avais une réplique dont j'usais sans vergogne :

— Tout le monde ne peut pas « écarter » toute une tarte aux pommes d'un coup !

Mélodie en sous-sol terminé, Jean se retrouva libre de tout engagement. La société Gaumont se précipita pour lui offrir un contrat comme il les aimait : trois ans, six films, un million par film. Du solide et du sécurisant. Il se rendit chez André Bernheim pour signer. Selon son habitude, faisant confiance à son agent, il s'apprêtait à apposer sa signature sur le document sans l'avoir lu, quand il s'inquiéta de savoir si les techniciens et le personnel qu'il exigeait d'avoir avec lui ordinairement dans tous ses films y figuraient bien nommément. La réponse positive que lui fit Bernheim ne lui parut pas convaincante et, d'instinct, il demanda alors à prendre connaissance de cette partie du contrat. De Micheline Bonnet à Jean Rieul, l'ingénieur du son, tous y étaient mentionnés, mais à la ligne concernant le directeur de la photographie, une formulation nouvelle avait été introduite à son insu : « Le choix du directeur de la photo sera déterminé d'un commun accord entre la production et Jean Gabin... » Suivait une liste de noms de plusieurs opérateurs parmi lesquels celui de Louis Page.

Jean fut doublement choqué : d'abord que son propre agent, André Bernheim, ait tenté de lui dissimuler cette clause du contrat qui ne correspondait pas à ce qu'il avait l'habitude de signer à cet égard, ensuite par le fait que Gaumont entendait visiblement éliminer Louis Page en douceur. Son nom était certes mentionné au milieu d'autres, mais Jean ne l'admettait pas. Il voulait que Louis Page figure seul sur son contrat, afin d'éviter toutes discussions ultérieures.

Bernheim lui avoua alors que la Gaumont faisait de cette clause une condition *sine qua non* de la signature du contrat. A cela, Jean répliqua qu'il en faisait autant de son côté : il aurait Louis Page et personne d'autre, ou il ne signerait pas, lui non plus.

A cet instant, il ne pouvait en effet manquer d'avoir présente à la mémoire l'expression rituelle qu'il adressait à Louis Page à la fin de chaque film qu'ils faisaient ensemble depuis des années, et qu'il lui avait encore répétée peu de temps auparavant lorsqu'ils s'étaient séparés après *Mélodie en sous-sol* :

— Repose-toi bien, Louis, et au prochain film.

Il disait à peu près la même chose à tous ceux qu'il avait auprès de lui depuis des années. De sa part, c'était un engagement moral qui valait signature, et chacun lui faisait une entière confiance. En vertu de quoi, personne ne songeait à chercher du travail ailleurs, sachant qu'il était assuré d'en avoir avec le prochain film de Jean.

Devant l'attitude inflexible de son client, André Bernheim s'affola un peu et tenta de lui faire entendre raison : selon lui, Jean ne pouvait mettre en balance la signature d'un contrat d'une si grande importance, qu'aucun autre producteur ne serait susceptible de lui offrir, et sa fidélité à Louis Page.

— Si ! affirma simplement Jean.

Et là-dessus, il quitta le bureau de Bernheim en le chargeant de dire à la Gaumont qu'il rompait les ponts, car, même si, par hypothèse, cette société s'avisait de revenir sur sa position concernant Page, il n'aurait désormais plus confiance dans la qualité de ses rapports avec elle.

Cette position morale abrupte de Jean, tout à fait dans l'extrême rectitude de son caractère, bloquait toute possibilité de revirement éventuel de la part de la Gaumont. Sans cela, il est plus que probable que la société de production aurait fini par céder à l'exigence de Jean de ne faire figurer sur son contrat que le nom de Louis Page.

Pour ma part, j'ai toujours pensé, lorsqu'il me fit le récit de cette histoire, que Jean en voulait davantage à Bernheim qu'à la Gaumont, et que la position peu claire de son agent dans cette affaire l'avait incité à refuser toute discussion nouvelle. Il avait eu le sentiment d'être un peu trahi. « Un peu » pour Jean, c'était déjà beaucoup. A tel point qu'après cela, ses relations avec Bernheim ne cesseront de se dégrader, et deux ans plus tard il profitera de la création de sa propre société, la Gafer, en association avec Fernandel, pour rompre définitivement avec lui, mettant ainsi fin à une collaboration de plus de vingt ans. Par contre, en 1967, puis en 1969, il signera deux films avec la Gaumont sans difficulté : *Le pacha* (G. Lautner) et *Sous le signe du Taureau* (G. Grangier).

Jean tira la conclusion de cette histoire en me disant :

— Si j'avais signé le contrat Gaumont, je n'aurais pas pu, en rencontrant Louis Page, le regarder dans les yeux.

Je sus plus tard que, lorsqu'il rentra chez lui, en sortant du bureau d'André Bernheim, il se montra soulagé et satisfait d'avoir agi comme il l'avait fait, mais exprima aussitôt son inquiétude de se retrouver sans contrat.

— Il va falloir faire attention, maman, dit-il à Dominique.

— Tu ne veux tout de même pas que j'aille faire des ménages ! répliqua celle-ci qui essayait souvent l'humour et l'ironie gentille pour contrer l'anxiété naturelle de son mari.

Elle avait d'ailleurs raison de ne pas prendre la situation au tragique et d'avoir plus confiance qu'il n'en avait lui-même dans la valeur qu'il représentait. André Bernheim s'était en effet trompé en disant à Jean qu'il ne se trouverait pas d'autre producteur pour lui proposer un contrat de l'importance de celui que lui avait offert la Gaumont.

Dès qu'il apprit que Gabin était libre, Maurice Jacquin se pointa : il s'alignait sur les termes généraux et les conditions financières du contrat Gaumont, et acceptait que Louis Page y figure comme seul directeur de la photographie.

Jean signa illico.

Entre 1963 et 1968, il fit sept films [1] produits et distribués par la UFA-Comacico. L'un d'eux lui valut son plus énorme succès de l'après-guerre : *Le tonnerre de Dieu,* réalisé par Denys de La Patellière *. Un autre, *Le tatoué,* également réalisé par de La Patellière, fut l'occasion d'un face-à-face Gabin-de Funès qui tourna à l'aigre à tous égards : le film ne connut pas un vrai succès, encore moins une réussite artistique, et Jean et de Funès se heurtèrent de front pendant tout le tournage.

Jean avait eu dans le passé deux fois Louis de Funès comme partenaire — *La traversée de Paris* et *Le gentleman d'Epsom* — à l'époque où, pour être déjà l'admirable comédien comique que l'on sait, celui-ci n'était pas encore la grande vedette qu'il était devenu au moment du *Tatoué,* après qu'il eut tourné sa série du *Gendarme de Saint-Tropez* et de *Fantomas, Le corniaud* et *La grande vadrouille.*

En ces deux occasions, Jean et Louis s'étaient apparemment bien entendus au cours des quelques brèves scènes qu'ils avaient tournées ensemble. L'efficacité comique de De Funès quand il jouait, son dynamisme fascinaient Jean et surtout le mettaient en joie.

Dans *Le gentleman d'Epsom,* une scène avait dû être refaite de nombreuses fois car Jean ne pouvait se retenir, en plein milieu, d'éclater de rire tant de Funès était drôle. Il m'avait semblé d'ailleurs que celui-ci appréciait mal l'attitude de son partenaire et j'avais compris qu'il le soupçonnait de se moquer de lui. Je l'en détrompai évidemment.

— Mais alors, pourquoi rit-il quand je joue? me demanda de Funès sur un ton fort contrarié.

— Mais parce que vous êtes drôle, Louis, lui répondis-je innocemment.

Il me fusilla du regard, comme si je venais de l'insulter.

---

* Près d'un million de spectateurs à Paris.

De Funès était le plus « sérieux » des comiques. Il était habité par une sorte de mécanique du rire, de l'effet comique qui, par ailleurs, semblait le plonger dans l'angoisse dès qu'il avait cessé de jouer. Comme beaucoup d'autres comédiens — à l'exception notamment de Fernandel —, il était fragile, sans cesse inquiet, obsédé par un souci de perfection. Ce comportement me semblait assez proche de celui de Jean, et l'on pouvait donc penser que, réunis dans un même film, à égalité d'importance, ils s'entendraient comme larrons en foire. Il n'en fut rien. Et tout les opposa au contraire.

Dans les quelques rôles franchement comiques qu'il interpréta : *Archimède le clochard, Les vieux de la vieille,* Jean avait tendance à jouer son personnage et les situations en laissant aller son instinct. Ce qui l'entraînait parfois à charger un peu trop, à mon avis.

Chez de Funès, tout au contraire était étudié et calibré au quart de tour, afin de rechercher l'efficacité maximum des effets, tout en gardant le contrôle.

Par ailleurs, il n'était pas dans la nature de Denys de La Patellière, le réalisateur du *Tatoué,* de faire prévaloir son autorité personnelle sur le comportement oppositionnel de ces deux « monstres » qui, lorsque l'un tirait à hue, l'autre aussi résolument tirait à dia.

Lors des visites que j'ai rendues à Jean pendant le tournage *, j'ai assisté à quelques-uns de leurs affrontements. Cela donnait ceci : en plein milieu d'une scène, de Funès s'arrêtait de jouer d'autorité sous prétexte qu'il venait d'avoir une meilleure idée, laissant Jean planté là. Celui-ci allait alors s'asseoir dans son coin de fort méchante humeur en disant à la cantonade :

— Qu'on me prévienne quand *il* aura mis au point son petit numéro personnel !

Denys de La Patellière prenait un air doucement désespéré et laissait de Funès mettre en place le « gag » qu'il avait trouvé et qui, naturellement, avantageait toujours son personnage au détriment de celui de Jean.

A part ceux qu'il faisait sous la direction de Gérard Oury, qui lui imposait sa ferme autorité, de Funès était habitué dans ses autres films — dans lesquels il était souvent l'unique vedette — de faire ce qui lui plaisait. Il a cru pouvoir agir de la même façon, alors qu'il avait Jean Gabin en face de lui.

De son côté, celui-ci n'appréciait guère l'improvisation, ou, plus

* Je n'en étais pas l'attaché de presse, et avais cessé depuis quelque temps, pour des raisons professionnelles, de travailler sur les films de Jean.

exactement, l'inattendu, car en fait de Funès n'improvisait pas. Il mettait au contraire longuement et soigneusement sa trouvaille au point, laquelle, la plupart du temps, ne concernait que son rôle.

Quand de Funès était enfin prêt, on appelait Jean pour tourner et, à ce moment-là, c'était au tour de ce dernier de récriminer contre le « truc » non prévu au scénario et inventé par son partenaire.

— Avec ce qu'*il* fait maintenant, ce que je fais, moi, ne va plus. Mettez ça au point, je ne suis pas auteur, moi ! disait-il en retournant s'asseoir.

Jean s'irritait en plus qu'on perde du temps à satisfaire l'exigence de De Funès auprès de l'opérateur Sacha Vierny — le collaborateur attitré d'Alain Resnais — pour que celui-ci, dans les plans rapprochés, mette ses yeux bleus en valeur.

— Il a quand même passé l'âge de jouer les godants ! maugréait Jean.

On imagine, à ces quelques exemples, l' « enfer » que fut ce film.

Plus tard, de Funès exprimera en privé les regrets qu'il avait gardés de sa mauvaise entente avec Jean, et en attribuera la responsabilité principale à l'influence néfaste de leur entourage réciproque. En réalité, il n'est pas douteux qu'ils furent l'un et l'autre essentiellement responsables de leurs désaccords, chacun ayant une part égale de torts sans doute, et que tout cela reposa dès le départ sur une incompréhension mutuelle à laquelle ils ne surent mettre fin.

Un an tout juste après que Jean eut refusé de signer son contrat avec Gaumont pour les raisons que l'on sait, un incident de tournage, au cours du dernier jour des prises de vues du film *Monsieur* réalisé par Jean-Paul Le Chanois, allait mettre fin d'une manière singulièrement inattendue à l'association Page-Gabin.

Jean souffrait depuis des années de crises hémorroïdales quasi permanentes qu'il refusait de soigner de crainte d'apprendre qu'il avait un cancer. Si j'en parle, c'est parce que cette maladie a souvent été à l'origine de ses excès de mauvaise humeur qu'on jugeait souvent incompréhensibles. Ceux qui ignoraient de quoi il souffrait attribuaient son comportement à son légendaire mauvais caractère.

Sur les instances pressantes de Dominique, il devait finir par se faire soigner, tout heureux à cette occasion d'apprendre que cette maladie qui l'avait, durant tant d'années, tourmenté physiquement et moralement était en fait bénigne.

La vérité oblige à préciser que Jean n'avait pas toujours besoin de l'excuse de la maladie pour avoir des accès d'humeur. La moindre contrariété personnelle et privée suffisait à rejaillir sur son comportement pendant le travail. Mais, indépendamment de cela, son besoin de concentration était tel qu'un clou qui tombait de la poche d'un machiniste sur le sol feutré du plateau le faisait réagir comme un étalon sauvage.

— Qu'est-ce que c'est ? J'ai entendu un bruit !

Un certain nombre de personnages ont nécessairement à faire autour de la caméra. Ils sont généralement dans l'ombre, et savent qu'ils doivent bouger le moins possible pour ne pas gêner l'acteur qui joue parfois face à eux. Le jour où Jean n'était pas dans sa meilleure forme, où il bafouillait fréquemment son dialogue par exemple, c'était toujours parce qu'une personne avait bougé là, devant lui, et était donc responsable de son « savonnage » du texte.

— C'est toi ! Dis pas le contraire, je t'ai vu !

A la cinquième ou sixième prise où Jean « savonnait » toujours, le « coupable » qu'il avait désigné à sa vindicte avait intérêt à se faire oublier. D'autre part, Jean détestait, quand il jouait, avoir quelqu'un, ne fût-ce qu'une silhouette, dans l'axe de son regard. Dans les moments où il n'était pas, pour une raison ou pour une autre, à prendre avec des pincettes, une sorte de désert se faisait instinctivement dans un périmètre impressionnant autour de l'axe de son regard.

Or donc, tous ces petits détails de travail, auxquels il était généralement assez sensible de par la nature de son caractère, prenaient assurément des proportions considérables lorsqu'il souffrait, comme, notamment, au cours de la réalisation de *Monsieur*.

Moins que jamais dans ce film, il n'a supporté le rite qui consistait à aller le chercher pour tourner alors que rien n'était prêt. Le seul fait de se lever de son siège lui était pénible, et de l'obliger à des attentes prolongées debout ou à des allées et venues le mettait en fureur. Il avait le sentiment exacerbé qu'on se moquait de lui.

Devant cet état de choses, on pouvait évidemment se poser la question de savoir pourquoi il ne se déclarait pas malade et dans l'incapacité de poursuivre normalement son travail. En effet, il arrive sinon fréquemment, du moins quelquefois, qu'un film soit arrêté en raison de la maladie du comédien principal ou d'un accident dont il a été victime. Dans ces cas-là, les assurances couvrent les préjudices causés. Malgré cela, l'arrêt d'un film a, dans la plupart des cas, des inconvénients, et on n'y a recours qu'en cas de force majeure.

Il n'est, en effet, jamais agréable à un comédien, même pour une raison patente, d'apparaître comme le responsable de l'interruption d'un film. Les rumeurs vont bon train dans ce métier, et on a tôt fait de transformer un malaise passager en une maladie d'autant plus grave qu'elle sera éventuellement présentée comme mystérieuse et susceptible de se répéter lors d'un prochain film. Une réputation, même fausse, est vite établie et peut causer un préjudice conséquent à celui ou celle qui en est victime.

Un comédien engagé pour un rôle de longue durée, ainsi que le metteur en scène — tous deux réputés irremplaçables en cas de défaillance — font l'objet d'un examen médical avant de signer leur contrat, examen exigé par la compagnie d'assurances qui garantit le bon déroulement et la bonne fin du film. Il est généralement plutôt formel mais il peut devenir, pour un comédien réputé pour ses arrêts de travail fréquents, redoutable, même si on ne lui trouve aucune maladie déclarée. L'assureur peut alors se faire tirer l'oreille pour le « couvrir » de sa garantie. Ce n'est évidemment jamais défini aussi nettement, car, dans la plupart des cas, le producteur prendra les devants et mettra secrètement son veto au choix de ce comédien pour ne pas prendre de risques personnels et ne pas régler la surcharge de prime qu'exigerait nécessairement l'assureur. Combien de comédiens, pour des raisons diverses mais de cette sorte, se sont trouvés ainsi lentement mis à l'écart.

Théoriquement, Jean aurait dû se sentir à l'abri de toutes suspicions de ce genre car, même si, comme tout le monde, il lui était arrivé de souffrir, lors d'un tournage, de quelques maux divers, ne serait-ce que d'une grippe, il n'avait de toute sa carrière, pourtant très longue, jamais été responsable de l'interruption d'un film. Et donc dans *Monsieur,* malgré l'état de tension nerveuse que son état lui imposait, il entendait qu'il en reste ainsi.

La veille du dernier jour de tournage, je l'avais eu au téléphone. Il était à bout de nerfs, n'en pouvait plus et était heureux que le film se termine. Comme il comptait partir très vite rejoindre sa famille à la *Pichonnière,* il me demanda de passer le prendre le lendemain à midi — on lui avait assuré qu'il serait libéré à cette heure-là — rue Pierre-Charron, près des Champs-Élysées où avaient lieu dans un hôtel les dernières prises de vues du film. Il avait prévu que nous irions déjeuner à l'*Alsace,* une brasserie près du cinéma Le Paris que nous fréquentions souvent.

A midi, j'arrivai au rendez-vous et je tombai en plein drame. Jean n'était pas là, car il avait déjà gagné la chambre qu'on lui avait réservée dans l'hôtel pour qu'il se démaquille et se change. Micheline — dont le sang-froid était pourtant légendaire — avait une mine défaite et me mit au courant de ce qu'il s'était passé.

A la suite d'un de ces petits incidents de tournage qui avaient été cependant particulièrement nombreux dans ce film — j'avais pu moi-même le constater lors de mes visites précédentes —, « M'sieur Gabin » était entré dans une colère telle que Micheline ne l'avait jamais vu dans cet état-là. Et pourtant la « Miche » en avait vu des colères de « M'sieur

Gabin » depuis trente ans qu'elle était auprès de lui sur tous ses films.

— Cette fois, il m'a vraiment fait peur. J'ai cru qu'il allait avoir une « attaque », insistait Micheline, encore impressionnée.

Mais ce n'était pas le plus grave : en pleine crise nerveuse, gueulant après tout le monde, Jean avait surpris sur les lèvres de Louis Page un sourire amusé. Cela avait été pour lui comme un coup de poignard et il s'était aussitôt enfui dans sa chambre, colère soudainement éteinte, mais bouleversé.

Micheline avait à peine terminé son récit des événements que Jean me rejoignait. Il avait les traits tirés et blêmes. Il m'entraîna aussitôt, quittant le lieu de tournage sans saluer personne. Et pour la première fois notamment, il n'alla pas serrer la main de Louis Page pour lui dire ce qu'il lui disait ordinairement :

— Salut, Louis, bonnes vacances, et au prochain !

En nous rendant à l'*Alsace,* ignorant que Micheline m'en avait parlé, il me raconta l'histoire en termes à peu près identiques, avec la gorge encore nouée par l'émotion.

Au restaurant, il me disait, ne parvenant pas à retenir ses larmes :

— Jamais j'aurais cru que Louis me ferait un jour une chose pareille !

J'étais attristé de le voir dans cet état et aussi, je l'avoue, embarrassé. Nous avions pris, selon notre habitude, une table un peu à l'écart mais pas au point que les clients qui l'avaient vu entrer et qui continuaient à l'observer par curiosité ne le voient pleurer. Il n'avait même pas l'air de s'en soucier et sortait son mouchoir pour s'essuyer les yeux en répétant :

— Vous vous rendez compte ! Louis !... Se foutre de ma gueule, dans l'état où j'étais !

Je ne parvenais pas à imaginer la scène — et je ne l'imagine toujours pas après tant d'années. Je connaissais assez bien Louis Page, je savais l'estime qu'il portait à Jean et, en tout état de cause, je ne le voyais pas exprimer un sentiment de moquerie devant une de ses colères. En outre, il était de ceux qui n'ignoraient probablement pas qu'il souffrait alors. J'essayais donc de persuader Jean que c'était un malentendu — j'en reste persuadé aujourd'hui — et qu'il avait mal vu ou mal compris l'attitude de Page.

— Je vous dis que je l'ai vu se marrer parce que je gueulais ! C'est pas un malentendu ! Il se foutait de ma gueule !

Je ne pouvais insister davantage sans le maintenir dans cet état émotionnel qui était le sien alors que j'espérais au contraire le voir s'atténuer. Je l'ai laissé manger sa choucroute qu'il n'avait pas songé, pour une fois, à demander « très moelleuse » comme il le faisait ordinairement. Nous sommes restés silencieux un long moment pendant lequel il s'est calmé, et lorsque j'ai cru utile de reprendre la parole, nous avons parlé d'autre chose que du « drame ».

Lorsque nous nous sommes quittés sur le trottoir, le chauffeur de la production venant le prendre pour le conduire chez lui, je lui ai posé une question :

— Jean, voulez-vous que je parle à Louis ?

— Non. Je vous demande de ne pas vous mêler de ça, m'a-t-il répondu fermement.

J'ai compris alors que sa décision était prise : il tirait déjà un trait sur tout ce qui l'avait lié à Louis Page durant des années.

De son côté, je sais que Louis Page n'a pas cherché à avoir une explication avec Jean et qu'il n'a, au fond, jamais vraiment compris ce qu'il s'était passé ce jour-là. Je crois à la sincérité des deux, et c'est pourquoi je reste convaincu qu'il s'agissait d'un malentendu.

Dans les semaines qui suivirent, Jean fut pris par une nouvelle préoccupation qui venait s'ajouter à toutes celles qu'il s'ingéniait à se créer, sans doute pour ne pas avoir le temps de s'ennuyer. Il disait d'ailleurs souvent :

— Je ne m'ennuie jamais. Quand j'ai rien à faire, je « gamberge » à des trucs.

Le « truc » qu'il « gambergeait » à ce moment-là était la création d'une société de production en association avec son vieux copain Fernandel. Il avait été très impressionné par le résultat financier qu'avait obtenu Alain Delon en étant propriétaire des droits de *Mélodie en sous-sol* sur un certain nombre de territoires, et dont je l'avais tenu au courant.

De même, je l'avais informé qu'Alain avait, l'année précédente, créé sa propre société et produit lui-même — en coproduction avec Jacques Bar — un film, *L'insoumis*, réalisé par Alain Cavalier. J'avais plusieurs fois conseillé à Jean de prendre des parts dans la production des films qu'il interprétait, mais il prétendait n'entendre rien aux affaires et avait peur de se « faire avoir ». En outre, je l'ai dit, il n'avait pas l'esprit spéculateur, et les exigences financières que lui imposait le fonctionnement de la *Pichonnière* ne l'incitaient guère à prendre de risques.

Réunir dans un même film Gabin et Fernandel, beaucoup de metteurs en scène y avaient sans doute songé, mais les deux qui étaient les plus aptes à réussir cette opération ne pouvaient être qu'Henri Verneuil et Gilles Grangier, tous deux ayant tourné un grand nombre de films avec l'un et l'autre.

Lors de son mariage avec Françoise Bonnot, à l'automne 1960, pendant le tournage du *Président,* Verneuil avait eu comme témoins à la fois Jean et Fernandel, qui ne s'étaient pas rencontrés aussi longuement depuis pas mal d'années et s'en étaient montrés enchantés. Il n'est pas douteux que dans l'esprit de Verneuil germa alors l'idée de les associer dans un film, mais encore fallait-il trouver le sujet qui conviendrait à tous les deux et le moment opportun pour mettre sur pied un tel projet. Puis *Mélodie en sous-sol,* et à cette occasion la quasi-rupture entre Gabin et Verneuil, mit celui-ci quelque peu hors course.

En 1964, Gilles Grangier, par contre, n'était pas dans une de ses périodes de « brouille » avec Jean et il eut l'idée, comme ça, mine de rien et pour voir ce que cela donnerait, de réunir Jean et Fernand au cours d'un dîner. Aux « entrées », Grangier lança à tout hasard :

— Ce serait drôle si on faisait un film tous les trois...

Au plateau de fromages, le principe était acquis.

C'est alors que Jean ou Fernand — Grangier ne se souvient pas —, l'un d'eux en tout cas, avança, en complément du film, une autre idée :

— Et si nous le produisions nous-mêmes ?

C'était parti. Les petites discussions sur le fait de savoir comment ils appelleraient leur société de production sont très connues pour avoir été abondamment répandues dans la presse. De la « Fernandel-Gabin Pictures » à la « Gabin-Fernandel » tout simplement, ils aboutiront sur la suggestion de Grangier à composer le nom de leur société avec les deux premières syllabes de leurs patronymes. Ils s'étaient d'abord récriés, car ils avaient cru que Grangier les invitait à utiliser celles de leurs vrais noms *Mon*corgé-*Con*tandin. Ils furent rassurés quand leur ami leur proposa « Fer-Ga » ou « Ga-Fer ».

Va pour Gafer ! Il restait à constituer la société, ce dont se chargea l'homme d'affaires et agent de Fernandel, Georges Liron, et à trouver un sujet.

Grangier pensa d'abord à une sorte de « comédie musicale » dans laquelle Jean et Fernand joueraient de vieux acteurs sauvant de la faillite un théâtre ambulant dans le style du théâtre Chichois de Marseille en des temps héroïques. Il imaginait les voir chanter et danser comme à leurs débuts dans leur carrière. Je ne sais pas ce qu'aurait donné un tel scénario, mais personnellement je trouvai l'idée séduisante.

A la vérité, d'après Grangier, Jean n'était pas très « chaud » et craignait que Fernand, en meilleure forme physique que lui et ayant continué très tard encore à faire du music-hall, ne le « bouffe » littéralement dans ce genre d'exercice.

Grangier raconte [2] que Jean lui conseilla de prendre l'avis à ce sujet de Jean Boyer, grand spécialiste français des comédies chantantes, et que celui-ci aurait sobrement répondu :

— Que veux-tu que nous fassions avec ces deux *vieillards* ?

Boyer, bien entendu, avait largement dépassé leur âge.

Conclusion : la comédie musicale fut oubliée, et Gilles Grangier et Pascal Jardin, à qui vint s'ajouter Claude Sautet, peaufinèrent un scénario original dont le titre fut *L'âge ingrat*. Sautet était là de passage, et en « consultant », mais Pascal Jardin était devenu le scénariste-dialoguiste attitré de la plupart des films que Jean tourna à cette époque, à l'exception de ceux que fit Alphonse Boudard.

En effet, depuis leur fâcherie de *Mélodie en sous-sol*, Michel Audiard n'était plus en odeur de sainteté auprès de Jean.

J'ai croisé quatre ou cinq fois Pascal Jardin. Je regrette de ne pas l'avoir mieux connu. Je crois que son plus grand talent a été d'abord d'être Pascal Jardin. Ce n'était pas donné à tout le monde. Il a écrit deux ou trois petits livres qui ont prouvé qu'il était aussi un grand écrivain. Il a vécu du cinéma en travaillant à plus de cent films dont aucun peut-être ne refléta réellement sa personnalité et son extrême sensibilité, et dont quatre ou cinq seulement furent dignes de lui.

Il a fait dans son livre *La guerre à neuf ans*[3] un portrait de Jean Gabin à l'emporte-pièce qui, à part quelques petites erreurs d'informations, démontre une vue personnelle mais très attentive de l'acteur :

« (...) Habillé à merveille, cravaté et colleté comme un prince. (...) Ce Gabin-là tricolore à regarder, yeux bleus, cheveux blancs, teint rouge, ce Gabin à la dextre accusatrice légèrement recourbée, ne constitue jamais qu'une partie de l'ensemble. Pour ma part, je connais le nomade, celui qui se transporte perpétuellement avec sa famille d'une maison à une autre, en emportant ses meubles, comme au grand siècle. Je connais l'acteur, énorme, réfléchi et pourtant tout d'instinct, superstitieux et médium. Je connais l'anar, sorte d'aristocrate à casquette qui se meut comme un chat, pense des choses que personne ne pense et parle Gabin comme on parle l'anglais. Cet anar-là échappe à toutes les normes et si je dis que c'est un aristocrate, c'est que tout ce qui émane de *lui* ne doit rien à *personne*. Je connais le misanthrope, le pessimiste, le misogyne, celui qui assimile les deux tiers de l'humanité à des enfoirés et l'autre tiers à des cons, qui pense que l'Europe s'en va en brioche et que les “ jaunets ” vont nous damer le pion, celui qui trouve la quasi-totalité des femmes nases, chenilles et ramulottes, et assimile, par le geste et la parole, les lesbiennes à de douteuses charmeuses de serpents. Je connais l'épicurien qui pense que, la vie étant un grand voyage, il faut le faire en première, l'angoissé tenaillé depuis toujours par l'idée de la mort et qui m'a répété souvent l'inscription qu'il vit, enfant, sur une tombe* à Mériel : “ Nul ne sait jamais ni le jour ni l'heure ”. Enfin, je connais le timide, le secret, le prude, l'homme qui n'a jamais changé une chemise devant un collaborateur, qui est incapable de dire clairement à quelqu'un qu'il l'estime, qui n'a pas su avant seize ans comment naissaient les enfants, qui a commencé à travailler comme ouvrier à l'âge de treize ans, dont le père comédien menait une vie désordonnée, qui n'a pas eu de mère **, dont l'enfance a été en partie broyée et qui porte à l'intérieur de lui des blessures qui ne se sont jamais cicatrisées. Il y a chez ce séducteur à la retraite des pudeurs insoupçonnées pour tout ce qui touche aux choses du cœur. Il dit toujours qu'il n'aime personne. Moi, je crois que c'est faux. »

On aurait pu dire de la trame du scénario de *L'âge ingrat* qu'elle était d'une légèreté séraphique si elle n'avait pas dû supporter le poids additionné de Jean et de Fernand : des saynètes mettaient « en évidence » la dualité du « nordiste » Gabin, au « sudiste » Fernandel, dont le fils s'apprêtait à épouser la fille de l'autre. Les pères se mêlant des affaires de cœur de leur progéniture, un petit drame éclatait, qui se terminait dans la réconciliation générale.

Tout cela avait été un peu trop vite et mal embarqué. Le résultat fut décevant, et le film ne rencontra pas le succès que Jean et Fernand en escomptaient. Jean en fit quelque peu supporter la responsabilité à Grangier, et il eut tort. Les premiers responsables étaient lui-même et Fernandel. Ils avaient mis une machine en route et ne surent jamais la contrôler, notamment au niveau de l'écriture du scénario. Fernandel avait l'habitude, dans ses propres films, de sauver par sa personnalité des situations médiocres et il est certain qu'il influença Jean dont le jugement était généralement plus pointu. Dans un réflexe d'orgueil et de vanité qui était, de par sa nature optimiste, davantage propre à Fernand qu'à Jean — mais l'un entraîna l'autre —, ils crurent abusivement que leur talent de comédien comblerait le vide sidéral du scénario et que leurs deux fortes personnalités additionnées suffiraient à faire du film un événement. Ils se trompaient. Car Jean avait oublié, pour sa part, son immuable principe : premièrement une bonne histoire, deuxièmement une bonne histoire, troisièmement une bonne histoire, et, plus grave, ensemble ils oublièrent aussi qu'ils étaient avant tout des comédiens. Ils voulurent jouer aux producteurs et se prirent les pieds dans les tapis qu'ils avaient déroulés devant eux. Ils se mêlaient de tout personnelle-

* Ce n'était pas une tombe mais un monument.

** Je suppose que Pascal Jardin veut résumer, par cette image forte, les problèmes que Jean eut précisément avec sa mère. Quant à l'enfance « en partie broyée », c'est une autre image que Jean aurait certainement récusée.

ment — l'un ayant tendance à en rajouter par rapport à l'autre — au lieu de confier certaines tâches à des spécialistes de la question. Ils ne cessaient de récriminer durant le tournage contre le scénario et le modifiaient au jour le jour, selon leur inspiration du moment, sans malheureusement l'améliorer, au contraire.

A part cela, tant qu'ils n'eurent pas connaissance du résultat plutôt négatif de leur entreprise, ils s'amusèrent ensemble comme des fous. Je n'oublierai pas, pour ma part, les soirées extraordinaires à l'hôtel de la Tour Blanche sur les hauteurs de Toulon où nous logions et prenions nos dîners. Fernandel était un admirable conteur d'histoires drôles, et rarement je n'avais vu Jean rire autant.

Je ne devais pas être l'attaché de presse de ce film, car, ne connaissant pas Fernandel, je redoutais un peu cette charge. Jean insista, car il n'admettait pas que je ne participe pas à son aventure de producteur.

Je fus la cause avec Marie Dubois — qui jouait sa fille dans le film — du seul accrochage qu'il eût avec Fernand, et c'était avant que ne commencent les prises de vues.

Jean avait laissé le soin à Fernandel d'engager les acteurs et les techniciens qu'il voulait, et celui-ci s'était plus ou moins opposé à ma présence et à celle de Marie Dubois, qui étaient les seules exigences de Jean. Quand celui-ci l'apprit, il téléphona à Fernand et fut d'une fermeté absolue : il aurait sur le film *son* Brunelin et *sa* Marie Dubois.

Fernand baissa pavillon.

Je dois ajouter que je me suis parfaitement entendu avec lui, au grand soulagement de Jean qui, après s'être engagé de la sorte, avait peur que ne surgisse entre Fernand et moi un affrontement.

Lorsque je retrouvai Jean à la gare de Lyon, au départ du Mistral qui devait nous mener à Toulon où allaient se tourner les extérieurs de *L'âge ingrat,* il était naturellement largement en avance sur l'horaire et déjà installé au salon-bar du wagon-restaurant.

Les premiers mots qu'il prononça furent pour me dire que Louis Page ne faisait pas partie de l'équipe du film — ce que je savais déjà — mais qu'il n'avait exprimé aucun veto à son égard et que, simplement, il n'avait pas exigé sa présence. Autrement dit, il voulait me faire comprendre que Gilles Grangier avait pris la responsabilité personnelle de choisir un autre directeur de la photographie. Pauvre Grangier à qui Jean faisait porter là un bien pénible « chapeau ». En effet, il était très ami avec Page, et s'il est vrai que Jean ne s'était pas formellement opposé à l'engagement de celui-ci, il était quand même clair qu'il n'y tenait pas. Grangier avait dû se dire, à son grand regret, que, à l'aube de cette aventure, il risquait d'avoir assez de soucis comme cela avec ses deux vedettes, sans y ajouter le problème Page.

D'autre part, Fernandel avait, je crois, souhaité avoir Robert Le Febvre, excellent chef opérateur au demeurant. Le film était en couleurs, et, dans les premiers jours, Jean connut quelques problèmes à concilier son maquillage avec l'éclairage de son nouvel opérateur. Ils s'en expliquèrent et Jean surprit à cette occasion mon regard un peu ironique sur lui.

— Je sais ce que vous pensez ! m'apostropha-t-il lorsque nous fûmes seuls. Vous croyez que je regrette *votre* ami Page !

Il ne me donna pas sa propre réponse, mais il est certain que, ne fût-ce qu'égoïstement, Jean regretta longtemps Louis Page qui, pendant des années, lui avait bien facilité les choses.

13.

VAGABONDAGES

Les voyages avec Jean étaient pour moi des moments d'enchantement.

J'eus l'occasion d'en faire plusieurs en sa compagnie, tant en voiture qu'en train. Je crois qu'il aimait assez ces lieux en mouvement qui l'isolaient un peu du monde, tout en lui laissant le loisir de contempler le paysage, se réservant toujours aussi des instants de silence qu'il n'aurait pas supportés sans la présence d'un compagnon à ses côtés.

Micheline Bonnet elle-même conservait de merveilleux souvenirs des voyages qu'ils firent ensemble avant la guerre. Il avait déjà le sens du pratique et de l'organisation qu'il gardera toujours. En voiture, il ne semblait cependant pas prévoir d'itinéraire précis, car il adorait rouler sur les petites routes. Au temps de Micheline, tout en conduisant déjà avec prudence, Jean chantait pendant tout le voyage, et Micheline reprenait les refrains avec lui.

Je dois avouer que, en voyage, Jean n'a jamais chanté en ma compagnie, ce qui m'a ainsi évité de lui faire connaître ma médiocre voix pour le cas où il aurait désiré que je l'accompagne moi aussi aux refrains.

Mais, à part cela, je me souviens d'un voyage qui nous mena tous les deux, au temps où il n'y avait pas encore l'autoroute de l'Ouest, de Deauville à Paris. J'avais eu l'occasion, une semaine plus tôt, d'effectuer le même parcours dans la Ferrari de Jacques Bar, sanglé dans un siège baquet comme un cosmonaute au départ d'un vaisseau spatial, n'ayant pas un instant l'envie de jeter un regard sur le paysage qui défilait de toute façon à trop grande vitesse, et tellement j'étais préoccupé de ce qui pouvait surgir sur la route étroite devant nous. En me débarquant porte Maillot, Jacques Bar s'était montré satisfait d'avoir battu son propre record sur la distance, et moi d'avoir gagné un grand prix de formule 1, mais n'ayant nulle envie de recommencer l'expérience, un seul titre de ce genre me suffisant.

Avec Jean, c'était tout le contraire. Il ne dépassait guère les 80 km/h dans les lignes droites, et, comme il prenait de petites routes doucement sinueuses, notre moyenne était plutôt basse. Il conduisait sa Peugeot d'une manière très détendue, un peu avachi sur le volant, les avant-bras appuyés dessus, la casquette piquée sur les yeux, vitre de portière baissée pour pouvoir respirer, même par un froid de canard. Nous parcourions ainsi le bocage normand et Jean ne cessait de commenter tout ce qu'il voyait sur la route, connaissant cette région par cœur.

Je crois que c'était pour lui des moments de grande quiétude au cours desquels il ressentait une sorte de détente physique et psychique que, par nature, il ne savait que trop rarement trouver

Un voyage en train avec Jean était fait de tout un rite, notamment si nous prenions un train de nuit. En direction du Midi, le train bleu avait sa préférence. Malgré des efforts attentifs et soutenus, ayant moi aussi le goût de l'exactitude, je ne suis cependant jamais parvenu à arriver avant lui à nos rendez-vous, particulièrement dans une gare. J'y étais le plus souvent quand même une demi-heure avant le départ du train, et il semblait prendre un plaisir goguenard à me voir arriver, sortant sa montre à gousset pour vérifier l'heure ostensiblement en disant froidement :

— Vous avez failli être en retard.

Ses affaires étaient déjà soigneusement rangées dans son sleeping, ce qui lui donnait tout loisir de me conseiller pour installer les miennes dans ma cabine.

— Vous devriez pas mettre votre valoche comme ça. S'il y a un arrêt brusque, vous avez toutes les chances de la prendre sur la tronche.

Il n'y avait pas la moindre possibilité qu'une telle éventualité lui arrive, car il veillait à toutes ces choses avec soin. Il était du genre à aller vérifier après le départ du train si la portière du wagon était bien verrouillée. Et si vous l'aviez surpris dans son geste d'homme prudent, il vous aurait dit :

— Vous n'avez jamais entendu dire qu'un type est tombé d'un train à cause d'une portière mal fermée ?

Ou encore :

— C'est pas pour moi, mais si un môme passait par là...

Naturellement, il avait aussi retenu nos places au wagon-restaurant. Pour le deuxième service toujours, car c'était celui où on ne vous obligeait pas à « bouffer avec un lance-pierres » et où on pouvait s'attarder à table plaisamment. C'était aussi surtout celui qui nous permettait auparavant de passer deux heures au salon-bar avant d'aller dîner. Il cherchait toujours à s'installer à une table où il pouvait tourner le dos à la plus grande partie des autres voyageurs et ainsi ne pas être trop incommodé par leurs regards. Nous prenions un ou deux whiskies d'une marque qui avait alors sa faveur exclusive, mais toujours momentanée.

— Le Haig, mon vieux, c'est le seul buvable, les autres c'est du poison.

Trois mois plus tard, il vous assurait avec la même conviction :

— Johnny Walker, y a que ça de vrai ! Les autres vous creusent des trous dans l'estomac !

Si vous aviez le malheur d'exprimer un avis contraire, il vous regardait avec commisération et, contrarié, ne vous lâchait pas tant que vous n'étiez pas revenu de vos errements. Comme la plupart de ses intimes n'aimaient pas le contrarier pour rien et préféraient surtout éviter de subir ses réflexions ironiques du genre : « Faut être tarte quand même, et pas avoir de goût pour boire " ça " », on finissait, pour avoir la paix, par boire la même chose que lui. Cela pour dire qu'en vingt-cinq ans de sa compagnie j'ai goûté à tous les whiskies possibles. Pareil pour les vins, notamment les blancs dont il faisait une importante consommation et qui remplaçaient parfois le scotch avant le repas : il y eut la période crépy, sancerre, muscadet, gros plant, chacun de ces vins connaissant auprès de lui des heures glorieuses avant de tomber soudain en disgrâce. Curieusement, pour le sybarite qu'il était, Jean n'avait pas le goût des grands vins. Il aimait plutôt les petits vins gais et « gouleyants » qui se laissaient boire facilement.

Après le dîner, nous refaisions un petit détour par le salon-bar pour prendre le « petit dernier », puis nous allions à nos cabines, plus exactement devant nos cabines, car la station debout dans le couloir, face à une vitre baissée où l'air extérieur s'engouffrait largement, était indispensable pour permettre à Jean de s'oxygéner un peu. Nous parlions, et je sentais arriver le moment où il n'allait pas tarder à me demander sur un ton comminatoire :

— Vous prendrez bien une petite bière, non ?

L'employé des wagons-lits n'était jamais très loin et se faisait un plaisir d'aller nous chercher nos bières, que nous buvions dans une de nos cabines. Une heure du matin arrivait ainsi, et Jean finissait quand même par dire sa phrase rituelle :

— Il n'y a pas de bonne société qui ne se quitte. Bonne nuit, mon cher.

Il se faisait apporter son café noir aux aurores, et, rasé de frais, récuré de la tête aux pieds, il s'impatientait dans le couloir de ne pas me voir encore réveillé, deux heures avant l'arrivée du train à notre destination, alors qu'il n'était après tout qu'à peine 7 heures.

— Ben alors, quoi ! me disait-il sur un ton de léger reproche quand je finissais par apparaître, l'ayant en effet laissé fumer tout seul sa première demi-douzaine de gitanes.

Jean n'aurait pas aimé le T.G.V. Trop rapide pour lui. Une production lui avait un jour retenu une place dans le Capitole qu'il ne connaissait pas. Il s'était trouvé au wagon-restaurant pour le déjeuner au moment où, traversant la plaine limousine, le train atteignait des pointes de vitesse dépassant les 200 km/h.

A l'arrivée à Brive, le pauvre régisseur venu l'attendre en avait entendu ! Naturellement, « on avait voulu le buter » en le faisant voyager dans ce train infernal. Il avait par ailleurs failli se crever un œil avec sa fourchette qui « avait raté sa bouche » tellement « ça secouait ». Bref, il n'avait pas becqueté, et malgré cela il avait « écarté » comme jamais !

Bien entendu, il y avait le plus souvent toute une part de spectacle dans ce genre de numéro que faisait Jean, mais pas toujours. Par exemple, quelque temps plus tard, Dominique devait venir le rejoindre et je l'accompagnai. Il lui avait expressément recommandé de ne pas s'aventurer dans le Capitole et de prendre un train « normal ». Nous n'en fîmes rien et nous prîmes le train « défendu ». A notre arrivée, l'accueil ne fut pas des plus câlins pour Dominique.

— Quand on est une mère de famille responsable, on ne voyage pas dans le train de la mort !

Il se tourna vers moi pour ajouter, en écartant les bras dans un soupir navré :

— J'ai une femme inconsciente !

A cette peur de la vitesse, Jean ajoutait d'autre part les frayeurs que lui causait sa superstition. Il n'était évidemment pas question d'être treize à table avec lui. Il y était extrêmement attentif, et je l'ai vu un jour bondir de sa chaise comme si un serpent l'avait piqué en constatant que nous étions treize convives. Il ne supportait pas un chapeau sur un lit ni un parapluie ouvert dans une maison. Au studio, il éclata une fois d'une belle colère contre un ouvrier qui montait un décor en sifflant. Il détestait les perles. Des Japonais lui en avaient offert une très belle et d'une certaine valeur qu'il s'était aussitôt empressé de jeter. Il avait horreur des oiseaux peints sur une tapisserie. A une époque, il séjourna avec Dominique chez Colette Mars à Crans-sur-Sierre. Les murs de sa chambre étaient décorés d'un tissu avec des oiseaux exotiques. Il jura de ne jamais y revenir tant qu'on ne changerait pas la décoration.

A la *Pichonnière,* il faisait une chasse sans merci aux pies. La peur de cet oiseau remontait à son enfance à Mériel : il avait réussi à en apprivoiser une dans les jours qui précédèrent la mort de sa mère. Jean, si attaché aux sentiments de fidélité, n'aimait pas le lierre qui en est pourtant le symbole. Par contre, et contrairement à beaucoup de comédiens, il ne redoutait pas la couleur verte.

Quand Mathias eut environ une quinzaine d'années, Dominique, qui souhaitait un peu le soustraire à l'influence trop étouffante de Jean, avait arraché le consentement de ce dernier pour que le garçon aille poursuivre son apprentissage dans un haras à Newmarket, en Angleterre. Jusqu'au dernier moment, Jean rechigna devant ce départ. Un jour, il téléphona de la *Pichonnière* à Dominique, restée à Paris, pour lui dire que Mathias ne voulait plus partir. Furieuse, Dominique rappela Mathias qui déclara qu'il n'en était rien mais que « c'était papa qui... que... ». Dominique ne céda pas, et finalement Mathias se rendit en Angleterre.

Quelque temps plus tard, Jean reçut un coup de téléphone tôt le matin, qui le sortit de son lit. C'était un médium professionnel, ami de son chauffeur de production Louis Granddidier, qui l'informait avec beaucoup de ménagement qu'une configuration astrale néfaste passait sur Mathias, et qu'il pouvait lui arriver un accident.

Jean raccrocha et, blême, fit part à Dominique de l'étrange et inquiétant message. Il chargea immédiatement celle-ci d'appeler Mathias à Newmarket en lui recommandant de ne rien faire et de se préparer à rentrer en France. Dominique prit le premier avion et ramena Mathias à la maison pour apaiser ses angoisses, mais surtout celles de Jean qui n'était pas quelqu'un à plaisanter avec ces choses-là, surtout quand elles concernaient ses enfants.

Pour en revenir à ses aventures ferroviaires, il en eut une étonnante, et qui laissa tout le monde perplexe en raison du comportement déconcertant de Jean à cette occasion.

Il tournait *Les misérables* à Berlin et, ayant disposé de quelques jours de repos, il était venu les passer à Paris. Pour son retour, la production lui avait pris un billet et retenu sa place dans un train qui, après une nuit de voyage, devait le faire arriver à Berlin le lendemain matin. Naturellement, on avait envoyé quelqu'un l'attendre à la gare, mais, surprise, Jean n'était pas dans le train. Connaissant son exactitude et sa rigueur, on s'étonna et on téléphona chez lui à Paris. Dominique, un peu inquiète d'apprendre qu'il n'était pas arrivé à destination, assura que

Jean avait pris cependant comme prévu le train dans lequel on lui avait réservé une place.

Entre Paris et Berlin, il avait disparu.

La production s'affola et mena rapidement une enquête sur le trajet que normalement il aurait dû faire. On constata alors qu'une erreur avait été commise dans l'indication du train qu'on lui avait demandé de prendre, celui-ci n'allant pas à Berlin mais à Hanovre. On fit donc, à tout hasard, rechercher Jean à Hanovre, tout en s'étonnant qu'il n'ait pas, en tout état de cause, donné de ses nouvelles en téléphonant à la production, soit à Paris, soit à Berlin, ou même à son domicile, ou, plus simplement encore, qu'il n'ait pas repris immédiatement un autre train à destination de Berlin où il serait arrivé une heure ou deux plus tard que prévu. L'hypothèse qu'il lui soit arrivé quelque chose, une perte de connaissance à la suite d'un malaise, par exemple, n'était évidemment pas exclue, mais Jean était célèbre et populaire en Allemagne et, où qu'il soit, et quoi qu'il lui soit survenu, il aurait été immédiatement reconnu et identifié. Or la production, dans ses recherches, n'avait pas négligé d'alerter différents services officiels, mais aucun n'avait fourni d'information à son sujet.

Le mystère s'épaississait et l'angoisse montait.

Ce ne fut que dans le courant de la journée que l'on retrouva enfin sa trace. Il était tout simplement assis sur un banc au bout d'un quai de la gare de Hanovre qu'il n'avait pas quittée depuis qu'il avait été contraint de descendre de son train qui n'allait pas plus loin. Il avait passé là une partie de la nuit et plusieurs heures de la journée sans bouger ni se manifester à l'attention de quiconque.

Furieux de la situation dans laquelle on l'avait plongé, il avait apparemment décidé de ne rien faire et de rester là à attendre qu'on le retrouve et qu'on vienne le chercher. Il prétendra par la suite ne pas avoir eu sur lui d'argent allemand pour reprendre un autre train ni même téléphoner. Or il était évident que, s'il s'était montré aux employés de la gare et avait expliqué sa situation, tout aurait été réglé en quelques instants. Il était Jean Gabin, comme on le lui a rappelé. Eh bien, non ! il avait tout au contraire choisi de ne pas user de sa notoriété pour se sortir d'une situation dont il n'était pas responsable et dont il entendait bien, peut-être, dans un esprit de vengeance et de par son attitude, faire subir les conséquences à celui qui l'était. Mais, à cet instant-là, je parierais fort qu'à ses yeux c'était en fait l'humanité tout entière qui était coupable envers lui : « Ces deux tiers d'enfoirés et ce tiers de cons » dont parlait Pascal Jardin.

Buté à la manière d'un enfant — Jean traînait avec lui des restes de l'enfance et de ses caprices —, il s'était donc ingénié à se cacher dans l'anonymat de cette gare de Hanovre — comme le gosse de Mériel se cachait au fond du jardin pour avoir le plaisir d'entendre sa mère l'appeler et le chercher — et avait fait en sorte que personne ne le remarque. Au cours de cette longue méditation solitaire, quelles sombres réflexions avait-il poursuivies ? Dans quels abîmes misanthropiques s'était-il plongé avec délectation ? Qu'avait-il ressenti, lui, Jean Gabin, star mondialement connue, de ne plus être durant un moment et de par sa propre volonté que cet homme anonyme et perdu sur le quai d'une gare en pays étranger ?

J'aurais tendance à penser qu'il y a pris un certain plaisir masochiste. Car Jean — autre exemple encore du caractère paradoxal de sa personnalité —, dont la peur du malheur était chez lui obsessionnelle, se complaisait parfois à le rechercher comme pour en éprouver les effets.

« Il était mal à l'aise dans le bonheur. Il avait tendance à le fuir », reconnaît Dominique en se souvenant de moments de leur intimité familiale au cours desquels Jean trouvait toujours quelque prétexte pour en détruire l'harmonie et la quiétude heureuse.

J'ignore ce qu'un psychanalyste aurait conclu de l'attitude de Jean cette nuit-là à Hanovre, mais, pour ma part, je la crois symptomatique d'une disposition de son caractère qui le poussait à s'enfermer avec une obstination irréductible à l'intérieur d'une situation conflictuelle que parfois il se créait lui-même et, d'autres fois, que des circonstances indépendantes de sa volonté lui imposaient. Quand récemment on me raconta cette « histoire de Hanovre » que j'avais ignorée jusqu'alors, elle m'en rappela une autre au développement de moindre conséquence et que j'avais trouvée plutôt drôle mais qui, en définitive, s'avère aussi exemplaire de son acceptation à subir une situation qui le rendait malheureux et furieux à la fois mais sans rien faire pour y échapper.

C'était pendant le tournage d'*Un singe en hiver* à Deauville. Nous étions venus tous les deux passer le week-end à Paris et nous devions reprendre un train le dimanche soir, à 18 heures, à la gare Saint-Lazare. Je m'étais chargé de prendre nos billets et Jean m'avait dit qu'il m'attendrait vers 17 h 45 à l'entrée du quai de notre train. Prudent, je me pointai à 17 h 30, espérant ainsi, pour une fois, le devancer. En m'approchant sans me presser de notre lieu de rendez-vous, je constatai, un peu perplexe, un attroupement d'une bonne cinquantaine de personnes qui formaient une sorte d'arc de cercle à une certaine distance de l'endroit où je devais retrouver Jean. Il était déjà là, et cette foule n'avait d'yeux que pour lui.

Je n'oublierai jamais sa silhouette et son expression. Sac de voyage à ses pieds, planté près du portillon d'accès au quai, les mains rageusement plongées dans les poches de son imperméable beige, le col de celui-ci relevé jusqu'aux oreilles, toute la tête cherchant à y disparaître, la casquette enfoncée sur les yeux barrés de lunettes noires, ses lèvres minces et blêmes tremblaient presque de colère muette et impuissante et son regard masqué fusillait cette foule qui l'observait comme une bête curieuse.

Il était tellement habité d'une fureur rentrée que son aspect, son attitude avaient quelque chose d'inquiétant, de menaçant, et personne ne cherchait à s'approcher davantage de lui.

En traversant la foule pour le rejoindre, je surpris quelques réflexions murmurées :

— Mais c'est Jean Gabin !... Gabin ? Mais non ! Mais si !... Qu'est-ce qu'il fait là ?... Il lui ressemble, en tout cas...

J'avais déjà plusieurs fois dit à Jean que, s'il croyait se dissimuler à l'attention des curieux en s'habillant de la sorte avec casquette et lunettes sombres, il se trompait singulièrement. On l'identifiait aussitôt qu'il se pointait quelque part.

Dès qu'il me vit, il éclata sourdement.

— Qu'est-ce que vous foutez, nom de Dieu ? Ça fait une plombe que je vous attends avec cette bande de cons en face de moi, qui me regardent comme si j'étais...

— Jean Gabin ! lui dis-je, le coupant et riant.

— Marrez-vous !

Il ne se « marrait » pas, lui. Je l'avais immédiatement soustrait à la curiosité ambiante en l'entraînant sur le quai vers notre wagon. Il continuait d'exhaler sa rage d'avoir dû supporter ce calvaire. A son ton, je comprenais qu'il m'en tenait un peu pour responsable. Aussi, je lui dis qu'il ferait bien de perdre, dans certaines circonstances, cette manie d'être toujours trop en avance à ses rendez-vous, que cela lui éviterait le genre d'ennui qu'il venait de subir. D'autre part, je lui fis aussi remarquer qu'il lui aurait été facile de se soustraire à cette foule en se réfugiant dans un wagon du train qui était déjà en gare.

— Vous avez vu ce qui est écrit sur le panneau à l'entrée du quai ? Interdit de monter dans un train sans billet ! Et les billets, c'est vous qui les avez !...

J'étais sidéré. A croire que cet homme oubliait perpétuellement qu'il était Jean Gabin. Il pouvait en effet imaginer de se voir sermonner par un contrôleur sous le prétexte qu'il serait monté dans un train sans titre de transport ! Être en faute, il détestait ça, mais, dans l'hypothèse où un contrôleur lui aurait demandé quelque chose, ça aurait été plus sûrement un autographe que son billet.

Je lui fis part de ma dernière réflexion. Il me regarda d'un air incrédule.

Il s'est installé dans un coin du compartiment où nous étions seuls, et s'est recroquevillé sur lui-même dans un silence obtus durant la moitié du voyage. Je crois que, en définitive, il s'en voulait de ne pas savoir réagir comme il convenait devant certaines situations.

Ses rapports avec la foule, avec des gens qui l'abordaient dans la rue, n'importe où, prenaient souvent un caractère conflictuel en raison de cette timidité qui le rendait instinctivement agressif. Parfois aussi il s'en amusait. Un jour, alors qu'il passait au rond-point des Champs-Élysées en compagnie de Dominique, un inconnu lui a crié d'une portière de voiture :

— Salut, Jeannot !

— Tu vois, dit-il non sans fierté à Dominique, je ne crois pas qu'on dise jamais à Fresnay : « Salut, Pierrot ! »

Une autre fois, il était au volant de sa voiture. Un motard casqué est arrivé à sa hauteur et, avec un sourire, gentiment lui a dit :

— Bonjour, Jean, tu vas bien ?

Un peu surpris de reconnaître dans le motard Johnny Halliday qu'il ne connaissait pas autrement que par le canal de la télévision, Jean s'est amusé à lui répondre :

— Ça va, merci, et toi Johnny ?

En rentrant à la maison, il se montrait à Dominique tout heureux, lui, le sexagénaire aux cheveux blancs, de cette familiarité confraternelle.

— Ils sont marrants, les « mômes » aujourd'hui, j'ai rencontré Johnny Halliday qui m'a tutoyé.

Tout le monde n'étant pas Johnny Halliday, Jean s'agaçait souvent de certaines familiarités de la part d'inconnus.

— Salut, Jean, comment tu vas depuis le temps ?

Nous étions sur un quai de Port-en-Bessin. L'homme, apparemment, avait à peu près l'âge de Jean, et, en lui adressant familièrement la parole, il l'avait gratifié d'une solide tape dans le dos.

— Bonjour, monsieur, répondit Jean sur un ton poli mais qui n'engageait guère à la conversation amicale.

— Comment ! Tu ne me reconnais pas ? fit l'homme, surpris.

— Non, monsieur.

— Jaouen ! Émile Jaouen * ! Tu te rappelles pas ?

— Non, monsieur, vous devez faire erreur, je ne vous connais pas,

---

* Prénom et nom inventés.

insista Jean, toujours poli et en regardant ailleurs, son visage commençant à s'assombrir.

— Pas possible, tu me charries ! Toulon ! Le *Jean-Bart* ! On a « servi » ensemble !

— Non, monsieur, fit Jean encore un peu plus fermement.

Le type se fâcha et commença à injurier Jean qui resta cependant impassible. J'intervins et réussis à entraîner l'homme plus loin pour le calmer. Il m'expliqua alors qu'il avait été un copain de Jean à Toulon sur le *Jean-Bart* et qu'il ressentait une grande peine que celui-ci fasse semblant de ne pas le reconnaître ou même de se souvenir de lui. Finalement, il s'en alla. Je retournai auprès de Jean.

— Vous croyez pas que vous avez un peu exagéré ? lui dis-je.

— Non, monsieur ! me fit-il à moi aussi, décidé à poursuivre son numéro d'impassibilité.

— Mais enfin, qu'est-ce qu'il vous a fait, ce type ? Pourquoi vous n'avez pas voulu le reconnaître ?

— Comment ? Vous aussi ? s'exclama Jean. Écoutez, j'ai jamais mis les pieds à Toulon *, jamais ! Et j'ai jamais non plus servi sur le *Jean-Bart*. Ça vous suffit ?

J'insistai quand même.

— Il a peut-être confondu avec Cherbourg et un autre bateau ?

— J'ai pour habitude de reconnaître mes anciens copains. Cet homme-là ne l'a jamais été, pour la bonne raison que je ne l'ai jamais vu avant aujourd'hui !

Il était sincère autant que l'homme avait pu l'être. Ce genre d'histoires lui arrivait parfois et elles l'irritaient. Des gens « croyaient » réellement l'avoir connu quelque part, dans un passé plus ou moins lointain, et s'obstinaient à lui rappeler des souvenirs communs souvent d'une étonnante précision mais qui n'en étaient pas moins nés seulement de leurs fantasmes. Naturellement, Jean se refusait à jouer le jeu, et cela se terminait quelquefois comme ce jour-là, à Port-en-Bessin, par des insultes à son égard, tellement les gens étaient convaincus qu'il faisait exprès de ne pas les reconnaître.

Il arrivait cependant que certaines interpellations le fassent sourire :

— Vous ne seriez pas M. Gabin, par hasard ?

— Ah non, madame, vous faites erreur, répondait-il courtoisement.

---

* C'était évidemment avant qu'il aille à Toulon pour tourner *L'âge ingrat*.

— Excusez-moi, disait simplement la dame en s'éloignant, convaincue qu'elle s'était méprise.

— Elle est marrante, celle-là ! faisait Jean, heureux comme un enfant qui a réussi une bonne blague.

Les inconnus, les foules, c'étaient des éléments qu'il redoutait quand cela le cernait de trop près ou qu'il s'y trouvait mêlé. Un jour, en compagnie de Dominique, des gens l'ont reconnu dans la rue et se sont mis à le suivre. Pour leur échapper, ils sont entrés dans un magasin, mais une partie de ceux qui le suivaient sont également entrés derrière eux, pour le voir de plus près. Ces situations le mettaient en fureur.

Henri Verneuil m'a raconté que, lors de la première à Marseille du *Clan des Siciliens* *, Jean avait accepté de s'y rendre en compagnie d'Alain Delon et de Lino Ventura, les deux autres grandes vedettes du film. Verneuil avait pris la parole pour dire quelques mots en hommage à Jean :

— Nous voilà dans ma ville, Jean... Si je ne le vous disais pas en présence de tous ces Marseillais, je n'oserais pas vous le dire ailleurs : j'ai l'honneur de vous remercier de m'avoir permis de faire cinq films avec vous, qui comptent parmi les plus grands moments de ma carrière et de ma vie.

Delon et Ventura ramassèrent leur part d'applaudissements, mais Jean fit un triomphe. Dans son enthousiasme, la foule se précipita sur lui et quelques solides admirateurs le hissèrent sur leurs épaules, l'entraînant dans une sorte de tour d'honneur. Jean prit peur et jeta un regard comme un appel au secours à Verneuil, Delon et Ventura qui n'en pouvaient mais. Puis, finalement, dans cette situation quelque peu inattendue pour lui et qui le mettait mal à l'aise, il prit son mal en patience et attendit qu'on le « libère ».

— J'ai cru qu'ils allaient me buter, confiera-t-il plus tard à ses amis, sans qu'on sache très bien s'il avait pensé réellement à cette « éventualité » ou s'il disait cela pour plaisanter.

---

* Réalisé en 1969. Jean Gabin s'était réconcilié avec Verneuil à cette occasion.

14.

LES HONNEURS

Avec les années, Jean devenait sensible aux manifestations qui l'honoraient et lui reconnaissaient sa dignité d'homme autant que celle d'artiste. Il n'y avait aucune ostentation de sa part dans cette lente évolution. Il acceptait les hommages avec la même simplicité et le même naturel qu'il avait mis, durant plus des deux tiers de sa vie, à les refuser. Il parvenait seulement à un âge où il éprouvait quelque orgueil à contempler ce qu'il était devenu en rapport de ses origines modestes. Il était en outre fabriqué de telle façon que je l'ai toujours soupçonné, à chaque palier qu'il franchissait dans cette montée vers les honneurs qu'il ne revendiquait pas mais qu'il acceptait avec une certaine fierté, d'avoir une pensée pour les siens : telle médaille en mémoire de son père qui l'avait pris pour un « bon à nib », tel ruban en hommage à sa mère qui lui avait prédit l'échafaud, telle autre décoration en souvenir du grand-père paveur, ou de Poësy, ou encore de Madeleine.

Dans les années 1953 ou 1954, arrivant un soir chez lui, il me fit part d'un coup de téléphone qu'il avait reçu du Centre national du cinéma l'informant qu'on allait lui attribuer la Légion d'honneur.

— S'ils veulent me la donner, qu'ils me la donnent, mais, au fond, je m'en fous. J'ai déjà la médaille militaire et rien ne sera jamais plus important pour moi.

Quelques jours plus tard, je le retrouvai dans un état de fureur : il avait reçu les papiers officiels par lesquels il était censé, de lui-même, « solliciter la Légion d'honneur », en faisant état de ses mérites.

— Qu'est-ce que c'est que ce cirque ? Je leur ai rien demandé, moi ! Ils s'imaginent pas que je vais remplir ça !

Il se considérait comme insulté. Je lui expliquai que c'était la règle pour tout le monde.

— C'est une règle à la con! décréta-t-il, et il déchira les documents.

Dans les années qui suivirent, des démarches furent officiellement entreprises auprès de lui pour qu'il revienne sur sa décision. A la longue, les pressions furent telles qu'il finit par accepter d'être fait chevalier de la Légion d'honneur en 1964.

— Vous comprenez, m'expliqua-t-il le jour où il me l'annonça, paraît que je bloquais toutes les promotions dans le cinéma. On n'osait pas la donner à Untel parce que moi je l'avais pas... Ça finissait par la foutre mal, alors je leur ai dit : « Bon, d'accord, je vais vous la prendre, votre croix. »

Il était certainement sincère, mais dix années étaient quand même passées depuis son premier refus et sa colère, et Jean avait déjà un peu changé pour toutes sortes de raisons. Il y avait notamment eu la contestation des agriculteurs contre lui, et sans doute prenait-il cette Légion d'honneur avec un certain esprit de revanche. Il y avait eu aussi *Les grandes familles*, et ce personnage de baron Schoudler qu'il avait interprété et qui l'avait beaucoup marqué. Il y avait eu encore à ce propos cette histoire invraisemblable : l'affiche de lancement du film montrait Jean dans les habits de son personnage portant en sautoir la croix de commandeur de la Légion d'honneur et cette image s'étalait, gigantesque, à la façade des cinémas qui présentaient le film, notamment au Wepler qui appartenait à la maison Pathé. Un des grands patrons de cette honorable société s'en était offusqué. Se mélangeant sans doute un peu l'esprit entre la réalité et la fiction, il estimait comme une insulte à cet ordre auquel il appartenait lui-même, évidemment, mais à un grade inférieur à celui que portait Gabin sur l'affiche, d'en faire figurer les attributs sur la poitrine d'un simple saltimbanque de l'espèce de Jean.

Sur son ordre, un peintre habile effaça donc de la façade et de sur la poitrine du « baron Schoudler », alias Jean Gabin, cette croix de commandeur qu'on ne saurait voir si indignement portée.

L'aspect ridicule et grotesque de cette histoire ne masquait cependant pas à Jean l'étonnant mépris qu'elle témoignait à son égard de la part d'un membre éminent d'une société pour laquelle il avait tourné l'année précédente *Les misérables* et dont l'énorme succès faisait précisément, à ce moment même, rentrer beaucoup d'argent dans les caisses de Pathé.

Jean ne pouvait s'empêcher de penser que s'il s'était agi d'un autre que lui une telle réaction n'aurait probablement pas eu lieu. Au regard du monde ultra-bourgeois de la finance cinématographique, il restait cet acteur d'extraction populaire qui avait tout un temps, à travers ses personnages, symbolisé l'esprit d'une révolte sociale. Apparemment, certains ne l'avaient pas tout à fait oublié.

D'autre part, le besoin qu'éprouvait Jean d'appartenir à un milieu ou à un corps social défini et d'en être parfaitement admis n'allait pas manquer de jouer un certain rôle dans son évolution. Depuis son exclusion du monde paysan, il s'était essentiellement replié sur son univers de la *Pichonnière,* y poursuivant son rêve de société patriarcale. Le cinéma lui offrait encore de rares « coups de cœur », comme *La horse* (Pierre Granier-Deferre, 1970), *Le chat* (Pierre Granier-Deferre, 1971) ou *L'affaire Dominici* (Claude-Bernard Aubert, 1973).

C'est alors, en 1969, qu'il fit une rencontre qui allait être déterminante, et lui permettre de retrouver un « milieu » qui avait profondément marqué une partie de sa vie et dont il n'imaginait pas qu'il puisse à nouveau y être accueilli.

Comme chaque année en juillet, Jean et Dominique passaient quelques semaines de vacances à la pension de famille de Mme L'Helgouach à Sainte-Anne-la-Palud, où ils étaient comme chez eux. Jean y reçut un jour un coup de téléphone, et son interlocuteur le replongeait brusquement quelque vingt-cinq ans en arrière : c'était Dan Gélinet, son ancien chef d'escadron au R.B.F.M. de la 2e D.B. Il était désormais capitaine de vaisseau et pacha du *Jeanne d'Arc,* le navire-école de la marine, qui se trouvait alors au mouillage à Brest.

Gélinet, qui avait gardé le meilleur souvenir du second maître Moncorgé qu'il n'avait pas revu depuis la fin de la guerre, avait appris par un écho dans les gazettes locales que Jean et sa famille séjournaient à Sainte-Anne-la-Palud. Il l'invitait donc à venir dîner à bord de la *Jeanne,* comme on appelait familièrement ce navire.

Bien qu'heureux de revoir son ancien chef, Jean, toujours casanier, hésitait.

— Je ne conduis pas la nuit, donna-t-il comme excuse à sa réticence.

— Je vous enverrai une voiture avec un chauffeur, indiqua Gélinet.

— J'ai rien à me mettre, rétorqua Jean.

Ils convinrent de se rappeler. Quelques jours plus tard, Jean se rendit à l'invitation de Gélinet, imaginant un petit dîner intime au carré du pacha. Gélinet ne l'avait pas entendu de cette façon. Jean fut très impressionné par l'accueil que lui fit l'équipage de la *Jeanne.* En montant à bord, il eut droit au « sifflet », un honneur ordinairement réservé aux officiers supérieurs et aux personnalités officielles, de la part d'un équipage au garde-à-vous sur le pont du navire. Un dîner d'apparat l'attendait et on l'invitait à ouvrir le bal de l'équipage.

Il était clair que ce n'était pas seulement à l'acteur Jean Gabin que le capitaine de vaisseau Gélinet et les marins de la *Jeanne* rendaient hommage mais aussi à l'un des leurs, et pour Gélinet personnellement, c'était l'ancien compagnon de guerre qu'il recevait. Aussi, Jean ne devait jamais oublier cette soirée. L'amitié qui allait désormais le lier jusqu'à sa mort à celui qui deviendrait l'amiral Gélinet fut évidemment pour beaucoup dans le sentiment qu'il eut d'avoir enfin trouvé un « milieu » qui non seulement l'acceptait, mais le revendiquait et le faisait sien. Jean en tirait orgueil et fierté et ne manquait plus, en diverses occasions, de témoigner de son attachement à la marine. Ainsi, il renoua avec l'officier de marine Lahaye qui reçut son engagement dans les Forces navales libres à New York en 1943, et alors que celui-ci, désormais amiral, était préfet maritime de Brest. Il revit également son ancien chef du R.B.F.M., l'amiral Maggiar, qui organisa un dîner au cours duquel Jean retrouva le général Massu qu'il avait connu pendant la campagne d'Alsace en 1944-1945. Lorsque son fils Mathias fut en âge de faire son service militaire, Jean l'incita à servir dans la marine, et Gélinet fit embarquer le garçon à bord du *Jeanne d'Arc.* Avant le départ du navire pour un périple autour du monde, Jean Gabin fut l'invité d'honneur d'une réception à bord, en présence du ministre Yvon Bourges et de l'amiral Joire-Noulens, chef d'état-major de la marine.

Devant les caméras de TF1 et le micro d'Yves Mourousi qui effectuait un reportage en direct de l'événement, Jean manifesta ouvertement son attachement à cette « famille » qu'il avait un peu perdue de vue durant des années, mais dont le souvenir ne l'avait pas quitté et à laquelle il était visiblement heureux et fier d' « appartenir » de nouveau.

Au ministre Yvon Bourges qui lui demandait quel souvenir il gardait de la marine, Jean répondait :

— Depuis mon active, c'est pas d'aujourd'hui, ça fait plus d'un demi-siècle, et pendant la guerre, je garde un souvenir magnifique de la marine. Je trouve que c'est une très belle arme et, chaque fois que je peux me remettre dans le bain de la marine, j'y reviens. Ce qu'il y a de magnifique chez les marins, c'est que tous les gars dépendent les uns des autres, tout le monde fait son boulot. C'est très chouette, la marine ! J'adore la marine !

Il y avait chez lui une sorte de jubilation à prononcer ces mots tout simples, et un ton d'une totale sincérité. Il évoquait également l' « esprit de fraternité » et de « grande camaraderie » qui régnait à bord d'un bateau et qu'il avait personnellement connu au temps de l'*Elorn.*

Cela se passait le 17 novembre 1975. Un an plus tard, à deux jours près, les cendres de Jean étaient immergées en mer, au large de Brest, du pont de l'aviso *Détroyat*. Il disparaissait en marin.

Le vieux libertaire qu'il n'avait au fond jamais cessé d'être, cet individualiste forcené aux idées farouchement antimilitaristes, avait trouvé une sorte d'apaisement et de réconfort dans les dernières années de sa vie dans la fraternité d'anciens compagnons d'armes et au cœur d'un groupe humain qui le respectait avant tout pour son passé et son présent d'homme.

Paradoxe encore une fois de sa personnalité aux facettes multiples qui rendaient souvent Jean insaisissable dans son évolution : je garde le souvenir de son opinion sur les militaires au moment, notamment, de la guerre d'Algérie qu'il condamnait, comme il condamna le putsch d'Alger par ce « quarteron de généraux en retraite ». Il était alors profondément hostile à tout ce qui portait l'uniforme. Ce n'était évidemment pas par esprit militariste qu'il s'était engagé en 1943, mais par devoir moral. Je ne pense pas qu'il avait profondément modifié son jugement sur les militaires quand il « rejoignit » les rangs de la marine au début des années 70 ; simplement, naïvement aussi, il ne considérait pas les marins comme des militaires mais comme faisant partie d'un « groupe à part », comme il le disait pour justifier son ralliement et son adhésion à ce corps.

« Jean Gabin était plusieurs », disait Pascal Jardin, et Jean s'amusait parfois à le démontrer ouvertement à travers des attitudes et en tenant des propos ambivalents pour exprimer sa philosophie de la vie en général. Dans le domaine politique notamment, certains de ses interlocuteurs dont il connaissait l'esprit conservateur s'effarouchaient de l'entendre exprimer une opinion que n'aurait pas reniée un révolutionnaire patenté. Inversement, dans le même temps, il pouvait choquer les oreilles d'un homme de gauche par un langage tout à fait réactionnaire. C'était naturellement sa manière de tourner en dérision toutes les idées politiques d'où qu'elles viennent, car il pensait sincèrement qu'aucune n'était destinée à faire le bonheur des hommes.

— On pourra me raconter ce que l'on voudra, dans notre société, une seule chose permet à un homme d'être libre : le pognon ! Le reste, c'est de l'attrape-gogo, disait-il péremptoirement selon son habitude.

Il détestait les hommes politiques de tous bords. Un seul a trouvé grâce à ses yeux : Antoine Pinay.

— C'est peut-être parce qu'il avait compris que je n'en étais pas un vraiment et que moi aussi je ne les aimais pas beaucoup, m'a répondu avec humour et en souriant le président Pinay lorsque je lui ai fait part des sentiments de Jean à ce sujet.

J'avais été intéressé par quelques lignes de *La guerre à neuf ans*, dans lesquelles Pascal Jardin évoquait un dîner qu'il avait organisé entre Antoine Pinay et Jean Gabin, en présence de Dominique et de son père Jean Jardin, ce « nain jaune » à qui Pascal rendit un hommage filial et passionné dans un très beau livre [1] et dont Pierre Assouline, qui vient de publier sa biographie, révèle l'étonnante personnalité [2]. Jean Jardin devait disparaître quelques jours avant Jean, en novembre 1976.

Ce dîner avait eu lieu chez Taillevent * trois ou quatre ans auparavant, et Jean ne cessait d'y faire allusion dans ses conversations, au point qu'il m'agaçait un peu, tant il prenait l'air sentencieux et redondant, l'index persuasif, levé et courbé, pour répéter à tout propos :

— Le président Pinay m'a dit... Comme me l'a dit le président...

Bref, il était resté très impressionné par cette rencontre et plus encore par la déférence qu'Antoine Pinay lui avait probablement manifestée avec cette exquise politesse qui était la sienne.

J'avais cependant l'impression que Pascal Jardin, en se faisant l'écho de cette « entrevue mémorable », selon ses dires, n'en avait en fait livré que l'aspect anecdotique [3].

— Monsieur Gabin, je vous ai vu au cinéma.

— Monsieur le Président, je vous regarde à la télévision.

— Votre dernier film est un succès.

— Mais votre emprunt est un triomphe.

A la fin de la soirée, le président Pinay avait confié à Pascal Jardin, avec une certaine stupéfaction :

— Je pensais dîner avec un comédien, pas avec un grand bourgeois.

J'étais intrigué par cette réflexion d'Antoine Pinay, et je souhaitais en savoir davantage en l'interrogeant. Il me reçut avec empressement et courtoisie, apparemment heureux d'avoir à s'entretenir quelques instants de Jean Gabin [4].

— Ne me demandez pas de vous rapporter nos propos dans le détail. Je n'ai qu'un souvenir global, qu'une impression générale de ce dîner. Si j'avais su que notre conversation passerait à la postérité grâce à votre livre, j'aurais pris des notes en rentrant chez moi. Je regrette.

J'appréciai d'un sourire l'humour gentiment ironique du président et je lui demandai s'ils avaient parlé de politique.

— Pas au sens où on l'entend généralement. Nous avons simplement échangé nos opinions sur l'administration du bien public. Ce qui est, selon moi, la plus haute et la plus noble définition de la politique. M. Gabin m'a donné l'impression d'avoir sur ce sujet des idées de bon

* L'ancien Colony-Club où Jean et Dominique se sont connus.

sens. Ses préoccupations m'ont paru multiples dans des domaines très divers, et ses connaissances très étendues sur différents sujets m'ont étonné. Ce qu'il disait était très réfléchi, très sensé. J'ai conservé le souvenir d'un homme qui avait dû beaucoup réfléchir durant sa vie sur toutes sortes de choses, et dont l'esprit m'a semblé d'une très haute valeur morale.

J'informai le président Pinay que Jean ne votait pas, et cela le surprit, qu'il se disait anarchiste de droite, et cela l'étonna un peu moins. Je lui dis aussi qu'il avait longtemps méprisé les honneurs, mais que cela en avait été un certainement pour lui de dîner en sa compagnie et qu'il l'avait recherché.

— L'honneur a été aussi pour moi. Surtout pour moi ! insista Antoine Pinay.

Je précisai que Jean avait cependant toujours été très fier de sa médaille militaire gagnée en combattant dans les Forces françaises libres. Le président ignorait ce fait et me demanda de lui en parler, ce que je fis.

— Il ne m'a rien dit de cela, mais je suis heureux d'apprendre que nous avions un point commun. J'ai, moi aussi, reçu la médaille militaire. C'était au front, un peu avant l'armistice de 1918. J'ai par contre toujours refusé la Légion d'honneur. Il est dit en effet dans les statuts qu'elle doit être attribuée à des personnes qui ont rendu des services émérites à la France. Je n'ai jamais pensé avoir rendu à la France des services émérites.

A ce propos, le président Pinay me raconta une histoire si savoureuse que je ne résiste pas au fait de la rapporter ici, bien qu'elle ne soit pas directement liée à l'objet de notre entretien.

« C'était lors d'une grande réception en habit à l'Élysée. Tout le monde arborait ses décorations, comme il se doit. Le général de Gaulle m'apostropha :

— Écoutez, Pinay, vous auriez quand même pu mettre votre Légion d'honneur !

— Mais je ne l'ai pas, mon général ! lui dis-je.

— Comment ? Mais c'est insensé ! Je vais vous la faire donner immédiatement !

— Gardez-vous en bien, mon général, je serais au regret de vous la refuser *.

— Mais vous avez bien accepté des décorations étrangères !

---

* Antoine Pinay vient à nouveau, en 1987, de la refuser, alors qu'on la lui avait officiellement attribuée.

— Dans ma position, à l'époque où j'étais président du Conseil, cela aurait été une insulte à des pays amis de la France de les refuser, et elles n'ont pas la même signification que notre Légion d'honneur.

— Alors, pourquoi ne les portez-vous pas ? me demanda le Général.

— Parce que je suis en France, à l'Élysée, chez le président de la République, mon général, et que cela la ficherait mal que je porte des décorations d'autres pays, alors que je n'en ai pas de françaises, à part la médaille militaire.

Le Général leva les yeux au ciel et, un peu exaspéré, s'en alla. Il tint parole et ne chercha jamais à me forcer la main. Du moins pour ce qui concernait la Légion d'honneur. »

Je dis au président Pinay que Jean Gabin l'avait, lui, finalement acceptée, et cela ne le prit pas au dépourvu, malgré ce qu'il venait de me raconter.

— Je pense qu'il a bien fait ! Il la méritait certainement plus que tous ceux qui se sont surtout battus pour l'avoir. M. Gabin a sans doute été dans l'obligation de céder à d'amicales pressions.

Le président se souvint alors que Jean lui avait parlé de Tarare et de La Charité-sur-Loire mais ne voyait plus à quel propos, et cela le tracassait. Je lui expliquai que le grand-père Moncorgé, chef paveur de la ville de Paris, était de Mardore dans l'arrondissement de Tarare.

— Oui, je me souviens à présent, il m'a longuement parlé de son grand-père, et d'un autre, du côté de sa mère...

Je complétai son information :

— Il s'agissait de Louis Petit, mécanicien aux usines Cail et originaire de La Charité-sur-Loire.

— Il m'a paru très fier de ses origines modestes, et je le comprends, elles étaient très respectables. Vous savez, j'ai été très séduit par M. Gabin. Je regrette de ne l'avoir pas mieux connu, mais un dîner passe si vite. Cet homme valait bien plus que l'image qu'il laissera.

Je lui demandai s'il pensait au comédien ou à l'homme en disant cela.

— Le comédien est mondialement connu. Il a été un grand artiste, mais je crois que l'homme, en effet, valait mieux que cela.

Je perçus dans cette réflexion un léger mépris pour le métier de « saltimbanque », comme aurait dit Jean, et lui en fis part. Le président se récria :

— Détrompez-vous. Je n'éprouve pour son talent et sa carrière qu'admiration et respect. Mais je le répète, je crois qu'il aurait pu exprimer sa personnalité dans quelque chose d'encore plus grand, d'encore plus noble.

Je crus bon de lui indiquer que Jean n'appréciait guère la politique, et qu'il n'était pas spécialement doué pour être un homme d'affaires.

— J'ai dit « noble ». J'exclus donc le monde politique et celui des affaires, me précisa Antoine Pinay, avec un certain sourire.

J'essayai de faire le tour du problème qu'il avait posé et qui me surprenait. J'éliminai l'économie, les sciences en général, la médecine et la chirurgie — Jean était trop sensible pour ces métiers —, l'armée — pour les raisons que j'indiquai au président —, les carrières de grand aventurier ou d'écrivain, et à la fin il ne me resta plus que la religion.

— Il était croyant ? me demanda Antoine Pinay.

Je lui expliquai que Jean était résolument athée, à ce qu'il disait, et que c'était certainement vrai.

— Je ne sais réellement pas ce qu'il aurait pu faire d'autre, reprit Antoine Pinay. Il m'a semblé qu'il avait une personnalité tellement hors du commun. Ce serait bien d'ailleurs que votre livre sur lui réussisse à rendre compte de cela, car si le comédien est évidemment connu et apprécié, je ne suis pas sûr que l'homme le soit autant qu'il le méritait, et c'est dommage. Il était certainement un grand homme et, je le répète, il valait beaucoup plus que l'image qu'il laissera.

Je n'obtins pas de plus grandes précisions sur les ambitions dont Antoine Pinay rêvait pour Jean qui, à l'évidence, l'avait fortement impressionné.

D'une stricte élégance, malgré l'heure matinale de notre rendez-vous, il se tenait très droit dans l'angle d'un canapé Empire. Au-dessus de lui, il y avait une peinture de Lorjou représentant un taureau noir avec des taches d'or sur son pelage. Je me dis que Jean aurait certainement aimé le tableau, mais aurait trouvé que la bête ne faisait pas le poids à côté de son nivernais blanc de la *Pichonnière,* qui pesait une tonne. Sur la table, près de deux roses pâles dans un vase, traînait le livre de Lion Feutchwanger, *Néron l'imposteur.* Tandis qu'Antoine Pinay m'expliquait qu'il ne lisait plus que des livres d'histoire et des biographies, j'étais bien près de penser que, sans l'accuser d'être comme le Néron de Feutchwanger un imposteur, Jean avait quand même dû jouer durant ce dîner, inconsciemment peut-être, un personnage où s'étaient mêlés en lui des restes du baron Schoudler des *Grandes familles* et de l'Émile Beaufort du *Président,* même, pourquoi pas, un peu de l'esbroufe du *Baron de l'écluse.* La superposition de ces fortes personnalités, s'ajoutant à la sienne propre qui n'était déjà pas mince, ne pouvait manquer, à l'évidence, de causer la plus grande impression sur son interlocuteur.

Rentrant chez moi deux heures plus tard, je repris par curiosité le livre de Pascal Jardin, et tombai sur ces lignes qui, à propos de ce dîner et du comportement de Jean, m'avaient échappé :

« Ce soir-là, Gabin avait renoncé à cette langue vivante, complètement inventée, à cette langue issue des rings, de la marine de guerre, des zincs, du Vél' d'hiv', à cette langue venue des faubourgs (...) Il avait proscrit de sa bouche grumeleuse, prodigieux véhicule du verbe, toute invention saugrenue, toute image surréaliste (...) Il n'était plus... qu'un homme puissant et solitaire qui s'interroge après une vie rude... »

Et il ajoutait plus loin :

« Je n'ai pas su lui expliquer (au président Pinay) qu'il avait dîné avec l'homme des *Grandes familles*, avec le Clemenceau du *Président*... »

A mon tour, je ne tentai pas non plus de l'expliquer à Antoine Pinay, alors qu'il me raccompagnait courtoisement jusqu'à sa porte en me disant :

— Je ne vais plus au cinéma. J'y allais autrefois avec des amis. Je n'en ai plus beaucoup à présent, ils disparaissent et c'est très triste. Ce n'est pas vraiment une vie d'avoir mon âge, vous savez.

En me serrant la main, il ajouta avec une obstination sincère :

— Oui, pour M. Gabin, c'est dommage qu'il n'ait pas fait autre chose. Je crois que cet homme possédait la grâce nécessaire à toutes les plus grandes ambitions.

Je quittai le président Pinay sur cette réflexion, et elle me troublait. Peut-être avait-il, en fin de compte, quelque part raison quant à l'analyse qu'il retenait de l'observation de Jean lors de ce dîner. Je pensais qu'elle n'avait pu lui être uniquement inspirée par quelques artifices de l'acteur qu'il avait eu ce soir-là en face de lui, et auxquels il se serait naïvement laissé prendre. En fait, il avait mis le doigt sur quelque chose de vrai et d'essentiel de la personnalité de Jean : la grâce.

Cette grâce, en effet, Jean la possédait, mais pour atteindre précisément, et contrairement à ce que pensait Antoine Pinay, à ce qu'il avait été, et dans un métier qui, quoi qu'il lui arrivât d'en dire, avait certainement comblé la plus grande part de ses ambitions d'homme.

Quant à la gloire qu'il y avait trouvée, elle valait bien largement tous les autres honneurs.

15.

LA SOCIÉTÉ PATRIARCALE

Après son conflit avec les agriculteurs de la région, en 1962, Jean mit en vente sa ferme de Merlerault qui attendit d'ailleurs assez longtemps un acheteur, et confia à son beau-fils Jacky l'exploitation de sa ferme de Digny.

Les rapports de Jean avec Jacky ne furent jamais simples et atteignirent parfois à la plus grande complexité psychologique. Il n'est pas douteux que, dès le départ, Jean eut une sorte de blocage affectif envers ce garçon qui n'était pas le sien mais qu'il avait cependant accepté d'élever. Enfant, Jacky était allé tout naturellement vers lui comme vers un père et lui avait offert une affection spontanée à laquelle Jean ne sut répondre que trop rarement et très incomplètement.

« Nous ne nous sommes jamais très bien compris, dit Jacques Fournier, aujourd'hui presque quinquagénaire et père de famille. Quand j'étais gosse et que je m'empressais auprès de lui quand il rentrait de son travail, une fois sur deux il me repoussait d'une réflexion bourrue qui me faisait de la peine. Il s'est conduit à peu près de la même façon par la suite avec mes sœurs et mon frère qui étaient pourtant ses propres enfants. Il ne savait pas être tendre et n'acceptait pas plus qu'on le soit envers lui.

Communiquer par des sentiments affectifs avoués lui était impossible. Je n'ai jamais vraiment su s'il m'avait aimé un peu ou si je lui étais indifférent. Ce qui est sûr, il s'est occupé de moi et m'a élevé correctement. Curieusement, il se montrait plus attentif à mon égard et même affectueux lorsque, par hasard, nous nous trouvions seuls tous les deux. Il me parlait alors, me racontait ses histoires qui m'intéressaient, s'occupait de mes repas, ou m'emmenait au restaurant. Bien que peu fréquents, ces moments-là étaient pour moi une fête, et j'en garde un bon souvenir. Il agissait à peu près de la même façon avec ma grand-mère, qu'ordinairement il ne supportait pas, mais envers laquelle il se montrait subitement gentil dès qu'il se trouvait seul avec elle. Cette attitude est restée incompréhensible pour moi. »

Seul avec Jacky ou Mme Fournier, Jean se raccrochait à cette « présence » qu'ils représentaient à cet instant-là et qui lui a toujours été nécessaire. Il pouvait aussi se montrer naturel et disponible envers eux puisqu'il concentrait alors sur lui-même leur attention. Autrement, son tempérament jaloux acceptait difficilement tout ce qui tentait de s'introduire à l'intérieur de son monde affectif et restreint que composaient sa femme et ses propres enfants. Tout ce qui pouvait en effet attirer l'intérêt de ceux-ci sur d'autres personnes lui paraissait soustrait de la part exclusive qu'il revendiquait pour lui. Monument d'égocentrisme, Jean dressait sans cesse une muraille autour des siens pour que leurs regards ne soient tournés que dans sa propre direction. Jacky et Mme Fournier — et d'autres à l'occasion — ne franchirent ce mur qu'en de rares moments, et sans doute dans des circonstances psychologiques précises que seul Jean aurait peut-être pu, éventuellement, expliquer. Sans doute lui arrivait-il aussi parfois de prendre conscience de l'étouffement affectif dans lequel il enfermait les siens et relâchait-il momentanément un peu l'étreinte. Quand Jean faisait des efforts de rapprochement envers Jacky, ils ne duraient jamais longtemps. Il semblait balancer sans cesse entre l'acceptation du garçon comme son propre fils et son rejet. Son caractère lui interdisait de se résoudre à l'accepter une fois pour toutes et sans détour. Il a toutefois eu, tant qu'il fut mineur, un comportement moralement et socialement responsable envers Jacky, qui lui en conserve encore aujourd'hui une certaine reconnaissance au-delà du conflit qui les sépara définitivement deux ans avant la disparition de Jean.

« Jean est resté pour moi une énigme », disait Dominique.

De tous ses comportements inexplicables, celui qu'il eut dans les quinze dernières années de sa vie envers Jacky et la jeune femme que celui-ci épousa fut et reste certainement le moins facile à élucider.

Entre le départ du régisseur Desvaux et l'arrivée de Bernard Odolant à la *Pichonnière,* Jacky s'était livré corps et âme à la tâche que Jean lui avait confiée dans le domaine. Ce garçon, qui avait vingt ans alors, mettait un point d'honneur à se montrer digne de la confiance que son beau-père paraissait enfin lui témoigner. Ce dernier, comme à son habitude, ne lui manifestait qu'assez rarement sa satisfaction, mais il en fut ainsi également, par rapport à son propre fils Mathias, plus tard.

L'engagement de Bernard Odolant posa quelques problèmes, et des frictions surgirent entre ce dernier et Jacky. Jean trancha en faveur de l'expérience professionnelle que représentait Odolant et éloigna Jacky en l'envoyant en Suisse faire un stage dans une ferme.

Après quelque temps, Jacky demanda à revenir à la *Pichonnière*. Jean accepta d'autant mieux ce retour qu'il avait décidé d'installer son beau-fils dans sa ferme de Digny dont, contrairement à celle de Merlerault, il ne voulait pas se séparer. A quelques mois de son procès avec les agriculteurs de la région qui avaient exigé dans leurs revendications qu'il loue au moins deux de ses fermes, il comptait tirer un avantage psychologique sur ses adversaires en confiant à son beau-fils l'exploitation de ses terres de Digny. Il signa donc un bail de neuf ans à Jacky, sans toutefois lui réclamer ni loyer ni fermage, et régla lui-même les impôts fonciers pendant tout l'exercice. En outre, la bâtisse de la ferme n'étant pas correctement habitable, Jean fit construire une nouvelle maison dans laquelle Jacky s'installa avec la grand-mère Fournier, venue aider son petit-fils.

Il semblait donc enfin qu'entre Jean et Jacky les rapports s'harmonisaient et se stabilisaient, au grand bonheur de Dominique qui eut souvent à en souffrir. Sa seule satisfaction dans ce domaine avait été d'établir une entente véritablement fraternelle entre Jacky, d'une part, et Florence, Valérie et Mathias, d'autre part — entente qui d'ailleurs se poursuit présentement. Le moins que l'on puisse dire, c'est qu'elle y contribua seule, car Jean, au contraire, acceptait mal cette alliance, mais les tentatives qu'il fit pour la rompre se heurtèrent au front uni de Dominique et de ses propres enfants, ceux-ci considérant à juste titre Jacky comme leur frère.

Pendant son séjour en Suisse, Jacky avait fait la connaissance d'une jeune femme, Madeleine, qu'il décida, une fois installé à Digny, de faire venir et d'épouser. Jacky était libre et majeur, et la jeune femme intelligente, travailleuse et d'une conduite parfaite. Malgré cela, Jean prit fort mal cet événement. Il se considérait sans doute comme « trahi » par Jacky, ce Jacky qu'il n'avait jamais tout à fait accepté comme son fils, mais dont cependant il ne supportait pas à présent qu'il échappe à son influence et à son autorité. Il refusa donc d'assister au mariage, qui eut lieu en Suisse, et interdit à Dominique qu'elle y emmène Florence, Valérie et Mathias. Dominique y alla donc seule, accompagnée de Bernard et Jacqueline Odolant.

A leur retour, Jean n'accepta pas de recevoir le jeune couple chez lui. Il n'entretint plus, de ce fait, que des rapports lointains et épisodiques avec son beau-fils, le plus souvent liés aux problèmes de la ferme ou à des rencontres de hasard. D'un autre côté, il laissait Jacky et

Madeleine s'organiser comme ils l'entendaient sur ses terres de Digny.

Un jour, une partie de chasse conduisit Jean jusque devant la maison de Jacky et de Madeleine.

— Entrez, monsieur, vous êtes chez vous ! lui dit Madeleine.

A contrecœur, il accepta d'entrer dans la cuisine seulement, but une bière, puis repartit.

Jean soupçonnait Odolant de manigancer quelques-unes des rencontres qu'il eut avec Madeleine.

« Nous aurions bien aimé que les choses s'arrangent entre eux, dit aujourd'hui Bernard Odolant, car cette situation était pénible pour tout le monde, même si elle ne me regardait pas vraiment. M. Gabin ne pouvait véritablement rien reprocher à Madeleine qui était une personne bien. Ma femme et moi avions beaucoup d'estime pour elle et pour Jacky que nous recevions chez nous, à la *Pichonnière*. Tous deux étaient sérieux et travaillaient très durement.

Le plus étonnant était le comportement de M. Gabin quand, par hasard, il rencontrait Madeleine. Ainsi, un dimanche, nous allions, M. Gabin et moi, aux courses à Illiers et, comme d'habitude, nous nous sommes arrêtés pour déjeuner à l'*Auberge de la Forêt* à Senonches. Nous étions accoudés au bar en train de prendre l'apéritif, quand Jacky et Madeleine sont entrés pour déjeuner également. M. Gabin les a aussitôt invités à se joindre à nous, et il a dit à Madeleine en lui présentant une chaise : " Asseyez-vous à côté de moi, madame. " Il a été tout à fait charmant et agréable avec elle, au point que je ne comprenais décidément rien à son attitude. »

Dominique se souvient parfaitement de ce jour, lorsque Jean est rentré d'Illiers :

« — Tu ne devineras pas avec qui j'ai déjeuné, me dit-il.

J'aurais pu avancer le nom de dix personnes, sauf ceux qu'il allait me dire.

— Avec ton fils et *ta* bru, ajouta-t-il, comme je ne devinais pas, en effet.

Il disait toujours " bru " à propos de Madeleine, et ne l'appelait jamais par son nom.

— Alors ? lui demandai-je, intéressée.

— Alors, rien. Qu'est-ce que tu voulais que je fasse ? Je les ai invités à déjeuner, c'est tout.

Il ne voulait pas s'étendre davantage sur cette rencontre qui l'avait un peu piégé, mais ce qui est incompréhensible, c'est que rien ne l'obligeait à faire ce qu'il avait fait. C'était difficile de comprendre ce que Jean avait dans la tête à ce sujet-là et de savoir exactement ce qu'il reprochait à Jacky et à Madeleine. Je lui ai souvent demandé des explications mais il n'a jamais voulu me répondre clairement. »

« Les torts étaient sans doute réciproques, dit de son côté Bernard Odolant, qui fut mêlé de près à cette histoire au parfum balzacien. Jacky commettait des maladresses de jeunesse, pas bien graves mais qui irritaient M. Gabin et créaient de nombreuses frictions entre eux. »

Est-ce pour en terminer avec cette situation que Jean décida brutalement, à l'approche de la fin du bail qu'il avait signé à Jacky, de ne pas le renouveler et de vendre Digny? Ce fut pour Jacky et Madeleine un coup terrible. Ils ne purent rien faire contre sa décision et durent partir s'installer ailleurs, du côté de Vichy, dans une petite ferme qu'ils louèrent.

« Après le départ de Jacky et Madeleine, dit Bernard Odolant, M. Gabin a été si pressé de vendre qu'il a littéralement bradé Digny comme s'il voulait effacer au plus vite toute cette histoire de sa mémoire. »

Jean n'a probablement pas joué là le meilleur rôle de sa vie, et son comportement laisse encore aujourd'hui traîner un mystère sur les sentiments profonds qui l'ont motivé. De son côté, impuissante à empêcher la rupture entre Jean et son fils, Dominique, profondément meurtrie et déchirée, maintint farouchement ses liens affectifs avec Jacky et Madeleine.

« Deux ans après le départ de Jacky de Digny, raconte Dominique, il y eut cet été de grande sécheresse de 1976. Nous ne trouvions plus d'herbe pour nos bovins et nos chevaux dans la région, et Jean était très préoccupé. Un jour, il me demanda de téléphoner à Jacky pour savoir s'il pouvait lui trouver du fourrage. “ Appelle-le, toi ”, lui dis-je. Mais Jean, d'une manière générale, téléphonait rarement lui-même. C'était ainsi pour n'importe qui, et d'appeler Jacky lui coûtait encore plus. Je finis par céder et je téléphonai à Jacky, en espérant que cela pourrait éventuellement un peu arranger les choses entre eux, encore que je savais mon fils définitivement braqué contre Jean. Jacky me répondit qu'il pouvait avoir du fourrage et nous le livrer à la *Pichonnière*. J'en fis part à Jean, qui se montra soulagé et aussi satisfait sans doute que Jacky ne se soit pas dérobé à sa demande.

Le jour où Jacky vint livrer le fourrage, il me dit :

— Tu diras à Jacky qu'il monte déjeuner avec nous.

Je descendis à la *Pichonnière* pour embrasser Jacky et lui faire part de l'invitation de Jean, mais il refusa, et malgré mon insistance, ne voulut même pas le voir. Dès qu'il a eu fini de décharger, il est reparti.

Je suis remontée à la maison seule, et lorsque Jean n'a pas vu Jacky avec moi, il m'a dit :

— Il n'a pas terminé ?

— Si. Il est même reparti.

— Il n'a pas voulu déjeuner avec moi.

Il était tout déconcerté et ne paraissait pas bien comprendre. Pour essayer d'atténuer le choc, je lui ai dit que Jacky était pressé et qu'il devait être de retour chez lui avant le soir. C'était une mince excuse de toute façon, et Jean réalisait sans doute que, cette fois, entre mon fils et lui tout était fini. Malgré son attitude, je suis certaine qu'il n'a jamais voulu tout à fait en arriver là, et maintenant qu'il se rendait compte que c'était fait, il en était désemparé. Jean ne devait jamais revoir Jacky, puisqu'il est mort quelque temps après. »

Jacky assistera à l'enterrement de Jean. Seul et profondément attristé.

— Je l'ai pleuré. C'était impossible pour moi de faire autrement, malgré tout ce qu'il s'était passé, me déclarera Jacky.

Mais Madeleine, encore aujourd'hui, reste inébranlable, fermée définitivement à toute évocation de Jean. Elle a trop souffert de son attitude envers elle, et envers Jacky.

Alors qu'il avait encore son élevage et son écurie à trotteurs, Jean en était venu petit à petit à s'intéresser aux galopeurs sous l'influence de son vieil ami Jack Cunnington, et sur les conseils de Peter Head.

« Il fallait deux fois plus de personnel pour les trotteurs que pour les galopeurs, dit Dominique. J'ai mis un jour les comptes sous le nez de Jean. C'était catastrophique, et il a quand même compris qu'il ne pouvait pas continuer comme ça. Il s'est décidé à vendre en juin 1970 l'élevage et l'écurie de trotteurs. Nous avons pu ainsi réduire le personnel. Il s'est alors complètement lancé dans les galopeurs. Il faisait naître et élever. Les chevaux qui couraient étaient entraînés chez Jack Cunnington. »

La Fonte, la Buterne furent des produits de la *Pichonnière* qui gagnèrent des courses. La Grande Coudre, fille de la Buterne, fut également une jument de grande classe mais qui ne courut pas longtemps. Elle pouline encore aujourd'hui et appartient à Dominique. Jean avait donné aux chevaux les noms attachés à certaines pièces de terre qu'il possédait. Lorsque la Buterne gagna sa première course, il fit cadeau à Jack Cunnington d'un modèle réduit de licol qu'il avait commandé chez Hermès et sur lequel étaient gravés ces mots : EN SOUVENIR DE CHEZ VICTOR, du nom du bistro près de la gare du Nord, où Jack Cunnington et lui s'étaient connus au temps de leur toute première jeunesse. A cette occasion, il fit également cadeau d'une montre-bracelet à Dominique, qu'elle a toujours, et qu'elle appelle précisément la Buterne.

Jean ne fit cependant pas toujours de bonnes affaires. Il acheta notamment un jour, à Deauville, une fille de Val de Loire — 160 000 francs, une fortune ! — qui se révéla médiocre.

Dans ces cas-là, il se disait pour se consoler :

— Avec une pouliche, on finit par s'en sortir, avec un mâle quand il est nase, c'est plus difficile.

« L'expression que M. Gabin employait le plus souvent était : " Si on arrivait à faire ric et rac, ça serait bien ", se rappelle Bernard Odolant. Il portait à son élevage de galopeurs autant de passion évidemment qu'il en avait eue pour les trotteurs. Il espérait toujours sortir le champion, " le cheval du siècle ", et continuait d'étudier avec acharnement les croisements de sang. »

Une journée à la *Pichonnière* se déroulait selon un rite quasi immuable. Toujours très matinal, Jean ouvrait la fenêtre de sa chambre au rez-de-chaussée de la *Moncorgerie*. Dominique avait la sienne au premier étage. Il allait se faire son café et revenait le boire devant la fenêtre en fumant sa première gitane et en contemplant, quelque quatre cents mètres plus bas, l'activité du haras.

« On voyait sa silhouette dans l'encadrement avec sa tignasse blanche encore tout ébouriffée, se souvient Bernard Odolant.

— Tiens, " papa " est réveillé ! disait-on entre nous.

On avait pris l'habitude de l'appeler ainsi et Mme Gabin " maman ", parce que, entre eux, ils ne s'appelaient que comme ça. Ce n'était pas moqueur mais affectueux. Cet instant où il ouvrait sa fenêtre et venait s'installer devant, on l'attendait presque. Je crois que, si un matin on ne l'avait pas vu apparaître à son heure habituelle, on se serait inquiétés. Mais ce n'est pratiquement jamais arrivé. Sauf une fois, le matin où il a quitté la *Pichonnière* pour la dernière fois, et que nous ne l'avons plus revu. Il devait mourir quelques jours plus tard.

Quand il était là-haut à sa fenêtre, on savait qu'il nous regardait et ça nous amusait parce qu'il n'y avait pas la moindre idée de surveillance de sa part : simplement il était heureux comme ça. »

« Après quoi, reprend de son côté Dominique comme en écho, Jean se rendait à la salle de bains. Ah ! La salle de bains ! Comme à Paris, il y passait un temps infini, et ce n'était pas un endroit où il était question de le déranger. A cet instant-là et à celui des repas, il ne supportait pas qu'on l'appelle, par exemple, au téléphone. Une demi-heure pour se laver les dents, une demi-heure pour la douche, encore autant pour se faire les ongles ! " Pour un homme " de chez Caron était son eau de toilette préférée. Ensuite, il s'habillait en fonction de ce qu'il pensait faire dans la journée. S'il n'avait pas prévu de sortir de la « Piche », il se mettait un peu en négligé, mais ce n'était quand même pas n'importe quoi. Naturellement, quel que soit le temps, il portait toujours une casquette. »

Fin prêt, Jean prenait alors sa voiture et, à 20 km/h, il faisait le tour de son domaine par la route extérieure. Là encore, il n'y avait dans son esprit aucun désir d'inspection, mais il avait cependant l'œil exercé à remarquer si quelque chose n'allait pas et le signalait à Odolant. Après avoir fait son petit tour en voiture, il entrait dans le domaine par le portail qui menait directement à la *Pichonnière*.

« J'avais une chienne cocker, raconte Bernard Odolant, qui me suivait partout. Pour M. Gabin, c'était simple, quand il la voyait, il savait où me trouver. Je connaissais son heure d'arrivée et je me tenais toujours dans les parages parce que la première chose qu'il aimait faire, après avoir salué ma femme, était de s'installer un moment dans son bureau qui était presque une sorte de salon avec canapé, fauteuils, table basse. J'avais mon bureau personnel à l'autre bout de la maison, mais il y venait rarement. Il ne disait jamais parlant du sien « mon » bureau, mais « notre » bureau. M. Gabin avait ce genre de délicatesse. De la même façon, il ne me dérangeait jamais à l'heure où il savait que je prenais mes repas, ou le dimanche qui était mon jour de repos. Il agissait de la même façon avec tout le personnel. Le dimanche, précisément, il arrivait que nous invitions M. et Mme Gabin à déjeuner à la maison. Mme Gabin apportait toujours un gâteau. Ils avaient l'un et l'autre des rapports très simples et très directs avec nous mais sans cette sorte de familiarité qui existe parfois de la part des patrons envers leurs employés.

Une fois assis dans « notre » bureau, toujours dans le même fauteuil, il prenait un café que ma femme lui apportait. On parlait alors des problèmes du domaine, des travaux en cours, de ceux qu'il envisageait d'entreprendre, car il cherchait toujours à améliorer quelque chose. Il n'aimait pas qu'il n'y ait rien à faire, rien à aménager ou à bâtir. Il fallait qu'il mette toujours quelque chose en route. Il me demandait des nouvelles des juments qui poulinaient, étudiait avec moi le programme des prochaines saillies. Il aimait aussi dans ces moments-là que nous échangions quelques propos à la lecture des journaux ou sur ce qu'il avait vu la veille à la télévision.

On sortait ensuite faire un tour du côté des étables et des boxes. Il s'empressait de dire bonjour le premier à tous les employés mais ne les dérangeait jamais dans leur travail. On poussait jusqu'aux paddocks et on s'y arrêtait un peu pour regarder les bêtes qui s'y trouvaient. Il commentait leur allure, leurs manies. On revenait ensuite dans « notre » bureau de la *Pichonnière* prendre l'apéritif puis il remontait à la *Moncorgerie* pour déjeuner.

L'après-midi, il redescendait vers 16 heures et refaisait un tour sur les lieux de travail, disant un mot à chacun, une plaisanterie, souriant, aimable, chaleureux. Puis nous traînions à nouveau à « notre » bureau pour de nouvelles discussions sur des petits faits de la journée. Ma femme Jacqueline nous apportait les résultats des courses de l'après-midi qu'elle prenait à la radio. Pas seulement ceux des épreuves courues sur les hippodromes parisiens, mais également ceux des courses de province. M. Gabin commentait avec moi ces résultats. Il connaissait presque tous les chevaux et leurs « papiers » et faisait des analyses.

Vers le soir, après l'apéritif, il remontait chez lui à la *Moncorgerie*. Des fois, j'avais à me déplacer sur les autres terres qu'il possédait, ou bien je devais me rendre quelque part pour affaires concernant la *Pichonnière*. Il aimait m'accompagner, mais ça lui posait toujours un problème car il voulait être sûr que sa présence ne me dérangerait pas. Il disait alors à ma femme :

— Vous croyez que ça ennuierait Bernard si je l'accompagnais ?

Elle lui faisait invariablement la même réponse, et il était comme un gamin tout content que je l'emmène. On prenait quelquefois un van pas toujours très confortable, mais ça lui était égal. Là où je me rendais pour des achats, il ne descendait jamais de voiture et me laissait y aller seul. Il fumait une cigarette en m'attendant, regardait les gens passer, s'arrangeant pour qu'on ne le reconnaisse pas. Sur le retour, il connaissait toujours un petit bistro ou une auberge et me disait :

— On pourrait peut-être s'arrêter pour prendre une petite bière, qu'est-ce que vous en pensez, Bernard ?

J'en pensais que c'était lui le patron, et que, s'il avait envie de s'arrêter et de boire une « petite » bière, c'était normal que je m'arrête.

Quand nous rentrions à la *Pichonnière* en fin de journée, il rendait compte à ma femme avec un peu de malice :

— On s'est juste arrêtés boire une petite bière. Pas plus !

Il était content de sa promenade et remontait chez lui. »

Pour Dominique, la journée se passait un peu différemment. Elle se levait, alors que Jean s'apprêtait déjà à descendre faire son tour de la *Pichonnière*. Elle partait faire les courses à L'Aigle ou à Moulins-la-Marche. En rentrant, elle préparait les menus avec Mme Chesnot, leur cuisinière, donnait des instructions générales pour la marche de la maison. Elle allait cueillir des fleurs au jardin et faisait de gros bouquets pour la maison. A la belle saison, la *Moncorgerie* vivait un peu sur les produits du potager et les fruits du verger. Le lait, le beurre, la crème, les volailles provenaient également du domaine. Le personnel était également autorisé à se servir pratiquement à discrétion.

L'après-midi, Dominique descendait elle aussi à la *Pichonnière*. Elle allait plutôt rendre visite aux bovins qu'aux chevaux, car Jean lui reprochait de ne pas les connaître par leurs noms. Jean aimait les chevaux — c'est l'évidence —, mais il s'en méfiait un peu et ne s'en approchait qu'avec circonspection.

— C'est parfois con, un cheval, on sait jamais ce qu'il va faire, disait-il.

Dominique passait aussi une heure ou deux à travailler sur les comptes et les papiers de la *Pichonnière*. Curieusement, Jean, qui était extrêmement méticuleux pour toutes sortes de choses, laissait ses papiers dans le plus grand désordre sur son bureau. Il ne voulait pas qu'on y touche, car ce désordre n'était qu'apparent, et il savait y trouver rapidement le document dont il avait besoin.

Cette méticulosité, il la poussait précisément par ailleurs à ne pas tolérer, une fois le travail fait, qu'un brin d'herbe traîne dans les cours ou sur les trottoirs des boxes. Son fils Mathias, dans son haras de l'Orne, a hérité de la même exigence. Il a tant pris modèle sur son père qu'il en a l'ordre et la rigueur, et le goût du travail bien fait.

« Le soir, quand Jean rentrait à la maison, raconte Dominique, il s'installait devant la télévision en buvant un scotch ou deux. Pour rien au monde, il n'aurait manqué les journaux d'information de 20 heures. Quand les enfants étaient petits, ils dînaient ordinairement avant nous, aussi bien à Paris qu'à la *Moncorgerie*, mais, pendant les vacances scolaires et ensuite quand ils furent grands, nous dînions presque toujours ensemble. Cependant, s'il y avait quelque chose que Jean voulait voir à la télévision, je lui demandais alors s'il désirait dîner avant ou après. Si c'était après, je lui mettais son repas de côté et lui tenais au chaud. Quand nous étions seuls tous les deux, c'était un peu plus simple et il mangeait généralement le nez sur la télé. »

La télévision était la grande affaire de Jean, tant à Paris qu'à la campagne. La foule le fatiguait et l'irritait tellement qu'il ne voulait plus aller dans les spectacles ni même au cinéma dans les salles. Il ne sortait que très exceptionnellement pour les premières de ses films, et ne mettait les pieds dans un théâtre ou dans un music-hall que pour rendre hommage à un ami ou une amie qui s'y produisait. Il restait quand même très attentif à faire ce genre de geste, et si, avant d'y aller, c'était toujours un petit drame dans sa tête, après, à son retour, il était heureux de l'avoir fait.

A la télévision, Jean regardait tout, le sport évidemment, les films, les émissions de variétés. Il avait conservé une grande passion pour la chanson — la « chansonnette », comme il disait — et avait à cet égard des goûts très éclectiques, fasciné qu'il était par la plupart des chanteurs. Je ne lui ai connu qu'une restriction à une certaine époque, c'était envers Les Compagnons de la Chanson dont il disait : « Je ne comprends pas qu'ils se mettent à neuf pour n'avoir qu'un seul talent ! »

Un jour, sortant de chez Mosch, le chapelier de l'avenue George-V où il se rendait parfois, et traversant la chaussée, il faillit être renversé par une voiture qui freina sec devant lui pour l'éviter. Jean s'apprêtait à engueuler le conducteur, quand il reconnut Leny Escudero qu'il adorait. Cela lui a coupé toute envie de protester et, au contraire, en lui souriant il l'a applaudi en frappant doucement dans ses mains.

— Bravo, monsieur, a-t-il simplement dit à Escudero.

Puis il est parti, laissant probablement croire à Escudero qu'il l'avait félicité de ne pas l'avoir écrasé.

Jean aimait des chanteurs aussi différents que Ferré et Brassens — il participa même à une émission de télévision en hommage à ce dernier —, Brel ou Montand. Il avait conservé toute son admiration pour Édith Piaf qui avait été une amie, pour Tino Rossi, Charles Trenet et même pour Maurice Chevalier, l'idole de sa jeunesse, dont il avait toutefois jugé sévèrement l'attitude ambiguë durant l'occupation allemande.

Il avait croisé une fois celui-ci dans le couloir du studio de Boulogne, alors qu'ils sortaient l'un et l'autre d'un plateau différent où ils tournaient un film. C'était en 1957. Ils ne s'étaient pas rencontrés depuis avant la guerre, et Jean avec ses cheveux blancs n'était plus un tout jeune homme. Malgré cela, Chevalier posa au passage ses deux mains sur les épaules de Jean pour lui dire d'un ton gravement paternaliste et avant de poursuivre son chemin :

— Bravo, petit !

Jean mit un moment à se remettre de ces félicitations tardives, et surtout d'avoir été appelé « petit ».

Peu de temps avant sa mort, Jean avait été bouleversé par une chanson de Daniel Guichard : *Mon Vieux*.

— Tu vois, disait-il à ce propos à Dominique, cette chanson, c'est moi avec mon père.

Il était très sensible aux beaux textes — ceux de Prévert ou d'Aragon que chantait Montand —, mais les chansons toutes simples et sentimentales l'attendrissaient plus encore.

La télévision a été aussi pour Jean la possibilité de voir des films en toute tranquillité, les pieds dans ses chaussons. Naturellement, il les voyait avec un certain retard sur l'actualité mais il n'en était pas toujours conscient. Ainsi, un jour, il vit pour la première fois Paul Newman dans *L'arnaqueur* et en fut ébloui. Le lendemain au studio, devant un auditoire un peu ahuri, il faisait part de sa « découverte ».

— J'ai vu un type, hier, dans un film à la télé ! Paul Newman qu'il s'appelle ! Alors, écoutez-moi bien, les gars, çui-là, moi je vous dis qu'on va en entendre parler !

Jean se trompait rarement dans ce genre de jugement, et cette fois d'autant moins qu'à ce moment-là cela faisait déjà quelques lustres que Paul Newman, qui était au sommet de sa carrière, lui avait, une fois de plus, donné raison.

A la télévision, Jean redécouvrait aussi parfois et sans trop de déplaisir quelques-uns de ses propres films. Dominique appelait alors les enfants qui jouaient dans leurs chambres :

— Descendez, il y a papa à la télé !

— Papa, on le voit tous les jours à la maison ! répondaient-ils en chœur en demeurant à leurs occupations.

— Tu vois, disait Jean en hochant la tête sans amertume et avec philosophie, si c'était Jean Marais, ils seraient venus voir.

« A la belle saison, la télé éteinte, les enfants couchés, raconte encore Dominique avec une émotion nostalgique, nous prenions, Jean et moi, un dernier verre dehors, sur la terrasse qui dominait le domaine. En contemplant l'ombre sur la campagne silencieuse, nous parlions peu, mais c'étaient des moments très forts où nous nous sentions très près l'un de l'autre.

L'hiver, je faisais un feu de bois dans la cheminée. J'aimais. Jean n'aimait pas. En rentrant il disait :

— Ah ! T'as encore allumé le feu !

Et il repliait aussitôt le tapis, de crainte qu'une étincelle n'y mette le feu. Il avait peur de tout ce qui faisait des flammes. Quand les enfants étaient petits, j'avais acheté pour la fête de Noël sept bougies qui représentaient les nains de *Blanche-Neige*. On les avait pas plutôt allumées que Jean se précipitait pour les éteindre.

— Bon, ça suffit comme ça, les enfants, vous les avez vues !

C'était chaque année à Noël la même chose, ce qui a fait qu'on les a utilisées pendant douze ans sans les user. J'ornais le sapin avec des petites lampes électriques multicolores. Jean surveillait attentivement de crainte que la chaleur ne finisse par mettre le feu aux aiguilles du sapin, et au bout d'un moment il allait débrancher la prise.

Quand nous quittions notre appartement de Paris ou la *Moncorgerie*, il m'interrogeait cinquante fois pour savoir si j'avais bien fermé les compteurs du gaz et de l'électricité. Je l'avais fait, mais des fois j'éclatais un peu :

— Non. J'ai même ouvert les robinets du gaz, branché le toaster, et fermé la fenêtre !

— Elle est folle ! répliquait-il sachant évidemment que ce n'était pas vrai, mais il allait quand même vérifier, pour le cas où j'aurais eu une absence. »

« Quand quelqu'un fumait à la maison, se rappelle Mathias, papa surveillait la cigarette de l'autre et s'il l'éteignait convenablement. Il avait toujours peur qu'on ne fasse tomber un mégot allumé et qu'on ne mette le feu au canapé ou aux fauteuils. Mais en fait, comme il fumait davantage que n'importe qui, il a toujours été le seul à qui c'est arrivé. Un jour, comme il ne retrouvait pas sa cigarette qu'il avait laissé tomber allumée entre les coussins du canapé, il nous a même obligés à sortir le canapé dehors pour l'arroser d'eau. »

J'ai personnellement le souvenir de la première fois où, connaissant encore très peu Jean, j'ai découvert cette angoisse qu'il avait du feu. Il habitait alors rue François-Ier, au cinquième étage, et c'était un jour où, précisément, l'ascenseur était en panne, ce qui le faisait abominablement râler car, je l'ai dit, il détestait monter les escaliers. Nous sortions de l'appartement pour aller dîner dehors et, arrivé au premier étage, il s'est soudain arrêté pour fixer mes mains :

— Votre cigarette ! Vous en aviez une tout à l'heure, qu'est-ce que vous en avez fait ?

Je lui dis que je l'avais écrasée juste avant de sortir, dans un cendrier du salon. Magré cela, et la peine que lui causait d'avoir à remonter quatre étages à pied, il est retourné voir si je l'avais soigneusement éteinte. Il n'aurait confié cette tâche ni à Dominique ni à moi-même, il n'avait, dans ce domaine, confiance qu'en lui-même.

« Jean n'aimait pas les fêtes, raconte encore Dominique. Pas plus les siennes que celles des autres. Je n'ai jamais vraiment compris pourquoi, c'était comme ça. Le soir de Noël et du jour de l'an notamment, il prétendait qu'il ne se sentait pas bien, et lui qu'on ne pouvait pas mettre au lit ordinairement allait, ces soirs-là, se coucher de bonne heure. Il ne touchait pas au repas qu'on prépare dans ce genre de circonstance et demandait à Mme Chesnot de lui faire “ une petite soupe ” qu'il mangeait tout seul à la cuisine. Les enfants et moi, nous faisions la fête sans lui. Rituellement, comme il ne dormait pas, il réapparaissait en robe de chambre un peu plus tard, comme étonné de nous voir là.

— Qu'est-ce que vous avez mangé ? demandait-il en jetant un coup d'œil sur la table.

Alors, il se mettait à grignoter un peu de foie gras ou de saumon fumé en disant :

— Vous vous en faites pas, hein ?

Fallait voir la tête qu'il faisait quand les enfants se pointaient gentiment pour lui apporter leurs petits cadeaux le jour de sa fête ou de son anniversaire ! Ça le plongeait dans un embarras incroyable et il remerciait en bougonnant.

La seule fête d'anniversaire où je l'ai vu détendu, ça a été pour ses soixante-dix ans. Nous avons fait un grand dîner à la *Moncorgerie.* Il y avait les enfants, mais Jean avait invité aussi Bernard et Jacqueline Odolant avec Catherine et Jean-Marie, leurs enfants, et également trois de ses vieux employés qui étaient avec lui depuis plus de vingt ans.

Il y avait aussi Mme Chesnot, notre cuisinière, et son mari Marceau qui s'occupait du jardin. Il n'a pas voulu que ni Mme Chesnot ni Jacqueline Odolant fassent la cuisine et servent à table. Il avait engagé du personnel extérieur pour cela.

Il avait préparé le menu avec moi : homards, poulets à la normande, gigots, et il a servi, pour faire le “ trou normand ”, un vieux calvados que lui avait offert Louis Seigner, car Jean avait participé à sa soirée d'adieu à la Comédie-Française. A la fin du repas, on a chanté, Jean le premier naturellement, et on a aussi dansé. Ce soir-là, j'ai senti Jean heureux d'être entouré de toutes ces personnes dont il se savait aimé. Ça a été sa dernière grande fête. »

Tout un petit monde animalier, qui s'entendait d'ailleurs à merveille, avait une place de choix à la *Moncorgerie.* De Titi, le petit chien de Dominique, à Charmille, le « chien fou » de Valérie, du chat Poupouf au mainate, en passant par les tortues d'eau et les poissons rouges.

Jean aimait bien ces pensionnaires, même s'il gardait à leur égard la même réserve qu'envers les hommes. Il avait évidemment appris au mainate à dire quelques gros mots, et, comme une porte du salon grinçait, l'oiseau en faisait aussi une parfaite imitation. De plus, quand il entendait Jean entrer, il poussait des cris pour l'accueillir.

— Qu'il est con, ce piaf ! disait Jean, que tout cela amusait quand même.

Un jour, cependant, toute la maison l'a brusquement entendu hurler. Le chat Poupouf avait fait ses griffes sur la moquette de laine, en la lacérant jusqu'à la trame.

— Où il est, ce greffier, que je le bute ! criait Jean en poursuivant le chat, armé de son fusil de chasse.

Ce fut la panique. Les enfants pleuraient et s'accrochaient à leur père pour l'empêcher de mettre sa menace à exécution, tandis que Zelle, la gouvernante, lui barrait le chemin de son corps en criant :

— Vous ne ferez pas ça, Monsieur ! Ou il vous faudra me tuer avant !

« C'était grotesque, se souvient Dominique. J'ai crié à Jean :

— Tu ne vas pas bientôt arrêter ton cinéma ! Tu fais peur à tout le monde, et ton fusil n'est même pas chargé !

Je me doutais bien que Jean n'avait pas commis l'imprudence de charger un fusil dans la maison et qu'il n'entrait même pas dans son intention de faire réellement du mal au chat, mais il aimait parfois se livrer à ce genre de numéro dans lequel il était assurément impressionnant. Il exagérait d'ailleurs toujours ce qu'il disait quand il ne le pensait pas vraiment, ou ce qu'il menaçait de faire et dont, au fond, il était bien incapable. Lorsqu'il était sincère, il se montrait au contraire plus mesuré dans ses expressions comme dans son comportement et, dans ces cas-là, le résultat se révélait bien plus redoutable que ses colères dans lesquelles entrait parfois une part de jeu.

Il criait souvent après les enfants, par exemple, au point que je trouvais parfois qu'il était un peu trop sur leur dos, mais jamais un instant il n'aurait pensé à lever la main sur eux. Il préférait se retourner contre moi en cherchant à m'accabler avec des " ah, *tes* filles ! " ou " ah, *tes* enfants ! " et, comme un écho à l'imprécation que lui lançait autrefois sa mère — " Tu finiras sur l'échafaud ! " — il ajoutait :

— Ils te feront un jour pleurer des larmes de sang !

Il en aurait sans doute versé davantage que moi si cela s'était révélé vrai, mais nous avons eu des enfants qui ont tous été très bien et le sont encore. Je revendique ma part de cette éducation, mais Jean a eu la sienne, très importante, et peut-être plus déterminante dans la mesure où il se montrait envers eux plus sévère et plus exigeant que je savais l'être moi-même. Avec le recul, je me dis que tout cela a été très bien ainsi. Car, même si ce fut souvent à grands " coups de gueule ", il leur a enfoncé solidement dans le crâne quelques-uns des principes moraux qui étaient les siens, ceux d'un honnête homme, et ils en ont tous les trois retenu la leçon.

Une des grandes réussites de Jean a été notamment de les protéger des éclats intempestifs du métier qu'il faisait et du monde dans lequel il évoluait, et ce n'est pas toujours ni fréquent ni facile sans une grande attention. D'autre part, il s'est toujours efforcé de calquer ses activités professionnelles sur le rythme scolaire des enfants afin de pouvoir partager leurs vacances. C'était nécessaire à son propre équilibre, mais ça l'était aussi pour celui des enfants. Pourtant, il ne jouait pas tellement avec eux, sinon aux boules et quelquefois au nain jaune, mais cela se terminait souvent par des éclats de mauvaise humeur, car il n'aimait pas perdre. Il lui arrivait même de tricher pour éviter d'être battu par les enfants.

Ce que j'ai le plus regretté, c'est que Jean ne leur ait jamais lu un livre quand ils étaient petits, ni même jamais raconté une histoire. Il n'avait pas le goût de s'intéresser à eux de cette manière-là. N'ayant pas été élevé comme ça, il ne savait pas. Pourtant, lui-même enfant avait un peu souffert de ce manque d'attention, mais malgré cela — c'était un de ses aspects déconcertants — il n'a pas su être différent avec ses propres enfants que ses parents l'avaient été avec lui. Je lui disais qu'il avait tort de ne pas essayer d'être autrement et que les enfants, plus tard, auraient besoin de cette sorte de souvenirs de leur père.

— Ils en auront d'autres, disait-il sans vouloir m'écouter.

C'est vrai, finalement, qu'ils en ont eu d'autres, et même de très bons de lui. »

Il arrive même que, à côté des vrais souvenirs qu'il a gardés de son père, un garçon comme Mathias s'en invente. Il raconte par exemple que Jean allait quelquefois le chercher à la sortie de l'école. Dominique est pourtant catégorique :

« Jamais Jean n'a accompagné ou n'est allé chercher les enfants à l'école quand ils étaient petits. Ne serait-ce que pour éviter la curiosité que n'aurait pas manqué de susciter sa présence auprès de leurs camarades, des parents de ceux-ci ou des professeurs. Mathias l'a sans doute tant souhaité qu'il a fini par croire sincèrement que c'est quelquefois arrivé. »

Parce qu'il était le plus jeune et l'unique garçon, celui aussi des enfants qui resta le plus longuement dans le giron familial et surtout paternel, Mathias a subi plus que ses sœurs l'influence de Jean, à commencer par une volonté mimétique évidente. Bien que plus grand que son père, il en a l'allure dans ses attitudes, sa manière de s'habiller, sa façon de parler, reprenant inconsciemment certaines de ses expressions. Il tend surtout à lui ressembler mentalement. Ce qu'il fait, ce qu'il dit est presque toujours par référence à son père, dont il possède pour le moins deux traits de caractère : la pudeur et la timidité.

« L'essentiel de ce que je sais en tant qu'homme, je le tiens de papa, dit Mathias avec une évidente fierté. Et par rapport au métier que j'exerce, je lui dois aussi beaucoup, ainsi qu'à M. Odolant. Tous deux, chacun dans leur domaine et à leur manière, m'ont formé " à la dure ", mais je ne regrette rien et je leur en suis même reconnaissant. »

« Contrairement à Jean, dit Dominique de son côté, je n'ai jamais souhaité que les enfants — je pense notamment à Mathias — travaillent dans le cadre de la famille. Ce n'est jamais bon. A la *Pichonnière,* Jean avait donné des consignes pour que Mathias ne bénéficie d'aucun privilège particulier sous prétexte qu'il était le fils de la maison. Mathias n'en a d'ailleurs jamais réclamé. Le résultat de tout cela, c'est qu'il trimait finalement davantage que n'importe quel employé, et si Jean ne disait jamais rien aux autres, sinon quelquefois pour les féliciter d'une tâche qu'ils avaient accomplie, Mathias n'avait droit, lui, qu'à des critiques et, quoi qu'il fasse, rarement à des compliments. Il mettait pourtant un point d'honneur à ce que son père ne lui reproche rien et soit fier de lui. Il s'attelait aux travaux les plus pénibles comme celui de récurer les boxes, par exemple. Jean n'a jamais suggéré à Bernard Odolant de lui donner une tâche plus responsable, ce qui, après tout, n'aurait rien eu d'anormal. Au contraire, il a été particulièrement exigeant et dur avec lui, et malgré cela Mathias vouait une telle admiration à son père qu'il n'a jamais protesté ni bronché. Cette vénération, Mathias l'a encore amplifiée aujourd'hui, au point qu'il a presque idéalisé son père dans ses souvenirs. »

« Une fois, raconte Mathias, j'avais passé la nuit à veiller sur la naissance d'un poulain et au matin j'ai enchaîné ma journée de travail habituelle. Je nettoyais les boxes et le coup de pompe m'a pris. Je me suis assis dans un coin pour me reposer un peu, mais j'ai entendu papa arriver, et je me suis précipité à mon boulot, parce que je savais qu'il n'aimerait pas me surprendre comme ça, et moi non plus, je n'aurais pas aimé. Il m'a demandé des nouvelles du poulain, puis il est parti. Alors je suis retourné m'asseoir et je me suis assoupi. Combien de temps ? j'en sais rien, mais j'ai brusquement sursauté en entendant un " oh ! " que je connaissais bien. Il était revenu sur ses pas et me regardait. J'ai cru qu'il allait m'engueuler, mais au contraire il s'est montré très gentil.

— T'as l'air fatigué, alors reste pas là, va te reposer, qu'il m'a dit.

Et il m'a pris par le bras et m'a remonté jusqu'à la maison pour que j'aille me coucher. Il ne faisait jamais de grands discours, mais on sentait quand il était ému et tendre.

Quand il venait nous voir travailler, il ne m'adressait pas plus la parole à moi qu'aux autres employés, plutôt moins, même, mais des fois, il me demandait de le suivre et il m'entraînait jusqu'aux paddocks. Là, on s'accoudait aux lisses, côte à côte, et on regardait les chevaux à l'herbage. On ne parlait pas mais on savait qu'on pensait tous les deux les mêmes choses. C'étaient pour moi des moments très forts dont je garde un souvenir profond, car dans ses silences papa faisait passer beaucoup de choses qu'il n'osait pas dire. »

Cette rigueur dont Jean faisait preuve envers Mathias ne l'empêchait pas de vivre sans cesse dans la crainte qu'il ne lui arrive un accident auprès des chevaux. Un jour, alors qu'il observait Mathias en train de mener un poulain par la bride, celui-ci s'est cabré et en retombant, d'un coup de sabot, il a brisé une cheville du garçon.

Jean est devenu subitement si blême qu'on a cru qu'il allait s'évanouir. Qu'un de ses enfants se blesse ou soit malade était ce qu'il supportait le moins au monde.

« Au point d'en être même un peu casse-pieds, précise Valérie. Quand on avait la grippe, c'était pour lui comme si on avait attrapé le tétanos. Il ne montait jamais dans nos chambres, mais en cette circonstance il s'y pointait toutes les dix minutes. Il restait là, sur le seuil, à nous regarder avec une expression abattue et désespérée comme si nous étions à l'article de la mort, et il nous demandait si ça allait. Évidemment, dans ces cas-là, c'est rarement la joie, mais on n'avait qu'une sale petite grippe et nous étions dans cet état que tout le monde connaît où on a plutôt sommeil et surtout envie qu'on vous foute la paix. Mais lui, il arrivait et nous réveillait pour nous demander : " Ça va ? " Alors souvent, moi en tout cas, on l'envoyait balader pas toujours gentiment. Il redescendait en disant à maman : " Tu vois, je peux même pas prendre des nouvelles de leur santé sans qu'elles râlent ! " Il n'aimait pas nous voir malades parce que ça le rendait lui-même malade, et ça, il n'aimait pas non plus. Il pensait beaucoup à nous, les enfants, bien sûr, mais aussi beaucoup à lui, à sa propre tranquillité, parce que c'est vrai que ça l'angoissait de nous voir la mine défaite avec 39 de température.

Son angoisse avait des formes diverses. Quand nous avons été en âge de sortir seules, Florence et moi, il vivait dans la peur qu'il nous arrive quelque chose. Je suppose que tous les parents ont cette crainte, mais ça ne les rend pas forcément tyranniques comme il était, lui. En fait, il avait peur d'avoir peur. Il redoutait qu'il nous arrive une chose dont il aurait à souffrir autant que nous, et sûrement même plus que nous. Quand j'ai voulu faire de la moto, ça l'a mis dans un tel état que maman, cette fois-là, a complètement pris son parti. Je sais bien qu'il pensait à moi, à me protéger, mais c'était surtout encore une forme d'égoïsme de sa part, car il pensait aussi à l'angoisse qu'il allait devoir supporter pendant mes virées à moto. »

« Papa était plein de contradictions, enchaîne Florence. Quand nous étions jeunes, il se moquait complètement de nos études. Cela ne l'intéressait pas et il n'a jamais regardé une seule fois nos carnets de notes. C'était maman qui le faisait. Il disait qu'il ne possédait lui-même que le certificat d'études et que l'important, c'était de savoir lire, écrire et compter, le reste, la vie nous l'apprendrait. Mais en même temps, si on l'avait écouté, la vie, comme il disait, nous ne l'aurions pas tellement connue car ce qu'il désirait essentiellement, c'était qu'on reste près de lui, qu'on ne sorte pas du cercle familial. Quand nous avons été grandes, il nous recommandait, à Valérie et à moi, de nous méfier de tout le monde, de n'accepter ni cigarettes ni bonbons, de faire attention à ce que nous buvions. Il avait peur qu'on nous drogue, qu'on nous viole, qu'on nous entraîne dans des mauvais coups. Évidemment, ce n'est jamais arrivé. Au fond, il n'avait pas une grande confiance en nous. Il n'avait pas non plus d'ambitions pour nous, les enfants. Il ne nous a jamais demandé ce que nous voulions faire comme métier, probablement par peur qu'on lui dise quelque chose qui ne lui aurait pas plu. Rien ne lui aurait plu de toute façon. Il pensait que nous resterions tous les trois toujours près de lui, à ne rien faire, qu'il subviendrait à nos besoins et qu'à sa mort il nous laisserait de quoi vivre. Il n'était pas très réaliste sur ce point et surtout il ne lui venait même pas à l'esprit que nous pourrions avoir envie de vivre autrement. Quand il l'a réalisé, ça a fait des drames et il en a été surtout perturbé et malheureux. J'étais majeure, il acceptait que je sorte le soir, mais supportait difficilement de ne pas savoir où j'étais et ce que je faisais. Alors, un jour, il m'a dit :

— La maison n'est pas un hôtel !

Il avait raison, car je sortais et rentrais sans heure précise. Je suis donc partie vivre seule. Ce n'était pas ce à quoi il s'attendait, et cette fois encore ça a été pour lui une épreuve. J'ai loué un petit studio avec une amie. Un soir, je l'ai invité à dîner avec maman. Ce n'était pas très confortable, et il a passé la soirée à glisser par terre d'une espèce de siège gonflable sur lequel il ne parvenait pas à se tenir en équilibre. Malgré cela, il a été tout à fait charmant. Il était surtout étonné que j'aie l'air de ne pas trop mal me débrouiller toute seule. Je les ai accompagnés jusqu'à leur voiture et, là, papa a fait une chose complètement inattendue — il a ôté sa casquette pour m'embrasser en me disant :

— Bravo, ma fille.

C'était simple, mais de sa part, lui si avare de manifestations affectueuses et de compliments, j'ai reçu ce baiser qu'il m'a donné en se découvrant et ces mots dits avec tendresse comme un des plus beaux cadeaux qu'il m'ait jamais faits.

J'avais vingt-sept ans quand je lui ai annoncé que je voulais me marier. Il n'aurait pas été choqué que Valérie ou moi vivions avec des garçons sans les épouser. " Comme ça, si ça ne va pas, disait-il, vous reviendrez à la maison où vous aurez toujours le gîte et le couvert. " Mais mon mariage a été pour lui un véritable drame. Il n'aimait pas, et jugeait sévèrement, mon futur mari. Si ça avait été quelqu'un d'autre, il aurait réagi de la même façon. Malgré toutes les pressions dont il a été l'objet et mon immense peine, il n'est pas venu à mon mariage. Si ça avait été Valérie qui se soit mariée, il n'aurait pas agi différemment. Sans doute nous aimait-il trop pour pouvoir supporter de nous *perdre*. »

— Jean avait, vis-à-vis de ses filles, une jalousie d'homme, dit simplement Dominique à ce sujet.

Des conflits entre Jean et ses filles sont aussi survenus par rapport au genre de cinéma qu'il faisait. Elles critiquaient certains de ses films qu'elles jugeaient indignes, quelquefois, de son talent. Elles lui reprochaient de faire un cinéma archaïque et démodé. Il n'en était pas dupe lui-même et savait que leurs critiques étaient souvent fondées, mais il les supportait mal et en souffrait.

— Jean n'aimait pas être critiqué dans aucun domaine, souligne Dominique.

Un jour, sans doute au lendemain d'un de ses affrontements avec Florence et Valérie, il m'a attaqué bille en tête.

— Paraît que je suis un vieux con fini !

— Dans quoi avez-vous lu ça ? lui ai-je demandé innocemment.

— Si c'était écrit dans un canard, je m'en foutrais, mais c'est mes filles qui le disent, me répondit-il avec une certaine émotion.

J'étais embarrassé, mais il était calme, et nous avons parlé du choix de ses films, de ses rôles. Je restai prudent, car je ne voulais pas en rajouter, mais il a quand même compris que je partageais quelque peu l'opinion de Florence et de Valérie et que, sans le considérer comme « un vieux con fini », je regrettais cependant moi aussi qu'il ne se montre pas plus exigeant dans ses choix, et qu'il ne se cantonne trop souvent dans un cinéma conventionnel. Il en était tout à fait conscient, mais je sentais qu'il n'avait plus le courage de réagir à cet état de choses, par lui-même.

— Qu'on me propose d'autres sujets, qu'on m'offre d'autres personnages, je suis prêt à tout voir, mais je vais tout de même pas passer une annonce ! me dit-il.

Je n'ai pas osé lui rappeler qu'autrefois — il y avait longtemps bien sûr, c'était avant la guerre — il avait de lui-même avancé des idées, suscité des projets, et que cela lui avait plutôt bien réussi. Il a répondu par avance à la réflexion que je me faisais secrètement :

— J'ai plus trente ans. Je peux pas me battre comme avant. Je suis fatigué et tout devient dur pour moi...

Cette conversation se situait à la fin de 1969 pendant qu'il tournait *Le clan des Siciliens*. Il venait de faire *Le tatoué* et *Sous le signe du Taureau* de son vieux copain Gilles Grangier, qui n'avaient pas été, l'un comme l'autre, des films bien brillants. Mais il allait tourner, par la suite, au moins trois films dont il fut très fier, et ses enfants aussi : *La horse, Le chat* et *L'affaire Dominici*.

Les jugements parfois sévères que Florence et Valérie ont portés sur leur père, avec la fougue et aussi l'intransigeance de la jeunesse, se sont largement estompés depuis, avec le temps. Toutes deux expriment aujourd'hui leur admiration pour l'acteur qu'il a été, mais c'est surtout au père que va l'essentiel de leurs sentiments.

— Il a su bâtir une vraie famille au sein de laquelle nous avons tous été très heureux, dit pudiquement Valérie.

— Je voudrais que tout puisse recommencer et le retrouver pour essayer de le comprendre mieux que je n'ai su le faire, déclare Florence, dont l'appartement est tapissé de photos de son père et notamment de celles où il a vers elle ce regard d'amour et de tendresse qu'il avait pour ses trois enfants, et que souvent seul l'instantané d'une photographie parvenait vraiment à surprendre.

« Ce n'était pas dans sa nature de l'exprimer, mais Jean était fier de ses enfants, dit Dominique. Je pense qu'il le serait encore plus aujourd'hui s'il les voyait, mais sans doute ne l'exprimerait-il pas davantage. Je sais seulement que, au fond de lui-même, il ressentirait finalement un grand bonheur et qu'il penserait, rien que pour cela, avoir réussi sa vie. »

16.

LES DERNIERS COUPS DE CŒUR

En 1970, Jean avait derrière lui quatre-vingt-sept films. C'était à la fois beaucoup et relativement peu si on compare, sur la même durée, les cent cinquante films de Fernandel. En quarante années de carrière, cela représentait une moyenne d'un peu plus de deux films par an. En tenant compte qu'à certaines périodes — 1932-1934, d'une part, 1954-1957, d'autre part — Jean fit jusqu'à quatre à cinq films par an, on mesure le « trou » qu'a été pour lui la guerre de 1939-1945. Pour conserver la même comparaison, Fernandel tourna, pendant cette période, seize films, alors que Jean n'en fit que deux aux États-Unis, dans les circonstances que l'on connaît.

En cette année 1970, avec *La horse* dont il commençait le tournage, il ne lui restait plus que huit films à faire.

On voit bien ce qui a pu séduire Jean Gabin dans ce personnage d'Antoine Maroilleur, ce gros propriétaire normand qui règne sur quatre cents hectares de terre et sur sa famille, se donnant, tel un seigneur du Moyen Age, le droit de vie ou de mort sur les siens et dans son fief. La nature de ce hobereau à la mentalité anarchiste qui ne connaît qu'une loi, celle que lui inspirent sa rigueur morale et son sens de l'honneur, a sans doute davantage intéressé Jean que les péripéties du drame lui-même que le film met en scène avec brio cependant. On n'a évidemment pas manqué de rapprocher ce personnage de fiction du propriétaire terrien de la *Pichonnière,* mais la comparaison entre les deux est aussi fausse que celle que l'on faisait autrefois entre le « dur » de *Pépé le Moko* et la personnalité propre de l'acteur.

« Ce patriarche normand, ce grand propriétaire terrien qui entend rester maître chez lui, qui rend sa justice sur son domaine, *ressemble par certains côtés à Jean Moncorgé** — Gabin, en civil — régnant sur les terres qu'il a acquises par son travail au cinéma », écrit Jacques Siclier[1].

Pour les paysans qui se sont introduits chez lui durant l'été 1962, il a été heureux que la ressemblance entre le personnage de *La horse* et Jean Gabin ne soit pas aussi proche qu'on le prétend. Les témoignages sur l'image de Jean à la *Pichonnière* le démontrent d'ailleurs amplement. Mais, encore une fois, cette vision d'un Gabin irréductible, réglant ses comptes avec ses adversaires à coups de carabine, semble s'imposer davantage à l'esprit que l'homme à la fois vulnérable, courageux et sensé qu'il était en réalité.

Peu de comédiens ont autant que Jean Gabin suscité cette étonnante fusion entre l'imaginaire que crée l'artiste dans son rôle et cet autre imaginaire que projette le spectateur sur le comportement réel de l'acteur dans sa vie privée, souvent inspiré par les échos que colportent les médias.

Lors d'une projection en public de *Mélodie en sous-sol,* au moment où le gangster joué par Gabin dévalise un coffre et entasse les billets de banque dans une sacoche, Dominique a surpris cette réflexion d'un spectateur :

« Tel que *je connais* Gabin, il va pas en laisser un ! »

Cette réaction spontanée trouve son inspiration à la fois dans l'idée de l'avarisme de l'homme privé que les médias ont répandue et dans l'infaillibilité que l'acteur a imposée à travers ses personnages, les deux étant ici mêlés et confondus. Or, Jean n'était pas avare, et il était très loin d'être « infaillible », notamment en affaires.

« Mythe et réalité se confondent », comme l'écrit encore Jacques Siclier[1]. Ajoutant avec pertinence : « Après tant de personnages stéréotypés, Gabin redevient le grand acteur qu'il est profondément, et, à soixante-dix ans, il fait une foudroyante démonstration de sa nature et de son métier. »

La horse fut le premier des deux films — le second étant *Le chat* l'année suivante — que Jean tourna sous la direction de Pierre Granier-Deferre. Et il est dommage que ces deux-là se soient rencontrés si tardivement, car, apparemment, ils étaient faits pour s'entendre et pour aborder ensemble des sujets forts. Ils se connaissaient pourtant depuis longtemps, Granier-Deferre ayant été autrefois assistant sur des films joués par Jean, et déjà une certaine complicité régnait entre eux. Jean appréciait le métier, le sérieux et la modestie de Granier-Deferre, de

---

* C'est moi qui souligne.

même que sa politesse et son humour. A toutes ces qualités humaines qu'il attribuait à son metteur en scène de *La horse* et du *Chat*, il en ajoutait trois autres qui n'étaient pas sans importance à ses yeux : la pudeur, la sensibilité et le talent.

Cette parfaite entente entre l'ascétique Granier-Deferre et l'épicurien Jean Gabin est aussi pour le moins la preuve que l'acteur pouvait travailler en parfaite harmonie avec un metteur en scène qui ne faisait pas partie de son cercle habituel. De même que, dans *Le chat*, sa rencontre avec Simone Signoret démentait ce que l'on avait prétendu après l'expérience malheureuse avec de Funès dans *Le tatoué*, à savoir que Jean ne supportait pas, face à lui, la présence de fortes personnalités.

Encore une légende attachée, on ne sait comment, au « monstre sacré » qu'il était et qui ne repose sur aucune réalité. L'ai-je assez dit, Jean adorait les comédiens et pas seulement ceux qui, dans son ombre, lui donnaient la réplique avec talent mais en lui servant un peu « la soupe », comme on dit dans le jargon du métier.

Il avait également une vraie passion pour les plus grands qu'il savait reconnaître mieux que personne, et chaque fois qu'il a pu jouer en face de quelques-uns d'entre eux, il s'en est toujours montré enchanté. Il était d'ailleurs parfaitement conscient de ses propres moyens et donc il n'a jamais craint qu'un partenaire, ou une partenaire à égalité de rang, ne lui fasse de l'ombre. Il avait même une manière bien à lui de rendre hommage à leur talent. Je l'ai entendu dire un jour à Gilles Grangier qui lui proposait Danielle Darrieux pour lui donner la réplique dans *Le désordre et la nuit* :

— Danielle, c'est parfait, seulement, avec elle, va falloir que je me défonce pour être à la hauteur.

C'est certainement la réflexion qu'il s'est faite quand on lui a proposé Simone Signoret comme partenaire dans *Le chat*. Il ne s'en est pas moins montré ravi, d'autant qu'il regrettait qu'on n'ait jamais songé à les associer plus tôt. A une époque, il aurait aimé aussi tourner avec Anna Magnani. Il pensait que c'étaient là des rencontres qui auraient dû paraître évidentes aux producteurs et aux auteurs.

Il tenait même tellement à jouer avec Simone Signoret que, à un moment, il usa de toute son autorité pour vaincre les réticences du producteur qui se faisait tirer l'oreille pour donner à l'actrice le cachet qu'elle demandait.

— Donnez à Mme Signoret ce qu'elle veut. Si elle ne fait pas le film, je ne le fais pas non plus.

Trop souvent, en effet, un producteur estimait que Jean Gabin seul suffisait à assurer le succès d'un film et que, en conséquence, il n'était pas nécessaire de lui adjoindre des partenaires de poids, qu'il fallait évidemment payer à leurs prix. On se souvient que cela avait failli être le cas avec Alain Delon dans *Mélodie en sous-sol.* Heureusement pour *Le chat,* les choses s'arrangèrent finalement aussi.

Dans *La nostalgie n'est plus ce qu'elle était*[2], Simone Signoret a dit combien elle s'était « admirablement » entendue avec Jean :

« Les préoccupations de Gabin dans la vie courante sont absolument opposées aux miennes. Je ne fais pas courir de trotteurs à Vincennes, je n'élève pas de vaches, et on n'a pas les mêmes idées sur bien des choses. Sauf sur une, et elle est de taille : comment jouer la comédie ensemble ? Nous nous sommes tendrement aimés à jouer à nous haïr dans le film. Pendant les pauses, il me racontait son Hollywood à lui, son Jean Renoir et son Jacques Prévert, et c'était beau de retrouver dans son œil le regard du déserteur de *Quai des Brumes,* dans son sourire le sourire du capitaine Maréchal de *La grande illusion.* »

Quant à Jean, s'il a plusieurs fois dit son admiration pour sa partenaire, une anecdote illustre mieux que des mots l'estime qu'il lui portait. Ils avaient à jouer une scène particulièrement dramatique sur un escalier et au cours de laquelle Jean devait monter quelques marches pour se rapprocher de Simone. On tourna évidemment plusieurs prises de cette scène sous des angles différents et, à chacune, Jean gravissait l'escalier. On sait à quel point il avait horreur de cela. Aussi, à la longue, il commença à traîner un peu les pieds devant l'effort qu'il avait à faire, notamment quand il s'est agi de tourner les plans sur lui seul, sans sa partenaire. A chaque prise, il essayait de « gagner » une marche, c'est-à-dire de ne pas en monter autant que le souhaitait Granier-Deferre. Après quoi, on tourna les plans sur Simone seule. Jean étant alors hors du champ de la caméra, il pouvait aussi parfaitement lui donner la réplique « off » du bas de l'escalier sans s'obliger à monter les marches. Mais pour faciliter le jeu de sa partenaire, et sans que personne ne le lui demande, il s'est obstiné, hors caméra, à monter l'escalier autant de fois que ce fut nécessaire, et sans « renauder » un seul instant.

Jean considérait *Le chat* comme un de ses plus beaux films de la seconde partie de sa carrière, un de ceux, en tout cas, qui lui avait fait retrouver son enthousiasme et sa passion du temps de *Quai des Brumes* ou du *Jour se lève.* Le relatif insuccès populaire du film* qu'il avait coproduit avec sa Société Gafer[3] lui procura une grande déception.

---

* 208 341 spectateurs Paris et périphérie.

— Qu'est-ce qu'ils veulent que je fasse ? me questionnait-il, amer, s'en prenant aux spectateurs qui avaient ignoré ce film.

Le drapeau noir flotte sur la marmite, qu'il fit ensuite cette même année 1971, n'eut d'autre intérêt pour lui que de tourner pour la première et unique fois sous la direction de Michel Audiard, qui était passé à la mise en scène.

Depuis leur brouille qui avait suivi *Mélodie en sous-sol,* ils ne s'étaient retrouvés qu'en 1967 pour *le Pacha* de Georges Lautner et 1969 dans le film de Grangier, *Sous le signe du Taureau.* Michel Audiard avait pris, pour titre de son film, l'expression utilisée par Jean autrefois pour définir sa « traversée du désert » des années 1946-1954. Pour la première fois, Jean avait pour principal partenaire un enfant, Eric Demain.

Le tueur, réalisé par Denys de La Patellière, film qu'il fit à la fin de la même année, n'était pas indispensable à sa carrière.

Jean évoquait d'ailleurs de plus en plus l'idée de se retirer et de prendre sa retraite. N'étant plus lié par un contrat de longue durée à un producteur, il travaillait désormais au coup par coup. Il était las, fatigué, et le tournage d'un film exigeait de lui de plus en plus d'efforts. Malgré cela, il remettait toujours à l'année suivante l'éventualité d'arrêter sa carrière. Comme beaucoup de ses familiers, j'ai toujours pensé qu'il n'abdiquerait jamais de lui-même. Car cet homme de près de soixante-dix ans, qui, dans les années 33-34, envisageait déjà de se retirer alors qu'il n'était qu'à l'aube de sa gloire, avait depuis trop longtemps contracté le virus du métier pour y renoncer de son plein gré. Il avait beau « râler », dire du cinéma qu'il en avait « ras le bol », qu'une seule chose désormais comptait pour lui, vivre paisiblement dans son domaine de la *Pichonnière,* en réalité l'atmosphère du studio restait indispensable à son équilibre.

Par pudeur bien sûr, il se donnait d'autres raisons de repousser cette retraite que d'ailleurs personne n'envisageait pour lui, et dont il était seul à parler. Il prétendait que la pension qu'il touchait depuis ses soixante-cinq ans était ridicule, que la *Pichonnière* exigeait toujours des aménagements, que Florence et Valérie n'avaient pas encore de situation, et que Mathias était bien jeune. Rien de tout cela n'était faux, car, pour l'essentiel, le patrimoine de Jean se trouvait investi dans la *Pichonnière* qui, exploitée comme elle l'était alors, ne lui rapportait guère. Il estimait donc avoir toujours besoin de travailler. Cependant, l'échec commercial du *Chat* l'avait incité à se poser des questions quant à la durée encore possible de sa carrière, et un autre événement en février 1971 l'avait davantage et plus largement fait s'interroger : la disparition dramatique de son vieux copain et associé Fernandel. La mort de son ami l'avait bouleversé, et lors de ses funérailles, aux côtés de Marcel Pagnol, Tino Rossi et tant d'autres, Jean n'avait pu retenir ses larmes. A un an près, ils avaient le même âge et, outre la peine immense qu'il éprouvait de perdre un ami et un vieux compagnon, Jean ne pouvait manquer, en cette tragique circonstance, de s'interroger sur sa propre destinée.

— Encore un ou deux films, des bons si possible, et je tire l'échelle sur le cinéma. J'ai pas envie de faire comme Fernand qui est mort à la tâche. Je voudrais bien vivre encore quelques années tranquillement, disait-il quelques semaines après avoir enterré son ami.

On sait qu'il n'a pas tenu la promesse qu'il se faisait à lui-même ce jour-là : il devait lui aussi disparaître quelques mois après avoir tourné son dernier film, et sans que l'envie de « tirer l'échelle » sur le cinéma ne lui soit venue.

« Ça lui aurait été impossible de renoncer, affirme Florence qui fut la scripte de son dernier film, *L'année sainte,* et qui a donc eu l'occasion d'observer longuement son père dans l'exercice de son métier. Il fallait le voir chaque matin arriver au studio et pénétrer sur le plateau avec l'air de vous faire croire qu'il venait là contraint et forcé. Mais c'était faux, seulement une manière pudique de ne pas vouloir trop montrer qu'à son âge il aimait encore ça. Il était là " chez lui " autant qu'à la *Pichonnière,* les deux univers lui étaient indispensables. »

Finalement, le cinéma l'emportera sur la *Pichonnière*. Quelques semaines avant sa disparition, que rien ne laissait prévoir, Jean mettra son domaine en vente, décidé, en désespoir de cause, à s'en séparer, alors qu'il n'avait toujours pas renoncé à poursuivre sa carrière d'acteur.

Florence a raison de souligner que, quoi qu'il en dît depuis toujours, l'atmosphère d'un film lui était nécessaire, et que c'est par pudeur qu'il n'osait pas avouer qu'il avait encore envie de jouer la comédie, lui qui n'avait cessé de répéter toute sa vie qu'il n'était pas fait pour cela. La chaleur des projecteurs, qui, pourtant, au cours de tant d'années avaient usé ses yeux fragiles, était un besoin vital. Il continuait à éprouver une secrète excitation à entendre dire « moteur ! », à guetter le bruit sec du « clap » qui précédait l'action et la voix du metteur en scène lui commander doucement : « A vous, Jean... » A lui de jouer en effet, en surmontant toujours et encore cette petite anxiété qui faisait si profondément partie de lui-même et qui l'aurait sans doute perturbé s'il ne l'avait plus ressentie.

Peu de grands comédiens ou de grandes comédiennes se sont retirés d'eux-mêmes *. La plupart ont attendu que la mort les fauche en pleine activité, parfois en pleine gloire, ou plus tristement qu'on ne veuille plus d'eux.

Je n'imaginais pas qu'on ne veuille plus un jour de Jean, aussi, quand il m'agaçait un peu avec sa coquetterie de vouloir prendre sa retraite, je lui disais :

« Vous mourrez en acteur, comme Molière ! »

Il haussait les épaules, ne voulant pas être convaincu. Car il était conscient qu'on ne lui proposait pas autant de projets que quelques années auparavant, et si son prestige restait considérable, ses films ne rencontraient plus, auprès du public, des succès aussi évidents malgré l'incontestable qualité de certains comme *La horse* ou *Le chat*. Et, quant à faire, il ressentait le désir alors, plus qu'il ne l'avait eu quelque temps avant, de choisir des sujets et des personnages qui seraient pour lui comme des défis.

C'est de cette manière et dans cet esprit qu'il aborda un film comme *L'affaire Dominici*. Durant le tournage du *Tueur*, son ami Louis-Émile Galey lui avait apporté ce projet que devait réaliser Claude-Bernard Aubert, un metteur en scène un peu marginal qui, ancien de la guerre d'Indochine, s'était fait remarquer par des films de guerre, surtout *Patrouille de choc*, son premier film en 1957 qui ne manquait ni de force ni de qualités.

A première vue, rien dans la personnalité de Claude-Bernard Aubert ne pouvait inciter Jean à tourner sous sa direction, et, par ailleurs, le personnage qu'on lui proposait de jouer le laissait très circonspect. L'affaire avait fait grand bruit au début des années 50 : Gaston Dominici avait été accusé du meurtre de la famille Drummond — le père, la mère et la fillette —, condamné à mort en 1954, puis gracié en raison de son âge.

Au cours de sa carrière, Jean avait interprété beaucoup de rôles de meurtriers, mais les personnages justifiaient toujours leurs crimes d'une manière qui en faisait, en fait, des victimes. Le cas de Gaston Dominici lui semblait tout à fait différent. Comme tout le monde, il avait suivi plus ou moins l'affaire à l'époque, et l'assassinat par ce vieillard d'une famille innocente lui apparaissait comme un acte monstrueux et indéfendable. Certes, la culpabilité de Gaston Dominici n'avait jamais été clairement établie, des zones d'ombre subsistaient — et subsistent

* Greta Garbo est l'exception la plus célèbre. De même en France Brigitte Bardot. Mais on remarquera que ce sont des femmes. Parmi les stars masculines qui se sont retirées d'elles-mêmes et en pleine activité, on peut citer Cary Grant, et dans une mesure moindre, en France, Pierre-Richard Willm.

encore —, mais, pour l'immense majorité de l'opinion publique, il était quand même apparu que le vieux paysan était coupable. De ce fait, dans un premier réflexe, Jean n'avait eu aucune envie de « défendre » ce personnage en lui apportant son prestige de comédien. Il ne refusa cependant pas nettement le projet et promit d'y réfléchir.

Pour Louis-Émile Galey, Claude-Bernard Aubert et les producteurs, la réalisation de ce film reposait sur l'acceptation de Jean, aucun autre comédien, à part lui, ne s'imposant pour ce rôle.

Jean prit alors connaissance des documents sur l'affaire et particulièrement des notes et commentaires que Jean Giono avait rédigés lors du procès qu'il avait attentivement suivi. Petit à petit, il fut fasciné par l'étrange personnalité du vieux paysan de Lurs qui, pratiquement analphabète, ne disposait pour s'exprimer que de quelques dizaines de mots de vocabulaire mais ne manquait cependant pas d'expressions de bon sens. Par ailleurs, le récit de Giono le persuada de l'innocence du vieil homme, et l'idée qu'il se serait sacrifié — ou aurait été sacrifié — pour sauver sa famille acheva de le convaincre qu'il pouvait le « défendre », et prendre le risque d'endosser son ambiguë personnalité, même s'il allait ainsi à l'encontre du sentiment général de l'opinion publique. Après l'échec du *Chat* et l'amertume qu'il en avait éprouvée, c'était là le genre de défi au public qu'il ne lui déplaisait pas de relever.

Il est certain que, si Jean n'avait pas eu « en son âme et conscience » l'intime conviction de l'innocence de Gaston Dominici, il n'aurait pu accepter de jouer le rôle. Il ne s'élevait pas contre le jugement qui l'avait condamné et admettait que les jurés, à l'époque, et malgré le flou qui entourait l'instruction, n'avaient pu faire autrement, eux aussi « en leur âme et conscience », que de le croire coupable, mais ce qui l'intéressait, c'était que cet homme fruste avait eu la volonté de taire obstinément la vérité qu'il connaissait sans aucun doute, de brouiller les cartes, et de se laisser accuser par ses propres fils avec, peut-être, l'arrière-pensée de sauver le « clan » familial d'une condamnation générale.

Il y avait là, dans le comportement de ce patriarche campagnard de Haute-Provence, des choses qui ne pouvaient manquer de toucher la sensibilité de Jean d'une manière plus subtile que ne l'avait peut-être fait le personnage qu'il avait joué dans *La horse*.

« J'ai lu tout ce qui a été écrit sur ce crime, déclarait-il à l'époque du film[4]. Je m'en suis inspiré pour dénicher la psychologie du personnage, et me suis imprégné de l'atmosphère créée par le drame. J'ai vécu une expérience bouleversante en tant qu'être humain et, en tant que comédien, j'ai essayé de faire revivre Dominici avec dignité. »

Gaston Dominici avait soixante-treize ans au moment des faits, et

Jean soixante-neuf lors du tournage du film. Il avait décidé que, contrairement à son habitude, il ne choisirait pas à Paris, donc à l'avance, les vêtements qu'il porterait pour camper la silhouette du vieux Provençal, et il refusa ceux prévus pour lui par la production. Il alla lui-même acheter sur le marché de Manosque des habits usagés : la chemise sans col, le pantalon montant haut sur le ventre qu'il demanda à son habilleuse de rapiécer, le gilet et le chapeau. La bande de flanelle et, notamment, la large ceinture de cuir avachi qu'il portait un peu relâchée sur le ventre lui rappelaient autant son grand-père paveur de rues que le vieux Dominici. C'est à Louis-Émile Galey qu'il emprunta le foulard de laine.

La silhouette qu'il se composa était si proche de celle de Gaston Dominici que les gens du pays, qui avaient connu le patriarche de la *Grand'Terre,* en furent stupéfaits, et ils murmuraient entre eux, sur son passage, effrayés par la ressemblance : « C'est lui ! » Car Jean ne s'était pas contenté d'endosser la silhouette du vrai Dominici, il avait aussi emprunté à la démarche et aux attitudes des vieux paysans du coin, en pensant qu'elles étaient identiques à celles de son modèle. Son génie créatif, fait d'instinct et d'hypersensibilité, et devant lequel le *métier* du comédien s'effaçait, fit le reste : il « était » devenu Dominici.

La première fois qu'il apparaît dans le film, il mène à travers la garrigue un troupeau de chèvres. Le tournage commença par cette scène. La production avait loué le troupeau de chèvres et les chiens. Effrayées par les mouvements de l'équipe technique, par la clarté des arcs électriques et la présence de la caméra, les bêtes ne tenaient pas en place, et les assistants ne parvenaient pas à les rassembler selon les besoins de la scène. Les chiens eux-mêmes avaient perdu le sens de leur travail traditionnel. Malgré cela, on décida de tenter une première prise. Alors, Jean arriva avec sa canne et sa silhouette lourde de paysan de la montagne provençale.

Des chèvres, il n'en avait jamais approché et n'avait jamais non plus donné d'ordres à des chiens de troupeau. Et là où tout le monde avait échoué, y compris le propriétaire des bêtes, Jean a réussi, par quelques gestes tranquilles et quelques mots murmurés, à rassembler le troupeau et à le mener paisiblement, les chiens retrouvant alors d'instinct la maîtrise de leur métier. Il n'y eut plus ensuite aucun problème, les chèvres et les chiens continuèrent d'obéir à Jean pendant toutes les prises de vues.

« Il y avait chez cet homme, en cet instant-là, autre chose que le magnétisme du comédien, se souvient Louis-Émile Galey qui fut témoin de ce " miracle " et qui m'en rapporte l'histoire, encore impressionné tant d'années après. Ni les chèvres ni les chiens, tel que c'était parti, n'auraient obéi aussi instinctivement aux ordres du plus grand comédien du monde. Jean l'était sans doute, ce comédien, mais ce n'est pas pour cela que les bêtes l'ont suivi docilement. Il a su leur communiquer " quelque chose " que personne n'a évidemment compris mais la réalité était là, et c'était surprenant. »

Il faut croire que le petit campagnard de Mériel, qui apprivoisait les pies et passait des heures à observer les biches dans la forêt sans les effrayer, vivait toujours dans l'homme de près de soixante-dix ans qu'il était devenu. Louis-Émile Galey a raison, l'acteur n'avait probablement rien à voir dans le « miracle des chèvres ».

L'acteur, la star, Jean a précisément voulu les faire disparaître jusqu'au bout dans cette aventure de *L'affaire Dominici :* il demanda à ce que son nom figure au générique dans l'ordre alphabétique de la distribution. Il fut donc cité entre le comédien Pierre Forget et la comédienne Nicole Giroux.

Lors de la sortie du film, son interprétation fut unanimement saluée comme une des plus prodigieuses de sa carrière. Hélas, le film, encore moins que *La horse* et *Le chat*, ne connut le succès *.

Une fois de plus déçu mais fier d'avoir fait ce film, Jean ressentit encore davantage l'angoisse que lui procurait ce début de désaffection du public.

« Il faut croire que les habitudes données au public étaient beaucoup trop fortes », écrit Jacques Siclier [1], comme raisons aux échecs de *La horse, Le chat* et *L'affaire Dominici,* tout en saluant le mérite et le courage de Jean d'avoir su, en ces trois occasions, remettre en question « l'institution qu'il était devenu ».

Plus cruellement, Siclier regrette que Jean n'ait pas pris sa retraite après ce dernier film : « Il aurait terminé sa carrière sur une composition définitive, rejoignant, à travers le mystère du patriarche de Lurs, son ancien mythe d'homme seul devant la loi et devant la société. »

Jean l'entendit différemment pour les raisons que l'on sait : le besoin et l'envie de tourner encore. Les trois derniers films qu'il fit le réconcilièrent en partie avec ce public qui ne le boudait pas réellement mais qui avait du mal à le suivre dans des entreprises qui sortaient des stéréotypes habituels. D'abord avec *Deux hommes dans la ville* tourné en 1973, il eut le bonheur de retrouver Alain Delon qui produisit le film réalisé par José Giovanni, et l'entoura de son amitié affectueuse. A cette époque, Alain appelait Jean " patron " et ce dernier n'y était pas insensible.

---

* 156 517 spectateurs Paris et périphérie.

Dans ce film à thèse contre la peine de mort mais au ton, hélas, mélodramatique, Jean apparaissait brusquement vieilli, les traits fatigués et amaigris.

Huit jours avant que ne commencent les prises de vues de *Deux hommes dans la ville,* Jean était à la *Pichonnière.* Un matin, il refusa de se lever, ne se sentant pas bien. Il ne souffrait pas, ne ressentait aucun symptôme de maladie et par conséquent ne se plaignait de rien.

A Dominique qui s'inquiétait, il répondit simplement qu'il était fatigué mais n'avait mal nulle part. Elle insista pour faire venir le médecin, mais il refusa.

— C'est pas la peine, dit-il.

Il ne voulut rien manger ni boire, cessa de parler, puis se tourna sur le côté comme pour ne plus voir personne, immobile et silencieux.

« Alors j'ai pris peur, raconte Dominique. Je me suis souvenue que, trois ans auparavant, sa sœur Madeleine avait agi à peu près de la même façon au moment de mourir. Victime d'un petit malaise cardiaque chez elle, dans la maison familiale de Mériel, notre nièce Nicole Klotz l'avait fait hospitaliser à L'Isle-Adam. Madeleine n'avait plus parlé et s'était tournée dans son lit en se laissant mourir ainsi.

Angoissée, j'ai appelé un médecin. Il a examiné Jean mais n'a rien décelé. Celui-ci était blême mais n'avait même pas de température. Il a refusé de parler au docteur qui m'a conseillée de le rapatrier à Paris et de prendre rendez-vous dans une clinique pour des examens plus approfondis. J'allais commander une ambulance pour le voyage, mais Jean est alors sorti faiblement de son mutisme pour dire qu'il préférait que son chauffeur de production, Louis Granddidier, vienne le chercher.

J'ai alerté Alain Delon qui a aussitôt envoyé Granddidier avec une voiture. Jean s'est habillé péniblement, toujours sans parler. Il était plongé dans une sorte d'hébétude.

Dans la voiture, il s'est installé à côté du chauffeur comme il le faisait toujours. Durant le voyage, il n'a pas bougé ni prononcé la moindre parole. Et soudain, à l'approche de Paris, sur cette partie de l'autoroute où l'espace d'un moment on aperçoit la tour Eiffel au loin — je connais l'endroit exact et je repense à tout cela chaque fois que je passe là —, Jean est sorti de son hébétude et s'est mis à parler, et même à fumer comme s'il ne s'était rien passé. Il était pâle, fatigué, mais il revivait réellement, sans pouvoir — ou peut-être sans vouloir — donner la moindre explication à ce qui lui était arrivé au cours des trois jours qu'avait duré son " malaise ".

Il a voulu qu'on rentre directement chez nous, à notre appartement, mais j'ai insisté pour qu'il se rende au rendez-vous que j'avais pris à la clinique. Quand nous y sommes arrivés, Alain Delon était là, qui nous attendait, inquiet. Il a eu la surprise de voir Jean sortir de voiture presque normalement, et lui demander sur un ton un peu contrarié :

— Qu'est-ce que tu fais là ?

Alain comprenait encore moins que moi évidemment. Jean a quand même accepté de voir le médecin, qui lui a fait toutes sortes d'examens, sans rien lui trouver d'anormal. Il avait simplement 18 de tension. Il a refusé de faire des analyses plus poussées, puis il est parti pour Montpellier deux ou trois jours plus tard pour tourner le film, et n'a pas voulu que je l'accompagne. Il me téléphonait tous les jours comme il le faisait ordinairement dès qu'il n'était pas à la maison. Il me disait qu'il était fatigué mais que ça allait. Au bout de deux semaines, il est rentré, car il disposait de quelques jours pendant lesquels on n'avait pas besoin de lui. J'ai eu peur en le voyant. Il était terriblement amaigri. De lui-même, il avait décidé de faire un régime, mais le résultat sur son physique et son moral était épouvantable. Nous sommes allés à la *Moncorgerie* où je savais qu'il se reposerait mieux qu'à Paris, et je l'ai nourri en lui faisant les plats qu'il aimait. Il est reparti complètement revigoré et avec une meilleure mine.

Que lui est-il arrivé lors de ce “ malaise ” ? Je ne l'ai jamais su. A-t-il ressenti quelque chose qu'il n'a pas voulu dire ? Avec son caractère pudique et réservé, c'est parfaitement possible car, dès qu'il s'agissait de choses importantes et graves, il avait tendance à les garder pour lui. Même s'il est parvenu aussi à dissimuler la vérité aux médecins qui l'ont examiné, ceux-ci n'ont, de leur côté, rien trouvé. A-t-il refusé de faire des analyses plus approfondies parce qu'il savait qu'on découvrirait quelque chose, ou simplement par “ je-m'en-foutisme ”, comme cela lui arrivait parfois ? Je ne le saurai jamais non plus. La seule certitude que j'aie aujourd'hui, c'est que, cette fois-là, même s'il a dit la vérité et qu'il n'a rien ressenti de particulier, quelque chose en lui est survenu : une fissure légère dans son organisme, que la médecine elle-même n'a pas su déceler mais qui s'est quand même manifestée par son “ absence ” pendant trois jours. Un avertissement, sans aucun doute. L'a-t-il ressenti comme cela en décidant de lui-même d'être un moment plus raisonnable quant à la nourriture et à la boisson ? Il ne m'a pas donné d'explication. Et quand Jean avait décidé de ne pas expliquer, on ne pouvait rien contre cela, c'était un mur. »

L'année suivante, en 1974, un peu avant de tourner *Verdict*, il accepta de se faire faire un check-up à l'hôpital américain. Les examens ne révélèrent rien, sinon une légère anomalie aux intestins, et on lui conseilla de revenir se faire examiner l'année suivante. Naturellement, il n'en fit rien. Cependant, durant le tournage de *Verdict* à Lyon, il surveilla davantage sa nourriture, et maigrit de nouveau.

Il eut sur ce film, qui le laissa par ailleurs insatisfait, la joie d'avoir auprès de lui sa fille Valérie qui était assistante à la mise en scène. Son autre bonheur fut sa rencontre avec Sophia Loren. Tous deux, en effet, s'entendirent à merveille pour jouer la comédie mais aussi, hors travail, pour s'amuser et rire ensemble.

Cette même année 1974, Jean enregistra pour C.B.S. deux chansons : *Ce que je sais* de Jean-Loup Dabadie et Philippe Green, et *Maître Corbeau et Juliette Renard* de Jean-Pierre Saban, Jean-Loup Dabadie et Bill Owen. La première fut un énorme succès.

Ce fut aussi un événement, indépendamment même de la qualité du texte et de son interprétation, car Jean n'avait pratiquement pas enregistré depuis le début des années 30. Un grand nombre de ses chansons du temps où il jouait les opérettes aux Bouffes-Parisiens et les revues du Moulin-Rouge, et même lors de ses débuts au cinéma, avaient souvent été rééditées. Il lui était arrivé de chanter en public en quelques circonstances exceptionnelles, comme, par exemple, à l'occasion de *La joie de vivre* d'Ingrid Bergman à la télévision. Rechanter, ou plus exactement enregistrer un disque, l'avait souvent tenté. Il avait été bien près, en 1956, de faire un trente-trois tours avec des chansons de Léon Ferré. Celui-ci lui proposait d'enregistrer pour Barclay un certain nombre de ses succès comme *Mon camarade, Les copains d'la neuille, La vie, Mon sébasto,* et quelques autres.

Il lui écrivait :

... Voyez ça à tête reposée. Bien entendu, je suis prêt à vous chanter tout ce que vous voudrez et quand vous voudrez (...) De toute façon, je suis votre homme pour vous fabriquer, s'il le faut, des chansons sur mesure. A mon avis, il ne faut pas faire un 45 tours trop réduit pour vous, mais un 33 tours avec au moins huit chansons. Je suis certain que vous partez gagnant d'avance. Votre fidèlement vôtre. Léo Ferré.

Ce projet du retour de Jean à la chanson n'aboutit pas. Sans doute fut-il alors trop pris par le cinéma. Dommage...

Quelque dix-huit ans plus tard, la chanson de Dabadie, *Ce que je sais,* que Jean chantait la voix usée par la fumée des cigarettes mais avec un ton prodigieusement juste, lui faisait dire des choses très proches des sentiments qui étaient alors en lui.

En voici le texte :

Quand j'étais gosse, haut comme trois pommes,
J'parlais bien fort pour être un homme.
J'disais : « Je sais... je sais... je sais... je sais... »
C'était l'début, c'était l'printemps.

Et quand j'ai eu mes dix-huit ans
J'ai dit : « Je sais, ça y est, cette fois je sais. »
Et aujourd'hui, les jours où j' m'retourne
J'regarde la terre où j'ai quand même fait les cent pas
Et je n'sais toujours pas comment elle tourne.
Vers vingt-cinq ans j'savais tout
L'amour, les roses, la vie, les sous
Tiens oui, l'amour j'en avais fait tout l'tour
Mais heureusement comme les copains
J'avais pas mangé tout mon pain
C'que j'ai appris, ça tient en trois, quatre mots :
Le jour où quelqu'un vous aime
J'peux pas mieux dire :
Il fait très bon, il fait très beau.
C'est encore c'qui m'étonne dans la vie
Moi qui suis à l'automne de ma vie
On oublie tout : les soirs de tristesse
Mais jamais un matin de tendresse.
Toute ma jeunesse j'ai voulu dire « je sais »
Seul'ment plus j'cherchais et moins j'savais
Y a soixante coups qu'ont sonné à l'horloge
J'suis encore à ma fenêtre, j'regarde et j'interroge
Maint'nant je sais, je sais qu'on n'sait jamais
La vie, l'amour, l'argent, les amis et les roses
On n'sait jamais
Ni la couleur des roses
C'est tout c'que je sais
Et ça, j'le sais.

17.

NUL NE SAIT NI LE JOUR NI L'HEURE

Le succès de la chanson de Dabadie et Green qu'on entendait journellement sur les ondes radiophoniques consolait un peu Jean de son année « sabbatique » forcée. En effet, pour la première fois de sa carrière — à l'exception des années de guerre —, il ne tourna aucun film en 1975. Les succès commerciaux de *Deux hommes dans la ville* et de *Verdict**, dont il partageait la vedette avec Alain Delon pour le premier et Sophia Loren pour le second, ne lui étaient pas attribués à part entière et n'avaient pas tout à fait effacé dans l'esprit de certains les échecs précédents. Par ailleurs, il avait un peu trop claironné qu'il désirait prendre sa retraite et s'était pris à son propre piège.

Pierre Granier-Deferre avait bien envisagé un moment de tourner avec Jean *Le veuf*, d'après Georges Simenon, mais finalement il décida d'en reporter la réalisation. Marcel Carné avec qui Jean était fâché depuis *L'air de Paris* en 1954 s'était représenté avec un sujet, *La puissance et l'argent*, mais ce projet n'eut pas de suite.

Ces longues « vacances », Jean les occupa donc à améliorer certains aspects de la *Pichonnière*. Durant l'été, il vit Mathias partir faire son service militaire dans la marine à Brest. Au mois d'août, il alla avec Dominique passer quelque temps à l'Hôtel de la Plage à Saint-Anne-la-Palud où ils avaient séjourné de si nombreuses fois, mais la bonne Mme L'Helgouach' s'étant retirée, ils ne retrouvèrent pas l'atmosphère qu'ils avaient aimée pendant tant d'années. Ils profitèrent de ce séjour

* 509 824 entrées Paris et périphérie pour le premier et 329 997 pour le second.

breton pour dîner un soir à Audierne, en compagnie de Mathias, qui avait eu une permission, et ils se régalèrent d'un homard aux truffes.

Bien qu'il fût très fier que Mathias servît dans la marine, ce ne fut pas sans un pincement au cœur que Jean vit son rejeton s'embarquer sur le *Jeanne d'Arc* pour un voyage au long cours dans l'océan Indien. Il était content pour son fils, mais lui appréhendait un peu cette longue séparation. Le départ eut lieu en novembre, et il y assista en compagnie de Dominique, et en présence du ministre Yvon Bourges et du chef d'état-major de la marine, l'amiral Joire-Noulens. La cérémonie fut retransmise en direct par Yves Mourousi sur TF1 et elle eut un grand retentissement parmi les médias en raison de la participation de Jean.

C'est en cette fin d'année 1975, et alors que son inactivité cinématographique commençait à lui peser, que le producteur Gérard Beytout, avec qui il avait déjà travaillé pour *L'affaire Dominici*, et son ami Louis-Émile Galey lui proposèrent de tourner *L'année sainte*. Le scénario original était de Galey lui-même, adapté par Jacques Vilfrid, et le film devait être réalisé par Jean Girault, le metteur en scène du *Gendarme de Saint-Tropez* et autres grands succès populaires.

Les prises de vues eurent lieu au début de l'année 1976. L'ambition du film était modeste et le thème celui d'une comédie policière. Jean y réendossait son vieux costume de caïd qui, évadé de prison en compagnie d'un jeune truand joué par Jean-Claude Brialy, se rendait à Rome pendant l'année sainte pour y retrouver le produit d'un hold-up qu'il y avait caché avant son arrestation. Pour tromper la vigilance de la police, le gangster en cavale prend l'identité d'un évêque et son complice celui d'un abbé. L'avion qui les mène à Rome est détourné par des terroristes, et sous l'habit de l'évêque les réflexes du vieux truand se réveillent pour sauver tout le monde d'une situation qui n'est d'ailleurs jamais dramatique, le ton restant celui de la comédie. Ce gentil scénario en valait bien d'autres et ce que l'on pouvait surtout regretter, c'était la paresse de la mise en scène.

Pour la première fois de sa carrière, Jean portait l'habit religieux, mais c'était pour rire. Il n'aurait pas accepté le rôle si ça n'avait pas été un déguisement. Quand on lui demandait pourquoi, ayant joué tant de personnages divers, il n'avait jamais interprété d'ecclésiastique, il répondait avec humour :

— Vu mon standing de vedette, je n'aurais pu être que le pape, et c'est pas un rôle qui court les rues.

En réalité, comme l'écrivit Gerty Colin[1] : « Antimilitariste et athée, il éprouvait cependant du respect pour les officiers et les ecclésiastiques, et une répugnance un peu superstitieuse à jouer des personnages dans la peau desquels il serait mal compris, mais faire un faux évêque l'amusa. »

Il est certain en effet que Jean s'amusa à tourner ce film. D'abord, il retrouvait comme partenaire féminine sa chère Danielle Darrieux avec qui, entre les prises, il plaisantait jusqu'à prendre ensemble des fous rires de collégiens. Et puis il y fit aussi la connaissance du charmant Jean-Claude Brialy dont il appréciait la gentillesse attentive à son égard, l'humour élégant, et la façon qu'il avait de lui rapporter les petits potins de la profession dont il se tenait personnellement éloigné. Car Jean, qui détestait les ragots, adorait les potins, ces petites anecdotes généralement drôles, quelquefois un peu méchantes, que l'on colporte sur les uns et les autres dans ce métier plus que dans d'autres.

— Vous voulez que je vous dise la dernière qu'on raconte sur Untel ? lui demandait malicieusement Brialy.

— Oh oui ! Oh oui ! disait Jean avec gourmandise, et dont le regard encore enfantin sous la toison blanche s'excitait déjà de plaisir.

C'est avec plus de sérieux qu'il reçut sur le plateau du film, des mains de M. Viot, directeur du Centre national du cinéma, la croix d'officier de l'ordre national du Mérite. Un nouvel honneur qu'il acceptait, finalement heureux, même s'il répétait encore que les décorations qu'il avait reçues avec le plus de fierté étaient celles qu'il avait gagnées à la guerre.

Ce fut aussi sur le plateau de *L'année sainte* que Georges Cravenne vint le trouver pour lui demander son concours pour la première distribution des Césars, ces récompenses qu'il venait de créer en France à l'égal des Oscars de Hollywood.

« J'avais alors beaucoup de mal à imposer ce projet dans la profession, se souvient Georges Cravenne. Je ne partais pas gagnant car les sceptiques, pour ne pas dire plus, étaient nombreux. Je me disais que, pour présider la soirée inaugurale des remises des Césars, il me fallait obtenir le concours d'une personnalité dont le prestige serait indiscutable à tous, et dont le patronage assurerait la crédibilité de l'opération. Je ne voyais évidemment que Jean Gabin pour jouer ce rôle, mais je n'ignorais pas qu'il détestait les cérémonies et qu'il se tenait généralement à l'écart des manifestations de la profession. Malgré tout, je suis allé lui en parler. Pour avoir séjourné quelque temps à Hollywood, il connaissait mieux que personne en France l'importance des Oscars pour le prestige du cinéma américain.

J'ai cependant été, je l'avoue, un peu surpris de sa réaction immédiate et sans détour :

— Si ma présence doit être utile au cinéma français, alors d'accord, vous pouvez compter sur moi, me dit-il avec simplicité.

Cet homme, qui prétendait ne plus s'intéresser qu'à ses chevaux et à ses vaches, avait, en réalité, la plus haute conscience de ses devoirs envers une profession et un métier auxquels il devait ce qu'il était. Il a donc présidé, et brillamment, la première soirée des Césars, et son concours m'a beaucoup aidé à surmonter les réticences qui existaient encore à l'égard de ce qui est devenu aujourd'hui une institution du cinéma français. Je lui en garde une grande reconnaissance. »

Curieux bonhomme qui considérait en effet comme un devoir pour lui de sortir son smoking de la naphtaline et d'aller souffrir toute une soirée sous les regards de douze millions de téléspectateurs pour déclarer ouverte la première nuit des Césars, les lèvres toujours frémissantes du même trac qui l'avait saisi un soir de 1922 sur la scène des Folies-Bergère lorsque, au pied levé, on lui avait demandé de jouer le maréchal de Saxe, et qu'il n'avait alors que dix-huit ans.

Curieux bonhomme qui, au lendemain de cette soirée, éclatait d'une de ses célèbres colères parce que le producteur de son film avait eu la malencontreuse idée d'organiser en son honneur un déjeuner sur le lieu même du tournage de *L'année sainte* avec quelques brillantes personnalités mondaines.

— Ici, je travaille, je fais mon métier ! Je ne suis pas un singe savant qu'on exhibe ! gueula-t-il à la face de ceux qui espéraient déjeuner en sa compagnie.

Aucune pression, même pas celle de Dominique, sa femme, ne le fit revenir sur sa décision de déjeuner seul et en vitesse dans son coin avant de retourner travailler.

Il était comme ça : capable de tout donner de lui-même s'il sentait que c'était pour le bien de quelque chose comme pour les Césars, ou comme autrefois lorsque je le traînais dans les ciné-clubs ou à la cinémathèque, et dans le même temps de refuser les mondanités dans lesquelles on lui demandait de faire le beau et de se laisser flatter. Dépourvu de vanité, Jean tombait rarement dans ce genre de piège.

Sur le plateau de *L'année sainte*, il y avait une présence que Jean avait imposée exceptionnellement : Florence, sa fille. Elle était la script-girl du film et depuis qu'elle avait décidé par elle-même d'exercer ce métier, il n'était jamais intervenu auprès de personne pour la favoriser. Florence d'ailleurs ne lui avait jamais rien demandé et s'était débrouillée toute seule et fort bien. Jean a agi de la même manière envers Valérie. Si cette fois-ci il avait enfreint sa règle et demandé précisément à la production qu'on veuille bien engager Florence, c'est qu'il avait une raison impérieuse. En effet, celle-ci ne vivait plus sous le toit familial depuis déjà quelque temps, et partageait son existence avec un garçon qu'elle aimait, Christian de Asis-Trem, liaison que Jean voyait d'un mauvais œil, au point que ses relations avec sa fille aînée s'étaient quelque peu distendues.

Il n'est pas douteux que, en désirant la présence journalière de Florence près de lui pour la durée du film, Jean espérait resserrer ses liens affectifs avec elle et, qui sait, peut-être finir par l'influencer au point de lui faire quitter son compagnon. D'autre part, Mathias naviguait au loin sur le *Jeanne d'Arc*, et il était prévu que Dominique et Valérie profiteraient d'un voyage organisé en faveur des familles des jeunes marins pour le rejoindre à Bali et ensuite à Singapour où le navire faisait escale. Jean se disait donc qu'il serait bien seul pendant tout un temps, et la présence de Florence à ses côtés pendant les journées de travail comblerait un peu sa solitude.

Florence habitait Chantilly, et Jean était dans l'angoisse de la voir faire la route chaque jour, au volant d'une vieille 2 CV qui n'offrait, selon lui, aucune sécurité. Il finit donc par lui acheter une voiture. Florence et lui s'entendirent bien sur le plan du travail, et Jean n'était pas peu fier de sa fille. Leurs rapports affectifs, qui n'avaient au fond jamais cessé d'être très forts, s'en trouvèrent encore plus consolidés pour peu qu'ils n'évoquent pas l'existence du garçon que fréquentait Florence.

Comme cela m'arrivait fréquemment, j'étais allé un soir le prendre à la fin de sa journée au studio pour l'emmener dîner chez Conti. C'était un endroit qu'il aimait bien généralement, et il me surprit en n'ayant pas, ce soir-là, l'appétit habituel que je lui connaissais. D'ailleurs, au dernier moment, il avait failli renoncer à ce dîner en exprimant le désir de rentrer chez lui directement, car il se sentait fatigué. J'ai insisté en lui promettant de le raccompagner pas trop tard. Il a cédé gentiment mais j'ai regretté par la suite mon insistance, car ce fut le seul dîner un peu triste que j'eus jamais avec lui, surtout le dernier que nous avons partagé ensemble. J'aurais tant aimé rester sur le souvenir de nos anciennes et joyeuses agapes.

Depuis les deux ou trois petites cures d'amaigrissement qu'il avait faites au cours des années 1973 et 1974, il avait repris un peu de poids, mais les traits de son visage étaient restés marqués et avaient subi un certain vieillissement qui me troublait. Il essayait d'être disert, me disait combien il était heureux de la présence de Florence près de lui — à ce moment-là il me cacha qu'il était intervenu dans ce sens et je ne le sus que beaucoup plus tard —, il se réjouissait aussi de la compagnie de Danielle Darrieux et de Jean-Claude Brialy mais il craignait que le film ne soit pas bien fameux.

— Ça m'emmerderait que ce soit le dernier, me confia-t-il un peu sombre.

Je lui dis que je ne voyais pas de raisons pour que *L'année sainte* soit son dernier film, et qu'il ne tenait qu'à lui qu'il en fasse un autre, et même d'autres.

— Vous vous trompez, répliqua-t-il avec tristesse. Je crois que c'est la fin. *Ils* veulent plus de moi et je suis même plus sûr cette fois d'avoir encore envie de continuer.

J'évoquais le projet de Sergio Leone qui devait faire un film aux États-Unis, *Il était une fois l'Amérique,* et pour lequel Jean avait été contacté *.

— On m'en a parlé, c'est vrai, mais faut voir. J'y crois pas beaucoup. Qu'on compte pas sur moi de toute façon pour prendre l'avion. Si j'y vais, ce sera en bateau, me dit-il.

Je lui exprimai aussi ma surprise qu'il ait laissé partir Dominique et Valérie si loin, en Asie, même pour voir Mathias.

— Je vieillis, mon vieux, ça doit être pour ça, me répondit-il en s'efforçant de sourire.

Je le sentais désorienté, un peu perdu, comme si désormais trop de choses autour de lui échappaient à sa volonté profonde, celle surtout d'avoir toujours ceux qu'il aimait autour de lui. Bien sûr, Dominique n'allait pas tarder à rentrer de son voyage et il aurait la joie de la questionner à propos de Mathias en gardant pour lui cette petite inquiétude qui le tenaillait de le savoir si loin.

Ce qu'il ignorait ce soir-là chez Conti, c'est que Valérie déciderait, elle, de ne pas rentrer et de rester quelque temps en Asie. Quand elle avait exprimé ce désir à sa mère, Dominique s'était aussitôt inquiétée des réactions de Jean et avait exigé de sa fille qu'elle en informe elle-même son père. Valérie avait donc appelé Jean un soir au téléphone. Sans doute un peu abasourdi, ne réalisant pas sur le coup, il n'avait pas protesté, encore moins exigé qu'elle rentre avec sa mère. En fait, ce n'est qu'au retour de Dominique seule qu'il a vraiment compris que Valérie « la vagabonde » allait, durant un temps, mener seule, loin de lui, une vie d'aventures en Asie. Plus tard, elle y retournera pour y réaliser un film sur le braconnage des tigres dans la jungle de Malaisie. *Ci-gisent* fut le titre de ce court métrage très beau qui fut souvent primé.

Au cours du dîner, ce soir-là, Jean m'exprima précisément à la fois les craintes et l'admiration que sa cadette lui inspirait.

— Elle est douée en tout, vous savez. Elle a un tres joli coup de crayon, une bonne oreille musicale, mais, avec son fichu caractère, j'ai peur qu'elle ne se disperse. Par son talent, elle me rappelle Madeleine,

---

* Sergio Leone annonça officiellement le projet lors du Festival de Cannes. Jean devait y jouer un vieil anar français émigré qui conseillait des gangsters américains des années de la prohibition.

ma sœur, mais je ne voudrais pas qu'elle finisse comme elle dans la bohème, et finalement n'ayant rien foutu à vouloir tout faire.

Il me parla aussi de Florence et du garçon avec lequel elle vivait. Il s'inquiétait du sérieux et de l'avenir de cette liaison.

Quelques semaines plus tard, Florence devait lui annoncer qu'elle avait décidé de se marier avec Christian de Asis-Trem.

— Pourquoi ? C'est pas déjà fait ? lâchera-t-il sur un ton rogue.

« J'étais majeure et libre, raconte Florence, mais je tenais à son consentement. Il n'a pas cédé et moi non plus. J'étais amoureuse de Christian, je voulais cette union comme j'ai voulu les enfants que j'ai eus avec lui, Christina et Jean-Paul, que, hélas, papa n'a pas connus. Le fait que je sois aujourd'hui séparée de Christian ne prouve pas que mon père avait raison d'être contre ce mariage, car je ne regrette rien et surtout pas l'existence de mes enfants qui sont l'essentiel pour moi. Ce que je regrette, c'est que son opposition ait troublé nos rapports et les derniers moments de sa vie. »

Après notre dîner chez Conti, j'ai raccompagné Jean à son appartement avenue Raymond-Poincaré, proche du Trocadéro, où il avait emménagé depuis 1973. Il habitait naturellement au premier etage, et je m'étonnais qu'il soit venu s'installer sur cette avenue de grande circulation et assez bruyante.

— Avec l'âge, m'a-t-il dit un peu amusé, je suis moins hostile à la foule.

En fait, cette foule, s'il s'en rapprochait curieusement un peu en vieillissant, il n'allait tout de même pas jusqu'à se mêler à elle, mais il aimait l'observer de sa fenêtre. Oh, prudemment et sans trop se faire remarquer. Il se contentait de pousser un peu son canapé, s'y adossait, debout, une Craven aux doigts, et regardait, un peu en retrait dans l'encadrement de la fenêtre, le mouvement des badauds dans la rue. Il restait là de longs moments, une casquette sur la tête si l'air était frais. Évidemment, il avait fini par se faire repérer par les habitués du quartier qui, en passant, levaient la tête vers lui et lui souriaient ou lui faisaient des petits signes amicaux. Ces marques de sympathie le dérangeaient moins qu'elles ne l'auraient fait autrefois et réchauffaient même finalement son vieux cœur de faux misanthrope.

Je lui dis au revoir sur le pas de sa porte. J'ignorais que c'étaient des adieux. Un travail m'éloigna fréquemment de Paris dans les mois qui suivirent et qui furent les derniers de son existence. Il sortit sa montre à gousset pour regarder l'heure, mais ne me dit pas comme cela lui arrivait autrefois : « Avec *vos* conneries, je vais encore me coucher à pas d'heure. »

Cette fois, il rangea sa montre, me serra la main en me disant :

— Il n'est pas tard, on a été très raisonnables. A bientôt.

Ce fut les derniers mots que, personnellement, je l'entendis prononcer. Il referma la porte sur lui et disparut pour moi à jamais.

Tout allait se dérouler très vite désormais, sans que rien, cependant, n'annonce — du moins en apparence — l'échéance dramatique du 15 novembre. Ces derniers temps lui offrirent encore, à parts égales, des moments de joie et de tristesse, et aussi de désarroi.

La joie fut celle qui l'envahit lorsque, sur un quai du port de Toulon, en mai, il put serrer dans ses bras Mathias débarquant du *Jeanne d'Arc* de retour en France. Pour la première fois, le navire-école de la marine faisait escale à Toulon avant de regagner sa base de Brest. Jean n'avait pas voulu attendre et, impatient, il s'était précipité à Toulon en compagnie de Dominique pour retrouver son fils plus tôt.

Après une courte permission, Mathias regagna Brest pour y terminer son service et fut démobilisé en juillet. Il reprit aussitôt sa place et sor travail à la *Pichonnière*

La tristesse fut celle qu'il ressentit à l'occasion du mariage de Florence le 19 août, à la mairie de Deauville. Sur les instances de Lino Ventura et de Jean-Claude Brialy, Jean avait finalement promis qu'il y assisterait. Mais, au fond de lui-même, il était trop meurtri, et cet effort lui était impossible. Le jour même, il prétendit qu'il était malade et resta à la *Moncorgerie*. Pas seul. A ses côtés, il y avait Mathias qui n'avait pas voulu abandonner son père en cette circonstance. Valérie, qui était rentrée d'Asie, et Dominique accompagnèrent Florence à son mariage, qui fut célébré par Michel d'Ornano en présence de Lino Ventura, chacun ayant une pensée pour le vieil ours irréductible de la *Moncorgerie*, enfermé dans son égoïste et solitaire chagrin.

Jean sentit alors que des pans de son vieux rêve s'écroulaient : finir tranquillement sa vie étroitement entouré des siens dans ce domaine de la *Pichonnière* qu'il avait bâti essentiellement dans ce but. Jamais les maisons qu'il avait prévues pour ses enfants n'y seraient construites. Aujourd'hui, c'était Florence qui partait, demain Valérie reprendrait la route vers quelques autres horizons lointains sans qu'il puisse s'y opposer. Il restait Mathias, et il restait aussi la *Pichonnière* Mais le garçon, encore jeune, ne se voyait pas prendre en main, à lui seul, la lourde succession. En outre, il avait plus de goût pour la culture que pour l'élevage des chevaux et des bovins, un travail plus difficile, aléatoire et contraignant. Or les herbages ne se prêtaient guère à une transformation en terres de culture. Mathias hésitait à se déterminer et à donner une réponse précise à son père.

D'autre part, Jean réalisait que pour lui la *Pichonnière,* c'était pratiquement fini Il avait accompli son œuvre au prix de beaucoup d'argent, de temps et de fatigue, et désormais il avait beau fouiller son imagination fertile, il n'y voyait plus rien à bâtir encore. Il ne lui restait plus qu'à s'y reposer en compagnie de Dominique mais sans ses enfants, et le rêve était donc un peu vidé de son sens. En outre, l'entretien d'un tel domaine lui coûterait encore de l'argent et, dans la mesure où il ne tournerait plus de films, les difficultés ne tarderaient certainement pas à surgir.

Sans doute *gambergea*-t-il longtemps selon son habitude, mais un jour il prit une décision avec lucidité et quoi qu'il lui en coûtât.

— On va vendre la *Pichonnière,* déclara-t-il gravement à Dominique.

« J'ai acquiescé. Je savais que c'était une des décisions les plus difficiles qu'il avait prises dans sa vie, mais il ajouta aussitôt :

— On vend mais on va construire autre chose ailleurs.

Je crois que je ne l'ai jamais trouvé plus merveilleux qu'à cet instant-là et je ne l'ai sans doute jamais autant aimé. Car dans sa tête c'était déjà reparti, comme vingt-cinq ans plus tôt. Il vendait la *Pichonnière* qui avait été durant tant d'années toute sa vie, et dans laquelle il avait englouti sa fortune, où il s'était usé en soucis et fatigue et, brusquement, il effaçait tout, apparemment sans amertume ni regret et avec la volonté de rebâtir ailleurs un autre rêve sans doute. Jean était tout à la fois fragile et indéracinable. Ce côté bohème qu'il avait reproché à sa sœur Madeleine et maintenant à Valérie, il en était imprégné autant qu'elles, mais il mêlait à son goût du changement et des volte-face imprévues un sens inné de l'organisation et de la réflexion. Il avait aussi la force de caractère d'analyser froidement les situations nouvelles. La *Pichonnière* ne correspondant plus à ce qu'il en avait attendu, il tirait un trait. Oh, ce n'était pas de gaieté de cœur ni sans un grand déchirement intérieur, et je ne saurai évidemment jamais s'il n'aurait pas finalement hésité au dernier moment à franchir le pas et à se séparer de son domaine. »

Le 3 octobre, Jean et Dominique se rendirent ensemble dans une agence pour y mettre en vente la *Pichonnière*. Une estimation fut établie, mais Jean était sans illusion : il savait qu'il ne récupérerait jamais son investissement. Il espérait cependant tirer assez d'argent de la vente pour faire un partage équitable et substantiel entre ses trois enfants. Du moment où il n'avait pu obtenir l'unité de la famille sur la *Pichonnière,* il entendait que le partage de son patrimoine se fasse de son vivant afin d'éviter d'éventuelles difficultés après sa mort. Pour Florence et Valérie, le problème était simple. Il leur remettrait un chèque et elles en feraient ce qu'elles voudraient. Pour Mathias, la situation était différente. Celui-ci hésitait encore entre s'installer comme entraîneur de chevaux à

Chantilly, ou se lancer dans la culture. Dans l'un ou l'autre cas, la part qui lui revenait de l'héritage de Jean lui permettrait de s'installer. Mais ce dernier désirait veiller particulièrement à cette installation, et Jean chercha lui-même du côté de Chantilly ce qui pourrait convenir au projet de son garçon. Puis, finalement, Mathias opta pour une ferme de culture.

« L'idée de Jean était très simple. La *Pichonnière* vendue, les filles ayant leur part, il lui serait resté l'intérêt et l'occupation de veiller sur Mathias. De le " surveiller ", devrais-je dire plus exactement, car il envisageait, une fois Mathias installé, de faire construire pour nous — eh oui, encore ! — une maison proche de la ferme qu'il aurait trouvée pour notre fils. Avec l'intention naturellement de garder un œil sur lui et de continuer à l'étouffer de sa tendresse bourrue. Tel que je connais Mathias, j'imagine qu'il serait probablement resté encore longtemps sous l'influence de Jean si les choses avaient dû se passer ainsi. »

Dans l'attente sans impatience qu'un acquéreur se présente pour l'achat de la *Pichonnière,* Jean et Dominique décidèrent d'aller passer fin octobre quelques jours au Normandy à Deauville. Ils étaient en effet désormais seuls à Paris. Florence vivait évidemment de son côté avec son époux, Mathias était à la *Pichonnière,* et Valérie venait de repartir vagabonder, cette fois à la découverte de l'Égypte.

« Cette semaine à Deauville fut un de ces moments merveilleux comme je ne pensais plus qu'il pourrait s'en trouver encore entre Jean et moi. Nous étions partis un peu précipitamment, comme sur un coup de tête de jeunes gens, et j'avais oublié de mettre dans la valise certaines de ses affaires, son pyjama, sa robe de chambre, ses chaussons. En une autre occasion, il n'aurait pas manqué de rouspéter après moi, mais, cette fois, il prit la chose avec bonne humeur. Nous sommes allés ensemble faire les magasins et avons acheté ce qui lui manquait. Comme toujours, il prit beaucoup de soin à choisir ce qu'il voulait. Nous faisions de grandes promenades au bord de la mer et d'excellents repas au cours desquels Jean montrait un appétit raisonnable. Il l'était un peu moins concernant le gros plant nantais qu'il prenait en apéritif. Nous nous amusions à observer une vieille dame, pensionnaire comme nous de l'hôtel, qui avait un penchant démesuré pour le champagne.

Quand Jean était détendu et de bonne humeur, il se montrait l'être le plus agréable qui soit. Il le fut durant toute cette semaine-là à Deauville, comme je ne l'avais pas vu depuis longtemps. Il paraissait serein et soulagé par la décision qu'il avait prise et il m'entretenait de toutes sortes de projets d'avenir. »

A l'occasion du long week-end du 1er novembre, l'hôtel, jusque-là désert, commença à se remplir. Ils eurent envie de fuir cette foule et de quitter Deauville. Sur leur agenda, une seule date retenait leur attention pour les jours à venir, et leur faisait obligation de rentrer à Paris, celle du vendredi 12. Un dîner était en effet prévu chez Ledoyen au cours duquel son ami l'amiral Gélinet devait remettre à Jean les insignes d'officier de la Légion d'honneur en présence de quelques intimes. Ils disposaient donc encore d'un peu de temps qu'ils décidèrent de passer à la *Pichonnière* auprès de Mathias. Ils y arrivèrent le dimanche 31 octobre.

Durant ces quelques jours, Jean fut repris par ses habitudes. Son réveil matinal, son premier regard sur la vie du haras en buvant le café à la fenêtre de sa chambre, sa promenade en voiture autour du domaine, la visite nonchalante des boxes, des étables et la contemplation des chevaux dans les herbages.

Prit-il alors conscience que le temps où il serait encore chez lui à la *Pichonnière* était désormais compté, et reçut-il cette réalité comme un choc ? A la fin de la semaine, il fut saisi d'un profond abattement et d'une grande fatigue. Dominique mit d'abord cet état sur le compte d'une année qui avait été particulièrement rude pour lui, tant sur le plan physique que moral.

Il avait souffert, sans doute davantage qu'il ne l'avait montré, de l'absence durant un temps de presque tous les siens, du mariage contre sa volonté de Florence, de cet été de grande sécheresse et de grosse chaleur qu'il avait personnellement mal supporté, et au cours duquel il s'était, en outre, inquiété pour le ravitaillement des bêtes. Enfin, il y avait eu sa décision inattendue et finalement brutale de se séparer de la *Pichonnière* qui était une partie essentielle de sa vie, décision qui, malgré la sérénité qu'il affichait en apparence, ne pouvait manquer de lui causer un certain trouble. D'autre part, l'absence de projets concernant sa carrière cinématographique le préoccupait également beaucoup et peut-être se demandait-il si ce n'était pas terminé pour lui de ce côté-là.

Cet enchaînement de choses a-t-il fini par créer en lui une fissure si profonde et si subtile qu'il n'en a que très lentement ressenti les effets, masqués, en plus, pendant un temps, par ces quelques jours heureux passés à Deauville en compagnie de Dominique ?

On pouvait — et on peut encore — s'interroger, mais la réalité de son état apparut un matin à ses familiers. Les traits creusés, le teint blême, son regard fragile se perdait à tenter encore d'embrasser son paysage familier. Il semblait frappé de plein fouet par un grand bouleversement intérieur, qui n'était pas sans rappeler à Dominique ce malaise étrange qu'il avait eu trois ans auparavant, au moment de tourner *Deux hommes dans la ville,* où il s'était muré dans un silence obstiné et dans un état d'hébétude resté sans explication. De nouveau, Jean paraissait se laisser glisser doucement vers ce monde autre dont il était déjà revenu une fois comme par enchantement sans dire ce qu'il y avait entrevu. Il allait en plus, cette fois-ci, laisser envahir son esprit par cette angoisse, toujours latente chez lui, qui lui donnait la prescience de ce qui allait peut-être lui arriver.

« C'était le lundi 8 novembre, se souvient Gaston Pouzaud. J'étais allé aux champignons en forêt, et comme j'en avais ramassé pas mal, je suis passé chez M. Gabin pour lui en donner. En le voyant, j'ai tout de suite compris qu'il n'était pas bien, mais je n'ai rien osé lui dire. Ce qui m'a impressionné — enfin, c'est peut-être après, en y repensant —, c'est quand il m'a dit :

— Venez, Pouzaud, je vais vous solder.

On était toujours en compte par rapport aux travaux que je faisais chez lui, mais habituellement, quand il me voyait arriver, il disait en plaisantant :

— Tiens, v'là Pouzaud qui vient encore me taper !

Des fois, il me faisait croire qu'il n'avait plus de chèques et me demandait de revenir le lendemain. Comme par miracle, le lendemain, il avait des chèques et, en plus, il me disait de rester dîner avec lui. Je comprenais qu'il avait envie qu'on parle un peu, et que la veille il était pressé, alors il trouvait n'importe quel prétexte pour me faire revenir au moment où on pouvait bavarder tranquillement et, en plus, casser une croûte ensemble.

Ce jour-là, M. Gabin ne m'a pas demandé de revenir. Il ne me devait presque rien. Je me souviens de la somme : mille trois cents francs. Il n'avait pas envie de parler, et je suis parti. Je ne devais pas le revoir. Il m'avait " soldé ", comme il disait. »

Le lendemain, mardi, Jean demanda à rentrer à Paris. Un peu distraitement, il dit au revoir à Jacqueline et Bernard Odolant.

« Il n'a même pas desserré les dents, se rappelle Jacqueline Odolant. Il était " ailleurs ". Ce qui m'a frappée, ça a été son regard dirigé vers un mur blanc près de la maison, sur lequel il n'y avait rien qui puisse attirer son attention, mais il est quand même resté quelques secondes à fixer ce mur nu. A cause de ça, j'ai eu un mauvais pressentiment. »

Dominique s'est mise au volant de leur Mercedes, et Jean s'est assis silencieusement à côté d'elle. Le soir, ils étaient à Paris dans leur appartement de l'avenue Raymond-Poincaré.

Le mercredi, Jean ne voulut ni manger ni boire. Il allait faiblement dans l'appartement et le plus souvent restait assis ou couché. Il répondait de moins en moins aux questions de Dominique qui l'interrogeait sur ce qu'il ressentait. Il n'avait mal nulle part. Il était simplement épuisé et « absent ».

Jean n'avait pas de médecin attitré. On était en outre à la veille du grand week-end du 11 novembre et il était difficile de joindre quelqu'un. Dominique se souvint d'un médecin généraliste qu'elle avait consulté pour elle-même quelque temps auparavant. Elle l'appela. Par chance, il était là et vint immédiatement. Il ausculta et examina Jean longuement. Il ne décela rien mais ordonna des analyses. Une infirmière vint faire la prise de sang à domicile.

Le praticien conseilla à Dominique d'annuler le dîner du vendredi au cours duquel on devait remettre à Jean ses insignes d'officier de la Légion d'honneur, considérant qu'il ne serait pas en état d'y assister.

Le lendemain, 11 novembre, Dominique réussit à joindre le professeur D., un gastro-entérologue qui avait soigné Jean autrefois. Les résultats des analyses furent communiqués au professeur le vendredi soir, et, sans toutefois trop inquiéter Dominique, il lui avoua qu' « ils n'étaient pas très bons ».

Au cours de cette journée du vendredi, il s'était passé deux choses apparemment contradictoires quant à l'évolution de la santé de Jean. En fait, Dominique en eut conscience plus tard, elles allaient toutes deux dans le même sens alarmant. Dans un moment de lucidité, Jean se rappela qu'il devait encore un peu d'argent au fisc. Comme pour Pouzaud, il tint « à solder » ses impôts.

Depuis son départ en voyage, Valérie n'avait pas encore donné de ses nouvelles, et, comme à son habitude, Jean s'était plusieurs fois inquiété de son silence. Ce vendredi arriva une carte postale de Valérie envoyée de Crète où elle disait qu'elle allait bien et qu'elle s'apprêtait à partir pour Le Caire. Dominique la tendit à Jean pour qu'il ait le plaisir de la lire lui-même. Il mit ses lunettes, examina la carte et dit doucement :

— Je vois rien.

Dominique crut qu'il s'était trompé de lunettes et qu'il avait pris les siennes avec lesquelles il voyait mal. Mais Jean portait bien ses propres lunettes, et malgré cela, il ne voyait pas.

Le professeur D. parvint à joindre dans sa résidence de campagne le professeur M., éminent chirurgien de l'hôpital américain, et l'informa de l'état dans lequel se trouvait Jean et du résultat des analyses. Ils décidèrent de le faire hospitaliser immédiatement, le professeur M. rentrant à Paris sans délai.

Dominique s'inquiéta du choix de l'hôpital américain. Elle n'avait évidemment rien à reprocher à cet établissement, sinon que, il y avait de nombreuses années de cela, Jean y avait veillé toute une nuit son ami Jules Raimu mort, et, très superstitieux, il avait souvent dit que, s'il était malade, il ne voulait pas qu'on l'y hospitalisât. Le professeur D. considéra qu'il était cependant difficile de faire autrement.

Doucement, il prévint Jean qu'on allait le faire transporter à l'hôpital américain.

— Avez-vous quelque chose contre ?

— Non, c'est comme vous voulez, répondit Jean dans une demi-inconscience.

On fit venir une ambulance, et à 19 heures le samedi soir Jean entrait à l'hôpital américain où le professeur M. l'attendait pour l'examiner.

Quand il comprit qu'on l'emportait sur une civière dans un couloir d'hôpital, Jean eut une réaction inquiète et appela Dominique.

— Maman ! Maman !...

— Je suis là, fit Dominique en se penchant sur lui pour l'apaiser.

Ce furent les derniers mots qu'il prononça et qu'ils échangèrent. Tragiquement, ils résumaient toute une partie de leur vie commune et de leurs rapports affectifs.

Dominique, dans un état second, ne parvenait pas à réaliser ce qu'il se passait et à quel point une maladie souterraine avait pris possession de Jean et emportait déjà son esprit. Les professeurs D. et M. lui parlèrent sans l'effrayer et même tentèrent d'atténuer ses craintes. Elle ne retint de cet entretien que des bribes de phrase, des mots isolés comme « leucémie », « on en guérit aujourd'hui », « rien n'est perdu ».

Elle veilla Jean toute la journée du dimanche. Il n'ouvrit pas les yeux et ne parla pas. A un moment, il fit le geste de fumer une cigarette, sa main allant mécaniquement à ses lèvres et s'en éloignant. Sans qu'il s'éveillât, elle l'entendit murmurer faiblement :

— Ah merde, ah merde, ah merde !...

Le soir, elle voulut rester dormir près de lui, mais l'infirmière de service lui conseilla de rentrer chez elle se reposer.

— M. Gabin est calme, il va dormir, ne vous inquiétez pas.

Le lendemain matin, le lundi 15 novembre, le téléphone sonnait brutalement à 6 heures dans l'appartement de l'avenue Raymond-Poincaré. Dominique, qui n'avait pu trouver le sommeil que grâce à un somnifère, décrocha, l'esprit dans le brouillard, et entendit une voix anonyme lui dire :

— Venez, madame, M. Gabin est mort.

Elle raccrocha sans réaction, se leva comme une somnambule, fit quelques pas et commença à s'habiller machinalement. Au bout d'un moment, elle se demanda ce qu'elle était en train de faire et fixa le téléphone en essayant de se rappeler et de comprendre le sens des mots que la voix avait prononcés.

« On m'avait dit que Jean était mort, mais c'était impossible pour moi de comprendre ça, et encore moins de l'admettre. Je ne parvenais pas à croire qu'on pouvait mourir si vite, et surtout lui. Je me suis retenue pour ne pas rappeler l'hôpital et demander s'il n'y avait pas une erreur. Puis j'ai finalement compris que ça ne pouvait être que la vérité. J'ai alors appelé Florence, puis Bernard Odolant à la *Pichonnière,* car je n'osais pas annoncer au téléphone à Mathias la mort de son père. C'était terrible pour nous tous, mais je savais que ça le serait encore davantage pour lui qui n'avait que vingt ans et qui était si émotionnellement attaché à Jean. J'ai demandé à Bernard Odolant de le prévenir avec ménagement. Puis j'ai téléphoné à Nicole Klotz, la nièce de Jean, et à Guy Ferrier, son neveu, et enfin j'ai appelé Gilles Grangier qui, malgré l'immense émotion qui était la sienne, m'a aussitôt dit qu'il me rejoignait à l'hôpital.

Il y est arrivé avant moi. On m'a dit que Jean s'était éteint sans souffrir dans la nuit. J'ai compris qu'il était mort seul dans sa chambre. Seul, c'est-à-dire surtout sans moi, et j'en ai voulu longtemps à cette infirmière qui m'avait conseillée de rentrer chez moi, mais je continue, même après toutes ces années, à en vouloir plus encore à moi-même de ne pas être restée. Je n'ai pas compris que Jean était si mal. J'avais dans la tête l'idée de ce qu'il s'était passé trois ans plus tôt. J'aurais dû me rendre compte que ce n'était pas la même chose. Cette fois, le mal avait réellement pris le dessus et ne l'avait plus lâché. Je n'arrive pas encore aujourd'hui à expliquer pourquoi, alors que durant vingt-sept ans de vie avec lui je lui ai tout donné de moi-même, je n'ai pas senti qu'il allait mourir. C'est un reproche que je continue à me faire et qui est très lourd à porter. »

A 9 heures, le matin même, les agences de presse et les radios annonçaient : « Jean Gabin est mort. » Cette nouvelle brutale bouleversa tous ses proches et dans le même temps des millions d'anonymes en France et dans le monde.

Jean fut habillé d'un complet bleu marine, chemise blanche et cravate bleue, et Dominique plaça sur le cercueil sa casquette de second maître de fusilier marin. C'est Mathias qui la conserve aujourd'hui comme une relique. Une chapelle ardente fut dressée dans l'hôpital américain, et seuls ses intimes et relations les plus proches y eurent accès. Il ne fut pas veillé la nuit, et, malgré toutes les précautions qui furent prises, sa dépouille fut photographiée et parut dans *Paris-Match*.

Au cours des dernières années, lorsque Jean envisageait sa disparition, il avait exprimé successivement différentes volontés quant à sa sépulture et à ses funérailles.

Il avait longtemps pensé se faire enterrer à la *Pichonnière* même. En plaisantant, il disait d'ailleurs à Odolant et à ses employés :

— Je me ferai enterrer là-haut et debout, comme ça je pourrai encore vous regarder bosser !

« Là-haut », il désignait le tertre sur lequel se dressait la *Moncorgerie* et qui dominait son domaine. Ensuite, après le drame avec les paysans, il avait, semble-t-il, renoncé à son idée d'être enseveli à la *Pichonnière*.

— Je ne veux pas continuer à m'engueuler avec eux, même mort ! disait-il toujours en plaisantant et en faisant allusion à son conflit avec les agriculteurs.

Pendant la réalisation de *L'âge ingrat* en 1964, Fernandel avait, un soir, au cours d'une discussion sur la terrasse de la Tour Blanche où nous séjournions, exprimé l'opinion que, désormais, les artistes étaient des gens parfaitement considérés, ce qui n'avait pas toujours été le cas dans le passé. Jean avait un autre avis sur la question.

— On ne nous enterre plus la nuit comme autrefois, disait-il, mais c'est parce qu'à présent, avec nos funérailles, on nous fait battre encore l'estrade ! Même mort, on nous demande de jouer une dernière petite scène devant les photographes, la télé, et avec la foule qui crie : « Bis ! encore ! » Moi, on m'aura pas pour ce coup-là, on ne me fera pas faire un dernier tour de piste, et sans être payé en plus !

Je n'ai pas le souvenir qu'il ait exprimé ce soir-là la solution qu'il envisageait, mais le jour de l'enterrement de Fernandel précisément, il fut profondément choqué par l'attitude du public. S'il s'est rappelé à ce moment-là ce qu'il avait dit à Fernand quelques années plus tôt, il ne pouvait que constater qu'il avait raison. A partir de là, il s'ancra dans sa volonté de ne laisser derrière lui ni tombe ni monument, pas plus qu'il ne voulait de funérailles publiques. Il prévint les siens et les intimes qu'il désirait que son corps soit jeté à la mer comme celui d'un marin.

Ce que Jean ignorait, c'est que cette tradition n'existait plus et que l'on ne pouvait jeter à la mer que les cendres d'une dépouille.

« L'incinération n'avait jamais été envisagée par Jean à aucun moment. Cette idée m'impressionnait moi-même beaucoup et j'hésitais à prendre cette décision. J'ai demandé leur avis à Florence et à Mathias. Finalement, nous avons été d'accord pour respecter la volonté première de Jean qui était d'être jeté à la mer et de ne laisser derrière lui aucune tombe. »

La cérémonie de l'incinération fut fixée au mercredi 17 au columbarium du cimetière du Père-Lachaise. Il devenait dès lors impossible qu'elle ne revête pas un caractère public et même ne prenne pas une certaine ampleur. D'une part, la marine nationale et les associations d'anciens combattants de la 2e D.B. et du R.B.F.M. tenaient à rendre les derniers honneurs à leur camarade, et, d'autre part, dès l'annonce de sa mort, des milliers de personnes, soit par leur présence silencieuse et recueillie devant l'hôpital américain, soit par courrier et télégrammes adressés à Dominique et à ses enfants, exprimaient également leur désir de rendre hommage à celui qu'elles avaient tant admiré et aimé

« Tout cela m'a un peu échappé, se rappelle Dominique. Je voulais respecter les volontés de Jean mais à partir du moment où les choses ne pouvaient pas se faire aussi simplement qu'il l'avait désiré, un processus s'est enclenché qui conduisit d'abord à cette cérémonie du Père-Lachaise et ensuite au caractère officiel de l'immersion de ses cendres en mer. Il n'aurait sans doute souhaité ni l'une ni l'autre de ces cérémonies, encore que je suis sûre qu'il aurait ressenti une grande fierté s'il avait pu imaginer la seconde. D'autre part, personnellement, je ne me sentais pas le courage d'interdire à ces milliers de gens anonymes, dont l'immense majorité était animée d'un sentiment sincère et profond — je l'ai bien vu dans les lettres que j'ai reçues —, de manifester une dernière fois leur sympathie à Jean. »

Plusieurs dizaines de milliers de personnes en effet avaient déjà envahi le Père-Lachaise depuis de longues heures lorsque le corbillard qui transportait le simple cercueil de bois blanc dans lequel reposait Jean pénétra dans le cimetière. La famille et les intimes se rassemblèrent dans un salon du crématorium, tandis que la bière, recouverte d'une draperie grise, était exposée devant le columbarium. Les décorations de Jean reposaient sur un coussin. Autour du catafalque, des représentants des associations de la 2e D.B. et du R.B.F.M., drapeaux deployés, montaient une garde d'honneur.

De nombreuses personnalités, telles que la maréchale Leclerc, le général de Boissieu, gendre du général de Gaulle, des dignitaires de la marine nationale, vinrent s'incliner devant le cercueil. Le président de la République, M. Giscard d'Estaing, qui, par une déclaration officielle, avait rendu hommage au comédien, s'était fait représenter, ainsi que le Premier ministre et des membres du gouvernement. L'immense foule disparate, composée de gens âgés, de jeunes, de femmes et d'hommes de toutes conditions sociales, commença à défiler devant le catafalque

Beaucoup déposaient des fleurs, certains pleuraient. L'émotion était sincère et digne jusqu'au moment où, la circulation se faisant difficilement, les premières bousculades commencèrent. Des milliers d'autres personnes éloignées du cercueil et désirant s'en approcher avant qu'il ne soit emporté vers le crématorium provoquèrent alors un effroyable désordre. La turbulence et l'agressivité qui suivirent furent proprement indécentes, mais le rassemblement d'une telle foule ne pouvait échapper à ce piège.

« Je n'ai voulu retenir de ces excès que l'élan de sympathie et même d'amour que pendant la plus grande partie de la cérémonie et dans leur immense majorité ces milliers de personnes ont manifesté envers Jean. »

Dans la journée du jeudi, Florence et Mathias en voiture funéraire transportèrent l'urne cinéraire jusqu'à Brest, tandis que Dominique, son fils Jacky, Nicole et Robert Klotz et Odette Ventura les rejoignaient par le train.

Le vendredi 19 novembre, la famille et quelques intimes, comme Gilles Grangier, Alain Delon, l'amiral Gélinet et son épouse, montèrent à bord de l'aviso *Détroyat* commandé par le capitaine de corvette Pichon. Sur l'intervention de Dan Gélinet et avec l'accord de Giscard d'Estaing, la marine nationale avait tenu à organiser cette cérémonie officielle.

« Bien sûr, les cendres de Jean auraient pu être jetées en mer d'un simple bateau de pêche, dit aujourd'hui Dan Gélinet, mais la marine voulait rendre à celui qui avait été un des siens les honneurs que méritaient sa conduite durant la guerre et sa fidélité envers elle. »

Le *Détroyat* leva l'ancre et prit le large jusqu'à vingt milles des côtes de Brest. Des hélicoptères et des avions frétés par des journaux survolèrent le navire et, à leurs bords, des photographes réussirent à prendre des photos de la cérémonie.

En mer d'Iroise, devant l'équipage du *Détroyat*, tête nue et rendant les honneurs, le commandant Pichon jeta l'urne cinéraire dans les flots et Mathias et Florence un bouquet de violettes, les fleurs préférées de leur père.

Au même instant, dans les rues du Caire, Valérie s'arrêtait devant un kiosque à journaux, l'attention attirée par la photographie de Jean à la première page d'un magazine allemand. Elle demanda qu'on lui traduise ce qu'il annonçait. C'est ainsi qu'elle apprit, bouleversée, la mort de son père. Elle téléphona aussitôt à Dominique, et, éplorée, rentra en France par le premier avion.

Il n'y avait aucune tombe de son père sur laquelle Valérie puisse venir pleurer. Jean avait choisi la plus profonde et la plus vaste du monde, la plus anonyme et aussi la plus belle. Pour Dominique, pour Florence, Valérie et Mathias, Jean restait surtout dans leur cœur immensément présent. Ce mari, ce père, ils le savent, est mort usé de trop d'amour, d'un amour si pudique qu'il ne savait pas toujours le leur exprimer, car ce grand égoïste a finalement tout donné de lui-même.

ÉPILOGUE

Respectant la volonté de Jean, Dominique a vendu la *Pichonnière* en 1979 : le domaine fermier à M. Levesque qui s'est associé avec un entraîneur, M. de Bellaigue, qui occupe les installations du haras et ce que fut la demeure de la famille ; la *Moncorgerie* à Mme Pingat qui y élève des chiens.

— Ce n'est pas une ferme que tu as là, mais un jardin, disait Fernandel à Jean quand il avait découvert, ébloui, le domaine fabuleux de son ami.

Aujourd'hui, plus rien n'est comme avant. Ni Dominique ni les enfants ne s'approchent désormais de ce lieu qui leur a été si cher mais qui, sans la tutélaire présence de celui qui l'a bâti avec tant de foi et d'amour, n'a désormais pour eux plus d'existence sinon dans le souvenir des jours heureux qu'ils y ont vécus avec lui.

Dominique possède encore une petite maison — ancienne demeure d'un de leurs bouviers — près du champ de courses de Moulins-la-Marche.

Mathias est marié à Élisabeth Allaire, et tous deux dirigent avec succès le Haras de l'Orne près d'Argentan. Ils ont trois enfants, Mary six ans, Cléia quatre ans, Alexis un an.

Florence élève ses deux enfants, Christina dix ans et Jean-Paul six ans, et poursuit une brillante carrière de scripte dans le cinéma. Elle a réalisé en 1985 un court métrage en hommage à son père et auquel Alain Delon et Jean-Paul Belmondo, fidèles tous deux parmi les fidèles, ont prêté leur concours.

Valérie court toujours le monde, réalise des courts métrages et ambitionne de faire son premier grand film comme metteur en scène.

Quant à Jean, disparu depuis onze ans maintenant, il n'a jamais été peut-être aussi présent et aussi populaire. Il ne se passe pas de semaine sans qu'un de ses films soit présenté sur une chaîne de télévision et placé généralement en tête des sondages d'écoute. Des émissions sur sa vie, sur sa carrière sont diffusées fréquemment aux États-Unis, en Allemagne, au Japon. Un « Dossier de l'écran » lui a été consacré il y a quelques années sur Antenne 2, et le standard téléphonique a été bloqué par des centaines d'appels d'anonymes qui voulaient exprimer ce que Jean Gabin avait représenté pour eux, pour l'un, c'était un père, pour l'autre un frère, pour tous un ami.

Grâce à Georges Cravenne, un hommage spécial lui a été rendu par toute la profession lors de la remise des Césars 1987 qui a été suivie par quinze millions de téléspectateurs. Au cours de la soirée, de jeunes et célèbres comédiens français ont tenu à témoigner à Dominique personnellement l'admiration qu'ils portaient à Jean et à sa carrière.

Un prix « Jean Gabin » est décerné chaque année au meilleur jeune comédien français. A chaque référendum auprès du public désignant les acteurs les plus populaires, Jean est presque toujours cité en tête. Un sondage réalisé en 1987 par *Paris-Match* le classe parmi les douze personnalités françaises les plus marquantes du demi-siècle aux côtés du général de Gaulle, Picasso, Pagnol, Simone Signoret ou le docteur Schweitzer.

Lors d'une émission à Canal Plus où Michel Denizot interviewait en direct deux cosmonautes soviétiques évoluant à travers l'espace dans un Soyouz, ceux-ci ont parlé de Jean Gabin, extrêmement populaire en U.R.S.S., comme s'il était encore vivant, et ont demandé à revoir une séquence d'un de ses films.

Peu de comédiens, peu d'hommes même, tant d'années après leur disparition, ont su laisser derrière eux une ferveur aussi intacte.

Jean n'a voulu ni tombe ni monument dressé à sa mémoire. Il n'en avait pas besoin. Son souvenir reste aujourd'hui dans le cœur de millions d'hommes à travers le monde.

NOTES

CHAPITRE 3. *Les débuts d'artiste.*

1. En équivalence purement monétaire égale à 2000 francs de 1985. Toutes les équivalences de prix qui seront données ultérieusement émanent des statistiques officielles du ministère des Finances et sont calculées sur la base de l'évolution de l'indice des prix, compte non tenu de l'évolution du pouvoir d'achat réel. Il est probable que 600 francs de 1922 offraient un pouvoir d'achat nettement plus important que 2000 francs de 1985.

2. Bach faisait généralement dans le genre comique troupier. Il interpréta avec Laverne des sketches que la T.S.F. naissante et le disque rendirent célèbres dans les années 30. Il tourna également de nombreux films, généralement médiocres mais à grands succès populaires dont le plus remarqué reste *Le train de 8 h 47* (1934) d'après Courteline, avec Fernandel comme partenaire.

3. Entretiens avec Jean Sablon et Gaby Basset (juin/juillet 1986).

4. Entretiens avec Colette Mars (juillet 1986).

5. Les jeunes chanteurs qui ont débuté dans les années 20, tels que Jean Sablon, Henri Garat, Albert Préjean pour ne citer qu'eux, ont longtemps imité Chevalier avant de trouver leur style propre.

6. Jean de Walde devait ensuite devenir imprésario.

7. Rip, de son vrai nom Georges Thénon (1884-1941), fut le plus célèbre revuiste de cette époque. Basées sur des faits d'actualités, ses revues étaient fort drôles, faites de « bons mots », de calembours et de boutades. Dans la vie, son esprit ne manquait pas de faire de nombreuses victimes. Le père de Jean joua beaucoup de revues de Rip.

8. Dranem, de son vrai nom Armand Ménard, né en 1869, mort en 1935, était une grande vedette de café-concert et de music-hall, puis d'opérettes. Ses chansons, « Les p'tits pois » et « Pétronille », ainsi que les opérettes *Là-haut* et *Un soir de réveillon* lui valurent une grande notoriété populaire. Il tourna quelques films au début des années 30, *Un soir de réveillon, Un bœuf sur la langue,* et y interpréta même avec talent quelques rôles dramatiques. Il fonda la maison de retraite de Ris-Orangis pour les vieux artistes de music-hall.

9. Entretiens avec Gaby Basset (juin/juillet 1986).
10. Interview Merry Bromberger, *L'Intransigeant* (1937).
11. Interview Frank Fernandel, Europe 1 (1970).
12. Éd. Jean-Claude Lattès.
13. *De France ou bien d'ailleurs*, Éd. Robert Laffont.

CHAPITRE 4. *Le début de la renommée.*

1. Georges Tabet, *Vivre deux fois*, Éd. Robert Laffont.
2. Earl Leslie était américain. D'après Georges Tabet, il ressemblait un peu à Chevalier par son charme et son sourire. Remarquable danseur, son style s'apparentait à celui que devait illustrer plus tard Gene Kelly.
3. Entretiens avec Jean Sablon (juin 1986).
4. Excellent chanteur et comédien, Henri Garat fut un célèbre jeune premier de comédie d'avant-guerre. Il tourna de très nombreux films légers, avec notamment comme partenaires Lilian Harvey, Meg Lemonnier, Danielle Darrieux, etc. Mort misérable en 1959 dans la salle commune de l'hôpital d'Hyères.
5. Jacques Pills forma avec Georges Tabet un des plus réputés duos de chanteurs des années 30. C'est Mistinguett qui leur avait donné l'idée de s'associer. Après sa séparation avec Tabet, Pills connut encore un grand succès en chantant en soliste. Il épousa Édith Piaf dont il devait divorcer par la suite.
6. Selon les statistiques du ministère des Finances, en équivalence purement monétaire : 40, 60, 100 francs de 1928 représentent 78, 117, 194 francs de 1985. La faiblesse des sommes surprend. J'ai d'abord craint d'avoir mal enregistré à l'époque les chiffres que m'avait donnés Jean, bien qu'il ait eu connaissance d'un brouillon de ce texte et qu'il n'y ait pas relevé d'erreurs. Malgré cela j'ai vérifié et j'ai trouvé dans différentes déclarations que Jean fit à la presse au cours de sa carrière qu'il n'avait cessé de donner les mêmes chiffres. Notamment dans une interview à Merry Bromberger, *L'Intransigeant* du 9 novembre 1937, il déclarait avoir été engagé au Moulin-Rouge à 1 200 francs par mois, ce qui correspondait très exactement à 40 francs par jour. Il ajoutait : « Ce fut pour moi brusquement la fortune, au moins à mes yeux... » Il faut donc en déduire que le coût réel de la vie — autrement dit le pouvoir d'achat — était, en 1928, infiniment différent de celui d'aujourd'hui...
7. Entretiens avec Gaby Basset (juin/juillet 1986).
8. Tournés en muet, les films furent sonorisés après réalisation, mais restèrent non parlants.
9. *Universum Film Allgemeine* (U.F.A.) a été créé à la demande de Ludendorff en 1917. D'abord société subventionnée par l'État, puis privée, sa production passa de 5 films en 1919 à 213 par an en 1921. En 1925, après avoir contribué à la fantastique renommée du cinéma allemand, la U.F.A. traversait une crise dont elle ne sortit qu'avec l'avènement du parlant en produisant des comédies, et notamment des films-opérettes.
10. Erich Pommer, un des plus grands producteurs de l'histoire du cinéma. Du *Docteur Galigari* à *L'ange bleu*, il a produit quelques-uns des plus grands chefs-d'œuvre du cinéma allemand entre 1919 et 1934, notamment des films de Fritz Lang et de Murnau. Chassé par Hitler, il travailla ensuite en Angleterre, puis aux États-Unis avant de revenir en Allemagne en 1952. Mort en 1966.
11. Metteur en scène assez inégal qui se mit au service du régime nazi en 1933, en réalisant notamment son œuvre « cinématographiquement » la plus intéressante : *Le jeune hitlérien Quex*.

12. Entretiens avec Jean Sablon (juin 1986) et son livre *De France ou bien d'ailleurs* (Éd. Robert Laffont).

13. Petits bouts de scènes pas encore montées, projetées le lendemain de leur tournage pour en vérifier la qualité.

14. Soit, selon les statistiques d'équivalence monétaire, un peu plus de 80000 francs de 1985.

CHAPITRE 5. *Prélude à la gloire.*

1. Entretiens avec Jean Grémillon (1957).

2. D'origine russe, Anatole Litvak fit carrière en Allemagne, en France et aux États-Unis. *Cœur de lilas* (1932) fut son premier film important, mais *Mayerling* (1936) devait le rendre célèbre. Il tourna également *L'équipage,* d'après J. Kessel (1935), et aux États-Unis *La fosse aux serpents* (1948), *Anastasia* (1956), *La nuit des généraux* (1967), et en France encore *Aimez-vous Brahms,* d'après F. Sagan (1961), et *La dame dans l'auto* (1971).

3. *Gueule d'amour* (1937) et *Remorques* (1939-1940).

4. Lev Koulechov (1889-1970), réalisateur russe et surtout théoricien. Ses travaux au Laboratoire expérimental ont marqué le cinéma soviétique des années 20 à 30. Son film le plus important fut *Dura Lex* (1926).

5. Entretiens avec Jeanne Witta (1954). Jeanne Witta, alors secrétaire de Marcel Achard, était scripte sur le film. Elle fut, pendant plus de quarante ans, une des plus grandes scriptes du cinéma, mais surtout une « grande dame de ce métier ». Elle a écrit un livre de souvenirs, *La lanterne magique* (Éd. Calmann-Lévy, 1980).

6. Réalisateur italien (1892-1957). Après avoir tourné de nombreux films muets en Italie, il réalisa en France, outre *Paris béguin, Prix de beauté* avec la mythique Louise Brooks. Retour en Italie, il se fait, avec talent, le chantre du fascisme avec *L'escadron blanc* (1936) et *Les cadets de l'Alcazar* (1940).

7. Jacques Lorcey, *Fernandel* (Éd. P.A.C., 1981).

8. Raymond Chirat, dans son *Catalogue des films français de long métrage (1929-1939),* a eu du mérite à les retrouver.

9. *Le tunnel* (1933), *Maria Chapdelaine* (1934), *Remorques* (1939-1940), *Le plaisir* (1951).

10. Entretiens avec Madeleine Renaud (1954).

11. Odette Pannetier, *Ric et Rac* (10 décembre 1932).

12. Philippe Barbier et Jacques Moreau, *Jean Gabin* (Éd. P.A.C., 1983). Album photos.

13. On a beaucoup fait appel aux écrivains ou aux auteurs de théâtre à cette époque pour l'écriture des scénarii et surtout des dialogues. C'est ainsi que Marcel Achard signe le dialogue de *La belle marinière,* Jean Galtier-Boissière celui de *L'étoile de Valencia,* André Beucler celui de *Adieu les beaux jours,* et Carlo Rim signera, avec Albert Willemetz, le dialogue de *Zouzou.*

14. Interviewes Doriane, *France-Dimanche,* 27 septembre 1947.

15. Né en 1896, mort en 1967.

16. Jean Gabin évoque sa rencontre avec Duvivier et ce projet dans un texte de souvenirs recueillis par Didier Daix : « Quand je revois ma vie ». (*Pour Vous,* n°s 355 à 360 du 5 septembre au 10 octobre 1935).

17. *Mademoiselle Docteur* eut un deuxième titre : *Salonique nid d'espions.*

18. Jean Gabin tourna cinq films avec Duvivier entre 1934 et 1936 : *Maria Chapdelaine, Golgotha, La bandera, La belle équipe, Pépé le Moko.* Il devait aussi tourner avec Duvivier *L'Imposteur* aux États-Unis en 1943, et *Voici le temps des assassins* (1955), soit en

tout sept films. C'est cependant avec Gilles Grangier, dans la dernière partie de sa carrière, qu'il en tournera le plus : douze.

19. Avec *Maria Chapdelaine*, c'était la troisième fois que Jean mourait dans un film. Précédemment, c'était dans *Paris béguin* et *Pour un soir* (sorti sous le titre *Stella-Maris*, où il se suicidait). Il mourra plus souvent par la suite.

20. *Le soleil et les ombres*, Éd., Robert Laffont, 1976, et entretien avec Jean-Pierre Aumont (20 mars 1987).

21. Ami de Céline, il devait se compromettre dans la collaboration avec les Allemands durant la dernière guerre. Défendu lors de son procès par quelques-uns de ses camarades acteurs et metteurs en scène non soupçonnables de collaboration et qui réclamèrent à son égard l'indulgence des juges, il fut cependant condamné. Il s'exila en Argentine où il mourut en 1972.

22. Il n'en jouera d'ailleurs qu'un seul autre, extrêmement bref, celui du maréchal Lannes dans *Napoléon* de Sacha Guitry.

23. *Paris-Soir* du 6 octobre 1934.

24. Nom d'un ancien quartier de Paris dénommé « Basse-Courtille » au niveau de l'actuel faubourg du Temple, et « Haute-Courtille » dans le haut de l'actuelle rue de Belleville. La « Descente de la Courtille » était bordée d'estaminets et de guinguettes très populaires au XIXe siècle.

25. Pièce d'Henri Bernstein qu'il avait jouée en 1949 au théâtre des Ambassadeurs.

26. Le projet de la reprise de *Jules César* à l'Empire fut abandonné par J. Renoir.

27. *Certains l'aiment chaud* de Billy Wilder, en 1959 avec Marilyn Monroe, était le remake de *Fanfare d'amour*.

28. Environ près de un million de 1985 (soit 100 millions de centimes).

29. En tout, cinq films : *Chacun sa chance, Tout ça ne vaut pas l'amour, Cœurs joyeux, Gloria, Les gaietés de l'escadron*.

30. Notamment *Paris béguin* (Films Osso), *Cœur de lilas* (Fifra), *La belle marinière* (Paramount), *La foule hurle* (Warner Bros First National).

31. Entretiens avec Annabella (octobre 1986).

32. P. Barbier et J. Moreau, *Jean Gabin* (Éd. P.A.C.). Album photos.

33. J.-C. Missiaen et J. Siclier, *Jean Gabin* (Éd. Henri Veyrier). Album photos.

CHAPITRE 6 : *Les glorieuses années Gabin.*

1. Marcel Carné, *La Vie à belles dents* (Éd. J.-P. Ollivier).

2. Tourné sous le titre de *Dernier Tournant* avec, outre Fernand Gravey, Michel Simon et Corinne Luchaire. Avec Gabin, Carné avait envisagé également Michel Simon et Viviane Romance. L'assistant de Renoir à cette époque, Luchino Visconti, devait se souvenir du sujet de James M. Cain et l'adapta de mémoire, le livre étant introuvable en Italie en 1942 sous le titre *Ossessione* sans mentionner Cain et sans en avoir les droits, l'Italie fasciste ne reconnaissant pas les accords de « Copyright » internationaux...

3. Michel Audiard a longtemps espéré porter à l'écran le livre de Céline, notamment avec Jean-Paul Belmondo.

4. Pour ceux qui s'étonneraient de la date de ces entretiens avec Charles Spaak — 1947-1948 —, je dois une explication : j'avais vingt ans, et le cinéma me passionnait. Jean Grémillon m'a présenté à Charles Spaak qui cherchait quelqu'un pour l'assister dans l'écriture de ses scénarios. En fait, je jouais surtout auprès de lui le rôle d'un renvoyeur de balles. J'ai un peu travaillé, j'ai beaucoup appris et surtout écouté parler Charles Spaak qui, bien que d'une éloquence lente, était bavard. Il m'a parlé des films auxquels il avait collaboré et de ses rapports avec Feyder, Renoir, Duvivier et Gabin

entre autres. Ce que je me permets de lui faire dire ici et dans le cours de ce livre à propos de Jean Gabin n'est que la mise en forme aussi fidèle que possible de notes prises à cette époque, sans évidemment avoir pensé alors qu'elles me serviraient précisément pour un livre sur Jean Gabin. Par ailleurs, Charles Spaak a publié dans *Paris-Cinéma* — 1948 — des sortes de Mémoires, *Mes 31 mariages,* dans lesquels il évoquait trop brièvement, hélas, quelques souvenirs qui recoupent parfois les propos que je lui fais tenir ici.

5. En 1938, Jean Gabin figurait parmi les signataires du Manifeste des intellectuels antifascistes.

6. *Le Cinéma du Front populaire* de G. G. Grimaud (Éd. Lherminier, 1986).

7. Coauteur avec Companez : Eugène Zamiatine.

8. *La belle équipe* reçut le Prix Louis Delluc attribué pour la première fois.

9. Jean Renoir, *Écrits 1926/1971* (Éd. Belfond, 1974). Voir également *Jean Renoir* par Célia Bertin (Éd. Perrin, 1986).

10. Au moment de ces confidences, Jean venait de retravailler avec Renoir dans *French Cancan* (1954).

11. Jacques Becker m'a tenu sensiblement les mêmes propos, au sujet de Renoir (entretiens divers entre 1947 et 1956). Lui-même, Jacques Becker, procédait un peu de la même façon.

12. *Ma vie et mes films,* Jean Renoir (Éd. Flammarion, 1974).

13. Entretiens avec Jean Renoir (1954).

14. Jean Gabin de J.-C. Missiaen et J. Siclier (Éd. Henri Veyrier).

15. Doriane, *France Dimanche* (27 septembre 1947).

16. Michèle Morgan, *Avec ces yeux-là* (Éd. R. Laffont).

17. Charles Higham, *Marlène : la vie d'une star* (Éd. Calmann-Lévy).

18. *Ma vie et mes films,* Jean Renoir (Éd. Flammarion, 1974), *Écrits,* Jean Renoir (1926/1971) (Éd. Belfond), *Jean Renoir,* Célia Bertin (Éd. Perrin), *Si je mens,* Françoise Giroud (Éd. Stock), *La grande illusion* (le scénario) (Éd. Balland), *La grande illusion, L'Avant-Scène,* n° 44 (1965), *Le roman du cinéma,* Claude-Jean Philippe (Éd. Fayard).

19. Eric von Stroheim tenait à ce que son prénom s'écrive « Erich ». Malgré cela, il a toujours été écrit sans « h », et nous respectons ici cette tradition.

20. Entretiens avec Charles Spaak (1947) et entretiens avec Jacques Becker (1956).

21. Contrairement à l'impression que donne Charles Spaak dans ses Mémoires *Mes 31 mariages,* paru dans *Paris-Cinéma 1946,* en racontant la rencontre entre Stroheim et Renoir, il n'y a, en réalité, pas assisté, c'est Becker et Renoir qui la lui ont racontée.

22. Henri Agel, *Jean Grémillon* (Éd. Cinéma d'Aujourd'hui, Seghers).

23. Entretiens avec Denise Tual (1986).

24. Denise Tual, *Le temps dévoré* (Éd. Fayard).

25. J'ai évidemment prié Marcel Carné de m'accorder un entretien, mais à mon grand regret il est resté sourd à ma demande.

26. Entretiens avec Raoul Ploquin (1986).

27. Entretiens avec Pierre Mac Orlan (1954).

28. *Mon frère Jacques* par Pierre Prévert en 1961. Série de six émissions (six heures) produite par RTB (Télévision belge) sous le patronage de la Cinémathèque royale de Belgique. Jamais diffusée en France, sinon qu'en de rares extraits ou dans des projections privées.

29. Égal à 780 000 francs de 1985, en équivalence purement monétaire et compte non tenu de l'évolution du coût de la vie. On remarquera en effet que les 350 000 francs que Jean Gabin avait touchés pour *Variétés* en 1934 équivalaient à 910 000 francs de 1985.

30. Entretiens avec Alexandre Trauner (1986).

31. C'est à tort que Carné croit pouvoir écrire dans son livre que ce genre d'atmosphère n'avait jamais été faite avant lui... *Le mouchard,* film de John Ford à qui il fait référence, s'est tourné en 1935, et était déjà sorti en France. Mais il y avait eu avant *Les damnés de l'océan* (1928) de Sternberg pour ne citer que ce film, et sans parler de ceux de l'école expressionniste et du Kammerspiel allemand.

32. Entretiens avec Michèle Morgan (1986).

33. Pierre Brasseur, *Ma vie en vrac* (Éd. Calmann-Lévy).

34. Maurice Jaubert est mort au front en 1940. Il avait notamment écrit la musique de *L'affaire est dans le sac* (P. Prévert), *Zéro de conduite* et *L'atalante* (J. Vigo), *Quatorze Juillet* (René Clair, à l'exception de la fameuse valse du film signée par Jean Grémillon). Il fut aussi le compositeur de tous les films de Carné d'avant-guerre, à l'exception de *Jenny.* François Truffaut devait utiliser des partitions inédites de Jaubert pour son film *L'homme qui aimait les femmes* (1977).

35. Entretiens avec Pierre Prévert (1986).

36. En signalant qu'à la même époque, soit 1939, à Hollywood, Tay Garnett abordait lui aussi « le retour en arrière » avec son film *Thomas Gardner* joué par Spencer Tracy, Marcel Carné fait une double erreur : *The power and the glory* (Thomas Gardner) était de William K. Howard (et non de T. Garnett) d'après un scénario de Preston Sturges et surtout il fut tourné en 1933. Deux personnages racontaient sans ordre chronologique la vie d'un homme qui venait de mourir.

37. Dans son livre de souvenirs, *La lanterne magique* (Éd. Calmann-Lévy), Jeanne Witta, scripte du film, raconte sensiblement la même histoire.

38. Claude Monnier, *Arletty* (Éd. Stock).

39. En équivalence purement monétaire : 1 600 000 de 1985. A ce propos, la presse de l'époque donnait des chiffres fantaisistes concernant les cachets des comédiens en général. Ainsi, on attribuait à Gabin un cachet de 1 200 000 francs de 1937. Comparativement, et à standing égal, les stars de l'époque étaient moins bien payées que celles d'aujourd'hui, compte non tenu de l'évolution du coût de la vie.

CHAPITRE 7. *L'entracte*

1. Pour donner une idée de l'atmosphère de cette époque, lors de la visite de Pétain à Marseille le 4 décembre 1940, les forces de police et de gendarmerie procédèrent à l'arrestation préventive et provisoire de quelque vingt mille personnes jugées suspectes, parmi lesquelles André Breton et Victor Serge.

2. Lettre publiée par Denise Tual dans son livre, *Le temps dévoré* (Éd. Fayard).

3. Entretiens avec Michèle Morgan (1986).

4. Michèle Morgan, *Avec ces yeux-là* (Éd. R. Laffont).

5. Louis-Émile Galey, architecte de formation, fut directeur de la Cinématographie nationale pendant l'occupation, puis directeur artistique chez Pathé, de 1945 à 1959. C'est en 1950, avec le film *Pour l'amour du ciel* de Luigi Zampa dans lequel il représentait Pathé, qu'il fit réellement la connaissance de Jean Gabin et devint un de ses familiers (entretiens avec L.-E. Galey, 1987).

6. Cette lettre de M. Tixier-Vignancour est datée du 9 juin 1986, et répond à une demande d'information que je lui ai adressée le 5 juin.

7. Comme à Berlin avec la U.F.A. avant la guerre, Raoul Ploquin s'acquittera de cette tâche difficile et délicate avec honneur et loyauté qui lui fut unanimement reconnue à la Libération, à tel point qu'il fut reconduit un moment dans ses fonctions.

8. Société française à capitaux allemands (branche française de la U.F.A.) dirigée

par Alfred Grevan qui appliquait scrupuleusement les ordres de Goebbels. A la Libération, les artistes français qui ont travaillé avec la *Continentale* seront assez durement frappés.

9. Entretiens avec Jean Sablon (1986).
10. Entretiens avec Jean-Pierre Aumont (1987).
11. Marcel Dalio, *Mes folles années* (Éd. J.-C. Lattès).
12. Charles Higham, *Marlène : la vie d'une star* (Éd. Calmann-Lévy).
13. *Dédée d'Anvers* devait finalement être réalisé en 1947 par Yves Allégret, et être joué par Simone Signoret, Bernard Blier et Marcello Pagliero.
14. *Pierre Chenal,* souvenirs présentés et coordonnés par Pierre Matalon, Claude Guiguet, Jacques Pinturault (Éd. Dujarric).
15. Josef von Sternberg (comme Stroheim, il ajouta un « von » à son nom) était autrichien (1894/1969). Célèbre dès *Les nuits de Chicago* (1927), confirmé par *Crépuscule de gloire* (1928) et *Les damnés de l'océan* (également 1928), sa rencontre avec Marlène Dietrich dans *L'ange bleu* bouleversa sa vie privée et professionnelle. Ils firent ensemble *Morocco* (1930), *Agent X 27* (1931), *Blonde vénus* (1932), *Shanghai Express* (1932), *L'impératrice rouge* (1934), *La femme et le pantin* (1935).

« J'ai cessé de faire du cinéma en 1935 », écrivit Sternberg dans ses Mémoires, faisant allusion à la fin du cycle Marlène. Il fit cependant quelques autres films qui ne furent pas des réussites commerciales, mais *Shanghai Gesture* (1941) et *Fièvre sur Anathan* (1935) ne manquèrent pas encore d'exprimer des reflets du génie baroque qui fut sa marque avec l'expression d'un érotisme aigu.

16. Entretiens avec Antoine Pinay (1986).
17. Marlène Dietrich, *Marlène D* (Éd. Grasset).
18. Entretiens avec Annabella (1986).
19. Jean-Pierre Aumont, *Le soleil et les ombres* (Éd. R. Laffont).
20. Amiral Maggiar, *Les fusiliers marins de Leclerc* (Éd. France-Empire).
21. Entretiens avec Nicole Klotz (1986-1987).
22. Entretiens avec Guy Ferrier (1986).
23. Brassaï, *Conversations avec Picasso* (Éd. Gallimard).
24. Jeanne Witta, *La lanterne magique* (Éd. Calmann-Lévy).
25. Arletty, *La défense* (La Table Ronde).
26. Pierre Monnier, *Arletty* (Éd. Stock).
27. Jean-Louis Rieupeyrout a écrit plusieurs livres sur l'histoire réelle et cinématographique du western.
28. Gilles Grangier, *Flash-back* (Éd. Presses de la Cité).

CHAPITRE 8. *La période grise*

1. Jeanne Witta, *La lanterne magique* (Éd. Calmann-Lévy).
2. Roger Régent, *Cinéma de France* (Éd. Bellefaye).
3. Marcel Carné, *La vie à belles dents* (Éd. J.-P. Ollivier).
4. Brassaï, *Conversations avec Picasso* (Éd. Gallimard).
5. Marlène Dietrich, *Marlène D* (Éd. Grasset).
6. Georges Lacombe, homme charmant et bon metteur en scène pour peu qu'il disposait de bons scénarios, avait une infirmité qui lui donnait une élocution difficile.
7. J.-C. Missiaen et J. Siclier, *Jean Gabin* — Album photos (Éd. Henri Veyrier).
8. Entretiens avec Colette Mars (1986).
9. Entretiens avec Dominique Moncorgé-Gabin (1986-1987).
10. Charles Higham, *Marlène : la vie d'une star* (Éd. Calmann-Lévy).

11. D'après un roman de Simenon, Jean Gabin tourna, outre *La Marie du port*, *La vérité sur bébé Donge* (1951), *Le sang à la tête* (d'après *Le Fils Cardinaud*) (1956), *Maigret tend un piège* (1957), *En cas de malheur* (1958), *Maigret et l'affaire Saint-Fiacre* (1959), *Le baron de l'écluse* (1960), *Le Président* (1960), *Maigret voit rouge* (1963), *Le chat* (1971).

12. L'adaptation italienne était signée Suso Cecchi d'Amico, Vitaliano Brancati et Diego Fabbri, et l'adaptation et le dialogue français Henri Jeanson et Jean-Georges Auriol.

13. Les autres, de moindres qualité et renommée, étaient : *Victor* (Claude Heymann, d'après une pièce de Bernstein), *Fille dangereuse* (Guido Brignone, de nouveau en Italie) et *Leur dernière nuit* (Georges Lacombe).

14. Jean Renoir, *Ma vie et mes films* (Éd. Flammarion).

15. Gilles Grangier, *Flash-back* (Éd. Presses de la Cité) et entretiens (1987).

16. Daniel Gélin, *Deux ou trois vies qui sont les miennes* (Éd. Julliard).

17. Jacques Becker est mort en 1960 après avoir réalisé treize films.

18. Entretien informel (1987). Par pudeur, et encore bloqué par la grande affection qu'il portait à Jean Gabin, Lino Ventura n'a pas souhaité apporter ici un long témoignage.

19. *Ciné-club,* avril 1954. Ces textes, qui furent souvent repris par la presse, les revues et dans quelques livres consacrés à Jean Gabin, n'étaient en fait souvent que des extraits de témoignages plus amples que j'avais recueillis alors, en vue de la biographie de Jean Gabin que je projetais déjà d'écrire. On ne s'étonnera donc pas d'en retrouver les traces plus développées parfois, ici et là, dans ce présent livre.

20. Voir à ce sujet : de Jean Renoir, *Écrits 1926-1971* (Éd. Belfond), *Ma vie et mes films* (Éd. Flammarion), *Entretiens et propos* (Éd. de l'Étoile, *Cahiers du Cinéma*), *Lettres d'Amérique* (Presses de la Renaissance). Célia Bertin, *Jean Renoir* (Éd. Perrin).

21. Entretiens avec Jean Serge (1987).

22. *Cinéma 60,* n° 43, « Histoire d'une malédiction : La règle du jeu » par A. G. Brunelin.

23. Pour *La traversée de Paris :* 363 033 spectateurs en 14 semaines de première excluvisité à Paris et pour *Maigret tend un piège,* 246 107 spectateurs en 4 semaines. Ces chiffres ne peuvent être valablement comparés aux résultats enregistrés aujourd'hui où un film sort simultanément parfois jusque dans cinquante salles, comprenant la périphérie parisienne. Alors qu'à l'époque un film sortait dans trois ou quatre salles pas plus, à Paris. Autrement dit, un film qui dépassait en ce temps-là 200 000 entrées en première exclusivité à Paris était un énorme succès. Le cas des *Misérables* est un peu à part : il enregistra seulement 165 508 spectateurs en exclusivité à Paris, mais sa durée de projection était de trois heures, ce qui réduisait le nombre de séances par jour. Sur l'ensemble de la France, il fut longtemps en tête des plus grands succès jamais enregistrés pour un film depuis la guerre. C'est *Le corniaud* puis *La grande vadrouille* de Gérard Oury, tous deux joués par Bourvil et de Funès, qui le dépassèrent en 1965-1966.

24. Entretiens avec M. Pouzaud (1987).

CHAPITRE 9. *La* Pichonnière (1re partie)

1. Entretiens avec Gaston Pouzaud (1987).
2. Entretiens avec Jean-Paul Guibert (1986-1987).

CHAPITRE 10. *Retour à la gloire.*

1. Entretiens avec Jean-Paul Guibert (1986-1987).
2. Interview à la *Tribune de Genève* (15 mai 1959).
3. Entretiens avec Henri Verneuil (1987).
4. Marcel Dalio, *Mes années folles* (Éd. J.-C. Lattès).
5. *Les Cahiers de la Cinémathèque,* n° 9, Perpignan, 1973.
6. Gerty Colin, *Jean Gabin* (Éd. Presses de la Cité).
7. En équivalence monétaire : 500 000 francs = 2,5 millions de 1985.
8. Ce coût de production équivaudrait aujourd'hui à un film d'un budget d'environ 30 millions.
9. Entretiens avec Jacques Bar (1987).
10. Ce n'est malheureusement pas l'endroit, mais si j'avais pu, j'aurais volontiers consacré un chapitre à évoquer tous ceux avec lesquels j'ai eu le bonheur de travailler, à des stades divers, chez Jacques Bar. Qu'on me permette, outre ceux de Gabin, Gilles Grangier, Henri Verneuil, Michel Audiard, de citer ici quelques autres noms : Jean-Paul Belmondo, Alain Delon, Simone Signoret, René Clément, Jane Fonda, Gina Lollobrigida, Alec Guinness, Stuart Whitman, Stewart Granger, Albert Simonin, Étienne Périer, Jacques Deray, Costa Gavras, Antoine Blondin, Claude Pinoteau, Jacques Rouffio, Jacques Juranville, Monique Herrand, Georges Valon, et, hélas, je me limite...
11. Gilles Grangier, *Flash-back* (Éd. Presses de la Cité).
12. Entretiens avec Antoine Pinay (1986).
13. Entretiens avec Alain Delon (1987).

CHAPITRE 11. *La* Pichonnière (2e partie)

1. Entretiens avec Bernard Odolant (1987).
2. Gerty Colin, *Jean Gabin* (Presses de la Cité).
3. Entretiens avec Robert et Germaine Moncorgé.
4. Gilles Grangier évoque également cette histoire dans son livre *Flash-back* (Presses de la Cité).

CHAPITRE 12. *Le cinéma... quand même.*

1. Outre *Le tonnerre de Dieu* (1965) et *Le tatoué* (1968), Jean tournera pour la UFA-Comacico-Maurice Jacquin : *Maigret voit rouge* (G. Grangier, 1963) ; *Monsieur* (J.-P. Le Chanois, 1964) ; *Du Rififi à Paname* (Denys de La Patellière, 1965) ; *Le jardinier d'Argenteuil* (J.-P. Le Chanois, 1966) ; *Le soleil des voyous* (Jean Delannoy, 1967).
2. G. Grangier, *Flash-back* (Éd. Presses de la Cité).
3. Pascal Jardin, *La guerre à neuf ans* (Éd. Grasset).

CHAPITRE 14. *Les honneurs.*

1. Pascal Jardin, *Le nain jaune* (Éd. Julliard).
2. Pierre Assouline, *Jean Jardin : Une éminence grise* (Éd. Balland).
3. Pascal Jardin, *La guerre à neuf ans* (Éd. Grasset).
4. Entretiens avec Antoine Pinay (1986).

CHAPITRE 16. *Les derniers coups de cœur.*

1. Jean-Claude Missiaen et Jacques Siclier, *Jean Gabin* (Éd. Henri Veyrier).
2. Simone Signoret, *La nostalgie n'est plus ce qu'elle était* (Éd. du Seuil).
3. Créée à l'occasion de *L'âge ingrat* par Fernandel et Jean Gabin, la Gafer fut aussi coproductrice du *Voyage du Père* (Denys de La Patellière, 1966) et de *L'homme à la Buick,* (Gilles Grangier, 1967) interprétés par Fernandel. La Gafer fut également coproductrice, outre *La horse* et *Le chat,* du *Jardinier d'Argenteuil* (Jean-Paul Le Chanois, 1966), du *Tueur* (Denys de La Patellière, 1971) et de *L'affaire Dominici* (Claude-Bernard Aubert, 1973) interprétés par Jean Gabin.
4. Interview de Michel Delain, *L'Express* (12 septembre 1973).

CHAPITRE 17. *Nul ne sait ni le jour ni l'heure.*

1. Gerty Colin, *Jean Gabin* (Presses de la Cité).

REMERCIEMENTS

Je remercie Dominique Gabin et lui exprime mon affectueuse reconnaissance pour la précieuse et amicale collaboration qu'elle a bien voulu apporter à ce livre.

Je remercie Florence, Valérie et Mathias Moncorgé.

Et Jacques Fournier.

Ainsi que Guy Ferrier, Nicole et Robert Klotz.

Également Robert et Germaine Moncorgé.

J'adresse mes plus vifs remerciements à tous ceux qui ont accepté de me recevoir et de me donner leur témoignage : Pierre Charmat, Gaby Basset, Jean Sablon, Madeleine Renaud, Jean-Pierre Aumont, Annabella, Michèle Morgan, Denise Tual, Raoul Ploquin, Alexandre Trauner, Pierre Prévert, Louis-Émile Galey, Jean-Louis Tixier-Vignancour, Dan Gélinet, Gilles Grangier, Colette Mars, Lino Ventura, Jean Serge, Gaston Pouzaud, Jean-Paul Guibert, Christine Audiard, Henri Verneuil, Jacques Bar, Antoine Pinay, Alain Delon, Bernard et Jacqueline Odolant, Georges Cravenne.

J'ai une pensée particulière pour ceux, aujourd'hui disparus, dont les témoignages posthumes figurent cependant dans ce livre : Jean Grémillon, Louis Berger, Jeanne Witta, Charles Spaak, Jacques Becker, Jacques Prévert, Pierre Mac Orlan, Micheline Bonnet, Jean Renoir.

Mes remerciements et ma reconnaissance à tous ceux dont j'ai utilisé des textes ou dont les livres et les articles m'ont apporté de si précieuses informations : Marcel Bleustein-Blanchet, Marcel Dalio, Georges Tabet, Jeanne Witta, Jean Sablon, Jacques Lorcey, Raymond Chirat, Philippe Barbier, Jacques Moreau, Didier Daix, Jean-Pierre Aumont, Jean-Claude Missiaen, Jacques Siclier, Jean Tulard, Geneviève Guillaume Grimaud, Raymond Maggiar, Brassaï, Gilles Grangier, Roger Régent, Daniel Gélin, Gerty Colin, Claude-Jean Philippe, Claude Gauteur, André Bernard, Maurice Bessy, Michel Delain, Jean Renoir, Celia Bertin, Michèle Morgan, Charles Higham, Françoise Giroud, Henri Agel, Denise Tual, Marcel Carné, Violette Leduc, Pierre Brasseur, Jacques Prévert, Arletty, Pierre Monnier, Pierre Chenal, Marlène Dietrich, Pascal Jardin, Jean-Loup Dabadie, Léo Ferré, Simone Signoret.

Que leurs éditeurs soient également remerciés.

TABLE DES MATIÈRES

Achevé d'imprimer le 16 novembre 1987
sur presse CAMERON
dans les ateliers de la S.E.P.C.
à Saint-Amand-Montrond (Cher)
pour le compte des Éditions Robert Laffont
6, place Saint-Sulpice - 75279 Paris Cedex 06

Dépôt légal : décembre 1987.
N° d'édition : 30697. N° d'impression : 2000-1434.